Steindachner, Fran

Annalen des Naturhistorischen Museums in Wien

16. Band

Steindachner, Franz

Annalen des Naturhistorischen Museums in Wien

16. Band

Inktank publishing, 2018

www.inktank-publishing.com

ISBN/EAN: 9783747776384

All rights reserved

ANNALEN

DES

K. K. NATURHISTORISCHEN HOFMUSEUMS.

REDIGIERT

VON

DR. FRANZ STEINDACHNER.

XXVI. BAND — 1912.

(MIT 6 TAFELN UND 120 ABBILDUNGEN IM TEXTE.)

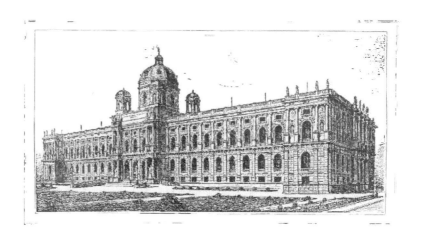

WIEN. 1912.

ALFRED HÖLDER

K. UND K. HOF- UND UNIVERSITATS-BUCHHÄNDLER
BUCHHÄNDLER DER KAISERLICHEN AKADEMIE DER WISSENSCHAFTEN

INHALT.

Anatomische Untersuchungen argentinischer Hölzer des k. k. naturhistorischen Hofmuseums in Wien.

Von

Dr. Alfred Burgerstein.

Im Jahre 1910 erhielt das k. k. naturhistorische Hofmuseum in Wien vom Ingenieur Karl Schuel eine größere Anzahl zumeist determinierter Hölzer, die derselbe in Argentinien gesammelt hatte. Da nahezu keine einzige dieser Holzarten rücksichtlich des anatomischen Baues bisher bekannt war, entschloß ich mich zu deren mikroskopischer Untersuchung. Diese wurde mir dadurch ermöglicht, daß der Vorstand der botanischen Abteilung des Museums, Herr Kustos Dr. Alexander Zahlbruckner, mir das Material bereitwilligst zur Verfügung stellte.

Den im folgenden mitgeteilten Resultaten meiner Arbeit möchte ich nur einige Erläuterungen vorausschicken: Die nach dem lateinischen Namen der Pflanzenart unter Anführungszeichen stehende Bezeichnung entspricht (nach Schuel) ihrem argentinischen Vulgärnamen. Der beigesetzte Verbreitungsbezirk ist den Angaben des Index Kewensis entnommen. Herr Ingenieur Schuel hatte in Argentinien von Teilen der Stammpflanzen der Holzproben hübsche Aquarellskizzen entworfen und diesen Bemerkungen über Größe der Bäume, ihr Vorkommen, Zeit der Blüte und Fruchtreife, Verwendung u. a. beigefügt. Da diese Notizen Beiträge zur näheren Kenntnis der betreffenden Holzgewächse liefern, habe ich dieselben in die vorliegende Abhandlung aufgenommen. Die im Texte vorkommenden und nicht besonders benannten Maßzahlen bedeuten Mikromillimeter; beispielsweise ist die Angabe: Höhe der Markstrahlzellen 14—25 zu verstehen: 0·014—0·025 mm.

Von der umfangreichen xylotomischen Literatur werden folgende Arbeiten zitiert: Bargagli-Petrucci, Sulla struttura del legami raccolti in Borneo dal O. Beccari. (Malpighia 17. Bd. 1902.) — Burgerstein A., Anatomische Untersuchungen samoanischer Hölzer. (Denkschr. d. k. Akad. d. Wissensch. Wien Math.-nat. Kl. 84. Bd. 1908.) — Foxworthy W., Philippine woods. (The Philippine Journal of science. Botany. 2. Bd. Manila 1907.) — Höhnel Fr. v., Über stockwerkartig aufgebaute Holzkörper. (Sitzber. d. k. Akad. d. Wissensch. Wien. Math.-nat. Kl. 89. Bd. 1884.) — Jaensch Th., Zur Anatomie einiger Leguminosenhölzer. (Ber. D. Bot. Ges. Berlin 2. Bd. 1884). — Janssonius H., Mikrographie des Holzes der auf Java vorkommenden Baumarten. (Leyden Brill 1906—1908.) — Molisch H., Vergleichende Anatomie des Holzes der Ebenaceen und ihrer Verwandten. (Sitzber. d. k. Akad. d. Wissensch. Wien. Math.-nat. Kl. 80. Bd. 1879.) — Möller Josef, Beiträge zur vergleichenden Anatomie des Holzes. (Denkschr. d. k. Akad. d. Wissensch. Wien 36. Bd. 1876.) — Piccioli L., I caratteri anatomici per conoscere i principale legami adoperati in Italia. (Bollet. dei Labor. ed

7

orto Botan. Siena 1906.) — Saupe A., Der anatomische Bau des Holzes der Legu-
minosen. (Flora 70. Jahrg. 1887.) — Vogl A., Untersuchungen über den Bau und das
mikroskopische Verhalten der wichtigsten Farbhölzer des Handels. (Lotos Prag 23. Jahrg.
1873.) — Wiesner J., Die Rohstoffe des Pflanzenreiches; «Holz». (Leipzig Engel-
mann 1873.) — Wilhelm K., «Hölzer». (In Wiesners «Rohstoffe» 2. Aufl. 2. Bd. 1903.)
— Außerdem wäre bei den einzelnen Gattungen oder Familien das an xylotomischen
Angaben so überreiche Werk von H. Solereder: Systematische Anatomie der Dico-
tyledonen (Stuttgart Enke 1899) und Ergänzungsband (1908) einzusehen.

Amaranthaceen.

Achatocarpus bicornutus Schinz. «Palo mataco». Paraguay. In Argentinien
fast überall verbreitet. Höhe bis 7, Schaft bis 3, dessen Durchmesser bis 0·4 m. Blüht
im November, reift im Februar. Die Rinde liefert schwarzen Farbstoff.

Holz bräunlich, von mittlerer Härte. Unter der Lupe sieht man am Querschnitt
feine, dicht stehende Markstrahlen und äußerst kleine, lichte Fleckchen. Zuwachszonen
nur undeutlich hervortretend.

Gefäße einzeln oder zu zwei bis drei in radialer Reihung, ziemlich gleichmäßig
über den Querschnitt verteilt, englichtig. Häufigster Wert des Querdurchmessers 27--57,
im Mittel 37; mit sehr kleinen, etwa 0·003 mm breiten Hoftüpfeln. Das Lumen meist
durch eine gelbe Masse verstopft. — Prosenchymfasern bilden die Hauptmasse des
Holzes; ihre Lichte schwankt von 5—20; je enger das Lumen, desto stärker ist die
Dicke der Wand; sie sind teilweise oder vollständig mit kleinen, kreisrunden Stärkekörnern erfüllt. — Holzparenchym spärlich; der radiale Durchmesser beträgt im
Mittel 15; Wände mit zahlreichen einfachen Poren. — Markstrahlen zumeist ein- bis
zweischichtig. Zellen 13—26, im Mittel 19 hoch; Wand mit kleinen, hoflosen Tüpfeln;
im Inhalt kleinkörnige Stärke, ab und zu auch ein großer Oxalatkristall.

Anacardiaceen.

Lithraea molleoides Engl. «Molle de Cordoba.» Brasilien, Chile. In Argentinien am Ufer von Sümpfen und Bächen. Höhe bis 17, Schaft bis 5, dessen Durchmesser bis 1 m. Blüht im März. Die Blätter geben schweißtreibenden Tee.

Holz bräunlichweiß, am Querschnitt lichtbraun; Kernholz fast schwarz und äußerst
hart. Unter der Lupe erscheinen am Querschnitt konzentrische lichtbraune, schwach
hervortretende Binden, dicht beisammenstehende lichte Fleckchen; ferner die Markstrahlen als feine Linien.

Gefäße einzeln oder in Gruppen von drei bis fünf; englichtig; häufigster Querdurchmesser 40—70, im Mittel 50; an den Längswänden ein derbes Schraubenband
und kleine, querovale (0·006 mm) Hoftüpfel, in Berührung mit der Markstrahlwand
große, einfache Poren. — Prosenchymfasern bilden die Hauptmasse des Holzes;
Wanddicke 4—5, radiale Breite 7—22, im Mittel 19. Diese Holzzellen sind vollgepfropft
mit Stärkekörnern, welche die verschiedensten Formen haben: kugelig, eiförmig, ellipsoidisch, kaffeebohnenförmig, als gerade oder gekrümmte, bis 4·5 lange Stäbchen. —
Kristallkammerfasern häufig in ein bis zwei Reihen bis 400 Länge. Als Inhalt
große (bis 26 × 40) prismatische Oxalatkristalle. — Markstrahlen ein- bis dreischichtig;
gewöhnliche Höhe 200—300; die mehrschichtigen Strahlen setzen sich öfter an den
Enden (Kanten) in längere, einschichtige Teile fort, deren Zellen häufig Einzelkristalle
führen; bisweilen sieht man am Tangentialschnitt zwei mehrschichtige Strahlen durch

eine einschichtige, kristallführende Zellreihe verbunden, resp. man sieht Markstrahlen, die stellenweise ein-, stellenweise zweischichtig sind. Zellen 13—26, im Mittel 20 hoch mit äußerst kleinen, einfachen, an angrenzenden Gefäßwänden mit großen Tüpfeln. Im Inhalt Stärkekörner von verschiedener Form und Größe, hin und wieder ein großer Einzelkristall. — Im Kernholz sind die Zellwände braun gefärbt, das Lumen der Zellen und Gefäße erfüllen schwarze Inhaltsmassen.

Schinopsis (Quebrachia) Lorentzii Engl. «Quebracho colorado.» Argentinien.

Daselbst strichweise auf trockeneren Stellen. Höhe bis 3o, Schaft bis 15, dessen Durchmesser bis 1·8 m. Blüht im März, reift von Mai bis Juni. Das Holz enthält bis 25 Prozent Gerbstoff.

Das schwere Holz hat bräunlichweißen Splint und lichtkastanienbraunen, sehr harten Kern. Am Querschnitt erscheinen Zuwachsstreifen, die am Kernholz als scharf hervortretende, von konzentrischen, dunkel gefärbten Zonen begrenzte Kreisringe sich zeigen. Unter der Lupe sind die Markstrahlen erkennbar; ferner dicht angeordnete, weiße Punkte (vom Parenchym umgebene Gefäßporen).

Gefäße einzeln oder zu zweien oder dreien; Lumen von mittlerer Weite, zumeist 90—130, durchschnittlich 100; dickwandig, mit querovalen, etwa 0·008 mm breiten Hoftüpfeln. Die Gefäßlumina des Kernholzes durch Thylien verstopft. — Libriform aus dickwandigen Zellen gebildet; durchschnittliche radiale Breite 11; Wand mit kleinen, schief spaltenförmigen Tüpfeln. — Holzparenchym perivasal und in einschichtigen, tangentialen Reihen die Markstrahlen verbindend, dünnwandig; mittlere radiale Breite 18. — Markstrahlen drei-, vier-, seltener ein- oder zweireihig, meist 220—260 lang. Zellen durchschnittlich 15 hoch, dünnwandig, einfach getüpfelt. Außer den gewöhnlichen Markstrahlen treten vereinzelt große, 0·3—0·5 mm lange und 0·1 mm breite vielzellige (sechs- bis siebenschichtige) Strahlen auf, mit einem zentralen oder zwei (ungleich weiten) exzentrisch liegenden Sekretgängen («gangartigem Zwischenzellraum» nach Wilhelm). In den Zellen des Strahl- und Strangparenchyms massenhaft (das Zelllumen ausfüllend) große Stärkekörner von kugeliger, ovoidischer, polyedrischer oder prismatischer Form, prismatische (stabförmige) Amylumkörper, außerdem eisenbläuender Gerbstoff.

Wilhelm beschreibt (l. c., p. 964) das «rote Quebrachoholz» und bemerkt: «Das rote Quebrachoholz, Quebracho colorado, ist das Kernholz südamerikanischer Schinopsis-Arten und wird hauptsächlich von Sch. Balansae Engl. in den Urwäldern Paraguays und von Sch. Lorentzii Engl. in Argentinien geliefert.» — Wegen des hohen Gerbstoffgehaltes dient das «Quebrachoholz» zur Herstellung gerbstoffreicher Extrakte. Auf welches der beiden genannten Schinopsis-Arten sich der von Wilhelm beschriebene «mikroskopische Charakter» bezieht, wird nicht angegeben. Meine Befunde an Schinopsis Lorentzii stimmen im wesentlichen mit jenen von Wilhelm überein; es ist übrigens sehr wahrscheinlich, daß im histologischen Bau des Holzes zwischen Sch. Lorentzii und Sch. Balansae wesentliche Unterschiede nicht bestehen dürften.

Schinus (Duvana) fasciculata Aut.? «Molle blanca.» In Argentinien überall

eingesprengt. Höhe bis 8, Schaft bis 4, dessen Durchmesser bis 0·5 m. Blüht im Dezember. Die Blätter liefern einen schweißtreibenden Tee, das im Holz entstehende Gummi wird als Zugpflaster verwendet.

Holz ziemlich leicht und weich, mit bräunlichweißem Splint und braunem Kern; in letzterem dunklere konzentrische Zonen, die aus kleinen Strichelchen zusammengesetzt erscheinen.

1*

Gefäße sehr zahlreich, meist zu sechs bis zwölf ohne bestimmte Anordnung zu Gruppen verbunden; englichtig. Häufigster Wert des Querdurchmessers 35—50, im Mittel 46. Wände mit derber, schraubiger Verdickung und quergestellten, voneinander oft weit abstehenden, 0·009 mm breiten Hoftüpfeln. — Prosenchymgewebe in schmalen Bündeln zwischen den Gefäßen und Gefäßgruppen; im Frühholz weiterlichtig (Mittel 15) mit wenig verdickter, im Spätholz englichtig (Mittel 10), mit stark verdickter Wand; im Inhalt ein- oder zweireihig angeordnet, rundliche oder längliche Stärkekörner. — Markstrahlen ein- bis dreischichtig, bis 600 lang. Manche mehrschichtige Strahlen verschmälern sich an den Enden fast unvermittelt zu einschichtigen Kanten; in einzelnen mehrschichtigen, bis 0·8 mm langen Strahlen ein oder zwei Sekretbehälter (Gummi?); Zellen durchschnittlich 15 hoch; Wand fein getüpfelt; auch in Berührung mit Gefäßwänden unbehoft getüpfelt. Inhalt Stärke.

Schinus (Duvana) dependens Orteg. «Molle Colorado.» Brasilien. In Argentinien überall eingesprengt. In den Dimensionen, im Habitus, Blütezeit und Verwendung der Blätter und des Gummi mit *Schinus fascicularis* übereinstimmend.

Der anatomische Bau des Holzes ist typisch derselbe wie bei *Schinus fascicularis*. Die Gefäße sind etwas enger (im Mittel 40), die mittlere radiale Breite des Prosenchyms etwas kleiner (13); die sekretführenden Markstrahlen werden bis 0·6 mm hoch. Piccioli (l. c., p. 141) macht xylotomische Angaben über *Schinus molle* L.

Apocynaceen.

Aspidosperma Quebracho Schlecht. «Quebracho blanco.» America austr. In Argentinien auf trockenen Stellen der Ebene. Höhe bis 25, Schaft bis 12, dessen Durchmesser bis 1·2 m. Blüht im Jänner, reift im April. Die Rinde wird gekocht als Abführmittel und auch gegen Fieber verwendet; liefert auch Gerbstoff.

Holz von mittlerer Härte und Schwere. Der Lupenquerschnitt zeigt auf braunem Grunde wellig gebogene, mehr oder weniger konzentrische Binden und dicht beisammen stehende weiße Punkte (von Parenchym umgebene Gefäßporen); diese treten in der Spätzone des Holzes in geringerer Häufigkeit auf. Die Markstrahlen sind deutlich erkennbar. Das Holz hat einen bitter-herben Geschmack.

Gefäße in der Regel meist einzeln stehend, Lumendurchmesser meist 90—150, im Mittel 120; Glieder kurz. Wände stark verdickt, mit sehr kleinen (0·004 mm) Hoftüpfeln, auch in Berührung mit Markstrahlzellwänden. — Fasertracheiden die Hauptmasse des Holzes bildend; mittlere radiale Breite 18; Wand mehr oder weniger stark, mit kleinen Hoftüpfeln, besonders an der Tangentialseite. — Holzparenchym reichlich; perivasal und zwischen den Fasertracheiden unregelmäßig verteilt in einreihigen Zügen von durchschnittlich 22 breiten Zellen. Die Holztracheiden und Holzparenchymzüge zeigen in ihrem Verlaufe häufig Krümmungen. — Markstrahlen drei- bis fünfschichtig, meist 200—300 hoch. Zellen wenig verschieden in der Höhe, im Mittel 16, mit einfachen, in Berührung mit der Gefäßwand behöften Tüpfeln. Im Inhalte der Strang- und Strahlparenchymzellen ein roter, feinkörniger, im Alkohol unlöslicher Inhalt, Stärke und Gerbstoffkugeln.

Wilhelm beschreibt (l. c., p. 999) den mikroskopischen Charakter des Holzes von *Aspidosperma Vargasii* DC. und (p. 1000) von *Asp. Quebracho*. Meine Befunde an dem mir vorliegenden Holz von *Asp. Quebracho* stimmen im wesentlichen mit jenen des genannten Autors überein. Nur bezüglich des Zellinhaltes besteht eine Differenz.

Wilhelm sagt: «In den Markstrahlen ein gelblicher, in Alkohol löslicher Inhalt, zum Teil in Tropfen.» — Ein zweites mir zur Verfügung gestandenes Holzstück, das nach den Aufzeichnungen des Ing. Schuel einer noch wenig bekannten Varietät von *Aspidosperma Quebracho* (mit kürzeren Blättern) «Horco Quebracho blanco» zugehört, zeigte im wesentlichen denselben histologischen Bau; die Markstrahlen erwiesen sich als zwei- bis vierschichtig.

Vallesia glabra Lk. (*V. cymbaefolia* Ortega). «Ancochi.» Tropisches Amerika. In Argentinien als baumartiger Strauch häufig und fast überall verbreitet. Höhe bis 7, Schaft bis 3, dessen Durchmesser bis 0·3 m. Blüht und fruchtet während des ganzen Sommers. Die zerdrückten Blätter auf Wunden des Viehes gelegt, töten die Maden. Die Früchte werden von Vögeln verzehrt.

Holz lichtbraun, ziemlich leicht und weich, von bitter-herbem Geschmack. Der Querschnitt zeigt konzentrische Streifen. Die Gefäßporen und Markstrahlen treten undeutlich hervor.

Gefäße zumeist einzeln stehend und im Holze ziemlich gleichmäßig verteilt. Querschnitt oft eine schmale Ellipse mit radial gelegener Längsachse; deren Länge am häufigsten 70—111, im Mittel 90. Glieder kurz. Wand mit sehr kleinen (0·004 mm), sich oft nicht berührenden, kreisförmig behöften Tüpfeln, auch in Berührung mit Markstrahlen. — Tracheiden dünnwandig, von durchschnittliah 19 radialer Breite, mit zahlreichen kreisförmigen Hoftüpfeln. — Holzparenchym im Holze unregelmäßig zerstreut, auch perivasal, reichlich und in meist einschichtigen Zellreihen. Zellen im Mittel 110 lang und 28 breit. — Kristallkammerfasern begleiten die Züge des Strang- und Strahlparenchyms. Kantenlänge der prismatischen Kristalle zumeist 21—25. — Markstrahlen ein- bis fünfschichtig. Zellhöhe bei einschichtigen Strahlen im Mittel 32, bei mehrschichtigen 19. Wand reich getüpfelt. In den parenchymatischen Holzanteilen reichlich runde Stärkekörner und brauner (gerbstoffhältiger?) Inhalt.

Araliaceen.

Pentapanax angelicifolium Griseb. «Paraizo.» America austr. In Argentinien auf trockenen Stellen. Höhe bis 12, Schaft bis 5, dessen Durchmesser bis 0·8 m. Blüht im Dezember, reift im April.

Holz weich, ziemlich leicht, mit graulichweißem Splint und lichtbraunem Kern. Auf dem Querschnitt sieht man konzentrische, etwa 1·5 mm breite Zonen, die große Gefäßporen enthalten; Holz also ringporig. Zwischen diesen Gefäßporen sind unter der Lupe auf lichtbraunem Grunde weiße Fleckchen und die Markstrahlen wahrnehmbar.

Gefäße meist einzeln, dickwandig; Durchmesser der ringporig liegenden zumeist 130—230, im Mittel 190; Längswände mit sehr zarter Streifung und sehr kleinen (0·0055 mm), querovalen Tüpfeln, die durch größere Wandstücke voneinander getrennt sind. — Libriform, die Hauptmasse des Holzes bildend; Fasern dickwandig, im Mittel 16 breit. Holzparenchym perivasal, Zellen im Mittel 21 radial breit, dünnwandig, mit einfachen, in Berührung mit Gefäßwänden mit behöften Tüpfeln. — Markstrahlen ein- bis siebenschichtig, die meisten 220—350 hoch; Zellen von ziemlich gleicher Höhe, im Mittel 17. — Im Strang- und Strahlparenchym in großer Menge Stärkekörner von kugeliger oder ellipsoidischer Form; in den Markstrahlzellen auch körnige, braune Inhaltsmassen.

Betulaceen.

Alnus Spachii Aut.? «Aliso.» In Argentinien im Gebirge vorkommend. Baum bis 15 m, Schaft bis 5, dessen Durchmesser bis 0·4 m. Reift im März.

Holz lichtbraun, leicht, weich, sehr gut schneidbar. Außer den Zuwachsstreifen ist auch unter der Lupe fast keine Gewebedifferenz sichtbar.

Gefäße einzeln oder zu mehreren radial geordnet. Querdurchmesser meist 53 —73, im Mittel 65; Wände mit dicht gedrängt stehenden, querovalen (0·005 mm) breiten Hoftüpfeln; in Berührung mit Markstrahlen einfache Poren. Gefäßglieder mit leiterförmig durchbrochenen Querwänden. — Prosenchymzellen mit spärlichen Tüpfeln. Radiale Breite im Mittel 20, in der schmalen Spätholzzone nur 10. — Holzparenchym in einreihigen Zügen von durchschnittlich 90 hohen und 18 breiten Zellen; reich getüpfelt. — Markstrahlen in großer Zahl, oft nahe beieinander stehend, einschichtig, bis 0·600 lang und bis 30 Zellen hoch. Zellen in Höhe wenig verschieden, im Mittel 19. Wand mitteldick, reich getüpfelt. In den parenchymatischen Holzanteilen rotbrauner, in Alkohol unlöslicher, in Eisenchlorid löslicher und sich verfärbender Inhalt.

Die Anatomie dieses Holzes stimmt im wesentlichen mit den Befunden von Wiesner (l. c., p. 596) und Wilhelm (l. c., p. 885) an *Alnus incana* Willd. und *Al. glutinosa* Gaertn. Außerdem findet man xylotomische Angaben bei Möller (p. 317) über *Al. incana*, bei Piccioli (p. 134) über *Alnus cordifolia* Ten., *Al. glutinosa*, *Al. incana* und *Al. viridis* DC.

Bignoniaceen.

Tecoma flavescens Mart. «Palo cruz.» Argentinien. Daselbst an trockenen Stellen und Salzblößen. Höhe bis 18, Schaft bis 12, dessen Durchmesser bis 1 m. Blüht im Oktober und Februar. Blüten dottergelb.

Holz bräunlichweiß, ziemlich weich. Unter der Lupe erkennt man am Querschnitt nahe beieinander liegende, aus Pünktchen und aus Strichelchen zusammengesetzte Ringe und (undeutlich) die Markstrahlen.

Gefäße in reicher Menge, in tangentialen Schichten dicht aneinander gelagert (ringporig), meist einzeln, seltener zu zweien oder dreien; Durchmesser meist 57—90, im Mittel 65. Querwände dünn. An den Längswänden kleine (0·007 mm) Tüpfel mit zartem, fast kreisförmigem Hof. — Libriform mitteldickwandig, mittlere radiale Breite der Fasern 14. — Holzparenchym perivasal, auf dem Radialschnitt in ein- bis dreischichtigen Zellenzügen zwischen dem Libriform erscheinend. Zellen von meist 24 radialer Breite; Wand mit unbehöften, im Kontakt mit Gefäßen mit behöften Tüpfeln. — Markstrahlen meist 150—220 hoch, fast durchgehends zweischichtig. Zellen in der Höhe (durchschnittlich 18) wenig differierend, reich getüpfelt. Im Inhalt kleine, runde Stärkekörner.

Tecoma (Stenolobium) garrocha Hieron. «Arrayan blanco.» Argentinien. Daselbst längs der Gebirgsbäche. Baum bis 10 m Höhe; Schaft bis 4, dessen Durchmesser bis 0·3 m. Blüht im September, reift im Jänner. Die Frucht wird gegessen.

Holz hart und ziemlich schwer, mit lichtbraunem Splint und schwarzbraunem Kern. Auf lichterem Grunde erscheinen konzentrische, schmale, dunkle Zuwachsstreifen.

Gefäße einzeln stehend, in großer Menge vorhanden, dickwandig; radialer Durchmesser meist 40—50, im Mittel 45; Wand mit kleinen, querovalen Hoftüpfeln, in den Gefäßen des Kernholzes ein gelbbrauner Inhalt. — Libriform dickwandig, mittlere radiale Breite der Fasern 11. — Holzparenchym in tangentialen Binden; Zellen im Mittel 22 breit, mit zahlreichen längsgestellten, ovalen Tüpfeln. — Kristallkammerfasern in geringer Menge; Kristalle am Radialschnitt mit fünf- oder sechseckigen Flächen. — Markstrahlen ein- oder zweischichtig, niedrig, zumeist nur 90—130 hoch; Zellen niedrig (etwa 12) und schmal; die Kantenzellen oft mehr als doppelt so hoch.

Tecoma (Stenolobium) stans Seem. «Heuaran huary.» In Argentinien an tieferen Stellen. Höhe bis 7, Schaft bis 4, dessen Durchmesser bis 0·35 m. Blüht im Jänner, reift im April. Die Rinde dient als Mittel gegen Kopfschmerz.

Holz lichtbraun, leicht, weich. Die Lupe zeigt am Querschnitte Zuwachsstreifen und dichtstehende lichte Punkte. (Von Parenchym umhofte Gefäßporen.)

Gefäße einzeln, zu zweien oder dreien in radialen Reihen. Durchmesser meist 90—115, im Mittel 95. Wand mit querovalen behöften, an den Markstrahlen einfachen Tüpfeln. — Libriform mitteldickwandig; mittlere radiale Breite der Fasern 18. — Holzparenchym perivasal, mittlere radiale Breite 24. — Markstrahlen bis 700 hoch, zweischichtig, an den Kanten einschichtig. Zellen dünnwandig, niedrig (im Mittel 15) und schmal.

Wiesner (l. c., p. 589) hat den anatomischen Holzbau von *Bignonia leucoxylon*, Möller (l. c., p. 357) jenen von *Tecoma radicans* Juss. beschrieben.

Borragineen.

Saccellium lanceolatum Humb. et Bonpl. «Guayavi.» Peru. In Argentinien vereinzelt im Walde. Höhe bis 18, Schaft bis 6, dessen Durchmesser bis 1 m. Blüht im Februar, reift im April.

Holz von mittlerer Härte und Schwere. Der Querschnitt zeigt auf bräunlichweißem Grunde wellig gebogene konzentrische Zonen, die durch dunklere kleine Strichelchen und Punkte gebildet werden. Markstrahlen sind unter der Lupe eben noch erkennbar.

Gefäße meist in zwei- bis fünfzähligen Gruppen in ringporiger Anordnung. Querdurchmesser meist 40—70, im Mittel 58; Wand mit sehr kleinen Hoftüpfeln. — Libriformfasern durchschnittlich 18. — Tracheiden (mit sehr kleinen Hoftüpfeln) von etwas geringerer radialer Breite. — Holzparenchym perivasal, in ein- bis fünfreihigen Zellenzügen. — Markstrahlen mächtig entwickelt, bis 1 mm hoch und 0·12 mm breit, drei- bis siebenzellig. Zellen dünnwandig, getüpfelt, von sehr ungleicher Höhe und Breite. Zwischen niederen (liegenden) Zellen von durchschnittlich 17 Höhe findet man oft ein bis drei Reihen hoher (stehender) Zellen von durchschnittlich 35 Höhe. Die (tangentiale) Breite schwankt etwa von 26—90. — Die Zellen des Strahl- und Strangparenchyms sind mit runden Stärkekörnern erfüllt.

Cactaceen.

Pereskia sacharosa Griseb. (*P. aculeata* Mill). «Saccharosa.» Westindien. In Argentinien auf feuchteren Stellen des Hügellandes. Höhe bis 8, Schaft bis 4, Durchmesser bis 0·4 m. Blüht im Jänner, reift im März.

Holz leicht, weich. Am Querschnitt sieht man braune, fast gleich breite Markstrahlen; am Tangentialschnitt erscheinen sie als langgestreckte, bikonvexe, matte Streifen zwischen dem helleren, glänzenden Holzgewebe.

Gefäße einzeln oder zu zweien oder in Gruppen von drei bis fünf, und dann innerhalb der Gruppe von sehr verschiedener Lichte. Durchmesser der einzeln auftretenden Gefäße zumeist 65—110, im Mittel etwa 86. Hoftüpfel etwa 0·007 mm, mit querliegendem, scharf konturiertem Porus. In Berührung mit parenchymatischen Holzelementen langgestreckte, bis 26 breite, einfache Poren. — Tracheiden untergeordnet, dünn oder mitteldickwandig; mittlere radiale Breite 21; an den Längswänden Tüpfel mit kreisrundem Hof und schiefspaltigem Porus. — Holzparenchym in reichlicher Menge, niemals perivasal, mit sehr kleinen, in Berührung mit Gefäßwänden mit großen, langgezogenen Tüpfeln. Mittlere radiale Breite 30. — Markstrahlgewebe mächtig entwickelt, einen wesentlichen Anteil an der Zusammensetzung des Holzes nehmend. Markstrahlen mehrschichtig, bis 1·75 mm lang und (tangential) 100 — 300 hoch; Markstrahlzellhöhe groß; die der Randzellen bis 90, der Endzellen bis 110. Durchschnittliche Höhe der Mittelzellen 54. Die parenchymatischen Zellen (Strang- und Strahlparenchym) sind mit auffallend großen Amylumkörnern vollgepfropft. Diese sind entweder kreisförmig bis zum Durchmesser von 33 oder ellipsoidisch bis 45×55; oft gegenseitig polyedrisch abgeflacht. Außerdem treten große, rhomboedrische Kristalle mit einer Kantenlänge bis 40 auf.

Möller hat (p. 370) das «ansehnlich harte» Holz einer *Pereskia* sp. beschrieben.

Capparideen.

Atamisquea emarginata Miers. «Atamisque.» Chile. In Argentinien fast an allen trockenen Orten. Baumartiger Strauch bis 4, Schaft bis 2, dessen Durchmesser bis 0·2 m. Blüht im November, reift im Februar. Die Blätter werden zu Bädern gegen Rheumatismus benützt.

Holz von bräunlicher Farbe und mittlerer Härte. Der Querschnitt zeigt undeutliche Zuwachsstreifen und die Markstrahlen als lichte Linien.

Gefäße zumeist einzeln oder zu zweien, dickwandig, das Lumen stellenweise durch eine gelbe Masse verstopft. Gefäßglieder kurz; Hoftüpfel sehr klein. — Tracheiden die Hauptmasse des Holzes bildend. Zellen dünnwandig, im Spätholz stärker verdickt. Lumen 8—13. Wand mit kleinen, spärlichen Hoftüpfeln. — Holzparenchym untergeordnet, perivasal; mittlere radiale Breite 18. — Markstrahlen zwei- bis fünfschichtig, bis 750 hoch und bis 80 breit. Zellen dünnwandig, im Mittel 16 hoch, mit vielen sehr kleinen Tüpfeln. Im Inhalt sehr häufig kleine (Kantenlänge etwa 10), rhomboederähnliche Kristalle.

Capparis retusa Griseb. «Sacha-Poroto.» America austr. In Argentinien auf trockenen Stellen. Höhe bis 8, Schaft bis 4, dessen Durchmesser bis 0·4 m. Blüht im Dezember, reift im Februar. Die Frucht ist genießbar.

Holz licht bräunlichweiß, von mittlerer Härte und Schwere. Unter der Lupe erscheinen am Querschnitt hell umrandete Gefäßporen und die Markstrahlen.

Gefäße zumeist gruppenweise, bis acht in radialer Anordnung miteinander verbunden und dann die inneren tangential stark abgeflacht. Häufigster Lichtendurchmesser 35—44, im Mittel 40. Wand mit sehr kleinen (0·003 mm) Hoftüpfeln. — Dünnwandiges englichtiges Prosenchymgewebe die Hauptmasse des Holzes bildend. Zellen vollgefüllt mit ovalen oder ellipsoidischen (13×9) oder stabförmigen (18×5) Stärkekörnern. — Holzparenchym untergeordnet, perivasal; durchschnittliche Zellbreite 23. — Markstrahlen drei- bis fünfschichtig; einzelne (selten vorkommend) mit einem gangartigen Interzellularraum (Sekretgang?). Zellen dünnwandig, 17 hoch; im Inhalt große Mengen von Amylum.

Jansonius (l. c. I, p. 179 ff.) hat ausführlich den anatomischen Bau des Holzes von *Capparis acuminata* Willd., *C. micrantha* DC. und *C. subacuta* Miq. beschrieben. Möller (l. c., p. 370) macht Angaben über *Capparis linearis* Jacq.

Capparis speciosa Griseb. «Sacha Limon.» Argentinien. Daselbst im Hügellande verbreitet. Höhe bis 17, Schaft bis 9, dessen Durchmesser bis 1 m. Blüht im Jänner, reift im März.

Holz ziemlich hart und schwer. Unter der Lupe erscheinen im Querschnitte auf lichtbraunem Grunde weißliche Punkte (von Holzparenchym umsäumte Gefäßporen) und zarte Markstrahlen.

Gefäße einzeln oder in Gruppen zu zwei bis drei, dickwandig; gewöhnlicher Durchmesser 55—98, im Mittel 70; Gefäßglieder kurz. Längswände mit dichtstehenden, querovalen (0·009 mm) Tüpfeln. Im Inhalt Thyllen. - Dickwandiges Libriform die Hauptmasse des Holzes bildend; radiale Breite der Fasern im Mittel 11. — Holzparenchym in tangentialen Streifen (meist einreihig) und perivasal. Zellen dünnwandig, klein getüpfelt, durchschnittlich 21 hoch. — Markstrahlen ein- bis dreischichtig, bis 550 hoch und 13—23 breit. Außerdem treten vereinzelt mehrschichtige (fünf- bis siebenschichtige), in der Mitte 80—90 breite Strahlen auf, die einen zentralen, etwa 50 weiten gangartigen Interzellularraum (Sekretgang?) enthalten. Höhe der Markstrahlzellen 13—26, der Kantenzellen 35—52. Wand mit kleinen, in Berührung mit Gefäßwänden mit großen, 13—22 langen, quergestellten, hoflosen Tüpfeln. Im Inhalt grobkörnige Stärke und vereinzelt Kristalle von 40 Kantenlänge.

Caprifoliaceen.

Sambucus peruviana H. B. et K. «Molulu» («Sauco»). Peru. In Argentinien auf tiefen und feuchten Stellen. Höhe bis 8, Schaft bis 3, dessen Durchmesser bis 0·4 m. Blüht im Jänner. Die Blätter werden als Heilmittel für Wunden, die Blüten als Hustentee benützt.

Holz licht gelblichbraun, leicht und sehr weich. Der Lupenquerschnitt zeigt derbe Markstrahlen und kleine Gefäßporen.

Gefäße einzeln oder zu zweien oder in unregelmäßigen Gruppen gehäuft. Da letztere nahe beisammen stehen, die Gefäße verschiedene, oft unregelmäßige Querschnittsformen haben, bilden die Gefäße am mikroskopischen Holzquerschnitte stellenweise ein förmliches Netzwerk. Gefäßdurchmesser meist 60—90, im Mittel 75. Wand mit dichtstehenden, breitelliptischen, besonders an der Tangentialwand des Gefäßes sich oft gegenseitig abflachenden (0·009 mm) Hoftüpfeln. — Weitlichtige, dünnwandige Tracheiden bilden die Hauptmasse des Holzes; ihre radiale Breite ist im Mittel 30 und geht bei manchen bis 40, die Wanddicke bis 8. Die behöften Tüpfel mit schiefspaltigem Porus. — Holzparenchym spärlich. — Markstrahlen ein- bis vier, meist drei- bis vierschichtig, bis 300 hoch, meist 110—130 breit. Markstrahlen relativ hoch; die inneren Zellen der mehrschichtigen Strahlen im Mittel 32, die randständigen bis 70, die Kantenzellen bis 80. Wand mit kleinen, in Berührung mit der Gefäßwand großen (bis 0·018 mm) querovalen, hoflosen Tüpfeln.

Der histologische Bau des Hofes stimmt im wesentlichen mit dem von *Sambucus nigra* L. überein (vgl. Wilhelm, l. c., p. 1007). Xylotomische Angaben über *S. nigra* L. und *S. racemosa* L. auch bei Möller (l. c., p. 344) und bei Piccioli (l. c., p. 156).

Celastrineen.

Maytenus viscifolia Grieseb. «Retama.» Argentinien. Daselbst am Rande von Sümpfen und Lagunen. Höhe bis 8, Schaft bis 4, dessen Durchmesser bis 0·4 m. Reift im Februar.

Holz schwer, ziemlich hart. Splint lichtbraun, Kern dunkelbraun. Unter der Lupe erscheinen am Querschnitte auf bräunlichem Grunde die Markstrahlen als feine, lichte Linien.

Gefäße reichlich, fast immer einzeln, in radialer Reihung, englichtig. Radialer Durchmesser meist 35—45, im Mittel 40; Wand mit sehr kleinen Hoftüpfeln. — Tracheiden die Hauptmasse des Holzes bildend, mitteldickwandig; radiale Breite durchschnittlich 17. Wand mit vielen kleinen Hoftüpfeln. — Holzparenchym untergeordnet, in meist einschichtigen, perivasal liegenden Reihen. — Markstrahlen meist ein-, auch zweischichtig. Häufigste Höhe 370—520. Zellen hoch und breit, namentlich in den einschichtigen Strahlen. Mittlere Höhe 28. Hin und wieder einzelne Radialreihen aus stehenden (H. = 50—60, Br. 20—25) Zellen gebildet. Die meisten Zellen enthalten einen Kristall von 13—18 Kantenlänge; außerdem Reservestärke.

Maytenus vitis idea Grieseb. «Coca salada.» Peru. In Argentinien an tiefer liegenden Stellen und den sogenannten Saladellos. Baumartiger Strauch bis 5, Schaft bis 2, Durchmesser bis 0·15 m. Blüht im November, reift im Jänner. Der Saft der Blätter wird gegen Augenleiden verwendet.

Holz lichtbraun, dicht, weich, sehr gut schneidbar. Unter der Lupe erscheinen die Markstrahlen als äußerst feine Linien.

Gefäße reichlich, fast immer einzeln, in radialer Reihung, englichtig. Radialer Durchmesser meist 26—45, im Mittel 36. Wand mit sehr kleinen (0·003 mm) Hoftüpfeln. — Tracheiden die Hauptmasse des Holzes bildend, dick- bis mitteldickwandig; radiale Breite durchschnittlich 18. — Holzparenchym untergeordet, in ein- bis zweischichtigen Reihen; durchschnittliche radiale Breite der Zellen 30. — Markstrahlen ein- bis zweischichtig; Zellen hoch, im Mittel 26, Stärke, Kristalle und einen braunen Inhalt führend. — Auffallend ist das häufige Vorkommen von kurzprismatischen Kalkoxalkristallen (17—23 lang, 12—14 breit) in den Zellen des Strang- und Strahlparenchyms.

Die beiden hier genannten *Maytenus*-Arten zeigen einen übereinstimmenden Holzbau.

Combretaceen.

Chuncoa (Terminalia) triflora Grieseb. «Lanza amarilla.» Argentinien. Daselbst auf feuchteren Stellen. Höhe bis 20, Schaft bis 6, dessen Durchmesser bis 1 m. Blüht im Dezember, reift im April.

Holz von mittlerer Härte und Schwere. Der Querschnitt zeigt braune, lichter oder dunkler gefärbte konzentrische Bänder, dicht stehende, kleine lichte Punkte und Strichelchen. Gefäßporen und Markstrahlen auch unter der Lupe kaum wahrnehmbar.

Gefäße im allgemeinen in den tangentialen Zügen des Holzparenchyms liegend, einzeln oder in Gruppen zu zwei bis sieben radial geordnet. Häufigste Lichte 45—65, im Mittel 60. Wand mit quergestellten, behöften, beim Kontakt mit Markstrahlen unbehöften Tüpfeln. — Libriform mitteldickwandig, mittlere radiale Breite 12. — Holzparenchym tangential und perivasal, in ein- bis fünfreihigen Zügen zwischen dem Libriform. Zellen durchschnittlich 21 breit, dünnwandig, vollgefüllt mit runden oder polyedrischen Stärkekörnern. — Kristallkammerfasern bis 0·5 mm lang, meist die Holzparenchymzüge begleitend oder fortsetzend. Kristalle vierseitig prismatisch, bis 60 lang. — Markstrahlen einschichtig, meist 170—300, aber auch bis 450 hoch, zwei- bis achtzehnzellig. Zellen dünnwandig, reich getüpfelt, im Mittel 31 hoch, Stärke und Einzelkristalle führend.

Compositen.

Baccharis salicifolia Pers. «Chilca.» Peru. In Argentinien in Sümpfen und auf Inseln. Baumartiger Strauch bis 5, Schaft bis 2, dessen Durchmesser bis 0·15 m. Blüht vom Jänner bis März.

Holz bräunlichweiß, weich, leicht. Am Querschnitt undeutliche Zuwachsstreifen.

Gefäße meist einzeln, hin und wieder auch zu zweien oder dreien, meist 50—90, im Mittel 70 weit. Wände mit querelliptischen (0·009 mm) Hoftüpfeln, die sich öfter, besonders auf der tangentialen Seite, gegenseitig sechsseitig abflachen. — Die Hauptmasse des Holzes bildet ein dünnwandiges Prosenchymgewebe, dessen Wände sehr kleine, einfache Tüpfel führen. Radiale Breite durchschnittlich 13. — Holzparenchym untergeordnet, perivasal. Zellen dünnwandig, durchschnittlich 24 breit, mit einfachen Tüpfeln. — Markstrahlen einschichtig, meist 120—150 hoch. Zellen niedrig (19). mitteldick- oder dünnwandig, mit, auch gegen die Gefäßwand hin, hoflosen Tüpfeln.

Cnicothamnus Lorentzii Griseb. «Asafran.» Argentinien. Daselbst an Ufern von Gebirgbächen. Baum bis 10, Schaft bis 4, dessen Durchmesser bis 0·25 m. Die im November erscheinenden Blüten enthalten einen roten Farbstoff.

Das Holz hat eine etwa zentimeterbreite, lichte Splintzone und braunes, hartes Kernholz. Der Querschnitt zeigt unter der Lupe schmale Bogenlinien schwach angedeutet, dicht stehende lichte Punkte und Strichelchen; die Markstrahlen sind eben noch wahrnehmbar.

Gefäße meist in Gruppen zu zwei bis vier, auch einzeln; Gefäßdurchmesser häufig 40—54, im Mittel 50; Wände stark verdickt, mit sehr kleinen (0·003 mm) Hoftüpfeln, auch beim Vorbeigehen an Markstrahlen. Im Kernholze füllen häufig lichtbraune Massen das Zellenlumen teilweise aus. Dickwandiges Libriform bildet die Hauptmasse des Holzes, die durchschnittliche radiale Breite der Fasern beträgt 14, das Lumen verengt sich bis 1·5. — Holzparenchym untergeordnet, in meist einreihigen Zellenzügen. Breite der Zellen im Mittel 22; Wand mit hoflosen Tüpfeln. — Markstrahlen ein- bis drei- (meist ein- bis zwei-) schichtig, 65—670 hoch. Zellen im allgemeinen von bedeutender, im besonderen von sehr verschiedener (15—60) Höhe. Im Kernholze brauner Inhalt.

Mocquinia carviflora Griseb. «Palo santo.» Argentinien. Hier im Gebirge. Höhe bis 8, Schaft bis 4, dessen Durchmesser bis 0·5 m. Blüht im Jänner.

Das harte und schwere Holz zeigt am Querschnitt eine schmale Splintholzzone und tabakbraunen Kern; unter der Lupe erscheinen konzentrische, lichtere oder dunklere Bänder mit zahlreichen Pünktchen.

Gefäße in reichlicher Menge, ziemlich gleichförmig verteilt, meist einzeln, englichtig. Häufigster Wert des Querdurchmessers 30—40, im Mittel 32. Wand mit kleinen (0·004 mm) Hoftüpfeln. Im Gefäßlumen gelbe (häufig kugelförmige) Konkretionen, unveränderlich bei Zusatz von Wasser, Alkohol, Eisenchlorid. — Dickwandiges Libriform bildet die Hauptmasse des Holzes. Die durchschnittliche Breite der Fasern beträgt 9, das Lumen verengt sich bis 2. — Markstrahlen ein-, selten zweischichtig, meist 110—150 hoch. Zellen sehr dünnwandig, reich getüpfelt, im Mittel 13 hoch. Im Inhalt eine gelbe oder gelbbraune, körnige Masse.

Tessaria integrifolia Ruiz et Pav. «Bobo.» Brasilien. In Argentinien an Flußufern, Lagunen, Inseln. Baum bis 15, Schaft bis 8, dessen Durchmesser bis 0·3 m. Blüht im März. Die Blätter sind eine Hauptnahrung des Wasserschweines und werden auch von Fischen gerne gefressen, weshalb auch die Eingebornen das Laub zum Anlocken der Fische gebrauchen. Die Asche findet Verwendung zur Bereitung von Seife.

Holz sehr leicht und weich. Unter der Lupe sieht man am Querschnitte die Gefäßporen und Markstrahlen.

Gefäße einzeln, öfters zu zweien oder dreien, weitlumig, zumeist 85—110, im Mittel 90 im Durchmesser, mit quergestellten (0·005 mm) Hoftüpfeln; in Berührung mit Markstrahlen einfache Poren. — Die strangförmigen Elemente bildet ein zartwandiges, weitlichtiges, reichgetüpfeltes Prosenchymgewebe; die mittlere radiale Breite dieser Fasern beträgt 30, die Wanddicke etwa 3·3. — Markstrahlen bis 4 mm hoch, in der Mitte bis 0·15 mm breit, ein- bis vierschichtig. Zellen bis 74, im Mittel 40 hoch, dünnwandig, reich getüpfelt.

Coniferen.

Podocarpus Parlatorei Pilger. «Pino.» Anden. In Argentinien im hohen Gebirge vorkommend; Höhe bis 20, Schaft bis 16, dessen Durchmesser bis 1 m. Die Frucht wird gegen Zahnschmerzen gebraucht.

Holz lichtbraun, leicht, weich. Der Querschnitt zeigt konzentrische Jahresringe mit schmaler Spätholzzone. Unter der Lupe erscheinen die Markstrahlen als sehr feine Linien.

Die Frühtracheiden haben eine radiale Weite von durchschnittlich 20. An der Radialwand Hoftüpfel; Durchmesser des äußeren Tüpfelhofes 14—17; an den Spättracheiden auch Tangentialtüpfel, deren Tüpfelhof etwa 13 mißt. — Holzparenchym in einreihigen Zügen sehr langer (200) dabei im Mittel 14 breiter Zellen. Im Inhalt eine gelbe, gelbrote oder rote körnige Masse. — Markstrahlen einschichtig, 1—16 Zellen hoch; einzellige Strahlen häufig. Zellen dünnwandig, zumeist mit nur einem einfachen (hoflosen) Tüpfel im Kreuzungsfeld mit den Tracheiden. Durchschnittliche Markstrahlzellhöhe 17.

Auf Grund des skizzierten Holzbaues läßt sich obige Art als zur Coniferengattung *Podocarpus* zugehörig in die von mir entworfene analytische Bestimmungstabelle der Coniferengattungen nach xylotomischen Merkmalen einreihen.[1]

Euphorbiaceen.

Dactylostemon (Actinostemon) anisandrus Griseb. «Lecheleche.» Argentinien. Daselbst allgemein verbreitet. Höhe bis 9, Schaft bis 4, dessen Durchmesser bis 0·5 m. Blüht und fruchtet während des ganzen Sommers. Enthält sehr viel eines angeblich giftigen Milchsaftes.

Das leichte, weiche Holz zeigt am Lupenquerschnitt schwach markierte Zuwachsstreifen und eben noch wahrnehmbare Markstrahlen.

[1] Vergleichende Anatomie des Holzes der Coniferen. Wiesner-Festschrift, Wien 1908, p. 101.

Gefäße in reichlicher Menge, einzeln oder zu Gruppen von zwei bis acht in radialer Reihung verbunden. Querdurchmesser zumeist 55—75, im Mittel 65. Hoftüpfel groß (o·o12 mm), breitelliptisch oder fast kreisförmig, tangentialseits sich oft gegenseitig hexagonal abflachend, mit langem, spaltförmigem Porus. — Tracheiden dünnwandig, mit horizontalen Querwänden, weitlichtig; radiale Breite meist 13—16. — Holzparenchym untergeordnet, zwischen den einander sehr genäherten Markstrahlen kurze tangentiale, einschichtige Verbindungen bildend, von derselben radialen Breite wie die Tracheiden. — Markstrahlen in großer Menge, einschichtig. Zellen groß: Höhe 20—70, durchschnittlich 37, Breite 18; dünnwandig; Wand mit großen (7) fast kreisförmigen Tüpfeln, in Berührung mit Gefäßwänden die Tüpfelbildung der letzteren. — In Strang- und Strahlenparenchymzellen reichlich kleine, fast kreisförmige Stärkekörner, in einzelnen Markstrahlzellen große Oxalatkristalle.

Sapium biglandulosum Muell. «Lecheron blanco.» Tropisches Amerika. In Argentinien am Ufer der Bäche. Höhe bis 17, Schaft bis 5, dessen Durchmesser bis 1 m. Blüht von Dezember an und hat Früchte während des ganzen Sommers. Führt in allen Teilen kautschukhältigen Milchsaft, der als Vogelleim verwendet wird. Die gekochten Blätter werden als Heilmittel auf Wunden gelegt.

Das sehr leichte und weiche Holz zeigt am Lupenquerschnitte große Gefäßporen und die Markstrahlen.

Gefäße einzeln oder zu Gruppen von zwei bis vier in radialer Reihung. Querdurchmesser zumeist 90—130, im Mittel 110. Hoftüpfel groß (o·o12 mm), breit elliptisch, tangentialseits sich oft gegenseitig hexagonal abflachend, mit langem, spaltenförmigem Porus. — Tracheiden dünnwandig, weitlichtig; mittlere radiale Breite 21. Tüpfel mit kreisrundem Hof und schmaler, schiefstehender Spalte. — Holzparenchym zwischen den einander sehr genäherten Markstrahlen kurze, tangentiale, einschichtige Verbindungen bildend; radiale Breite 30, Wand mit relativ großen, unbehoften Tüpfeln. — Markstrahlen in großer Menge vorkommend, einschichtig. Zellen groß, 25—90, durchschnittlich 43 hoch, dünnwandig, mit kleinen, an den Gefäßwänden mit großen, hoflosen Tüpfeln. — Im Strang- und Strahlparenchym große, meist eiförmige Stärkekörner, außerdem eine braune Inhaltsmasse.

Juglandaceen.

Juglans australis Griseb. «Nogal.» Argentinien. Daselbst am Ufer der Gebirgsbäche. Höhe bis 25, Schaft bis 12, dessen Durchmesser bis 1·5 m. Blüht im September, reift im April. Die Frucht enthält eine schmackhafte Nuß. Die grünen Fruchtschalen und die Rinde liefern einen dunkelvioletten Farbstoff.

Holz von mittlerer Härte und Schwere, dunkelbraun, an den Längsflächen glänzend, mit schmalen konzentrischen Zuwachsstreifen. Die Lupe läßt am Querschnitte große Gefäßporen mit der Tendenz ringporiger Anordnung und dicht stehende Markstrahlen erkennen.

Gefäße meist einzeln, seltener zu zwei oder drei, weitlichtig. Querdurchmesser zumeist 90—140, im Mittel 120. Wand mit ansehnlichen, bis 13 breiten, sich gegenseitig hexagonal abflachenden Hoftüpfeln, mit langem, schmalem, quergestelltem Porus. — Libriform aus dickwandigen, im Mittel 18 breiten Fasern, deren Lumen sich im Spätholz bis o·oo3 verschmälert. — Holzparenchym in tangentialen, am Querschnitt etwa o·15 mm voneinander abstehenden Binden, hiebei auch die Gefäße einsäumend. Radiale Breite durchschnittlich 18. Tüpfel klein, hoflos, in Berührung mit der Gefäß-

wand wie diese getüpfelt. — Kristallkammerfasern untergeordnet, bis 1 mm lang.
Kristalle auch in einzelnen Zellen des Strahl- und Strangparenchyms. — Markstrahlen
meist 200 – 300 hoch, ein- bis dreischichtig. Zellen der einschichtigen Strahlen im
Mittel 28, der mehrschichtigen 26 hoch. Wand mit kleinen, in Berührung mit der Gefäßwand großen, einfachen Tüpfeln.

Die Holzanatomie von *Juglans regia* wurde von Wiesner (l. c., p. 614), Müller
(l. c., p. 390), Wilhelm (l. c., p. 883) und Piccioli (l. c., p. 131), jene von *Juglans
nigra* von Wilhelm (p. 884) und Piccioli (p. 131) beschrieben. Die Holzstruktur
von *J. australis* stimmt mehrfach mit jener der genannten *Juglans*-Arten überein.

Lauraceen.

Nectandra porphyria Griseb. «Laurel.» Argentinien. Daselbst an feuchten
Stellen der Gebirge. Höhe bis 25, Schaft bis 10, dessen Durchmesser bis 1·2 m. Blüht
im November, fruchtet im März. Das feine Holz wird zu Gitarreböden verarbeitet.

Holz bräunlichweiß, von mittlerer Härte. Der Lupenquerschnitt zeigt auf lichterem Grunde braune Bänder, die aus verschieden geformten, ungleich langen Strichelchen (Holzparenchym) gebildet werden, wodurch die Querschnittsfläche ein zierliches,
wie marmoriertes Aussehen erhält.

Gefäße einzeln oder zu zwei bis drei, im Bereiche breiter, tangentialer Holzparenchymzüge liegend. Häufigster Durchmesser 60—90, im Mittel 80. Tüpfel dicht
gedrängt (0·009 mm) mit zartem Hof und querer Spalte. — Libriform dickwandig,
durchschnittlich um 13 radiale Breite. — Holzparenchym einen wesentlichen Anteil an der Holzbildung nehmend, in breiten, bis zwölfreihigen tangentialen Binden angeordnet und dabei die Gefäße ganz oder teilweise einschließend, also metatracheal,
peri- und intervasal. Zellen dünnwandig, durchschnittlich 23 breit, mit kleinen, hoflosen Tüpfeln; stellenweise vollgefüllt mit kugeligen oder ovoidischen Stärkekörnern.
— Kristallkammerfasern vereinzelt, als Begleiter des Strangparenchyms. — Markstrahlen ein- bis sieben-, meist drei- bis fünfschichtig, gewöhnlich 150—250 hoch.
Zellen niedrig, meist 13 hoch und 10 breit, mit sehr kleinen, einfachen Tüpfeln; im Inhalt Stärke.

Wilhelm (l. c., p. 915) hat das Holz von *Nectandra Rhodioei* Hook beschrieben.

Leguminosen.

a) Papilionaceen.

Erythrina crista galli L. «Seiva.» Brasilien. In Argentinien an feuchten Stellen,
Lagunen. Höhe bis 18, Schaft bis 8, dessen Durchmesser bis 1 m. Blüht im Jänner,
reift im April.

Holz schmutzigweiß, sehr leicht und weich, in dünnen Lamellen schlecht schneidbar. Die Lupe zeigt am Querschnitt große, weit auseinanderstehende Gefäßporen und
derbe Markstrahlen.

Gefäße einzeln oder zu zweien, weitlichtig. Häufigster Wert des Durchmessers
200—300, im Mittel 260. Wand mit ziemlich großen (0·01 mm) Querhoftüpfeln. —
Libriform am Querschnitt schmale, tangentiale Binden zwischen den breiten Holz-
parenchymbändern, am Radialschnitt nur wenige Zellreihen breite Stränge zwischen
dem Parenchym bildend. — Holzparenchym neben den Markstrahlen die Haupt-

masse des Holzes zusammensetzend. Es bildet am Querschnitt breite, tangentiale Bänder, in welchen auch die Gefäße liegen; im Radialschnitte etagenförmig übereinanderstehende, etwa 0·2 mm hohe Lagen dünnwandiger, durchschnittlich 40 breiter, reichlich getüpfelter Zellen. — Kristallkammerfasern untergeordnet. — Markstrahlen nach Zahl und Größe ungewöhnlich stark entwickelt, drei- bis siebenschichtig, 170—200 breit. Zellen im Durchschnitt 32 hoch, reich getüpfelt, im Tangentialschnitt fast kreisförmig.

Erythrina crista galli L. var. gracilis.

Das Holz ist fast noch leichter und lockerer als das der Stammart, es zeigt im wesentlichen denselben mikroskopischen Bau. Die Gefäße sind etwas enger, im Durchschnitt 240; das Libriform ist noch mehr reduziert und bildet am Querschnitt drei bis vier Zellreihen breite Streifen zwischen dem Palisadenparenchym. Dieses setzt sich aus nur etwa halb so hohen (0·1 mm) Etagen zusammen, die Zellen sind etwas schmäler (36) als bei E. crista galli.

Holzarten aus der Gattung Erythrina wurden schon wiederholt anatomisch beschrieben: Erythrina senegalensis DC. und E. velutina Willd. von Möller (l. c., p. 408), E. crista galli von Jänsch (l. c., p. 273) und von Saupe (l. c., p. 312), E. indica L. von mir l. c., Sep.-Abdr. p. 23). Die genannten Arten zeigen eine große Übereinstimmung im histologischen Bau des Holzes.

Gourliea decorticans Gill. «Channar.» Chile. In Argentinien häufig. Höhe

bis 10, Schaft bis 5, dessen Durchmesser bis 0·8 m. Die reife Frucht ist süß und liefert ein gegohrenes, berauschendes Getränk; sie bildet auch ein gutes Nahrungsmittel für Rinder und Pferde.

Holz gelblichweiß, weich, ziemlich leicht. Der Querschnitt zeigt auf wenig hervortretenden Zuwachszonen weißliche Punkte und kurze, verschieden gekrümmte Strichelchen (Holzparenchym).

Gefäße einzeln oder zu zwei bis drei verbunden, dickwandig. Häufigster Querdurchmesser 70—110, im Mittel 85. Wand mit sehr kleinen (0·005 mm) Querhoftüpfeln, auch an der Markstrahlwand. — Prosenchym aus dick- oder mitteldickwandigen, im Mittel 17 breiten Fasern zusammengesetzt. — Holzparenchym in tangentialen Zügen und in perivasaler Anordnung. Zellen dünnwandig, mit hoflosen, in Berührung mit Gefäßwänden behoften Tüpfeln. Radiale Breite 13—22. Im Inhalte große Stärkekörner von verschiedener Form. — Kristallkammerfasern häufig, ein- bis dreireihig, meist den Holzparenchymzügen benachbart. — Markstrahlen ein- bis zweischichtig, durch die Gefäße oft in ihrem geraden Verlaufe abgelenkt; Zellen meist 11—15 hoch, dünnwandig, mit zahlreichen kleinen, kreisförmigen Poren, in Berührung mit Gefäßwänden wie diese getüpfelt. Im Inhalt Stärkekörner von sehr häufig elliptischer oder walzenförmiger Gestalt.

Myrocarpus frondosus Allem. «Quina.» Brasilien. In Argentinien im Hügel-

land und im Gebirge. Höhe bis 28, Schaft bis 14, dessen Durchmesser bis 1·5 m. Blüht im Jänner, reift im März.

Holz schwer und hart, mit gelblichweißem Splint und braunem Kern. Unter der Lupe sieht man lichte Fleckchen mit Gefäßporen und die Markstrahlen.

Gefäße einzeln, oft zu zweien oder dreien verbunden. Häufigster Wert des Querdurchmessers 60—90, im Mittel 70. Wand mit zarter, schräg verlaufender Streifung und sehr kleinen (0·005 mm), dicht stehenden Querhoftüpfeln. Im Lumen des Kernholzes eine amorphe, rubinrote Inhaltsmasse. — Libriform sehr dickwandig, die (im Mittel 13 breiten) Zellen enthalten denselben roten Farbstoff wie die Gefäße. —

Holzparenchym um die Einzelgefäße oder Gefäßgruppen gehäuft, also perivasal. Zellen dünnwandig, im Mittel 17 radial breit, im Inhalt grobkörnige, verschieden gestaltete Stärke. — Markstrahlen ein- bis vier-, oft dreischichtig, zumeist 130—180 lang. Zellen im Mittel 18 hoch; Wand mit kleinen hoflosen, mit Berührung der Gefäßwand behoften Tüpfeln; im Inhalt kleinkörnige Stärke und in einzelnen Zellen ein Oxalatkristall.

b) Caesalpinieen.

Bauhinia candicans Benth. «Una de gato.» Brasilien. In Argentinien an Bachufern. Höhe bis 8, Schaft bis 4, dessen Durchmesser bis 0·4 m. Blüht im Dezember, reift im April.

Holz weich, ziemlich leicht. Splint bräunlichweiß, Kern braun. Die Lupe zeigt am Querschnitt weiße Fleckchen mit Gefäßporen.

Gefäße einzeln, oft zu zweien, manchmal zu mehreren in einer Gruppe. Querdurchmesser zumeist 70—130, im Mittel 90. Wand mit relativ großen (0·012 mm) querovalen Hoftüpfeln. — Libriform aus stark verdickten, durchschnittlich 14 breiten Fasern mit sehr kleinen, spärlich vorkommenden Tüpfeln zusammengesetzt. — Holzparenchym in breiten tangentialen Streifen, welche in ihrem Verlaufe die Gefäße oder Gefäßgruppen perivasal umgürten. Zellen im Mittel 22 breit, dünnwandig, mit kleinen, hoflosen Tüpfeln und runden Stärkekörnern im Inhalt. — Kristallkammerfasern in einer bis zwei Reihen, große Oxalatkristalle enthaltend. — Markstrahlen ein- bis dreischichtig. Zellen im Mittel 20 hoch. Wand mit zahlreichen kleinen, in Berührung mit Gefäßwänden großen, quergestreckten, unbehoften Tüpfeln. In manchen Zellen ein brauner Inhalt.

Von Möller (l. c., p. 414) und v. Höhnel (l. c.) wurden *Bauhinia reticulata* DC., von Jänsch (l. c., p. 284) *B. frutescens* Lam., *B. purpurea* L. und *B. reticulata* DC. untersucht.

Caesalpinia melanocarpa Griseb. «Guayacan.» Argentinien. Daselbst auf trockenen Stellen sehr verbreitet. Höhe bis 10, Schaft bis 6, dessen Durchmesser bis 1·6 m. Blüht im Dezember, reift im März. Die Samen liefern einen dunkelvioletten Farbstoff.

Holz schwer, Kern schwarzbraun, sehr hart. Am Querschnitt sind unter der Lupe dunkle, konzentrische, aus Strichelchen gebildete Kreislinien und die Markstrahlen erkennbar.

Gefäße einzeln oder zu zweien, auch zu mehreren in kleine Gruppen verbunden, mit ebenen Zwischenwänden, dickwandig, oft ganz oder teilweise mit einer amorphen roten Masse erfüllt. Durchmesser gewöhnlich 60—90, im Mittel 73, mit schmallanzettlichen Querhoftüpfeln. — Libriform aus stark verdickten, etwa 16 breiten Fasern gebildet; in der Wand derselbe rote Farbstoff wie an den Gefäßen. — Holzparenchym stark entwickelt, in tangentialen Bändern und perivasal. Zellen dünnwandig, im Mittel 17 breit, mit einfachen, querelliptischen Tüpfeln. — Kristallkammerfasern einzeln, meist große Kristalle führend. — Markstrahlen ein- bis drei-, in der Regel zweischichtig; gewöhnliche Höhe 90—130. Zellen niedrig, etwa 15, dünnwandig.

Caesalpinia praecox Ruiz et Pav. «Brea.» Chile. In Argentinien an trockenen Stellen und Waldblößen. Höhe bis 8, Schaft bis 4, dessen Durchmesser bis 0·25 m. Blüht im Oktober, reift im Jänner-Februar. Der Saft der Zweige wird als Augenheilmittel verwendet; ein grüner Stock wird an einem Ende ins Feuer gelegt und der Saft am anderen Ende aufgefangen. Die Rinde enthält Gummi, welches von den Indianern zum Kitten von Töpfen verwendet wird.

Holz ziemlich leicht und weich, bräunlichweiß, Kern dunkler. Die Lupe zeigt am Querschnitt konzentrische, aus weißlichen Fleckchen und Strichelchen gebildete Bänder und die Markstrahlen.

Gefäße einzeln oder zu zweien, auch zu mehreren in kleine Gruppen verbunden, dickwandig. Durchmesser gewöhnlich 50—90, im Mittel 65, mit querovalen Hoftüpfeln. — Prosenchymgewebe aus dünn- bis mitteldickwandigen, 13—22 breiten Fasern zusammengesetzt. Wand mit sehr kleinen, undeutlich behoften Tüpfeln. — Holzparenchym perivasal; Zellen dünnwandig, durchschnittlich 19 breit, einfach getüpfelt. — Markstrahlen meist vier- bis sechszellig. Zellen sehr klein; durchschnittliche Höhe 12, Breite 9.

Caesalpinia echinata Lann. und C. Sappan L. wurden von (l. c.), Wiesner, Vogl, Möller und Wilhelm, die letztgenannte Art auch noch von Saupe holzanatomisch untersucht. Xylotomische Angaben über Caesalpinia brasiliensis Sw., C. crista L. und C. tinctoria Benth. bei Foxworthy (l. c.).

Cassia leptophylla Vog. «Carnaval.» Brasilien. In Argentinien in Niederungen und an Flußufern. Höhe bis 8, Schaft bis 4, dessen Durchmesser bis 0·4 m. Blüht im Februar.

Holz ziemlich leicht und weich. Am Querschnitt erscheinen unter der Lupe die Gefäßporen von einem lichten Hof (Holzparenchym) umgeben; ferner zarte Markstrahlen.

Gefäße meist einzeln oder zu zweien, kurzgliedrig. Häufigster Wert des Querdurchmessers 130—180, im Mittel 150. Wand gelb bis rotgelb, besonders in älterem, bräunlich gefärbtem Holze, mit querelliptischen (0·009 mm) Hoftüpfeln. — Prosenchymgewebe die Grundmasse des Holzes bildend. Fasern von verschiedener Wanddicke, im allgemeinen mitteldickwandig, meist 18 radial breit. — Holzparenchym in reichlicher Menge, die Gefäße oder Gefäßgruppen mehrschichtig umhüllend, im Radialschnitt bis 15 reihig. Zellen sehr dünnwandig, 12—22 breit, vollgefüllt mit kugelförmigen, ovalen, gerade- oder krummstengeligen oder unregelmäßig gestalteten Stärkekörnern. Wand mit kleinen, unbehöften, in Berührung mit den Gefäßen mit behöften Tüpfeln. — Kristallkammerfasern untergeordnet, in der Nachbarschaft der Holzparenchymzüge. — Markstrahlen ein- bis dreischichtig, gewöhnlich 180—260, aber auch bis 550 hoch. Zellen dünnwandig, in der Höhe (Mittel 15) wenig verschieden, schmal. Tüpfelung wie an den Holzparenchymzellen. In manchen braune Inhaltsmassen.

Von Möller (l. c., p. 412) wurde Cassia fistula L., von Jaensch (l. c., p. 283) Cassia fistula, C. Roxburghii DC. und C. speciosa H. B., von Saupe (l. c., p. 327) sieben verschiedene Cassia-Arten holzanatomisch untersucht; sie differieren unter auderem in der Menge und Anordnung des Holzparenchyms.

Gleditschia amorphoides Taub. «Coronillo.» Argentinien, Bolivia. In Argentinien an feuchteren Orten. Höhe bis 12, Schaft bis 6, dessen Durchmesser bis 0·5 m. Blüht im Oktober, reift im März. Die Frucht wird statt Seife zum Waschen verwendet.

Holz ziemlich weiß, leicht und weich, im Längsschnitte glänzend. Der Querschnitt zeigt unter der Lupe auf dunklerem Grunde dicht beisammenstehende lichte Punkte und Strichelchen (mit Gefäßporen) und die Markstrahlen.

Gefäße ziemlich gleichmäßig verteilt, meist einzeln; häufigster Wert des Querdurchmessers 70—130, im Mittel 100. Wand mit relativ großen (0·012 mm) querelliptischen, sich häufig (besonders an der Tangentialwand) sechsseitig abflachenden Hoftüpfeln. Im Inhalt Thyllen. — Prosenchym aus mitteldickwandigen Fasern zusammengesetzt; deren Lumen 9—22; mittlere radiale Breite 18. — Holzparenchym perivasal; Zellen im Mittel 22 breit, mit relativ großen, einfachen, querelliptischen Tüpfeln. — Markstrahlen zwei- bis vier-, meist dreischichtig; gewöhnliche Höhe 260—420, durch die Gefäße öfters abgelenkt. Zellen dünnwandig, in der Höhe (Mittel 23) wenig verschieden. Wand mit kleinen, einfachen, in Berührung mit Gefäßen großen, meist eiförmigen, hoflosen Tüpfeln. Im Inhalte kleinkörnige Stärke.

Xylotomische Angaben über *Gleditschia horrida* Willd. bei Jaensch über *G. triacanthos* L. bei Jaensch (l. c., p. 282), Saupe (l. c., p. 327) und Piccioli (l. c., p. 171), über *G. sinensis* bei Saupe.

Pterogyne nitens Tul. «Typa colorada.» Brasilien. In Argentinien an Fluß- und Bachufern. Höhe bis 20, Schaft bis 10, dessen Durchmesser bis 1 m.

Holz weich, gut schneidbar. Am Querschnitt erscheinen unter der Lupe die von einem Hofe (Holzparenchym) umgebenen Gefäßporen und die Markstrahlen.

Gefäße ziemlich gleichmäßig über den Querschnitt verteilt, einzeln oder zu zweien, weitlumig; häufigster Durchmesser 80—150, im Mittel 116, dickwandig. Gefäßglieder kurz. Wand mit (0·007 mm) Querhoftüpfeln. Die meisten Gefäße sind ganz oder teilweise mit einer rotgelben Masse erfüllt. — Prosenchymfasern dünnwandig; radiale Breite 12—20; Wand mit spärlich vorkommenden, sehr kleinen Tüpfeln. — Holzparenchym perivasal; Zellen 11—23 breit, mit einfachen, querelliptischen Tüpfeln. — Markstrahlen ein- bis vier-, meist zwei- bis dreischichtig, gewöhnlich nur 70—220 hoch; Zellen dünnwandig, im Mittel 21 hoch. Wand mit zahlreichen kleinen, hoflosen Tüpfeln; in Berührung mit Gefäßwänden so wie diese getüpfelt. Im Inhalt mancher Zellen ein Oxalatkristall.

c) *Mimoseen.*

Acacia cavenia Bert. (**Fargesiana** Willd.). «Churque.» Tropen. In Argentinien im lichten Walde und an offenen Stellen (campos). Höhe bis 6, Schaft bis 4, dessen Durchmesser bis 0·4 m. Blüht im Oktober, reift im Februar. Die gerösteten Samen werden als Purgiermittel verwendet.

Holz mit lichtem Splint und dunkelrotbraunem, hartem Kern. Die Lupe läßt am Querschnitt lichte Fleckchen mit Gefäßporen und die Markstrahlen (als feine Linien) erkennen.

Gefäße einzeln oder zu zweien, dickwandig; Durchmesser zumeist 110—180, im Mittel 140; Wand mit kleinen Querhoftüpfeln. Im Inhalte amorphe Massen von gelber bis rubinroter, nach Zusatz von Eisenchlorid schwarz werdender Farbe. — Libriform aus dickwandigen, rotgefärbten (besonders im Kernholz), etwa 18 breiten Faserzellen. — Holzparenchym die Gefäße mehrschichtig einschließend, dünnwandig; mittlere radiale Breite 21. — Kristallkammerfasern einzeln, vielfach auffallend große Kristalle führend. — Markstrahlen oft durch die Gefäße abgebogen, ein- bis acht-, meist vier- bis siebenschichtig, bis 750 lang. Zellen in der Höhe wenig verschieden; diese durchschnittlich 13.

Acacia tucumanensis Griseb. «Garobato cuatrocara.» America austr. In Argentinien an feuchteren Stellen des Waldes. Höhe bis 7, Schaft bis 4, dessen Durchmesser bis 0·3 m. Blüht im Jänner, reift im März.

Holz mit bräunlichweißem Splint und schwarzbraunem Kern. Die Lupe läßt am Querschnitte lichte Fleckchen und Strichelchen (Holzparenchym) mit Gefäßporen und die Markstrahlen erkennen.

Gefäße einzeln oder zu zwei bis mehreren in radialer Reihung verbunden, oft tangential gedrückt, dickwandig. Durchmesser meist 70—130, im Mittel 85. Wand mit (0·007 mm) querspaltigen Hoftüpfeln, im Inhalt Thyllen. – Prosenchymfasern in ungleicher Entwicklung; im Frühholze mit weiterem Lumen und dünnerer Wand als im Spätholz. Wand mit steilstehenden Tüpfelspalten. — Holzparenchym mächtig entwickelt; in breiten tangentialen Binden, welche auch die Gefäße einschließen, oder in schmäleren Binden, die sich an den Gefäßen in einen mehrschichtigen, perivasalen Kranz erweitern. Radiale Breite 9—22, im Mittel 18. Wand einfach getüpfelt, im Inhalt Stärkekörner, die durch verschiedene Größe und Form (kugelig, eiförmig, kipfelförmig, unregelmäßig gestaltet) bemerkenswert sind. — Kristallkammerfasern in ein- oder zweireihigen Zügen. — Markstrahlen bis 0·7 mm hoch, einschichtig (die Mehrzahl) oder partiell zweischichtig. Zellen in der Höhe wenig verschieden, sehr niedrig (im Mittel 11); Wand mit kleinen querstehenden, hoflosen Tüpfeln.

Von Möller (l. c., p. 417—419) wurden *Acacia albicans* Knuth, *A. horrida* Willd. (*A. capensis* Burch), *A. nilotica* Delil (*A. arabica* Willd.), *A. scleroxyla* Tussac und *A. vera* Willd. holzanatomisch beschrieben. Saupe (l. c., p. 333) macht xylotomische Angaben über die Gattung *Acacia*, von der er 52 Arten untersuchte. Er macht unter anderem auf die Kleinheit der Markstrahlzellen und das häufige Vorkommen von Kristallen aufmerksam. Wilhelm (l. c., p. 925) verdanken wir die Kenntnis der Holzstruktur von *Acacia homalophylla* Cunn. Dieser Autor fand auch, daß sich der rotbraune Inhalt der Gefäße durch Eisenchlorid schwärzt. Ich (Samoahölzer, Sep.-Abdr., p. 22) habe den mikroskopischen Charakter des Holzes von *Acacia Koa* A. Gray mitgeteilt.

Enterolobium Timbouva Mart. «Pacara» («Timbó»). Brasilien. In Argentinien an Flußufern. Höhe bis 25, Schaft bis 12, dessen Durchmesser bis 1·5 m. Blüht im Februar, reift im April, Mai. Das Holz enthält viel Gummi; die Blätter geben einen Bauchschmerzen stillenden Tee. Die Frucht wird statt Seife zum Waschen verwendet.

Holz leicht, weich, mit bräunlichweißem Splint und lichtbraunem Kern (Faulkern?). Die Lupe zeigt auf dem Querschnitt konzentrische Zuwachsstreifen, größere, ziemlich gleichmäßig verteilte Gefäßporen und die Markstrahlen.

Gefäße einzeln oder zu zweien, auch zu mehreren in kleinen Gruppen verbunden, mit ebenen Zwischenwänden, dickwandig, oft ganz oder teilweise mit einer amorphen, rotgelben Masse erfüllt. Durchmesser gewöhnlich 150—220, im Mittel 180, in querovalen (0·01 mm) Hoftüpfeln. — Dünnwandiges, weitlichtiges Prosenchymgewebe die Grundmasse des Holzes bildend. Radiale Breite der Fasern 13—35; Wand mit sehr kleinen, undeutlich behoften Tüpfeln. — Holzparenchym perivasal; Zellen meist 22—40 breit, dünnwandig, mit einfachen Tüpfeln; in Berührung mit der Gefäßwand wie diese getüpfelt. — Markstrahlen ein- bis drei-, meist zweischichtig, gewöhnliche Höhe 170—270; einzeln bis 450; oft durch die Gefäße abgelenkt. Zellen zartwandig, im Mittel 16 hoch; in manchen ein bräunlichgelber Inhalt.

Piptadenia Cebil Griseb. «Horco Cebil.» Argentinien. Daselbst an feuchteren Stellen. Höhe bis 18, Schaft bis 6, dessen Durchmesser bis 1 m. Blüht im Dezember, reift im April. Die Rinde liefert ausgezeichneten Gerbstoff.

2*

Holz ziemlich schwer und hart, mit bräunlichem Splint und zimtbraunem Kern. Die Lupe zeigt auf braunem Grunde dicht gedrängt stehende, lichte Fleckchen und Strichelchen (Holzparenchym), welche Gefäßporen einschließen, und die Markstrahlen. Gefäße einzeln oder zu zwei bis vier radial verbunden, dickwandig. Querschnitt oft unregelmäßig; häufigster Querdurchmesser 80—150, im Mittel 110. Wand gelb gefärbt, das Lumen ganz oder teilweise mit gelber oder roter amorpher Masse erfüllt. Querhoftüpfel 0·007 mm. — Dickwandiges Libriform die Grundmasse bildend; Fasern etwa 15 breit. — Holzparenchym reichlich, kurze breite Bänder bildend, welche auch die Gefäße umschließen. Zellen dünnwandig, im Mittel 20 radial breit, länglichrunde Stärkekörner enthaltend. — Kristalikammerfasern in großer Menge, ein- bis vierreihig in der Nachbarschaft des Holzparenchyms. — Markstrahlen ein- bis dreischichtig. Zellen in der Höhe (durchschnittlich 15) wenig verschieden, mit kleinen, hoflosen Poren; in Berührung mit Gefäßwänden wie diese getüpfelt. Im Inhalt eisengrünender Gerbstoff.

Piptadenia macrocarpa Benth. «Cebil colorado.» Brasilien. In Argentinien fast allerorts verbreitet. Höhe bis 20, Schaft bis 6, dessen Durchmesser bis 1 m. Blüht im Dezember, reift im April. Die Rinde liefert ausgezeichnetes Gerbmaterial.

Holz schwer und ziemlich hart, mit lichtbraunem Splint und dunkelbraunem Kern. Die Lupe zeigt auf braunem Grunde dichtgedrängt stehende lichte Fleckchen und Strichelchen (Holzparenchym), welche Gefäßporen einschließen, und die Markstrahlen. Gefäße einzeln oder zu zwei bis vier radial verbunden, dickwandig. Querschnitt oft unregelmäßig; häufigster Querdurchmesser 60—90, im Mittel 72. Wand gelb gefärbt, das Lumen ganz oder teilweise mit gelber oder roter amorpher Masse erfüllt. Querhoftüpfel 0·006 mm. — Dickwandiges Libriform die Grundmasse bildend; Fasern etwa 12 breit. — Holzparenchym reichlich, perivasal, an Längsschnitten mehrreihige Züge bildend. Zellen dünnwandig, im Mittel 19 radial breit, geringe Stärkemengen enthaltend. — Kristalikammerfasern in großer Menge, ein- bis vierreihig, in der Nachbarschaft des Holzparenchyms. — Markstrahlen ein- bis vierschichtig, meist 130—240 hoch, durch die Gefäße oft abgelenkt. Zellen niedrig, durchschnittlich 13 hoch und schmal, mit kleinen hoflosen Poren; in Berührung mit Gefäßwänden wie diese getüpfelt. Im Inhalt eisengrünender Gerbstoff.

Pithecolobium scalare Griseb. «Espinillo.» Argentinien. Daselbst längs der Flußufer. Höhe bis 12, Schaft bis 6, dessen Durchmesser bis 0·8 m. Blüht im Februar, reift im Mai.

Holz leicht, weich, ziemlich homogen. Der Querschnitt läßt unter der Lupe lichtbraune Zuwachsstreifen, ziemlich gleichmäßig verteilte, von einem lichten Hof umgebene Gefäßporen und zarte Markstrahlen erkennen. Gefäße einzeln oder zu zweien, dickwandig, meist 110—160, im Mittel 140 im Durchmesser. Wand mit querspaltigen (0·009 mm) Hoftüpfeln. Viele Gefäße durch eine gelbe oder rote Masse ganz oder teilweise verstopft. — Prosenchymgewebe aus dünn- bis mitteldickwandigen Fasern zusammengesetzt; radiale Breite 11—18, durchschnittlich 15. Wand mit sehr spärlichen, winzigen, undeutlich behöften Tüpfeln. — Holzparenchym zumeist perivasal, die Gefäße mehrschichtig umgebend. Zellen dünnwandig, im Mittel 22 breit, mit grobkörniger Stärke erfüllt. — Kristallkammerfasern im Holzgewebe zerstreut, einreihig. — Markstrahlen ein- bis vierschichtig, meist 220—310 hoch. Zellen in der Höhe wenig verschieden, niedrig (13), dünnwandig.

Foxworthy (l. c.) hat *Pithecolobium acle (?)* holzanatomisch untersucht.

Prosopis alba Griseb. «Algaroba blanco.» Argentinien. Daselbst in Niederungen, an Bach- und Flußufern. Höhe bis 16, Schaft bis 5, dessen Durchmesser bis 0·8 m. Blüht im September, reift im Dezember. Die Früchte sind genießbar und geben gegoren ein erfrischendes, alkoholhältiges Getränk.

Holz hart und schwer, mit lichtbraunem Kern. Die Lupe zeigt am Querschnitt Zuwachsstreifen, lichte Fleckchen und Strichelchen, welche die Gefäßporen umschließen, und die Markstrahlen.

Prosopis nigra Hiern. «Algaroba negra.» Argentinien. Daselbst gemeinsam mit *Pr. alba* in Niederungen, an Bach- und Flußufern. Höhe bis 10, Schaft bis 4, dessen Durchmesser bis 0·8 m. Blüht im September, reift im Dezember. Die Früchte sind genießbar.

Das harte und schwere Kernholz ist schön braun mit einem Stich ins Violette. Der Lupenquerschnitt ebenso wie bei *P. alba*.

Prosopis vinalito. «Vina». In Argentinien in tieferen, trockenen Lagen. Höhe bis 12, Schaft bis 5, dessen Durchmesser bis 1 m. Blüht im Oktober, reift im Dezember. Die Früchte sind genießbar.

Holz schwer und ziemlich hart. Splint bräunlichweiß, Kern braun. Die Lupe zeigt am Querschnitt Zuwachsstreifen, lichte Fleckchen und Strichelchen, welche die Gefäßporen umgeben, und die Markstrahlen.

Die mikroskopische Holzstruktur dieser drei *Prosopis*-Arten ist so übereinstimmend, daß sie unter einem beschrieben werden kann.

Gefäße einzeln oder zu zweien oder in Gruppen zu mehreren und dann englerlichtig. Häufigster Querdurchmesser bei *Prosopis alba* und *Pr. vinalito* 100—140, bei *Pr. nigra* 110—180. Wand mit kleinen Querhoftüpfeln. Die Gefäße des Kernholzes ganz oder zum Teil mit einer amorphen, rubinroten oder rotgelben Masse erfüllt. — Libriform aus dickwandigen Fasern gebildet; mittlere radiale Breite 13, bei *Pr. vinalito* 15. — Das Holzparenchym bedeutend entwickelt; es bildet am Querschnitt perivasale Inseln oder breitere oder schmälere tangentiale Züge, in denen auch Gefäße, namentlich die engerlichtigen liegen; an Längsschnitten erscheint das Parenchym in ein- oder mehrreihigen Zellreihen. Durchschnittliche radiale Breite der Zellen bei *Pr. alba* 21, bei *Pr. nigra* 19, bei *Pr. vinalito* 22. Im Inhalt Stärke, besonders reichlich bei den zwei erstgenannten Arten. — Kristallkammerfasern in reichlicher Menge; Kantenlänge der Kristalle bis 26. — Markstrahlen zumeist bei *Pr. alba* vier- bis fünfschichtig, bei *Pr. nigra* drei- bis vierschichtig, bei *Pr. vinalito* fünf- bis sechsschichtig, bisweilen lokal geschlängelt. Häufigste Höhe 300—450. Markstrahlzellen in der Höhe wenig verschieden, niedrig (durchschnittlich bei jeder der drei Arten 13) und schmal.

Prosopis spicigera, die Jaensch (l. c., p. 287) untersuchte, stimmt holzanatomisch mit den obigen drei Arten überein.

Stryphnodendron obovatum Benth. «Roble.» Brasilien. In Argentinien im Hügellande und im Gebirge. Höhe bis 25, Schaft bis 18, dessen Durchmesser bis 1·2 m. Blüht im August.

Holz bräunlichweiß, leicht und weich. Die Lupe zeigt am Querschnitt lichte, wellige Linien (Holzparenchym), welche in ihrem Verlaufe die zerstreut stehenden Gefäßporen ringförmig umgeben. Die Markstrahlen sind eben noch erkennbar.

Gefäße einzeln oder zu zweien, dickwandig. Häufigster Wert des Querdurchmessers 90—150, im Mittel 130. Wand mit Querhoftüpfeln; im Inhalt gelbe oder rotbraune amorphe Massen. — Prosenchym dünn- oder mitteldickwandig, weitlichtig.

Radiale Breite durchschnittlich 25. Wand mit schrägstehenden, engspaltigen, undeutlich behöften Tüpfeln. — Holzparenchym stark entwickelt, in breiten, tangentialen, die Gefäße umschließenden Bändern; am Radialschnitt bis zehnschichtige Zellreihen bildend. Zellen sehr dünnwandig, durch ihre große Breite auffallend. Radiale Breite 25—60 (im Mittel 3o), Höhe 60—120 (Mittel 100). Wände mit einfachen, querovalen Tüpfeln, im Inhalt reichlich Stärkekörner, bis 26 im Durchmesser. — Kristallkammerfasern untergeordnet, als Begleiter des Holzparenchyms. — Markstrahlen zwei- bis dreischichtig. Zellen durchschnittlich 19 hoch, an den Tangentialflächen reichlich kleine, hoflose Tüpfel.

Lineen.

Erythroxylon Pelleterianum A. St. Hil. «Coca colorada.» Brasilien. In Argentinien vereinzelt durch den ganzen Wald. Höhe bis 8, Schaft bis 4, dessen Durchmesser bis 0·25 m. Reift im März. Der Absud der Blätter gibt einen Tee von sehr anregender Wirkung.

Holz schwer und hart. Die Färbung bildet von den jüngsten (peripheren) zu den ältesten (zentralen) Holzanteilen einen Übergang von lichtbraun zu dunkelviolettbraun.

Gefäße in großer Menge, meist einzeln, englichtig. Häufigster Durchmesser 26—44, im Mittel 33. Wand mit kleinen (0·005 mm) breitovalen Hoftüpfeln. Gefäßglieder kurz. — Dickwandiges Libriform bildet die Hauptmasse des Holzes. Radiale Breite durchschnittlich 14, Lumen bis 0·002 mm sich verengend. — Holzparenchym gerade oder gewellte, verschieden orientierte Verbindungen zwischen den nahe beisammenstehenden Markstrahlen bildend, auch sonst im Libriform zerstreut. Auf Radialschnitten in einschichtigen Reihen von dünnwandigen, im Mittel 15 breiten Zellen erscheinend. Inhalt Stärke. — Kristallkammerfasern vereinzelt auftretend, bis 700 lang und bis 50 Kristalle führend. — Markstrahlen in reicher Menge, zumeist ein- oder zweischichtig; einzelne auch dreischichtig. Die Zellen der einschichtigen Strahlen im Mittel 3o, die der mehrschichtigen halb so hoch (14). Inhalt kleinkörnige Stärke.

Malvaceen.

Chorisia insignis H. B. et K. «Guchan blanco.» Peru. In Argentinien auf Hügeln. Höhe bis 22, Schaft bis 15, dessen Durchmesser bis 2 m. Blüht im Februar, reift im Juni. Aus den Bastfasern werden sehr gute Seile verfertigt; die Samenhaare liefern eine sehr feine Wolle, die besonders zum Füllen von Kopfkissen und zur Herstellung von Kerzendochten Verwendung findet.

Das sehr weiche und leichte Holz zeigt am Querschnitt mit freiem Auge scharf markierte schmale, konzentrische Ringe, die sich unter der Lupe als Gefäßzonen erweisen; das Holz ist somit ringporig. Die Markstrahlen treten schwach hervor. Der mikroskopische Querschnitt läßt weitlumige Gefäßporen, viereckige, dünnwandige Zellen (Holzparenchym) und zwischen diesen kleine Inseln dickwandiger Zellen (Libriformfasern) erkennen.

Gefäße meist einzeln, auch zu zweien; häufigster Durchmesser 110—150, im Mittel 143. Wand mit ziemlich großen (0·013 mm), breitovalen oder unregelmäßig konturierten Hoftüpfeln. — Libriform in ein- oder wenigreihigen Zügen zwischen dem Parenchymgewebe. Die Zellwand zeigt an verschiedenen Stellen derselben Prosenchymfaser ungleiche Verdickungen. Mittlere radiale Breite 22. — Holzparenchym bildet die Hauptmasse des Holzes; die prismatischen, dünnwandigen Zellen zeigen im

Mittel folgende Abmessungen: Höhe 100, radiale Breite im Frühholz 52, im Spätholz 36, tangentiale Breite 43; Tüpfel 4·5. — Markstrahlen ein- bis vierschichtig; Zellen 17—70 hoch; Wand mit einfachen, großen, bis 22 langen Tüpfeln. Die Zellen des Strang- und Strahlparenchyms sind mit großen Amylumkörnern (Durchmesser bis 0·025 mm) erfüllt.

Meliaceen.

Cedrela fissilis Vel. «Cedro.» Brasilien. In Argentinien in den unteren Teilen des Gebirges und auf Hügeln. Höhe bis 25, Schaft bis 12, dessen Durchmesser bis 1·4 m. Blüht im November, fruchtet im März. Enthält viel Gummi. Ein Absud des Holzes wird als schmerzstillendes Mittel bei Quetschwunden verwendet.

Holz leicht und weich, im Splint bräunlichweiß, im Kern zimtbraun. Unter der Lupe sieht man am Querschnitt große Gefäßporen in schmalen konzentrischen Zonen (ringporig) dicht gehäuft; in den zwischenliegenden Holzzonen sind die Gefäße enger und ziemlich gleichförmig verteilt. Markstrahlen und lichte Holzparenchymbänder treten deutlich hervor.

Gefäße meist einzeln, dickwandig, weitlumig. Häufigster Querdurchmesser 130 —180, Maximum 225, Mittel 160. Wand mit dichtstehenden, ziemlich großen, querspaltigen Hoftüpfeln. In Berührung mit Markstrahlwänden gleichfalls behofte Tüpfel mit sehr schmalem Porus. Im Inhalte besonders in älteren Holzlagen gelbe oder rotbraune Massen. — Prosenchymfasern (Libriform) dünn bis mitteldickwandig; mittlere radiale Breite im Frühholze 25, im Spätholze 19. Wand mit spärlichen, sehr kleinen Tüpfeln. — Holzparenchym mächtig entwickelt, in mehrschichtigen, bis 180 radialbreiten Zellkomplexen. Zellen sehr dünnwandig, weitlichtig; im Mittel 75 lang und 35 weit; einzelne auch 40 oder 50 radial breit. Das Innere ganz erfüllt mit großen (bis 0·020 mm Durchmesser) einfachen oder zusammengesetzten (Zwillings-, Drillings-) Stärkekörnern. — Markstrahlen zwei- bis fünfschichtig (ausnahmsweise einschichtig), bis 700 hoch und 150 breit. Zellen dünnwandig, 17—65 hoch, am Tangentialschnitt mit verschieden gestaltetem Umriß; Stärke führend. In den Holzfasern und vielen Markstrahlzellen besonders des älteren Holzes braune, homogene Massen.

Der mikroskopische Holzbau dieser *Cedrela*-Art stimmt im wesentlichen mit den Befunden von Wilhelm (l. c., p. 957) bei *Cedrela odorata* überein. Über die Struktur von *C. odorata* vgl. auch Wiesner (l. c., p. 574) und Piccioli (l. c., p. 149).

Moraceen.

Maclura Mora Griseb. «Mora.» Argentinien. Daselbst in Schluchten und an feuchten Stellen des Hügellandes. Höhe bis 18, Schaft bis 8, dessen Durchmesser bis 1·2 m. Blüht im Oktober, reift im Dezember. Enthält viel Gummi. Die Blätter liefern einen Tee gegen Dysenterie. Die Frucht von gutem Geschmacke.

Holz von mittlerer Härte und Schwere. Der Lupenquerschnitt zeigt auf braunem Grunde lichte, wellig gebogene Linien (Holzparenchym) und lichte Punkte (Gefäßporen mit perivasalem Parenchym). Splint schmutzigweiß, Kern braun.

Gefäße einzeln oder zu zweien. Durchmesser meist 110—150, im Mittel 130, mit querovalen, 0·011 mm breiten Hoftüpfeln. — Sklerenchymfasern englichtig, 0·009, dick- oder mitteldickwandig, mit sehr kleinen Tüpfeln. — Holzparenchym stark entwickelt. Tangentiale Züge, welche sich gegen die Gefäße verbreitern und diese mehrschichtig einhüllen, also inter- und perivasal. Zellen dünnwandig, einfach getüpfelt, durchschnittlich 22 radial breit. Im Inhalt massenhaft runde Stärkekörner. — Kristall-kammerfasern untergeordnet. — Markstrahlen gewöhnlich 240—300 hoch, meist zwei- oder dreischichtig. Zellen niedrig, im Mittel 13, reich getüpfelt und mit kreisrunden Amylumkörnern gefüllt.

Wiesner (l. c., p. 595) hat die Holzanatomie von *Maclura aurantiaca* Nutt. beschrieben, die vielfach mit der von *M. Mora* übereinstimmt. Möller (l. c., p. 325) macht Angaben über *Maclura aurantiaca* und *M. tinctoria* Don. Die letztgenannte Art wurde auch von Wilhelm (l. c., p. 904) xylotomisch untersucht.

Myrtaceen.

Myrtus mucronata Camben. «Arrayan colorado.» Brasilien. In Argentinien am Fuß der Gebirge. Höhe bis 15, Schaft bis 10, dessen Durchmesser bis 1 m.

Holz bräunlichweiß, von mittlerer Härte und Schwere, homogen, gut schneidbar. Die Lupe zeigt auf dem Querschnitte lichte, wellenförmige Bänder, dann (undeutlich) lichte Fleckchen.

Gefäße einzeln, in radialer Anordnung, meist 50—70, im Mittel 60 weit, mit sehr kleinen (0·005 mm) Hoftüpfeln. — Tracheiden englichtig, durchschnittlich 12 breit, Wand mit behöften Tüpfeln. — Holzparenchym im Querschnitt tangentiale, einander sehr genäherte Züge zwischen den Markstrahlen bildend. Zellen dünnwandig, einfach getüpfelt, Stärke führend. — Markstrahlen einschichtig, seltener partiell zweischichtig. Zellen durchschnittlich 21 hoch; in manchen ein lichtbrauner, körniger Inhalt.

Möller (l. c., p. 402) hat *Myrtus communis* L. holzanatomisch beschrieben; später auch Piccioli (l. c., p. 152). Die Struktur ist ähnlich der von *Myrtus mucronata*.

Nyctaginaceen.

Bougainvillea stipitata Griseb. «Guancaro negro.» Argentinien. Daselbst auf trockeneren Stellen. Höhe bis 8, Schaft bis 5, Durchmesser bis 0·4 m. Blüht im Februar.

Bougainvillea praecox Griseb. «Guancaro blanco.» Argentinien. Daselbst auf trockenen Stellen. Höhe bis 6, Schaft bis 4, dessen Durchmesser bis 0·3 m. Blüht im Februar.

Der histologische Bau des Holzes dieser beiden Arten ist so übereinstimmend, daß die folgenden Angaben für beide Arten gelten können.

Holz leicht, weich, bräunlichweiß. Unter der Lupe sieht man auf dem Querschnitt konzentrische Bänder in ziemlich wellenförmigem Verlauf mit weißen Grenzlinien; ferner die Markstrahlen.

Gefäße in kleinen Gruppen; Gefäßglieder kurz, Querwände sehr dünn. Häufigster Querdurchmesser 40—70, im Mittel 60. Wand mit sehr kleinen, querspaltigen Hoftüpfeln. — Prosenchymfasern dünnwandig, die weiterlumigen (18—20) mit Hoftüpfeln. — Holzparenchym tangentiale Züge von dickwandigen, im Durchschnitt 19 breiten Zellen bildend. — Markstrahlen sehr groß, bis 1·8 mm, zwei- bis zehnschichtig. Zellen auffallend groß, im Mittel 58 hoch und 22 breit, dünnwandig, reich getüpfelt. In einzelnen kleine, runde Stärkekörner.

Olacineen.

Ximenia americana L. «Pata blanca.» Tropen. In Argentinien auf trockenen Stellen. Höhe bis 10, Schaft bis 6, dessen Durchmesser bis 0·8 m. Blüht im November, reift im Jänner. Die Rinde liefert braunen Farbstoff. Die angenehm schmeckende Frucht ist ein vorzügliches Viehfutter.

Das braune, mittelharte Holz zeigt unter der Lupe lichte, konzentrische Bänder, kleine Gefäßporen und die Markstrahlen.

Gefäße meist einzeln, gleichmäßig über den Querschnitt verteilt, oft durch braune Massen verstopft. Häufigste Lichte 48—65, im Mittel 42. Wand mit fast kreisrunden, etwa 0·008 mm im Durchmesser haltenden Hoftüpfeln. — Tracheiden den Gefäßen angelagert, mit derselben Tüpfelung wie diese. — Dickwandiges Libriform die Hauptmasse des Holzes bildend, im Mittel 13 breit, reichlich getüpfelt. — Markstrahlen ein- oder meist zweischichtig, häufig 170—200 hoch. Zellen von ungleicher, im Mittel 17 Höhe, Stärke führend.

Piperaceen.

Piper aduncum L. «Salbia mora.» Tropisches Amerika. In Argentinien in Sümpfen. Höhe bis 8, Schaft bis 4, dessen Durchmesser bis 0·25 m. Blüht im Februar.

Holz lichtbraun, leicht, weich, an Längsflächen glänzend. Am Holzquerschnitt erkennt man schon im freien Auge die Markstrahlen als lichte, breite Streifen. In den zwischenliegenden, fast ebenso breiten dunklen Streifen (des Stranggewebes) treten zahlreiche Gefäßporen hervor. Diese abwechselnde Schichtfolge der Holzgewebe ist auch auf Längsschnitten auffallend.

Gefäße weitlichtig, meist 110—200, im Mittel 170 im Durchmesser. Wand mit sehr zarter Streifung und kleinen (0·005 mm), querelliptischen Hoftüpfeln. — Die Grundmasse des Stranggewebes bilden dünnwandige, weitlichtige Prosenchymfasern; sie haben durchschnittlich eine radiale Breite von 22 und führen zahlreiche, schräg oder steil gerichtete, einfache Tüpfelspalten. — Holzparenchym in der Umgebung der Gefäße; im Mittel 22 radial breit. — Die Markstrahlen sind mächtig entwickelt; sie bilden im Tangentialschnitt longitudinale, 0·1—0·5 mm (meist 0·25—0·35 mm) breite Gewebestreifen. Die Zellen erscheinen im tangentialen Durchschnitt als axial gestreckte Rechtecke oder in einer einem Sechseck ähnlichen Form. Sie werden bis 90 (im Mittel 48) hoch (die meisten sind «stehend»); an den dünnen Wänden finden sich viele kleine, hoflose Tüpfel; im Inhalt sind runde Stärkekörner.

Der Holzbau ist ähnlich dem von *Piper methysticum* (vgl. meine «Samoahölzer»).

Polygonaceen.

Ruprechtia fagifolia Meissn. «Duraznillo colorado.» Brasilien. In Argentinien auf trockenen Stellen des Waldes. Strauchartiger Baum bis 6 m, Schaft bis 4 m, dessen Durchmesser bis 0·3 m. Blüht im Februar, reift im März.

Das lichtbraune, ziemlich weiche Holz zeigt am Querschnitt bogenförmige, mehr oder weniger wellig verlaufende Zonen.

Gefäße meist gruppenweise in radialer Reihung; Querdurchmesser am häufigsten 45—65, im Mittel 50. Wand mit kleinen Hoftüpfeln. — Das Stranggewebe des Holzes besteht aus dünnwandigen Prosenchymfasern mit einer mittleren radialen Breite von 17; sie besitzen dünne, horizontale Querwände, in spärlicher Menge äußerst kleine Tüpfel und führen stellenweise reichlich Stärkekörner; hin und wieder auch eine Reihe von Kristallen, die rhombische Flächen zeigen. — Den Gefäßen angelagert sind kurze (etwa 70 lange und 20 breite) Tracheiden. Ihre Form erinnert an Holzparenchymzellen, die Wände haben querspaltige Hoftüpfel. — Markstrahlen einschichtig, Zellen dünnwandig, in der Höhe wenig verschieden; mittlere Höhe 13. Mit äußerst kleinen, in der Berührung mit der Gefäßwand viel größeren, hoflosen Tüpfeln.

Rhamnaceae.

Zizyphus Mistol Griseb. «Mistol.» Argentinien. Daselbst in der Ebene allgemein verbreitet. Höhe bis 25, Schaft bis 10, dessen Durchmesser bis 1·2 m. Blüht im November, reift im Jänner. Die schmackhafte Frucht ist ein ausgezeichnetes Futter für Haustiere. Die Blätter liefern einen purgierenden Tee; der Absud der Rinde dient als «Kopfwasser».

Holz mit bräunlichweißem Splint und rotbraunem Kern; von mittlerer Härte. Der Lupenquerschnitt zeigt verschieden gestaltete Strichelchen (Holzparenchym) und Markstrahlen.

Gefäße meist einzeln, hin und wieder zu zweien. Häufigster Wert des Querdurchmessers 60—90, im Mittel 75. Tüpfel 0·007 mm, mit sehr zartem Hof und querer Spalte. — Prosenchymfasern von geringer radialer Breite; teils dünnwandig mit einem Lumen von 0·007 mm und kleinen behoften Tüpfeln, teils dickwandig mit einem Lumen bis 0·002 mm. — Holzparenchym in zahlreichen (nahe beieinander liegenden) tangentialen, einschichtigen Reihen dünnwandiger Zellen. Mittlerer Querdurchmesser 15. — Markstrahlen zwei- bis dreischichtig, meist 200—600 hoch. Zellen dünnwandig, mit zahlreichen kleinen, hoflosen Tüpfeln; beim Kontakt mit der Gefäßwand mit behöften Tüpfeln. Höhe der Zellen ziemlich verschieden, im Mittel 17. — Strahl- und Strangparenchym sind mit großen Stärkekörnern erfüllt. Dieselben erscheinen kreisförmig (Durchmesser bis 18), breitelliptisch (22×18) oder fast prismatisch (26×10); letztere besonders im Holzparenchym.

Möller (l. c., p. 389) hat die Holzstruktur von *Zizyphus Baclei* DC., *Z. orthacantha* DC. und *Z. vulgaris* Lam., Foxworthy (l. c., p. 374) jene von *Zizyphus granulatus*, Piccioli die von *Zizyphus sativa* Gaertn. beschrieben.

Rosaceen.

Polylepis racemosa Ruiz et Pav. «Quennua.» Peru. In Argentinien im Gebirge vorkommend. Höhe bis 6, Schaft bis 3, dessen Durchmesser bis 0·35 m.

Das braune, ziemlich weiche Holz zeigt unter der Lupe dünne, konzentrische Zuwachsstreifen und die Markstrahlen.

Gefäße meist einzeln, englichtig, häufigster Durchmesser 35—45, im Mittel 43; Wand mit querspaltigen, 0·007 mm breiten Hoftüpfeln. — Tracheiden das Stranggewebe bildend, mitteldickwandig, durchschnittlich 18 breit, mit behoftem, oft kreuzspaltigem Porus. — Markstrahlen ein- bis vierschichtig; Zellen im Mittel 19 hoch, mit hoflosen, an der Gefäßwand behoften Tüpfeln. In den Zellen ein orangeroter oder ziegelroter Farbstoff.

Rubiaceen.

Calycophyllum Spruceanum Chod. et Hassl. «Palo blanco.» Paraguay. In Argentinien im Hügellande. Höhe bis 30, Schaft bis 14, dessen Durchmesser bis 1 m. Blüht im April.

Holz von mittlerer Härte, bräunlichweiß. Unter der Lupe zeigen sich am Querschnitte konzentrische, schwach markierte Zuwachsstreifen und (undeutlich) die Markstrahlen.

Gefäße einzeln oder zu zwei bis drei in radialer Reihung; Querschnitt oft unregelmäßig, englichtig; häufigster Durchmesser 35—45, im Mittel 40. Wand mit sehr kleinen (0·0045 mm) Querhoftüpfeln. — Prosenchymfasern bilden allein das Stranggewebe, deren Elemente im Frühholz dünn- oder mitteldickwandig, im Spätholz dickwandig sind. Lumen von 19 (Frühholz) bis 6 (Spätholz). Die Zellen sind mit runden Stärkekörnern (Durchmesser 2·2—8·8 μ) erfüllt, die meist einreihig (rosenkranzförmig), in den weitlichtigen Fasern auch zweireihig angeordnet sind. — Markstrahlen ein- oder zweischichtig, bis 0·5 mm hoch. Höhe der zweischichtigen Zellen im Durchschnitt 19 (die Kantenzellen höher), der einschichtigen 38. Das Zellinnere mit Stärkekörnern dicht gefüllt.

Coutarea hexandra Schum. (*C. hexandra* Aubl.). «Matico.» Guayana. In Argentinien auf trockenen Hügeln. Höhe bis 6, Schaft bis 2·5, dessen Durchmesser bis 0·3 m. Blüht im Februar, fruchtet im April.

Holz von mittlerer Härte und Schwere, im Splint lichtbraun, im Kern dunkelbraun. Unter der Lupe erkennt man am Querschnitte zarte, wenig hervortretende, mehr oder weniger konzentrische Bänder und die Markstrahlen als feine Streifen.

Gefäße einzeln stehend, englichtig; häufigste Weite 30—40, im Mittel 34; Wand mit sehr kleinen (0·0045) quergestellten Hoftüpfeln, auch in Berührung mit Markstrahlen. — Prosenchymfasern dickwandig, reich getüpfelt; durchschnittliche radiale Breite 18. — Holzparenchym untergeordnet, zwischen den Holzfasern eingestreut; durchschnittliche radiale Breite der Zellen 20. — Markstrahlen in reichlicher Anzahl, ein- oder zweischichtig; Zellen durchschnittlich 22 hoch.

Rutaceen.

Zanthoxylon (Fagara) Naranjillo Griseb. «Narangillo.» Argentinien. Daselbst auf tieferen Stellen in der Ebene. Höhe bis 20, Schaft bis 9, dessen Durchmesser bis 0·9 m. Blüht im November, reift im Februar. Die Blätter liefern schweißtreibenden Tee.

Das gelblichweiße, leichte und weiche Holz zeigt am Querschnitt konzentrisch verlaufende Streifen, in denen Gefäßporen liegen, und die Markstrahlen.

Gefäße meist zu zweien oder dreien, selten einzeln in ringporiger Anordnung. In der ringporigen Zone ist der Gefäßdurchmesser meist 70—110, im Mittel 95; in den Zwischenzonen sind die Gefäße englichtiger; das Mittel beträgt etwa 60. Das Lumen einzelner Gefäße im Spätholze sinkt bis 0·009 mm! Gefäßwände mit sehr kleinen (0·005 mm) behoften Tüpfeln, auch beim Vorüberziehen an Markstrahlen. — Die Hauptmasse des Stranggewebes bilden mäßig verdickte Prosenchymfasern; ihre radiale Breite beträgt im Durchschnitt 16; an der Wand stehen in spärlicher Verteilung kleine Tüpfel mit undeutlicher Hofbildung. Die Zellen führen kleine Mengen von Stärke, hin und wieder auch Oxalatkristalle. — Holzparenchym in der Umgebung der Gefäße, dünnwandig, in Berührung mit der Gefäßwand wie diese getüpfelt. Mittlere radiale Breite 22. — Markstrahlen zwei- bis vierschichtig, meist 360—530 hoch. Zellen dünnwandig, in der Höhe (Mittel 17) wenig verschieden. Im Inhalt geringe Mengen Stärke.

Zanthoxylon (Fagara) Niederleinii Engl. «Cochuchu.» Argentinien. Daselbst an offenen Stellen am Fuße der Gebirge. Baum bis 8 m Höhe, Schaft bis 4, dessen Durchmesser bis 0·6 m. Blüht im Oktober, fruchtet im März.

Holz an Querflächen bräunlichweiß, an Längsflächen weiß. Die Lupe läßt am Querschnitt konzentrische Zuwachszonen und die Markstrahlen deutlich erkennen.

Gefäße meist einzeln oder zu zweien; Durchmesser der meisten 57—88, im Mittel 66; Wand mit sehr kleinen (0·005 mm), dichtstehenden Querhoftüpfeln. — Libriform bildet die Grundmasse des Holzes; die oft gebogenen Fasern haben eine mittlere radiale Breite von 13. — Holzparenchym in der Umgebung der Gefäße; Zellen durchschnittlich 15 breit, Stärke führend; hin und wieder auch teilweise als gekammerte Kristallfasern ausgebildet. — Markstrahlen zumeist drei- bis vierschichtig, vereinzelt auch ein- bis zweischichtig. Zellen in der Höhe (Mittel 21) wenig verschieden. An den Wänden hoflose, bei Berührung mit der Gefäßwand behofte Tüpfel. Im Inhalt kleine Stärkekörner, hin und wieder ein Oxalatkristall.

Wilhelm hat (l. c., p. 952) den anatomischen Bau des Holzes von *Fagara flava* Krug et Urb. beschrieben.

Salicaceen.

Salix Humboldtiana Willd. «Sause.» America austral. In Argentinien an Flußufern. Höhe bis 20, Schaft bis 10, dessen Durchmesser bis 1·5 m. Blüht im Dezember, reift im März. Die Asche wird als Augenheilmittel bei Vieh, besonders Pferden, verwendet.

Holz weich, mit weißem Splint und braunem Kern (Faulkern?). Auf dem Querschnitt erkennt man auch unter der Lupe keine Differenzierung.

Gefäße zahlreich, meist einzeln, mit breitelliptischem Querschnitt, weitlichtig; Querdurchmesser meist 110—150, im Mittel 120. Gefäßglieder einfach durchbrochen. Wand mit sehr kleinen (0·0045 mm), dicht beisammenstehenden, einander meist sechsseitig abplattenden Hoftüpfeln; in Berührung mit der Markstrahlwand Tüpfel unbehöft. Gefäßwand gestreift; die Streifung an der Radialwand feiner als an der Tangentialwand. — Tracheiden bilden das Stranggewebe. Zellen dünnwandig, weitlichtig (im Mittel 19), mit sehr kleinen Hoftüpfeln. — Markstrahlen bis 16 Zellen hoch, einschichtig, einzelne partiell zweischichtig, aus zweierlei Zellen zusammengesetzt. Die inneren niedrig, im Mittel 0·017 mm, mit spärlichen, sehr kleinen Poren, die äußeren mehr als doppelt so hoch, im Mittel 0·042, mit großen (0·009 mm) rechteckigen, querovalen oder elliptischen, unbehöften Tüpfeln. Zellen dünnwandig.

Der anatomische Bau des Holzes (insbesondere der Markstrahlen) stimmt im wesentlichen mit dem der einheimischen Weiden überein (vgl. Wilhelm, l. c., p. 881, «Weidenholz»); insbesondere ist die Ausbildung der Markstrahlen dieselbe wie bei den einheimischen Arten der Gattung *Salix*.

Wiesner (l. c., p. 608) beschreibt das Holz von *Salix Caprea* und bildet die für die Salicaceen charakteristischen Markstrahltüpfel recht gut ab. — Möller gibt (l. c., p. 329) den «hervorragenden Charakter» des Holzes der Gattungen *Populus* und *Salix* bekannt. In den Angaben sind manche Irrtümer, so z. B., daß die Markstrahlen stets einreihig sind, daß die Gefäße relativ eng sind, daß ihre Scheidewände vollkommen resorbiert sind etc. Die allgemeine Angabe: «an den Zellen der Markstrahlen ist vorzüglich zu beobachten, wie durch die Nachbarschaft der Gefäße die Tüpfelung modifiziert wird», hat in einer Abhandlung, in welcher lediglich der anatomische Bau einzelner Holzarten beschrieben wird, wenig Wert, abgesehen von ihrer Unrichtigkeit, da gerade bei den *Salix*-Arten die Tüpfelung der Markstrahlzellen durch die Nachbarschaft der Gefäße nicht modifiziert wird. Wilhelm hat (l. c., p. 881) den histologischen Bau des Salicineenholzes richtig beschrieben. Piccioli stellt (l. c., p. 143) die xylotomischen Merkmale einer Reihe von *Salix*-Arten in einer analytischen Tabelle zusammen und bildet auch das charakteristische mikroskopische Bild der Markstrahlen in der Radialansicht richtig ab.

Santalaceen.

Acanthosyris spinescens Griseb. «Sacha - Pera». Argentinien. Daselbst in der Ebene. Höhe bis 12, Schaft bis 6, dessen Durchmesser bis 0·6 m. Blüht im November, reift im Dezember. Die schmackhafte, gelbe Frucht ist ein ausgezeichnetes Futter.

Holz lichtbräunlich, von mittlerer Härte und Schwere. Der Lupenquerschnitt zeigt konzentrische, lichte Bogenlinien und zahlreiche, dicht beisammenstehende Fleckchen auf braunem Grunde.

Gefäße nicht zahlreich, einzeln oder zu zwei bis vier in radialer Richtung gereiht, dickwandig. Häufigster Wert des Querdurchmessers 50—70, im Mittel 70. Gefäßglieder kurz. Wand mit breitelliptischen, großen (0·011—0·013 mm messenden) Hoftüpfeln. — Libriform mit einer durchschnittlichen radialen Breite von 16 und schmalen, schräggestellten, einfachen Poren. Auffallend ist die ungleich starke Wandverdickung an verschiedenen Stellen derselben Faser. — Holzparenchym in tangentialen, einschichtigen Zügen zwischen den Markstrahlen. Radiale Breite der Zellen 13—31; Wand mit kleinen, quergestellten, hoflosen Tüpfeln; Inhalt große runde, bis 17·5 im Durchmesser haltende Stärkekörner. — Markstrahlen groß, vier- bis fünfschichtig, meist 350—450 lang. Zellen im tangentialen Durchschnitt von verschiedener Form und Größe (9—48 hoch, 9—22 breit). Wand mit zahlreichen kleinen, in Berührung mit Gefäßen großen, hoflosen Tüpfeln. Im Inhalt massenhaft große Stärkekörner; ab und zu ein Kristall.

Jodinia rhombifolia Hook. et Arn. «Sombra de toro.» Brasilien. In Argentinien an trockenen Stellen der Hügel. Höhe bis 8, Schaft bis 4, dessen Durchmesser bis 0·5 m. Frucht genießbar.

Holz bräunlichweiß, leicht, gut schneidbar. Der Querschnitt zeigt unter der Lupe konzentrische Bänder, die aus verschieden gestalteten und gerichteten braunen Strichelchen zusammengesetzt sind. Am mikroskopischen Querschnitt erscheint tangential angeordnetes Holzparenchym in so massiger Entwicklung, daß das Libriform nur schmale tangentiale Zwischenstreifen oder kleine Inseln in den Maschen des Strang- und Strahlparenchyms bildet. In den Holzparenchymrevieren liegen die Gefäße dicht aneinandergereiht (haufenweise).

Gefäße in großer Menge, einen wesentlichen Anteil an der Holzstruktur bildend, englichtig. Häufigster Querdurchmesser 20—30, im Mittel 28; Wände mit stark hervortretender, schraubiger Verdickung und querspaltigen (0·008 mm) Hoftüpfeln. — Libriform dickwandig; Fasern durchschnittlich 14 breit, mit spärlichen, schief gestellten, schmalporigen Tüpfeln. — Holzparenchym in ein- bis mehrreihigen Zellenzügen. Zellen mitteldickwandig, 17—31 breit, mit unbehoften Tüpfeln. — Markstrahlen drei- bis fünfschichtig, bis 1·5 mm lang. Zellen von sehr ungleicher Größe; Höhe von 20—60; Wände reichlich mit kleinen, in Berührung mit der Gefäßwand größeren, unbehoften Tüpfeln.

Sapindaceen.

Allophylus edulis Radlk. «Chalchal.» Brasilien. In Argentinien an Bachufern und feuchteren Orten. Baumartiger Strauch, Höhe bis 6, Schaft bis 3, dessen Durchmesser bis 0·25 m. Blüht im Oktober, reift im Dezember. Die kleinen roten Beeren sind genießbar.

Holz bräunlichweiß, von mittlerer Härte und Schwere. Der Querschnitt zeigt unter der Lupe wellig gebogene, konzentrische Zuwachszonen und lichte, tangential angeordnete Strichelchen.

Gefäße einzeln oder zu zweien verbunden in radialer Reihung, zwischen den nahe beicinanderstehenden Markstrahlen; meist mit schmalelliptischem Querschnitt. Häufigster Durchmesser 50—70, im Mittel 60. Längswände mit feiner dichter Streifung und sehr kleinen (0·005 mm) Hoftüpfeln. Gefäßquerwände steil. — Prosenchym aus dünnwandigen, im Mittel 14 breiten Holzfasern gebildet, mit zarten, horizontalen Querwänden und äußerst spärlichen, winzigen Tüpfeln. — Holzparenchym untergeordnet; die Zellen den Gefäßen angelagert; mittlere Breite 14. — Kristallkammerfasern relativ selten. — Markstrahlen zumeist ein-, seltener partiell zweischichtig, bis 0·5 mm hoch. Zellen im Mittel 15 hoch, mit hoflosen, an Gefäßwänden behoften Tüpfeln.

Über die Holzanatomie von *Allophylus timorensis* Blume vgl. meine Abhandlung (Samoahölzer, Sep.-Abdr., p. 40).

Thouinia ornifolia Griseb. «Suiquillo.» Argentinien. Daselbst im Gebirge. Höhe bis 7, Schaft bis 4, dessen Durchmesser bis 0·5 m. Blüht im März.

Holz hart, schwer, herb schmeckend; auf graubraunem Grunde wenig hervortretende Zuwachsstreifen.

Gefäße meist einzeln, in der Regel 50—70, im Mittel 65 weit, mit sehr kleinen Hoftüpfeln. — Dickwandiges Libriform mit einer durchschnittlichen Faserbreite von 19 bildet die Grundmasse des Holzes. — Holzparenchym in vielen einreihigen, oft schief verlaufenden, tangentialen Zellenzügen zwischen den Markstrahlen; mittlere radiale Weite 20. — Markstrahlen ein- oder zweischichtig, meist 170—300 hoch. Die Mittelzellen der zweischichtigen Strahlen durchschnittlich 20, die Kantenzellen 34; fast ebenso hoch wie die letzteren auch die Zellen der einschichtigen Strahlen. Es kommen auch Markstrahlen vor, bei denen einschichtige Zonen stehender Zellen mit zweischichtigen Zonen liegender Zellen abwechseln. — Im Strahl- und Strangparenchym Stärke und eisenbläuender Gerbstoff.

Thouinia weinmannifolia Griseb. «Quebrachillo.» America austr. In Argentinien im Hügellande. Höhe bis 16, Schaft bis 8, dessen Durchmesser bis 0·5 m.

Holz lichtbraun, von mittlerer Härte und Schwere. Unter der Lupe erscheinen am Querschnitt dichtgedrängt weiße Fleckchen und Strichelchen.

Gefäße einzeln oder zu zweien verbunden und besonders im letzteren Falle von unregelmäßigem Querschnitt; dickwandig. Häufigster Querdurchmesser 60—90, im Mittel 73. Wand mit sehr kleinen (0·003 mm) Hoftüpfeln. Inhalt durch gelbe oder braune Massen teilweise verstopft. — Dickwandiges Libriform die Grundmasse des Holzes bildend; durchschnittliche radiale Breite der Fasern 18. — Holzparenchym perivasal, die Einzel- oder Zwillingsgefäße in mehreren Schichten umhüllend, an Längsschnitten in bis zehnschichtigen Reihen 13—22 breiter Zellen erscheinend. Dieselben sind vollgefüllt mit runden oder infolge gegenseitiger Abflachung polyedrisch gestalteten, groben Stärkekörnern. — Kristallkammerfasern untergeordnet, die Holzparenchymzüge begleitend. — Markstrahlen einschichtig, meist 120—180 hoch. Zellen durchschnittlich 16 hoch, Stärke führend.

Sapotaceen.

Bumelia obtusifolia Roem. et Schult. «Horcomolle.» Brasilien. In Argentinien überall eingesprengt. Höhe bis 18, Schaft bis 5, dessen Durchmesser bis 1·2 m. Blüht und reift im November. Frucht eßbar. Die Rinde enthält Gerbstoff.

Das leichte, weiche Holz zeigt am Querschnitt unter der Lupe Zuwachsstreifen, Gefäßporen und Markstrahlen.

Gefäße meist einzeln, Querdurchmesser gewöhnlich 80—110, im Mittel 96, Wand mit querelliptischen (0·009 mm) Hoftüpfeln. — Prosenchym aus dünn- bis mitteldickwandigen, weitlumigen (mittlere radiale Breite 21) Holzzellen zusammengesetzt; spärlich verteilte, undeutliche Hoftüpfel. — Holzparenchym untergeordnet, in der Umgebung der Gefäße; mittlere radiale Breite 26; Wand mit großen unbehoften Tüpfeln. — Markstrahlen ein- bis drei- (meist ein- oder zwei-) schichtig. Zellen etwa 18 hoch, Wand mit einfachen, in Berührung mit Gefäßwänden behoften Tüpfeln. Im Inhalt Stärke.

Chrysophyllum maytenoides Mart. «Arrayan negro.» Brasilien. In Argentinien am Fuße der Gebirge. Höhe bis 15, Schaft bis 10, dessen Durchmesser bis 0·6 m. Blüht im März, reift im Mai. Die Beeren werden von Vögeln verzehrt.

Holz lichtbraun, von mittlerer Härte und Schwere. Der Querschnitt läßt Zuwachsstreifen und unter der Lupe Gefäßporen und Markstrahlen erkennen.

Gefäße häufig in kurzen radialen Reihen aggregiert; häufigster Durchmesser 60—90, im Mittel 70, Tüpfel relativ groß, 0·008 mm, mit fast kreisförmigem Hof. Wand mit zarter Streifung. — Prosenchym aus dünn- bis mitteldickwandigen Zellen von im Mittel 17 radialer Breite gebildet, mit sehr spärlich auftretenden, winzigen Tüpfeln. — Holzparenchym untergeordnet, in der Umgebung der Gefäße; mittlere radiale Breite 22; Wand mit zahlreichen querelliptischen, unbehoften Tüpfeln. — Markstrahlen ein- bis dreischichtig. Häufig zeigen die Markstrahlen eine mittlere, zwei- bis dreireihige Partie, die sich beiderseits in einen einseitigen Endteil fortsetzt. Mittlere Höhe der mehrschichtigen (liegenden) Zellen 15, der einschichtigen (stehenden) Zellen 30.

Von Molisch (l. c., Sep.-Abdr., p. 22) wurde der anatomische Bau des Holzes von *Chrysophyllum Cainito* L. beschrieben.

Solanaceen.

Acnistus parviflorus Griseb. «Pucanchu.» Argentinien. Daselbst überall gemein. Höhe bis 5, Schaft bis 2, dessen Durchmesser bis 0·2 m. Blüht im Oktober, reift im Februar. Die Blätter werden zum Erweichen von Geschwüren benützt, die Beeren sind genießbar.

Holz von gelblicher Farbe und etwas bitterem Geschmack; von mittlerer Härte und Schwere. Der Lupenquerschnitt zeigt konzentrische Zuwachsstreifen, dicht stehende lichte Fleckchen und Markstrahlen.

Gefäße meist einzeln, im Querschnitt oft schmalelliptisch, mit radial orientierter Längsachse, auch in Gruppen von zwei oder drei. Häufigste Lichte 65—95, im Mittel 80. Wand mit ziemlich großen (0·010 mm) Querhoftüpfeln, in Berührung mit Strahl-

oder Strangparenchym ebenso große, einfache Tüpfel. — Prosenchym als dünn- bis mitteldickwandige, durchschnittlich 18 breite Tracheiden. Hoftüpfel mit querstehendem, engem Porus. — Holzparenchym untergeordnet, perivasal, etwa 20 breit, Wand mit großen, hoflosen Tüpfeln. — Markstrahlen groß, viele bis 1·5 mm lang und 0·09 mm breit, drei- bis fünfschichtig. Zellen durchschnittlich 26 hoch, mit zahlreichen, relativ großen Tüpfeln. Im Inhalt geringe Mengen kleinkörniger Stärke.

Cestrum pseudoquina Mart. «Hediondello blanco.» Brasilien. In Argentinien an feuchten Stellen und an Sümpfen. Höhe bis 4, Schaft bis 2, dessen Durchmesser bis 0·2 m. Blüht im Jänner, reift im März. Die Rinde wird als Purgiermittel benützt, die besonders in der Jugend giftigen Blätter dienen als Heilmittel für Geschwüre, der Absud des Holzes wirkt magenstärkend.

Holz weich und leicht. Unter der Lupe sind am Querschnitt Markstrahlen und Gefäßporen sichtbar.

Gefäße meist in kürzeren oder längeren radialen Reihen. Lichte zumeist 40—65, im Mittel 53; Querwände steilschief, einfach durchbrochen; Längswand fein gestreift und mit querovalen, 0·008—0·011 mm breiten, schmalspaltigen Hoftüpfeln besetzt. — Prosenchym aus radial angeordneten, dünn- bis mitteldickwandigen Fasern mit dünnen, horizontalen Querwänden zusammengesetzt. Lumen 9—30, mittlere radiale Breite 26. Wand mit kleinen Tüpfeln mit undeutlicher Hofbildung. — Holzparenchym untergeordnet, in der Umgebung der Gefäße mit einfachen, eiförmigen, ziemlich großen Tüpfeln. — Markstrahlen ein- bis fünfschichtig, zumeist zwei- bis vierschichtig, bis 450 lang und 150 breit. Zellen 20—90; im Mittel 31 hoch (liegend oder stehend), mit vielen kleinen, in Berührung mit Gefäßwänden viel größeren, hoflosen Tüpfeln. Im Inhalt feinkörnige Stärke.

Der anatomische Bau des Holzes zeigt Übereinstimmung mit dem von *Cestrum diurnum* L. (Vgl. meine Samoahölzer, l. c., p. 43.)

Grabowskya obtusifolia Arn. «Sicxico.» Peru. In Argentinien überall eingesprengt. Höhe bis 8, Schaft bis 4, dessen Durchmesser bis 0·4 m. Blüht im Februar, fruchtet im März.

Das lichtbraune, leichte und weiche Holz zeigt auf dem Querschnitt größere Gefäßdurchschnitte in ringporiger Anordnung. Zwischen diesen Gefäßzonen erscheinen eigentümliche marmorartige Zeichnungen, gebildet durch kurze, breite, oft verzweigte oder verbogene, dunklere Bänder (Holzparenchym), in denen gleichfalls Gefäßporen mit kleinerer Weite liegen.

Gefäße in den ringporigen Zonen meist einzeln, häufig 130—180, im Mittel 150 weit, in den Zwischenzonen in unregelmäßigen Gruppen aneinandergehäuft, häufig 40—65, im Mittel 50 weit. Wand mit querspaltporigen (0·007 mm) Tüpfeln. — Prosenchymfasern schmal, mit einer durchschnittlichen radialen Breite 13, im Frühholz dünn-, im Spätholz dichwandig; spärlich getüpfelt. — Holzparenchym reichlich ausgebildet, metatracheal und perivasal, in der Region der Gefäßaggregate in tangentialen oder radialen Reihen, in der ringporigen Zone den weiten Gefäßporen angelagert; Zellweite 12—22; im Inhalte kleine, runde Stärkekörner. — Markstrahlen kurz, ein- oder zwei-, seltener dreischichtig; Zellen etwa 20 hoch, mit kleinen, im Kontakt mit der Gefäßwand größeren unbehoften Tüpfeln.

Solanum triste Jacq. «Hedindillo negro.» Tropisches Amerika. In Argentinien an tiefen und nassen Stellen. Höhe bis 5, Schaft bis 2·5, dessen Durchmesser bis 0·3 m. Blüht zweimal des Jahres.

Das leichte, weiche Holz zeigt auf dem Querschnitt dichtstehende, lichte Punkte und die Markstrahlen.

Gefäße zahlreich, einzeln oder zu zwei bis vier radial gereiht, dickwandig, meist 55—92, im Mittel 72 weit. Wand fein gestreift, mit kleinen Hoftüpfeln, auch in Berührung mit Markstrahlen. — Tracheiden dünn- bis mitteldickwandig, im Mittel 18 breit; um die Gefäße liegen dünnwandige Tracheiden mit dichtstehenden, behoften Tüpfeln. — Holzparenchym untergeordnet, in einreihigen, etwa 13 breiten Zellenzügen. — Markstrahlen ein- bis dreischichtig; Zellen 13—53 hoch, in den einschichtigen Strahlen oft noch höher. Wand mit einfachen (besonders an der Tangentialwand vielen) Tüpfeln.

Möller hat (l. c., p. 354) Solanum Dulcamara L. und S. Pseudocapsicum L. untersucht. Wenn er bemerkt: «Bei der Gattung Solanum sind die parenchymatischen Elemente in verschwindend geringer Menge vertreten,» so bezieht sich seine «Gattung» wohl nur auf die zwei genannten Arten, abgesehen davon, daß die Behauptung nicht richtig ist.

Ulmaceen.

Celtis boliviensis Planch. «Tala gatiodora.» Bolivien. In Argentinien an feuchteren Stellen der Ebene. Höhe bis 6, Schaft bis 2·5, dessen Durchmesser bis 0·25 m. Blüht im Jänner, reift im März. Die Beeren sind genießbar.

Holz ziemlich leicht und weich; der Lupenquerschnitt zeigt undeutliche Zuwachsstreifen, ferner Gefäßporen und Markstrahlen.

Gefäße sehr zahlreich, meist einzeln oder gepaart, auch zu drei bis vier in radialer Reihung. Häufigster Wert des Querdurchmessers 80—150, im Mittel 112. Wand mit langgestreckt querelliptischen (0·011 mm) Hoftüpfeln. — Libriform aus dickwandigen, durchschnittlich 15 breiten Fasern zusammengesetzt. — Holzparenchym in reichlicher Menge, teils in tangentialen Zügen, teils perivasal. Zellen dünnwandig, mit horizontalen, einfach getüpfelten Querwänden; radiale Breite 13—15, Längswände reich getüpfelt, im Inhalt Stärke und vereinzelt auch Kristalle. — Markstrahlen bis 1·8 mm lang, zwei- bis sechsschichtig. Zellen 13—45 hoch, mit zahlreichen kleinen, in Berührung mit der Gefäßwand undeutlich behoften Tüpfeln. Im Inhalt Stärke und große rhomboederähnliche Kristalle von 20—35 Kantenlänge.

Celtis diffusa Planch. «Tola blanca.» Brasilien. In Argentinien am Ufer der Waldbäche. Höhe bis 16, Schaft bis 6, dessen Durchmesser bis 1 m. Blüht im Dezember, reift im März. Die Blätter werden als Tee, ähnlich wie «Maté» (von Ilex-Arten) gebraucht.

Holz ziemlich hart und schwer, mit lichtbraunem Splint und dunkelbraunem Kern; der Querschnitt zeigt durch schwarzbraune Bogenlinien scharf umgrenzte Zuwachsstreifen, ferner in tangentialer Anordnung dunkle Fleckchen, unter der Lupe auch Markstrahlen.

Gefäße sehr zahlreich, meist einzeln oder gepaart, auch zu drei bis vier in radialer Reihung. Häufigster Wert des Querdurchmessers 60—100, im Mittel 80. Wand mit langgestreckt querelliptischen (0·011 mm) Hoftüpfeln; Höfe bisweilen sechsseitig. Gefäßlumen mit Thyllen erfüllt, die oft Stärke oder rhomboederähnliche, große Oxalatkristalle enthalten. — Libriform stark entwickelt, aus sehr dickwandigen, durchschnittlich 12 breiten Fasern zusammengesetzt. Wand gelblich gefärbt, Lumen bis 0·002 mm verengt. — Holzparenchym in reichlicher Menge, teils in tangentialen Zügen, teils

39

perivasal. Zellen bis zu zehn Reihen, dünnwandig, im Mittel 18 breit, im Inhalt Stärke und Einzelkristalle führend. — Kristallkammerfasern bisweilen in mehreren Reihen als Begleiter des Strangparenchyms. — Markstrahlen ein- bis vierschichtig; die mehrschichtigen sich öfter unvermittelt in einen einschichtigen, mehrzelligen Fortsatz verlängernd. Zellen relativ niedrig (14) und schmal (11). Im Inhalt Stärke und rhomboederähnliche Kristalle.

Celtis flexuosa Miq. «Tola negra» («pispa»). Tropisches Amerika. In Argentinien an trockeneren Stellen. Höhe bis 6, Schaft bis 3, dessen Durchmesser bis 0·4 m. Blüht im Jänner, reift im Februar. Die Blätter liefern einen purgierenden Tee. Die Beeren sind genießbar.

Holz bräunlichweiß, von mittlerer Härte und Schwere. Der Lupenquerschnitt zeigt wellenförmige Zuwachsstreifen, ferner Gefäßporen und Markstrahlen.

Gefäße einzeln oder gepaart, auch zu drei bis vier in radialer Reihung. Häufigster Wert des Querdurchmessers 70—110, im Mittel 90. Wand mit querelliptischen (0·011 mm) Hoftüpfeln. — Libriform aus dickwandigen, durchschnittlich 13 breiten Fasern zusammengesetzt. — Holzparenchym in reichlicher Menge, tangential, zum Teil auch perivasal. Zellen bis zu acht Reihen, dünnwandig, mit querstehenden unbehoften Tüpfeln, im Inhalt kleine runde Stärkekörner. — Kristallkammerfasern untergeordnet, als Begleiter des Holzparenchyms. — Markstrahlen ein- bis fünf-, meist drei- bis vierschichtig. Zellen 16—54 hoch; die Breite öfter größer als die Höhe, mit zahlreichen kleinen Tüpfeln. Im Inhalt Stärke und häufig große Oxalatkristalle.

Der anatomische Holzbau von *Celtis australis* L. wurde von Wiesner (l. c., p. 612), von Wilhelm (l. c., p. 902) und von Piccioli (l. c., p. 170), jener von *C. Tournefortii* Lam. von Möller (l. c., p. 323) und von Piccioli (l. c., p. 170) skizziert.

Urticaceen.

Phyllostylon rhamnoides Taub. «Palo amarillo.» Brasilien. In Argentinien im Hügellande sehr verbreitet. Höhe bis 25, Schaft bis 12, dessen Durchmesser bis 0·7 m. Reift im Juni.

Holz bräunlichgelb, von mittlerer Härte und Schwere. Die Lupe zeigt am Querschnitt wenig hervortretende Bogenlinien, lichte, dichtstehende Fleckchen und die Markstrahlen.

Gefäße reichlich, einzeln oder in Gruppen von zwei bis fünf in radialer Reihung, englichtig. Häufigster Durchmesser 40—60, im Mittel 48. Wand mit engspaltigen (0·009 mm) Querhoftüpfeln. Im Lumen und dieses nach der Breitenausdehnung ausfüllend, große kristallinische Kalkablagerungen. — Libriform aus gelblich gefärbten, sehr dickwandigen Faserzellen gebildet. Durchschnittliche Breite 13. — Das Holzparenchym nimmt einen wesentlichen Anteil an der Holzbildung. Es bildet in der Querschnittsfläche breite, tangentiale Bänder, welche auch die Gefäße einschließen, oder schmale, nach verschiedenen Richtungen orientierte Zellenzüge, welche die Gefäße oder Gefäßgruppen kranzförmig umschließen. Zellen dünnwandig, im Mittel 13 breit, mit breitelliptischen (0·005 mm), unbehoften Tüpfeln. — Markstrahlen ein- bis vier-, meist zweischichtig, gewöhnlich 150—300 hoch. Zellen im Mittel 15 hoch. — Die Zellen des Strang- und Strahlparenchyms mit Stärkekörnern verschiedener Größe und Form angefüllt.

Trema micrantha Blume. «Maransero.» Tropisches Amerika. In Argentinien an Ufern von Gebirgsbächen. Höhe bis 7, Schaft bis 3, dessen Durchmesser bis 0·5 m. Blüht im Februar.

Holz weiß, sehr leicht und weich. Unter der Lupe sieht man weite Gefäßporen und feine Markstrahlen.

Gefäße einzeln oder zu zwei bis vier, die Markstrahlen oft ablenkend; häufigster Durchmesser 160—220, im Mittel 185. Wand mit querspaltigen (0·01 mm) Tüpfeln, mit zartem Hof und scharf konturiertem Porus; an der Tangentialfläche sich oft sechsseitig abflachend. — Prosenchymgewebe aus dünnwandigen, weitlichtigen, 22 breiten Fasern zusammengesetzt. Querwände horizontal, dünnwandig, von einfachen Tüpfeln durchbrochen, Längswände mit sehr kleinen und spärlich vorkommenden, undeutlich behoften Tüpfeln. — Holzparenchym in der Umgebung der Gefäße; Zellen im Mittel 22 breit, mit ziemlich großen, einfachen Poren. — Markstrahlen entweder ein- oder zwei- bis dreischichtig. Die mehrschichtigen häufig in mehrere einschichtige Kantenzellen sich fortsetzend. Zellenhöhe der einschichtigen Partien im Mittel 40, der mehrschichtigen 30. Wand dünn, mit sehr kleinen, in Berührung mit Gefäßwänden relativ großen, verschieden gestalteten, hoflosen Tüpfeln.

Der anatomische Bau des Holzes von *Trema amboinensis* Blume wurde von mir (Samoahölzer, Sep.-Abdr., p. 48) untersucht.

Zygophyllaceen.

Bulneria Sarmienti Lorentz. «Palo santo.» Argentinien. Daselbst im Gebirge. Höhe bis 18, Schaft bis 7, dessen Durchmesser bis 1 m. Blüht im Dezember, reift im Jänner. Der Dampf des gekochten Holzes zu Inhalationen.

Das Holz zeigt einen schmalen, rötlichweißen Splint und dunkelbraunen Kern mit konzentrischen, grün begrenzten Zuwachsstreifen. Unter der Lupe sieht man am Querschnitte weiße Punkte und Strichelchen, die eine zierliche Zeichnung bilden. Holz sehr schwer und hart, durch die grüne Farbe auffallend.

Gefäße meist in Gruppen zu mehreren, englumig; Durchmesser gewöhnlich 40 —60, im Mittel 50; Wand mit sehr kleinen (0·004 mm) Hoftüpfeln, auch in Berührung mit einer Markstrahlzellwand. — Dickwandiges, englumiges Libriform mit häufig verbogenen Fasern bildet die Grundmasse des Holzes. — Holzparenchym untergeordnet, in der Umgebung der Gefäße; mittlerer radialer Durchmesser 15. Im Inhalte Stärke. — Kristallkammerfasern in reichlicher Menge. — Markstrahlen kurz, meist 65—90 hoch, ein- oder zweischichtig. Zellen dünnwandig, etwa 14 hoch. Im Inhalt runde Stärkekörner und in vielen Zellen Einzelkristalle.

Übersicht der beschriebenen Holzarten.

3*

Ergänzungen zur botanischen Bestimmung
sibirischer Holzskulpturen.

Von

Dr. Alfred Burgerstein.

Im Jahre 1910 hatte ich die Holzskulpturen sibirischer Provenienz der ethnographischen Abteilung des k. k. naturhistorischen Hofmuseums botanisch determiniert und die Befunde im XXIV. Bande der Annalen des Museums veröffentlicht. Eine Anzahl dieser Skulpturen erwies sich einem Salicineenholz zugehörig; ich konnte jedoch nicht entscheiden, ob die betreffenden Schnitzwerke aus Pappelholz oder aus Weidenholz verfertigt seien, und zwar aus dem Grunde, weil bis dahin absolute xylotomische Differentialmerkmale der Gattungen *Populus* und *Salix* nicht bekannt waren.

Da mir bald darauf bei der mikroskopischen Prüfung anderer Holzproben — die speziell von paläographischem Interesse waren — gleichfalls Salicineen unterkamen, entschloß ich mich, eingehende vergleichend-anatomische Untersuchungen des Holzes der Salicineen auszuführen, und es gelang mir zu zeigen, daß die Markstrahlen solche Merkmale zeigen, die eine sichere Unterscheidung der beiden Gattungen *Populus* und *Salix* ermöglichen.[1])

Daraufhin habe ich die in meiner oben erwähnten Museumsabhandlung als «Pappel—Weide» bezeichneten Skulpturen einer neuerlichen mikroskopischen Prüfung unterzogen, deren Ergebnis ich hier mitteile. Bei dieser Gelegenheit wurden auch noch einige früher nicht in Betracht gezogene Schnitzwerke untersucht (siehe Nachtrag). Damit ist die botanische Gattungszugehörigkeit von Objekten, die 135 Inventarnummern umfassen, festgestellt.

Dem Vorstande der ethnographischen Sammlungen, Herrn Regierungsrat Franz Heger, bin ich für die mir gewährte Unterstützung zu Dank verbunden.

Tschutschken. Nr. 58188. Modell eines Transportschlittens; Basis (das erstemal nicht untersucht): Erle, Reifen: Weide.

Kamtschadalen. Nr. 52159 (in der ersten Abhandlung aus Versehen mit 58159 bezeichnet). Modell einer Jurte: Weide.

Orotschen. Nr. 60345. Fischhaken, Schaft: Weide. — 60356. Werkzeug zum Reinigen der Fischhaut: Weide. — 60375. Gerät zum Leuchten beim Fischfang: Weide. 60380. Gefäß zum Leimkochen: Weide. — 60383. Fächer aus Birkenrinde; Griff:

----

[1]) Diagnostische Merkmale der Markstrahlen von *Populus* und *Salix*. (Ber. d. Deutsch. Botan. Gesellsch. Berlin, 29. Bd., 1911.)

Weide. — 60395. Haspelholz; inneres Holz: Weide. — 60457. Modell eines Sarges: Weide. — 60458. Modell eines Sarges: Pappel. — 60490. Instrument zur Diagnostik von Krankheiten: Weide. — 60498. Stück eines Holzes vom «Faulbaum»: Weide. — 60504. Spielbrett; Spielsteine: Weide.

Golden. Nr. 64280. Fetischfigur: Pappel. — 60433. Idol: Zirbel (in der ersten Abhandlung aus Versehen als «Pappel—Weide» bezeichnet). — 69454. Idol: Pappel. — 69456. Idol: Pappel. — 69458. Idol: Pappel. — 69460. Idol: Pappel. — 69465. Idol: Weide.

Ostrußland. Nr. 24271 und 24272. Pfeile: Pappel. — 25754. Kerbstock: Pappel.

Nachtrag.

Giljaken. Nr. 58165 und 58166. Schnitzfiguren: Fichte.

Orotschen. Nr. 60443. Modell einer Tagwiege: Erle; untere Verspreizungsbrettchen: Fichte. — 60470. Bildsäule (menschliche Figur) 132 cm hoch: Lärche.

Golden. 64400 und 64401. Schnitzwerke: *Sorbus.* — 64046. Bohrer aus Eisen; Holzgriff: *Prunus.* — 64060. Kamm: Spindelbaum *(Evonymus).* — 69452. Idol: Weide.

44

Crustaceen.

I. Teil:

Copepoden aus dem Golf von Persien.

(Mit 26 Originalfiguren und 1 Karte im Text.)

Von

Dr. Otto Pesta

(Wien).

Von einer wissenschaftlichen Sammelreise durch Mesopotamien auf der Heimkehr begriffen, hat Herr Dr. V. Pietschmann die Fahrt durch das Persische Meer benutzt, vom Dampfer aus eine Anzahl Fänge auf pelagische Organismen auszuführen. Er bediente sich dazu einer Methode, die seit ihrer ersten Erprobung durch Marinestabsarzt Dr. Augustin Krämer von mehreren Forschern — z. B. Mr. Thorild Wulff und Prof. Herdmann — mit großem Erfolg angewandt und bereits vor Jahren von Giesbrecht empfohlen worden ist: es wurde an das Ausflußrohr der Badewanne, die von der Schiffspumpe gespeist wird, ein Müllergazesäckchen (-netz) gehängt und dessen Inhalt nach Ablauf einiger Zeit zur Konservierung entnommen. Auf diese Weise hat Pietschmann während der Dauer von zwei Tagen 13 Proben sammeln können. Das Areal erstreckte sich von Buschir bis zur Halbinsel Musandim (siehe umstehende Kartenskizze). Die Tiere wurden zunächst in Formalin konserviert und erst vor der Bearbeitung (nach vier Monaten) in Alkohol überführt; dieses Verfahren bewährte sich für eine nachträgliche Bestimmung sehr gut, weil ein längeres Aufbewahren in Formalin die Tiere zu sehr aufweicht. Von dem aufgesammelten Material sind hier die Copepoden besprochen. Selbstredend wird die folgende Aufzählung keinen Anspruch auf Vollständigkeit machen können; das ergibt sich schon aus der Kürze der Sammelzeit. Doch dürfte sie trotzdem mit Rücksicht darauf, daß über die Copepodenfauna des Persischen Meeres nichts bekannt wurde, einiges Interesse beanspruchen und einen Grundstock späterer Listen bilden.

Verzeichnis der Stationsnummern und der zugehörigen Fänge.

Station Nr. 1. Datum: 3. Oktober 1910. Fangzeit: 9·45—10·5 h a. m. Ort: 26—39 Seemeilen von Buschir ab gerechnet.

Centropages orsinii	*Macrosetella gracilis*
Corycaeus obtusus	*Microsetella rosea.*

4 Spezies.

45

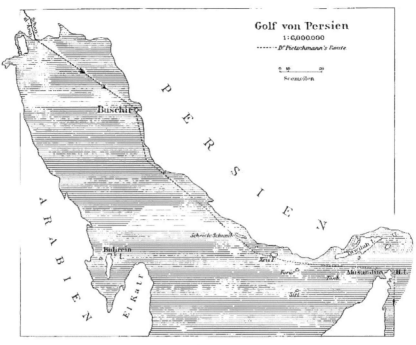

Fig. 1.

Station Nr. 2. Datum: 3. Oktober 1910. Fangzeit: 10.30—11.30ʰ a. m. Ort: 42—45 Seemeilen von Buschir ab gerechnet.

Centropages orsinii	Macrosetella gracilis
Corycaeus obtusus	Microsetella rosea
Corycaeus sp. (iuvenis)	Paracalanus aculeatus

6 Spezies.

Station Nr. 3. Datum: 3. Oktober 1910. Fangzeit: 12.30—1.30ʰ p. m. Ort: 68—81 Seemeilen von Buschir ab gerechnet.

Acartia erythraea	Eucalanus subcrassus
Centropages orsinii	Labidocera sp. (iuvenis)
Corycaeus obtusus	Macrosetella gracilis
Corycaeus sp. (iuvenis)	7 Spezies.

Station Nr. 4. Datum: 3. Oktober 1910. Fangzeit: 2.30—3.30ʰ p. m. Ort: 94—107 Seemeilen von Buschir ab gerechnet.

Calanus pauper	Corycaeus obtusus
Centropages furcatus	Labidocera sp. (iuvenis)
Centropages orsinii	Temora discaudata

6 Spezies.

Station Nr. 5. Datum: 3. Oktober 1910. Fangzeit: 4—5ʰ p. m. Ort: 112—125 Seemeilen von Buschir ab gerechnet.

Centropages orsinii   Sapphirina nigromaculata
Macrosetella gracilis   3 Spezies.

Station Nr. 6. Datum: 3. Oktober 1910. Fangzeit: 5.3o—6.3oʰ p. m. Ort: 131—145 Seemeilen von Buschir ab gerechnet.

Centropages orsinii   Labidocera sp. (iuvenis)
Corycaeus obtusus   Macrosetella gracilis
              4 Spezies.

Station Nr. 7. Datum: 3. Oktober 1910. Fangzeit: 7—9ʰ p. m. Ort: 150—176 Seemeilen von Buschir ab gerechnet.

Acartia erythraea   Macrosetella gracilis
Calanus pauper   Oncaea conifera
Centropages furcatus   Oncaea media
Centropages orsinii   Oncaea minuta
Corycaeus obtusus   Paracalanus aculeatus
Eucalanus subcrassus   Sapphirina angusta
Euchaeta marina   Sapphirina nigromaculata
Labidocera sp. (iuvenis)   15 Spezies.

Station Nr. 8. Datum: 3.—4. Oktober 1910. Fangzeit: 9.3o p. m.—7ʰ a. m. Ort:
182—3o5 Seemeilen von Buschir ab gerechnet.

Acartia bispinosa   Labidocera minuta
Acartia erythraea   Macrosetella gracilis
Calanopia elliptica   Microsetella rosea
Calanopia minor   Oithona plumifera
Calanus pauper   Oncaea media
Candacia bradyi   Paracalanus aculeatus
Centropages furcatus   Sapphirina nigromaculata
Centropages orsinii   Sapphirina stellata
Eucalanus subcrassus   Temora discaudata
Labidocera sp. (iuvenis)   Temora turbinata
            20 Spezies.

Station Nr. 9. Datum: 4. Oktober 1910. Fangzeit: 8—9.45ʰ a. m. Ort: 318—341 Seemeilen von Buschir ab gerechnet.

Acartia erythraea   Labidocera minuta
Calanopia sp. (iuvenis)   Labidocera sp. (iuvenis)
Corycaeus gracilicaudatus   Macrosetella gracilis
Corycaeus ovalis   Paracalanus aculeatus
Centropages orsinii   Temora turbinata
Eucalanus subcrassus   11 Spezies.

Station Nr. 10. Datum: 4. Oktober 1910. Fangzeit: 10—11.3oʰ a. m. Ort: 344—363 Seemeilen von Buschir ab gerechnet.

Acartia erythraea   Centropages orsinii
Centropages furcatus   Corycaeus obtusus

Labidocera minuta	Temora discaudata
Labidocera sp. (iuvenis)	Temora turbinata
Macrosetella gracilis	9 Spezies.

Station Nr. 11 fehlt!

Station Nr. 12. Datum: 4. Oktober 1910. Fangzeit: 1.30—2.30ʰ p. m. Ort: 390—403 Seemeilen von Buschir ab gerechnet.

Acartia erythraea	Macrosetella gracilis
Centropages orsinii	Temora turbinata
	4 Spezies.

Station Nr. 13. Datum: 4. Oktober 1910. Fangzeit: 2.45—3.45ʰ p. m. Ort: 406—419 Seemeeilen von Buschir ab gerechnet (Halbinsel Musandim).

Acartia erythraea	Labidocera acuta
Acartia pietschmanni nov. spec.	Labidocera sp. (iuvenis)
Calanus pauper	Macrosetella gracilis
Centropages orsinii	Paracalanus aculeatus
Corycaeus gracilicaudatus	Sapphirina nigromaculata
Corycaeus obtusus	11 Spezies.

Wie aus dieser Liste zu entnehmen ist, enthält der Abend- und Nachtfang (Station Nr. 7 und 8) die größte Artenzahl. Sie sind zugleich die individuenreichsten Fänge. Außer Copepoden finden sich in allen Aufsammlungen mehr oder weniger Planktonten aus anderen Gruppen, so z. B. Cladoceren, Peridineen, Molluskenlarven, Sagitten, eine *Lucifer*-Art und zahlreiche Nauplien und Malakostrakenlarven. Diesem Zooplankton ist ein geringerer Bruchteil von Phytoplankton beigemischt. Letzterer überwiegt nur in Fang Nr. 5, der mit Rücksicht auf seinen Gehalt an Tieren überhaupt den weitaus ärmsten repräsentiert.

Die Durchsicht der erbeuteten Copepodengattungen und Arten führt zu dem Ergebnis, daß es sich um Formen handelt, die auch im Indischen Ozean vorkommen. Die meisten von ihnen sind überhaupt weit verbreitet, wie sich aus den Resultaten der verschiedenen Sammelreisen des letzten Jahrzehntes ergeben hat; um die Verschiebung des Verbreitungsbildes deutlich zu übersehen, genügt es, die Angaben, welche Giesbrecht und Schmeil in ihrer Bearbeitung der *Gymnoplea* im Jahre 1898 gemacht haben, mit den nachfolgenden Daten über die geographische Verbreitung zu vergleichen. Mehr Interesse verdient vielleicht die große Übereinstimmung der Copepodenfauna des Persischen Meeres mit der des Roten Meeres. Von den hier aufgezählten 28 sicheren Arten sind mit Ausnahme von fünf alle Spezies auch aus dem Roten Meere bekannt. *Acartia bispinosa* (Carl 1907), *A. pietschmanni* (nov. spec.), *Temora turbinata* (Dana 1849), *Sapphirina angusta* (Dana 1849) und *S. stellata* (Giesbrecht 1892) wurden bisher im Roten Meere nicht gefunden; von diesen kommen zum Vergleich eigentlich nur die drei letzten Arten in Betracht, so daß also von 26 Arten des persischen Golfes 23 auch auf das Rote Meer entfallen. Die klimatischen Verhältnisse des Persischen Meeres entsprechen (innerhalb der in Betracht kommenden Jahreszeit) nach Angabe Pietschmanns trotz der nämlichen Breitenlage denen der nördlichen Hälfte des Roten Meeres nicht; vielmehr ist die Luft- und Wassertemperatur im Golfe von Persien eine merklich höhere als sogar in der südlichen Hälfte des Roten Meeres. Der Salzgehalt ist in beiden Meeren überozeanisch (37—38 pro Mille für das Persische Meer, 37—41 pro

Mille für das Rote Meer),[1] während der normale Grad der Salinität bei 35 pro Mille liegt. In der Bodenbeschaffenheit, bezw. Meerestiefe unterscheiden sich die zwei Gebiete wiederum bedeutend. Das Rote Meer weist in seiner mittleren Zone eine durchschnittliche Tiefe von 1200 m (tiefste Stelle 2271 m), gegen die Ränder eine solche von 200 m auf, schneidet daher zwischen Afrika und Arabien tief ein; der Golf von Persien hingegen ist ein flaches Becken, dessen Tiefe durchschnittlich 60 m beträgt, die nur an einer einzigen Stelle (bei der Insel Tanb) 150 m erreicht. Demnach scheint von den drei genannten Faktoren für eine Erklärung der gleichartigen Besiedelung beider Meeresabschnitte nur der Salzgehalt in Betracht zu kommen; das Anpassungsvermögen der Copepoden überwindet die Verschiedenheit, welche bezüglich der Temperatur und Bodenbeschaffenheit besteht.

Es sei hier besonders hervorgehoben, daß bei den nachstehenden Angaben über die geographische Verbreitung aus Gründen der Übersichtlichkeit an den Grenzen der großen Ozeane, wie sie im Protokoll der kgl. geographischen Gesellschaft in London vom 24. Januar 1845 verzeichnet sind, festgehalten wurde. Für den Indischen Ozean gilt also folgendes: Westgrenze: Küste von Arabien—Afrika bis zum Nadelkap und dessen Meridian bis zum Südpolarkreis; Nordgrenze: Küste von Persien—Indien; Ostgrenze: Westküste von Birma—Malaka—Sumatra—Java—Timor—Australien bis zum südlichsten Punkte von Van Diemensland (Tasmanien) und dessen Meridian bis zum Südpolarkreis; Südgrenze: Südpolarkreis. Es wird daher z. B. der Fundort «Malaiischer Archipel» als zum Pazifischen Ozean gehörig angeführt. In zoogeographischen Arbeiten ist dafür öfters der Name «Indo-pazifisches Gebiet» gebräuchlich.

1. *Calanus pauper* Giesbrecht.

1892. *Calanus pauper* Giesbr., Faun. Flor. Neapel, vol. 19, p. 91, Taf. 6, Fig. 4; Taf. 8, Fig. 25.
1898. *Calanus pauper* Giesbr. u. Schmeil, Tierreich. 6. Lfg., p. 16.
1905. *Calanus pauper* Wolfenden, Faun. Geogr. Mald. Lacc. Archipel, Vol. 2, Suppl. 1, p. 993, Taf. 97, Fig. 29—35.
1909. *Canthocalanus pauper* Scott A., Uitkomst. Zool. Bot. Ocean. Geol. Geb. «Siboga»-Exp. Monograph. 29a, p. 9.

Die vorliegenden Exemplare gleichen in der Größe und im Habitus der verwandten Art *C. minor*. Stirne und Seiten des letzten Thoraxsegmentes sind abgerundet. Die ersten Antennen reichen ungefähr bis zum zweiten Abdominalsegment. Das erste Thoraxsegment ist mit dem Kopfe verschmolzen. Für *C. pauper* charakteristische Gestalt hat die Innenrandborste am zweiten Gliede des Basipoditen des ersten Fußpaares, und zwar in beiden Geschlechtern; während sie am Grunde kolbenförmig aufgetrieben erscheint und dorsal eine kurze, nach hinten gerichtete Spitze besitzt, verjüngt sie sich im Bogen nach vorne ziemlich rasch. Bei *C. robustior* und *C. gracilis* bildet das proximale Stück der nämlichen Borste einen hakenartigen Fortsatz (siehe in Giesbrechts Monographie Taf. 8, Fig. 8); unter Annahme einer Erweiterung und

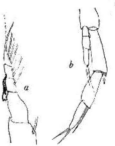

Fig. 2. *Calanus pauper*.
a) ♀ 1. Fuß (von innen).
b) ♂ Linker 5. Fuß.

stärkeren Verwachsung würde sich ungefähr die Borstenform von *C. pauper* ergeben. Am fünften Fußpaar ist der Innenrand des ersten Basalgliedes nicht gezähnelt, sondern

---

[1] Ich entnehme diese Angaben O. Krümmels Handbuch der Ozeanographie, vol. 1, 1907.

gefiedert. Beim Männchen besitzt dieser Fuß beiderseits einen dreigliedrigen Eupoditen; das letzte Glied des linken trägt nur zwei Endborsten.

Auf Grund der erwähnten Eigentümlichkeiten hat Scott A. die Gattung *Cantho-calanus* (mit der einzigen Art *C. pauper*) geschaffen; ich kann mich jedoch seiner Meinung, daß es sich hier um Merkmale von generischem Werte handelt, nicht anschließen und behalte die ursprüngliche Vereinigung der Form mit der Gattung *Calanus* bei.

Vorkommen im Golf von Persien: Station Nr. 4, 7, 8, 13.

Geographische Verbreitung:[1] *C. pauper* wird für den Indischen Ozean (Scott A. 1902 Golf von Aden und Indischer Ozean; Thompson und Scott 1903; Cleve 1903 arabische See; Wolfenden 1905 Maldive-Inseln; Thompson 1900 ostafrikanische Küste), für den Pazifischen Ozean (Giesbrecht und Schmeil 1898, 24° n. bis 15° s. Br.; Cleve 1901 Malaiischer Archipel; Carl 1907 Amboina; Scott A. 1909 Niederländisch-Ostindien), für das Rote Meer (Thompson 1900; Scott A. 1902; Thompson und Scott 1903; Cleve 1903) und für das Mittelmeer (Thompson 1900; Thompson und Scott 1903) angegeben.

2. *Eucalanus subcrassus* Giesbrecht.

1892. *Eucalanus subcrassus* Giesbrecht, Faun. Fl. Neapel, Vol. 19, p. 132, Taf. 11, Fig. 6, 14, 19, 30, 39; Taf. 35, Fig. 12, 16, 31, 32.
1898. *Eucalanus subcrassus* Giesbrecht u. Schmeil, Tierreich, 6. Lfg., p. 22.

Die Art steht *E. pileatus* am nächsten. Das zweite Glied des Basipoditen der ersten Maxille trägt wie bei jenem fünf Innenrandborsten. Hingegen ist die Stirne nicht zipfelförmig ausgezogen wie bei *pileatus*, sondern abgerundet. Das Genitalsegment des ♀

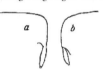

um weniges breiter als lang. Das ♂ von *subcrassus* besitzt am Endglied des fünften Beines eine terminale Borste, die länger ist als das Glied (bei *pileatus* kürzer); ein weniger deutlicher Unterschied der beiden Arten liegt in der relativen Länge der proximalen und distalen Glieder des fünften Beines.

Fig. 3. *Eucalanus subcrassu* .
a) ♀ Kopf (seitlich).
b) ♂ Kopf (seitlich).

Vorkommen im Golf von Persien: Station Nr. 3, 7—9.

Geographische Verbreitung: *E. subcrassus* wurde im Indischen Ozean (Thompson und Scott 1903; Cleve 1903 Golf von Aden und Arabische See; Wolfenden 1905 Maldive-Inseln), im Pazifischen Ozean (22° n. bis 3° s. Br. Giesbrecht u. Schmeil 1898; Cleve 1901 Malaiischer Archipel; Scott A. 1909) und im Roten Meer (Giesbrecht und Schmeil 1898; Thompson und Scott 1903; Cleve 1903) nachgewiesen.

Scott A. gibt (1909) auch den Atlantischen Ozean als Fundort an.

3. *Paracalanus aculeatus* Giesbrecht.

1892. *Paracalanus aculeatus* Giesbrecht, Faun. Fl. Neapel, Vol. 19, p. 164, Taf. 9, Fig. 20, 26, 30.
1898. *Paracalanus aculeatus* Giesbrecht u. Schmeil, Tierreich, 6. Lfg., p. 24.
1901. *Paracalanus aculeatus* Cleve, K. Svensk. Vet. Akad. Handlingar, Vol. 35, Nr. 5, p. 47, Taf. 6, Fig. 1—10.
1905. *Paracalanus aculeatus* Wolfenden, Faun. Geogr. Mald. Lacc. Archip., Vol. 2, Suppl. 1, p. 998, Taf. 96, Fig. 12—15.

---

[1] Hier und im folgenden sind die Daten über die geographische Verbreitung vom Erscheinen der Giesbrechtschen Monographie (1892), resp. der Gymnoplea des Tierreiches (1898) an zusammengestellt.

Die Art unterscheidet sich von *C. parvus* schon durch die Länge der Vorderantennen, welche das Ende der Furca erreichen; ferner sind die ersten zwei Glieder des
Exopoditen des dritten Fußes und das zweite Glied des Eupoditen des vierten Fußes
mit Stachelgruppen besetzt, die *C. parvus* fehlen. Das fünfte Fußpaar ist beim ♀ rudimentär, einästig, symmetrisch und beiderseits zweigliedrig, beim ♂ einästig, asymmetrisch, rechts drei- und links viergliedrig. (Die Angabe Wolfendens [op. cit., p. 999
sub ♂ of *Paracalanus parvus*]: «The 5th feet, of one long foot
of the right side and a very short two-jointed left foot, shows
... etc. ...» dürfte auf einem Irrtum beruhen. Vergleiche
dazu die Abbildung in Giesbrechts Monographie, Taf. 9,
Fig. 32!)

Fig. 4.

Paracalanus aculeatus.
a) ♀ Fünftes Fußpaar.
b) ♂ Fünftes Fußpaar.

Vorkommen im Golf von Persien: Station Nr. 2, 7, 8,
9, 13.

Geographische Verbreitung: Die Art ist bekannt aus dem
Atlantischen Ozean (Giesbrecht und Schmeil 1898), aus
dem Mittelmeer (Cleve 1903), aus dem Roten Meer (Gies-
brecht und Schmeil 1898, Cleve 1903, Sott A. 1902), aus dem Indischen Ozean
(Giesbrecht und Schmeil 1898, Cleve 1901), aus der Arabischen See (Cleve 1901,
1903), aus dem Golf von Aden (Cleve 1903), aus dem Maldive-Archipel (Wolfenden 1905). Ihr Vorkommen im Pazifischen Ozean verzeichnen Giesbrecht
und Schmeil (1898), Cleve (Malaiischer Archipel 1901), Scott A. (Fortescue-Straits
1902), Carl (Amboina 1907) und Scott A. (Niederländisch-Ostindien 1909).

Auch Sars erwähnt die Art (1905) in seinen Listen [Bull. Oceanogr. Monaco,
Nr. 26, 40), jedoch ohne Fundortsangabe. —

4. *Euchaeta marina* (Prestandrea).

1892. *Euchaeta marina* Giesbrecht, Faun. Fl. Neapel, Vol. 19, p. 246, Taf. 1, Fig. 10, 11; Taf. 15,
     Fig. 31, 33; Taf. 16, Fig. 8, 15—17, 22, 23, 25, 29, 30, 41, 46; Taf. 37, Fig. 30, 37, 38, 49.
1898. *Euchaeta marina* Giesbrecht u. Schmeil, Tierreich, 6. Lfg., p. 38.
1905. *Euchaeta marina* + *indica* Wolfenden, Faun. Geogr. Mald. Lacc. Archipel, Vol. 2, Suppl. 1, p. 1007,
     1008, Taf. 100, Fig. 12—16, 19, 20.
1909. *Euchaeta marina* Scott A., Uitkomst. Zool. Bot. Ocean. Geol. Geb. «Siboga»-Exp., Monogr. 29 a,
     p. 67, Taf. 19, Fig. 9—20.

Vorkommen im Golf von Persien: Station Nr. 7 (1 ♀ Exemplar).

E. marina ist weit verbreitet und aus dem Atlantischen Ozean (Giesbrecht
und Schmeil 1898, Thompson 1903, Pearson 1906, van Bremen 1908), aus dem
Indischen Ozean (Golf von Bengalen und Indisches Meer Thompson 1900; Arabische See Cleve 1901 und 1903; Golf von Aden Scott A. 1902, Cleve 1903; Indisches Meer Thompson und Scott 1903, van Breemen 1908; Maldive-Inseln Wolfenden 1905) und aus dem Pazifischen Ozean (56° n. bis 26° s. Br. Giesbrecht
und Schmeil 1898; van Bremen 1908; Malaiischer Archipel Cleve 1901, Scott A.
1909; Amboina Carl 1907) bekannt. Außerdem ist sie für das Mittelmeer (westliche
Hälfte Giesbrecht und Schmeil 1898, östliche Hälfte Pesta 1909; Cleve 1903;
Thompson und Scott 1903; van Breemen 1908) und für das Rote Meer (Scott
A. 1902, Cleve 1903, Thompson und Scott 1903) nachgewiesen.

Von Sars (1905 Bull. Oceanogr. Monaco, Nr. 26, p. 4) ohne Fundortsangabe erwähnt.

5. *Centropages furcatus* (Dana).

1883. *Centropages furcatus* Brady, Rep. Voyage «Challenger», Vol. 8, p. 83, Taf. 28, Fig. 1—11.
1892. *Centropages furcatus* Giesbrecht, Faun. Fl. Neapel, Vol. 19, p. 304, Taf. 17, Fig. 33, 34, 50; Taf. 18, Fig. 13, 17; Taf. 38, Fig. 5, 15, 20, 22.
1898. *Centropages furcatus* Giesbrecht u. Schmeil, Tierreich, 6. Lfg., p. 56.
1907. *Centropages furcatus* var. Carl J., Revue Suisse, Vol. 15, p. 8, Taf. 1, Fig. 6, 7.

Von allen übrigen *Centropages*-Arten ist *C. furcatus* durch die Form des letzten Thoraxsegmentes, welches neben der Hauptzacke noch eine Nebenzacke trägt, gut unterscheidbar; auch zeigen die Dorne des ersten, zweiten und fünften Gliedes der Vorderantennen eine ungewöhnlich starke Entwicklung. Das nahezu vollständig symmetrische Abdomen des ♀ besitzt an keinem der drei Segmente irgendwelche Bewehrung; der fünfte Fuß gleicht dem von *C. gracilis*, doch trägt der Innenrandhaken des zweiten Gliedes des Exopoditen die Spitzen auf der dem Gliede zugekehrten Seite. Beim ♂ ist das linke fünfte Bein durch besonders charakteristische Merkmale ausgezeichnet.

Vorkommen im Golf von Persien: Station Nr. 4, 7, 8, 10.

Geographische Verbreitung: Das Vorkommen der Art ist im Atlantischen Ozean (Giesbrecht und Schmeil 1898), im Indischen Ozean (Thompson 1900, Scott A. 1902, Thompson und Scott 1903), im Arabischen Meer (Thompson 1900, Cleve 1903), im Golf von Aden (Scott A. 1902, Cleve 1903), bei den Maldive-Inseln (Wolfenden 1905) im Pazifischen Ozean (10° n. bis 30° s. Br. Giesbrecht und Schmeil 1898), im Malaiischen Archipel (Cleve 1901, Scott A. 1909), in den Fortescue-Straits (Scott A. 1902) und bei Amboina (Carl 1907) konstatiert. Sie findet sich ebenfalls im Roten Meer (Giesbrecht und Schmeil 1898, Thompson 1900, Scott A. 1902, Thompson und Scott 1903, Cleve 1903) und wie aus der Bemerkung Thompsons (1900, Trans. Liverpool Biol. Soc., vol. 14, p. 279) «occurs frequently in both collections and widely distributed throughout the entire distance traversed» zu schließen ist, auch im Mittelmeer, welches von allen anderen Autoren nicht erwähnt wird.

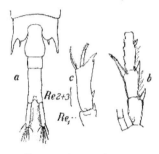

Fig. 5. *Centropages furcatus*.
a) ♀ Letztes Thoraxsegment und Abdomen (von oben). b) ♀ Exopodit des fünften Fußes. c) ♂ Exopodit des linken fünften Fußes.

6. *Centropages orsinii* Giesbrecht.

1892. *Centropages orsinii* Giesbrecht, Faun. Fl. Neapel, Vol. 19, p. 305, Taf. 17, Fig. 35, 36, 41, 42; Taf. 18, Fig. 2, 14, 23; Taf. 38, Fig. 12, 19.
1898. *Centropages orsinii* Giesbrecht u. Schmeil, Tierreich, 6. Lfg., p. 57.
1905. *Centropages orsinii* Wolfenden, Faun. Geogr. Mald. Lacc. Archipel, Vol. 2, Suppl. 1, p. 1015, Taf. 98, Fig. 1, 4, 5, 8, 11—13.

♀: Die Seitenansicht des letzten Thoraxsegmentes gleicht der eines zugespitzten Blattendes; die stumpfe Spitze ist der Dorsalseite genähert. Stacheln an den proximalen Antennengliedern fehlen. Am Genitalsegment sitzt rechtsseitig ein furcalwärts gerichteter Dornfortsatz. Die beiden Innenranddorne der zweiten Glieder der Exopoditen des fünften Beines sind ungleich entwickelt; rechts ist der Dorn stärker gebogen, links gestreckter und mit in einer Reihe stehenden Zähnchen. Die gabelige Dornform, wie sie Wolfenden (op. cit., Taf. 98, Fig. 13) zeichnet, habe ich nicht beobachten können.

♂: Die Dorne des 16. und 17. Gliedes (in Giesbrechts Monographie mit 15. und 16. bezeichnet) der Greifantenne sind flach gebogen, fast parallel mit dem Gliedrande laufend. Am Oberrand der drei folgenden Glieder stehen starke Kammleisten (Kniegelenk zwischen 19. und 20. Glied). Beim fünften Beinpaar sitzt der proximale Zangenhaken des Greiforganes ohne basale Verbreiterung dem unteren Teile des zugehörigen Gliedes an; dadurch bleibt dieses gestreckt und bewirkt eine Art Verlängerung des distalen Zangenhakens (Endglied).

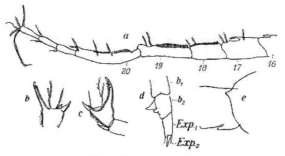

Fig. 6. *Centropages orsinii.*

a) ♂ Greifantenne. *b)* ♀ Zweites Glied des Exopoditen des linken fünften Fußes. *c)* ♀ Zweites Glied des Exopoditen des rechten fünften Fußes. *d)* ♂ Rechter vierter Fuß (von innen, seitlich). *e)* ♀ Letztes Thoraxsegment (seitlich).

Vorkommen im Golf von Persien: Station Nr. 1— 10, 12, 13.

Geographische Verbreitung: *C. orsinii* ist bekannt aus dem Indischen Ozean (Arabische See Cleve 1901, Arabische See und Golf von Aden Cleve 1903, Golf von Aden Scott A. 1902, Thompson und Scott 1903, Maldive-Inseln Wolfenden 1905), aus dem Pazifischen Ozean (Malaiischer Archipel Cleve 1901 und Scott A. 1909, Fortescue-Straits Scott A. 1902) und aus dem Roten Meer (Giesbrecht und Schmeil 1898, Scott A. 1902, Cleve 1903).

Bisher nicht verzeichnet wurde die Art für das Mittelmeer und den Atlantischen Ozean.

7. *Temora discaudata* Giesbrecht.

1892. *Temora discaudata* Giesbrecht, Faun. Fl. Neapel, Vol. 19, p. 328, Taf. 17, Fig. 3, 20, 23; Taf. 38, Fig. 24, 25, 28.
1898. *Temora discaudata* Giesbrecht u. Schmeil, Tierreich, 6. Lfg., p. 101.

Die Unterscheidungsmerkmale der Art von der mit ihr sehr nahe verwandten *T. stylifera* liegen beim ♀ vor allem in der bedeutenden Asymmetrie des Analsegmentes und der Furca; auch bei *T. stylifera* kommt manchmal eine ungleiche Ausbildung der Furcaläste vor, doch erreicht dieselbe niemals den Grad unserer Form. Die Gestalt des fünften Beinpaares gleicht der von *stylifera* vollkommen; nur die in der Mitte des Außenrandes des Endgliedes sitzende Borste ist hier kürzer und trägt dadurch mehr den Charakter einer Spitze. Beim ♂ zeigt das Glied nach dem Kniegelenk der Greifantenne durch eine deutliche Krümmung eine Verschiedenheit von *T. stylifera* ♂; auch

ist der Endhaken des rechten fünften Beines über doppelt so lang wie bei der letztgenannten Art. (Eine sehr geringe Neigung der Furca zur Asymmetrie kann ebenfalls im
männlichen Geschlechte bemerkt werden.)

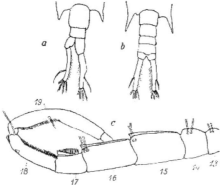

Fig. 7. *Temora discaudata.*
a) ♀ Abdomen (von oben). b) ♂ Abdomen (von oben).
c) ♂ Greifantenne.

Vorkommen im Golf von Persien: Station Nr. 4, 8, 10.

Geographische Verbreitung:
Die Art findet sich im Indischen
Ozean (Arabische See Cleve 1901,
Golf von Aden und Indischer Ozean
Scott A. 1902, Thompson und
Scott 1903, Golf von Aden und
Arabische See Cleve 1903, Mal-
dive-Inseln Wolfenden 1905), im
Pazifischen Ozean ($35°$ n. bis
$30°$ s. Br. Giesbrecht u. Schmeil
1898, Malaiischer Archipel Cleve
1901 und ebenso Scott A. 1909,
Amboina Carl 1907) und im Roten
Meer (Giesbrecht und Schmeil
1898, Thompson 1900, Scott A.
1902, Thompson und Scott 1903, Cleve 1903). Thompson und Scott (1903)
geben *T. discaudata* auch für das Mittelmeer an.

8. *Temora turbinata* (Dana).

1892. *Temora turbinata* Giesbrecht, Faun. Fl. Neapel, Vol. 19, p. 329, Taf. 17, Fig. 14, 17, 18, 21;
Taf. 38, Fig. 27.
1898. *Temora turbinata* Giesbrecht u. Schmeil, Tierreich, 6. Lfg., p. 101.
1909. *Temora turbinata* Scott A., Uitkomst. Zool. Bot. Geol. Geb. «Siboga»-Exp. Monogr. 29a, p. 118.

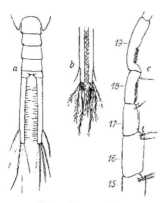

Fig. 8. *Temora turbinata.*
a) ♂ Abdomen (von oben). b) ♀ Furca
(von oben). c) ♂ Greifantenne.

Im Gegensatze zur vorher angeführten Art
sind die Seiten des letzten Thoraxsegmentes abgerundet. An der symmetrisch gebauten Furca
tritt beim ♀ eine basale Auftreibung der zweiten
Endborste auf, die an der rechten Seite etwas
stärker ist, beim ♂ aber beiderseits nicht vorkommt. Für die Greifantenne ist das Fehlen des
Reibkammes am 17. Gliede bemerkenswert. *T.
turbinata* zeigt hierin und in vielen anderen Merkmalen nahe Beziehung zu *T. longicornis*, von
der sie jedoch sicher getrennt werden
muß. A. Scott scheint die beiden Formen
eher als Varietäten einer einzigen Spezies auf-
fassen zu wollen; er schreibt über *turbinata*:
«This *Temora* has a very close resemblance to
Temora longicornis (Müller), found in the plankton of the North Atlantic, of the coast of Europe,
and can only with difficulty be separated from

it. It may simply be a tropical variation of the well known northern form» (op. cit., p. 119).

Vorkommen im Golf von Persien: Station Nr. 8 - 10, 12.

Geographische Verbreitung: Als Fundorte sind der Pazifische Ozean ($10°$ n. bis $24°$ s. Br. Giesbrecht und Schmeil 1898, Neuseeland Giesbrecht und Schmeil 1898, Amboina Carl 1907, Malaiischer Archipel Scott A. 1909), der Indische Ozean (Thompson und Scott 1903) und der Atlantische Ozean (Golf von Guinea Giesbrecht und Schmeil 1898) bekannt.

Auch Sars erwähnt die Art (1905) in seinen Listen (Bull. Mus. Oceanogr. Monaco, Nr. 40), jedoch ohne Fundortsangabe.

Aus dem Roten Meer ist *T. turbinata* bisher nicht bekannt.

9. *Candacia bradyi* Scott A.

(1883. *Candace pectinata* [part.] Brady, Rep. Voyage «Challenger», Vol. 8, p. 67, Taf. 30, Fig. 9 [♂].)
1902. *Candacia bradyi* Scott A., Trans. Liverpool Biol. Soc., Vol. 16, Taf. 1, Fig. 9—12 (♂).
1905. *Candacia tuberculata* Wolfenden, Faun. Geogr. Mald. Lacc. Archipel, Vol. 2, Suppl. 1, p. 1013, Taf. 96, Fig. 40—44 (♂).
1907. *Candacia bradyi* (part.!) Carl J., Revue Suisse Zoolog., Vol. 15, p. 9, Taf. 1, Fig. 8—14 (♂ und ♀!).
1909. *Candacia bradyi* Scott A., Uitkomst. Zool. Bot. Ocean. Geol. Geb. «Siboga»-Exp. Monogr. 29 a, p. 156, Taf. 47, Fig. 1 - 9 (♂).

Während das ♂ dieser Art, welches an dem mit Spitzen besetzten Auswuchs an der rechten Seite des Genitalsegmentes schon leicht kenntlich ist, von allen oben angeführten Autoren aufgefunden, übereinstimmend beschrieben und abgebildet worden ist, war das zugehörige Weibchen unbekannt geblieben, so daß bei A. Scotts letzter großer Bearbeitung der Copepoden der «Siboga»-Expedition (op. cit. 1909) zu lesen ist «only the males have yet been discovered». Scott hat jedoch die bereits 1907 publizierte Abhandlung von J. Carl (op. cit.) übersehen; denn letzter Autor beschreibt in derselben das nach seiner Ansicht zu *C. bradyi* gehörige Weibchen. Meine Untersuchungen eines solchen Exemplares, welche mir die Direktion des naturhistorischen Museums in Genf in liebenswürdiger Weise ermöglichte, ergaben, daß die von Carl zu *C. bradyi* gezählten Weibchen vollkommen mit der von Scott (1909) neu aufgestellten *C. discaudata* identisch sind.

Es war daher notwendig festzustellen, welche Gesichtspunkte für die Zusammenfassung der beiden Geschlechter bei *Candacia* maßgebend wären, oder mit anderen Worten: es waren jene Merkmale ausfindig zu machen, welche beiden Geschlechtern gemeinsam, zugleich aber für jede Art charakteristisch sind. Die Untersuchung meines Materiales, wie auch die Durchsicht der diesbezüglichen Literatur hat nun gezeigt, daß die beiden Arten *C. bradyi* und *C. discaudata* — von den sexuellen Merkmalen also abgesehen — einander außerordentlich nahestehen. Es ist mir nicht gelungen, im Bau des ersten und zweiten Maxillipeden, im Bau des ersten bis vierten Schwimmfußpaares (die Endopoditen des ersten Fußes sind bei beiden Arten nur eingliedrig! Der Enddorn des Endgliedes des dritten Exopoditen mißt bei beiden Arten $2/3$ der Länge des Gliedes! Die erste proximale Hakenborste des dritten Gliedes des vorderen Maxillipeden ist bei beiden Arten dicker und länger als die zweite!) spezifische Abweichungen aufzufinden. Die Berechtigung, mit der Scott seine weiblichen Exemplare nicht zu *C. bradyi*, sondern zu *C. discaudata* zählt, liegt daher nur in der beiden Geschlechtern

Annalen des k. k. naturhistorischen Hofmuseums, Bd. XXVI, Heft 1 u. 2, 1912. 4

gemeinsamen Asymmetrie des Analsegmentes und der Furca. (Somit bezieht sich Carls Beschreibung des Weibchens von *C. bradyi* auf *C. discaudata*.)

In die eben erwähnten Untersuchungen sind auch jene weiblichen Exemplare einbezogen worden, die mir selbst aus dem Fang Nr. 8 zugleich mit den Männchen von *C. bradyi* vorlagen. Wenn ich dieselben mit dieser Art vereinige, so glaube ich einen

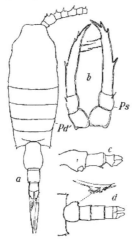

hinreichenden Grund nicht nur in dem Ergebnis meines Vergleiches zu besitzen, sondern auch in der Beobachtung eines hier maßgebenden Merkmales, nämlich der Symmetrie der Furca, die ja den schon bekannten ♂ ebenfalls zukommt. Endlich sei noch auf den Umstand, daß außer *C. bradyi* überhaupt keine *Candacia*-Art in der Kollektion aus dem Golfe von Persien enthalten ist, beide Geschlechter der vorliegenden Spezies jedoch aus demselben Fang stammen, als einen Wahrscheinlichkeitsgrund für die Zusammengehörigkeit meiner ♀ und ♂ hingewiesen.

♂: Das Genitalsegment trägt an der rechten Seite einen größeren Auswuchs, der mit Spitzen besetzt ist und unter welchem sich noch eine eigentümliche zahnförmige Chitinbildung findet. Das dritte Glied des linken fünften Fußes verlängert sich außen in einen braungelb gefärbten Zipfel. Ebenso sind die Reibkämme der Greifantenne dunkelbraun gefärbt.

♀: Das zweite Abdominalsegment trägt ventral einen in der Medianlinie befindlichen, nach hinten gerichteten Dorn. Das Endglied des fünften Fußes (rechts = links) besitzt ungefähr in der Mitte einen Außenranddorn und zwei weitere nahe der breit auslaufenden terminalen Zacke; die obere der zwei Innenrandborsten steht dem mittleren Außenranddorn gegenüber. (Die Spitzen der Außenranddorne des linken Fußes sind durchwegs braun gefärbt.)

Fig. 9. *Candacia bradyi*.

a) ♀ (Dorsalansicht). b) ♀ Fünftes Fußpaar. c) ♀ Abdomen (seitlich). d) ♂ Abdomen (dorsal; daneben Buckel d. Genitalsegmentes (seitlich).

[Über die ♀ und ♂ gemeinsamen Merkmale vergleiche weiter oben!]

Vorkommen im Golf von Persien: Station Nr. 8.

Geographische Verbreitung: *C. bradyi* wurde im Indischen Ozean (Scott A. 1902 Golf von Aden; Thompson und Scott 1903; Wolfenden 1905 Maldive-Inseln), im Pazifischen Ozean (Carl 1907 Amboina; Scott A. 1909 Malaiischer Archipel) und im Roten Meer (Thompson und Scott 1903 Golf von Suez) gefunden.

10. *Calanopia elliptica* (Dana).

1892. *Calanopia elliptica* Giesbrecht, Faun. Fl. Neapel, Vol. 19, p. 441, Taf. 31, Fig. 23—26, 31, 32; Taf. 38, Fig. 42, 47.

1898. *Calanopia elliptica* Giesbrecht u. Schmeil, Tierreich, 6. Lfg., p. 132.

1909. *Calanopia elliptica* Scott A., Uitkomst. Zool. Bot. Ocean. Geol. Geb. »Siboga»-Exp. Monogr. 29 a, p. 176, Taf. 48, Fig. 1—5.

Es liegt nur ein einziges, nicht vollständig erhaltenes weibliches Exemplar vor, doch ist die Art an dem beiderseits viergliedrigen, asymmetrischen fünften Thoraxfuß leicht zu erkennen; die Asymmetrie wird nicht durch Verschiedenheiten im Baue, sondern durch ungleiche Länge der zwei distalen Glieder an der rechten und linken Seite hervorgerufen. Das Rostrum besteht aus zwei kräftigen, zugespitzten Zinken. Die seitliche Spitze des letzten Thoraxsegmentes ist ziemlich scharf. Abdomen symmetrisch zweigliedrig. Die Weibchen der bis jetzt bekannten Arten von *Calanopia* können nach Merkmalen des fünften Brustfußes unterschieden werden.

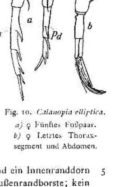

Fig. 10. *Calanopia elliptica*.
a) ♀ Fünftes Fußpaar.
b) ♀ Letztes Thoraxsegment und Abdomen.

Bestimmungstabelle für die ♀.

1. Fünfter Fuß rechts gleich lang wie links 2
   Derselbe rechts kürzer als links   C. *elliptica* (Dana)
2. Längster Anhang seines letzten Gliedes eine Borste 3
   Derselbe ein Dorn 4
3. Die Borste dick, mit kurzen Fiedern; außer ihr noch zwei Dorne am Glied . . . . C. *minor* Scott A.
   Die Borste dünn, mit langen Fiedern; außer ihr noch drei Dorne am Glied . . . . C. *aurivillii* Cleve
4. Neben dem Hauptdorne zwei kleinere Außenranddorne und ein Innenranddorn 5
   Neben dem Hauptdorne ein Außenranddorn und eine Außenrandborste; kein Innenranddorn . . . . C. *herdmani* Scott
5. Der Innenranddorn fast so groß wie der ihm gegenübersitzende Außenranddorn . . . . C. *americana* Dahl
   Der Innenranddorn bedeutend kleiner wie der ihm gegenübersitzende Außenranddorn . . . . C. *thompsoni* Scott A.

Vorkommen im Golf von Persien: Station Nr. 8.

Geographische Verbreitung: C. *elliptica* wird für den Indischen Ozean von Thompson (1900 südafrikanische Küste, Indischer Ozean, Golf von Bengalen), von Scott A. (1902 Golf von Aden und Indischer Ozean), von Thompson und Scott (1903), von Cleve (1903 Golf von Aden und Arabische See) und von Wolfenden (1905 Maldive-Inseln), für den Pazifischen Ozean von Giesbrecht und Schmeil (1898, 22° n. bis 3° s. Br.), von Cleve (1901 Malaiischer Archipel), von Carl J. (1907 Amboina) und von Scott A. (1909 Malaiischer Archipel) angegeben. Sie kommt ferner im Roten Meer (Giesbrecht und Schmeil 1898, Thompson 1900, Scott A. 1902, Thompson und Scott 1903, Cleve 1903) und im Mittelmeer (Thompson 1900) vor.

11. *Calanopia minor* Scott A.

1902. *Calanopia minor* Scott A., Trans. Liverpool Biol. Soc., Vol. 16, p. 406, Taf. I, Fig. 1—5.
1909. *Calanopia minor* Scott A., Uitkomst. Zool. Bot. Ocean. Geol. Geb. «Siboga»-Exp. Monogr. 29 a, p. 177. Taf. 48, Fig. 6—10.

♂: Das zweite Abdominalsegment ist symmetrisch, (rechts) ohne Fortsatz. Der Abschnitt der Greifantenne nach dem Kniegelenk besteht

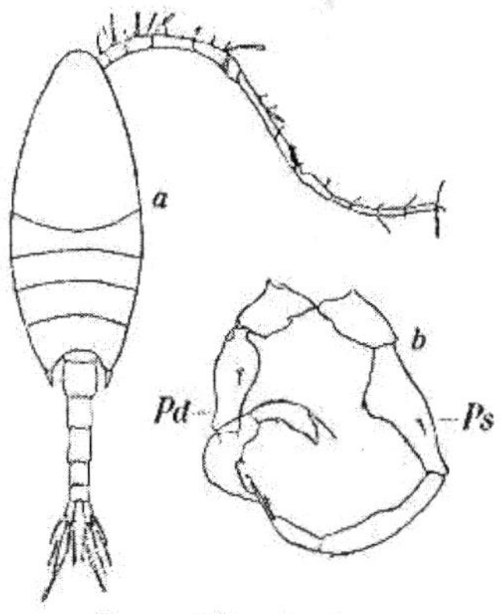

Fig. 11. *Calanopia minor*.
a) ♂ Dorsalansicht. b) ♂ Fünftes Fußpaar (von unten gesehen).

4*

aus fünf Gliedern (wie bei *C. aurivillii* Cleve, während bei anderen Arten nur vier vorhanden sind). Die Länge des Gliedes vor dem Kniegelenk beträgt die Hälfte der des vorhergehenden. Das erste Glied nach dem Kniegelenk besitzt keinen Reibkamm. Die Außenranddorne des Exopoditen des vierten Beines haben glatten, der große Enddorn gezähneiten Chitinsaum. Die Borsten des Endopoditen desselben Beines sind in ihrer distalen Hälfte quergeringelt (wie beim Exopoditen).

♀ Exemplare liegen nicht vor.

Vorkommen im Golf von Persien: Station Nr. 8.

Geographische Verbreitung: *C. minor* wurde im Roten Meer (Scott A. 1902, Thompson und Scott 1903, Cleve 1903) und im Indischen Ozean (Golf von Aden Scott A. 1902, Arabische See Cleve 1903, Thompson und Scott 1903, Maldive-Inseln Wolfenden 1905) gefunden. In neuerer Zeit hat sie A. Scott (1909) aus dem Malaiischen Archipel nachgewiesen.

12. *Calanopia* sp.

Kopf ohne Augenlinsen und Seitenhaken, mit kräftigem, zweizinkigem Rostrum. Letztes Thoraxsegment in scharfe Spitzen endend. Endopoditen des ersten bis vierten

Fig. 12. *Calanopia* sp.

♂ iuvenis, fünfter Fuß rechts.

Beines zweigliedrig. Aber: Vorderantennen symmetrisch; rechter und linker fünfter Fuß symmetrisch, jederseits dreigliedrig, Endglied mit vier Innenranddornen und einem Enddorn, vorletztes Glied mit einer Innenrandborste. Nach Isolierung eines fünften Fußes ergab die mikroskopische Untersuchung nebenstehendes Bild; daraus geht unzweifelhaft hervor, daß es sich um ein unreifes Männchen handelt. Für die nächste Häutung ist die Umformung des rechten Fusses zum Greiforgan im Inneren bereits vorbereitet.

Golf von Persien: Station Nr. 9 (1 Exemplar).

13. *Labidocera acuta* (Dana).

1892. *Labidocera acutum* Giesbrecht, Faun. Fl. Neapel, Vol. 19, p. 445, Taf. 23, Fig. 15, 44, 46; Taf. 25, Fig. 31, 32; Taf. 41, Fig. 10, 19, 20, 28, 29, 40.
1898. *Labidocera acuta* Giesbrecht u. Schmeil, Tierreich, 6. Lfg., p. 134.
1908. *Labidocera acuta* van Breemen, Nordisches Plankton, 7. Lfg., Part VIII, p. 130, Fig. 168.

Von allen übrigen *Labidocera*-Arten unterscheidet sich *acuta* durch den Besitz eines Stirnhakens, der (bei Seitenansicht) zwischen der dorsalen Augenlinse und dem Rostrum entspringt. Die Seitenhaken des Kopfes fehlen.

Vorkommen im Golf von Persien: Station Nr. 13.

Fig. 13.
Labidocera acuta.
♀ Kopf (lateral).

Geographische Verbreitung: *L. acuta* wird häufig erwähnt, so für den Indischen Ozean von Giesbrecht und Schmeil (1898, 26° n. bis 35° s. Br.), von Thompson (1900, südostafrikanische Küste und Golf von Bengalen), von Cleve (1901 Arabische See), von Scott A. (1902 Golf von Aden), von Thompson und Scott (1903), von Cleve (1904 Golf von Aden und Arabische See), von Wolfenden (1905 Maldive-Inseln) und von Breemen (1908); für den Pazifischen Ozean von Giesbrecht und Schmeil (1898), von Cleve (1901 Malaiischer Archipel), von Carl (1907 Amboina), von Breemen (1908) und von Scott A. (1909 Malaiischer Archipel); ferner für den Atlantischen Ozean von Giesbrecht und Schmeil (1898 Irische See und Golf von Guinea), von Breemen (1908) und für das Rote Meer von Giesbrecht und Schmeil (1898), von Thompson und Scott (1903), von Cleve (1903), von Breemen (1908).

14. *Labidocera minuta* Giesbrecht.

1892. *Labidocera minutum* Giesbrecht, Faun. Fl. Neapel. Vol. 19, p. 446, Taf. 23, Fig. 16, 35, 36; Taf. 25, Fig. 32; Taf. 11, Fig. 8, 15, 16, 35.
1898. *Labidocera minuta* Giesbrecht u. Schmeil, Tierreich, 6. Lfg., p. 137.
1905. *Labidocera minuta* Giesbrecht u. Schmeil, Faun. Geogr. Mald. Lacc. Archipel, Vol. 2, Suppl. 1, p. 1018, Taf. 98, Fig. 18, 24, 25, 29, 32, 37.

Der Kopf trägt kurze Seitenhaken. Die Zipfel des letzten Thoraxsegmentes sind beim ♂ gut entwickelt, der eine von ihnen (rechts) doppelt so lang als der linke; beim ♀ dagegen sind sie stark rudimentär, von der Dorsalseite nicht sichtbar, und zwar präsentiert sich der rechte Zipfel als kleine Erhebung, während der linke vollständig fehlt und das Segment abgerundet erscheint. Das weibliche Abdomen besteht aus drei Segmenten, die alle ein wenig asymmetrisch sind; auch von den Furcalplatten ist die rechte größer als die linke. Das fünfte Bein des ♀ zeichnet sich durch eine charakteristische Gabelung des distalen Endes der langen Exopoditen aus; die Endopoditen bleiben kurz und tragen innen eine Nebenzacke.

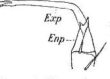

Vorkommen im Golf von Persien: Station Nr. 8—10.

Fig. 14. *Labidocera minuta*.
♀ Linker fünfter Fuß.

Geographische Verbreitung: Das Vorkommen der Art ist im Indischen Ozean von Cleve (1901 Arabische See), von Scott A. (Golf von Aden und Indischer Ozean 1902), von Thompson und Scott (1903), von Cleve (1903 Golf von Aden und Arabische See), von Wolfenden (1905 Maldive-Inseln), im Roten Meer von Giesbrecht und Schmeil (1898), von Scott A. (1902), von Thompson und Scott (1903), von Cleve (1903) und im Pazifischen Ozean von Giesbrecht und Schmeil (1898 Honkong), von Cleve (1901 Malaiischer Archipel), von Scott A. (1909 Malaiischer Archipel) angegeben.

15. *Labidocera* sp.

Zahlreiche Exemplare konnten mit keiner der bekannten *Labidocera*-Arten identifiziert werden. Sie weisen folgende Merkmale auf: Stirne ohne Crista, abgerundet; Kopf mit Seitenhaken; Vorderantennen symmetrisch; letztes Thoraxsegment symmetrisch, beiderseits in stumpfe Zipfel ausgehend; Abdomen dreigliedrig, unbewehrt, Genitalsegment mit flacher Dorsalfläche. Größe 0·7—0·8 mm. Die Form und Gliederung des fünften Fußpaares deutet darauf hin, daß es sich um unreife Stadien handelt.

Golf von Persien: Station Nr. 3, 4, 6—10, 13.

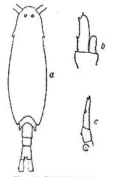

Fig. 15. *Labidocera* sp.
a) Habitus von oben.
b) und *c)* Fünfter Fuß (verschied. Exempl.).

16. *Acartia erythraea* Giesbrecht.

1892. *Acartia erythraea* Giesbrecht, Faun. Fl. Neapel, Vol. 19, p. 508, Taf. 30, Fig. 5, 19, 32; Taf. 43, Fig. 12, 13.
1898. *Acartia erythraea* Giesbrecht u. Schmeil, Tierreich, 6. Lfg., p. 155.

Die Bewehrungsform der Abdominalsegmente bildet in beiden Geschlechtern gute Erkennungsmerkmale der Art, hingegen stimmt die Bedornung des letzten Thorax-

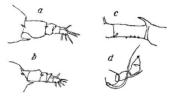

Fig. 16. *Acartia erythraea.*
a) ♀ Abdomen (seitlich). b) ♂ Abdomen (seitlich). c) ♀ Vorderantenne (erstes und zweites
Glied). d) ♂ Linker fünfter Fuß.

segmentes genau mit der von *A. centrura* überein; dieses geht beiderseits in eine spitze Zacke
aus, zu welcher gegen die Rückseite hin noch
ein kleinerer Dorn kommt. Beim ♀ zeichnet
sich ferner das erste Glied der Vorderantennen
durch einen großen Enddorn, das zweite Glied
durch mehrere (4 + 1) an der Unterseite sitzende
Spitzen aus.

Vorkommen im Golf von Persien: Station
Nr. 3, 7—10, 12, 13.

Geographische Verbreitung: *A. erythraea*
ist aus dem Indischen Ozean (Thompson J.

1900, Golf von Aden und Arabische See Cleve 1903, Thompson und Scott A. 1903,
Maldive-Inseln Wolfenden 1905), aus dem Pazifischen Ozean (Malaiischer Archipel Cleve 1901, Amboina Carl 1907, Malaiischer Archipel Scott A. 1909) und aus
dem Roten Meer (Giesbrecht und Schmeil 1898, Scott A. 1902, Thompson
und Scott 1903, Cleve 1903) bekannt.

17. *Acartia bispinosa* Carl.

1907. *Acartia bispinosa* Carl J., Revue Suisse Zool., Vol. 15, p. 13, Taf. 1, Fig. 1, 2.

Es liegt ein einziges männliches Exemplar vor. Obwohl in einigen Punkten mit
der Beschreibung Carls nicht genau übereinstimmend, halte ich die Form wegen ihres
sehr charakteristischen Doppeldornes am letzten Thoraxsegment für die unter *A. bi-

Fig. 17. *Acartia bispinosa.*
♂ Abdomen (seitlich).

spinosa* beschriebene Art. Carl gibt über die Bewehrung des Abdomens folgendes an: «2me segment abdo-
minal avec une épine dorsale plus grande et une épine
latérale plus petite de chaque côté; les autres segmentes
abdominaux inermes, le 1er et le 5me couverts de poies
fines sur les côtés.» Es ist wahrscheinlich, daß Carl
die schwierig wahrzunehmenden Spitzen am Ober-
rande des zweiten und dritten Abdominalsegmentes
übersehen hat. Der Bau des fünften Fußpaares zeigt
auffallende Ähnlichkeit mit dem von *A. amboinensis*,
welche Spezies ebenfalls von dem genannten Autor (1907) aufgestellt wurde.

Vorkommen im Golf von Persien: Station Nr. 8 (1 ♂!).

Geographische Verbreitung: Pazifischer Ozean (bei Amboina Carl 1907).

18. *Acartia pietschmanni* nov. sp.

Diese Form vereinigt in eigentümlicher Weise die Merkmale verschiedener *Acartia*-
Arten; sie steht einerseits der *clausii-longiremis*-Gruppe, andererseits der *bifilosa-tonsa*-
Gruppe nahe. Männchen und Weibchen haben folgende gemeinsame Charaktere:
Rostrum gut entwickelt; Oberrand des ersten und vierten Gliedes der Vor-
derantennen mit je einem kleineren Dorn; letztes Thoraxsegment seitlich

abgerundet, aber jederseits mit zwei mittelgroßen Spitzen versehen, von denen die eine mehr dorsal-, die andere mehr ventralwärts sitzt; Größe 1·0—1·3 mm.

♀. Die erste Antenne erreicht den Hinterrand des zweiten Abdominalsegmentes; außer den schon genannten Dornen stehen einzelne kleine Spitzen am Unterrand des zweiten und dritten Gliedes (17 Glieder im ganzen). Die Hinterantenne gleicht vollkommen dem Bilde, welches Giesbrecht (in seiner Monographie) von *A. clausi* gibt; auch das erste bis vierte Thoraxfußpaar bietet keine besonderen Eigentümlichkeiten. Anders verhält sich der fünfte Fuß. Auch er erinnert zwar an *A. clausi*, vornehmlich in der Form der Endklaue, ist aber von ihm schon durch die bedeutende Streckung des Mittelgliedes verschieden. Die Länge der Fiederborste beträgt das Dreifache der Klauenlänge. Eine Fiederung oder Zähnelung des Endgliedes konnte ich nicht wahrnehmen. Das Abdomen besitzt ungefähr den vierten Teil der Länge des Vorderkörpers. Die Länge des Genitalsegmentes beträgt etwas mehr als die Summe der Längen der beiden folgenden Segmente. Letztere und die Furca sind untereinander nahezu gleich lang. Der dorsale Hinterrand des Genitalsegmentes ist mit zwei Dornen, der seitliche mit je einer (bis zwei) schmalen Spitzen besetzt, der Hinterrand des zweiten Segmentes mit einer Reihe von winzigen Spitzen; das

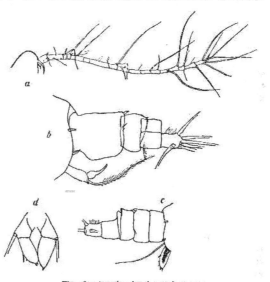

Fig. 18. *Acartia pietschmanni* nov. sp.

a) ♀ Kopf und Vorderantenne (seitlich). *b)* ♀ Letztes Thoraxsegment und Abdomen. *c)* ♂ Letztes Thoraxsegment und Abdomen. *d)* ♂ (iuvenis!) fünftes Fußpaar.

Analsegment ist unbewehrt, besitzt aber an der proximalen Hälfte seiner Seiten je eine Haarreihe. Ebenso ist die Furca dorsal und lateral behaart. Die Länge eines Furcalastes übertrifft seine Breite um weniger als die Hälfte. Die Furcalborsten sind nicht geschwollen und untereinander gleich dick.

♂ iuvenis: Unter mehr als ein Dutzend untersuchter Exemplare befand sich kein einziges reifes Männchen, welches die letzte Häutung schon durchgemacht hatte. Es ist dies aus der Gestalt des fünften Fußpaares zu entnehmen.[1] Über die Zugehörigkeit zu *A. pietschmanni* läßt jedoch das Vorhandensein der vorhin als «gemeinsam» bezeichneten Merkmale keinen Zweifel.

Vorkommen im Golf von Persien: Station Nr. 13.

[1] In einer eben im Drucke befindlichen Arbeit habe ich auf die Form des fünften Fußes beim unreifen Männchen von *Acartia* hingewiesen; es handelt sich dabei um ganz gleichartige Verhältnisse in der Anlage.

19. *Oithona plumifera* Baird.

1892. *Oithona plumifera* Giesbrecht, Faun. Fl. Neapel, Vol. 19, p. 537, Taf. 4, Fig. 10; Taf. 34, Fig. 12,
    13, 22, 25, 27—29, 32, 33, 44—47; Taf. 44, Fig. 1, 7, 12—15.
1900. *Oithona plumifera* Wheeler, U. St. Fish Comm. Bull. for 1899, p. 186, Fig 22.
1905. *Oithona plumifera* Esterly, Univ. California Publicat. Zool., Vol. 2, p. 207, Fig. 50.
1908. *Oithona plumifera* van Breemen, Nordisches Plankton, 7. Lfg., p. 167, Fig. 183.

Vorkommen im Golf von Persien: Station Nr. 8.

Geographische Verbreitung: *O. plumifera* ist eine der weitverbreitetsten Copepodenarten. Sie wurde nachgewiesen für den Pazifischen Ozean von Giesbrecht (1892 und 1895 bei den Galopagos-Inseln), von Cleve (1901 Malaiischer Archipel), von Scott A. (1902 Fortescue-Straits), von Esterly (1905 San Diego-Gebiet), von van Breemen (1908), von Scott A. (1909 Malaiischer Archipel); für den Indischen Ozean von Giesbrecht (1892), von Thompson J. C. (1900 Südostküste von Afrika und Indischer Ozean), von Cleve (1901 Arabische See), von Scott A. (1902 Golf von Aden und Indischer Ozean), von Thompson und Scott (1903), von Cleve (1903 Golf von Aden und Arabische See), von Wolfenden (1905 Maldive-Inseln), von van Breemen (1908); für das Rote Meer von Giesbrecht (1896), von Scott A. (1902), von Thompson und Scott (1903), von Cleve (1903), von van Breemen (1908); für den Atlantischen Ozean von Giesbrecht (1892), von Scott T. (1894 Golf von Guinea), von Wheeler (1900 Woods Hole-Gebiet), von Thompson und Scott A. (1903 Kanal), von Farran (1905), von Pearson (1906 Irland), von Williams (1906 Rhode-Inseln), von Farran (1908), von van Breemen (1908 Polarmeer und Nord-Atlantis); ferner für das Mittelmeer von Giesbrecht (1892), von Thompson und Scott (1903), von Cleve (1903), von van Breemen (1908), von Pesta (1909 östliches Mittelmeer) und von Steuer (1910 Adria).

20. *Macrosetella gracilis* (Dana).

1892. *Setella gracilis* Giesbrecht, Faun. Fl. Neapel, Vol. 19, p. 559, Taf. 1, Fig. 12; Taf. 45, Fig. 1—15.
1900. *Setella gracilis* Wheeler, U. St. Fish Comm. Bull. for 1899, p. 188, Fig. 24.
1908. *Setella gracilis* van Breemen, Nordisches Plankton, 7. Lfg., p. 178, Fig. 192.

Da der Name schon für einen Schmetterling vergeben ist, hat Scott A. (1909) umgetauft. Derselbe Autor weist auch darauf hin, daß die Gattung keine nähere Verwandtschaft zu *Microsetella* oder einem anderen Ectinosomidengenus zeigt, und stellt

daher die neue Familie der *Macrosetellidae* auf, deren Angehörige sich insbesondere durch das Fehlen der Exopoditen an den zweiten Antennen und durch rudimentäre Mandibeln, Maxillen und erste Maxillipeden kennzeichnen.

Fig. 10.
Macrosetella gracilis.
♀ Kopf (von der Seite).

Eine Verwechslung von *M. gracilis* mit einer anderen Form ist kaum möglich. Jugendformen in der Größe von *Microsetella* würden sich von letzterer sofort bei Betrachtung des Kopfprofiles (schnabelartiges Rostrum) unterscheiden.

Vorkommen im Golf von Persien: Station Nr. 1—3, 5—10, 12, 13.

Geographische Verbreitung: Die Art findet sich im Pazifischen Ozean (Giesbrecht 1892; Cleve 1901 Malaiischer Archipel; van Breemen 1908; Carl 1907 Amboina; Scott A. 1902 Fortescue-Straits und 1909 Malaiischer Archipel), im Indischen Ozean (Cleve 1901 Arabische See und Indischer Ozean; Scott A. 1902 Golf von Aden und Indischer Ozean; Thompson und Scott 1903; Cleve 1903 Golf von Aden und Arabische See; Wolfenden 1905 Maldive-Inseln; van Breemen 1908), im

Roten Meer (Giesbrecht 1896; Thompson 1900; Scott A. 1902; Thompson und Scott 1903; Cleve 1903), im Atlantischen Ozean (Giesbrecht 1892; Scott T. 1894 Golf von Guinea; Wheeler 1900 Woods Hole Region; Thompson 1903; van Breemen 1908) und im Mittelmeer (Giesbrecht 1892; Thompson 1900; Thompson und Scott 1903; Cleve 1903; van Breemen 1908; Pesta 1909 östliches Mittelmeer).

21. *Microsetella rosea* (Dana).

1892. *Microsetella rosea* Giesbrecht, Faun. Fl. Neapel, Vol. 19, p. 550, Taf. 44, Fig. 32, 35, 37, 38, 41, 43, 46, 48, 49.
1905. *Microsetella rosea* Esterly, U. St. Fish Comm. Bull. for 1899, p. 211, Fig. 52.
1908. *Microsetella rosea* van Breemen, Nordisches Plankton, 7. Lfg., p. 174, Fig. 189.

(Vergleiche *Macrosetella rosea* und Textfigur Nr. 20.)
Vorkommen im Golf von Persien: Station Nr. 1, 2, 8.

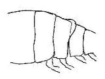

M. rosea kommt vor im Pazifischen Ozean (Giesbrecht 1892; Esterly 1905 San Diego-Gebiet; Scott A. 1902 Fortescue-Straits; van Breemen 1908; Scott A. Malaiischer Archipel 1909), im Indischen Ozean (Thompson 1900 Madagaskar; Thompson und Scott 1903; Cleve 1903 Arabische See; van Breemen 1908), im Roten Meer (Thompson 1900; Thompson und Scott 1903; Cleve 1903; van Breemen 1908), im Atlantischen Ozean (Thompson 1903; Farran 1908; van Breemen 1908) und im Mittelmeer (Thompson und Scott 1903; Cleve 1903; Giesbrecht 1892; van Breemen 1908; Pesta 1909 östliches Mittelmeer; Steuer 1910 Adria).

Fig. 20. *Microsetella rosea.* ♀ Kopf (von der Seite).

22. *Oncaea conifera* Giesbrecht.

1892. *Oncaea conifera* Giesbrecht, Faun. Fl. Neapel, Vol. 19, p. 591, Taf. 2, Fig. 10; Taf. 47, Fig. 4, 16, 21, 28, 34, 38, 42, 55, 56.
1905. *Oncaea conifera* Esterly, Univ. California Publicat. Zool., Vol. 2, p. 216, Fig. 55.
1908. *Oncaea conifera* van Breemen, Nordisches Plankton, 7. Lfg., p. 189, Fig. 202.

♀: Das Heraustreten des zweiten Thoraxsegmentes aus der Kontinuität der Rückenlinie des Körpers bildet ein zu allen übrigen *Oncaea*-Arten gegensätzliches Erkennungszeichen. Für das ♂ sind die relativ kurzen (weniger als doppelt so lang wie breit) und voneinander weit abstehenden Furcaläste charakteristisch.

Vorkommen im Golf von Persien: Station Nr. 7.

Geographische Verbreitung: *O. conifera* wird erwähnt für den Atlantischen Ozean von Pearson (1906 Irland), von van Breemen (1908 Atlantischer Ozean und Polarmeer), für das Mittelmeer von Giesbrecht (1892), von van Breemen (1908), von Steuer (1910 Adria); für das Rote Meer von Thompson (1900), von Scott A. (1902), von Cleve (1903), von van Breemen (1908); für den Indischen Ozean von Scott A. (1902), von Thompson (1900 Madagaskar), von Thompson und Scott (1903 nördlicher indischer

Fig. 21. *Oncaea conifera.* ♀ Erstes bis viertes Thoraxsegment (von der Seite).

Ozean), von Cleve (1903 Golf von Aden und Arabische See), von Wolfenden (1905 Maldive-Inseln), von van Breemen (1908); für den Pazifischen Ozean von Cleve (1901 Malaiischer Archipel), von Esterly (1905 San Diego-Gebiet), von Carl (1907 Amboina), von van Breemen (1908 Pazifischer Ozean und Malaiischer Archipel), von Scott A. (1909 Malaiischer Archipel); ferner für den Antarktischen Ozean von van Breemen (1908).

23. *Oncaea media* Giesbrecht.

1892. *Oncaea media* Giesbrecht, Faun. Fl. Neapel, Vol. 19, p. 591, Taf. 2, Fig. 12; Taf. 47, Fig. 1, 11,
    29—33, 40.
1908. *Oncaea media* van Breemen, Nordisches Plankton, 7. Lfg., p. 187, Fig. 200.

Fig. 22.
Oncaea media.
♀ Vierter Fuß,
Endopodit.

Von der nahe verwandten *O. venusta* ist diese Art (außer den gewöhnlich zitierten Unterscheidungsmerkmalen) durch die schmale Außenrandborste des letzten Gliedes des Endopoditen am vierten Fußpaar verschieden; bei *venusta* trägt dieselbe einen breiten, gezähnelten Chitinsaum gleich den zwei Endborsten.

Vorkommen im Golf von Persien: Station Nr. 7, 8.

Geographische Verbreitung: Die Form ist aus dem Atlantischen Ozean (Thompson und Scott 1903 Kanal; Cleve 1903; Pearson 1906 Irland; van Breemen 1908), aus dem Mittelmeer (Giesbrecht 1892; Thompson und Scott 1903; Cleve 1903; van Breemen 1908; Steuer 1910 Adria), aus dem Roten Meer (Scott A. 1902; Thompson und Scott 1903; Cleve 1903; van Breemen 1908), aus dem Indischen Ozean (Cleve 1901 Arabische See und Indischer Ozean; Thompson und Scott 1903; Cleve 1903 Golf von Aden und Arabische See; Wolfenden 1905 Maldive-Inseln; van Breemen 1908 Arabische See und Indischer Ozean) und aus dem Pazifischen Ozean (Giesbrecht 1892; Cleve 1901 Malaiischer Archipel; van Breemen 1908 Malaiischer Archipel; Scott A. 1909 Malaiischer Archipel) bekannt.

24. *Oncaea minuta* Giesbrecht.

1892. *Oncaea minuta* Giesbrecht, Faun. Fl. Neapel, Vol. 19, p. 591, Taf. 47, Fig. 3, 6, 26, 46, 59.
1895. *Oncaea minuta* Esterly, Univ. California Publicat. Zool., Vol. 2, p. 217, Fig. 56.
1908. *Oncaea minuta* van Breemen, Nordisches Plankton, 7. Lfg., p. 188, Fig. 201.

An der Außenrandborste des Endgliedes des Endopoditen am vierten Fuße fehlt der Chitinsaum und auch eine Zähnelung vollkommen, so daß die normale Borstenform wieder erscheint. (Vergleiche die vorige Art!)

Vorkommen im Golf von Persien: Station Nr. 7.

Geographische Verbreitung: Als Fundorte wurden konstatiert: der Atlantische Ozean (Thompson und Scott 1903 Kanal bei Gibraltar; Thompson 1903; van Breemen 1908), das Mittelmeer (Giesbrecht 1892 Golf von Neapel; Thompson 1900; Thompson und Scott 1903; van Breemen 1908), das Rote Meer (Thompson 1900; Thompson und Scott 1903), der Indische Ozean (Thompson 1900 ostafrikanische Küste und Golf von Bengalen; Thompson und Scott 1903; van Breemen 1908) und der Pazifische Ozean (Esterly 1905 San Diego-Gebiet; van Breemen 1908; Scott A. 1909 Malaiischer Archipel).

25. *Coryacaeus gracilicaudatus* Giesbrecht.

1892. *Coryacaeus gracilicaudatus* Giesbrecht, Faun. Fl. Neapel, Vol. 19, p. 661, Taf. 51, Fig. 15, 30.

Der Rand der Genitalöffnungen des ♀ trägt je eine Borste. Die Längen des Genitalsegmentes, des Analsegmentes und der Furca verhalten sich wie 2·9 : 2·7 : 3·1 (oder wie 10 : 9 : 11 nach Giesbrecht).

Vorkommen im Golf von Persien: Station Nr. 9, 13.

Geographische Verbreitung: Die Art wurde bisher gefunden im Indischen Ozean (Cleve 1901; Scott A. 1902 Golf von Aden; Thompson und Scott 1903; Cleve 1903 Arabische See; Wolfenden 1905 Maldive-Inseln), im Pazifischen Ozean (Giesbrecht 1892; Cleve 1901 Malaiischer Archipel; Scott A. 1909 Malaiischer Archipel) und im Roten Meer (Thompson und Scott 1903).

Fig. 23.
Coryacaeus
gracilicaudatus.
♀ Abdomen.

26. Coryacaeus obtusus Dana.

1892. Coryacaeus obtusus Giesbrecht, Faun. Fl. Neapel, Vol. 19, p. 659, Taf. 2, Fig. 8; Taf. 3, Fig. 2; Taf. 49, Fig. 27, 29—31; Taf. 51, Fig. 12—14, 31, 54.

Der Rand der Genitalöffnungen des ♀ trägt je eine Borste. Die Längen des Genitalsegmentes, des Analsegmentes und der Furca verhalten sich wie 2·6:1·2:1·2 (oder wie 12:4·5:5 nach Giesbrecht). Beim ♂ ist das Analsegment und die Furca zusammen kürzer als das Genitalsegment.

Vorkommen im Golf von Persien: Station Nr. 1—4, 6, 7, 10, 13.

Geographische Verbreitung: C. obtusus kommt vor im Indischen Ozean (Cleve 1901 Arabische See und Indischer Ozean; Scott A. 1902 Golf von Aden und Indischer Ozean; Thompson und Scott 1903; Cleve 1903 Golf von Aden und Arabische See; Wolfenden 1905 Maldive-Inseln), im Pazifischen Ozean (Giesbrecht 1892, 1895; Cleve 1901 Malaiischer Archipel; Scott A. 1902 Fortescue-Straits; Carl 1907 Amboina; Scott A. 1909 Malaiischer Archipel), im Roten Meer (Scott A. 1902; Thompson und Scott 1903; Cleve 1903), im Atlantischen Ozean (Giesbrecht 1892; Scott T. 1894 Golf von Guinea) und im Mittelmeer (Giesbrecht 1892; Thompson und Scott 1903 Kreta; Cleve 1903; Steuer 1910 Adria).

Fig. 24.
Coryacaeus obtusus.
♀ Abdomen (von oben).

27. Coryacaeus ovalis Claus.

1892. Coryacaeus ovalis Giesbrecht, Faun. Fl. Neapel, Vol. 19, p. 659, Taf. 49, Fig. 14, 18, 20, 25; Taf. 51, Fig. 1—3.

Der Rand der Genitalöffnungen des ♀ trägt keine Borsten. Die Länge der Furca beträgt fast die Hälfte des übrigen Abdomens. Beim ♂ ist das Analsegment und die Furca zusammen länger als das Genitalsegment.

Vorkommen im Golf von Persien: Station Nr. 9.

Geographische Verbreitung: Die Art ist aus dem Indischen Ozean (Cleve 1901 Arabische See und Indischer Ozean; Cleve 1903 Golf von Aden und Arabische See; Thompson und Scott 1903; Thompson 1900 Ostküste von Afrika und Indischer Ozean; Scott A. 1902; Wolfenden 1905 Maldive-Inseln) aus dem Pazifischen Ozean (Cleve 1901 Malaiischer Archipel; Carl 1907 Amboina), aus dem Roten Meer (Scott A. 1902; Cleve 1903; Thompson und Scott 1903) und aus dem Mittelmeer (Giesbrecht 1892; Thompson 1900; Cleve 1903; Thompson und Scott 1903; Steuer 1910 Adria) bekannt.

Fig. 25.
Coryacaeus
ovalis.
♂ Abdomen
(von oben).

28. *Coryacaeus* sp.

Zwei Exemplare von zirka 0·5 mm Größe dürften wahrscheinlich Jugendformen von *Coryacaeus lubbocki* sein, doch kann ich darüber nicht einwandfrei entscheiden. Der Rand der Genitalöffnungen trägt je eine Borste. Das Genitalsegment selbst hat eine median-ventral gelegene Zacke. Der Innenast des vierten Fußes trägt zwei Borsten; das erste Glied des Außenastes ist kurz (im Gegensatz zu Giesbrecht, Monographie, Taf, 51, Fig. 51).

Vorkommen im Golf von Persien: Station Nr. 2, 3.

29. *Sapphirina angusta* Dana.

1892. *Sapphirina angusta* Giesbrecht, Faun. Fl. Neapel, Vol. 19, p. 619, Taf. 52, Fig. 5, 6, 20, 53, 55, 58, 66; Taf. 53, Fig. 6, 17, 29, 30, 55; Taf. 54, Fig. 2, 8, 17, 20, 60, 61.
1905. *Sapphirina angusta* Esterly, Univ. California Publicat. Zool., Vol. 2, p. 221, Fig. 58.

Die Schwierigkeiten, die sich für eine einwandfreie Determination der *Sapphirina*-Arten ergeben, sind hinlänglich bekannt, und ich verweise hier nur auf die trefflichen Bemerkungen, die bereits Steuer (Denkschr. d. kais. Akad. Wiss. Wien, 1895, Vol. 52, p. 159—163) zu diesem Gegenstande gemacht hat. Zur Bestimmung der drei vorliegenden Spezies gab mir einen guten Anhaltspunkt mehr die Berücksichtigung der Lage der Dorsalborste auf den Furcalästen. Vielleicht wäre dieses Merkmal auch für eine Gruppierung der übrigen *Sapphirina*-Arten geeignet, da beide Geschlechter durchwegs übereinstimmend gebaute Furcaläste besitzen. *S. angusta*, *nigromaculata* und *stellata* unterscheiden sich mit Rücksicht auf das Erwähnte wie folgt:

S. angusta ♀ und ♂: Die Dorsalborste der Furca sitzt in der Mitte zwischen der Außenrandborste und der äußersten Endborste.

S. nigromaculata ♀ und ♂: Die Dorsalborste der Furca sitzt etwas oberhalb (näher dem Analsegment) der Außenrandborste.

S. stellata ♀ und ♂: Die Dorsalborste der Furca sitzt bedeutend oberhalb der Außenrandborste (in der Mitte zwischen dieser und dem Rand des Analsegmentes).

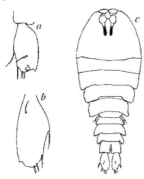

Fig. 26.

a) *Sapphirina angusta* ♀, Furca.
b) *Sapphirina stellata* ♂, Furca.
c) *Sapphirina nigromaculata* ♀ (dorsal).

Vorkommen im Golf von Persien: Station Nr. 7.

Geographische Verbreitung: *S. angusta* findet sich im Indischen Ozean (Giesbrecht 1892; Cleve 1903 Arabische See), im Pazifischen Ozean (Giesbrecht 1892, 1895; Esterly 1905 San Diego-Gebiet; Scott A. 1909 Malaiischer Archipel), im Atlantischen Ozean (Giesbrecht 1892) und im Mittelmeer (östliches Mittelmeer und südliche Adria Steuer 1895; Adria Steuer 1907 und 1910).

Aus dem Roten Meere ist die Art nicht bekannt.

30. *Sapphirina nigromaculata* Claus.

1892. *Sapphirina nigromaculata* Giesbrecht, Faun. Fl. Neapel, Vol. 19, p. 619, Taf. 52, Fig. 32, 35, 43; Taf. 53, Fig. 13, 26, 36, 48; Taf. 54, Fig. 6, 40, 48.
1908. *Sapphirina nigromaculata* van Breemen, Nordisches Plankton, 7. Lfg., p. 196, Fig. 209.

(Vergleiche die vorhergehende Art und Textfigur 26 c!)

Vorkommen im Golf von Persien: Station Nr. 5, 7, 8, 13.

Geographische Verbreitung: Diese Art wird sehr häufig zitiert, so: für den Indischen Ozean von Thompson (1900 Südostküste von Afrika, Indischer Ozean und Golf von Bengalen), von Scott A. (1902), von Thompson und Scott (1903), von Cleve (1903 arabische See), von Wolfenden (1905 Maldive-Inseln) und von van Breemen (1908); für den Pazifischen Ozean von Giesbrecht (1892), von Cleve (1901 Malaiischer Archipel), von Carl (1907 Amboina), von van Breemen (1908) und von Scott A. (1909 Malaiischer Archipel); für das Rote Meer von Giesbrecht (1896), von Steuer (1898), von Thompson (1900), von Scott A. (1902), von Cleve (1903) und van Breemen (1908); für das Mittelmeer von Giesbrecht (1892), von Steuer (1895 östliches Mittelmeer und Adria), von Thompson (1900), von Cleve (1903), von van Breemen (1908) und von Steuer (1907, 1910 Adria).

Da die Identität von *S. inaequalis* Brady mit *nigromaculata* fraglich ist, kann das Vorkommen der Art im Atlantischen Ozean nicht mit Sicherheit angegeben werden. (Vergleiche van Breemen, op. cit., p. 196, letzte Zeile!)

31. *Sapphirina stellata* Giesbrecht.

1892. *Sapphirina stellata* Giesbrecht, Faun. Fl. Neapel, Vol. 19, p. 620, Taf. 52, Fig. 7—9; Taf. 53, Fig. 15, 35, 59; Taf. 54, Fig. 22, 27, 69.

(Vergleiche *S. angusta* und Textfigur 26 b!)

Vorkommen im Golf von Persien: Station Nr. 8.

Geographische Verbreitung: *S. stellata* wurde im Indischen Ozean (Giesbrecht 1892; Thompson 1900 Südostküste von Afrika und Indischer Ozean; Cleve 1903 Arabische See), im Pazifischen Ozean (Giesbrecht 1892; Carl 1907 Amboina; Scott A. 1909 Malaiischer Archipel) und im Atlantischen Ozean (Giesbrecht 1892) gefunden.

Aus dem Mittelmeer und Roten Meer ist sie nicht bekannt.

Literaturverzeichnis.

(Es sind nur die zitierten Arbeiten aufgenommen.)

Brady G. S., Report on the Copepoda. Scient. Res. Voyage «Challenger» Zool., Vol. 8, Part 23, 1883.

Breemen P. J. van, Copepoden, Nordisches Plankton. 7. Lfg., Nr. 8, Kiel und Leipzig 1908.

Carl J., Copépodes d'Amboine. Revue Suisse de Zoologie, Vol. 15, 1907.

Cleve P. T., Plankton from the indian ocean and the malay archipelago. Kongl. Svensk. Vet. Akad. Handlingar, Vol. 35, Nr. 5, Stockholm 1901 (—1902).

— Report on plankton collected by Mr. Thorild Wulff during a voyage to and from Bombay. Arkiv for Zoologi, K. Svensk. Vet. Akad., Vol. 1, Stockholm 1903.

Esterly C. O., The pelagic copepoda of San Diego Region. University of California Publications, Zool., Vol. 2, Nr. 4, Berkeley 1905.

— Additions to the copepod-fauna of the San Diego Region. University of California Publications, Zool., Vol. 3, Nr. 5, 1906.

Farran G. P., Report on the copepoda of the atlantic slope off counties Mayo and Galway. Ann. Rep. Fish. Ireland 1902—1903, Part. 2, Appendix II, 1905.

— Second report on the copepoda of the Irish Atlantic Slope. Fisheries, Ireland; Sci. invest. 1906, II, 1908.

Giesbrecht W., Systematik und Faunistik der pelagischen Copepoden des Golfes von Neapel und der
   angrenzenden Meeresabschnitte. Fauna und Flora des Golfes von Neapel, Vol. 19, Berlin 1892.
— Die pelagischen Copepoden. Bulletin of the Museum of Comparative Zoology at Harvard Col-
   lege, Vol. 25, Nr. 12, Cambridge 1895.
— Über pelagische Copepoden des Roten Meeres. Zoologische Jahrbücher, Abt. f. Systematik, Vol. 9,
   Heft 2, Jena 1896.
— und Schmeil O., Copepoda I. Gymnoplea. Tierreich, 6. Lfg., Berlin 1898.
Pearson J., A list of the marine copepoda of Ireland. Fisheries, Ireland; Sci. Invest. 1905, VI, 1906.
Pesta O., Copepoden (I. Artenliste 1890). Bericht der Kommission für Erforschung des östlichen
   Mittelmeeres in: Denkschriften d. kais. Akademie d. Wissensch. Wien, math.-nat. Klasse, Vol. 84,
   Wien 1909.
— Copepoden des östlichen Mittelmeeres (II. u. III. Artenliste 1891 u. 1892). Im Drucke befindlich.
Sars G. O., Liste préliminaire des Calanoides recueillis pendant les campagnes de S. A. S. le Prince
   Albert de Monaco, avec diagnoses des genres et des espèces nouvelles, 1. partie. Bullet. du
   Musée Océanographique de Monaco, Nr. 26, 1905 und Nr. 40, 1905.
Scott A., On some Read Sea and Indian Ocean Copepoda. Transactions Liverpool Biological Society,
   Vol. 16, Liverpool 1902.
— The Copepoda of the Siboga-Expedition. Part. I. Uitkomsten op zoologisch, botanisch, ozeano-
   graphisch en geologisch Gebiedverzameld in Neederlandisch Oost Indie 1899—1900. Monographie
   Nr. 29 a, Leyden 1909.
Scott T., Report on Entomostraca from the Gulf of Guinea coll. by John Rattray. Transactions
   Linnean Society London, Zool., Ser. 3, Vol. 6, 1894.
Steuer A., Sapphirinen des Mittelmeeres und der Adria. Denkschriften d. kais. Akademie d. Wissensch.
   Wien, math.-nat. Klasse, Vol. 62, Wien 1895.
— Sapphirinen des Roten Meeres. Denkschriften d. kais. Akademie d. Wissensch. Wien, math.-nat.
   Klasse, Vol. 65, Wien 1898.
— Die Sapphirinen und Copilien der Adria. Bollettino della Società adriatica di scienze naturali in
   Trieste, Vol. 24, 1907.
— Adriatische Planktoncopepoden. Sitzungsberichte d. math.-nat. Klasse d. kais. Akademie d. Wiss.
   Wien, Vol. 119, Wien 1910.
Thompson J. C., Report on two collections of tropical and more northern plankton. Transactions
   Liverpool Biological Society, Vol. 14, 1900.
— and Scott A., Report on the copepoda coll. by Herdmann at Ceylon. Ceylon Pearl Oyster
   Fisheries, supplementary reports nr. 7. Royal Society, London 1903.
Wheeler W. M., The free-swimming copepods of the Woods Hole Region. United States Fish Com-
   mission Bulletin for 1899, published 1900.
Williams L. W., Notes on the marine copepoda of Rhode Islands. American Naturalist, Vol. 40, 1906.
Wolfenden R. N., Notes on the collection of copepoda. Fauna and Geography of the Maldive and
   Laccadive Archipelagus, Vol. 2, Supplement 1, Cambridge 1905.

(Als Manuskript abgeschlossen im Mai 1911. Pesta.)

Die Dermapteren des k. k. naturhistorischen Hofmuseums in Wien.

Bearbeitet von

Malcolm Burr,

D. Sc.

Die Dermapterensammlung des k. k. naturhistorischen Hofmuseums in Wien ist sehr reich und anziehend. Man findet da alte Stücke, darunter einige Originalexemplare Dohrns. Diese Sammlung wurde in den letzten Jahren durch die Beisteuerung der berühmten Orthopterensammlung des Altmeisters, Herrn Hofrat Dr. K. Brunner v. Wattenwyl, beträchtlich bereichert.

Dieser Verfasser hat die Dermapteren wenig beobachtet; seine Ohrwürmer wurden von de Bormans in den Jahren 1883 und 1903 beschrieben, so daß infolgedessen viele Typen von de Bormans sich hier befinden.

Man wird außerdem wahrnehmen, daß de Bormans die Brunnersche Sammlung durcharbeitete und einen großen Teil des Materials mit seinen Bestimmungen versah. Dies hat hohen Wert, da diese Angaben uns die Meinung des besten Dermapterologen aus jener Epoche zeigen.

Die Wissenschaft aber hat inzwischen große Fortschritte gemacht und so gelang es mir, durch Vergleichungen sehr vieler Typen aus zahlreichen Sammlungen unzählige Rätsel entziffern zu können.

Die ganze Sammlung enthält 42 Typen von guten Arten, von denen 7 hier zum ersten Male beschrieben sind. 10 hat man jetzt in Synonymie gestellt, während weitere 13 Syn- oder Cotypen sind. Die Sammlung umfaßt in allem 256 gute Arten, die ich klar und genau bestimmen konnte.

Die Einteilung, die ich hier benütze, ist jene, die ich zum ersten Male in den Genera Insectorum Wytsmans herausgegeben habe. Sie ist eine Zusammenschmelzung meines provisorischen Systems mit demjenigen Zachers, mit dem Unterschied jedoch, daß das meinige auf äußere Merkmale, d. h. Bau des Körpers, Fühler, Elytren, Tarsen usw., das seinige in den meisten Fällen auf den Bau der männlichen Geschlechtsorgane gegründet ist.

Im großen und ganzen stimmen beide Systeme gut überein; sie weichen etwas nur in kleineren, nicht sehr wichtigen Einzelheiten ab; es ist jedoch zu hoffen, daß in der Zukunft eine einheitliche Klassifikation festgelegt wird. Die Sonderung der *Protodermapteren, Paradermapteren* und die der Familien *Labiidae* und *Chelisochidae* steht schon ziemlich fest, während die der *Forficulidae* ohne Zweifel stark verändert werden wird.

Mittlerweile ist diese Klassifikation die beste, die ich heute anzubieten vermag, und bitte ich meine Kollegen und Mitarbeiter, sie als solche in einem nicht all zu kritischen Verfahren annehmen zu wollen.

69

Zum Schlusse erlaube ich mir, der Intendanz des k. k. naturhistorischen Hofmuseums und der Direktion der zoologischen Abteilung desselben geziemenden Dank für die Anvertrauung des wertvollen Materials auszusprechen. Ebenso möchte ich meinem verehrten und geschätzten Freunde Herrn Dr. K. Holdhaus, welcher die Etikettierung und Versendung des Materials besorgte, bestens danken.

Verzeichnis der Typen von guten Arten.

Pygidicrana borneensis Bormans (nur ♀ bekannt, jetzt in *Kalocrania*)

Pygidicrana daemeli Dohrn (jetzt in *Dicrana* eingereiht)

Pygidicrana biaffra Bormans (jetzt in *Kalocrania*)

Pygidicrana celebensis Bormans (jetzt in *Kalocrania*)

Pygidicrana kallipyga Dohrn (jetzt in *Dicrana*)

Gonolabis javana Bormans

Anisolabis brunneri Dohrn (jetzt in *Gonolabis* eingereiht)

Anisolabis penetrans Burr

Cylindrogaster abnormis Bormans (jetzt in *Tomopygia* eingereiht)

Brachylabis coriacea Burr

Antisolabis holdhausi Burr

Carcinophora boliviana Bormans (jetzt in *Strongylopsalis*)

Forficula versicolor Borm. (jetzt in *Purex*)

Spongophora frontalis Dohrn (jetzt in *Purex*)

Sphingolabis brunneri Bormans (jetzt in *Purex*)

Spongophora similis Bormans (jetzt in *Vostox*)

Sparatta aculeata Bormans (jetzt in *Chaetospania*)

Sparatta brunneri Bormans (jetzt in *Chaetospania*)

Sparatta australica Bormans (jetzt in *Chaetospania*)

Prolabia formica Burr

Labia rogenhoferi Bormans

Labia ghilianii Bormans (jetzt in *Spongovostox*)

Labia mexicana Borm. (jetzt in *Prolabia*)

Sparatta colombiana Bormans (jetzt in *Parasparatta*)

Sparatta schotti Dohrn (jetzt in *Parasparatta*)

Platylabia javana Bormans (jetzt in *Auchenomus*)

Chelisoches lilyanus Holdhaus

Chelisoches pulchripennis Bormans (jetzt in *Exypnus*)

Chelisoches variicornis Bormans (jetzt in *Hamaxas*)

Anechura stolizkae Burr

Forficula circulata Dohrn (jetzt in *Pterygida*)

Doru leucopteryx Burr

Forficula aetolica Brunner

Opisthocosmia maculifer Dohrn

Sarakas borellii Burr

Neolobophora handlirschi Burr

Ancistrogaster aterrimus Bormans (jetzt in *Kleter*)

Opisthocosmia ova Bormans (jetzt in *Thalperus*)

Labia cheliduroides Bormans ♀ (jetzt in *Strongylopsalis*)

Opisthocosmia burri Bormans (jetzt in *Eparchus*)

Syntonus ensifer Burr.

Verzeichnis derjenigen Typen, die jetzt als Synonyma begraben wurden.

Beschrieben als:	Jetzt betrachtet als Synonym von:
Pygidicrana papua Bormans	*Tagalina semperi* Dohrn
Psalis colombiana Bormans	*P. robusta* Scudder = *gagatina* Klug

Beschrieben als:	Jetzt betrachtet als Synonym von:
Forficula miranda Bormans	*Nesogaster aculeatus* Bormans
Labia rechingeri Holdhaus	*Labia curvicauda* Motsch.
Anechura hugeli Dohrn	*Allodahlia macropyga* Westw.
Anechura ancylura Dohrn	*Allodahlia macropyga* Westw.
Forficula variicornis Scudder	*Sarakas devians* Dohrn
Forficula californica Dohrn	*Doru lineare* Esch.
Labia cheliduroides Bormans ♂	*Skalistes lugubris* Dohrn
Ancistrogaster panamensis Bormans ♀.	*Purex frontalis* Dohrn.

Von diesen Typen sind die hierunter wiedergegebenen zum erstenmal beschrieben.

Anisolabis penetrans	*Sarakas borelli*
Prolabia formica	*Neolobophora handlirschi*
Anechura stolizkae	*Syntonus ensifer.*
Doru leucopteryx	

Verzeichnis der Syntypen.

Pygidicrana modesta Bormans (jetzt in *Pyge*)	*Labia ridens* Bormans
Apachyus feae Bormans	*Labia fruhstorferi* Bormans
Esphalmenus peringueyi Bormans	*Labia guttata* Scudder (Synonym von *Prolabia unidentata* Beauv.)
Forficula? remota Burr (jetzt in *Purex*)	*Chelidura mutica* Krauß (jetzt in *Chelidurella*)
Labia pygidiata Bormans (jetzt in *Spongovostox*)	*Opisthocosmia lugens* Bormans (jetzt in *Timomenus*)
Chaetospania feae Bormans	*Opisthocosmia dux* Bormans (jetzt in *Eparchus*).
Spongophora lutea Bormans (jetzt in *Labia*)	

Unterordnung Forficulina.
Überfamilie Protodermaptera.
Familie Pygidicranidae.
Unterfamilie *Diplatyinae.*
Gattung **Diplatys** Serv.

1. **nigriceps** Kirby.

Burmah: Bhamo. Larva (Fea VII, 85, ex coll. Br.); Teinzo. V./98 (Fea, ex coll. Br., Nr. 19.456, ♀).

Von de Bormans als *D. macrocephala* bestimmt. *D. macrocephala* ist eine westafrikanische Art und de Bormans kannte die Unterschiede der Arten dieser Gattung gar nicht.

2. *jacobsoni* Burr.

Java: 1 ♂, 1 ♀ (coll. Brunner, Nr. 18417); Tenggergebirge, 1 ♂ (Fruhstorfer, ex coll. Br., Nr. 18.145).

Die Brunnerschen Exemplare sind alle von de Bormans als *D. gerstaeckeri* bestimmt worden. Diese kleine rotbraune Art wurde von de Bormans mit *D. gerstaeckeri* verwechselt; sie ist aber noch kleiner und dünner, das vorletzte Sternit ist rechteckig und gerade abgeschnitten, das letzte Tergit ist kaum breiter als das Abdomen. Die Zangenarme sind nicht ganz zusammenstoßend und werden allmählich dünner. Bei einigen Exemplaren sind sie zuerst abgeplattet, dann etwas verbreitert und vor dem Apex plötzlich zugespitzt wie in der Gattung *Forficula*. Es finden sich in dieser Sammlung Exemplare für alle Stadien zwischen den zwei Extremen. Von *D. raffrayi* Borm. und *D. aethiops* Burr unterscheiden sie sich durch das enge letzte Tergit und die dreikantigen Zangenarme.

3. *? greeni* Burr.

Ceylon: Peradeniya, 18./II. '02, 2 L. (Dr. Uzel, ex coll. Mus. Vindob.).

4. *thoracicus* Stål.

Brasilien: Espirito Santo, 1 ♂ (Fruhstorfer, ex coll. Br.).

5. *gracilis* Stål.

Brasilien: Espirito Santo (Fruhstorfer, ex coll. Br., Nr. 22.054); Peru: Callanga, ♀ (Staudinger, coll. Br., Nr. 22.542).

Ich bin der Ansicht, daß *Cylindrogaster* Stål von *Diplatys* nicht genügend verschieden sei, um als selbständige Gattung bestehen zu bleiben.

6. *ernesti* Burr.

Ceylon: Peradeniya, 2 ♂, 15./IV. '02 (Dr. Uzel).

7. sp.?

Deutsch-Ostafrika: Ukami-Berge (ex coll. Br, Nr. 22.812).

8. *conradti* Burr?

Deutsch-Kamerun: Mundame, 1 ♀ (Rhode, ex coll. Br.).

Dieses Exemplar ist dem Typus von *D. conradti* sehr ähnlich, man bedarf aber einer größeren Anzahl, um die beiden Geschlechter genau zu bestimmen. Der Typus stammt auch aus Kamerun.

Goldküste: 2 ♀ (Reitter).

Von de Bormans mit Unrecht als *B. raffrayi* bestimmt. Ohne das Männchen ist eine genaue Bestimmung leider unmöglich.

9. *liberata* Burr.

Malabar: Mahé (Deschamps), 1 ♂ (coll. Br., Nr. 23.665).

Ein gebrochenes Stück, das mit dieser Art identisch zu sein scheint. Die Art wurde von de Bormans mit *D. nigriceps* gemischt.

10. *calidasa* Burr.

Indien: Dardjiling, 1 ♀ (Fruhstorfer, coll. Br., Nr. 24.779).

Unterfamilie *Karschiellinae*.

Gattung **Karschiella** Verh.

1. *camerunensis* Verh.

Deutsch-Kamerun: Mundame, ♂ (Rhode, coll. Br., Nr. 25.702). — Kamerun 1 ♂ (Rhode, coll. Br., Nr. 25.653).

Unterfamilie *Pygidicraninae*.

Gattung **Tagalina** Dohrn.

1. *semperi* Dohrn.

Celebes: Boustal, 1 ♂ (Sarasin). — Salomons-Insel: Isabel-Insel, Albatroß (Mus. Vindob., 1 ♂). — Neu-Guinea: Milne-Bay (Staudinger, coll. Br., Nr. 21.293 und 21.668).

Dies sind die Originalexemplare von de Bormans' *Pygidicrana papua* (s. Bormans apud Burr, Ann. Mag. N. H. [7] XI, p. 232 [1903]), welchen Namen ich als mit *Tagalina semperi* Dohrn synonym betrachte. Nr. 21.273 ist als Männchen etikettiert, während es aber in Wirklichkeit ein Weibchen ist.

2. *grandiventris* Blanch.

Insel Buru: 1 ♀ (H. Kühne, coll. Br., Nr. 24.631).

Unglücklicherweise ist dieses Exemplar nur ein Weibchen. Es unterscheidet sich von *T. semperi* durch die stärkere und größere Gestalt, dunklere Färbung, einfarbig dunkle Antennen, schwarzen Kopf, dunkelbraunes Pronotum mit hellen Seitenbändern und schwarze Elytren mit einem schmutziggelben Mittelband, das von der Schulterecke bis zum Ende der Elytren läuft. Nachstehend folgt ein Vergleich seiner Gestalt mit der von *T. semperi*:

	Long. corp.	Long. forc.
T. grandiventris ♀	37 mm	8 mm
T. semperi ♂ (c. m.) .	26·5 »	4·5 »
» » ♀ .	28 »	4·5 »
» » ♂ (Mus. Wien) .	26 »	5·5 »

In einer früheren Arbeit (Termész. Füz. XXV, p. 477, 1902) betrachtete ich diese zwei Arten als identisch, indem ich annahm, daß die Farbe allein als spezifisches Merkmal nicht genügend sei. Jetzt aber, nachdem mir mehr Material zur Verfügung steht, habe ich meine Ansicht geändert und betrachte die Budapester Exemplare als *T. semperi* Dohrn und dieses große Exemplar als *T. grandiventris*, trotz des gelben Bandes der Elytren; dieses ist ganz schmutzig und unklar und konnte leicht übersehen werden.

Gattung **Kalocrania** Zacher.

1. *biaffra* Borm.

Deutsch-Kamerun: Mundame, 2 ♀, 3 Larven (Rhode, ex coll. Br., Nr. 25.694). — Kamerun: Larven (Dr. Kraatz, ex coll. Br., Nr. 21.376, Typus 21.377). Typus. — Westafrika: ex coll. Edw. Brown, ex coll. Br., Nr. 11.645. Bestimmt von de Bormans als *P. caffra* Dohrn.

2. *valida* Dohrn.

Sumatra: Mus. Vindob., zerbrochenes ? ♀. — ? Annam: Phuc Son, 11./XII. (Fruhstorfer). — Tonking: Mts. Maunon, 4./V., 2000—3000 Fuß, 2 ♂, 2 ♀ (Fruhstorfer, ex coll. Br., Nr. 24.028). Zerbrochen. — Insel Banguey: ♀ (Staudinger, ex coll. Br., Nr. 19.871).

3. *celebensis* Borm.

Südcelebes: Bua Kraeng, 5000 Fuß, XI./96, ♂ (Fruhstorfer, ex coll. Br., Nr. 20.869). Typus.

5*

4. *marmoricrura* Serv.

Java: Mts. Tengger, 3 ♂, 1 ♀ (Fruhstorfer, ex coll. Br., Nr. 18144); Deyrolle (ex coll. Br., Nr. 11.616). — Borneo: ♀ (Grabowsky, coll. Br., Nr. 14.008).

5. *siamensis* Dohrn.

Westsiam: Kamburin, IV., ♂ (Fruhstorfer, ex coll. Br., Nr. 24.785). Lichtgelbes Exemplar mit sehr langen Zangenarmen. Celebes: Loka, 1 ♂ (Sarasin).

6. *picta* Guer.

Calcutta: 1 ♂ (Stolizka, 1866, Mus. Vindob.). — — Ceylon: S. O. ♂ (F. Sarasin, ex coll. Br., Nr. 15.863). — Annam: Phuc Son, 11./XII., ♀ (Fruhstorfer, ex coll. Br., Nr. 24.024). — Celebes: Masarang-Kette, 1 ♀ (Sarasin).

Gattung *Pygidicrana* Serville.

1. *egregia* Kirby.

Brasilien: Bahia, ♂ (Fruhstorfer, ex coll. Br., Nr. 20.008; det. Br. als *P. V.-nigrum*); Espirito Santo, ♀ (Staudinger, ex coll. Br., Nr. 25.058; det. Br. als *P. V.-nigrum*); Espirito Santo (ex coll. Br., Nr. 22.058; det. Br. als *P. V.-nigrum*).

2. *V.-nigrum* Serv.

Brasilien: Rio de Janeiro, ♂ ♀ (Schott., Mus. Vindob.). (S. Anhang.)

Gattung *Dicrana* Burr.

1. *kallipyga.*
   «32». ♂ und ♀. Auf grünen Zweigen (Mus. Vindob.). Typus von Dohrn.

2. *horsfieldi* Kirby.
   Java: Palabuan, ♀ (Fruhstorfer, ex coll. Br., Nr. 19.188).

3. *frontalis* Kirby.
   Kamerun: Mundame (Rhode, ex coll. Br., Nr. 25.697) ♂ und ♀.

4. *separata* Burr.
   Deutsch-Ostafrika: Ukam Mts., ♀ (ex coll. Br., Nr. 22.813). — Ostafrika: Masai-Plateau und Kilimandjaro (Mus. Vindob.). Zerbrochen.

5. *daemeli* Dohrn.
   Australien: Neu-Süd-Wales, Cumberland, 1 ♂ (Rosenberg, ex coll. Br.); Cap York (Daemel, 2 ♀ von de Bormans bestimmt, ex coll. Br., Nr. 6022); Sidney (Daemel, coll. Br., Nr. 3844); Higgins (1 ♀, coll. Br., Nr. 6630); Queensland, 1 ♀ (coll. Br., Nr. 11.648). — Neu-Guinea: Milne Bay (Staudinger, coll. Br., Nr. 21.292, 1 ♀ von de Bormans bestimmt).
   Die Daemelschen Stücke sind Co- oder Syntypen; der Typus ist ein Weibchen, das in der Dohrnschen Sammlung sich befindet.
   Die Unterschiede zwischen *P. finschi* und *P. daemeli* nach Karsch sind nur Farbenpunkte. In dieser Sammlung befinden sich sieben Exemplare, die nur in der Farbe differieren, wozu noch zwei Exemplare meiner eigenen Sammlung kommen; wir haben also nur eine fortlaufende Reihe von Varietäten derselben Art.
   Bei *P. daemeli* ist der Kopf hellgelb und hat zwei schwarze Linien. In einer farbigen Zeichnung von de Bormans jedoch, die sich jetzt in meinem Besitze befindet, sind diese zwei Linien nicht sichtbar. In einigen Exemplaren dieser Sammlung, ebenfalls von de Bormans bestimmt und

etikettiert, ist der Kopf ganz schwarz. Dagegen ist bei dem Karsch schen Typus, den ich selbst in Berlin gesehen habe, der Kopf ganz hell gefärbt.

Bei dem in der Dohrn schen Sammlung sich befindlichen Typus von *P. daemeli* ist das Pronotum schmutziggelb, mit zwei braunen gebrochenen Streifen, die, es ist klar, ganz unfest und variabel im Detail sind.

Beim Typus von *P. finschi* ist das Pronotum ganz unregelmäßig schwarz gezeichnet. Einige Wiener Exemplare haben ein schwärzliches Pronotum mit hellem Hinterrande; noch andere in meiner Sammlung sind schwarz und gelb gezeichnet. Es finden sich tatsächlich alle Arten von Zeichnungen und Färbung am Pronotum Der gelbe Fleck der Elytren, die Ab- oder Anwesenheit eines braunen Außenrandes sind ganz unkonstante Merkmale.

Einige dunklere Exemplare der Brunner schen Sammlung sind von Brunner als *P. daemeli* bestimmt worden und wurden von Daemel selbst in Cap York gefangen.

Auf Grund dieser meiner Betrachtungen bin ich der Ansicht, daß alle diese dunkleren Exemplare, ob sie *P. finschi* seien oder nicht, zusammen mit dem Typus *P. finschi* nur Farbenvarietäten von *P. daemeli* sind.

P. finschi wird somit synonym von *P. daemeli*.

Das Pronotum ist beinahe rechteckig, das vorletzte Sternit breit und es kann diese Art also unzweifelhaft in *Dicrana* eingereiht werden. (S. Anhang.)

Gattung **Pyge** Burr.

1. *modesta* Borm.

Birmah: Carin Cheba, 900 –1100 m (Fea, 5./XII.'08, ex coll. Br., Nr. 19.454). Larve.

2. *piepersi* Burr.

Sumatra: Deli, ♀ (Fruhstorfer, coll. Br., Nr. 24 473).

Gattung **Acnodes** Burr.

1. *americana* Burr.

Bolivia: Songo (Staudinger, 2 ♀, coll. Br., Nr. 20.091).

Ein Männchen dieser Art auch von Bolivia, das der Typus ist, befindet sich in der Dohrn schen Sammlung.

Diese Art stimmt mit der westafrikanischen *A. wellmanni* Burr gut überein; sie unterscheidet sich durch kleinere Gestalt, andere Färbung und den Fundort.

Unterfamilie *Pyragrinae.*

Gattung **Pyragra** Serv.

1. *fuscata.*

Brasilien: Novo Friburgo, 2 ♂ (Deyrolle, coll. Br., Nr. 4046); idem 1 ♂, 2 ♀ (Dr. Baden, coll. Br., Nr. 7464 und 7478); 2 ♀ (coll. Br., Nr. 1534); Santa Catherina, 2 ♂, 2 ♀ (Fruhstorfer, coll. Br., Nr. 17.032); Espirito Santo, 1 ♂, 6 ♀ (Fruhstorfer, coll. Br., Nr. 19.892, 2 l. 24.526); Santa Fé de Bogota, 1 ♀ (Saussure, coll. Br., Nr. 9988); idem 1 ♀ (Staudinger, coll. Br., Nr. 8826); Rio de Janeiro, 2 ♂, 3 ♀ (Scholt).

2. *dohrni* Scudd.

Bolivia: Coroico, 2 ♀ (Stauger, coll. Br., Nr. 20.497); Songo, 1 Larve (Staudinger, coll. Br., Nr. 21.035).

Die letzten drei Exemplare sind zweifelsohne echte *P. dohrni*, wurden jedoch von de Bormans als *P. brasiliensis* (= *P. fuscata*) bestimmt.

Peru: Callanga, 1 ♂, 2 ♀ (Staudinger, ex coll. Br., Nr. 22.531); Carabaga, Rio Haucumaya (Rosenberg) 1 ♀ (coll. Br., Nr. 26.369); Marcapata, 1 ♀, 1 l. (Staudinger, coll. Br., Nr. 24.225 und 24.226).

Gattung **Propyragra** Burr.

1. *paraguayensis* Burr.

Brasilien: Prov. Goyaz, Iatahy, ♂ ♀ (Pujol, coll. Br., Nr. 23.192).

Gattung **Echinopsalis** Borm.

1. *guttata* Borm.

Bolivia: Songo, 1 ♀ (Staudinger, Nr. 21.038).

2. *?thoracica* Serv.

Cayenne: 1 ♀ (Deyrolle, coll. Br., Nr. 5978).

Diese Art wurde bisher immer in die Gattung *Psalis* placiert; leider ist mir nur das Weibchen bekannt, das ohne Zweifel eine *Pyrargride* sein dürfte. Die genaue Einreihung kann ohne Kenntnis des Männchens nicht vorgenommen werden. (S. Anhang.)

Unterfamilie *Echinosomatinae*.

Gattung **Echinosoma** Serville.

1. *fuscum* Borelli.

Westafrika: Gabun (Staudinger, coll. Br., Nr. 18.898). — Deutsch-Kamerun: Mundame, 2 ♀ (Rhode, coll. Br., Nr. 25.699).

Es ist dies ein als *E. afrum* bestimmtes Männchen. Die verschiedenen sogenannten Arten von *Echinosoma*, die sich nur in der Farbe unterscheiden, sind wahrscheinlich nur Varietäten oder Aberrationen einer polymorphischen Art *E. afrum*, da bisher nur wenige spezifische Merkmale mit Bezug auf Körperbau zu Hilfe genommen wurden. Bis jedoch eine vollständige Revision dieser schwierigen Gattung vorgenommen worden ist, ist es besser, alle bisher bekannten Arten einstweilen noch beizubehalten.

2. *bolivari* Rods.

Madagaskar: Andrangoloka, 1 ♂, 1 ♀ (Sikora, coll. Br., Nr. 17.936), die übrigen Exemplare wurden von de Bormans als *E. afrum* bestimmt; 4 ♂, 2 ♀ (Sikora).

3. *sumatranum* Haan.

Java: ♀ (Meyer, Dürr, coll. Br., Nr. 8516); Tenggergebirge, 3 ♂ (Fruhstorfer, coll. Br., Nr. 18.481). — Burmah: Bhamo (Fea, VII. '86, 3 ♀); Carin Cheba, 900—1100 m (Fea, 5./XII. '88, coll. Br., Nr. 19.464, 1 ♀); Katha, 29./XII. '86 (Fea, coll. Br., Nr. 19.463, 1 ♀); Luzon (Mus. Zürich, 1 ♀, coll. Br., Nr. 16018); idem 1 ♀. — Ostindien: 3 ♂ (coll. Br., Nr. 9319). Diese letzten drei Exemplare sind als *E. westermanni* bezeichnet, welche Art ich als identisch mit *E. sumatranum* betrachte. — Lombok: Sambalun, 4000 Fuß, 1 ♀, IV. '96 (Fruhstorfer). — Tonkin: Mts. Manon, 2000—3000 Fuß, 1 ♀, 4./V. (Fruhstorfer). — Annam: Phuc-Son, ♂ ♀, 11./XII. (Fruhstorfer). — Celebes: Luçon, 1 ♀ (Sarasin).

4. **wahlbergi** Dohrn.

Kamerun: 1 ♂, 2 ♀ (Dr. Kraatz, coll. Br., Nr. 21.378). — Deutsch-Ostafrika: Skutha, 1 ♂ (Rosenberg, coll. Br., Nr. 26.358). — Ostafrika: Delagoa (Staudinger, coll. Br., Nr. 22.440).

5. **yorkense** Dohrn.

Australien: Cap York, 1 ♂, 1 ♀, 1 Larve (Daemel, leg. coll. Br., Nr. 6020). — Queensland: Cooktown, 1 ♂ (Staudinger, coll. Br., Nr. 20.165). — Aru Is: 1 ♂ (C. Ribbe, coll. Br., Nr. 23.638).

Alle diese Exemplare wurden von de Bormans als *E. yorkense* bestimmt. Derselbe Verfasser schreibt (Tierreich, Forf., p. 29), daß diese Art «sich von den anderen Arten durch die zweifarbige Elytre und die auffallende Zeichnung der Flügelschuppe unterscheidet».

Bei drei Exemplaren aber aus Cap York, wahrscheinlich auch Originalexemplaren, fehlen die Flügel und die Elytre ist nicht zweifarbig, was jedoch auch bei anderen Arten noch vorkommt. Es sind also «die zweifarbige Elytre» und die «auffallende Zeichnung der Flügelschuppe» keine konstanten Merkmale, dagegen sind die unregelmäßigen Zeichnungen des Pronotums und des Körpers bessere Unterschiedspunkte.

Der Typus befindet sich in der Dohrnschen Sammlung.

6. **horridum** Dohrn.

Java occidentalis: Pengalengan, 4000 Fuß, 1893, 1 ♀ (Fruhstorfer, coll. Br., Nr. 19.994). — Java: Tenggergebirge, ♂ (Fruhstorfer, coll. Br., Nr. 18.140). Beide von de Bormans bestimmt.

7. **occidentale** Borm.

Kamerun: Adamana, 1 ♂ (Staudinger, coll. Br., Nr. 22.403).

8. **parvulum** Dohrn.

Ceylon: Peradeniya, 1 ♀, 3./VII. '02 (Dr. Uzel).

9. **sekalavum** Borm.

Madagaskar: 2 ♂, 2 ♀ (Sikora, coll. Br., Nr. 11.652; ex coll. Edward Brown); Andrangoloka, 3 ♂, 4 ♀ (Sikora, coll. Br., Nr. 19.935), 22.298, 1 ♂.

Familie Labiduridae.

Unterfamilie *Allostethinae*.

Gattung **Allostethus** Verhoeff.

1. **lombokianum** Verh.

Lombok: Sapit, 2000 Fuß, IV. '96, 1 ♀ (Fruhstorfer, coll. Br., Nr. 21.350). — Molukken: 2 zerbrochene (Deyrolle, coll. Br., Nr. 4999). — Lombok: Sambalun, 4000 Fuß, IV. '96 (Fruhstorfer).

Die zwei vorigen Stücke sind schlecht erhalten, das Körperende ist abgebrochen. Sie weichen etwas vom typischen *A. lombokianum* ab, und zwar dadurch, daß die Elytren vorne wie hinten schwärzlich gefleckt sind; auch tritt die gelbe Flügelschuppe ziemlich stark hervor.

2. **indicum** Hagenb.

Java: Tenggergebirge, 2 ♂, 2 ♀ (Fruhstorfer, coll. Br., Nr. 18.478 u. 18.143); Palubuan, 2 ♂, 1 ♀ (Fruhstorfer, coll. Br., Nr. 19.229). — Malacca: Perak, Machado, 1 ♂. — Sumatra: Deli (ex coll. Fruhst.; coll. Br., Nr. 24.279).

Ganz richtig hat Verhoeff für diese gut gezeichneten Insekten eine neue Gattung und Unterfamilie errichtet. Mit Unrecht dagegen teilt er sie in vier Arten ein. *A. lombokianum* ist wahrscheinlich eine gute Art und ist bis dato nur in Lombok konstatiert worden. *A. setiger* und *A. maartensi* stimmen mit *A. indicum*, in Java und Borneo vorkommend, überein. De Bormans betrachtete sie alle als «Varietäten von *Psalis indicum*».

3. *celebense* Burr.

Celebes: Touchon, 1 ♂, 1 ♀ (Sarasin); Saputan, 1 ♂, (Sarasin); Pic von Bonthain, 1 ♂, 1 ♀ (Sarasin).

Diese Art wurde von mir in neuerer Zeit nach einem Paar in der Dohrnschen Sammlung beschrieben. Bei diesem Paar sind die Flügel verkümmert und völlig bedeckt, die Elytren fast ganz orangegelb, an der Basis und Naht jedoch schwarz. Die drei Exemplare von Pic von Bonthain stimmen mit diesen vollkommen überein. Die aus Touchon und Saputan stammenden Exemplare haben jedoch gut entwickelte Flügel und sind hervorragend, ganz gelb; die Elytren sind dunkelbraun, mit einem großen gelben Fleck am vorderen Teile. Es handelt sich um eine variierende Art, die in Celebes dieselbe Rolle spielt wie *A. lombokianum* in Lombok. Sie ist kleiner als *A. lombokianum*, die Abdomen sind verhältnismäßig breiter, die Farbe lebhafter, das Gelb heller.

Gattung Gonolabidura Zacher.

1. *piligera* Borm.

Sumatra: 1 ♂, 1 gebrochenes (ex coll. Br., Nr. 15.914).

Diese sind wahrscheinlich einige von de Bormans Originalexemplaren von *Anisolabis piligera*. Das Prosternum ist aber nach hinten deutlich vererengt. (S. Anhang.)

Unterfamilie *Esphalmeninae*.

Gattung Esphalmenus Burr.

1. *peringueyi* Borm.

Kap der guten Hoffnung. Körper und Zange eines Männchens (ex coll. Br., Nr. 15.916).

Ein Syntypus von de Bormans.

2. *lativentris* Phil.

Chile: Valdivia, 2 ♂ (Philippi, ex coll. Br., Nr. 12.783); St. Jago, 1 ♂ (Prof. Philippi, ex coll. Br., Nr. 8287).

Als zweifelhaft referiere ich auch hier folgende:

Buenos-Aires, 1 ♀ (Prof. Berg, ex coll. Br., Nr. 12.782), eine Larve und eine Nymphenhaut.

De Bormans hat diese Exemplare mit einer Zeichnung in Ann. Soc. Ent. Belg. XXVII, p. 62 et 63, Pl. II, Fig. 3 (1883) besprochen.

Unterfamilie *Psalinae*.

Gattung Psalis.

Die Gattung *Carcinophora* stimmt mit *Psalis* überein. Die Verborgenheit der Flügel ist kein generisches Merkmal.

1. **pulchra** Rehn.

   Antillen: Windward-Inseln, Granada, Balthasar 1 ♀ (H. H. Smith, coll. Br., Nr. 19.648) und zwei Larven.

   Dieses Exemplar wurde von de Bormans unter dem Namen *P. americana* bestimmt.

2. **americana** Beauv.

   Kolumbien: 1 ♂, 1 ♀ (Steinheil, coll. Br., Nr. 9905, 1 ♀, 6015; ebenfalls zwei Weibchen [Nr. 9907] von kleinerer, dünnerer Gestalt, beinahe ganz gelben Elytren, längeren und schlankeren Zangenarmen und stark behaarten Körperenden. Es ist dies vielleicht nur eine Varietät, da diese Art sehr plastisch ist); Medellin, 6000 Fuß (Daemel, coll. Br., Nr. 10.795, zwei zerbrochene Stücke). — Kuba: 1 ♀ (Saussure, coll. Br., Nr. 9995); idem, 1 ♂ (Boucard, coll. Br., Nr. 18.200); idem, 1 ♂ (Baden) mit folgender Etikette: *Forf.* nov. spec., Capta 1826; Sanct Marcos, Müller und *F. procera* Burm. (coll. Br., Nr. 7477). — Nicaragua: 2 ♂, 1 ♀ (Edward Brown, coll. Br., Nr. 11.634); Chontales, 1 ♂ (coll. Br.). — Haiti: 1 ♀ (Edward Brown, coll. Br., Nr. 11.649); Port au Prince, 1 ♀ (Stevens, coll. Br., Nr. 6463). — Panama: 1 ♀ (Boucard, coll. Br., Nr. 9745); idem, 1 ♀ (Staudinger, coll. Br., Nr. 10.522). — Peru: Marcapata, ? 1 Larve (Staudinger, coll. Br., Nr. 24.228).

3. **gagatina** Burm.

   Für mich ist *Carcinophora robusta* Scudd., von welcher *Psalis colombiana* Borm. ein wohlbekanntes Synonym ist, nichts anderes als eine flügellose Varietät von *Ps. gagatina* und diese ist vielleicht auch nur eine melanische Form von *Ps. americana*. Diese Arten bilden zum wenigsten eine fortlaufende Reihe, was beträchtlich erschwert, jede abzugrenzen. Es wäre jedoch besser, in dieser Arbeit die sogenannten *P. gagatina* und *P. robusta* zu trennen.

   Von den *P. gagatina* sind folgende vertreten:

   Brasilien: Bahia, 3 ♀ (Fruhstorfer, coll. Br., Nr. 19.983).

   Diese wurden von Brunner bestimmt, sie sind kleiner und schlanker als die typische *P. americana*. Die Elytren sind kurz, abgestutzt, Flügel fehlen. (S. Anhang.)

   Folgende sind *P. robusta*:

   Brasilien: Santa Catherina, 1 ♀ (Staudinger, coll. Br., Nr. 21.090); Espiritu Santo, 1 ♂, 2 ♀ (Staudinger, coll. Br., Nr. 22.205, 22.404). — Nicaragua: Chirriqui, 1 ♀ (Rosenberg, coll. Br., Nr. 26.368). — Kolumbien: 1 ♂ (Steinheil, coll. Br., Nr. 9897).

   Die aus Kolumbien stammenden Exemplare sind die Originale von *Psalis colombiana* Borm. Das erste ist von de Bormans als *Psalis brasiliensis* etikettiert worden; ein blanker Manuskriptname, der nie herausgegeben wurde.

4. **scudderi** Borm.

   Altas Amazonas: Olivença, 1 ♀ (Staudinger, coll. Br., Nr. 14.155). Von de Bormans selbst zitiertes Originalexemplar und Syntypus.

5. **femoralis** Dohrn.

   Birma: Metanjà, 1 ♀ (Fea, VIII. '85 (coll. Br., Nr. 19.458); Bhamo, VIII. '85, 1 Larve (Fea, coll. Br.); Rangun, 1 ♀ (Fea, 1896, coll. Br.). — Ceylon:

Peradeniya, 1 ♂, 29./III. '02 (Dr. Uzel). — Malabar: Mahé, 1 ♂, 1 ♀, 1 l. (Deschamps).

6. *plebeja* Dohrn.

Nordcelebes: Toli-Toli, XI.—XII. '75, 1 ♀ (Fruhstorfer, coll. Br., Nr. 20.732).
— Madagascar: 1 ♀ (Ed. Brown, coll. Br., 11.653).
Ist von *P. femoralis* kaum zu unterscheiden.

7. *dohrni* Kirby.

Ceylon: 1 ♂, 2 ♀ (F. Sarasin, coll. Br., Nr. 16.219); Peradeniya (Green), 1 ♂.
Diese vorigen Stücke wurden von de Bormans unter synonymen Namen als *Carcinophora caeruleipennis* Borm. etikettiert. — Malabar: Mahé, 1 ♂, 1 l. (Deschamps).

8. sp.?

Bolivien: Songo, 1 ♀ (Staudinger, coll. Br., Nr. 21.036).
Genannte Art ist neu und mit *P. nigra* Caudell verwandt. Ohne das Männchen aber ist es unmöglich, sie zu beschreiben.

9. *rosenbergi* Burr.

Ecuador: Chimbo, 1000 Fuß, VIII. '96, Cotype (coll. Br., Nr. 23.063).

10. *cincticollis* Gerst.

Deutsch-Kamerun: Mundame, 1 ♂ (Rhode, coll. Br., Nr. 25.700).
Ein schönes Exemplar, das Pronotum ist hinten weißlich, die Vorder- und Mittelbeine schwarz gefleckt, die Elytren ganz schwarz und die Flügelschuppen licht strohgelb. Ich betrachte es aber nur als Varietät. Körperlänge 14 mm, Zangenarme 3 mm.

Gattung **Gonolabis** Burr.

1. *electa* Burr.

Cochinchina: 1 ♀ (Deyrolle, coll. Br., Nr. 7459).
Ohne das Männchen ist es unmöglich, dieses Exemplar genau zu bestimmen. *G. electa* wurde aus Ceylon beschrieben und ebenfalls aus Java signalisiert. Es wurde irrigerweise von de Bormans als *A. azteca* bestimmt.

2. *sumatrana* Borm.

Celebes: Loka, 1 ♂, 1 ♀ (Sarasin). Kleine Exemplare.

3. *Brunneri* Dohrn.

Australien: Port Adelaide, 1 ♀ (Thorey, ex coll. Br., Nr. 1435; Typus von Dohrn); Sydney, 1 ♂, 1 ♀ («Novara»-Reise 1857—1859).
Hieher gehört vielleicht auch ein gebrochenes weibliches Exemplar aus Neu-Holland (Thorey, ex coll. Br., Nr. 3002).
Das erstgenannte Weibchen ist der Typus von *Anisolabis brunneri* Dohrn, da kein Männchen zur Verfügung stand und dieses Weibchen nur mit *A. azteca* aus Brasilien verglichen werden konnte. Es hat aber damit gar keine Verwandtschaft. Dieses Weibchen stimmt mit einem in der Hope-schen Sammlung in Oxford sich befindlichen und aus Südaustralien kommenden Männchen, welches nichts weiter als der Typus von *G. verhoeffi* Burr ist, überein. Ich besitze auch konfirmierende Exemplare aus Neu-Südwales; *Gonolabis verhoeffi* wird in jedem Falle als Synonym von *Forcinella brunneri* Dohrn betrachtet werden. Die Frage ist jedoch eine wichtigere. Jene Art, die ich unter dem Namen *A. brunneri* beschrieben und

bezeichnet habe, benötigt einen neuen Namen und sollte noch einmal revidiert werden. Ich werde späterhin dazu kommen. (S. *westralica* unten.)

11. **pacifica** Erichson.

Statura minore; colore piceo; caput pronotumque laevia; abdomen supra punctulatum, haud valde dilatatum; forcipis bracchia ♂ basi distanta, inermia, asymmetrice curvata.

	♂	♀
Long. corporis .	9—10 mm	9—11 mm
» forcipis.	1·75—1·5 »	1·25 »

Klein, pechschwarz. Pronotum quadratisch, hinten etwas verbreitert. Kopf und Thorax glatt. Beine gelblich. Femora und Tibien dunkel geringelt. Abdomen des Männchens am Ende wenig verbreitert, ganz pechschwarz, oben dick punktiert. Fünftes bis neuntes Tergit mit Seitenspitzen und gekielt, letztes Tergit des Männchens mit einem höckerförmigen stumpfen Tuberkel über der Zangenwurzel. Zangenarme beim ♂ auseinanderstehend, dreikantig, unbewaffnet, asymmetrisch gekerbt; beim ♀ zusammenstoßend, gerade.

Nordaustralien: Port Denison, 1 ♂, 2 ♀ (H. Weyers, coll. Br., Nr. 6380).

Von de Bormans als *A. brunneri* Dohrn bestimmt; ist aber kleiner und dünner, nicht dunkel- oder rotbraun, sondern vollständig einfarbig pechschwarz; der Körper ist weniger verbreitert, dick und fein punktiert statt glatt, und die Zangenarme des Männchens sind oben absolut unbewaffnet.

Ich betrachte dies als die echte *E. pacifica* von Erichson, die Originalbeschreibung stimmt damit gut überein. (S. Anhang.)

Gattung **Euborellia** Burr.

1. **greeni** Burr.

Ceylon: Peradeniya, 30./IV. '02, 1 ♀ (Dr. Uzel); 2 ♀ (F. Sarasin, ex coll. Br., Nr. 16.218).

Die beiden letzten Stücke sind von de Borman als *Anisolabis cincticollis* Gerst. bestimmt. De Bormans wurde durch Gerstäckers Beschreibung eines jungen Exemplares verleitet; es gibt tatsächlich keine Verwandtschaft zwischen diesen Arten.

2. **moesta** Géné.

Italien: Toscana, Monte Argentario, 1 ♂ (Holdhaus); Sestri Levante, 19./III. '06, 1 ♂, 1 ♀ (Dr. Uzel). — Spanien: Barcelona, 1 ♀ (Martorelli), 1 ♀ (ex coll. Br., Nr. 15.539); Aranjuez, 1 ♂, 1870 (Türk); etikettiert «*Lab. annulipes* Lucas, Hisp.»

Wahrscheinlich gehört auch hierher:

Westafrika: Gaboun, 1 ♀ (Mayer-Dürr, ex coll. Br., Nr. 6935).

Ein Exemplar aus Massaua (Ostafrika) von de Bormans als *E. moesta* bestimmt und signalisiert, gehört nicht hierher.

3. **ståli** Dohrn.

Ceylon: 1 ♀ (F. Sarasin, ex coll. Br., Nr. 16.219, mit Unrecht gehört zu dieser Nummer ein gebrochenes Weibchen, vielleicht von *A. maritima*); Peradeniya, 1 ♂, XII. '01 (Dr. Uzel). — Indien: Bombay, ein gebrochenes Stück (Fea, '85, ex coll. Br., Nr. 19.459). — Madagascar: Tanatave, 12./I. (Rolle, ex coll. Br.). — Japan: Tsushima, 9./X., 1 ♀ (Fruhstorfer, ex coll. Br.).

— Westafrika: Lagos, 3 ♂ (Michaelis, ex coll. Br., Nr. 16.463). — Malabar: Mahé, 2 ♀ (E. Deschamps, ex coll. Br., Nr. 23.666).

4. *janeirensis* Dohrn.

Brasilien: Rio de Janeiro, 1 ♂, 1 ♀ (Tschudi, ex coll. Br., Nr. 18.722). — St. Vincent: 1 ♂, 4 ♀ (H. H. Smith, ex coll. Br., Nr. 18.722); Kingstown, Old Botanic Gardens, 22./X., 1 ♂ (ex coll. Br.).

Originalexemplare von Brunners Arbeit über die Orthopteren von der Insel St. Vincent (P. Z. S., 1892, p. 196) und die Dermapteren sind von de Bormans bearbeitet.

Ich betrachte als Synonym mit dieser Art *Euborellia ambigua* Bor. aus Costa Rica. Ich verdanke Herrn Dr. A. Borelli einen Syntypus, welche mit den Brunnerschen Exemplaren gut übereinstimmt. Der Unterschied nach Borelli liegt in der Färbung der Fühler und der Beine; dies ist für mich kein spezifisches Merkmal.

B. janeirensis ist mit *Psalis scudderi* Borm. sehr ähnlich; die beiden sollen vielleicht zusammengeschmolzen werden.

5. *armata* Borelli.

Brasilien: 1 ♀ (Burmeister); Santa Catherina, 1 ♀ (Burmeister, ex coll. Br., Nr. 7945).

Von de Bormans als *B. janeirensis* bestimmt. Mit Recht macht Borelli eine gute Art daraus.

6. *andreinii* Borelli.

Abessinien: Harrar, Tig-tiga, 1 ♀ (Mati).

Gattung *Titanolabis* Burr.

1. *colossea* Dohrn.

Neu-Südwales: 1 ♂ (Staudinger, ex coll. Br., Nr. 21.295, det. Bormans; dieses Exemplar ist mit den Zangen 53 mm lang). — Australien: 1 ♀ (Deyrolle, ex coll. Br., Nr. 4053, det. Bormans; nur 27 mm lang). — Neu-Südwales: Cumberland, ♂ und ♀ (Rosenberg, ex coll. Br., Nr. 26.357; von mittlerer Gestalt); Rokhampton, 1 ♂ (Daemel, ex coll. Br., Nr. 6023). — Fidji-Inseln: ♂ (Daemel, ex coll. Br., Nr. 3896; 30 mm lang).

Gattung *Anisolabis* Fieber.

1. *annulipes* Luc.

Java: 1 ♂, 1 ♀ (Adensamer 1894); Buitenzorg, 1 ♂, 2 ♀, ex coll. Br., Nr. 20.078, det. Bormans). (Das Weibchen ist wahrscheinlich von *Gonolabis electa* Burr.) — Sunda-Inseln: ♂, ♀ (Breitstein 1882, von de Bormans bestimmt). — Australien: Port Denison, 1 ♀ (H. Weyers, ex coll. Br., Nr. 6379, det. Bormans). — Birma: Bhamó, VIII. '85 und Shwegoo, X. '85, 2 ♀ (Fea, ex coll. Br., Nr. 19.460, det. Bormans). — Südafrika: Kap der guten Hoffnung, ♂, ♀ (Deyrolle, ex coll. Br., Nr. 5346). — Syrien: Haiffa, 1 ♀ (Reitter). — Madura: 1 ♀. — Kanarien: Teneriffe, 1 ♂, 1 ♀ (ex coll. Br., Nr. 17.734, det. Bormans). (Von Brunner selbst gefangen.) Samoa: Upolu und Savaii (Rechinger 1905).

Diese sind die Originalexemplare von Holdhaus. Eines ist ganz jung, das andere scheint mir eine nicht ausgewachsene *Psalis* zu sein. Es handelt sich hier vielleicht um Borellis unvollkommene Arten *A. aporonoma* und *A. eteronoma.*

Die Bestimmung ist ebenfalls eine zweifelhafte, aber glücklicherweise nicht von Wichtigkeit, da *A. annulipes* über den größten Teil der Erde verbreitet ist.

Tahiti: 1 ♂ (Frauenfeld, ex coll. Br., Nr. 6289, det. Bormans). — Nordamerika: Kalifornien, Plason, 1 ♀ (1877); 1 ♂ l. (Mus. Lübeck, coll. Br., Nr. 20.195; von de Bormans als *A. azteca* bestimmt). — Mexiko: 3 ♂, 9 ♀ (Bilimek, ex coll. Br., Nr. 7046).

Alle diese Exemplare sind von de Bormans als *annulicornis* bestimmt; für mich ist diese Art nicht gut, weil das Hauptmerkmal nach Bormans Beschreibung darin liegt, daß die Vorderbeine nur geringelt sind. Dies ist freilich ungenügend, um eine selbständige Art zu bilden. Es ist auch nicht immer der Fall bei diesen Exemplaren. Sie sind nach meiner Meinung ganz einfach *D. annulipes.*

Südamerika: Montevideo 1 ♂ (Meyer-Dürr, ex coll. Br., Nr. 8353); ♂, ♀ (Meyer-Dürr, coll. Br., Nr. 8062); Buenos Aires, 2 ♂ (Berg, coll. Br., Nr. 13.551).

Diese Exemplare, von de Bormans als *A. antoni* bestimmt, sind echte *A. annulipes,* die beiden Arten sind, ich glaube es annehmen zu dürfen, identisch.

Ich betrachte als Synonym auch *A. angulifera* Dohrn und reihe dafür hierher die folgenden zwei Arten:

Kamerun: Malinba, ♂, ♀ (Mus. Stuttgart, coll. Br., Nr. 18.507).

2. *maxima* Brullé.

Tenerife: La Laguna, 1 ♂, 3 ♀, 1 nymph. (coll. Br., Nr. 17.705).

3. *littorea* White.

Neuseeland: 2 ♀, Hutton, coll. Br., Nr. 19.321; 1881 l., 3 ♂, 2 ♀. — Auckland: 2 ♀ («Novara»-Expedition 1857—1859). — Neuseeland: 1 ♂, 2 ♀ (Reisch, 1881); 1881, 2 ♂, 2 ♀, 1 Larve.

4. *mauritanica* Lucas.

Pic de Cedre: 2 ♂, 2 Larven (coll. Br., Nr. 18.084). — Algerien: Algier, 1 ♂ (Deyrolle, coll. Br., Nr. 4400); 1 ♀ (Selys-Longchamps, coll. Br., Nr. 5344); Bône, ♂, ♀ (Dr. Sichel, coll. Br., Nr. 4851). — Baina: 1 ♂, 1 ♀ (coll. Br., Nr. 18.071). — Tiaret: 2 ♀ (coll. Br., Nr. 18.134).

5. *dubronii* Kirby.

Tenasserim: Mt. Mooleyit, 1000—1900 m, IV. '87, 1 Larve (Fea, ex Mus. Gen., coll. Br., Nr. 14.961).

Dieses Stück ist eines von Bormans Originalexemplaren, die er als *A. laeta* Gerst. bestimmte. Diese Art ist gut und von der echten ostafrikanischen *A. laeta* deutlich unterschieden.

6. ? *felix* Burr.

Afrika: Loangwa River, Mpeta: 11./XII. '95. «Beginning of rainy season.» Junge ♂ («Coryndon», coll. Br., Nr. 26.359). (S. Anhang.)

7. *westralica* Burr.

Niger, antennis pedibusque rufis; abdomen ♂ ante apicem sat dilatatum; forcipis bracchia ♂ basi remota, valde curvata, prope basin intus dente forti, apice truncato, armata.

Westaustralien: Swan River, ♂, ♀ (coll. Br., Nr. 3830).

Diese Art wurde von mir mit *A. brunneri* Dohrn und von Brunner mit *A. pacifica* Erichson verwechselt.

A. brunneri Dohrn ist eine bekannte *Gonolabis*-Art und *A. pacifica* Erichson betrachte ich auch als ein Mitglied dieser Gattung. Ich habe in einem Werk [1] 1908, p. 71, Taf. I, Fig. 6) diese Art kürzlich beschrieben und gekennzeichnet, aber unter dem Namen *A. brunneri*; als solche wurde sie auch von de Bormans in seinem jetzt in meinem Besitz befindlichen Album gekennzeichnet.

Als Typus ernenne ich mein von Commander J. J. Walker bei Albany in Westaustralien gefangenes Männchen. (S. Anhang.)

8. *penetrans* sp. n.

Statura sat magna; pronotum transversum; segmentum ultimum dorsale ♂ lateribus compresso-carinatis; forcipis bracchia ♂ triquetra, valida, contigua, crenulata.

	♂
Long. corporis .	17 mm
» forcipis .	4·5 »

Gestalt ziemlich groß, stark; Farbe dunkel rotbraun; Fühler braun; Kopf breit; Pronotum breiter als lang, nach hinten etwas breiter, nicht ganz flach, die Prozona etwas geschwollen; Beine schmutziggelb; Abdomen ganz glatt, die Seiten des sechsten bis neunten Tergites stumpf; letztes Tergit breit, rechteckig, glatt, an den Seiten mit einem gedrückten scharfen Kiel versehen; Pygidium nicht sichtbar; Zangenarme kräftig, zusammenliegend, dreikantig, an der Innenseite fein kreneliert, die Spitzen gekrümmt und gekreuzt.

Comora-Inseln: Majotte, 1 ♂ (Dr. Paulay, 1887).

Diese Art, von der nur ein Männchen vorhanden ist, ist mit *A. maritima* Bon. und *A. Kudagae* Burr verwandt; sie unterscheidet sich durch die zusammenliegenden, wenig gekrümmten Zangenarme, breiteren Kopf und insbesondere breites Pronotum.

Dieses Exemplar ist dunkel rotbraun, vielleicht sind andere Exemplare ganz schwarz.

9. *kudagae* Burr.

Ceylon: 1 ♂ (1861).

10. *tellinii* Borelli.

Massaua: 1 ♂, ♀ (Hildebrandt, coll. Br., Nr. 9091, 9087).

Fälschlicherweise als *A. moesta* von de Bormans bestimmt.

Ostafrika: 2 ♂ (Plason, 1872, 1873).

11. *marginalis* Dohrn.

China: 1 ♂ (ex coll. Edward Brown; coll. Br., Nr. 11.630).

Dieses Männchen stimmt ziemlich gut mit Dohrns Beschreibung überein.

Tsushima: 4 Junge, IX.—X. (Fruhstorfer, coll. Br., Nr. 24.280). — Japan: 1 Junges (Mus. Vindob.).

---

[1] Die Fauna Südwest-Australiens. Dermaptera.

12. **maritima** Bon.

S. Paul: 1 ♂, 2 ♀ (Mus. Vindob.). — China: Schanghai, 1 ♂ (Konsul Haas, coll. Br.). — Japan: Weltreise Erzh. Franz Ferd. 1893, 1 ♂, det. Brunner. — Tsushima: Sept.-Okt., 2 ♂, 2 ♀ (Fruhstorfer, coll. Br.); 3 ♂, 2 ♀ (Erber, coll. Br., Nr. 10.618). — Madagaskar: 2 ♀ (Boyer, Mus. Vindob.). — Java: 1 ♂ (1873 det. de Borm.). — Canaries: Teneriffe, Santa Cruz, 2 ♂, 1 ♀ (coll. Br., Nr. 17.672). — Smyrna: 1 ♂ (coll. Br., Nr. 16.833). — Beirut: 2 ♂ (Dr. Leuthner, coll. Br., Nr. 15.668). — Haiti: 1 ♀ (ex coll. Edw. Brown, coll. Br., Nr. 11.644). — Cayenne: 1 ♀ (Deyrolle, coll. Br., Nr. 7426). — Port-au-Prince: ♀ (Stevens, coll. Br., Nr. 6461). — Antilles: St. Vincent, 1 ♂ (Brit. Mus., coll. Br., Nr. 18.721). — Columbien: 1 ♂ (Steinheil, coll. Br., Nr. 10.693).

Dieses Exemplar hat gerade Zangenarme, scheint aber ausgewachsen zu sein.

Buenos-Aires: 1 ♂ (Berg, coll. Br., Nr. 12.781). — Nordamerika: New-Orleans 1 ♀ (Degenhardt, coll. Br., Nr. 2270). — Guatemala: 1 ♀ (Mus. Zürich, coll. Br., Nr. 13.279).

Mit Unrecht als *A. antoni* von de Bormans bestimmt.

Unterfamilie *Labidurinae.*

Gattung **Forcipula** Bol.

1. **americana** Borm.

Bolivien: Songo, 1 ♂, 2 ♀ (coll. Br., Nr. 2103, 22.007); Coroico, Yung. Fassl, 2 ♂ '08. — Peru: Vilcanota, 1 ♂ (Staudinger, coll. Br., Nr. 22.602).

2. **pugnax** Kirby.

? ? 2 ♂, 1 ♀ (Higgins, coll. Br., Nr. 6627).

3. **gariazzi** Borelli.

Kamerun: (Nr. 17, coll. Br., Nr. 17.900 and Mus. Quebeck). — Kongo: Stanley Pool, 1 ♀ (Rosenberg, coll. Br., Nr. 26.361).

Dieses Stück sowie die vorhergehende Art wurden von de Bormans als *F. trispinosa* Dohrn bestimmt und wurden ebenfalls von de Bormans aus Abessinien signalisiert (Ann. Soc. Espan. N. H., VIII, p. 92, 1879). Daß es sich um *F. gariazzi* handelt, steht ganz sicher, da ich de Bormanns Originalexemplar in Madrid gesehen habe.

4. **quadrispinosa** Dohrn.

Annam: Phuc-Son, Nov.-Dez., 4 ♂, 2 ♀ (Staudinger, coll. Br., Nr. 24.026, 24.218).

Diese Exemplare wurden als *Pygidicrana* sp. n. bestimmt.

Gattung **Nala** Zacher.

1. **tenuicornis** Borm.

Sumatra: (1 Paar det. de Bormans, coll. Br., Nr. 15.917).

2. **lividipes** Duf. (= **dufouri** Desm. = **vicina** Luc. = **meridionalis** Serv.)

Spanien: Granada, 2 ♂, 4 ♀ (Staudinger, coll. Br., Nr. 2565). — Tunis: 1 ♂. 2 ♀ (coll. Br., Nr. 19.156). — Guadalhora: 1 ♂ (coll. Br., ex coll. Fieber). Andalusien: 1 ♂, 4 ♀ (Br., 1863). — Algerien: Lalla Marghnia, 1 ♂ (coll. Br., ex coll. Finot). — Ind. Orient: 2 ♀ (coll. Br., ex coll. Fieber. — Cochinchina: 1 Paar (Andre, coll. Br., Nr. 14.893). — Birma: Rangoon, 2 ♀ (Fea, coll. Br.); Katha, 1 Paar (Fea, coll. Br., Nr. 19.457). — Java occident: Mos Gede, 8000 Fuß, VIII. '82, 1 ♂ (Fruhstorfer, coll. Br., Nr. 19.990). — Port Denison: 1 ♂, 2 ♀ (H. Meyers, coll. Br., Nr. 6384). — Zentral-Tonkin: Chiem-Hoa, VIII.—IX., 3 ♂, 2 ♀ (Fruhstorfer, coll. Br., Nr. 24.793, 24.812). — Ceylon: Peradeniya, 1 ♂ 30./XI. '01, 1 ♀ 8./IV. '02 (Dr. Uzel).

Gattung **Labidura** Leach.

1. *pluvialis* Kirby.

Australien: Rockhampton, 2 ♂, 1 ♀ (Daemel, coll. Br., Nr. 6022).

Es ist dies eine gute Art, Unterart, Varietät, Aberration oder wie man sie auch immer nennen wolle. Sie wurde von Dubrony als *Labidura riparia*, Var. 5 (Ann. Mus. Civ. Gen., XIV, p. 353, 1879) bezeichnet und von Kirby aus der Raine-Insel in Queensland als neue Art beschrieben.

Ob die zahllosen Formen von *Labidura riparia*, aus allen Ländern herstammend, gute Arten seien oder Unterarten, Lokalformen etc. ist eine persönliche Frage. Es ist wohl unmöglich, die meisten dieser Formen unter richtigem Namen zu unterscheiden, da die Synonymie eine zu ausgedehnte würde.

Es handelt sich, wie es scheint, um Arten in der Entstehung und die verschiedenen Ortsvarietäten entwickeln sich vor unseren Augen als feste. Vielleicht können wir die bestgekennzeichneten Formen schon als gute Arten unterscheiden. Unter diesen ist *L. pluvialis* bereits zur selbständigen Art geworden und scheint in der Tat fest und konstant zu sein, was ja auch die Hauptsache ist. Sie ist bisher nur in den nördlichen Gegenden Australiens gefunden worden, d. h. Queensland und Neu-Guinea. Ihre Merkmale sind ziemlich gut entwickelt: große Gestalt, dunkle Farbe, verborgene Flügel, abgestutzte Deckflügel sind charakteristisch, nicht aber eigentümlich, da solche Färbung und Gestalt auch in amerikanischen Formen auftreten. Im Gegensatze aber zu allen anderen sogenannten Unterarten, deren letztes Tergit am Hinterrande zwei Stacheln trägt, besitzt sie nur einen Stachel in der Mitte des Hinterrandes.

Vielleicht kann man deshalb *L. pluvialis*, wenigstens provisorisch, als gute Art betrachten.

2. *riparia* Pallas.

Deutsch-Kamerun: Mundame, 2 ♂ (Rhode, coll. Br., Nr. 25.696). — Annam: Phuc-Son, XI.—XII., 1 ♂ (Fruhstorfer, coll. Br.). — Borneo: 1 ♀. — Rio Grande do Sul: Santa Cruz, 1 ♀ (Stieglmayer, coll. Br., Nr. 22.871). — Malabar: Mahe, 1 Larve, 2 ♂ (Deschamps, coll. Br., Nr. 23.667). Exemplare schwärzlich. — Nordwestpersien: Insel Koyun Daghi im Urmiasee, ♂ (Zugmayer '04). — Java: 1 ♀ (Meyer-Dürr, coll. Br., Nr. 1138).

Dieses Weibchen ist etikettiert *Labidura servillei* Dohrn.

Celebes: Bonetal, 2 ♀ (Sarasin).

Gattung **Tomopygia** Burr.

1. *abnormis* Borm.

Java: 1 ♂ (Meyer-Dürr, coll. Br., Nr. 8513, Typus de Bormans).

Dieses eigentümliche Insekt wurde von de Bormans anno 1883 beschrieben und gezeichnet unter dem Gattungsnamen *Cylindrogaster*. Später jedoch sah er ein, daß es mit dieser Gattung gar keine Verwandtschaft hat, und stellte es, immerhin mit Unrecht, in *Pygidicrana* ein (Tierreich, Forf., p. 13, 1900).

Noch später sah er, daß ein neuer Gattungsname nötig war, und schuf deshalb im Manuskript den Gattungsnamen *Tomopygia.*

Ich brauchte diesen Namen in einer früheren Arbeit (Trans. Ent. Soc. London, 1904, p. 287), wo ich diese Art als Typus darstellte und eine neue Art aus der Pariser Sammlung beifügte. Trotzdem diese neue Art, *T. sinensis* aus China, auf einen zerbrochenen Typus gegründet war, glaubte ich dennoch, daß die Merkmale genügend wären, um eine gute Art zu rechtfertigen, konstatiere nun aber, daß zweifelsohne *T. sinensis* nichts anderes als ein zerbrochenes Stück von *Labidura riparia* ist und folglich als synonym davon betrachtet werden muß.

Wir finden darum die Verwandtschaft von *T. abnormis*, die weder zu *Cylindrogaster* noch zu *Pygidicrana* gehört, wohl aber eine echte *Labiduride* ist.

Sie ist zweifelsohne mit *N. lividipes* [1]) Dufour und *L. tenuicornis* Borm. usw. verwandt, unterscheidet sich jedoch durch die außerordentlich langen und dünnen Beine.

Bei *N. lividipes* sind die Femora kaum länger als das Pronotum, während sie bei *T. abnormis* fast dreimal so lang sind als das Pronotum. Auch Tibiae und Tarsen sind verhältnismäßig lang. Bei *N. lividipes* sind die drei Tarsenglieder zusammen kaum so lang als das Pronotum, während bei *T. abnormis* das erste Glied beinahe anderthalbmal so lang ist.

Die sehr langen und dünnen Beine geben dieser Art ein ganz charakteristisches Aussehen. Die Elytren sind abgestutzt und lassen an der Basis ein breites Scutellum sichtbar werden. Das Pronotum ist ebenfalls sehr klein und kaum länger als breit.

Unterfamilie *Brachylabinae*.

Gattung **Brachylabis** Dohrn.

1. **coriacea** Burr.

Brasilien: Santa Catherina, ♂ ♀ (Staudinger, coll. Br., Nr. 20.091); 1 ♀ (coll. Br., Nr. 1535); Espirito Santo, 1 ♂ (Michaelis, coll. Br., Nr. 22.206); Novo Friburgo, 1 ♂ (Besche, coll. Br., Nr. 7479); 2 ♀ (Schott).

Die meisten von diesen wurden von de Bormans als *B. coriacea* etikettiert; diesen Namen habe ich in meinem Manuskript angewandt, bis ich ebengenannte Art von den chilenischen *B. chilensis* trennte.

Gattung **Metisolabis** Burr.

1. **malgacha** Burr.

Madagaskar: 1 ♂ (coll. Br., Nr. 1535).

2. **caudelli** Burr.

Birma: Carin Cheba, 900—1000 m, 5./XII. '88. 3 ♀ (Fea, coll. Br.); Teinzo, V. '86, 1 ♀ (Fea, coll. Br., Nr. 19.462).

---

[1]) Später habe ich zwei Weibchen aus Java erhalten, die völlig geflügelt sind; im Aussehen sind diese mit *Nala lividipes* etc. ganz ähnlich.

Annalen des k. k. naturhistorischen Hofmuseums, Bd. XXVI, Heft 1 u. 2, 1912. 6

Diese Arten wurden alle von de Bormans als *B. punctata* determiniert; *B. punctata* ist aber eine javanische Art, welche in die Gattung *Lepti-
solabis* fällt; diese sind ohne Zweifel *Metisolabis caudelli* Burr.

Gattung *Isolabis* Verhoeff.

1. sp.

Neusüdwales: Sidney («Novara»-Reise).

Dieses Stück ist leider in einem so bedauerlichen Zustand, daß es ganz
unmöglich ist, es als eine neue Art zu beschreiben.

Gattung *Antisolabis* Burr.

1. *holdhausi* Burr.

Australien: Queensland, Cooktown, 1 ♀ (coll. Br., Nr. 20.162). Typus.

2. sp.?

Neu-Holland: 1 ♀ (Dr. Müller 1860).

Vielleicht mit *A. holdhausi* identisch; sein Zustand ist aber zu schlecht
für eine genauere Bestimmung.

Vielleicht handelt es sich hier um das unerkennbare Tier *Chelidura
geniculata* Montrousier.

Unterfamilie *Platylabiinae*.

Gattung *Platylabia* Dohrn == *Palex* Burr.

1. *major* Dohrn == *sparattoides* Borm.

Birma: Carin Cheba, 900—1100 m, 5./XII. '89, ♂ ♀ (Fea, coll. Br., Nr. 19.445).
Geflügelte Exemplare.

Java: Tenggergebirge, 2 ♀ (Fruhstorfer, coll. Br., Nr. 18.479).
Zwei weibliche Exemplare sind geflügelt.

Palabuan: 1 ♂ (Fruhstorfer, coll. Br., Nr. 19.231).

Diese Exemplare wurden von de Bormans und auch von Brunner
als *Platylabia major* Dohrn bestimmt; die aus Birma stammenden Exemplare wurden vom ersteren unter diesem Namen im Jahre 1894 signalisiert;
im Jahre 1900 aber beschrieb er dieselben als eine neue Art unter dem
Namen *Pl. sparattoides*, die ich erkannte und demzufolge in eine neue
Gattung, *Palex*, stellte; sobald *sparattoides* als Synonyme von *major* erkannt ist, fällt die Gattung *Palex* für *Platylabia* weg, d. h. die monotypische
Gattung bleibt.

Die anderen sogenannten *Platylabia*-Arten werden ohne Zweifel in
eine größere und reichere Gattung *Chaetospania* eingereiht werden.

Überfamilie **Paradermaptera**.

Familie **Apachyidae**.

Gattung *Apachys* Serv.

1. *feae*.

Birma: Carin Cheba, 900—1100 m, ♂ (Fea, ex coll. Br., Nr. 19.144); Carin Asciuii
Cheba, 1200–3000 m, Larve I. '88 (Fea, det. Borm., ex coll. Br., Nr. 19.443).

— Assam: Khasia Hills (ex coll. Rosenberg, ex coll. Br., Nr. 26.377). — Tonking: Montes Mauon, 4./V., 2000—3000 Fuß (leg. Fruhstorfer, ex coll. Br.).

2. *chartacea* Haan.

Borneo: 1 ♂ (Grabowsky, ex coll. Br.); ♂ (Frivaldszky, ex coll. Br., Nr. 10.995).

3. *murrayi* Dohrn var. *reichardi* Karsch (v. Burr, Ann. Mag. Nat. Hist. [8] I, p. 52, 1908). Kamerun: ♂ (Dr. Kraatz, ex coll. Br., Nr. 21.422). — Deutsch-Kamerun: ♀ und Larve (Mundame (Rhode, ex coll. Br., Nr. 25.595).

Es scheint, daß *A. murrayi* sich von var. *reichardi* nur durch kleinere Gestalt unterscheidet, und es muß daher *A. reichardi* nur als Varietätsname betrachtet werden.

Gattung *Dendroiketes* Burr.

1. *corticinus* Burr.

Ceylon: Peradeniya, 18./XII. '01, Larve (Dr. Uzel, ex coll. Br.)

Diese Art bildet den Übergang von *Apachys* zu den typischen Ohrwürmern. Das Abdomen, Processus analis und Zange stimmen mit *Apachys* überein, während das Pronotum beinahe rechteckig ist.

Wurde bisher nur in Ceylon konstatiert.

Überfamilie Eudermaptera.

Familie Labiidae.

Unterfamilie *Nesogastrinae*.

Gattung *Nesogaster* Verh.

1. *amoenus* (Stål).

Sumatra: Kamang, 1 ♂, 1 ♀ (Weyers, coll. Br., Nr. 15.915). — Borneo: 1 ♂ (Dr. Dohrn, coll. Br., Nr. 15.826).

2. *dolichus* (Burr).

Süd-Celebes: Lompa Battan, 3000 Fuß, III. '96, 1 ♂, 1 ♀ (Fruhstorfer, coll. Br., Nr. 20.865, 20.867); Soputam, 1 ♀ (Sarasin).

3. *aculeatus* Borm. (*Labia aculeata* Borm., 1900, p. 456. — *Nesogaster aculeatus* Burr, 1908, p. 46. — *Forficula miranda* Borm. apud Burr, 1903, p. 269.)

Molukken: Insel Buru, 1 ♂, 5 ♀ (H. Kühne, coll. Br., Nr. 24.628). — Lombok: Sambalun, 4000 Fuß, IV. '96, ♂ (Fruhstorfer, coll. Br., Nr. 21.349). Typus von *Forficula miranda* Bormans.

Es gibt von dieser Art zwei Varietäten, eine geflügelte, die andere mit abgekürzten Flügeln. Diese letztere wurde von de Bormans wegen der verbreiterten Zangenarme als eine *Forficula* beschrieben. Sie ist aber eine echte *Nesogaster* mit gekielten Elytren und mit einfachem zweiten Tarsalsegmente.

Der Typus von *F. miranda* stammt aus Lombok, jener der völlig geflügelten Varietät *L. aculeata* aus Neu-Guinea.

Ich besitze Syntypen von dem letzteren.

4. *wallacei* Burr.

Celebes: 1 ♂ (Kükenthal, coll. Br., Nr. 21.887).

Dieses Stück ist etikettiert: *Labia amoena* var. *alis nullis* det. Bormans. Ich habe es mit dem Typus von *N. wallacei* Burr auch aus dem Celebes verglichen; die Färbung ist etwas brauner und weniger verschieden; die Zangenarme ebenfalls etwas kürzer, mehr gebogen und weniger abgeplattet; der Zahn ist mehr nach oben gerichtet und stumpfer. Ich betrachte es aber nur als Varietät, die Merkmale sind nicht genügend ausgezeichnet, um eine neue Art zu gründen.

Unterfamilie *Strongylopsalinae.*

Gattung **Strongylopsalis** Burr.

1. ***cheliduroides*** Borm.

Peru: Vilcanota, 2 ♂, 2 ♀ (Staudinger, coll. Br., Nr. 22.603, 23.409).

Die Synonymie dieser Art ist kompliziert geworden. De Bormans vermischte zwei Arten zusammen, eine aus Peru, die andere aus Mexiko und hat beide als *Labia cheliduroides* beschrieben und bestimmt.

Die aus Peru stammende Art ist die echte *Labia cheliduroides* Borm., auf ein weibliches Exemplar gegründet; identisch mit dieser ist *Strongylopsalis inca* Burr. Der richtige Name ist *Strongylopsalis cheliduroides* Borm.

Die aus Mexiko stammende Art ist eine ganz andere. Sehend, daß sie von der echten *S. cheliduroides* verschieden war, schlug ich (1908, p. 49) als neuen Namen *S. cornuta* vor.

Ich werde konstatieren, daß diese Art keine andere ist als *Skalistes lugubris* Dohrn q. v.

Der weibliche Typus von *Labia cheliduroides* Borm. befindet sich im Warschauer Museum, die männliche Type in Warschau wird unter *Skalistes lugubris* Dohrn behandelt.

2. ***boliviana*** Borm.

Bolivien: Songo, 1 ♂ (Staudinger, coll. Br., Nr. 21.037).

Erwähntes Exemplar ist der Typus von *Carcinophora boliviana* Borm., kann aber nicht als Labiduride betrachtet werden, infolge des Baues des Körperendes, vielmehr deuten die zylindrischen Antennalsegmente und gekielten Elytren ohne Zweifel an, daß es zur Gattung *Strongylopsalis* Burr gehört.

In der Farbe stimmt diese Art mit *S. cornuta* Burr und *S. cheliduroides* Borm. überein, ist jedoch größer (Körperlänge 11·5 mm, Zangenlänge 4 mm) und die Zangenarme sind länger, abgeplattet, breit und besitzen ein stumpfes Zähnchen vor dem Apex.

Unterfamilie *Spongiphorinae.*

Gattung **Spongiphora** Serv.

1. ***crocipennis*** Serv.

Brasilien: Rio Grande do Sul, 2 ♂, 4 ♀ (Stieglmayr); Santa Cruz, 4 ♂, 4 ♀ (Stieglmayr, ex coll. Br., Nr. 22.870, 1 ♂ var. *parallela* West.); Goyaz, Iatahy, 2 ♂, 1 ♀ (Pujol, coll. Br., Nr. 24.233; Rio Grande do Sul, 1 ♀; Ypanema, 1 ♀ (Natterer); Amazonas, 1 ♀ (coll. Br., Nr. 11.637, ex coll. Edw. Brown); Espirito Santo, 2 ♂, 1 ♀ (Staudinger, ex coll. Br., Nr. 27.055); Brasilien, 1 ♂ (coll. Br., Nr. 9321, ex coll. Fieber); Nordbrasilien, 1 ♂, 1 ♀ (var. *parallela* Westw., Thorey, ex coll. Br., Nr. 391); Espirito Santo, 3 ♂, 3 ♀ (Fruhstorfer, ex coll. Br., Nr. 19.893); St. Paul, 1 ♀ (Staudinger, ex coll. Br., Nr. 19.850). — Peru: Staudinger, ex coll. Br., Nr. 40.325). — Mexiko: Oaxaca, 1 ♂, 4 ♀ (Sallé, ex coll. Br., Nr. 1832). Columbia: 1 ♀ (Steinheil, ex coll. Br., Nr. 9994). — Panama: 1 ♂ (var. *parallela* Westw., Boucard, ex coll. Br., Nr. 12.807). — Guatemala: 5 ♂, 3 ♀ (Esquintla, VIII. 1879, var. *parallela* Westw.).

Die Unterschiede zwischen den sogenannten Unterarten Bormans, die nur von der Zangenlänge und Zangendornen abhängen, sind nach meiner Meinung zwecklos; verschiedene Exemplare von denselben Fundorten zeigen alle Varietäten; es handelt sich hier um dieselbe Varietät wie bei *F. auricularia* und zahllosen anderen Arten.

2. *bormansi* Burr.

Brasilien: Bahia, 1 ♂, 4 ♀ (Fruhstorfer, ex coll. Br., Nr. 19.920).

Diese schöne Art, die durch die glänzende dunkelblaue Farbe der Deckflügel gut ausgezeichnet ist, scheint ziemlich selten zu sein. Sie wurde bisher nur aus Bahia und Santa Catherina signalisiert.

3. sp.

Brasilien: Pr. Goyaz, Iatahy, 1 ♀ (Ch. Pujol, ex coll. Br., Nr. 23.189).

Ein weibliches Stück mit dunkelblauen, etwas glänzenden Deckflügeln und braunen gelbgefleckten Flügelschuppen. Vielleicht ist sie nur eine Varietät der vorigen Art, bei der die Flügelschuppen licht orangegelb sind.

Gattung *Purex* Burr.

1. *versicolor* Borm.

Kolumbien: 1 ♂ (Steinheil, coll. Br., Nr. 9902).

Typus von *Forficula versicolor* de Bormans. Es handelt sich aber tatsächlich um eine *Spongiphoride*, die mit *S. remota* Burr und *S. frontalis* Dohrn verwandt ist.

In Bild und Färbung stimmt sie mit *S. remota* überein. Die Fühlerglieder sind etwas kürzer, besonders das vierte. Der Körperbau ist ganz derselbe. *S. versicolor* unterscheidet sich durch die erst abgeplatteten, gegen die Basis erweiterten und dann symmetrisch gebogenen Zangenarme. Der rechte ist leicht gekerbt und der linke stark gebogen. Körperlänge 12·5 mm, Zangenlänge 2 mm. ♂ ♀ unbekannt.

2. *frontalis* Dohrn (= *remota* Burr).

Peru: Cumbase, 1 ♀ (Staudinger, in coll. Br., Nr. 16.512); Marcapata: 1 ♂ (Staudinger, coll. Br., Nr. 24.224).

Das weibliche Exemplar aus Peru von de Bormans als Weibchen der vorigen Art etikettiert, für mich jedoch ist sie das Weibchen von *S. remota*, das etwas größer ist.

Das Männchen aus Peru hat die Zangenarme etwas einfacher als beim Typus, die Basaldoppelzange ist nicht nach oben gerichtet.

Ecuador: Cachabe to Paramba, II. '97, 1 ♂ (leg. Rosenberg, ex coll. Burr, coll. Br., Nr. 23.064). — Venezuela: 2 ♂, 3 ♀ (Kaden. Typus von Dohrn.) — Panama: 1 ♀ (coll. Br., Nr. 11.641). Typus von *Ancistrogaster panamensis* Borm.; diese Art fällt jedoch als Synonym von *Purex frontalis* Dohrn.

3. *brunneri* Borm.

  Brasilien: Alto-Amazonas, 1 ♂ (Staudinger, ex coll. Br., Nr. 15.485). Typus.

    Dieses Stück ist das Originalexemplar von Borman's, der es unter der
  Gattung *Sphingolabis* beschrieb. Es ist aber eine echte *Spongophoride*, mit
  Purex frontalis usw. verwandt.

4. *divergens* Burr.

  Peru: Callanga, 1 ♂, 3 ♀ (Staudinger, ex coll. Br., Nr. 22.538).

    Diese Exemplare stimmen mit meinen Typen nicht ganz überein. Die
  Farbe ist dunkelkastanienbraun, mit gelbgefleckten Flügelschuppen und tief-
  rotem Körper, mit schwarzen Zangenarmen. Der obere Kiel der letzteren
  ist schärfer und in einen scharfen Dorn ausgezogen, während meine Typen
  einfärbig rotbraun sind. Ich meine aber, daß es hier keine spezifischen
  Merkmale gibt, und kann keine selbständige Art beschreiben.

Gattung Vostox Burr.

1. *brunneipennis* Serv.

  Peru: Callanga, 1 ♂ (Staudinger, ex coll. Br., Nr. 22.536). — Nicaragua: Chon-
    tales, 1 ♀ (ex coll. Br., Nr. 11 632). — U. S. A: Georgia, 2 ♂, 2 ♀ (leg.
    Morrison, ex coll. Br., Nr. 11.475); Georgia, «A. b. II, 1877, I.», 4 ♀
    (Morrison, Mus. Vindob.); Texas, «Boll», |1 ♀. — Mexiko: Bilimek, ex
    coll. Br.

2. *insignis* Stål.

  Brasilien: Rio de Janeiro, 1 ♂, 2 ♀ (Schott); Rio Grande do Sul, Santa Cruz, 1 ♂
    (Stieglmayr, ex coll. Br., Nr. 22.872); Espirito Santo, 1 ♂ (Fruhstorfer,
    coll. Br.). — Bolivia: 1 ♂, 1 ♀ (Staudinger, ex coll. Br., Nr. 20.086). —
    Venezuela: 1 ♀.

    Die Exemplare aus Bolivien haben einfärbige Elytren; sie stellen den
  Übergang zu *V. brunneipennis* dar.

3. *similis* Borm.

  Kolumbien: 1 ♂, 1 ♀ (Steinheil, ex coll. Br., Nr. 9893).

    Diese sind die Originalexemplare von Bormans. Diese Art ist mit
  V. insignis verwandt, aber kleiner und dicker; das Pygidium ist ein ganz
  anderes und schwer zu beschreiben; der mittlere Eindruck scheint de Bormans)(-förmiger Fortsatz zu sein.

Gattung Marava Burr.

1. *wallacei* Dohrn (= *grandis* Dubr.).

  Nord-Celebes: Toli-Toli, XI.—XII. '95, 2 ♂, 3 ♀ (Fruhstorfer, coll. Br.,
    Nr. 20.733). — Queensland: 1 ♀ (Staudinger, coll. Br., Nr. 13.343);
    Cooktown, 2 ♀ (Staudinger, coll. Br., Nr. 20.163, 20.164). — Lake
    Elphinstone: ♀ (Schmeltz, coll. Br., Nr. 9083). — Cap York: 3 ♂, 1 ♀
    (Daemel, coll. Br.). — Port Denison: 3 ♂, 5 ♀ (Weyers, coll. Br.). —
    Australien: ♂.

Gattung Spongovostox Burr. (S. Anhang.)

1. *guttulatus* Burr.

  Lombok: Sapit, 2000 Fuß, IV. '96, ♂ ♀ (coll. Br., Nr. 21.348).

2. **ghilianii** Dohrn.

Venezuela: 1 ♂ (Kaden).

Borelli hat diese Art sowie die beiden ähnlichen *L. pygmaea* und *L. confusa* gut unterschieden.

Dohrn zitiert diese Art aus der Wiener und aus seiner Sammlung. Da ich sein Exemplar nicht gesehen habe, ernenne ich es beiläufig als Typus.

3. **pygidiatus** Borm.

Birma: Carin Ascíuii, 1200—1300 m, XII. '87, 1 ♀ (Fea, coll. Br., Nr. 19.453); Carin Cheba, 900—1100 m, 5./XII. '88, 1 ♂ (Fea, coll. Br.). — Hawaii-Inseln: 1 ♀, 1874 (Mus. Vindob.).

Etikettiert von de Bormans Handschrift *Labia pygidiata* Dubrony, Kona, ♂ und Nymph. (Perkins, coll. Br., Nr. 20.245).

Die Exemplare aus Birma sind die Originale von Bormans Arbeit über Feas Reise; das Weibchen aus Hawaii ist wahrscheinlich ein Syntypus.

4a. Varietät mit zweilappigem Pygidium.

Celebes: Loka, 1 ♂ (Sarasin).

Gattung **Irdex** Burr.

1. **nitidipennis** Borm.

Java: Tenggergebirge, 1 ♂ (Fruhstorfer, coll. Br., Nr. 18.330).

Ungerechterweise als *L. pygidiata* bestimmt.

Unterfamilie *Labiinae.*

Gattung **Chaetospania** Karsch.

1. **feae** Borm.

Birma: Carin Cheba, 1300—1400 m, II.—III. '88, ♂ ♀ (Fea, coll. Br., Nr. 19.450).

Syntypen von de Bormans.

Lombok: Sapit, 2000 Fuß, IV. '96, 3 ♀ (Fruhstorfer, coll. Br., Nr. 21.342). — Java: 2 ♂, 2 ♀ (Meyer-Dürr, coll. Br., Nr. 8510).

2. **thoracica** Dohrn.

Ceylon: 1 ♂ (Dohrn, coll. Br., Nr. 17.623).

Von de Bormans als *Platylabia dilaticauda* mit Unrecht bestimmt.

3. **aculeata** Borm.

Süd-Celebes: Bua Kraeng, 500 Fuß, II. '96, 1 ♀ (Fruhstorfer, coll. Br., Nr. 20.868).

Typus de Bormans.

4. **foliata** Burr.

Insel Buru: 1 ♂ (Kühne, coll. Br., Nr. 24.630).

5. **pittarellii** Bor.

Madagaskar: 1 ♂ (Sikora).

6. **brunneri** Borm.

Australien: Rockhampton, 1 ♂ (Mus. Godeffroy, coll Br., Nr. 12.333).

Typus von de Bormans.

Neu-Süd-Wales: 1 ♂, 2 ♀ (Staudinger, coll. Br., Nr. 21.296).

7. **australica** Borm.

Australien: Queensland, 2 ♂ (Staudinger, coll. Br., Nr. 13.412). Typus; Cooktown, 1 ♀ (Staudinger, coll. Br., Nr. 20.166).

Von de Bormans selbst bestimmt.

Gattung *Sphingolabis* Borm.

1. *hawaiiensis* Borm.

> Lombok: Sapit, IV. '96, 2 ♂, 1 ♀ (Fruhstorfer, coll. Br., Nr. 21.307). — Samoa: Savaii, '05, 1 ♂ (Dr. Rechinger); Upolu, 1 ♂, 2 ♀ (Dr. Rechinger).
> Die Exemplare aus Lombok sind größer und heller als die aus Samoa; ich kann sie aber spezifisch nicht unterscheiden.

2. *semifulva* Borm.

> Java: Tenggergebirge, 4 ♂, 3 ♀ (Fruhstorfer, coll. Br., Nr. 18.142, 18.331.)
> *Sphingolabis furcifera* Borm. ist das Männchen dieser Art.

Gattung *Labia.*

1. *lutea* Borm.

> Birma: Carin Ghecu, 300—1400 m, II.—III. '88, ♂ ♀ (Fea, coll. Br., Nr. 19.446).
> Zwei Syntypen von de Bormans.

2. *subaptera* Kirby.

> Australien: Victoria, 1 ♂ (ex Mus. Stuttgart, coll. Br., Nr. 17.281).
> Mit Unrecht als *Labia wallacei* bestimmt.

3. *brunnea* Scudd.

> Antillen: Grenada, Mount Gay East, 4 ♂, 7 ♀ (H. H. Smith, coll. Br.); St. Vincent, 2 ♀ (H. H. Smith, coll. Br.).
> Originalexemplare der Brunnerschen Arbeiten.

4. *triangulata* Burr.

> Madagaskar: 1 ♂ (Sikora).

5. *insularis* Burr.

> Madagaskar: 1 ♀, 1 Larve (Sikora).

6. *auricoma* Rehn.

> Peru: Vilcanota, 1 ♀ (Staudinger, coll. Br., Nr. 23.407).
> Zweifelhafte Art, deren Männchen unbekannt bleibt.

7. *minor* L.

> Erivan: Külp, 1 ♂ (Christoph, coll. Br., Nr. 14.726). — Jaffa: 1 ♀ (Dr. Leuthner, coll. Br., Nr. 15.663). — Beirut: 1 ♀ (Dr. Leuthner, coll. Br., Nr. 15.664). — Ladakia: 1 ♂ (Dr. Leuthner, coll. Br., Nr. 15.665). — Smyrna: 1 ♂ (Schlüter, coll. Br.). — Ceylon: Peradeniya, 2 ♂, 3 ♀, 25./XII. '02 (Dr. Uzel). — Algeria: St. Charles, 1 ♂ (Thery, coll. Br., Nr. 19.515). — Niederösterreich: Lunz, 2 ♂ ♀ (Handlirsch).

8. *pilicornis* Motsch.

> Malacca: 1 ♂.

9. *mucronata* Stål.

> Ind.-Orient: 1 ♂ (ex coll. Fieber, coll. Br., Nr. 9310 b). — Luzon: (Dr. Dohrn, coll. Br., Nr. 6459). — Birma: Bhamo, 1 ♂, 2 ♀ (Fea, VIII. '86), coll. Br., Nr. 19.451).

10. *ridens* Borm.

> Birma: Carin Cheba, 900—1100 m, 4 ♂, 1 ♀ (Fea, 5./XII. '08, coll. Br., Nr. 19.455).
> Diese sind Syntypen von de Bormans; die Männchen sind alle *macrolabia*.

11. *fruhstorferi* Burr.

> Lombok: Sapit, 2000 Fuß, IV. '96, 4 ♂, 1 ♀ (Fruhstorfer, coll. Br., Nr. 21.343).

12. *equatoria* Burr.

Ecuador: Chimbo, 1 ♂ (Rosenberg, coll. Br., Nr. 26.367).

13. *annulata* Fabr.

Unter diesem Namen bringe ich *L. arcuata* Scudd. und *L. chalybea* Dohrn zusammen. Diese sind für mich nur die zwei Enden einer variierenden Linie; man kann eine ganze Reihe anordnen, wobei der Übergang von *L. arcuata* zu *L. chalybea* ganz allmählich und Schritt für Schritt sichtbar ist; es ist oft unmöglich, die zwei Formen zu unterscheiden und zu sagen: «dies ist sicherlich *arcuata*» oder «dies ist ohne Zweifel *chalybea*». Darum habe ich die beiden zusammengeschmolzen.

Die meisten Brunnerschen Stücke werden von de Bormans als *chalybea* oder *arcuata* bestimmt. Die als *arcuata* bestimmten sind folgende: Kolumbien: ♂ ♀ (Steinheil, coll. Br., Nr. 9903). — Peru: ♂ (Staudinger, coll. Br., Nr. 10.516). — St. Vincent: 1 ♂, 2 ♀ (H. Smith, coll. Br.). — Leward Is and St. Vincent: 2 ♂ ♀ (H. Smith, coll. Br., Nr. 8724). — Grenada: Grand Etang, ♀, Windward Side, 1900 Fuß (H. H. Smith, coll. Br.); Balthazar, Windward Side, 2 ♂, 4 ♀ (H. H. Smith, coll. Br.).

Die von St. Vincent, Leeward Is und Grenada erworbenen Arten sind die Originalexemplare der Brunnerschen Arbeit über die Orthopteren der Antillen.

Die folgenden wurden als *chalybea* bestimmt:

Mexiko: 1 ♂, 6 ♀ (Bilimek, coll. Br., Nr. 7054).

Die folgenden wurden mit Unrecht als *L. rotundata* bestimmt:

St. Vincent: 2 ♂, 4 ♀ (H. H. Smith, coll. Br.); Leeward Side, 2 ♀ (H. H. Smith, (coll. Br.). — Paraguay: 1 ♂ (Dr. P. Jordan, 1893).

Den Typus Dohrns aus Venezuela (Moritz), aus dem Wiener Museum signalisiert, kann ich nicht finden; er findet sich nicht in der Moritzschen Ausbeute aus Venezuela.

14. *curvicauda* Motsch.

Birma: Bhamó, 3 ♀ (Fea, VIII. '85, coll. Br., Nr. 19.352); Meetan, 1 ♀. — Mittel-Annam: 1 ♀ (Fruhstorfer). — Java: Tenggergebirge, 1 ♂ (Fruhstorfer, coll. Br., Nr. 18.480). — Madagaskar: 3 ♀, 2 ♂ (Rolle). — Ind.-Orient: ♀ (ex coll. Fieber, coll. Br. als *L. luzonica* etikettiert, für mich aber das Weibchen dieser Art). — Samoa: Upolu, 2 ♀ (Rechinger).

Originalexemplare von *L. rechingeri* Holdhaus; ich kann sie aber von *L. curvicauda* nicht unterscheiden, weshalb ich sie als synonym davon betrachte. Nach einer in meinem Besitze befindlichen Originalzeichnung und seiner Beschreibung will ich *L. flavicollis* von *L. curvicauda* nicht unterscheiden. Diese Art ist so weit verbreitet, daß kleine Unregelmäßigkeiten zu erwarten sind.

Die folgenden sind als *L. brunnea* Scudd. etikettiert; diese Art ist der vorhergehenden sehr ähnlich und stellt vielleicht nur eine örtliche Varietät dar. Grenada: Mount Gray Estate, Leeward Side, 6 ♂, 7 ♀ (H. H. Smith, coll. Br., Originalexemplare der Brunnerschen Arbeit über die Orthopteren der Antillen).

Gattung **Prolabia** Burr.

1. *nigrella* Dubr.

Ind.-Orient: ♂ ♀ (ex coll. Fieber, coll. Br., Nr. 9310 c).

Diese Stücke mit noch einem unbestimmbaren Jungen aus Tahiti (Frauenfeld, coll. Br., Nr. 6288) wurden von de Bormans mit Unrecht als *L. pilicornis* Motsch bestimmt.

2. *arachidis* Yers.

Mexiko: 2 ♀, 1 Larve (Boucard, coll. Br., Nr. 6789); 1 ♂ (Bilimek, coll. Br., Nr. 7052). — Madagaskar: 1 ♂ (ex coll. Edw. Brown, coll. Br., Nr. 11.654). — Borneo: 1 ♀ (Dr. Dohrn, ex coll. Br., Nr. 15.825). — Birma: Bhamo, 1 ♀ (Fea, VIII. '05, ex coll. Br., Nr. 19.447).

Alle übrigen Stücke sind von de Bormans als *L. gravidula* determiniert.

Australien (Nord): ♂ ♀ (Daemel, coll. Br., Nr. 37.119); Cap York, ♀ (Daemel, coll. Br., Nr. 6020 b). — Neu-Guinea: 1 ♀ (Boucard, coll. Br., Nr. 12.830). Die übrigen Exemplare von Brunner sind als *Labia wallacei* bestimmt; *L. gravidula* ist nur Synonym von *L. arachidis*.

Borneo: 3 ♀, 1 ♂ (Dr. Dohrn, coll. Br.).

Mit Unrecht als *Labia amoena* Stål bestimmt.

Java occident.: Pengalengan, 4000 Fuß, '93, 1 ♀ (Fruhstorfer, coll. Br.). — Annam: Phuc Son, XII., 2 ♂, 5 ♀ (Fruhstorfer, coll. Br.). — Ceylon: Peradeniya, 2 ♀, 7./XI. '01 (Dr. Uzel). — Sumatra: Deli, 1 ♀ (Fruhstorfer, coll. Br., Nr. 24.476). — Deutsch-Ostafrika: Waboniland, 2 ♂ (Dr. O. A. Häsler). — Singapure: 1 ♀ (Deschamps, coll. Br., Nr. 23.869). — Nord-Celebes: Toli-Toli, XI.—XII. '95, ♀ (Fruhstorfer, coll. Br., Nr. 20.757). — Birma: Rangoon, 1 ♀ (Fea, coll. Br., Nr. 19.434). — Ceara: 3 ♀ (Dr. Baden, coll. Br., Nr. 7462). — West-Java: Sukabuni, 2 ♀ (Fruhstorfer). Gaboon: 2 ♀ (Boucard, coll. Br., Nr. 6933). — Massaua: 1 ♀ (Hildebrandt, coll. Br., Nr. 9092). — Samoa: Upolu, 1 ♀ (Rechinger); Savali, 1 ♀ (Rechinger).

3. *unidentata* Pal.-Beauv.

Florida: 1 ♀ (ex coll. Scudder, coll. Br., Nr. 20.480). — Santa Fé de Bogota: 1 ♀ (Steinheil, coll. Br.).

Diese zwei Stücke sind von der flügellosen Form, die ich als Synonym von *L. pulchella* betrachte.

Texas: Dallas, 2 ♀ (Boll., coll. Br., Nr. 11.606). Scudders Type 1876: *Labia guttata* Cab. S. H. Scudder, coll. Br., 1 ♀.

Ein Syntypus von Scudders *L. guttata*, augenscheinlich Synonym von *L. pulchella* oder eine geflügelte Varietät von *L. burgessi*.

St. Vincent: Upper Richmond valley, 2 ♀ (Smith, coll. Br., Nr. 18.723).

Originalexemplare von Brunners Arbeit über die Orthopteren der Antillen.

Kuba: 2 ♀ (Prof. Mayr, coll. Br., Nr. 7313). — Nicaragua: Chontales, 1 ♀ (Edw. Brown, coll. Br., Nr. 11.633). — Kolumbien: Etikettiert von de Bormans *Labia brunnea*.

4. *formica* Burr.

Novo Friburgo: 2 ♀, 1 Larve (Deyrolle, coll. Br., Nr. 4049); Hetschko ♂ ♀, Blumenau 1 Larve. — Venezuela: 1 gebrochenes Stück (Kaden).

Von de Bormans als *L. maeklini* Dohrn determiniert; Dohrn jedoch spricht von einem großen Pygidium des Männchens bei *L. maeklini*, das bei einem gewissen Männchen in der Dohrnschen Sammlung vollständig abwesend ist. Ich habe es als hierher gehörig betrachtet und als neu mit *P. nigrella* einer ähnlichen Art beschrieben.

5. *rotundata* Scudd.

Mexiko: 3 ♂, 4 ♀ (Bilimek, coll. Br., Nr. 7055, 7056). — Peru: Vilcanota, 1 ♀ (Staudinger, coll. Br., Nr. 23.407).

6. *luzonica* Dohrn.

Lombok: Sapit, IV. '96, 1 ♀ (Fruhstorfer, coll. Br., Nr. 21.347).

7. *mexicana* Borm.

Mexiko: 1 ♂, 5 ♀, 2 Larven (Bilimek, coll. Br., Nr. 7048, 7049). Das Männchen Nr. 7048 ist der Typus von de Bormans.

Unterfamilie *Sparattinae*.

Gattung **Mecomera** Serv.

1. *brunnea* Serv.

Kolumbien: 1 ♀ (Steinheil, coll. Br., Nr. 10.692). — Montevideo: 1 ♂ Taruier, coll. Br., Nr. 1936).

Gattung **Auchenomus** Karsch.

1. *longiforceps* Karsch.

Madagaskar: 2 ♀ (Staudinger, coll. Br., Nr. 21.984); Antongil, 1 ♂ (Mocquerys, Nr. 22.299).

2. *angusticollis* Dubr.

Java: 1 ♀ (Deyrolle, coll. Br., Nr. 11.618). Typus von *Platylabia javana* Borm. — Celebes: Lolak, Domogu, 1 ♀ (Sarasin).

Diese ist mit *A. angusticollis* Dubr. identisch; die Beschreibungen und Zeichnungen lassen keine Zweifel. Das echte Männchen war bis jetzt unbekannt. Ich besitze jedoch in meiner Sammlung ein Männchen aus Sarawak, bei welchem das letzte Tergit groß und geschwollen, die Zangenarme kurz und kräftig und gebogen sind, und zwar in einer Weise, die an *Chelisoches* erinnert. Es handelt sich um einen Übergang zwischen den Sparattiden und Chelisochiden, in welche früher diese Gattung eingereiht wurde.

Gattung **Sparatta** Serv.

1. *biolleyi* Bor.

Bolivia: Coroico, 1 ♂ (Staudinger, coll. Br., Nr. 21.015).

Diese als *S. colombiana* von de Bormans bestimmten Exemplare ähneln einem von Herrn Dr. Borelli mitgeteilten Syntypus von *S. biolleyi* so sehr, daß es mir nicht möglich ist, beide voneinander zu unterscheiden.

2. *w-signata* Burr.

Kolumbien: 1 ♂ (Steinheil, coll. Br., Nr. 10.692 b).

Von de Bormans als *S. colombiana* bestimmt; dieses Exemplar ist ohne Zweifel mit *S. w-signata* Burr dem Typus nach verglichen.

3. *pelvimetra* Serv.

Brasilien: Santa Catharina, Teresopolis, 4 ♂, 2 ♀ (Fruhstorfer, coll. Br., Nr. 17.036); Lages, 3 ♂ (Michaelis, coll. Br.); 2 ♀ (Deyrolle, coll. Br., Nr. 4399 b); Novo Friburgo, 1 ♂ (Deyrolle, coll. Br.). — Mexiko: 1 ♀ (Bilimek, coll. Br., Nr. 7068; Mus. Stett. gebrochenes Stück).

4. *schotti* Dohrn.

Brasilien: 1 ♀ (Mus. Vindob.). Typus.

5. *armata* Burr.

Peru: Callanga, 1 ♀ (Staudinger, coll. Br., Nr. 22.543).

6. *nigrina* Stål.

Brasilien: 2 ♂, 1 ♀ (Deyrolle, coll. Br., Nr. 4399a); Santa Catherina, Teresopolis, 2 ♂, 2 ♀ (Fruhstorfer, coll. Br., Nr. 17.035); Mexiko: 4 ♂, 3 ♀ (Bilimek, coll. Br., Nr. 7067); Cuernavaca, 1 ♂. — Kolumbien: 1 ♀ (Steinheil, coll. Br., Nr. 10.663 b).

Mit Unrecht zu *S. bolivari* gebracht.

Gattung Parasparatta Burr.

1. *bolivari* Borm.

Kolumbien: 1 ♀ (Steinheil, coll. Br., Nr. 9895).

Dieses Exemplar wurde als ein Männchen beschrieben; es ist mir nicht möglich, mehr als sieben Abdominalsegmente zu konstatieren, und trotz der männlichen Entwicklung der Körperenden bleibt das echte Männchen doch unbekannt. Der Typus ist in Warschau.

2. *colombiana* Borm.

Kolumbien: 1 ♀ (Steinheil, coll. Br., Nr. 9894); id. 1 ♂ (coll. Br., Nr. 10.663. Typus).

Ich habe einen Syntypus von *Sparatta pulchra* Bor. mit diesem Typus verglichen und glaube, daß die beiden identisch sind. (S. Anhang.)

Familie Chelisochidae.

Gattung Kinesis Burr.

1. *punctulatus* Burr.

Java: 1 ♂. — Celebes: Loka, 1 ♀ (Sarasin).

Gattung Chelisochella Verhoeff.

1 *superba* Dohrn.

Borneo: 1 ♂ (Higgins, coll. Br., Nr. 6611). — Neu-Kaledonien: 1 ♀ (Depuiset, coll. Br., Nr. 4889). — Malacca: 3 ♀ (Deyrolle, coll. Br., Nr. 4360).

Gattung Exypnus Burr.

1. *pulchripennis* Borm.

Birma: Carin Asciuii Cheba, 1200—1300 m, I. '88, 1 ♂ (Fea, coll. Br., Nr. 19.448); Carin Cheba, 500—1000 m, XII. '88, 2 ♂ (Fea, coll. Br.). — Ind.-Orient: Gebrochenes Stück (ex coll. Fieber, coll. Br., Nr. 9313); id. ♀ Nr. 9314, ♂ Nr. 9318.

Das männliche Stück Nr. 9318 muß der Typus sein; de Bormans erwähnt «coll. Br., 2 ♂ Nr. 9314, 9318; 1 ♀ Nr. 9313». Da Nr. 9314 nicht männlich, sondern weiblich ist, so bleibt das Männchen Nr. 9318 der Typus.

Gattung Chelisoches.

1. *plagiatus* Fairm.

Gabun: 1 ♀ (Staudinger, coll. Br., Nr. 18.899). — Kamerun: 2 ♀ (Kraatz, coll. Br., Nr. 21.380). — Deutsch-Kamerun: Mundame, 1 ♂, 2 ♀, 1 Larve (Rhode, coll. Br., Nr. 25.698, 25.701).

2. **morio** Fabr.

Celebes: Meharassa, 1 ♂ (Staudinger, coll. Br., Nr. 16.177).

Ein großes Männchen aus der Varietät *stratioticus* Rehn. Von de Bormans mit Unrecht als *Ch. laetior* bestimmt.

Celebes: Torndhon, ♂ ♀ (Sarasin); Masarang-Kelte, 1 ♂, 2 ♀ (Sarasin); Loka, 1 ♀ (Sarasin); Posso-See, 1 ♀ (Sarasin); Touchon, 1 ♀ (Sarasin). — Ceylon: Peradeniya, , 2 ♀, 1 Larve (Dr. Uzel). — Buru-Inseln: 3 ♂, 2 ♀ (Kühne, coll. Br., Nr. 24.629). — Key-Inseln: 3 ♂, 2 ♀, 1 Larve (Kühne, coll. Br., Nr. 23.941).

Große Exemplare (Körperlänge ♂ 16·5 mm, ♀ 19 mm; Zangenlänge ♂ 9·5 mm, ♀ 10 mm).

Sumatra: Deli, 1 Larve (Fruhstorfer, coll. Br., Nr. 24.477). — Malabar: Mahé, 4 ♂, 6 ♀ (Deschamps, coll. Br., Nr. 23.068, 23.939). — Aru-Inseln: 2 ♂, 2 ♀ (Ribbe, coll. Br., Nr. 23.637). — Neu-Britannien: Talait, 2 ♂, 1 ♀ (Dr. Finsch). — Amboina: 1 ♀ (Doleschal, 1859).

3. **lilyanus** Holdhaus.

Samoa: Upolu, 1 ♀ (Rechinger). Typus von Holdhaus.

Gattung *Kleiduchus* Burr.

1. **australicus** Gouillon.

Kap York: 2 ♂, 2 ♀ (Daemel, coll. Br., Nr. 8021). — Australien: 1 ♂ (S. M. Sch. «Fasana»). — Chili: 1 ♂ (Dr. Baden, coll. Br., Nr. 11.471).

Der letzte Fundort ist sicherlich falsch und irrig.

Gattung *Proreus* Burr.

1. **ritsemae** Bom.

Sumatra: 1 ♂ (Rolfe, coll. Br., Nr. 19.732). — ??: 1 ♀ (gespannt; Staudinger, coll. Br., Nr. 21.761).

1. **simulans** Stål.

Cochinchina: 1 ♂, 2 ♀ (Andre, coll. Br., Nr. 14.892). — Borneo: 1 ♀ (Grabowsky, coll. Br., Nr. 14.776); id., 2 ♀. — Java: 1 ♀ (Meyer-Dürr, coll. Br., Nr. 8515). — Ind.-Orient: 1 ♂ (ex coll. Fieber, coll. Br., Nr. 9316). — Birma: Rangoon, 1 ♂, XII. '88 (Fea, coll. Br., Nr. 19.449). — Palawan: 2 ♀ (Staudinger, coll. Br., Nr. 18.850). — West-Java: Sukabuni, 1 ♂ (Fruhstorfer, coll. Br., Nr. 19.371).

Dieses Exemplar hat abgekürzte Flügel, d. h. subsp. *modesta* Stål.

Banguay: ♂ (Staudinger, coll. Br., Nr. 21.210). — Siam: Hinlap, ♀, Jamar (Fruhstorfer, coll. Br., Nr. 24.784). — Annam: Phuc Son, XI.—XII., ♂ ♀ (Fruhstorfer, coll. Br., Nr. 24.478). — West-Malacca: 1 ♂ (Deschamps, coll. Br., Nr. 23.880). — Tamsui: 1 ♂ (F. Hirth, 1892).

3. **fuscipennis** Haan.

Java occident.: Sukabuni, ♀ (Fruhstorfer, coll. Br., Nr. 19.992). — Borneo: ♀ (Staudinger, coll. Br., Nr. 21.229). — Celebes: Loka, 1 ♀ (Sarasin). (Unsichere Bestimmung.)

Ich betrachte *Chaetospania rubriceps* Barr, *Chelisoches variopictus* Bom. und die Exemplare unter dem Namen *Sphingolabis borneensis* von mir signalisiert, alle als Synonyme von *Proreus fuscipennis* Haan.

4. *laetior* Dohrn.

Borneo: Bakhian, ♀ (Higgins, coll. Br., Nr. 6625).

5. *melanocephalus* Dohrn.

Ind.-Orient: ♀ (ex coll. Fieber, coll. Br., Nr. 9515).

Ein altes schmutziges weibliches Exemplar von de Bormans als *P. melanocephalus* determiniert.

6. *elegans* Borm.

Java: Tenggergebirge, ♀ (Fruhstorfer, coll. Br., Nr. 18.332).

7. *weissi* Burr.

Tonkin: Montes Mauson, ♂ (Fruhstorfer, coll. Br., Nr. 24.021); id., ♂ Nr. 24.738 und ♀ Nr. 24.022.

Es ist bemerkenswert, daß ich früher diese Art in *Mecomera* einreihte und Brunner sie als *Sparatta* betrachtete; der Fortsatz des zweiten Tarsalgliedes ist klein, kann aber unter dem Mikroskop klar gesehen werden.

Gattung **Adiathetus** Burr.

1. *shelfordi* Burr.

Borneo: 1 ♀.

Gattung **Enkrates** Burr.

1. *flavipennis* Fabr.

Kamerun; ♀ (Kraatz, coll. Br., Nr. 21.380 b).

Etikettiert *Ch. vittatus* Borm., ein Synonym dieser Art.

Gattung **Hamaxas** Burr.

1. *semiluteus* Borm.

Java occident.: Pengalengan, 2 ♂, 1 ♀ (Fruhstorfer, coll. Br., Nr. 19.889, 19.891). — Java: Tenggergebirge ♀ (Fruhstorfer, coll. Br., Nr. 18.329).

Die ersten drei Exemplare sind von de Bormans determiniert und stimmen ganz gut mit dem in meiner Sammlung befindlichen Typus überein. Das letztere wurde jedoch von ihm in ganz falscher Weise als *Labia amoena* Stål bestimmt.

2. *variicornis* Borm.

Nord-Celebes: Toli-Toli, ♂ (Fruhstorfer, coll. Br., Nr. 20.734). Typus.

3. *dohertyi* Burr.

Celebes: Matinang-Kelte, 1 ♂ (Sarasin); Massnang, 1 ♂ (Sarasin); Posso-See, 1 ♀ (Sarasin).

Diese Art ist sehr wahrscheinlich von *H. semiluteus* und *A. feae* auch nicht echt verschieden.

Familie **Forficulidae**.

Unterfamilie *Chelidurinae*.

Gattung **Mesochelidura** Verhoeff.

1. *bolivari* Dubr.

Escorial: 1 ♂, 3 ♀ (Bolivar, coll. Br., Nr. 12.283). — Sierra de Peñalara: ♂ ♀ (Staudinger, coll. Br., Nr. 3430). Mit Eiern.

Gattung *Chelidura* Latreille.

1. *aptera* Charp.

St. Bernhard: 6 ♂ (Frey-Gresner, coll. Br., Nr. 10.751). — Mt. Cenis: 2 ♂, 1
(Durieu, coll. Br.). — Susa: 3 ♂ (Dubrony, var. *simplex* Dr. Krauss). —
Simplon: 2 ♂ (Deyrolle, coll. Br., Nr. 5398).

2. *dilatata* Lafr.

Hautes Pyrenées: Glacier de Neouvielle, 2 ♂ (Saulcy, coll. Br., Nr. 4841); Canigou, 1 ♂, 2 ♀ (Saulcy, coll. Br.). — Pralongnon: Le Vanoisier, 2 ♂, 2 ♀
(Dr. Jordan, 1906).

Gattung *Burriola* Semenoff.

1. *euxina* Semenoff (?).

Sarepta: 2 ♀, 4 Larven (ex coll. Christoph, coll. Br., Nr. 14.570).

2. *apfelbecki* Werner.

Bosnien: Trebevic, 1 ♂.

Unterfamilie *Anechurinae*.

Gattung *Anechura* Scudd.

1. *fedtchenkoi* Sauss.

Bucharei: ♂ ♀ (Adelung, coll. Br., Nr. 23.866). — Taschkend: ♀ (e Mus. Lübeck,
coll. Br., Nr. 16.924).

2. *bipunctata* Fabr.

Herzegowina: ♂, 3 ♀ (Penther). — Le Lantaret: ♂ ♀ (H. H. Jordan). — Krim:
♂ ♀ (Lefebre, coll. Br., Nr. 7330). — Kaukasus: ♂ (de Selys Long-
champs, coll. Br., Nr. 6570). — Kleinasien: Amasia, ♂ (ex coll. Lederer,
coll. Br., Nr. 3085; Skora, coll. Br., Nr. 16.356). — Sardinien: ♂ (Otto,
1896). — Sizilien: ♀ (Mann, 1858).

2 a. id. var. *orientalis* Krauss.

Nord-Mongolei: 2 ♂, 2 ♀ (Lederer, 1892). — Armenien: ♂ (Plason); id.,
2 ♂ (Heller). — Antitaurus: Ala Dagh, ♂. — Kleinasien: Erdschias, ♂
(Penther); Erzerum, 2 ♂, 1 ♀ (Deyrolle, coll. Br., Nr. 6911). —
Kaukasus: Kurusch, östlicher Abhang, 2 ♂ (ex coll. Christoph, coll. Br.,
Nr. 14.725).

3. *asiatica* Sem.

Schakkuh: Elbrus, 1 ♂, 1 ♀ (ex coll. Christoph, ex coll. Br., Nr. 14.644). — Persien: Khorassan, ♂ ♀ (Adelung, coll. Br., Nr. 23.864); Schakkuh (Herr,
coll. Br., Nr. 16.968). — Gran Balachan: Dschebell, ♂ ♀ (Hauser 1898).
— Turkmenien: Astrabad, 1 ♂ (ex coll. Christoph, coll. Br., Nr. 14.741);
id. 1 ♂ (Reitter, coll. Br., Nr. 16.428).

Diese Art wurde zuerst als *A. orientalis* von Semenoff beschrieben,
aber wegen der Anwesenheit des Namens *orientalis* Krauss später zu *asiatica*
Sem. übertragen.

Merv: 1 ♂ (Reitter, coll. Br., Nr. 16937).

4. *zubovskii* Sem.

Kaschmir: 1 ♀ (e Mus. Lübeck, coll. Br., Nr. 16.923).

5. *harmandi* Burr.

Japan: ♂ (Staudinger, coll. Br., Nr. 22.253).

6. *orsinii* Gené.

Italien: Firenze, Monte Morello, 1 ♂, 1 ♀ (coll. Br., Nr. 13.139, ex coll. Targioni-Tozzetti); Abruzzi, Catria, 1 ♂, 1 ♀ (ex coll. Targionii, coll. Br., Nr. 13.148); Calabria: 1 ♀ (Targioni-Tozzetti).

7. *lewisi* Burr.

Lombok: ♂ ♀ (Fruhstorfer, coll. Br., Nr. 21.255). — Wladiwostok: ♀ (ex coll. Christoph, coll. Br., Nr. 14.706).

Alle diese Exemplare wurden von de Bormans mit Unrecht als *Forficula japonica* Borm. bestimmt; bisher nur aus Japan bestimmt; darum glaube ich annehmen zu dürfen, daß die Signalierung aus Lombok irrig ist.

8. *stolizkae* sp. n.

Colore toto fusco; glabra, fusco brunnea; abdomen subparallelum; pygidium obtusum, depressum; forcipis bracchia ♂ basi valde remota, gracilia, elongata, basi intus fortiter dentata.

	♂	♀
Long. corporis .	13·5 mm	11 mm
» forcipis	9 »	4 »

Einfärbig, schwärzlichbraun. Antenne elf- bis zwölfgliedrig, hellbraun, walzenförmig (zylindrisch), das dritte Glied ziemlich lang, das vierte kaum kürzer. Kopf glatt, glänzend. Pronotum breiter als lang, vorne abgestutzt, hinten etwas abgerundet, an den Seiten gerade, flach; Prozona wenig gebauscht oder angeschwollen. Elytren breit, glatt, ohne Seitenkante. Flügel gut entwickelt. Beine lang und dünn, schwärzlich. Tarsalglieder lang und dünn, das erste anderthalbmal länger als das dritte, das zweite wenig verbreitert. Abdomen beim ♂ beinahe parallelrandig, kaum verbreitert; beim ♀ etwas verbreitert und an den Enden verengt; sehr fein punktuliert, dunkel rötlichbraun. Letztes Tergit glatt, breit, beim ♂ mit einem kleinen Höckerchen an jeder Ecke und einem Paar etwas größeren Höckerchen in der Mitte. Vorletztes Sternit breit, abgerundet. Pygidium ♂ kurz, stumpf, von hinten senkrecht gedrückt, oben mit zwei kleinen Höckerchen. Beim ♀ klein. Zangenarme beim ♂ auseinanderstehend, zuerst etwas nach außen gebogen, dann drehrund, dünn langgestreckt, langsam konvergierend, mit einem kräftigen Zahn an der inneren Seite gegen die Basis beim ♀ zusammenliegend, einfach.

Bissalur:[1] 1 ♂, 2 ♀ (Stoliczka, 1866).

Diese Art wurde von de Bormans als *Anechura stoliczkae* etikettiert, die Beschreibung ist jedoch nie herausgekommen und bis jetzt ist der Name nur in litteris erschienen.

Diese Art ist gut gekennzeichnet durch die einfarbig braune Färbung und durch die einfachen Zangenarme. Das Aussehen erinnert an das von *Forficula schlagintweiti*.

9. *vara* Scudd.

Mexiko: 2 ♂, 2 ♀ (Bilimek, coll. Br., Nr. 7050).

---

[1] Die Etikette scheint so gelesen zu werden; da ich diesen Ortsnamen nirgends finden konnte, frug ich bei der Royal Geographical Society of London an; der verehrte Sekretär, Herr J. Scott Keltie, hatte die Güte, mir mitzuteilen, daß es sich ohne Zweifel um Bissahir handle; derartige Orthographie gebrauchte Stoliczka für Bashahr in der oberen Sutlej-Gegend Nordindiens.

Gattung *Pterygida* Verhoeff.

1. *circulata* Dohrn.

Ind. orient.: 1 ♂. Dohrns Typus.

Gattung *Lithinus* Burr.

1. *analis* Rambur.

Granada: 3 ♀ (Staudinger, coll. Br., Nr. 2571).

Gattung *Pseudochelidura* Verhoeff.

1. *sinuata* Germar.

Pyrenäen: 3 ♂, 2 ♀ (ex coll. Fieber, coll. Br., Nr. 9299); 1 ♂ (ex coll. Fieber, coll. Br., Nr. 9267). Etikettiert *Forficula pyrenaica* H. S. Hispania; Pic du Midi, 2 ♀ (de Bormans, coll. Br., Nr. 13.026).

2. sp.

Portugal: 1 ♀ (ex coll. Fieber. coll. Br., Nr. 9302).

Gattung *Allodahlia* Verhoeff.

1. *coriacea* Borm.

Tonkin: Montes Mauson, IV.—V., 2000—3000 m, (Fruhstorfer, coll. Br., Nr. 24277).

2. *macropyga* Westw.

Ind. orient.: 2 ♂, 2 ♀ (ex coll. Fieber, coll. Br., Nr. 9311). — Hinterindien: 2 ♂, 3 ♀ (Thorey, coll. Br., Nr. 5489). — Birma: Carin Cheba, 900—1100 m, V.—VII. 1888, 1 ♀ (Fea, coll. Br.); Carin Asciuii Cheba: 1200—1300 m, VI.—X. 1888, 1 ♂ (Fea, coll. Br., Nr. 19.435). — ?? 1 ♂, 1 ♀ (Hügel). Typus von Dohrns *Forficula hügeli*.

Ich habe anderswo konstatiert, daß ich keine spezifischen Unterschiede zwischen *Forficula ancylura* Dohrn, *F. hügeli* Dohrn und *F. macropyga* Westw. finden kann; s. Burr, F. Brit. Ind. Derm., p. 152—153 (1910).

3. *scabriuscula* Serv.

Java: 1 ♀ (ex coll. Edw. Brown, coll. Br., Nr. 11.642); Tenggergebirge, 1 ♂, 1 ♀ (Fruhstorfer, coll. Br., Nr. 18.141); Palabuan, 5 ♂, 2 ♀ (Fruhstorfer, coll. Br., Nr. 19.227). — Carin Ghecu, 1300—1400 m, 1 ♂ (Fea, coll. Br.); Carin Ascinii Cheba, 1200—1300 m, ♂ (Fea, coll. Br.); Carin Cheba, 900 —1100 m, 1 ♂, 1 ♀ (Fea, coll. Br., Nr. 19.436).

Unterfamilie *Forficulinae*.

Gattung *Chelidurella* Verhoeff.

1. *acanthopygia* Géné.

Bucsecs, Tr.: 3 ♂ (Ganglbauer, 1895).

2. *mutica* Krauss.

Monte Baldo: 1 ♂, 2 ♀ (Holdhaus); 2 ♂, 4 ♀ (Ganglbauer 1893). — Roveredo: 1 ♂, 1 ♀ (Dr. Cobelli, coll. Br., Nr. 17.134); 1 ♂, 2 ♀ (Dr. Krauss, coll. Br., Nr. 17.165).

Diese letzteren sind Syntypen von Krauss.

Annalen des k. k. naturhistorischen Hofmuseums, Bd. XXVI, Heft 1 u. 2, 1912. 7

Gattung **Skalistes** Burr.

1. *lugubris* Dohrn.

Mexiko: 1 ♂, 1 ♀ flügellose Varietät (Bilimek, coll. Br., Nr. 7051, 7058); 1 ♂, 1 ♀ (Boucard, coll. Br., Nr. 6788); var. *metrica* Rehn, 6 ♂, 5 ♀ (Bilimek, coll. Br., Nr. 7058). — Guatemala: 1 ♂ (Mus. Zürich, coll. Br., Nr. 16.019).

De Bormans beschrieb zwei Arten unter dem Namen *Labia cheliduroides*. Sein Weibchen, welches sich im Warschauer Museum befindet, stammt aus Peru und ist mit *Strongylopsalis inca* Burr identisch, ihr richtiger Name dürfte wohl *Strongylopsalis cheliduroides* Borm. sein, q. v.; das Männchen jedoch stammt aus Mexiko und ist nur eine flügellose Varietät von *Skalistes lugubris* Dohrn. Nr. 7051 in der Brunnerschen Sammlung ist sein männliches Originalexemplar.

Gattung **Homotages** Burr.

1. *feae* Borm.

Dardjeeling: Juni, ♂ (Fruhstorfer, coll. Br., Nr. 24.276).

Gattung **Hypurgus** Burr.

1. *simplex* Borm.

Sumatra: Deli, 1 ♂ (Fruhstorfer, coll. Br., Nr. 24.471).

Dieses Exemplar ist einfarbig lichtgelb, weicht aber im Körperbau von dem typischen *simplex* nicht im geringsten ab.

Birma: Carin Asciuii Cheba, 1 ♂, 1 ♀, 1200—1300 m, l. 1888 (Fea, coll. Br., Nr. 19.439).

Syntypus von de Bormans.

2. *humeralis* Kirb.

Ceylon: Peradeniya, ♂ (Dr. Uzel, 29./III. '02); Kandy, ♀ (Dr. Uzel, 16./IV. '02).

3. *dux* Borm.

Birma: Carin Asciuii Ghecu, 1400—1500 m, III.—IV. '88, 1 ♂ (Fea, coll. Br., Nr. 19.438).

Syntypus von de Bormans.

Gattung **Doru** Burr.

1. *lineare* Esch.

Diese Art ist von Argentinien bis in die südlichen Vereinigten Staaten verbreitet; es ist doch gar nicht wunderbar, daß sie viel variiert und folgenmäßig unter verschiedenen Namen beschrieben worden ist. Die Rassen oder Varietäten und ihre Synonymie sind noch nicht erklärt worden. Ich beschränke mich auch hier, die bestausgeprägten Rassen zu zeigen.

Dunkle typische Form.

Mexiko: 9 ♂ (Bilimek). — Rio Grande do Sul: 3 ♀, 1 Larve; 2 ♂, 1 ♀ (Staudinger, coll. Br., Nr. 23.709). — Venezuela: Merida, 3 ♀. — Guatemala: 2 ♂, 2 ♀ (Dr. Candeze, coll. Br., Nr. 6979). — Mexiko: ♂ ♀ (Tarnier, coll. Br., Nr. 1904); ♂ (Deyrolle); 5 ♂ (Bilimek, coll. Br., Nr. 7064). — Nicaragua: ♂ (Edw. Brown, coll. Br., Nr. 11.635). — Mexiko: Oaxaca, 2 ♂, 1 ♀ (Sallé, coll. Br., Nr. 1834). — Brasilien: 1 ♀ (ex coll. Fieber,

coll. Br., Nr. 9323). — Santa Fé de Bogota: 5 ♀ (Staudinger, coll. Br.,
Nr. 8825). — Columbien: ♂ ♀ (Steinheil, coll. Br., Nr. 9904, 10.694). —
Bahia: 2 ♀ (1878).

Flügellose Rasse.

Venezuela: Mocotone, 1 ♀ (Rosenberg, coll. Br., Nr. 26.364); Rio Albirreyes,
♂ (Rosenberg, coll. Br., Nr. 26.865). — Brasilien: Bahia, ♂ ♀ (Fruhstorfer, coll. Br., Nr. 19.921, 19.920); Santa Catherina, Theresopolis, 3 ♂,
1 ♀ (Fruhstorfer, coll. Br., Nr. 17.034). — Santa Fé de Bogota: ♂ (Staudinger, coll. Br., Nr. 88.825). — Buenos Aires: 3 ♀ (Prof. Berg, coll. Br.,
Nr. 12.788), — Brasilien: 2 ♀ (Fruhstorfer, coll. Br., Nr. 20.009); Bahia,
♂ (Fruhstorfer, coll. Br.); Espirito Santo, ♀ (Fruhstorfer, coll. Br.,
Nr. 19.984). — New York: 1 ♀ (ex coll. Scudder, coll. Br., Nr. 20.482; collection of P. R. Uhler: *Forficula aculeata* Scudd., cab. S. H. Scudder). Wahrscheinlich eines der Originalexemplare Scudders *F. aculeata*. — Bahia:
2 ♀ (1878).

Var. *luteipennis.*

Brasilien: ♀ (Deyrolle, coll. Br., Nr. 7331).

Mit einem grünen runden Zettel «Brésil» und auch mit einer sehr alten
Handschrift «*Forficula luteipennis*». Vielleicht ist dies die Handschrift
Lefèvres, in welchem Falle dieses Exemplar eines von dem Originalpaar
Servilles sein soll.

Venezuela: «Kad.», 1 ♂ (Nr. 857). — Brasilien: Rio de Janeiro (Pujol, Keller,
Schott leg.).

Hellere typische Form.

Rio Grande do Sul: 4 ♂, 4 ♀. — Espirito Santo: 3 ♀ (Fruhstorfer, coll. Br.,
Nr. 19.984).

Mit Unrecht als *Spongiphora punctipennis* determiniert.

Rio Grande: Santa Cruz, 1 ♀ (Stieglmayer, coll. Br., Nr. 22.893). — Mexiko:
♂, 2 ♀ (Boucard, coll. Br., Nr. 8967); ♂ (Saussure, coll. Br., Nr. 9989).
— ? ♂ (ex coll. Fischer, coll. Br., Nr. 515). — Brasilien: Rio de Janeiro, ♂
(Tschudy, coll. Br., Nr. 3088); 1 ♀ (Thorey, coll. Br., Nr. 390); Santa
Catherina, 4 ♂, 4 ♀ (Burmeister, coll. Br., Nr. 7948); Novo Friburgo, ♀
(Deyrolle, coll. Br., Nr. 4051); Novo Friburgo, ♀ (Dr. Baden, coll. Br.,
Nr. 7469); Bahia, ♂ ♀ (Dr. Baden, coll. Br., Nr. 7468). — Montevideo:
2 ♀ (Tarnier, coll. Br., Nr. 1937). — ? ♀ (Dr. Baden, coll. Br., Nr. 7463).
— Cuba: 4 ♂, 1 ♀ (Boucard, coll. Br., Nr. 18.231). — Brasilien: Santa
Catherina, ♂ ♀ (Burmeister 1872); ♀ (Schott); Prov. Goyaz, Iatahy,
3 ♂, 1 ♀ (Pujol, coll. Br., Nr. 23.188).

Var. *californica.*

Mexiko: ♂ (Bilimek). — Brasilien: Santa Catherina, Theresopolis, ♂, ♀
(Fruhstorfer, coll. Br., Nr. 17.033). — Mexiko: ♂ ♀ (Boucard, coll. Br.,
Nr. 6793). — Californien: 1 ♂ (Lorbes). Typus von *Forficula californica*
Dohrn.

2. *leucopteryx* sp. n.

Pronotum transversum, amplum; elytra ampla, unicoloria; alae longae,
immaculatae; abdomen subparallelum; segmentum ultimum dorsale trans-

7*

versum, margine postico superne tuberculis parvis conicis decem instructis; pygidium spina armatum; forcipis bracchia remota, gracilia, ante apicem intus obtuse dentata; ♀ ignota.

♂

Long. corporis . . 7·5 mm
» forcipis . . 4 »

Antenne gelb, zylindrisch, viertes Glied etwas kürzer als das dritte; Kopf glatt, breit, dunkelbraun; Pronotum breit, vorn gerade, hinten breit abgerundet, flach, dunkelbraun, eng gerandet, gelb. Elytren breit und lang, braun. Flügel lang, weißlich. Beine bräunlich, mit Geib variiert. Tarsen kurz, nicht sehr schmal, zweites Glied breit zweilappig. Abdomen dunkelbraun, parallelrandig; letztes Tergit breit, oben glatt, hinten abgestutzt. Hinterrand oben mit zehn kleinen konischen Tuberkeln bewaffnet. Pygidium stumpf, mit einem scharfen Dorn bewaffnet. Zangenarme auseinanderstehend, dünn, lang, kaum gebogen, vor dem Ende an der inneren Seite mit einem stumpfen Zahn.

Venezuela: 1 ♂ (Kaden leg.).

Dieses Exemplar ist schon alt und *F. leucopteryx* Dohrn etikettiert; man hat diese Art nur in litteris behandelt und sie ist nie veröffentlicht worden. Sie bleibt jedoch neu, ist mit *D. lineare* verwandt und hat dasselbe Pygidium und dieselben Zangenarme; das Pronotum ist aber viel größer und breiter, mehr dem von *D. bimaculatum* ähnlich; leider kann diese Art infolge der schmalen Zangenarme nicht in *Phaulex* eingereiht werden. Die zehn kleinen konischen Knöpfe, welche sich am Hinterrande des letzten Tergits befinden, sind sehr charakteristisch. Von den anderen verwandten Arten unterscheidet sie sich wesentlich durch die einfarbigen Flügel und Elytren.

Gattung **Phaulex** Burr.[1]

Generi *Dorate* vicinum; differt tarsis gracillimis, segmenti primo valde tenui.

Der Gattung *Doru* sehr ähnlich, unterscheidet sich durch breiteres Pronotum, unbewaffnetes Pygidium und schmale, dünne Tarsalglieder.

Diese Gattung steht zu *Doru* äußerst nahe; sie unterscheidet sich insbesondere durch die dünnen Tarsen; die Glieder sind ebenso lang als bei *Doru*, jedoch viel dünner; das erste Glied ist sehr dünn und schmal, ebenso das dritte, das zweite ist zweilappig gerundet wie bei *Doru*.

Das Pronotum ist breiter als lang und halbmondförmig; die Zangenarme sind stärker, mehr abgeplattet und das Pygidium ohne Stachel.

Typus *Forficula albiceps* Fabr.

1. **albipes** Fabr.

Antillen: Insel St. Jan., 1 ♀ (Dr. Baden, ex coll. Br., Nr. 7470); Cuba (Boucard, ex coll. Br., Nr. 18.199).

Als *F. percheron* von Brunner bestimmt.

[1] Genera Insectorum, Fasc. 122, Derm., p. 78 (1911).

Gattung *Elaunon* Burr.

1. *bipartitus* Kirby.

Queensland: Port Denison, 2 ♂, 1 ♀ (Weyers, coll. Br., Nr. 6382). — Neu-Süd-Wales: Sydney, 1 ♂ (Daemel, coll. Br., Nr. 3844). — Queensland: Port Curtis, ♂ (Daemel, coll. Br., Nr. 3750). — Neu-Süd-Wales: 2 ♂ (Staudinger, coll. Br., Nr. 22.180). — Indien: Dampfer zwischen Bombay und Colombo, 29.—31. X. '01 (Dr. Uzel, am elektrischen Licht, zirka acht engl. Meilen vom Festlande).

Diese Art ist häufig in Nordindien und Ceylon, kommt auch in Australien vor; die indischen von den australischen Exemplaren zu unterscheiden ist mir nicht möglich.

Gattung *Apterygida* Westw.

1. *albipennis* Mey.

Siebenbürgen: Kimacoviez, 1 ♂. — Wallachei: Comana, ♂ (Montandon).

Gattung *Forficula* Linn.

1. *auricularia* L.

Tunis: 2 ♂, 1 ♀ (Dr. Graeffe, coll. Br., Nr. 25.481). — Insel Elba: ♂ ♀ (Holdhaus). — Antitaurus: Ala Dagh, 1 ♂, 1 ♀, 3 Larven.

Diese sind von einer ganz außerordentlichen Färbungsvarietät, sehr lebhaft, mit lichtrotem Körper.

Skutari: Mesi, 1 ♂ (von derselben Varietät). — Apulien: San Basilio, 1 ♀. — Livorno: 1 ♂ (Mann 1872). — Syrien: Haiffa, 1 ♀ (Reitter).

Dieses Weibchen gehört vielleicht zu *F. lurida*.

2. *decipiens* Géné.

Persien: 1 ♀. — Toskana: Monte Argentario, 2 ♂, 4 ♀ (Holdhaus); Firenze, ♂ ♀ (Targioni-Tozzetti, coll. Br., Nr. 13.143); Piombino, 1 ♂ (Kniž). — Agrinion: 1 ♀ (Steind. 196). — Dalmatien: Lussinpiccolo, ♀ (Majersky); Curzola, ♂, 2 ♀ (Erber, coll. Br., Nr. 3271); Lesina, 8 ♂ (Buccic, coll. Br., Nr. 5193); Budua, 1 ♂ (Erber, coll. Br., Nr. 4285); Castellastua, 4 ♂, 1 ♀ (Buccich, coll. Br., Nr. 7189); Spalato, 2 ♂ (Türk 1876). — Tanger: 2 ♂, 1 ♀. — Sardinien: 4 ♂ (Sikora). — Syrien: Haiffa, 1 ♀ (Reitter). Als *F. aetolica* bestimmt, das Männchen jedoch ist höchst wünschenswert. — Frankreich: Marseille, 2 ♂, ♀ (coll. Br., Nr. 14.755). — Schweiz: Mt. Cenis, ♂ (Durieu, coll. Br., Nr. 10.783). — Portugal: 1 ♂ (Prob. Paulino, coll. Br., Nr. 15.984). — Türkei: 1 ♀ (Deyrolle, coll. Br., Nr. 4496). — Trebizonde: ♂ ♀ (Deyrolle, coll. Br., Nr. 6952).

?3. *pomerantsevi* Sem.

Krim: Alunka, Meeresufer, ♀ (Welitschkowski).

Ist ohne das Männchen unbestimmbar.

4. *apennina* Costa.

Calabria: ♂ ♀ (Targioni-Tozzetti, coll. Br., Nr. 13.142).

Das Männchen ist *Forficula pubescens* det. Br. v. W. etikettiert, das Weibchen aber *Forficula targioni* Br. *F. targioni* wird jetzt als Synonym von *F. silana* Costa betrachtet, eine Art, die *F. auricularia* sehr nahe steht. Es handelt sich aber ohne Zweifel um *F. apennina* Costa, die von *F. auricularia* ganz verschieden ist.

5. *rodziankoi* Sem.

Kilimandjaro: ♂ (Harnoncourt).

6. *beelzebub* Burr.

Sikkim: ♂ (Staudinger, coll. Br., Nr. 22.418). — China: ♂ (Rosenberg, coll. Br., Nr. 26.370, eadem?). — Dardjiling: (Fruhstorfer, coll. Br., Nr. 24.977). Ein gebrochenes Stück.

7. *davidi* Burr.

Gensan: ♂, VI. '87 (Leeck, coll. Br., Nr. 26.371).

8. *lucasi* Dohrn.

Palästina: Dahab, 1 ♂, 2 ♀ (Rote Meer-Exped.); Biral, Mashiya (Rote Meer-Exped.).

Ein sehr schönes Männchen der *macrolabia*-Form, die Zangenarme sind 11·5 mm lang.

Sinai: 2 ♂, 1 ♀ (Steindachner, coll. Br., Nr. 20.918). — Ägypten: 1 ♂ (coll. Br., Nr. 1529). — Mauritius: ♂ ♀ (Dr. Schoch, coll. Br., Nr. 11.557).

9. *senegalensis* Serv.

Sennar: 2 ♂, 2 ♀ (coll. Br., Nr. 1528). — Chartum: ♀ (coll. Br., Nr. 1525). — Senegal: 1 ♀ (ex coll. Fieber, coll. Br., Nr. 9324). — Kap der guten Hoffnung: 2 ♂ (Thorey, coll. Br., Nr. 4896).

Die zwei letzteren sind von der großen Varietät, welche *F. rodziankoi* Sem. nahesteht.

10. *pubescens* Géné.

Sardinien: ♂ ♀ (ex coll. Fischer, coll. Br., Nr. 516). — ? ♂ (ex coll. Fieber; coll. Br., Nr. 9308). — Barcelona: 2 ♂, 1 ♀ (Martorelli, coll. Br., Nr. 15.540). — Chiclana, ♂, 2 ♀ (Staudinger, coll. Br., Nr. 2570). — Frankreich: Hyères, 1 ♂ (Yersin, coll. Br., Nr. 440a); Nice, ♂ ♀ (Yersin, coll. Br., Nr. 440c); Frejus, ♀ (Yersin, coll. Br.). — Italien: Voltaggio, 3 ♂, 2 ♀ (Durieu, coll. Br., Nr. 11.947); Genua, 2 ♂ (Dubrony, III. '79). — Kleinasien: Ladakia, 2 ♂ (Dr. Leuthner, coll. Br., Nr. 15.667).

11. *lurida* Fischer.

Kleinasien: Sabandscha bis Eskischehir, ♂ (Penther 1902); Erdschias, Larve (Penther). — Konstantinopel: ♂ ♀ (ex coll. Fischer, coll. Br., Nr. 514); Griechenland: 2 ♂, 2 ♀ (Schlüter, coll. Br., Nr. 9844). — Syrien: 2 ♂, (Erber, coll. Br., Nr. 5866). — ? ♀ (coll. Br., Nr. 1931). — Anatolien: ♂ (Jelski, Deyrolle, coll. Br., Nr. 4391). — Smyrna: Kis Avle, 4 ♂, 2 ♀ (ex coll. Lederer, coll. Br., Nr. 8086). — Cypern: 4 ♂, 1 ♀ (Dr. Kotschy, coll. Br., Nr. 3405). — Jerusalem: 6 ♂, 7 ♀ (Reither, coll. Br., Nr. 13.874, 15.662). — Beirut: 2 ♂ (Dr. Leuthner, coll. Br., Nr. 15.661). — Saika, 1 ♂ (Dr. Leuthner, coll. Br., Nr. 15.660). — Ladakia: ♂ (Dr. Leuthner, coll. Br., Nr. 15.650).

12. *ruficollis* Fabr.

Andalusien: ♂ (ex coll. Fieber, coll. Br., Nr. 9268). — Chiclana: 3 ♂, 3 ♀ (Staudinger, coll. Br., Nr. 2866).

13. *aetolica* Br.

Ätolien: 1 ♂ (Schlüter, coll. Br., Nr. 9845). — Olymp: 1 ♂ (Schlüter, coll. Br., Nr. 9881). — Cyprus: 1 ♂ (Kotschy).

Typus von Brunner.

14. *smyrnensis* Serville.

Konstantinopel: ♂ ♀ (ex coll. Fieber, coll. Br., Nr. 506). — ? ♂ (ex coll. Fieber, coll. Br., Nr. 9294). — Athen: ♀ (Heldreich, coll. Br., Nr. 2699). — Korsika: ♀ (coll. Br., Nr. 1531). — Thessalien: Ossia, ♀ (Stussiner, coll. Br., Nr. 15.150). — Olympia: ♀ (Örtzen, coll. Br., Nr. 15.081). — Ladakia: 1 ♂ ♀ (Dr. Leuthner, coll. Br., Nr. 15.658). — Beirut: ♂ (ex coll. Lederer, coll. Br., Nr. 8084).

15. *tomis* Kol.

Erzerum: 2 ♂ (Malinovsky). — Walouiki R. W.: 3 ♂ (Velitschkovsky, IV. –V.). — Sarepta: 1 ₊ (ex coll. Christoph, coll. Br., Nr. 14.569).

16. *robusta* Semenoff.

Amur: 1 ♂, 2 ♀ (Daemel, coll. Br., Nr. 12.477). — ? 2 ♂, 1 ♀ (ex coll. Fieber, coll. Br., Nr. 9295, 9296). — Amur: Raddefka, ♂ (ex coll. Christoph, coll. Br., Nr. 14.730). — Nordchina: 5 ♂, 5 ♀ (Staudinger, coll. Br., Nr. 16.120).

Unterfamilie *Eudohrninae*.

Gattung *Eudohrnia* Burr.

1. *metallica* Dohrn.

Tenasserim: Thagata, IV. '87, 4 ♂, 1 ♀ (Fea, coll. Br., Nr. 19.437). — Birma: Carin Cheba, 900—1100 m, V.—XII. '88, 1 ♂ (Fea, coll. Br.). — Tonkin: Montes Manon, IV.—V., 2000—3000 Fuß, ♂ ♀ (Fruhstorfer, coll. Br., Nr. 24.023).

Unterfamilie *Neolobophorinae*.

Gattung *Neolobophora* Scudd.

1. *ruficeps* Burm.

Guatemala: 1 ♂ (e Mus. Zürich, coll. Br., Nr. 13.276); ♂ (Dr. Candeze, coll. Br., Nr. 7303). — Costa Rica: ♂ ♀ (Staudinger, coll. Br., Nr. 18.226). — Mexiko: ♂ Bilimek, coll. Br., Nr. 7053); ♀ (Boucard, coll. Br., Nr. 6790); 1 ♀.

2. *bogotensis* Scudd.

Lages: ♀ (Michaelis, coll. Br., Nr. 16.464). — N.-Grenada: ♀ (Nolhem 1873, Mus. Caes. Vindob.).

3. *handlirschi* sp. n.

Statura minore; colore atro; segmentum penultimum ventrale latum, leviter rotundatum, angulis ipsis rectis, subproductis; pygidium breve, robustum; forcipis bracchia elongata, gracilia, basi triquetra, tum extus tum intus curvata in dimidio basali, dehinc recta, intus denticulata.

♂

Long. corporis . 10 mm

» forcipis . . 5 »

Ganz pechschwarz, glänzend. Antenne braun, die ersten Basalglieder dunkler; die Glieder lang und dünn, walzenförmig, das dritte und vierte Glied von gleicher Länge. Kopf glatt, die Nähte unklar. Pronotum so breit als der Kopf und so breit als lang, hinten leicht gerundet, Prozona flach, Mittelnaht unklar. Elytra ganz glatt, ziemlich scharf gefaltet, aber nicht gekielt; Flügel fehlen. Beine dunkelbraun, lang und dünn, die Tarsen ziemlich lang, erstes und drittes Glied ziemlich lang, von gleicher Länge, das zweite breit. Abdomen beinahe parallelrandig, von der Basis ab wenig verbreitert, am Ende der oberen Seite etwas verschmälert, die rechteckige Subanalplatte wird aber von oben gesehen, so daß das Körperende je rechteckig und nicht verschmälert zu sein scheint. Seitenfalte groß. Letztes Tergit etwas verschmälert, breiter als lang, mit einer kurzen Mittelnaht und einem stumpfen Knopf über jeder Zangenwurzel. Vorletztes Sternit sehr breit, abgerundet, die Ecken aber etwas hervorragend und scharf rechteckig. Pygidium klein, stumpf. Zangenarme an der Basis auseinanderstehend und dreikantig; im ersten Drittel nach außen, dann nach innen gebogen, etwas verdickt, lang, dünner werdend und gerade; in dem Basal- und Apikaldrittel ist die innere Seite fein kreneliert.

Brasilien: 1 ♂ (Otto 1889, k. k. Hofmuseum).

Diese Art, Herrn Kustos Anton Handlirsch gewidmet, hat mit *Neolobophora* viele Verwandtschaft; die Subanalplatte, mit scharfen Ecken, zeichnet sie aber besonders gut aus. Vielleicht wird eine neue Gattung bei der eventuellen Revision nötig sein.

Unterfamilie *Ancistrogastrinae*.

Gattung **Ancistrogaster** Stål.

1. **maculifer** Dohrn.

Venezuela: ♂ (Dr. Kratz, coll. Br., Nr. 18.399); Cobata, ♀ (Moritz). — Brasilien: Rio de Janeiro, ♀ (Schott leg.).

Sichtlich eines der Originalexemplare Dohrns; er sagte im Dresdener und Wiener Museum, da er weder das eine noch das andere als Typus bezeichnet, so ist es nicht nur vorteilhaft, sondern auch wünschenswert, dieses Exemplar jetzt als Typus zu fixieren; das im Dresdener Museum sich befindliche wird jedenfalls ein Syn- oder Cotypus sein. (S. Anhang.)

2. **falcifera** Rehn.

Venezuela: 1 ♂ (Kaden, Deckflügel ungefleckt). — Peru: Callanga, ♂ ♀ (Staudinger, coll. Br., Nr. 22.535, 22.541, Deckflügel gefleckt).

Mit Typen aus meiner Sammlung verglichen. (S. Anhang.)

3. **luctuosus** Stål.

Rio Grande do Sul: 1 ♂, 3 ♀.

?4. **arthriticus** Scudd.

Columbien: 1 ♀ (Steinheil, coll. Br., Nr. 10.664).

Dieses Stück wurde von Brunner als *A. arthritica* determiniert; ohne das Männchen kann ich es leider nicht bestätigen, da das Weibchen in der Färbung von *A. luctuosus* kaum abweicht.

?5. **gulosus** Scudd.

Columbien: 1 ♂ (Steinheil, coll. Br., Nr. 9898, in schlechtem Zustande). — Mexiko: 1 ♀ (Bilimek, coll. Br., Nr. 7061).

Diese beiden sind mit Unrecht als *A. spinax* determiniert worden.

Gattung **Praos** Burr.

1. **perditus** Borelli.

Costa Rica: Irazu, 2 ♂ (Boucard, coll. Br., Nr. 18.225).

Gattung **Vlax** Burr.

1. *toltecus* Scudd.

Mexiko: 7 ♂, 5 ., 1 Larve (Bilimek, coll. Br., Nr. 7060).
Bei einigen Männchen sind die Zangen stark gebogen, bei anderen kaum, ja beinahe gerade.

2. *intermedius* Burr.

Peru: Callanga, 2 ♂, 3 ♀ (Staudinger, coll. Br., Nr. 22.537, 22.539).

Gattung **Sarakas** Burr.

1. *devians* Dohrn.

Brasilien: Espirito Santo, 1 ♂ (Staudinger, coll. Br., Nr. 22.057); Santa Catherina, ♂ (Burmeister, coll. Br., Nr. 7947). — ? ♂ und , etikettiert Scudders Type 1876 (coll. Br. ex coll. Scudder. *Forficula rariicornis* cab. S. H. Scudder, coll. Br., Nr. 20.483).

Diese sind Syntypen von Scudders *Forficula rariicornis* und sind ohne Zweifel mit *Ancistrogaster devians* Dohrn identisch. Vielleicht sah diese Exemplare de Bormans auch, als er im Tierreich auf *F. rariicornis* als Synonym hinwies.

2. *borellii* sp. n.

Colore rufo-castaneo; pronotum subquadratum; elytra teretia; alae abbreviatae; abdomen sat dilatatum, segmentis 5—8 lateribus in lobulos obtusos plicatis; forcipis bracchia basi remota, sensim arcuata, apicum versus sursum sinuata, ante apicem inflato, superne dentato, apice ipso bimucronato. ♂.

♂

Long. corporis . S mm
» forcipis . . 2·75 »

Gestalt ziemlich klein; Farbe schwärzlich rotbraun. Antenne mit zwölf walzenförmigen Gliedern, braun, alle Glieder dünn und ziemlich lang, das vierte ebenso lang als das dritte. Kopf glatt, flach, braun. Pronotum rechteckig, so lang wie breit, braun, flach. Elytren glatt, braun, völlig entwickelt, an den Schultern ziemlich breit gerundet, nicht gekielt, hinten abgestutzt. Flügel fehlen. Beine gelblichbraun, dünn, die Tarsalglieder ganz kurz, kürzer als die Tibien. Abdomen in der Mitte etwas verbreitert, drittes und viertes Glied mit starken Seitenfalten, fünftes bis achtes Glied an den Seiten weder stachelig noch spitzig, aber in kleinen, senkrechten stumpfen Lappen gefaltet. Das Abdomen ist in der Mitte oben schwärzlich; das neunte und zehnte Tergit rötlich. Letztes Tergit breit, glatt, rechteckig, die Ecken in stumpfe Spitzen unter den Zangenarmen verlängert. Vorletztes Sternit breit abgerundet. Zangenarme an der Basis auseinanderstehend, etwas gebogen, von dem Apex nach oben gebogen und mit einem starken spitzen, nach oben gerichteten Zahn bewaffnet; der Apex selbst zweispitzig. ♂, . unbekannt.

Peru: Vilcanota, 1 ♂ (Staudinger, ex coll. Br., Nr. 23.101).

Diese neue Art, die ich mit großem Vergnügen meinem gelehrten Freunde Dr. Borelli widme, ist provisorisch wegen der nicht gekielten Elytren in die Gattung *Sarakas* eingereiht. Sobald diese Gruppe einer Revision unterzogen wird, wird man ihre genaue Verwandtschaft bestimmen können.

Gattung *Osteulcus* Burr.

1. *Kervillei* Burr.

Venezuela: Merida, La Pedrigosa, 2000 m, V. '96, 1 ♂ (Briceno, coll. Br., Nr. 26.363).

Unterfamilie *Opisthocosmiinae.*

Gattung *Kleter* Burr.

1. *aterrimus* Burr.

Peru: Callanga, 3 ♂, 2 ♀ (Staudinger, coll. Br., Nr. 22.533, 22.534). — Ecuador: ♂ (ex coll. Edw. Brown, coll. Br., Nr. 11.638).

Dieses Exemplar ist der Typus von *Ancistrogaster aterrimus* Borm.; ich habe es mit meinem Typus von *A. amazonensis* verglichen; es ist etwas dunkler gefärbt, ganz schwarz und nicht schwarzbraun; ich unterdrücke dennoch meinen Namen als Homonym von *A. aterrimus.*

Gattung *Dinex* Burr.

1. *americanus* Borm.

Peru: Marcapata, ♂ ♀ (Staudinger, coll. Br., Nr. 24.227). — Brasilien: Rio de Janeiro, 1 ♂ ♀ (Schott leg.); Alto-Amazonas, 1 ♂, 2 ♀, 1 Larve (Staudinger, coll. Br., Nr. 15.486). — Columbien: 1 ♀. 1 Larve (Steinheil, coll. Br., Nr. 9896 b). — Venezuela: 1 ♀ (Kaden).

Gattung *Opisthocosmia* Dohrn.

1. *centurio* Dohrn.

Sarawak: 2 ♂ (Higgins, coll. Br., Nr. 6616). — Borneo: 1 ♂, 2 ♀ (Frivaldszky, coll. Br., Nr. 10.992).

Gattung *Cosmiella* Verhoeff.

1. *rebus* Burr.

Java: Tenggergebirge, 1 ♂, 3 ♀, 1 Larve (Fruhstorfer, coll. Br., Nr. 18.328).

Gattung *Thalperus* Burr.

1. *hova* Borm.

Madagascar: 1 ♀ (Dr. Baden, coll. Br., Nr. 11.981. Typus von de Bormans); Androjoloka, 3 ♂, 3 ♀ (Sikora, coll. Br., Nr. 17.906, 17.956).

Gattung *Rhadamanthus* Burr.

1. *lobophoroides* Stål.

Philippinen: 1 ♂ (Bolivar, coll. Br., Nr. 15.913); 1 ♀ (Thorey, coll. Br., Nr. 1795).

Gattung *Timomenus* Burr.

1. *bicuspis* Stål.

Java: 1 ♂ (Deyrolle, coll. Br., Nr. 11.617).

2. *lugens* Borm.

Birma: Carin Cheba, 900—1100 m, V.—XII. '88 (Fea, coll. Br., Nr. 19.440). Syntypus von de Bormans.

Gattung *Cordax* Burr.

1. *ceylonicus* Motsch.

Ceylon: Peradeniya, 4 ♀ (Dr. Uzel, 13.—21./XI. '01, 30./XII. '01, 3./I. '02).

Gattung *Eparchus* Burr.

1. *burri* Borm.

S.-Celebes, Lompa Battau, 3000 Fuß, ♂ ♀ (coll. Br., Nr. 20.866).

Obige Stücke bilden die Typen von de Bormans. Diese Art wurde von mir früher mit *Opisthocosmia forcipata* Haan verwechselt, hat jedoch damit keine Verwandtschaft. Alle von mir bisher bezeichneten *O. forcipata* sind *E. burri* Burr, mit Ausnahme derjenigen von Lombok und Sangir mit rotem Kopf und Pronotum, die eine gute Art darstellen. Diese neue Art mit rotem Kopf und Pronotum ist *E. tenellus* Haan sehr ähnlich und muß wahrscheinlich nur als geographische Ortsvarietät behandelt werden. Die Unterschiede scheinen gleichwohl feste zu sein.

Celebes: Tomohon, aus Baummoos gesiebt, 1 ♂, 5 Larven (Sarasin).

2. *insignis* Haan.

Birma: Carin Cheba, 900—1100 m, 4 ♂, 2 ♀, V.—XII. '88 (Fea, coll. Br., Nr. 19.441). — S.-Celebes: Lompa Battan, 3000 Fuß, III. '96, 3 ♂, 2 ♀ (Fruhstorfer, coll. Br., Nr. 20.864). — Java: 1 ♂ (Dr. Candèze, coll. Br., Nr. 6997); 1 ♂ (Frivaldszky, coll. Br., Nr. 10.993). — Adelaide: ♂ 1875 (Mason) (?richtiger Fundort). — Java: 1 ♀ (1872); Tenggergebirge, ♀ (Fruhstorfer, coll. Br.).

3. *tenellus* Haan.

Sumatra: Deli, 2 ♂ (Fruhstorfer, coll. Br., Nr. 24.475). — N.-Celebes: Toli-Toli, 1 ♀, XI.—XII. '95 (Fruhstorfer, coll. Br., Nr. 20.735). — S.-Celebes: Bua Kraeng, 5000 Fuß, II. '96, 1 ♂ (Fruhstorfer, coll. Br.). — Java: Palabuan, 2 ♀ (Fruhstorfer, coll. Br., Nr. 19.230); Pengalengan, 1 ♂, 4000 Fuß, 1893 (Fruhstorfer, coll. Br., Nr. 19.743).

4. *cruentatus* Burr.

Lombok: Sambalun, 2 ♂, 1 ♀, 4000 Fuß, IV. 96 (Fruhstorfer, coll. Br., Nr. 21.345).

5. *? forcipatus* Haan.

Lombok: Sambalun, 1 ♂, 4000 Fuß, IV. '96 (Fruhstorfer, coll. Br., Nr. 21.346). Dieses Stück bildet eine Varietät oder vielmehr neue Art; sie ist kleiner als der echte *E. forcipatus* und viel heller; die Flügel sind verkümmert und die Elytren etwas abgekürzt.

Gattung *Syntonus* Burr.

1. *ensifer* sp. n.

Rufo-castaneus; segmentum ultimum dorsale medio spina acuta compressa verticali armatum; forcipis bracchia gracilia, semicirculata fortiter arcuata.

♂

Long. corporis . 9—10 mm

> forcipis . . . 4 »

Dunkel rotbraun, nicht behaart. Antenne mit langen dünnen, walzenförmigen Gliedern, das vierte etwas länger als das dritte. Kopf glatt, licht rotbraun. Pronotum kaum schmäler als der Kopf, rechteckig, so lang wie breit, glatt, flach. Elytren an den Schultern kaum gerundet, glatt, nicht gekielt, hinten abgestutzt. Flügel fehlen. Beine dünn, ziemlich lang, das erste Tarsalglied kaum länger als das dritte. Abdomen von der Basis ab verbreitert und an dem Ende verschmälert, glatt, dunkel rotbraun, die Seitenfalten ziemlich stark. Letztes Tergit glatt, verschmälert, nach hinten abfallend; in der Mitte mit einem senkrechten, nach hinten gerichteten, zusammengedrückten spitzen Dorn bewaffnet. Vorletztes Sternit abgerundet. Zangenarme dünn, an der Basis zusammenliegend, im ersten Drittel mit einem kleinen scharfen Zahn, stark halbkreisförmig gebogen.

Peru: Callanga, 1 ♂ (Staudinger, ex coll. Br., Nr. 22.540).

Diese Art ist durch den senkrechten Dorn gut ausgezeichnet. In den generischen Merkmalen stimmt sie mit der ceylonischen Art *S. neolobophoroides* Burr sehr überein.

Unterfamilie *Diaperasticinae*.

Gattung *Diapherasticus* Burr.

1. *erythrocephalus* Oliv.

Sklavenküste: Ho, 2 ♂, 1 ♀ (Dr. Hoffman, coll. Br., Nr. 17.419, 17.420). — Guboun: 1 ♂ (Staudinger, coll. Br., Nr. 18.997). — Kamerun: Malimba, 1 ♀ (Mus. Stuttgart, coll. Br., Nr. 18.506). — Sierra Leone: 1 ♀ (Deyrolle, coll. Br., Nr. 7333). — Massaua: 1 ♀ (Hildebrandt, coll. Br., Nr. 9090). Deutsch-Ostafrika: Mikindani, 2 ♂, 1 ♀ (Reimer 1896, coll. Br., Nr. 20.957). — Madagaskar: 1 ♀ (Prof. Zeller, coll. Br., Nr. 11.982). — Angola: 1 ♂ (Strobl, coll. Br., Nr. 20.215). — Mozambique: Rikatia, 1 ♀ (Junod). — Deutsch-Ostafrika: Waboniland, 3 ♂, 1 ♀ (Hässler). — Nyassaland: Fort Johnston, 1 ♂, I.—II. '96 (Rendall, coll. Br.).

2. *bonchampsi* Burr.

Deutsch-Ostafrika: Ukami-Berge, 1 ♂ (Staudinger, coll. Br., Nr. 22.811). — Britisch-Ostafrika: ♀ (F. Thomas 1903). — Nyassaland: Fort Johnston, ♀ (Rendall, coll. Br., Nr. 26.360).

Scorpiones.

Von

A. Penther.

Mit 1 Abbildung im Texte.

Die Sammlung von Skorpionen, welche Dr. Viktor Pietschmann von seiner Reise in Mesopotamien mitbrachte, besteht aus 254 Exemplaren, wovon weitaus die Mehrzahl (177 = ca. $^7/_{10}$ der ganzen Ausbeute) der Art *Prionurus crassicauda* Hempr. et Ehrenbg. angehört, die als größte der in dem bereisten Gebiete vorkommenden Arten den Sammlern am meisten auffällt und deshalb wohl auch in allen Aufsammlungen von dort in solcher Überzahl vertreten ist. Aus diesem Grunde möchte ich auch die Häufigkeit dieser Art nur als scheinbar bezeichnen; in Wirklichkeit dürfte die Gattung *Buthus* mit ihren vielen Arten und Varietäten mindestens ebenso häufig sein, aber wegen ihrer geringeren Größe von den Sammlern mehr vernachlässigt werden.

Der Rest von 75 Exemplaren (= ca. $^3/_{10}$ der gesamten Ausbeute) verteilt sich, wie im folgenden angegeben, auf drei verschiedene Gattungen, von welchen die Gattung *Buthus* mit 38 Exemplaren allerdings am reichsten vertreten ist. Doch würde von eben dieser Gattung wegen der Schwierigkeit, die sie bei der Unterscheidung der vielen nahestehenden Arten und Varietäten bietet, eine reiche, gründliche Aufsammlung nicht nur in ganz Mesopotamien, sondern auch von Vorderindien durch ganz Baluchistan, Afghanistan, Persien, Arabien, Kleinasien und Ägypten, Tripolitanien und Tunesien und deren angrenzenden Gebieten höchst wünschenswert sein, um die Zugehörigkeit der einzelnen Arten, resp. Varietäten auf Grund ihrer geographischen Verbreitung sicher feststellen zu können. Bringt doch fast jeder Sammler aus diesen Ländern Material mit, das Arten enthält, welche auf Grund unserer heutigen noch mangelhaften Kenntnis dieser Gattung als neu angesehen werden müssen, ohne daß es möglich wäre, ihre Verwandtschaft zu bereits bekannten in befriedigender Weise festzulegen. Auch Dr. V. Pietschmanns Aufsammlung enthält aus verhältnismäßig gut bereisten Gegenden je eine neue Art und Varietät, deren Beschreibung ich weiter unten gebe.

Der Individuenzahl nach folgt in der Ausbeute dann die Gattung *Scorpio* mit 26 Exemplaren, die auch noch durch ihre Größe auffallen, während die Gattung *Butheolus* ihrer geringen Größe entsprechend als letzte in dieser Reihenfolge mit nur 13 Exemplaren vertreten ist.

An Literatur wurden außer Kraepelin: *Scorpiones* (Tierreich) und den darin angeführten älteren Arbeiten die Publikationen neueren Datums von A. Birula benützt, dessen ausführliche Beschreibungen an Genauigkeit kaum übertroffen werden können. Es sind dies:

115

Beiträge zur Kenntnis der Skorpionfauna Persiens I—III. Bulletin Acad. imp. Sc. St. Pétersbourg, Sér. V, Tom. XII, 1900, Nr. 4, p. 355 – 375; Tom. XIX, 1903, Nr. 2, p. 67 – 80; Tom. XXIII, 1905, Nr. 1—2, p. 119—148.

Miscellanea scorpiologica VIII. Annuaire Mus. zool. Acad. imp. Sc. St. Pétersbourg, Tom. X, 1905 (1907), p. 119—131.

Scorpiones.

Buthidae.

Prionurus Hempr. et Ehrenbg.

Crassicauda (Oliv.). Kal'at Schergat 11. Mai 1910: 2 ♀. — Assur Mai 1910: 3 ♂, 4 ♀, 2 ♀ juv. — Assur – Kajara 16. Mai 1910: 2 ♀. — Mosul Ende Mai 1910: 8 ♂, 11 ♀, 2 ♂ juv. — Hsitsche (Heseke) 19. Juni 1910: 1 ♂ juv. — Rakka 1. Juli 1910: 4 ♂, 6 ♀. — Urfa 9. Juli 1910: 5 ♂, 3 ♀. — Diarbekir 22.—23. Juli 1910: 33 ♂, 8 ♀. — Mardin 26. Juli 1910: 1 ♀. — Tez Charab 31. Juli 1910: 1 ♂ juv. — Cheibani 1. August 1910: 7 ♂, 6 ♀. — Bagdad Ende August 1910: 44 ♂, 37 ♀.

Zusammen 177 Individuen (wovon 109 ♂ und 68 ♀), von denen das kleinste — ein ♂ aus Mosul — nur knapp 25 mm mißt, gehören alle der typischen Form an und weisen eine normale Färbung auf. Bei jungen Individuen ist die Hand oft kaum breiter als die Tibia des Maxillarpalpus.

Ein untrügliches Geschlechtsmerkmal, das allerdings nicht immer deutlich wahrnehmbar ist, ist — wie eine sorgfältige Untersuchung eines jeden der 177 Individuen ergab — ein kleiner matter Fleck in der Mittellinie der dritten Bauchplatte nahe am Hinterrande, der sich von seiner glänzend glatten Umgebung nicht so sehr durch eine andere Färbung, als vielmehr durch die rauhere Oberflächenstruktur abhebt. Die geringste Andeutung eines solchen Fleckes weist unfehlbar auf das weibliche Geschlecht des Individuums hin, während bei den ♂ die dritte Bauchplatte an dieser Stelle vollkommen glatt ist, sich also von ihrer Umgebung nicht im geringsten abhebt. Dieses Unterscheidungsmerkmal, das meines Wissens für diese Art noch nicht bekannt gemacht wurde, läßt das Geschlecht weit sicherer und rascher erkennen als das zeitraubende Zählen der Kammzähne, auf das man nur in zweifelhaften Fällen zurückgreifen mag; die Anzahl der Kammzähne variiert beim ♀ von 23 bis 29 und beim ♂ von 28 bis 36, scheint daher zweifelhafte Fälle auch nicht auszuschließen.

Bei mehreren Individuen, zumal solchen von Mosul, fand sich an verschiedenen Stellen des Kammes ein Jugendstadium einer Acaridenart, die durch ihre bedeutend hellere Färbung auffiel, im übrigen jedoch den Gedanken an eine Mißbildung des Kammes aufkommen lassen könnte, bis zu sieben Individuen an einer Kammhälfte; ihre Größe beträgt im äußersten Falle bis ca. $1/4$ eines Kammzahnes.

Buthus Leach.

Eine Trennung dieser Gattung in zwei Untergattungen, je nachdem, ob das Tarsenendglied der Beine an der Unterseite mit kurzen Dornen oder mit längeren Haaren besetzt ist, wage ich zurzeit noch nicht vorzunehmen, da mir einerseits zu viele der beschriebenen Arten aus Autopsie noch nicht bekannt sind, andererseits aber viele Autoren bei den Beschreibungen dieses unterscheidende Merkmal, das mir von solcher Wichtigkeit zu sein scheint, mit Stillschweigen übergangen haben.

Caucasicus (Nordm.). Kal'at Schergat 11. Mai 1910: 1 ♀. — Mosul 28. Mai 1910: 2 ♂. — Cheibani 1. August 1910 2 defekt.

Die beiden Exemplare aus Cheibani sind leider so defekt — es fehlt unter anderem die ganze Cauda — daß ich dieselben nur als fraglich dieser Art zuzählen kann.

Eupaeus mesopotamicus n. var. Mosul 28. Mai 1910: 8 ♀, 3 ♂. — Kal'at Schergat 11. Mai 1910: 2 ♀, 1 ♂. — Assur 19. Mai 1910: 2 ♀, 2 ♂.

♀. Färbung gelb, die Maxillarpalpen und Beine hellgelb. Augenhügel und Superciliarwulst sowie der Fleck der Seitenaugen schwärzlich, der stark gekörnte Vorderrand der Stirne, die hinteren Medialkiele des Cephalothorax, eine dazwischen liegende Mittellinie und seitlich je ein kleiner Fleck, die zusammen als Fortsetzung der Zeichnung der Rückenplatten erscheinen, schwärzlich beraucht; desgleichen ein ebenso gefärbter Fleck an jeder Seite der Mitte des Cephalothorax ungefähr in der Höhe der Mittelaugen. Die Rückenplatten mit schwacher fünfteiliger Streifenzeichnung. Untere Caudalkiele schwach beraucht, gegen das Ende deutlicher, das V. Caudalsegment seitlich ganz leicht, manchmal kaum merkbar beraucht. Distales Ende des Stachels dunkel schwarzbraun. Extremitäten und Bauchplatten vollständig zeichnungslos. Am Grunde des beweglichen Fingers des Maxillarpalpus, wo derselbe an die Hinterhand grenzt, zwei dunklere Fleckchen.

Vorderrand des Cephalothorax mit wenigen (zirka acht) Haaren besetzt. Maxillarpalpen und Beine etwas stärker behaart als die Cauda. An der hinteren Fläche des Humerus des ersteren im Enddrittel eine Stelle, an der etwa acht bis zehn Haare enger beisammen stehen. Hand und Finger reichlich behaart. Der Truncus hat nur an den Bauchplatten vereinzelte Haare.

Auf dem durchwegs grobkörnigen Cephalothorax treten die körnigen Superciliarwülste am deutlichsten hervor, die mittleren Lateralkiele sind nur durch wenige größere Körnchen eben noch schwach angedeutet; etwas deutlicher sind die beiden Medialkiele.

Rückenplatten vorne und in der Mitte feiner, gegen den Hinterrand zu und seitlich gröber gekörnt und mit drei schwach ausgebildeten gekerbten Kielen.

Bauchplatten glänzend glatt, äußerst fein nadelstichig, die fünfte mit vier deutlichen gekörnten Kielen. Auch bei dieser Art kommt das bereits bei *Prionurus crassicauda* (Oliv.) (siehe oben) erwähnte Geschlechtsmerkmal für die ♀ am Hinterrande der dritten Bauchplatte vor.

Caudalsegmente mehr gedrungen als lang. Das zweite Caudalsegment länger als hoch oder breit. Der Nebenkiel nur am ersten Segment vollständig, bei dem zweiten nur in der distalen Hälfte vorhanden, bei dem dritten nur durch wenige (drei bis fünf) Körnchen angedeutet. Die unteren Medialkiele des zweiten und dritten Segmentes ohne nach hinten zu vergrößerte Zähnchen, sondern gleichmäßig gekörnt. Anallappen des fünften Segmentes dreiteilig; die Zähnchen der unteren Lateralkiele desselben nehmen abwechselnd an Größe zu, bleiben aber stets spitz und stehen kaum seitlich ab. Obere Lateralkiele der Cauda in allen Segmenten deutlich, körnig. Die unteren und seitlichen Caudalflächen nur bei den hinteren Segmenten mit vereinzelten Körnchen besetzt, sonst glatt, matt scheinend; die oberen glänzend und nur jene des fünften Segmentes mit einigen in zwei flachen Bogenreihen gestellten, oft kaum erkennbaren flachen Körnchen in der proximalen Hälfte und kurzer seichter Rinne. Giftblase von kugeliger Form, ebenso breit als das Ende des fünften Caudalsegmentes, glatt glänzend, nur unterseits mehr gegen die Basis zu mit Körnchen besetzt. Die ganze Cauda hauptsächlich längs der Kiele mit wenigen (drei bis fünf bei jedem Kiel) längeren Haaren besetzt.

Femur des Maxillarpalpus kantig mit gekörnten Kielen, oberseits feinkörnig, im übrigen glatt; Tibia ebenfalls mit gut ausgebildeten körnigen Kielen und glatten matten Flächen. Hand gerundet, bedeutend breiter als Tibia, ohne Kiele, glatt, grubig; beweglicher Finger mit zwölf Körnchenreihen und sehr schwachem Lobus; die äußeren und die inneren Seitenkörnchen nur wenig stärker als das Grundkörnchen jeder Reihe. Beine glatt, glänzend, nur die Außenfläche des Trochanters und Femurs gekörnt. Die Tarsenendglieder aller Beine mit einem zweireihigen Dornenbesatz (außen acht bis zehn, innen vier bis sieben), der gegen das Ende, also auf den Loben in Borsten übergeht.

♂. Das ♂ gleicht in der Färbung dem ♀ und ist kleiner als dieses (♂ 26—45 mm, ♀ 34—54 mm). Die Kiele des Truncus sind etwas deutlicher, die der fünften Bauchplatte jedoch glatt. Auch die unteren Kiele der beiden ersten Caudalsegmente sind glatt oder gegen das distale Ende zu schwach gekerbt. Der Fingerlobus ist bedeutend stärker.

Die Exemplare von Assur (Kal'at Schergat) stimmen mit der typischen Form aus Mosul ganz überein, nur weisen sie eine dunklere Allgemeinfärbung, hauptsächlich des Truncus, auf.

Maße in Millimetern: ♀ 52 Gesamtlänge; Cephalothorax 5·5 lang; Cauda mit Giftblase 28; Maxillarpalpus: Humerus 4·4 lang; Tibia 5·4 lang, 2·3 breit; Handbreite 2·8, Hinterhand 3·9; beweglicher Finger 5·6; Caudalsegmente: erstes 3·5 lang, 3·9 breit, 3·3 hoch; zweites 4·0 l., 3·7 br., 3·4 h.; drittes 4·4 l., 3·5 br., 3·4 h.; viertes 4·9 l., 3·4 br., 3·1 h.; fünftes 6·5 l., 3·1 br., 3·0 h. Anzahl der Kammzähne ♀ 17—20, ♂ 24—27.

Diese Varietät steht wohl dem B. eupeus var. phillipsi Poc. aus östlicheren Gegenden am nächsten, unterscheidet sich aber sofort durch ihre geringere Anzahl der Kammzähne, die bei dem letzteren ♀ 23—26, ♂ 27—30 beträgt. Var. phillipsi Poc., mir nur aus der Literatur bekannt, halte ich für eine Varietät von eupeus; sollte er sich aber als eine gute Art herausstellen, so wäre die neue Varietät mesopotamicus als solche entschieden zu phillipsi zu stellen, mit dem sie in den meisten Merkmalen übereinstimmt. — Von dem ebenfalls viel östlicheren atrostriatus Poc., mit dem sie in der Anzahl der Kammzähne übereinstimmt und vielleicht verwechselt werden könnte, unterscheidet sie sich schon durch die Färbung, indem die Extremitäten ohne jede Zeichnung rein gelb sind; außerdem sind die Intercarinalflächen der Cauda im Gegensatz zu atrostriatus fast alle glatt usw.

Pietschmanni n. sp. Assur 19. Mai 1910: 2 ♀, 1 ♂, 2 ♀ juv., 1 ♂ juv. — Kal'at Schergat 11. Mai 1910: 3 ♀, 1 ♀ juv., 1 ♂ juv.

♂. Truncus von (bei einem Individuum dunkel) grünlicher Färbung, die sich auf die Cauda fortsetzt, jedoch daselbst viel lichter wird, so daß das letzte Caudalsegment bereits rein ockergelblich erscheint. Rückenplatten am Hinterrande heller. Augenhügel, Nebenaugen und Stachelspitze schwärzlich. Alle Extremitäten hellgelb, nur am Grunde des beweglichen Fingers an den Artikulationsecken zwei rötlichbraune Fleckchen. Unterseite einfarbig gelb, die Bauchplatten jedoch mit schwachem grünlichen Schimmer. Maxillarpalpus schwach, Beine viel stärker behaart; der Cephalothorax trägt nur am vorderen Stirnrande einige Haare; Rückenplatten unbehaart, Bauchplatten mit ganz vereinzelten Haaren besetzt, zumal am Hinterrande. Cauda oberseits längs der Lateralkiele reichlich, sonst schütter, Giftblase unterseits dicht behaart.

Vorderrand des Cephalothorax fast geradlinig, in seiner Mitte ganz wenig nach vorne ausladend, mit einer grobkörnigen Leiste besetzt. Die glatten Superciliarwülste laufen nach vorne zu in einige Körnchen aus. Die Area zwischen den Superciliarwülsten sowie die Fortsetzung der ersteren nach vorne zu und die den Mittelaugen näherliegende Hälfte der Fläche zwischen den Mittel- und Seitenaugen nicht gekörnt, matt. Im übrigen ist der Cephalothorax mit groben Körnchen so dicht besetzt, daß die Kiele darin vollständig verschwinden und nur die seitliche Grenze einer etwas weniger stark gekörnten Area hinter den Mittelaugen die Stelle der Medialkiele andeutet.

Rückenplatten körnig, gegen den Hinterrand zu gröber, mit schwachen Ansätzen von drei körnigen Kielen, die in den ersten Segmenten fast verschwinden. Bauchplatten I—IV glänzend glatt, äußerst fein nadelstichig; fünfte Bauchplatte seitlich matt, zwischen den Medialkielen sehr fein gekörnt, die vier Kiele selbst glatt.

Cauda im Verhältnis zum Truncus stark entwickelt, mit fein gekörnten Flächen, auch der Oberseite. Erstes Caudalsegment mit zehn Kielen, deren untere obsolet gezähnt sind. Nebenkiel im zweiten Caudalsegment nur in der distalen Hälfte vorhanden; die Zähne der unteren Kiele dieses Segmentes nehmen nach hinten zu etwas an Größe zu; ebenso die Kiele des dritten Segmentes, dessen Nebenkiel auch fast bis zu seiner halben Länge entwickelt ist. Viertes Caudalsegment achtkielig, die oberen Lateralkiele jedoch undeutlich, jene des fünften Segmentes ganz obsolet. Untere Lateralkiele des fünften Segmentes mit nach hinten zu an Größe zunehmenden spitzen Zähnen, die schwach seitlich abstehen; letztere wechseln — in der distalen Hälfte des Segmentes — regelmäßig in folgender Reihe ab: Auf einen kleinen Zahn folgt ein etwas größerer, dann wieder ein kleiner, dann erst ein Hauptzahn; dies wiederholt sich dreimal, den Abschluß bildet der kleinere der beiden Anallappen (vgl. Abbildung). Unterseite außer der feinen Körnelung mit mehreren größeren regelmäßig angeordneten Zähnen. Giftblase von mehr kugeliger Form, wenig gekörnt, aber an der Unterseite reichlich behaart.

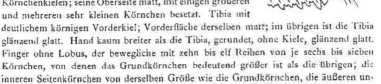

Humerus des Maxillarpalpus mit gut ausgebildeten Körnchenkielen; seine Oberseite matt, mit einigen größeren und mehreren sehr kleinen Körnchen besetzt. Tibia mit deutlichem körnigen Vorderkiel; Vorderfläche derselben matt; im übrigen ist die Tibia glänzend glatt. Hand kaum breiter als die Tibia, gerundet, ohne Kiele, glänzend glatt. Finger ohne Lobus, der bewegliche mit zehn bis elf Reihen von je sechs bis sieben Körnchen, von denen das Grundkörnchen bedeutend größer ist als die übrigen; die inneren Seitenkörnchen von derselben Größe wie die Grundkörnchen, die äußeren unbedeutend kleiner.

Von den Beinen nur die Femora an ihrer Außenseite mäßig dicht feinkörnig, im übrigen gleich allen anderen Beingliedern glatt, gerundet. Die Unterseite des letzten Tarsalgliedes ohne Dorne, nur mit längeren Haarborsten besetzt.

♀. Bei dem etwas heller und gleichmäßiger gefärbten Weibchen sind die Stirnloben weniger stark gekörnt; auch die Rückenplatten sind etwas weniger körnig, die mittleren Kiele fast glatt, desgleichen die fünfte Bauchplatte zwischen den mittleren Kielen. Die Handbreite ist um einen Gedanken geringer als die Breite der Tibia. Die Anzahl der Kammzähne ist eine geringere.

Maße in Millimetern: ♀ 35—75, ♂ 29—61 Gesamtlänge; Cephalothorax 6·9 (6·5) lang; Cauda mit Giftblase 36·5 (39·5); Maxillarpalpus: Humerus 4·5 (5·6), Tibia 6·2 (6·5) lang, 2·5 (2·5) breit; Handbreite 2·4 (2·6); Hinterhand 3·4 (3·8); beweglicher Finger 6·3 (6·4); Caudalsegmente: erstes 5·3 (5·6) lang, 4·4 (4·6) breit, 3·9 (4·0) hoch; zweites 6·0 (6·4) l., 4·0 (4·4) br., 3·9 (4·0) h.; drittes 6·5 (6·8) l., 3·8 (4·1) br., 3·7 (4·0) h.; viertes 6·9 (7·5) l., 3·5 (3·9) br., 3·4 (3·6) h.; fünftes 7·6 (8·0) l., 3·4 (3·5) br., 3·1 (3·0) h. Anzahl der Kammzähne: ♀ 23—27, ♂ 30—32.

Annalen des k. k. naturhistorischen Hofmuseums, Bd. XXVI, Heft 1 u. 2, 1912. 8

Obwohl eine Verwechslung dieser neuen Art mit einer bereits bekannten wohl ausgeschlossen erscheint, so seien doch ihre wichtigsten Unterscheidungsmerkmale gegenüber einigen Arten noch besonders hervorgehoben:

B. eupeus (C. L. Koch): Finger fast zweimal so lang als die Hinterhand, ohne Lobus; zweites Caudalsegment länger als breit; untere und seitliche Caudalflächen fein gekörnt; Tarsenendglied der Hinterbeine ohne Dornenbesatz an der Unterseite. *B. martensi* Karsch: Beweglicher Finger des Maxillarpalpus ohne Lobus mit zehn bis elf Körnchenreihen; fünftes Caudalsegment hellgelb; Flächen der Cauda zum Teil fein gekörnt; Tarsenendglied der Beine ohne Dornenbesatz an der Unterseit. *B. leptochelys* (Hempr. et Ehrbg.): Stirnloben gekörnt, Superciliarwulst glatt, aber löst sich nach vorne zu in Körnchen auf; beweglicher Finger des Maxillarpalpus in der ganzen Länge mit äußeren Seitenkörnchen besetzt; Anzahl der Kammzähne bis zu 32. *B. caucasicus* (Nordm.): Superciliarwülste glatt; Nebenkiele im zweiten und dritten Caudalsegment in der distalen Hälfte desselben deutlich vorhanden; Flächen der Cauda zum Teil gekörnt; beweglicher Finger des Maxillarpalpus ohne Lobus, mit zehn bis elf Körnchenreihen; Tarsenendglied der Beine unterseits nicht mit Dornen besetzt.

Butheolus E. Sim.

Scrobiculosus var. *persa* Birula (*melanurus* aut.). Assur (Kal'at Schergat) 11. bis 19. Mai 1910: 6 ♂, 4 ♀. — Rakka 28. Juni bis 1. Juli 1910: 2 ♂. — Babylon 17. April 1910: 1 ♂.

Zusammen 13 Individuen (wovon 9 ♂ und 4 ♀), deren Größe zwischen 14 und 32 mm beträgt. Die Anzahl der Kammzähne variiert von 16 bis 22.

Scorpionidae.

Scorpio L. (Karsch).

Maurus var. *testaceus* C. L. Koch. Kal'at Schergat 11. Mai 1910: 2 ♂. — Mosul Ende Mai 1910: 1 ♀ juv. — Hsitsche (Heseke) 16. bis 19. Juni 1910: 4 ♂, 19 ♀.

Zusammen 26 Individuen (wovon 6 ♂ und 20 ♀), deren größtes 77 mm mißt, während das Exemplar von Mosul nur 35 mm Gesamtlänge hat. Letzteres zeichnet sich durch eine durchwegs viel hellere Färbung aus, die aber nach der verhältnismäßig noch weichen Beschaffenheit des Chitinpanzers auf eine eben erfolgte Häutung deutet. Die beiden ausgewachsenen Exemplare von Kal'at Schergat stehen durch ihre lichtere Färbung der typischen Form *maurus* etwas näher, während die restlichen 23 exakt die von Birula für *testaceus* angegebene Färbung besitzen.

Von dem vorliegenden Materiale weist nur ein einziges Exemplar — und dies auch nur auf einer Seite — neun Kammzähne als niedrigste Anzahl auf, während zwölf am häufigsten gezählt wurden und nur fünf noch mehr (13, resp. 14) besitzen. Das Verhältnis der Handbreite zur Länge der Hinterhand ist ein ziemlich konstantes; vom Durchschnitt (1·5 : 1) weicht es also nur wenig ab: bei einer durchschnittlichen Handbreite von 8—9 mm nur um 0·5 mm.

Die Bedornung an der Unterseite der Tarsenendglieder nimmt stets von vorne nach hinten zu, so daß das Tarsenendglied des ersten Beinpaares stets weniger Dorne aufweist als jenes des vierten Beinpaares. Unregelmäßigkeiten hiebei sind stets Folgen einer meist leicht zu erkennenden Verstümmelung. Häufiger sind Abweichungen in der Zahl der Dorne der verschiedenen Seiten (rechtes oder linkes Bein) des gleichen

Paares; doch sind dieselben so gering — in 50 Fällen bestand gar keine und nur in drei Fällen betrug sie zwei — daß man sie füglich vernachlässigen kann. Immer sind bei ein und demselben Beine innen mehr Dorne vorhanden als außen. In folgender tabellarischer Übersicht sind die Resulta der 195 Zählungen — in 13 Fällen waren die Tarsenendglieder verstümmelt — zusammengestellt:

Anzahl der Dorne	I. Beinpaar		II. Beinpaar		III. Beinpaar		IV. Beinpaar	
	außen	innen	außen	innen	außen	innen	außen	innen
4	36	—	3	—	—	—	—	—
5	10	—	42	—	—	—	—	—
6	2	—	2	—	48	—	44	—
7	—	27	—	10	2	—	6	--
8	—	15	—	31	—	23	—	12
9	—	6	—	6	—	26	—	36
10	—	—	—	—	—	1	—	2

NB. Die eingesetzten Zahlen bezeichnen die Anzahl der Fälle, z. B. in 36 Fällen hatte das erste Beinpaar außen 4, in 10 Fällen außen 5, in 27 Fällen innen 7 Dorne usw.

Als geschlechtliches Unterscheidungsmerkmal sei noch angeführt, daß die mittleren Bauchplatten bei ♀ äußerst fein nadelstichig, sonst aber glatt sind, während sie bei ♂ matt, schwach querrissig erscheinen.

Wien, im August 1911.

Liste von Vogelbälgen aus Mesopotamien.

Von

Dr. Moriz Sassi

(Wien).

Mit 1 Tafel (Nr. 1).

Die mit * bezeichneten Bälge wurden von Herrn Dr. Viktor Pietschmann selbst von seiner Reise mitgebracht, während die übrigen auf dessen Veranlassung hin von Herrn Selim Hassoun in Mossul gesammelt und an das Wiener Hofmuseum gesandt wurden.

1. **Caccabis chukar** Gray (2 Stücke). Mossul 10./XI. 1910.
2. **Ammoperdix bonhami** Fras (1 Stück). Mossul 20./X. 1911.
3. **Francolinus francolinus** L. (2 Stücke). Mossul ♂ 3./I., ♀ 6./I. 1911.
4. **Coturnix coturnix** L. (1 Stück). Mossul 2./IV. 1911.
5. **Pteroclurus alchata** L. (7 Stücke). Kal'at Sergât ♂ 11./V. 1910*, Mossul ♂ 10./X., 15./X. (2), 19./X., ♀ 10./X. 1910, ♀ ?(Mossul 1910).
6. **Pterocles arenarius** Pall. (1 Stück). Mossul 2./I. 1911.
7. **Columba livia** Briss. (2 Stücke). Mossul 2./VI. 1910*; Aleppo 15./III. 1910*.
8. **Turtur turtur** L. (1 Stück). Mossul 2./V. 1911. (Nicht *T. t. arenicola* Hart.)
9. **Crex crex** L. (1 Stück). Mossul 10./V. 1911.
10. **Fulica atra** L. (1 Stück). Mossul 29./XII. 1910.
11. **Sarcogrammus indicus** Bodd. (2 Stücke). Mossul 22./I., 25./I. 1911.
12. **Vanellus vanellus** L. (5 Stücke). Mossul 20./I., 21./I. (3) 1911, ?(Mossul 1911).
13. **Gallinago gallinago** L. (1 Stück). Mossul 12./IV. 1911.
14. **Otis tarda** L. (1 Stück). ?(Mossul 1910—1911).
15. **Ciconia ciconia** L. (1 Stück). Mossul 25./V. 1910*.
16. **Ardetta minuta** L. (2 Stücke). Mossul ♂ 3./V. 1911, iuv. 15./X. 1910).
17. **Nettion crecca** L. (1 Stück). Mossul 7./I. 1911.
18. **Dafila acuta** L. (1 Stück). Mossul 15./II. 1911.
19. **Fuligula fuligula** L. (1 Stück). Mossul 15./II. 1911.
20. **Circus macrurus** Gm. (2 Stücke). Mossul ♂ 11./IV., ♀ 25./IV. 1911.
21. **Accipiter nisus** L. (2 Stücke). Mossul ♂ 27./IV., ♀ 13./II. 1911.
22. **Buteo ferox** Gm. (1 Stück). Mossul 2./VI. 1910*.
23. **Milvus korschun** Gm. (3 Stücke). Mossul 15./IV., 20./IV., iuv. 8. I. 1911.
24. **Falco babylonicus** Gurn. (1 Stück). Mossul ♀ iuv. 10./VI. 1910 oder 1911. Fl. 335 mm.

122

25. **Tinnunculus tinnunculus** L. (9 Stücke). Mossul ♂ 28./V., iuv. 2./VI. 1910*;
Quasr Naqib bei Bagdad ♂ iuv. 27./IV. 1910*; ?(Mossul) ♂ 1910—1911, 1./II.
1911, (VI.) 1910—1911 (4).

26. **Tinnunculus naumanni** Fleischer (2 Stücke). Mossul ♂ 14./IV., 2./V. 1911.

27. **Bubo ignavus** Forster, subsp.? (2 Stücke). Mossul 20./I., 22./II. 1911.
Die vorliegende Form nähert sich einerseits der Subspezies *B. i. turcomanus*
Eversm., andererseits der Subspezies *B. i. nikolskii* Sarudny (Südwestpersien, Ara-
bistan, Orn. Jahrb. XVI, p. 142). Das stärkere Hervortreten des Weiß an Flügeldecken und Schulterfedern, sowie an der Unterseite (letzteres vornehmlich bei dem
kleineren Exemplar), die nur auf die Oberbrust beschränkten breiten, dunklen
Schaftstriche, bezüglich welcher beim größeren Stück sehr wenig, beim kleineren
Stück fast keine Übergänge zur Zeichnung der Unterbrust und des Bauches sich
finden, die viel lichter gelblichen Läufe, die lichtere Färbung des Schwanzes besonders durch das stärkere Hervortreten der röstlichen Bänder (vornehmlich an
den äußeren Steuerfedern) gegenüber den nur schmalen dunkelbraunen Bändern
— alles dies unterscheidet diese Form gut vom typischen *B. ignavus*. Ihr Verhalten zu den beiden oben genannten Subspezies läßt sich dagegen ohne entspre-
chendes Material nicht feststellen.

	Fl.	Schw.	L.
	445 mm	285 mm	90 mm
	385 »	255 »	85 »

Nach Sarudny «Vögel Persiens», Journ. f. Orn., 1911, Heft II, käme im
nordwestlichen Persien der echte *Bubo ignavus* vor.

28. **Athene noctua bactriana** Blyth? (2 Stücke). Mossul 28./V. 1910*, 26./II. 1911.
Der von Dr. Pietschmann mitgebrachte Balg ist der eines noch recht jungen
Vogels; abgesehen von der noch fehlenden weißen Fleckung am Kopf und Hinter-
hals ist der Ton des Gefieders beim jungen Tier mehr ins Rötlich-sandfarbene
ziehend, während der des erwachsenen Exemplares mehr graubraun ist, ganz ähnlich der afrikanischen Form *A. n. glaux* Savigny. Vielleicht ist die mesopotami-
sche Form eine Zwischenform von *A. n. glaux* und *A. n. bactriana*; von ersterer
unterscheidet sie sich augenfällig durch das viele, auffallende Weiß der den Schnabel
umgebenden Gesichtsteile, genau so wie bei *A. n. bactriana* aus Transkaspien.
Sarudny gibt aus Nordwestpersien *A. n. bactriana* an.

29. **Strix flammea** L. (1 Stück). Mossul 9./IV. 1911.
Lichte Varietät, Unterseite ganz weiß mit dunkelgrauer Fleckung.

30. **Coracias garrulus** L. (4 Stücke). Mossul 24./V. 1910* (2), 4./VI. 1911 (2).

31. **Merops apiaster** L. (9 Stücke). Mossul 20./V., 23./V. (2), 24./V. (2) 1910*,
14./IV. (2), ?(Mossul) 30./V. 1911, 1910—1911.

32. **Merops persicus** Pall. (6 Stück). Quasr Naqib bei Bagdad 27./IV. 1910* (2);
Šerī'at el Beda 3./V. 1910* (2); Beled 5./V. 1910*; ein Stück fraglich.

32. **Chelidon rustica rustica** L. (1 Stück). ?(Mossul) 5./IV. 1911.

33. **Clivicola riparia riparia** L. (1 Stück). ?(Mossul) 1910—1911.

34. **Turdus merula merula** L. (1 Stück). Mossul 21./I. 1911.

35. **Turdus philomelos philomelos** Brehm (= musicus L.) (3 Stücke). Aleppo
15./III. 1910*; ?(Mossul) 22./I. 1911; Mossul 20./II. 1911.

36. **Phoenicurus ochruros ochruros** Gm. (2 Stücke). ?(Mossul) 1910—1911 (2).

37. **Lanius minor** Gm. (1 Stück). Péchabour bei Mossul 1./VI. 1911.

38. **Lanius nubicus** Lcht. (1 Stück). Mossul 10./V. 1911.

39. *Motacilla alba* L. (*M. a. dukhunensis* Sykes) (6 Stücke). ?(Mossul) 1910—1911. Nach Harterts «Vögel der paläarktischen Fauna», Bd. I, dürften die vorliegenden Stücke zur Subspezies *M. a. dukhunensis* Sykes gehören, wenn auch unter den Stücken der echten *Motacilla alba alba* L. manche ebenso lichtgraue sich finden und das Weiß der Flügeldecken, wie Hartert selbst sagt, oft eine Unterscheidung nicht ermöglicht.

40. *Anthus spinoletta coutellii* Savigny (1 Stück). Mossul I. 1911.

41. *Melanocorypha calandra calandra* L. (4 Stücke). Mossul I.—II. (3), 8./II. 1911. Nach Sarudnys «Vögel Persiens», Journ. f. Orn., 1911, Heft II, wäre für die Gegend *M. c. psammochroa* Hart. anzunehmen, nach Vergleich mit echten *M. c. c.* aber kann ich die vorliegenden Bälge nur als *M. c. calandra* L. bestimmen, da sie weder heller noch gelblicher sind als die echte Form.

42. *Alauda arvensis cinerea* Ehmcke (2 Stücke). Mossul I. 1911.

43. *Galerida cristata* L. (subsp.?) (2 Stücke). Mossul 23./I., II. 1911. Die Subspezies, zu welcher die beiden Bälge zu rechnen wären, war mir nicht möglich genau festzustellen; die Stücke sind blasser als echte *Galerida cristata cristata* L., rötlich sandfarben und stehen der Subspezies *G. cr. brachyura* Tristr. sehr nahe, wenn sie nicht überhaupt dazu zu rechnen sind. Fl. 99, 100 mm.

44. *Fringilla coelebs coelebs* L. (1 Stück). Mossul 21./I. 1911.

45. *Acanthis carduelis brevirostris* Zar. (1 Stück). Mossul II. 1911. Hartert, «Vögel der paläarktischen Fauna», p. 70, Anmerkung. Flügellänge 75 mm.

46. *Fringilla montifringilla* L. (2 Stücke). Mossul 10./II., 12./II. 1911.

47. *Petronia petronia exiguus* Hellm. (1 Stück). Mossul 24./I. 1911.

48. *Passer domesticus indicus* Jard. et Selby. (4 Stücke). ?(Mossul) 1910—1911.

49. *Emberiza citrinella* L. (*E. citrinella erythrogenys* Brehm) (2 Stücke). ?(Mossul) 23./I. 1911. Dem Fundorte nach müßten die Stücke zur anscheinend noch etwas zweifelhaften Form *E. c. erythrogenys* Brehm zu rechnen sein.

50. *Sturnus vulgaris poltaratskyi* Finsch? (5 Stücke). Mossul 30./V. 1910*, 4./I. 22./I. 1911, 1911 (2).

51. *Sturnus vulgaris nobilior* Hume? (4 Stücke). ? 1910*; Mossul 22./I. 1911, 1911 (2).

— *Sturnus vulgaris* L. subsp.?; (1 Stück). Mossul iuv. 23./V. 1910*. Die Zugehörigkeit dieses jungen unausgefärbten Stückes konnte nicht festgestellt werden; es ist wohl anzunehmen, daß es zu einer der beiden oben genannten Subspezies gehört. Die Bestimmung der *Sturnus*-Arten geschah nach Harterts «Vögel der paläarktischen Fauna». Allerdings erwähnt der Autor selbst in einem Nachtrag, daß die *Sturnus*-Arten einer Umarbeitung bedürfen.

52. *Corvus frugilegus* L. (*C. frugilegus tschusii* Hart.) (4 Stücke). Mossul 24./I., 1./II. (2), 5./II. 1911. Nach den kürzeren Flügeln wohl zur Subspezies *C. fr. tschusii* Hart. zu rechnen. (Fl. 290, 293, 293, 275 mm).

53. *Pica pica* L. (2 Stücke). Mossul 19./V., 30./V. 1910*.

Von Dr. V. Pietschmann wurden in Mossul auch Eier gesammelt, die von nachstehenden Arten herstammen dürften:

2 Eier von *Pteroclurus alchata* L. | 6 Eier von *Passer domesticus* L.
3 » » *Tinnunculus tinnunculus* L. | 11 » » *Emberiza melanocephala* Bp.
39 » » *Coracias garrulus* L. |

Schließlich will ich noch einige Worte über die Photographien von den Eingängen zu den Nisthöhlen von *Merops persicus* Pall. hinzufügen. Nach den Angaben Dr. Pietschmanns war bei Es Scheri'at el Beda (bei Bagdad) der Boden so dicht von Bienenfressern bedeckt, daß er aus größerer Entfernung den Eindruck einer grünen Wiese machte. Man sieht die große Menge dieser Vögel sehr gut auf den Bildern teils auf dem Boden sitzend, teils fliegend. An eben jenen Stellen nun, unweit des Tigrisufers, fanden sich im Boden eine Unmenge von ungefähr kreisrunden Löchern, den Eingängen zu den Nisthöhlen. Auch diese sind sehr gut auf den Bildern zu sehen. Der Boden war zu jener Zeit hart und trocken, die Eingänge von dem häufigen Ein- und Ausschlüpfen der Vögel glatt gescheuert. Wie Dresser in der Monographie der Meropiden erwähnt, «machen sich die Meropiden diese Nisthöhlen selbst. (Nach Ansicht Dr. Pietschmanns dürfte die Anlage der Nisthöhlen in einer Zeit geschehen, in der der Boden feucht und daher locker ist.) Der zirka vier Fuß lange, in einem Winkel von 10 oder 15° angelegte Gang führt in einen etwas erweiterten Raum, in welchem sich das Nest befindet.»

Pteridophyta und Anthophyta

aus Mesopotamien und Kurdistan sowie Syrien und Prinkipo.

Gesammelt und bearbeitet von

Dr. *Heinrich Frh. v. Handel-Mazzetti,*

Assistenten am botanischen Institute der k. k. Universität in Wien.

I.

Mit 1 Tafel (Nr. II).

Seit der Rückkehr der Mesopotamien-Expedition des naturwissenschaftlichen Orientvereins in Wien im Herbst 1910 ist eine längere Zeit verflossen, als gewöhnlich zur Bestimmung umfangreicherer Kollektionen benötigt wird. Wenn ich erst jetzt den ersten Teil der botanischen Bearbeitung der Öffentlichkeit übergebe, so hat dies seinen Grund darin, daß ich die üblichen Falschbestimmungen, die man in allen aus dem Orient in die Herbarien gelangten Kollektionen findet und die trotz Boissiers vorzüglicher, für ihre Zeit epochaler Flora orientalis bei zu einseitiger Anlehnung an die Literatur unvermeidlich sind, durch möglichst eingehende Beschäftigung mit den in Betracht kommenden Formenkreisen und möglichst ausgiebigen Vergleich von Originalexemplaren zu vermeiden für nötig hielt. Zu wenig Benützung von Vergleichsmaterial ist an dem erwähnten Übelstande ebenso schuld, wie, daß die Bestimmungen für in größerer Anzahl zu verteilende und zu verkaufende Exsikkaten immer sehr rasch geliefert werden müssen. Dies hat dahin geführt, daß man heute vielfach falsch bestimmtes Material als Grundlage benützen muß, auf zahlreiche neu beschriebene oder nur benannte Arten stößt, die sich früher oder später als längst bekannte erweisen oder in letzterem Falle anderwärts unter anderem Namen durch Publikation vorweggenommen wurden, und sich die Berichtigungen — wo solche vorliegen — mühsam aus den Bearbeitungen zusammensuchen muß. Wenn wir auch in Wien in der glücklichen Lage sind, insbesondere seit der Einverleibung des Reichenbachschen Herbars in das k. k. Hofmuseum, ein viel größeres Material alter von Boissier zitierter Originale verwenden zu können, als den meisten bekannt ist, so bedarf es doch meist erst einer umfassenden Sichtung des vorhandenen, um oft nur eine Spezies einer schwierigeren Gattung bestimmen zu können. Boissiers Flora orientalis ist selbstverständlich auch für diese Bearbeitung die Grundlage. Wo ich mich in Artumfang und Nomenklatur an sie anschließe, gebe ich kein Zitat, wohl aber bei allem, was aus irgendeinem Grunde von ihm abweicht und noch nicht ganz landläufig ist. Neue Arten wurden ja seither aus ihrem Gebiete in sehr zerstreuten Arbeiten recht viele beschrieben. Aber diese evident zu halten, ist noch viel leichter, als das, was über alte Arten neues bekannt wurde. Den Autoren lagen ja oft nur einzelne Individuen für die Originalbeschreibung vor. Wenn später Material dazukam, so wurde oft schon längst ihre zu enge Fassung — abgesehen von unrichtigen Angaben in Originaldiagnosen, deren es gerade genug gibt — erkannt, aber nur selten wurden die Erfahrungen des einen der Allgemeinheit zunutze gemacht, die nötigen Ergänzungen und Erweiterungen publiziert. Durch die Berichtigung der Diagnose, des äußeren Ausdruckes für das Wesen der Art, deren Name uns nur zur Verständigung dient, wird die Kenntnis einer Art verbessert, durch ihre Erweiterung dem Formenreichtum Rechnung getragen, nicht durch Beschreibung und Benennung jedes abweichend befundenen Individuums als Varietät. Mein Grundsatz bleibt möglichste Klarheit, möglichste Vereinfachung. Was ich von Boissiers Darstellung abweichendes beobachte, werde ich mitteilen, soferne es nicht schon in der nachboissierschen Literatur zu finden ist, in welchem Falle ich auf diese hinweise, und, wo ich von der Identität beschriebener Arten überzeugt bin, zögere ich nicht, sie glattweg zusammenzuziehen. Auch bringe ich hier die Korrekturen falscher Bestimmungen in numerierten Exsikkaten oder in Publikationen über das Gebiet an, die mir unterkommen, soweit sie nicht schon in der Literatur berichtigt sind. In der Nomenklatur folge ich selbstverständlich den internationalen Regeln von 1905, an die sich die Botaniker der ganzen Welt halten mit ganz vereinzelten Ausnahmen, die um so bedauerlicher sind, als sie wichtige, umfassende Werke betreffen, die danach angetan sind, sogar von sonst selbständigen Botanikern blind angenommen zu werden, und so die glücklich möglichst eingeschränkte nomenklatorische Anarchie wieder schüren.

Da die systematische Bearbeitung in mehreren Teilen, nach dem Wettsteinschen System geordnet und mit einem Familienindex am Schlusse versehen, erscheint, muß ich die pflanzengeographische Schilderung des Gebietes, deren Grundlage die Bestimmung der Arten ist, diesmal am Schlusse der ganzen Arbeit bringen. In die systematische Bearbeitung wurden außer meinen Aufsammlungen kleine Kollektionen aufgenommen, die Herr Architekt P. Maresch bei Assur, Konsulatsdragoman C. Hakim um Aleppo und Herr Morck östlich von Bagdad angelegt und mir in dankenswerter Weise überlassen hatten. Die erste, die ich unterwegs mitbekam, wurde in meine einbezogen und numeriert, die beiden anderen mit eigener Numerierung versehen. Das von mir gesammelte Pflanzenmaterial von gegen 3200 Nummern wird beim Vergleich mit den Aufsammlungen eines Kotschy, Haussknecht oder Bornmüller manchem Botaniker recht wenig umfänglich erscheinen, zumal da Dubletten im allgemeinen nicht gesammelt wurden. Die in erster Linie zoologische Interessen berücksichtigende Durchführung der Reise in Mesopotamien und die Kürze der Zeit, die nach der Trennung der Expedition für die Erforschung der Hochgebirge von Kurdistan übrig blieb, waren einem reichlicheren Sammeln ebenso hinderlich wie die Erfüllung der anderen Aufgaben, die ich mir gestellt hatte, die Aufnahme vollständigen Materials an Vegetationsbildern, eine genaue Registrierung der Pflanzenformationen und Beobachtung ihrer Verbreitung und der Bedingungen ihres Vorkommens, sowie die kartographische Aufnahme meiner allein begangenen Reiserouten. Wenn man in einer Arbeitszeit von — Hin- und Rückreise und die botanisch wertlosen längeren Aufenthalte in großen Städten abgerechnet — fünf Monaten über 3000 km zu Pferde zurücklegen muß, so ist man so in Anspruch genommen, daß man auf Massensammeln wohl oder übel verzichten muß. Die erste vollständige Kollektion meiner Ausbeute gelangt in das Herbar des k. k. naturhistorischen Hofmuseums, die zweite beinahe gleiche in jenes des botanischen Institutes der k. k. Universität Wien. Ich verweise bezüglich des Verlaufes der Reise und der allgemeinen Verhältnisse des Gebietes auf meine populären Schilderungen,[1] bezüglich

---

[1] Reisebilder aus Mesopotamien und Kurdistan. Deutsche Rundschau für Geographie XXXIII, Heft 7 und 9 (1911). Die Expedition nach Mesopotamien, B. XVI. Jahresbericht des Naturwissensch.

der Lage in der Kiepertschen Karte von Kleinasien, 1 : 400.000 noch nicht verzeichneter
Lokalitäten in Kurdistan auf meine demnächst in Petermanns Mitteilungen in demselben Maßstab erscheinende Karte, führe jedoch die Standorte immer mit so weiter
Bestimmung an, daß ihre Lage in einem größeren neuen Atlas gefunden werden kann,
und gebe hier, um dies zu erleichtern, ein kurzes Itinerar.

21./II. 1910 ab Wien.
23./II.—1./III. Konstantinopel.
2./III. Exkursion nach Prinkipo im Marmarameer.
1.—7./III. Fahrt nach Iskenderun (Alexandretta) in Syrien.
    Aufenthalte am 2. in Mytilini, 4. in Rhodos.
7.—9./III. Iskenderun (Alexandretta).
10.—12. III. Wagenfahrt nach Haleb (Aleppo).
    10. Kyryk Han, 11. Han Afrin.
13.—23./III. Haleb.
23.—25./III. Ritt nach Meskene am Euphrat.
    24. Aufenthalt im Han am Nahr ed Deheb.
26.—30./III. Ritt am rechten Euphratufer abwärts im Tal und auf dem Steppenplateau
    nach Der es Sor.
    26. Abu Herera, 27. El Hammam, 28. Sabcha, 29. Tibne.
31./III.—1./IV. Der es Sor.
2.—11. IV. Weiter durch die Halbwüste, später Wüste am rechten Euphratufer nach
    Kalaat Felludscha westlich Baghdad.
    2. Mejadin, 3. Salhije, 4. Abukemal, Kaijim, 5. Nahije, 6. Ana, 7. Haditha, 8. Bagh-
    dadi, 9. Hit, 10. Ramadi.
12./IV. Durch die Wüste nach Baghdad.
13./IV.—2./V. Baghdad.
    15.—19./IV. Exkursion nach Kerbela und Babylon.
        15. Wagenfahrt nach Kerbela, 16. Kerbela, 17. Ritt über Hindije nach Kwe-
        risch (Babylon), 18. Babylon, 19. Wagenfahrt nach Baghdad.
    23./IV. Exkursion zum Karmeliterkloster abwärts am rechten Tigrisufer und auf
    die Insel.
    27./IV. Exkursion nach Kasr Nakib abwärts am linken Tigrisufer.
3.—18./V. Ritt am rechten Tigrisufer nach Mossul, bis ca. Samarra—Tekrit Wüste,
    dann Halbwüste und Steppe.
    3. Scheriat el Beda, 4. Sumedscha, 5. Beled, 6. Samarra, 7. Tekrit, 8. Kharnina,
    9. Belalidsch, 10. über Dschebel Makhul und Dschebel Chanuka (Kette des
    Dschebel Hamrin) nach Kalaat Schergat (Assur).
    10.—15./V. Schergat.
        12. Exkursion nach Westen gegen Al Hadr (Hatra) bis zum Wadi Sefa.
    16. Kaijara, 17. Hammam Ali.
18./V.—3./VI. Mossul.
4.—27./VI. Durchquerung des nördlichen Mesopotamien nach Rakka am Euphrat.
    4. Hmoidat, 5. Tell Afar, 6. Ain el Ghasal, 7. Sindschar.

Orientvereins (1911). Im innersten Kurdistan. «Neue Freie Presse», 23. XI. 1911. In den genannten
Publikationen auf Grund vorläufiger Bestimmungen gemachte Pflanzenangaben berichtigen sich durch
diese Bearbeitung, wenn sie damit nicht übereinstimmen.

7.—9. Sindschar.
8. Exkursion nach Der Asi in der Schlucht El Magharad.
9. Exkursion auf den höchsten Gipfel Tschil Miran (ca. 1400 m) des Dschebel Sindschar.
10. Dscheddale.
11. Überquerung des Dschebel Sindschar nach Bara.
12.—14. El Chattunije (brakischer See).
15. Tell Tenenir am Chabur.
16.—19. Hsitsche am Chabur.
17. Besuch des Tell Kokeb.
20. El Abed am Chabur.
21. Gharra am Nordfuß des Dschebel Abd el Asis.
22. Exkursion auf den Rücken dieses Gebirges (ca. 900 m).
23.—27. Durch die Steppe nach Rakka.
23. Sfaijan, 24. Dscherabije, 25. Twal el Aba, 26. Tell es Sedd am Belich, 27. Rakka.
28.—30./VI. Rakka. Teilung der Expedition.
1.—4./VII. Ritt westlich vom Belich nach Urfa.
1. Tell es Semn, 2. Kurmas, 3. über Ain Arus (Quellsee des Belich) nach Karadschyryn, 4. Urfa.
5.—6./VII. Urfa.
7.—10./VII. Gerade nach Nord über den Euphrat (bei Tschermisch) nach Kjachta im kataonischen Taurus.
7. Dschülman, 8. Nedjaruk, 9. Karamuhara, 10. Kjachta.
11.—14./VII. Kjachta.
12. Besteigung des Nemrud Dagh (2260 m), Aufstieg über Urik, Abstieg nach Kasas.
15.—20./VII. Überschreitung der Tauruskettten nach Malatja.
15. Karatschor, 16. Bekikara.
17. Besteigung des Ak Dagh (2670 m) [1] («Aryly tasch» der Karten).
18. Bekikara.
19. Furendscha.
20.—22./VII. Malatja.
23./VII. Kömür Han am Euphrat.
24., 25./VII. Mesere (Mamuret-ül-Asis) bei Kharput.
26./VII. Über Kuilu nach Göldschik am Quellsee des westlichen Tigris.
27.—29./VII. Göldschik.
29. Besteigung des Hasarbaba Dagh (2450 m).
30./VII. Kesin, 31. Arghana Maaden, 1./VIII. Tarmul Han, 2. Diarbekir.
3., 4./VIII. Diarbekir.
5./VIII. Sañan köi, 6. Mejafarkin.
7./VIII. Mejafarkin.

---

[1] Es ist dies keineswegs der einzige Berg dieses Namens (= Weißer Berg) im kataonischen Taurus. Schon Aucher und Montbret haben am 8.—10. Juni 1834 einen Ak Dagh bestiegen, den Boissier als «Ak Dagh Cataoniae» und «Ak Dagh Cappadociae orientalis» anführt und der der Originalstandort vieler Arten ist. Dieser liegt an der Route Besni—Malatja und ist (cfr. Relations des Voyages en Orient, ed. Jaubert, p. 89) in der Kiepertschen Karte von Kleinasien, Blatt Malatja als «Agh D.» nordöstlich von Tut verzeichnet. Auch Haussknecht überschritt zwischen Adijaman und Malatja einen Ak Dagh (Ak Daghlar der Karte). Beide haben mit dem von mir besuchten nichts zu tun.

8./VIII. Rabat, 9. Kabildjous im Sassun, Wilajet Bitlis.

10.—12. VIII. Besteigung des Meleto Dagh (3150 m) im armenischen Taurus.

    10. Über Natopa zur Jaila am Westhang des Gipfels, 11. Gipfel, Abstieg nach
        Harut, 12. Kabildjous.

13. VIII. Kabildjous.

14./VIII. Haso, 15. über Zoch nach Teian, 16. Sert.

17./VIII. Balak, 18. Fündük, 19. Dschesiret-ibm-Omar (Dschesire).

20., 21./VIII. Dschesiret-ibm-Omar.

22./VIII. Peschchawur, 23. Schios.

24./VIII. Exkursion nach Mar Jakub.

25./VIII. Tell is Kof, 26. Mossul.

27.—29./VIII. Mossul.

30./VIII.—8./IX. Am rechten Tigrisufer nach Baghdad.

    30. Hammam Ali, 31. Kaijara, 1.—2./IX. Kalaat Schergat, 3. Kharnina, 4. Tekrit,
        5. Samarra, 6. Beled, 7. Scheriat el Beda, 8. Baghdad.

8.—26./IX. Baghdad.

27./IX.—1./X. Zu Schiff nach Basra.

1.—10./X. Basra.

11./X.—8./XI. Zu Schiff über Buschir, Aden, Dschibuti nach Suez.

    29./X.—4./XI. Vor Dschedda im Roten Meer in Quarantäne.

8./XI. Mit Bahn nach Port Said, 10. Alexandria (zu Schiff), 16. Triest, 17. Wien.

Zu den Standorts- und Verbreitungsangaben sei noch folgendes bemerkt: Die ersteren gebe ich so genau, als es mir für künftige pflanzengeographische Detailarbeiten nötig erscheint. Gesetzt, es werde der Dschebel Sindschar einmal ganz genau pflanzengeographisch erforscht, so wird sich die beschränkte Verbreitung einzelner Arten ergeben, die zu wichtigen Schlüssen führen kann, und dann ist es von Wert zu wissen, an welchen Stellen sie dort schon gefunden worden sind, was uns heute vielleicht nebensächlich erscheint. Die zusammengefaßten Verbreitungsangaben beruhen ausschließlich auf an Ort und Stelle gemachten Notizen. Daß da in der Eile dann und wann eine falsche Identifizierung, ein böser, unauffälliger Schreibfehler oder ein ähnlicher Irrtum unterlaufen kann, ist sicher. Wenn mir etwas in dieser Hinsicht verdächtig erscheint, führe ich dies immer an. Höhenzonen gebe ich dort an, wo sie von einiger Bedeutung und geschlossene, nicht allzu vag begrenzte Gebiete sind. Das Substrat ist im größten Teile des Gebietes Kalk oder kalkhaltiges Gestein; ich führe dies nicht eigens an. In den Ketten des Taurus findet man auf größerer Ausdehnung Eruptiv- und Urgesteine mit ähnlicher Vegetation wie die angrenzenden Kalke, doch auch mit manchen ihnen eigentümlichen Arten, bei denen ich dann dieses Verhalten bemerke. Ein * besagt, daß die betreffende Art für das ganze von mir bereiste Gebiet neu ist. Hfm. bedeutet: Herbar des k. k. naturhistorischen Hofmuseums, UnW.: Herbar des botanischen Institutes der k. k. Universität Wien. Literaturzitate gebe ich möglichst ausführlich; nur die folgenden, die öfter vorkommen, sind stärker gekürzt:

Aschers. in Oppenh. = Ascherson, in Oppenheim, Vom Mittelmeer zum persischen
    Golf II, (1900), p. 372—388. (Aus der Sommerflora Syriens und Mesopotamiens.
    Verzeichnis der auf meiner Reise im Sommer 1893 gesammelten Pflanzen nebst
    Angabe der an Ort und Stelle aufgezeichneten arabischen Namen und Nutzanwendungen, bestimmt von Prof. Dr. P. Ascherson.)
 — et Schwfth., Ill. Fl. Eg. = Ascherson et Schweinfurth, Illustration de la Flore
    d'Égypte, in Mémoires de l'Institut égyptien, Vol. II (1887), Supplément ibid. (1889).

Boiss., Fl. or. = Boissier, Flora orientalis.
— Diagn. = Boissier, Diagnoses plantarum orientalium novarum (1842 – 1859).
Bornm. = Bornmüller.
— Beitr. Fl. Syr. u. Paläst. = Ein Beitrag zur Kenntnis der Flora von Syrien und Palästina, in Verhandlungen der k. k. zoologisch-botanischen Gesellschaft in Wien XLVIII (1898).
— Beitr. Fl. Elbursgeb. = Beiträge zur Flora der Elbursgebirge Nordpersiens, in Bulletin de l'Herbier Boissier, 2. série, I Tome IV (1904), II T. V (1905), III T. VI (1906), IV T. VII (1907), V T. VIII (1908).
— Ergebn. Reise Sultan D. = Ergebnisse einer im Juni des Jahres 1899 nach dem Sultan-Dagh in Phrygien unternommenen botanischen Reise, in Beihefte zum botanischen Zentralblatt XXIV, Abt. II (1909).
— Fl. Lydiae = Florula Lydiae, in Mitteilungen des Thüringer botanischen Vereins, H. XXIV (1908).
— Pl. Straussian. = Plantae Straussianae, in Beihefte zum Botanischen Zentralblatt, I Bd. XIX, Abt. II (1905), II Bd. XX, Abt. II (1906), III Bd. XXII, Abt. II (1907), IV Bd. XXIV, Abt. II (1908), V Bd. XXVI, Abt. II (1910).
— Bearbeitg. Knapp n. w. Persien = Bearbeitung der von J. A. Knapp im nordwestlichen Persien gesammelten Pflanzen, in Verhandlungen der k. k. zoolog.-botan. Gesellschaft in Wien LX (1910).
— Collect. Strauss. nov. = Collectiones Straussianae novae, in Beihefte zum botanischen Zentralblatt, I Bd. XXVII, Abt. II (1910), II Bd. XXVIII, Abt. II (1911).
— Iter Pers.-Turc. = Iter Persico-Turcicum, in Beihefte z. botan. Zentralblatt I Bd. XXVIII, Abt. II (1911).
Hand.-Mzt., Ergebn. bot. Reise Trapezunt = Handel-Mazzetti, Ergebnisse einer botanischen Reise in das Pontische Randgebirge im Sandschak Trapezunt, 1907, in diesen Annalen XXIII, Heft 1 (1909).
Murb., Contrib. Fl. N.-Ou. Afrique = Murbeck, Contributions à la connaissance de la Flore du Nord-Ouest de l'Afrique, I, in Acta Reg. Soc. Physiogr. Lund, I T. VIII (1897), II T. IX (1898), III T. X (1899), IV T. XI (1900). Deuxième série, Lunds Universitetets Årsskrift, N. F., Afd. 2, Bd. I (1905).
Stapf, Ergebn. Polak-Exp. Persien = Stapf, Die botanischen Ergebnisse der Polakschen Expedition nach Persien im Jahre 1882, in Denkschriften der math.-nat. Kl. der kaiserl. Akademie der Wissenschaften Wien, I Bd. L (1885), II Bd. LI (1886).
— Beitr. Fl. Lyc., Car., Mesop. = Beiträge zur Flora von Lycien, Carien und Mesopotamien,[1] ibidem I Bd. L (1885), II Bd. LI (1886).
Zederb., Ergebn. Reise Erdschias D., bot. T. = Zederbauer, Ergebnisse einer naturwissenschaftlichen Reise zum Erdschias-Dagh (Kleinasien). Ausgeführt von Dr. Arnold Penther und Dr. Emerich Zederbauer, 1902. II. Botanischer Teil, in diesen Annalen XX, Heft 4 (1907).[2]

Die gelegentlich in Erfahrung gebrachten einheimischen Namen von Pflanzen, deren besonders die Kollektion von Hakim viele enthält, füge ich bei, ebenso wie etwaige Nutzanwendungen, ohne natürlich als Nichtphilologe irgendeine Vollständigkeit zu erstreben.

---

[1] Der 1882 von Luschan besuchte Nemrud Dagh bei Kjachta, den auch ich besuchte, um den es sich dabei handelt, liegt allerdings keineswegs in Mesopotamien.

[2] Diese Jahreszahl ist nur im Separatum ersichtlich, die Bogensignatur besagt «1905», da es der Band für das Jahr 1905 ist. Das Heft ist aber auch erst 1907 erschienen, was für Prioritätszwecke bemerkt sei.

Bevor ich zur Bearbeitung übergehe, sage ich hier allen jenen, die mich durch Material, Mitteilungen oder in anderer Weise unterstützt haben, meinen besten Dank; ihre Namen sind an den betreffenden Stellen erwähnt, besonders aber sei der beste Kenner der Orientflora hervorgehoben, Herr Kustos J. Bornmüller in Weimar, der mir mit seiner reichen Erfahrung und uneigennützigen Liebenswürdigkeit fortwährend zur Seite steht.

I. Pteridophyta.
Ophioglossaceae.
(*Filices* p. p.)

Ophioglossum vulgatum L. Meleto Dagh, im Rasen an einer Quelle zwischen Hasoka und dem Gipfelmassiv, 2270 m (Nr. 2728).

Polypodiaceae.
(*Filices* p. p.)

Adiantum Capillus Veneris L. An feuchten Felsen bis ca. 1100 m. Kyryk Han zwischen Iskenderun und Haleb; Tigristal zwischen Balak und Dschesire, Haso, Talsohle des Sassun.

Cheilanthes fragans (L.) Webb et Berth. Beilan ober Iskenderun (Nr. 63). Schlucht el-Magharad ober Sindschar (Nr. 1384). Tigristal zwischen Balak und Fündük ober Dschesire. Bis 1000 m.

Cystopteris fragilis (L.) Bernh. Feuchte Felsstufen am Nordhang des Meleto Dagh, 2750 m (Nr. 2818).

Es ist auffallend, daß in dieser hohen Lage nicht *C. alpina* (Wulf.) Desv., sondern typische *fragilis* sich fand.

Salviniaceae.
(*Marsileaceae.*)

Salvinia natans (L.) All. Basra, in einem Kanal gegen Aschar (Nr. 3139).

Equisetaceae.

Equisetum arvense L. f. **ramulosum** Rupr. An Bächen bei Bekikara zwischen Kjachta und Malatja, 1600 m (Nr. 2464).

II. Gymnospermae.
Pinaceae.
(*Coniferae* p. p.)

Pinus Halepensis Mill. Insel Mytilini im Ägäischen Meer. Ober Iskenderun an der Straße nach Haleb am Hange des Alma Dagh (Amanus).

Meine frühere Befürchtung, daß sich der Name *Pinus Halepensis* eigentlich auf *P. Pithyusa* Strangw. beziehen dürfte (cfr. Ergebn. bot. Reise Trapezunt, p. 144), trifft also nicht zu. In der Umgebung von Aleppo kommt die Pflanze freilich überhaupt nicht vor.

Cupressaceae.

(Coniferae p. p.)

Juniperus Oxycedrus L. *(J. rufescens* Lk.). An trockenen Hängen der Gebirgstäler. Häufig um Kjachta und Tschut (Nr. 2209) bis Sindschi, ebenso im Sassun bis über 1700 m (Nr. 2954). Am Göldschik. Im Tigristal bei Fündük ober Dschesire und unterhalb Balak.

Ephedraceae.

(Gnetaceae.)

Ephedra foliata Boiss. var. *ciliata* (C. A. Mey.) Stapf. Sandwüste zwischen Sumedscha und Beled oberhalb Baghdad (Nr. 973). Halbwüste bei Tekrit und klimmend in Büschen von *Ziziphus Spina Christi* in einem Wadi dortselbst.

Ephedra Alte C. A. Mey. Kieswüste zwischen Ana und Haditha (Nr. 767) und an den Wadis unterhalb Hit am Euphrat. Gipssteppe zwischen Bara am Dschebel Sindschar und dem See El Chattunije und um den letzteren (Nr. 1611).

Das Verbreitungsgebiet dieser Art reicht also viel weiter nach Norden, als bisher bekannt war, zumal da auch die Pflanze vom Ak Su bei Marasch (Haussknecht), die Stapf mit ? zu *E. distachya* L. stellte (Die Arten d. Gattung *Ephedra*, p. 70), wie schon Bornmüller an dem guten Material im Herbar Haussknecht, das Stapf nicht sah, konstatieren konnte, *E. Alte* ist.

III. Monochlamydeae.

Fagaceae.

(Cupuliferae.)

Quercus infectoria Oliv. (*Q. Lusitanica* Boiss., non Lam.). An den Lehnen aller Gräben am Plateau nördlich des Euphrat gegen Kjachta ganz niedrige Gebüsche (Nr. 1964). Zwischen Sindschi und Salmanche bei Kjachta. Sehr spärlich beim Kömür Han zwischen Kharput und Malatja. Im Sassun zwischen Deled und Rabat dichte Wälder (Nr. 2686) und unter Harüt bis 1550 m. Zwischen Zoch und Telan häufig niedrige Gesträuche. Im Tigristal unter Balak und bei Fündük ober Dschesire.

Quercus infectoria Oliv. var. *petiolaris* DC. (*Quercus Pfaeffingeri* Kotschy). Bei Kjachta gegen Tschut mit Übergängen zum Typus (Nr. 2189). Im Sassun zwischen Deled und Rabat (Nr. 2687, 2688). Tigristal unter Balak.

Quercus Brantii Lindl. (*Qu. oophora* Kotschy). Auf dem Dschebel Sindschar häufig niedrige Gebüsche bildend, seltener als Baum, 800—1400 m (Nr. 1460). Im Sassun Gebüsche vom Batmanköprü gegen Mejafarkin und dichte Wälder zwischen Deled und Rabat (Nr. 2689), auf dem vorliegenden Plateau bei den Kurdendörfern als Schattenbäume gepflanzt, bezw. gehegt, wie z. B. eine mächtige Gruppe bei Telan. Am Bohtan und im Tigristal unter Balak und um Fündük oberhalb Dschesire Wälder bildend. Mar Jakub nördlich von Mossul.

?Quercus Persica Jaub. et Sp. An trockenen Hängen oberhalb Tschut (nördlich von Kjachta) über Salmanche bis gegen Sindschi, 950—1300 m (Nr. 2214). Auf dem Plateau nördlich des Euphrat gegen Kjachta zwischen Andjus und Karamuhara als Schattenbaum, 730 m (Nr. 1928). Das Material von letzterem Standorte ist steril, von

133

ersterem liegen ganz junge Früchte vor, die mit *Persica,* welche sonst erst bedeutend weiter östlich beginnt, übereinstimmen. Da die Art aber von *Quercus Brantii* in jungem Zustande sehr schwer, steril gar nicht zu unterscheiden ist, läßt sich das Vorkommen noch nicht vollkommen sicher behaupten und sind auch die nicht belegten Angaben der letzteren noch zu kontrollieren.

Quercus vesca Kotschy. An steinigen Hängen im Tale bei Urik nächst Kjachta, 1200—1400 m (Nr. 2125).

Von Haussknecht auch im kataonischen Taurus auf dem Sakarkaja Dagh, 4000' (Ilfm., ohne Bestimmung) mit abnorm in der Mitte gebuchteten Blättern gesammelt. Meine Exemplare haben auffallend breite Blätter ($4·5 \times 8·5$ bis $5·5 \times 7$ cm) und übertreffen darin noch die Pflanze Bornmüllers, Iter Pers.-turc., Nr. 1818. Boissier stellte *Qu. vesca* entschieden fälschlich zu *Qu. Libani*; sie hat eher mit *Qu. Persica* zu tun.

Quercus Libani Oliv. Im kataonischen Taurus die häufigste Eiche in höheren Lagen bis zur Baumgrenze, 1000 bis gegen 1900 m. Nemrud Dagh (Nr. 2136) und von Kjachta (gegen Malatja) bis über Bekikara hinaus. Im Sassun bei Harut, 1750 m, und hierher wohl auch die an den Felsen ober Natopa sichtbaren Bäume (ca. 2000 m).

Nach Kotschyschen Exemplaren ist *Quercus regia* Lindl. damit vollständig identisch.

*Quercus Libani** lus. *pinnata* Hand.-Mzt. (nov.) (Taf. II, Abb. 1). Folia in segmenta remota inaequalia longe linearia vel triangulari-linearia, laminae primariae aequilata, ad basin folii confluentia pinnatifissa.

Am steinigen Nordhange des Nemrud-Dagh gegen Kasas einige Bäume mit durchwegs gleichen Blättern, 1700 m (Nr. 2054).

Juglandaceae.

Pterocarya fraxinifolia (Lam.) Spach. Scheichan im Sassun, an der Dorfquelle mächtige Bäume, doch wohl gepflanzt, 1100 m (Nr. 2906).

Salicaceae.

Populus Euphratica Oliv. Am Euphrat spärlich von etwas oberhalb Der es Sor bis unterhalb Babylon, dort häufiger (Nr. 889). Am Tigris sehr spärlich im Durchbruchstal ober Dschesire und in der Schlucht des Bohtan (650 m) unter Sert. Häufig um Mossul in den Auen; Samarra; unterhalb Bagdad geschlossene Auwälder bildend, weiter abwärts bald fehlend. Arab. «Challef».

Salix alba L. var. *coerulea* (Sm.) Koch. Am Kuwaik bei Haleb. Ain Arus (Quellsee des Belich) zwischen Rakka und Urfa (Nr. 1850). Dschülman nördlich von Urfa, an Bewässerungsgräben (Nr. 1877). Gepflanzt am Göldschik, 1400 m. Am Ambar Tschai zwischen Diarbekir und Mejafarkin und an einem Bache unter Fündük bei Dschesire.

Salix alba L. f. inter var. *Libanotica* (Boiss.) Bornm. (Beitr. Fl. Syr. u. Paläst., p. 631) et var. *tristis* (Trautv. in Ledeb., Fl. Altaica IV, p. 256 [1833]) foliis evolutis utrinque aequaliter sparsissime pilosis, concolori viridibus, brevius acuminatis, sed non latioribus. In den Auwäldern des Tigris unterhalb Mossul (Nr. 1318).

Salix acmophylla Boiss. (*S. Persica* Boiss.). Verbreitet als Strauch oder mächtiger Baum an Wasserläufen vom Schatt el Arab bis zur Baumgrenze in den Gebirgstälern von Kurdistan, Basra, am Kanal gegen Aschar (Nr. 3134). Kwerisch (Babylon), an Bewässerungsgräben (Nr. 877). Tigris-Auen um Mossul (Nr. 1271 ♀, 1308 ♀, 1309 ♀). Am Chabur bei Hsitsche (Nr. 1682) und El Abed (Nr. 1692). Gepflanzt an der Quelle Ras el Ain im Dschebel Sindschar (Nr. 1385) und wohl ebenso bei Gharra im Dschebel Abd el Asis (Nr. 1742 ♂). Um Bekikara zwischen Kjachta und Malatja bei 1750 m mächtige Bäume. Im Sassun häufig bis 1700 m (zwischen Goro und Harut, Nr. 2935). Balak am Bohtan.

S. *acmophylla* ist, wie mein reiches Material und der Vergleich mit dem in den Wiener Herbarien schon vorhandenen zeigt, besonders in bezug auf die Blattgestalt und Behaarung eine der variabelsten Arten der ganzen Gattung und kann sich darin mit den veränderlichsten der heimischen Flora, S. *triandra* und *nigricans*, messen, wenn sie nicht diese noch in den Schatten stellt. Wenn man nur die breitblättrigen flaumigzottigen Exemplare von Basra mit jenen vom Chabur mit den glänzenden kahlen, beinahe linealen Blättern vergleicht, so ist man überzeugt, weit verschiedene Arten vor sich zu haben. Diese beiden Formen in nahezu extremster Ausbildung finde ich aber vereinigt an einem und demselben Aste, lg. Bornmüller, Iter Persico-turcicum 1892 --1893, Nr. 4543 im Herbar des naturhistorischen Hofmuseums. An einem meiner Exemplare von Mossul kann man kahlblättrige Zweige neben solchen mit der Behaarung des S. *acmophylloides* Hausskn. et Bornm. in sched.: Bornm., It. Pers.-turc., Nr. 653, von ebendort beobachten, wenn auch die Zähnung des Blattrandes an diesem meinem Exemplare noch nicht so weit geht. Die Variabilität der Zähnung von ganzrandig bis zu starken Knorpelzähnen läßt sich aber sonst auch sehr leicht verfolgen. Meine männliche Pflanze vom Dschebel Abd el Asis hat an den Kätzchen, die ich im Sommer noch wohlerhalten unter dem Baume liegend fand, meist nur drei, aber auch vier und fünf Staubgefäße. Sehr charakteristisch ist für S. *acmophylla* gegenüber S. *alba* L., S. *Babylonica* L. und anderen Arten ein Merkmal, das für diese Art überhaupt noch nicht erwähnt wurde, nämlich die konstant halbherzförmigen Stipulae. Boissier sowie Andersson schreiben unter Umgehung einer Angabe über die Form «stipulis minimis». Das sind sie zwar oft, aber sie werden ebenso ansehnlich wie bei S. *triandra* L., von deren Formen sich S. *acmophylla* unter anderem durch die dichten Kätzchen und die stets längeren und verhältnismäßig schmäleren, länger zugespitzten Blätter unterscheidet. Ihre Verwandtschaft hat S. *acmophylla* jedenfalls einerseits bei S. *triandra* und andererseits bei den subtropischen und tropischen Arten wie S. *Safsaf* Forsk. und S. *tetrasperma* Roxb. Die Angaben für S. *triandra* aus dem cilicischen Taurus (Kotschy, Nr. 353 c, 354 e bei Boissier, Fl. or. IV, p. 1186) gehören nach den Exemplaren zu kahlen Formen von S. *alba* L. S. *triandra* L. sah ich erst wieder aus Persien (lg. Knapp). Die Pflanzen aus Kurdistan (Kotschy), die Andersson zu S. *Babylonica* L. zog, gehören mit Boissier bestimmt alle zu *acmophylla*, jene von Arghana Maden (Rochel), von Andersson als *acmophylla* angeführt, anscheinend zu S. *alba* (ohne Nebenblätter!). Da die bestehenden Diagnosen, die nach wenigen seinerzeit bekannten Exemplaren geschrieben wurden (die Boissiersche entspricht schon vielen von ihm bereits richtig bestimmten nicht!), wie man es in vielen Fällen findet, die Art in ihrer heute vorliegenden Variationsweite durchaus nicht erkennen lassen, gebe ich hier eine

Descriptio emendata et amplificata: Frutex, vel arbor insignis. Rami elongati, virgati, graciles, pallide brunnei usque ferrugineo-rubicundi, glaberrimi vel juniores dense cinereo villoso-pubescentes. Stipulae semicordatae, raro deficientes, plerumque parvae, sed saepe petiolos aequantes, integrae vel glanduloso-dentatae. Petioli 5—15 mm longi, apice bi- et saepe stipitato-glandulosi. Folia subtus intense glauca vel rarius fere concolori-viridia, glaberrima vel juvenilia puberula vel adulta quoque utrinque large cinereo pubescenti-villosa, adulta plerumque subrigida, sed in speciminibus e locis humidioribus, velut e fonte Ras el Ain in faucibus prope Sindschar, etiam laxiora, infima ramulorum saepe obovata et brevissime apiculata, cetera ovato-lanceolata usque fere linearia, longe, plerumque longissime et oblique acuminata, longitudine pro latitudine exempl. causa 44 × 16, 55 × 6, 90 × 23, 132 × 9, 135 × 28 mm, margine plano sat crebre raro obsolete, plerumque subargute serrulata, nervo mediano valido lutescente, secundariis sub angulis ± acutis abeuntibus prope marginem confluentibus omnibus sicut venulis maioribus utrinque distinctis, venularum reti laxiusculo. Gemmae acutae vel subobtusae, brunneae, glabrae vel pubescentes. Amenta coëtanea, mascula subcurvata, densissima, vix 35 mm longa, 6—10 mm crassa, pedunculo brevi vel etiam longiusculo foliolato; rhachis villosa; bracteae ovatae, pallidae, tergo et marginibus villosae vel glabrescentes; glandulae minimae. Stamina 3—8, libera; filamenta in tertio infero villosa, bracteis vix duplo longiora; antherae globosae, flavae. Amenta feminea densa, subcurvata, matura usque ad 4·5 cm longa, pedunculo 1—3 cm longo, foliato, rhachide villosa, bracteis deciduis amentorum masculorum bracteis aequalibus, glandula parva semiorbiculata brunnea. Capsulae breviter pedicellatae, pedicellis glabris, vix 1—2 mm longis, ovatae basi saepe crassa, acutae, 3—5 mm longae, stylo brevi crasso, stigmatibus parvis plerumque patentibus.

Salix Bornmuelleri Hausskn., Mitteilg. d. botan. Ver. f. Gesamtthüringen IX, p. 21 (1890) c. descr. manca (?*S. repens* Anders., in Boiss., Fl. or. IV, p. 1190, non L. ?*S. cinerea* Boiss., l. c., p. 1188 pro parte).

Frutex parvus usque humanae altitudinis, rarius altior magnitudine *Salicis triandrae*. Ramuli subelongati, crassi, brunnei, violascentes vel nigrescentes, hornotini juveniles breviter et plerumque dense albido-hirsuti, serius glabrescentes, biennes glabri; dense foliati. Gemmae majusculae, subobtusae, pubescentes. Stipulae magnae petiolorum duas tertias aequantes vel totos superantes, reniformes, interdum supra acutiusculae, plerumque irregulariter et argute glanduloso-denticulatae, rugosae, reticulari venulosae, interdum tota superficie glandulis crassis breviter stipitatis obsitae, margine revolutae, persistentes. Folia breviter petiolata, petiolo 2—10 mm longo crasso ± canaliculato, glandulis binis parvis obsito, subpatula vel cauli sursum adcumbentia, undulata et subrugulosa, subfirma, utrinque obscure viridia vel subtus pallidiora, exacte vel oblongo elliptica vel subovata latitudine pro longitudine exempl. causa 6 × 20, 11 × 30, 13 × 53, 22 × 45, 27 × 60, 24 × 100 mm, in apicem acutissimum tortum saepe longum contracta, infima ramulorum saepe obtusa et sublatiora; margine plano subirregulariter et plerumque dense et argute glanduloso-serrulata, sicut petioli et stipulae juniora utrinque plerumque densissime albide holosericea, adulta utrinque, supra paulo tantum sparsius pilis brevibus longioribusque crebris vestita vel rarius fere glabra, nervo mediano valido brunnescente, nervis secundariis utrinque 7—23 sub angulis 45—60° abeuntibus, ± prorsus curvatis, procul a margine confluentibus, subflexuosis, interdum inaequalibus et nonnullis furcatis, utrinque sicut in foliis adultioribus etiam tertiariis distinctis, venularum reti arcto. Amenta feminea solum nota in pedunculis 6—10 mm longis foliolatis coëtanea, recta, 18—30 mm longa, 6—8 lata, densiflora; bracteae obovatae, longitudine pedicellorum vel vix ²/₃ illius, unicolores, pallidae, toto dorso breviuscule lanatae; glandula (superior) semiannulata, aurantiaca, margine erosula. Capsula parva, anguste ovata, ± 3 mm longa, acutiuscula, glaberrima; stylus fere nullus; stigmata brevia, patula, lobata et erosula, aurantiaca.

Sehr verbreitet an den Gebirgsbächen und -Flüssen Kurdistans, 480—1800 m. Am Euphrat bei Tschermisch nördlich von Urfa (Nr. 1925). Am Karkesch Tschai auf dem Plateau von dort gegen Kjachta (Nr. 1962). Um Bekikara zwischen Kjachta und Malatja mehrfach (Nr. 2394, 2488 , gegen Tschat in einem größeren Bestande). Kesin beim Göldschik. Am Tigrisufer bei Diarbekir in großer Menge und an den Flußläufen, die das Vorland des Taurus durchschneiden: Dewegetschit, Ambar Tschai, Haso Su und Bitlis Su.

Ferner Mardin: Ad rivulos prope Hanaki (Sintenis 1888, Nr. 1736, Herb. Bornmüller). Cataonia: In dumetis secus flum. Aksu prope Marasch (Haussknecht: IIb. Hsskn.). Ad rivulos montis Beryt Dagh 6000' (Haussknecht, Hfm., als S. cinerea). Armenia: Bimgoell Dagh, inter Koweg et Goschkar, 5000' (Kotschy, Iter Cilicico-kurdicum Suppl. 576, Hfm.). Pontus australis: Amasia, ad fluvium Jeschil-Irmak, 300—400 m (Bornmüller: Pl. exs. Anatol. orient. 1889, Nr. 479, als S. Pontica Hsskn. et Bornm., dto. 1890, Nr. 853). In planitie Geldinghian ditionis Amasia copiosissime, 400 m (Bornmüller: Pl. Anat. orient. 1890, Nr. 1777 [S. Bornmuelleri Hsskn. f. decabrans], Nr. 3110 [S. B. f. sericea]). Inter Turkhall et Tschengelhan (Amasia-Tokat), 500 m (Bornm. 1890, Nr. 2510). Inter Siwas et Jeni-chan (prope Yildiss-chan ad fluv. Yildiss-Su), ad 1000 m (Bornm. 1890, Nr. 2509). Ad rivum Chan-Su inter Siwas et montes Tschamlu-bel, 1200 m (Bornm. 1890, Nr. 2509). In ripis glareosis fluvii Tschekerik-tschai prope Suluserai, 1000 m (Bornm. 1889, Nr. 1281).

Die vorliegende Pflanze, die häufigste Weide im östlichen Kleinasien, Armenien und Kurdistan, hat Boissier anscheinend mit S. cinerea konfundiert, die im Gebiete auch mehrfach vorkommt (so Kotschy, Iter Cilic.-kurd., Nr. 573 vom Bimgoell Dagh). Er sagt deshalb von dieser: «foliis ... interdum utrinque dense cinereo-canis». S. Bornmuelleri sieht freilich in ihren stark behaarten Formen, wie ich sie immer fand, den Arten der Sectio Capreae am ähnlichsten. Die verkahlenden großen Exemplare von Bornmüller aber sprechen deutlich für die auch schon von Haussknecht vermutete Verwandtschaft mit S. triandra, bei der ich auch das Vorkommen von Drüsen auf der Fläche der Stipulae konstatieren konnte. Diese Exemplare sollten zuerst als S. Pontica Hausskn. et Bornm. (Bornmuelleri × triandra) abgetrennt werden, aber Bornmüller schreibt darüber: «Da unmittelbar bei Amasia am weidenbewachsenen Ufer des Jeschil Irmak typische (d. h. stark behaarte) Bornmuelleri fehlte, so liegt wohl kein Bastard vor, sondern schwach behaarte hochwüchsige (im Schatten anderer Bäume gewachsene) S. Bornmuelleri. Die wohlentwickelten Samen sprechen auch gegen Bastardnatur.» Genauen Aufschluß über die systematische Stellung der Pflanze werden erst die männlichen Blüten, die ich aus Diarbekir zu erhalten hoffe, geben können.

*Salix pedicellata Desf. (S. nigricans Boiss., Fl. or. IV, p. 1190, non Fries, sec. Bornmüller), det. J. Bornmüller. An «subalpinen» Bächen bei Bekikara zwischen Kjachta und Malatja auf Serpentin, 1600 m (Nr. 2460).

Salix Medemii Boiss. f. longifrons Bornm., Pl. Strauss. IV, p. 94. An Bächen zwischen Goro und Harut im Sassun, 1700 m (Nr. 2936).

Meine Pflanze entspricht den Exemplaren von Sintenis, Iter orient. 1890, Nr. 2741 (siehe Schneider, Handb. d. Laubholzkunde I, p. 57).

9*

*Salix eripolia Hand.-Mzt., sp. nova (ἔρι sehr, πολιός grau) (Taf. II, Abb. 2).
Sectio *Capreae.* Frutex circa humanae altitudinis. Ramuli elongati, crassi, griseobrunnei, hornotini griseo-villosi, biennes glabri, large foliati. Stipulae magnae, petiolos superantes, reniformes, irregulariter et argute dentatae, margine revolutae, nervosae, persistentes. Folia brevissime petiolata, petiolo 2— vix 4 mm longo crasso, vix canaliculato, mollia, late obovata, inferiora ramulorum saepe elliptica, latitudine pro longitudine 20 × 46 vel 23 × 60 vel 27 × 62 vel 31 × 63 mm, basi obtusa, apice acuta vel etiam breviter acuminata, margine angustissime revoluto excepta basi crebre et irregulariter glandulose crenato-serrulata, supra griseoviridia, subtus albida, adulta quoque utrinque aequaliter pilis crispis albis dense villoso-tomentosa, nervo mediano valido lutescente supra quoque conspicuo, nervis secundariis utrinque 12—15 sub angulis 50—70° abeuntibus inaequalibus prorsus curvatis saepe furcatis et haud procul a margine irregulariter confluentibus et tertiariis laxis transverse parallelis in pagina inferiore prominulis, venularum reti angusto. (Amenta ignota.)

Bekikara im kataonischen Taurus zwischen Kjachta und Malatja, an Bachläufen, 1600 m, 18./VII. 1900 (Nr. 2461).

Huic speciei proxima *Salix cinerea* L. differt foliis plerumque longioribus et angustioribus, rigidioribus, nervis crassioribus inferne multo magis prominentibus, secundariis aequalibus rectis, parallelis, haud furcatis, proxime margini regulariter confluentibus, tertiariis multo approximatioribus, indumento sparsiore.

Es ist gewiß eine mißliche Sache, eine Weide auf Grund steriler Zweige allein neu zu beschreiben. Ich halte es aber für einwandfrei, wenn man sie danach erkennen kann. Die vorliegende Pflanze ist sehr auffällig, wird aber auf ihre Selbständigkeit doch noch in der Natur zu verfolgen sein. Ein Exemplar der *S. cinerea* von Kotschy, Iter Cilicicum in Tauri alpes Bulghar Dagh, Nr. 354 d. Ad fontes in valle Agatsch Kisse, 4000′ (Hfm.) nähert sich in der Nervatur der *S. eripolia,* hat aber ganz die Blattform der *S. cinerea* und keine wesentlich stärkere Behaarung.

Moraceae.

(*Urticaceae* p. p.)

Morus alba L. Kultiviert in den Dörfern vom Irak Arabi bis in die Gebirgstäler von Kurdistan: Goro im Sassun, 1700 m.

Ficus Carica L. Wild strauchartig an Felsen und baumartig an Wasserläufen sehr verbreitet im nördlichen Mesopotamien und Kurdistan, 250—1800 m. An den Uferfelsen des Tigris unter Sciramun bei Mossul. Dschebel Sindschar (Nr. 1391, 1392) und Dsch. Abd el Asis (Nr. 1729). An den niedrigen Gipsfelsen am Rande eines Wadi in der ebenen Steppe zwischen letzterem Gebirge und dem Belich zwischen den Wasserstellen Saë Sia und Sfaijan. Am Ain Arus (Quellsee des Belich) zwischen Rakka und Urfa durch die ins Wasser tauchenden, dort einwurzelnden und wieder emporwachsenden Äste eine mangroveähnliche Formation bildend (vgl. Deutsche Rundschau f. Geographie XXXIII, p. 401, mit Abb.) (Nr. 1848, 1851). Tschermisch am Euphrat (Nr. 1930, 1931), weiter im Tal des Lilan Tschai und häufig um Kjachta. Is Oghlu. Zwischen Kesin und Arghana am westlichen Tigris. Überall im Vorland des Taurus zwischen Diarbekir und Sert. Natopa am Meleto Dagh (höchster Standort). Schluchten des Bohtan und des Tigris bis gegen Dschesire. Tell is Kof nördlich Mossul. Kultiviert besonders bei den Kurdendörfern, insbesondere häufig bei den Jesiden (Nr. 3099—3106). Ana am Euphrat.

Das von mir gesammelte Material befindet sich zum Zwecke erschöpfender wissenschaftlicher Verwertung in den Händen des bekannten Spezialisten Dr. R. Ravasini in Rom, dessen Bearbeitung später erscheinen wird.

Cannabaceae.

(Urticaceae p. p.)

Cannabis sativa L. Haleb (Hakim, Nr. 77) arab. »Kenneb».

Ulmaceae.

(Urticaceae p. p.)

Ulmus campestris L., emend. Huds. In den Schluchten des Bohtan zwischen Beloris und Balak (Nr. 2985) und des Tigris unter Balak ziemlich selten, 550—650 m.

Celtis Caucasica Willd. In der Schlucht El Magharad im Dschebel Sindschar, 700—1000 m (Nr. 1390). Am Hange von Fündük gegen die Tigrisschlucht ober Dschesire, 500—900 m (Nr. 3049).

Celtis Tournefortii Lam. Arghana Maaden. In Wäldern im Sassun häufig (Nr. 2683), am Bohtan und Tigris zwischen Balak und Dschesire, bei Mar Jakub nördlich Mossul. 500—1400 m.

Urticaceae.

Urtica dioica L. Mar Jakub nördlich Mossul. Quellfluren auf dem Hasarbaba Dagh am Göldschik, 1930 m.

Urtica pilulifera L. Haleb (Hakim, Nr. 9), massenhaft in der Zitadelle. Häufig in Ana am Euphrat.

Parietaria Judaica L. Haleb, oft in Höhlungen (Hakim, Nr. 47, 52), arab. «Nafal maklub». Auch f. *lancifolia* Heldr.

Parietaria Judaica L. var. *brevipetiolata* Boiss. Felsboden in einer Seitenschlucht des Euphrat bei Tschermisch nördlich Urfa (Nr. 1934).

Parietaria Lusitanica L. Uferfelsen des Tigris bei Hmoidat ober Mossul (Nr. 1380).

Parietaria alsinefolia Delile. Häufig an Felsen bei Haditha unterhalb Ana am Euphrat (Nr. 781).

Santalaceae.

Thesium impressum Steud. Zwischen Gestein am Meleto Dagh ober Hasoka, 1800—2200 m (Nr. 2736).

Thesium tauricolum Boiss. et Hsskn. Gipfel des Nemrud Dagh bei Kjachta, 2250 m (Nr. 2111).

***Thesium humile** Vahl. In Bewässerungsgräben der Äcker auf dem Schlamme des Euphrat bei Haditha (Nr. 791).

Loranthaceae.

Arceuthobium Oxycedri (DC.) M. a B. Bei Tschut nächst Kjachta (Nr. 2211)
und zwischen Kel Hassan und Belau im Sassun (Nr. 2955).

Polygonaceae.

Rumex alpinus L. Quellflur auf dem Hasarbaba Dagh am Göldschik, 1900 m
(Nr. 2612).

Rumex Elbursensis Boiss. (= *R. Ponticus* E. H. L. Krause, Lapathon und
Patience, in Beih. z. bot. Zentralbl. XXIV 2, p. 15 [1909], nom. seminud.). Hochstauden-
flur auf Kalk am Hange des Gök Tepe gegen Kumik im kataonischen Taurus zwischen
Kjachta und Malatja, 2000 m (Nr. 2281).
   Meine Pflanze ist identisch mit Originalen von *Rumex Patientia* β *Kurdicus*
Boiss. vom Avroman und Schahu, lg. Haussknecht (Hfm., ohne Bestimmung, aber
jedenfalls zu diesen gehörig), die schon von Bornmüller, Beitr. Fl. Elbursgeb. VIII,
p. 549 (1908) zu *R. Elbursensis* gezogen wurden, was auch E. H. L. Krause, l. c., p. 12,
anerkennt. Dieser Autor sagt allerdings von Haussknechts Exemplaren «hat aber
gar keine deutliche Schwiele», was für die von mir gesehenen keineswegs zutrifft, da
diese eine dicke ovale Schwiele von nahezu halber Länge der Valva haben. Auch
Bornmüllers Exemplare Nr. 8160 haben solche Schwielen, jene Nr. 8159 sind etwas
jünger, aber die noch weich gewesene Schwiele ist in geschrumpftem Zustande deutlich
zu sehen. Kotschys Originale sind in noch viel jugendlicherem Stadium gesammelt
und konnten daher leicht Boissier Grund zu der Angabe «valvis ... a basi truncata ...
omnibus ecallosis» geben sowie zu «foliis ... tenuiter membranaceis». Ausgewachsene
Blätter des *R. Elbursensis* sind in sehr bezeichnender Weise stark glänzend, glatt und
nicht gewellt oder höchstens etwas verbogen, so daß beim Pressen wenige schmale
lange Falten entstehen. Die Exemplare des *R. Ponticus* unterscheiden sich höchstens
durch die etwas kürzere, beinahe kugelige Schwiele, die aber gewiß keinen Artcharakter
liefert. Die von mir gesehenen Exemplare des von Krause zitierten Exsikkates (Sintenis, Iter orientale 1894, Nr. 7072 von Gümüschkhane: Böjükdere supra Artabir, als
R. orientalis det. Freyn) haben weder herzförmigen Blattgrund noch stumpfe Spitze,
auch sind die allermeisten Fruchtklappen nur 12—13 mm breit.

Rumex crispus L. Feuchte Rasenplätze südlich vom Dorf Bekikara zwischen
Kjachta und Malatja, 1600 m (Nr. 2402). In Tümpeln am Göldschik (Quellsee des
Tigris), 1400 m (Nr. 2529).

Rumex pulcher L. var. *anodon* Hsskn., Symb. ad fl. Graecam, in Mitt. bot.
Ver. f. Gesamtthüringen 1891, p. 34). Im Garten des Karmeliterklosters unter Bagdad
(Nr. 902). Mendeli? (Morck, Nr. 30).

Rumex strictus Link (*dentatus* L. var. *pleiodon* Boiss. cfr. Murbeck, Contr.
Fl. N.-Ou. Afrique III, p. 8). Mossul, am Abhang zum Tigris bei Ain Kebrid (Nr. 1183)
und in den Auwäldern gegenüber der Stadt.

Rumex scutatus L. Im Bachgerölle bei Karatschor nördlich von Kjachta
1250 m, Glimmerschiefer (Nr. 2217).

Rumex thyrsiflorus Fingh. In einer üppigen Matte bei Tschat zwischen Malatja und Kjachta, 1870 m (Nr. 2500).

*Rumex vesicarius L. var. **articulatus** Meisn. p. p. (= var. *typicus* Murb., Die *Vesicarius*-Gruppe d. Gatt. *Rumex*, in Lunds Universitetets Årsskrift, N. F., Afd. 2, Bd. 2, Nr. 14, Sep. p. 10 [1907]). Kieswüste unterhalb Hit (Nr. 817) am Euphrat und bei Tekrit am Tigris.

Rumex Acetosella L. (= *R. acetoselloides* Bal.). Schieferschutt am Hange des Gök Tepe zwischen Kjachta und Malatja, 1800—2000 m (Nr. 2295).

Atraphaxis Billardieri Jaub. et Sp. Steiniger Hang bei Bawdol südlich von Kjachta (Nr. 1958). Ebenso ober Furendscha bei Malatja. Im Sassun häufig bei Kabildjous und Scheichan und zwischen Goro und Kede bis 1600 m (Nr. 2915). Bei Telan zwischen Zoch und Sert.

Polygonum amphibium L. Dschesiret-ibm-Omar, in Tümpeln am Tigris (Nr. 3067).

Polygonum Persicaria L. Haleb (Hakim). Basra, im Khora-Kanal (Nr. 3130).

Polygonum lapathifolium L. Im Bachgerölle bei Karatschor nördlich von Kjachta, 1200 m, Glimmerschiefer (Nr. 2219).

Ein kümmerliches Individuum mit beiderseits filzigen Blättern, an denen ich aber weder Ölbehälter noch Kristalldrusen finden kann, daher wohl zur ssp. *neglectum* Schust. (Mitt. d. Bayr. bot. Gesellsch. II, p. 56 [1907]) gehörig.

Polygonum polycnemoides Jaub. et Sp. Auf Glimmerschiefer im Bachgerölle bei Karatschor nördlich von Kjachta (Nr. 2222) und am Hange nördlich davon (Nr. 2250). 1200—1500 m.

Polygonum corrigioloides Jaub. et Sp. Auf Schlamm im Talwege des Euphrat von Mejadin unterhalb Der es Sor (Nr. 636) bis Babylon und im Schwemmgebiet des Tigris um Bagdad. Auch auf Flugsand wie im Talweg oberhalb Kalaat Felludscha (Nr. 848). Stets massenhaft, weite Strecken rot färbend.

Polygonum argyrocoleum Steud., in Kunze, Pugillus tert. plant. adhuc ineditarum etc., in Linnaea XX, p. 17 (1847) (= *P. Noëanum* et *P. deciduum* Boiss., «in Schlecht., Bot. Zeit., 1853, p. 734»).

Auf Schlamm am Euphrat bei Hawil Muschahid ober Ana (Nr. 748). Am Kanal Nahr Husseinie bei Kerbela (Nr. 862). Schlammwüste bei Scheriat el Beda am Tigris ober Bagdad (Nr. 950).

Die Pflanze ist noch weit außerhalb des Boissier bekannten Gebietes verbreitet. Es gehören dazu auch folgende Exemplare: Algerien: Biskra, in cultis palmeti rarum (Chevallier, Pl. Sahar. alger., Nr. 508, als *P. Bellardi* f. *condensata*); El Farch, Oued Mzab (Perraudière, Hfm.). Ägypten: Kairo, in palmetis ad El Marg (Bornmüller, Iter Aegyptiacum, 1908, Nr. 10971, als *P. Bellardi*); Alexandrien (Blumencron, Nr. 155, UnW.). Transkaspien: Kisil Arwat, Karakala: ad versuras prope pagum Nurgeli-chan (Sintenis, It. Transcasp.-Persic., Nr. 1976, als *P. acetosum*).

Sie unterscheidet sich von *P. Kitaibelianum* Sadl., Fl. com. Pest. I, p. 287 (1825) (= *P. Bellardi* autorum, non All.[1]) = *P. virgatum* Lois, Nouv. not., p. 18 [1827], non

---

[1] Vgl. Rouy et Camus, Fl. de France XII, p. 108 (1910). Man muß diesen Autoren entschieden recht geben, daß *P. Bellardi* All. gleich *aviculare* L. ist. *P. patulum* Marsch. a Bieb., der Name, den Rouy und Camus für diese Pflanze anwenden, läßt sich aber nach der Orignalbeschreibung (Fl. Taur.-Caucas. I, p. 304 [1808]) unmöglich deuten, da dort die Blüten nur mit «fl. *P. aviculari* paullo minores» abgetan sind. Es kann sich also dieser Name ebensogut auf *P. Kitaibelianum* wie auf *P. Venantianum* beziehen.

vidi! == *P. strictum* Ledeb., Fl. Altaica II, p. 86 [1830]?) durch die kleineren, vollständig glatten Karyopsen und allermeist auch habituell durch viel reichblütigere, gegen die Spitze gedrungenere Infloreszenzen. *Polygonum Kitaibelianum* findet sich allerdings im ganzen Gebiete auch, z. B. Kurdistan: Mardin, in vineis (Sintenis, Iter orient., 1888, Nr. 1175). Persien: In agro Ecbatanensi (Pichler, UnW.); Urumiah (Knapp, UnW.); Schiras (Stapf, UnW.). Transkaukasien: Batum, in litore Ponti Euxini (Sommier et Levier, Iter Caucas., Nr. 1165 p. p. als und mit *P. arenarium*). Transkaspien (Sintenis, It. Transc.-Pers., Nr. 935 als *P. aviculare* var. *erectum* und Nr. 981 als *P. Bellardi*). Palästina: Bethlehem (Prinz v. Neuwied, Hfm.). Sinai (Schimper, Unio Itinerar., Nr. 388 als *P. patulum*).

Die Identifizierung meiner Pflanze machte anfangs große Schwierigkeiten, da sie wegen der Blätter, die an aus Samen gezogenen Pflanzen sogar bis in den Winter stehen bleiben und deutliche Seitennerven besitzen, mit Boissiers Beschreibung (Fl. or. IV, p. 1035) nicht übereinstimmt. Der Vergleich des in Wien vorhandenen Herbarmaterials zeigt aber, daß offenbar die in Abhängigkeit vom Wasserstand später keimenden und zur Blüte kommenden Exemplare die Blätter abwerfen, die anderen aber nicht. Kotschys Originale sind am 2./IX. gesammelt und tragen nur mehr ganz vereinzelte Blätter, Bornmüller hat die Pflanze ebenfalls bei Mossul gesammelt am 1./VIII. (It. Pers.-Turc., Nr. 1780) und an diesen Exemplaren beginnen die Blätter abzufallen, Haussknecht ebendort am 6./V., an diesen sind noch alle Blätter vorhanden. Steudel beschreibt die Pflanze auch richtig «foliis . . . venosis».

Polygonum Venantianum Clem., Sert. orient., p. 83, Tab. 3 (1855) (= *P. chlorocoleum* Steud., in Kotschy, Pl. Alep., Kurd., Mossul, Nr. 231, nom. nudum).

Zwischen *Juncus acutus* am brakischen See El Chattunije im mittleren Mesopotamien (Nr. 1629). An trockenen Hängen bei Bekikara im kataonischen Taurus zwischen Kjachta und Malatja, 1600 m (Nr. 2456). Arab.: «Leblaba».

Ferner Mesopotamien: Urfa, Tscharmelik (Sintenis, It. or., 1888, Nr. 840) und Kurdistan: Mardin, Bakakri (Sintenis, ibid. Nr. 1269), beide ohne Bestimmung, sehr üppige Exemplare mit zum Teil breit eiförmigen Blättern. Armenien: In ditione oppidi Divriki (cur. Bornmüller, It. Pers.-Turc., 1892—1893, Nr. 3524 als *P. Bellardi*). Persien: Gescht pr. Khoi, in arvis (Knapp, UnW., als *P. Bellardi* Rechinger in Verh. zool.-bot. Gesellsch. XXXIX, p. 247 und danach Bornm., ibid. LX, p. 169). Südrußland: Sarepta, auf den Wolgainseln (Becker, UnW., als *P. patulum*). Original: «In arvis Constantinopolitanis (Clementi, Hfm., UnW.).

Die Pflanze wurde von Clementi, l. c., vorzüglich charakterisiert und ist insbesondere in Mesopotamien und den angrenzenden Gebieten von *P. arenarium*, das dort fehlt, scharf verschieden. Boissier hat sie zum größten Teile mit *P. Kitaibelianum* (*«Bellardi»*) konfundiert, von dem sie sich durch glatte Samen und weit geöffnete, korollinische, weniger tiefgeteilte Perigone mit breiteren Zipfeln sofort unterscheidet. Manchmal wird *P. Venantianum* dem *P. pulchellum* Lois habituell ähnlich, welches sich aber durch sehr stark skulpturierte Samen sowie habituell durch starrere Äste scharf unterscheidet. Letzteres wurde von Haussknecht auch in glareosis m. Haertu Dagh inter Malatja et Kharput 4000' gesammelt (Hfm.), ein Standort, den Boissier nicht anführt. Daß *P. Venantianum* mit *P. arenarium* im gemeinsamen Teile der Verbreitungsgebiete durch Mittelformen verbunden ist, ist immerhin möglich, doch habe ich nichts gesehen, was als solche zu bezeichnen wäre. Das süditalienische *P. elegans* Ten. unterscheidet sich durch viel größere, dichter stehende Blüten und ausdauerndes Rhizom.

Polygonum arenarium W. et Kit. liegt aus dem Gebiete der Flora orientalis noch typisch vor von: Pamphylien: Syde (Heider, UnW.). Transkaspien: Batum, in litore Ponti Euxini (Sommier et Levier, lt. Caucasicum, Nr. 1165 p. p., UnW.). Persien: Prov. Aderbeidschan, Merdise (Knapp, UnW.) und Gomörchane (Knapp, UnW.), beide als *P. Bellardi* det. Rechinger, l. c.

Polygonum aviculare L. Haleb (Hakim). Gräben am Tigris unter Mossul und bei Dschesire (Nr. 3068). Auf festgetretenem Boden bei Gharra im Dschebel Abd el Asis (Nr. 1821). Bachgerölle bei Karatschor (Nr. 2218) und an Hängen bei Bekikara, 1600 m (Nr. 2444) zwischen Kjachta und Malatja.

Polygonum alpestre C. A. Mey. An trockenen Hängen bei Bekikara im kataonischen Taurus (Nr. 2437) und zwischen Goro und Harut im Sassun (Nr. 2932), 1600 —1700 m.

Polygonum setosum Jacq. Trockene Hänge zwischen Arghana Maaden und Kalender Han am westlichen Tigris, 1100—1200 m (Nr. 2639). Unter Goro im Sassun, 1500 m.

Polygonum setosum var. **restionoides** Boiss. et Hausskn. An steilen Felsen auf dem niedrigeren Gipfel des Hasarbaba Dagh am Göldschik, 2400—2450 m (Nr. 2604). Die von Rechinger (Verh. zool.-bot. Ges. XXXIX, p. 248[1889]) und in Bornm., Bearb. Knapp nw. Persien, p. 169) von Knapp gesammelt für Persien angegebene Pflanze ist *P. luzuloides* Jaub. et Sp.

Platanaceae.

Platanus orientalis L. Ain Arus zwischen Rakka und Urfa, auf dem antiken Damm im See, wohl angepflanzt. Wild an den Flüssen und Bächen im Gebirge, 550 —1000 m. Ein riesenhafter Baum bei Bawdol südlich von Kjachta. Um Kjachta und Tschut (Nr. 2210). Im Sassun an einem Baume das freigelegte Wurzelwerk zu einer brettartigen Fläche dicht verwachsen. Am Bohtan und Tigris bis unter Fündük.

Euphorbiaceae.

Chrozophora verbascifolia (Willd.) Juss. Haleb (Hakim, Nr. 2, 82, arab. «Zerreka», «Kremb el kelb»). Im Flugsand in den Flußtälern von Baghdad bis ober Dschesire am Tigris, am Euphrat bei Rakka (Nr. 1830) und in den Wadi von dort gegen den Dschebel Abd el Asis, wie bei Er Rowewat (Nr. 1826). Als Unkraut in humösen Äckern zwischen Urfa und Harran in Menge (Nr. 1853), um Diarbekir und Batman köprü.

Mercurialis annua L. Iskenderun (Alexandretta), auf Schutt (Nr. 55).

Ricinus communis L. Haleb (Hakim, Nr. 37), arab. «Herwek».

Euphorbia Chamaesyce L. Brachäcker bei Seiramun nächst Mossul (Nr. 1215) und zwischen Mejafarkin und dem Batman köprü (Nr. 2657). Haleb (Hakim, Nr. 15, arab. «Azan el Far»).

Euphorbia lanata Sieb. Haleb (Hakim, Nr. 3, arab. «Zerreka»). Auf Sand im Talwege zwischen Schergat und Kaijara (Nr. 1158). Brachen bei Mossul (Nr. 1216), Tell Afar und massenhaft bei Sindschar.

Euphorbia Gaillardoti Boiss. Haleb (Hakim, Nr. 36, arab. «Dschidschan el Nahel»). Äcker bei Karadschyryn zwischen Rakka und Urfa (Nr. 1852). Steppe ober Urfa. Häufig zwischen Dschesire und Mossul.

Euphorbia microsphaera Boiss. An Bewässerungsgräben bei Dschülman
(Nr. 1878) und Nedjaruk nördlich von Urfa. — Hierzu auch Sintenis, It. orient., 1888,
Nr. 1362 als *E. Gaillardoti* von Mardin, Rischemil, in vineis.

Euphorbia helioscopia L. Kyryk Han zwischen Iskenderun und Haleb, in
Äckern (Nr. 152).

Euphorbia Aleppica L. Haleb (Hakim, Nr. 1, arab. «Zerreka», Nr. 55, arab.
«Lebbenne»). Sehr häufig um Urfa, an Bewässerungsgräben bei Dschülman (Nr. 1869).
Überall in Äckern zwischen Diarbekir und Sert.

Euphorbia falcata L. var. *rubra* (Cav.) Boiss. *ecornuta* Boiss. Äcker süd-
westlich von Mossul (Nr. 1299). Steinsteppe bei Dschülman nördlich Urfa (?, vielleicht
E. Szowitsii).

*Euphorbia Chamaepeplus Boiss. et Gaill. Zwischen Felsen im Wadi Sradan
bei Haditha (Nr. 779) und in der Kieswüste unterhalb Hit (Nr. 826) am mittleren
Euphrat.

Euphorbia Szowitsii Fisch. et Mey. An ariden Hängen zwischen Malatja und
Kjachta im kataonischen Taurus, besonders zwischen Bekikara und Tschat, 1500—
2000 m (Nr. 2478).

Lebhaft karminrote Exemplare mit breit verkehrteiförmigen Stengelblättern (Sintenis, Iter Transcasp.-Pers., Nr. 873, sammelte auch solche mit Übergängen zu schmal-
blättrigen grünen) und feinen Hörnern der Drüsen von etwas größerer Länge als die
Drüsenbreite, wie sie transkaukasische Exemplare auch zeigen.

*Euphorbia arvalis Boiss. et Heldr. In Äckern bei Beled nördlich von Baghdad
(Nr. 983) und im Flugsand des Wadi Schreimije nördlich Tekrit (Nr. 1023).

Hierher gehört auch die von Zederbauer am Erdschias Dagh gesammelte und
als *E. Graeca* bestimmte Pflanze (Ergebn. Reise Erdschias D., p. 406).

Euphorbia Chesneyi (Kl. et Gke.) Boiss. Halbwüste und Wüste am Euphrat
von Kaijim unter Abukemal bis Ana (Nr. 742). Auf einem kiesigen Hügel zwischen
Tell Afar und Ain el Ghasal westlich von Mossul (Nr. 1345).

Ad descriptionem Boissieri (Fl. orient. IV, p. 1118) addenda: Planta adulta (an
semper?) tota subtilissime pruinoso-hirtula, foliis floralibus scabro-serrulatis. Caulis
sub umbella saepe ramos radiis breviores floriferos edens. Glandulae interdum toto
margine pectinatae. Seminum foveolae aegre conspicuae.

Die angegebenen Merkmale ließen mich lange an der Identität meiner Pflanze mit
den vorliegenden Originalen von Chesney und Kotschy (Diarbekir), die tatsächlich
vollständig glatt sind und von denen Samen zum Vergleiche nicht vorliegen, zweifeln.
Die Papillen scheinen sich aber gerade so wie bei *E. macroclada*, deren im Frühjahr
gesammelte Exemplare vom Kyryk Han noch vollständig glatt sind, erst in späterem
Alter der Pflanze zu entwickeln.

Euphorbia cheiradenia Boiss. et Hoh. (= *E. bothriosperma* Boiss. et Ky.).
Häufig auf dem Nemrud Dagh (N. 2109), Ak Dagh und Hasarbaba Dagh im kataonischen Taurus und dem Meleto Dagh (Nr. 2783) im Sassun, auf Kalk und Serpentin,
1500—2600 m. — Ferner: Kharput, in montosis (Sintenis, It. orient., 1889, Nr. 482,
ohne Bestimmung) und Arghana Maaden (Rochel, Hfm.).

An den Originalexemplaren von *E. bothriosperma* kommen auch vielspaltige
Drüsen vor und die Blätter variieren so, daß sich keine Abgrenzung durchführen läßt.

Euphorbia striatella Boiss. Im Kies des Wadi Sradan bei Haditha am unteren Euphrat (Nr. 778).

Ad descriptionem addenda: Caulis usque 35 cm altus. Folia caulina interdum acuta. Radii umbellarum usque ad 8, sicut subumbellares usque ad 8 cm longi.

Diese von Boissiers Beschreibung abweichenden Eigentümlichkeiten scheinen auf den ersten Blick in der tiefen Lage des Standortes ihre Ursache zu haben und eine Abtrennung meiner Pflanze zu rechtfertigen; sie finden sich aber mehr oder weniger auch an persischen Pflanzen, besonders von Bornmüller, It. Pers.-Turc., Nr. 4700 a, und solchen von Stapf aus Weingärten von Doun bei Kasrun, Au des Karagatsch und an Wegrändern, Feldrainen bei Mullah Zadeh bei Schiras.

Euphorbia herniariaefolia Willd. Ak Dagh zwischen Kjachta und Malatja, zwischen Gestein und in Schutthalden, 2250—2670 m (Nr. 2305). Nemrud Dagh bei Kjachta, an Felsen der Nordwestseite, 2000—2200 (Nr. 2062), eine Schattenform mit bis über 2 cm langen Doldenstrahlen und sehr lockerer Beblätterung.

Euphorbia Sanasunitensis Hand.-Mzt. sp. nova (Sanasunitae, alter Name der Landschaft Sassun). (Textfig. 1; Taf. II, Abb. 4.)

Sectio *Tithymalus*, Subsectio *Esulae*. Perennis. Rhizoma erectum crassum, pluriceps, breviter ramosum, nigricans, densissime brunneo squamatum. Caules erecti, 40—50 cm alti, 4 mm crassi, caesii, multisulcati, dense foliati, basi serius foliis destituti, steriles simplices, floriferi interdum sub inflorescentiis parce ramosi. Folia sursum accrescentia, ovato-lanceolata, latitudine pro longitudine 9:58 vel 13:57 vel 14:68 vel 10:73 mm, maxima latitudine in quarto vel tertio infero vel rarius versus medium, folia ramorum subumbellarium sterilium et saepe superiora caulium sterilium longe linearia, 2·5:35 usque 4:70 mm, saepe falcata, omnia basi longiuscule angustata sessilia, ad apicem brevem acutum vel in latioribus obtusatum sensim attenuata, firmula, subtus praesertim caesio-viridia, supra nitidula, penninervia, nervo mediano concolore tenui subtus prominulo, lateralibus numerosis in statu sicco utrinque conspicuis, marginibus angustissime revolutis et subcartilagineis, apicem versus subtilissime undulato-scabridulis, ceterum sicut caules levissima et glaberrima, suprema ad folia umbellaria ceterum inferioribus simillima decrescentia. Cyathia in ramis paucis subumbellaribus et umbellis multi- (13—15-) radiatis, radiis sicut ramis 3—4 cm longis semel breviter bifidis, interdum nonnullis in surculos angustifolios exeuntibus. Bracteae flavidae, liberae, ovato-triangulares, basi subcordata, transverse paulo latiores, 6—10 mm longae, acutae, ad basin in pagina superiore, rarius etiam subtus brevissime puberulae et interdum dorso nervi mediani uno alterove pilo longiore obsitae, nervis omnibus tenuibus. Involucrum campanulatum, 2·5 mm longum, glabrum, lobis trapezoideis, intus puberulis, glandulis pallidius atriusve brunneis, lunatis, cornubus breviusculis obtusis. Capsula parva, 3 mm longa et aequilata, globosa, utrinque depressa, profunde trisulca, glabra, subtilissime elevato-punctata. Semina truncato-ovata, luteola, levissima, caruncula patelliformi stipitata antice umbilicata.

Fig. 1.

Same v. *Euphorbia Sanasunitensis.*
Vergr. 12.

Meleto Dagh im Sassun (armenischer Taurus, Wilajet Bitlis), auf üppigem Humus in der Nivalzone bis gegen den Gipfel oft in großer Menge und weiter abwärts an Quellen; Kalk, 2200—3100 m, 10.—11. VIII. 1910 (Nr. 2789).

Ab *E. salicifolia* Host verosimiliter nostrae speciei affinissima haec differt indumento fere deficiente, foliis floralibus acutis, ramis subumbellaribus paucis, ab *E. glareosa* M. a B. foliorum forma diversissima colore, ab *E. Iberica* Boiss. seminibus perpallidis, foliis linearibus surculorum sterilium basi non truncatis, floralibus angustioribus acutis, ab *E. lucida* W. et K. foliis basi longe angustatis, caruncula depressa, ab *E. virgata* W. et K. var. *orientali* Boiss.[1]) interdum simillima umbella multiradiata, foliis brevioribus et latioribus, laxioribus, rhizomate crasso, a fere omnibus rhizomate sicut in sola *E. virgata* erecto nec repente et (excepta *E. salicifolia*) indumenti vestigiis.

Ich habe hier die Pflanze mit allen Arten, die als nahestehende in Betracht kommen, verglichen, ohne vorläufig sicher entscheiden zu können, mit welcher die durch ihre Vorkommensverhältnisse sehr bemerkenswerte Art zunächst verwandt ist.

Euphorbia macroclada Boiss., Diagn. pl. nov. ser. 1, V, p. 54 (1844) (= *E. tinctoria* Boiss. et Huet, in sched., nom. nudum, in DC., Prodr. XV/2, p. 166 [1866] = *E. Syspirensis* K. Koch, in Linnaea XXI, p. 725 [1848]). Steinsteppe bei Dschülman nördlich von Urfa (Nr. 1863). An den Hängen der Gebirge von Kurdistan sehr häufig auf Kalk und Silikaten: Komür Han zwischen Malatja und Kharput, am Göldschik, um Arghana, im Sassun an den Hängen des Meleto Dagh bis 2100 m, am Tigris zwischen Sert und Dschesiret-ibn-Omar.

Euphorbia macroclada var. **schizoceras** Boiss. Haleb (Hakim, Nr. 31, arab. Kerrita). Kyryk Han zwischen Haleb und Iskenderun, in der *Phrygana*-Formation (Nr. 142).

Euphorbia macroclada Boiss.** nov. var. **aceras** Hand.-Mzt. Differt a typo glandulis ecornutis truncatis. Involucri lobi utrinque breviter velutini.

Fels- und Geröllhänge zwischen Kory und Furendscha bei Malatja, 1200—1900 m (Nr. 2492).

Stellt das der meines Erachtens überflüssigen var. *schizoceras* entgegengesetzte Extrem in der Ausbildung der bei vielen Arten ebenso veränderlichen Drüsen dar, dem ich nur deshalb einen Namen gebe, weil die var. *schizoceras* vielfach als solche angenommen wird.

Über die Entwicklung der Papillen vergleiche das oben bei *E. Chesneyi* Gesagte.

Euphorbia denticulata Lehm. Häufig in tieferen Lagen im Gebirge von Kurdistan, ca. 500—1600 m. Um Kjachta und von dort bis Malatja, Wank Dagh dortselbst (leg. P. Coelestin, Nr. 2512), am Göldschik, im Sassun und am Tigris zwischen Balak und Fündük ober Dschesire.

Die von Zederbauer (Ann. naturh. Hofm. XX, p. 406) als *E. Myrsinites* L. von Konia und Nigde angeführte Pflanze ist *E. Anacampseros* Boiss. var. *minor* Boiss.

Andrachne telephioides L. var. **genuina** J. Müll. Felsen des Dschebel Sindschar ober der Stadt Sindschar, 700—1000 m (Nr. 1377).

Andrachne telephioides L. var. **rotundifolia** (C. A. Mey.) J. Müll. Häufig in der Wüste und Steppe der Ebene. Tell Babil (Babylon) (Nr. 896); Beled (Nr. 979) und Kalaat Schergat (Nr. 1093) zwischen Baghdad und Mossul; überall zwischen Rakka und Urfa; Nordfuß des Dschebel Abd el Asis. Uferfelsen des Tigris bei Hmoidat oberhalb Mossul (Nr. 1332), hier im ersten Jahre zur Blüte gekommene Exemplare.

---

[1]) Siehe. Flora orient. Prov. Cappadocia (Thyanitis), Nr. 133 als *E. virgata* β. *orientalis* von Eregli, an Tümpeln. Wiesen. 1150 m ist *E. orientalis* L., die so weit westlich noch nicht angegeben zu sein scheint.

Die var. *rotundifolia* scheint nach dem von mir gesehenen Material sich auch in Vorderasien ähnlich wie in Tunis (vgl. Murbeck, Contrib. Fl. N.-O. Afrique III, p. 18) geographisch von var. *genuina* zu scheiden. Es müßte aber größeres Material, insbesondere reicheres von einzelnen Standorten vorliegen, um eventuell eine Trennung als Subspezies oder Spezies begründen zu können.

Chenopodiaceae.

(Salsolaceae.)

Beta vulgaris L. Ackerunkraut bei Kwerisch (Babylon) (Nr. 884) und Sumedscha nördlich von Baghdad (Nr. 958).

Chenopodium Vulvaria L. Haleb (Hakim, Nr. 4), arab. «Nescheha».

*Chenopodium ficifolium Sm. Kerbela, am Kanal Nahr Husseinic (Nr. 866).

Chenopodium opulifolium Schrad. Haleb (Hakim).

Chenopodium murale L. Auf Schlamm bei Haditha am Euphrat (Nr. 789). Kerbela, am Nahr Husseinie (Nr. 865). Äcker bei Sumedscha nördlich von Baghdad (Nr. 956).

Chenopodium Botrys L. Bachgerölle bei Karatschor nördlich von Kjachta, 1200 m (Nr. 2220).

Chenopodium sp. (in unbestimmbarem Zustande). Haleb (Hakim, Nr. 44), arab. «Ragl».

Spinacia tetrandra Stev. An Kalkmergelhängen des Euphrattales bei Meskene (Nr. 368 ♂) und im Schlamme des Euphrat von Abu Herera (Nr. 433 ♂, 430 ♀) bis gegen Abukemal beobachtet, an üppigen Stellen besonders unter Tamarisken häufig.

Hierzu gehört auch die von Rechinger in Verh. z.-b. Ges. XXXIX, p. 240 als *S. oleracea* angeführte Pflanze aus Nordwest-Persien, Khoi und Tebris, lg. Knapp (cfr. Bornmüller, Bearb. Knapp nw. Persien, p. 166).

Spinacia oleracea L. (= *Sp. spinosa* Mnch.). Iskenderun, an einem Damm (Nr. 44).

Atriplex tataricum L. Haleb (Hakim). Baladrus östlich von Baghdad, auf Schlamm (Morck, Nr. 24). Ain Ustet zwischen Schergat und Al Hadr (Hatra), in Menge.

Atriplex tataricum L. var. *virgatum* Boiss. An trockenen Hängen bei den Häusern von Bekikara zwischen Kjachta und Malatja, 1600 m (Nr. 2447). Annähernd an Abhängen von der Dorfruine Gharra bis zum Rücken des Dschebel Abd el Asis, 500—900 m (Nr. 1760).

*Atriplex dimorphostegium Kar. et Kir. An den Dämmen des Kanales Nil bei Kwerisch (Babylon) (Nr. 879).

Bassia hyssopifolia (Pall.) Ktze., Rev. gen., p. 547 (1891), Volkens in Engler u. Prtl., Nat. Pflzfam. III, 1 a, p. 70 (1893) (= *Kochia hyssopifolia* [Pall.] Schrad.; Boiss., Fl. or. IV, p. 926). Basra, am Kanal gegen Aschar (Nr. 3136).

Bassia eriophora (Schrad.) Ktze., Rev. gen., p. 547 (1891) (*Kochia eriophora* Schrad, Neues Journ., III. Bd., 3. u. 4. Stück, p. 86, Tab. III [1809] — *Kochia latifolia* Fres. in Mus. Senckenb. I, p. 179 [1883], Boiss., Fl. or. IV, p. 927 = *Bassia latifolia*

Aschers. et Schwft., III. Fl. Égypte, p. 127 [1887], Volkens in Engl. u. Prtl., Nat. Pflzfam. III/1 a, p. 70 [1893]). Wüste bei Kaijim unterhalb Abukemal am Euphrat (Nr. 650, 667), in einem Wadi dortselbst (Nr. 656). Häufig in kleinen Mulden im Ruinenfeld von Babylon (Nr. 890). Arab. «Aledsch el Ghasal».

Die Schradersche Beschreibung und treffende Abbildung kann meines Erachtens auf gar keine andere Pflanze bezogen werden. Wenn Schrader schreibt: «die wahrscheinlich in Spanien zu Hause ist», so ist diese bloße Vermutung eben irrtümlich.

Suaeda[1] maritima (L.) Dum. Auf Schlamm zwischen Mendeli und Baladrus östlich von Bagdad (Morck, Nr. 19).

Suaeda salsa (L.) Pall. Kaijara am Tigris unter Mossul, am Asphaltlager (Nr. 3112). Chattunije, auf nacktem Salzboden (Nr. 1635, 1638), arab. «Terté».

Salsola Kali L. Im Sande am Tigris bei Finik ober Dschesire.

Salsola incanescens C. A. Mey. (*S. spissa* Boiss., Fl. or. IV, p. 954 p. p., non M. a B., cfr. Wołoszczak in Stapf, Ergebn. Polak-Exp. Persien II, p. 8). Sandwüste bei Sumedscha zwischen Baghdad und Samarra (Nr. 3120).

Salsola inermis Forsk. Am rechten Tigrisufer zwischen Baghdad und Mossul bei der Asphaltgrube Kaijara (Nr. 3113) und bei Kalat Schergat (lg. P. Maresch) (Nr. 1143). Auf nacktem Salzboden am See El Chattunije (Nr. 1641).

Die Stengelblätter dieser jungen Exemplare sind in großer Zahl erhalten, gleichwie an solchen, die Schweinfurt bei Alexandrien sammelte, fädlich-lineal, bis 6 mm lang und reichlich abstehend langhaarig, ähnlich wie bei *Halocharis*. Die Art findet sich auch in Cypern, Larnaka (Sintenis et Rigo, Iter Cyprium, Nr. 602, als *Echinopsilon muricatus*).

Salsola crassa M. a B. Mit voriger am brakischen See El Chattunije unweit des Chabur (Nr. 1644).

Salsola rigida Pall. Überall in der Gipssteppe zwischen dem Belich und dem Dschebel Abd el Asis; in der steinigen Steppe von dort gegen El Abed am Chabur (Nr. 1710), gegen die Varietät neigend.

Salsola rigida Pall. var. *villosa* (Del.) Hand.-Mzt., comb. nova (= *Salsola villosa* Del.? = *S. vermiculata β. villosa* Moq., Monogr. Chenop. enum., p. 141 [1840] = *S. rigida β. tenuifolia* Boiss., Fl. or. IV, p. 963 [1879]). Wüste bei Kaijim unter Abukemal am Euphrat (Nr. 664).

Haloxylon salicornicum (Moq.) Bge., in Boiss. Fl. or. IV, p. 949 (1879) (= Caroxylon salic. Moq., in DC., Prodr. XIII/2, p. 174 (1849), sec. Battand. et Trabut, nach Bornm. in litt. = *Hal. Schmittianum* Pomel, Nouv. mat. p. l. flore Atlantique, p. 334 (1874) = *H. Schweinfurthii* Aschers. in Aschers. et Schwfth., III. Fl. Égypte, p. 128 [1887] = *Anabasis articulata* Boiss., Fl. orient. IV, p. 970 p. p.; cfr. Solms-Laubach in Zeitschr. f. Botanik I, p. 185—193 [1909]). Sehr häufig im Flugsand westlich des Tigris an der Karawanenstraße von Baghdad nach Samarra von Scheriat-el-Beda bis oberhalb Beled (Nr. 968, 3117). Auch die Pflanze von Damaskus

---

[1]) Die von Rechinger (Verh. zool.-bot. Ges. XXXIX, p. 243) als *Suaeda (Schanginia) baccata* Forsk. bestimmte Pflanze aus Nordwest-Persien: Schinlawur bei Tebris, leg. Knapp ist nach dem Exemplar, wie Bornmüller (Bearb. Knapp nw. Persien, p. 167) bereits vermutete, *Bienertia cycloptera* Bge.

(Gaillardot Nr. 2201 als *Anabasis? aphylla?*, bei Boissier, l. c. als *Anabasis articulata*) gehört zu dieser Art.

Haloxylon articulatum (Cav.) Bge., Boiss., Fl. orient. IV, p. 949 (= *Salsola articulata* Cav., Icon. III, p. 43, Tab. 284 [1794], non Forsk, Fl. Aeg.-Arab., p. 55 [1775], quae est *Anabasis articulata*, = *Anabasis phyllophora* Bunge in Boiss., Fl. or. IV, p. 970 non Kar. et Kir.).

Verbreitet in den Steppen des nördlichen Mesopotamien. Am Euphrat von El Hammam (Nr. 470) bis gegen Salhije unterhalb Mejadin. In Menge zwischen Bara am Dschebel Sindschar und Chattunije, Tell Tenenir am Chabur auf Gips. Kalkmergelhänge bei Gharra im Dschebel Abd el Asis (Nr. 1719). «Ad pedem m. Singarae» Haussknecht, Nr. 840, Hfm.

Alle mesopotamischen und syrischen Pflanzen sind auf den ersten Blick merkwürdig durch die gute Ausbildung der Blätter, die bis 5 mm Länge erreichen. Aber auch Exemplare aus Spanien, von wo die Art zuerst beschrieben wurde (leg. Porta et Rigo, It. IV. Hispan., Nr. 509) zeigen an manchen Trieben bis 3·5 mm lange Blätter von ganz gleicher Form, während an der algerischen Pflanze diese ganz reduziert sind und auch von Solms (l. c., p. 186) nicht in besserer Entwicklung beobachtet wurden.

Die Boissiersche nach zweifelnder brieflicher Mitteilung von Bunge gemachte Angabe von *Anabasis phyllophora* Kar. et Kir. für Syrien ist samt Standort und Nummer offenbar ein komplizierter Irrtum. Die Nr. 2201 von Gaillardot von: Talus marneux, rive droite du Kanawat entre El Raboué et El Mezzé, Syrie (= Nr. 1621 der Reliquiae Mailleanae) führt Boissier selbst auch unter *Anabasis articulata* an; die Exemplare sind *Haloxylon salicornicum* (vgl. oben). Im Herbar Gaillardot, jetzt Teil der Herb. Haussknecht, aus dem mir Herr Bornmüller das einschlägige Material zu leihen die Freundlichkeit hatte, entspricht Boissiers Angaben die ohne Nummer auch mit Originaletikette von Gaillardot vorhandene Pflanze Nr. 1622 der Reliquiae Mailleanae von: Lieux incultes derrière le nouvel hopital de Damas, porte de Salhieh mit Boissiers Originalbestimmung «*Anabasis? ramosissima* Boiss. n. sp.». Dieser Name erscheint in der Flora orientalis nirgends, wohl aber findet man dort die Nr. 2199 von Gaillardot, Pl. Syriae, die auch im Hofmuseumsherbar mit gekürzter Standortsangabe und demselben Datum ebenfalls unter letzterem Namen erliegt, auf S. 949 als *Haloxylon articulatum* angeführt. Alle diese Pflanzen haben mit *Anabasis phyllophora* Kar. et Kir. aus der Songarei, die haarspitzige Blätter hat, gar nichts zu tun.

Pau will in Scheden (Plantes d'Espagne — F. Sennen Nr. 92) den Namen *Anabasis tamariscifolia* L., Sp. plant., ed. 2, p. 324 (1762), der immer zu *Salsola (Caroxylon) tamariscifolia* Lag. zitiert wird, wegen der tatsächlich tamariskenähnlichen Blätter auf unsere Pflanze beziehen und dieselbe *Haloxylon tamariscifolium* (L.) Pau nennen. Es scheint mir dies aber nicht richtig, denn Linné erwähnt in seiner verhältnismäßig ausführlichen Beschreibung nichts von gegliederten Stengeln, während er sie bei *Anabasis aphylla* erwähnt, und die oberen Blätter der *Salsola tamariscifolia* haben immerhin auch genug Ähnlichkeit mit Tamariskenblättern.

Noëa mucronata (Forsk.) Aschers. et Schwfth. (= *N. spinosissima* [L. f.] Moq.; Boiss.). Haleb (Hakim, Nr. 29, arab. «Ser»). Verbreitet in der Gips- und Kalksteinsteppe des nördlichen Mesopotamien, nördlich von Schergat, um Chattunije, am Chabur und Nordfuß des Dschebel Abd el Asis; an dessen Felsen bis zum Rücken ansteigend; Kiessteppe zwischen Rakka und dem Belich. Am Dschebel Sindschar auf Kalkmergel im Wadi Schilu und bei Bara (Nr. 1567). Kalktuff bei Dscheddale (Nr. 1550). Erdhänge auf Urgestein beim Kömür Han zwischen Malatja und Kharput.

Noëa Tournefortii (Jaub. et Sp.) Moq. Im kataonischen Taurus zwischen Karatschor und Kumik nördlich von Kjachta (Nr. 2264) und vielfach am Göldschik, ebenso am Meleto Dagh im Sassun (Nr. 2784); auf Kalk und Silikatgesteinen, 1400—2500 m.

Girgensohnia oppositiflora (Pall.) Fzl. Sandwüste bei Beled zwischen Baghdad und Samarra (Nr. 3118).

*****Petrosimonia brachiata** (Pall.) Bge. Auf nacktem Salzboden am See El Chattunije (Nr. 1643).

Halocharis sulphurea Moq. Flugsand im Wadi Schreimije nördlich von Tekrit am Tigris (Nr. 1016). Häufig an den Salz- und Schwefelwässern der Wadi und Tümpel zwischen Kalaat Schergat und Al Hadr (Hatra) (Nr. 1105). Nackter Salzboden am See Chattunije (Nr. 1632), arab. «Hammed». — Sindschar, in deserto salso-gyps. (Haussknecht, unbestimmt).

Cornulaca Aucheri Moq. In der Sand- und Schlammwüste zwischen Baghdad und Kalaat Felludscha (Nr. 852).

Hiemit bestätigt sich die von Boissier bezweifelte Auchersche Originalangabe für «Assyrien».

*****Cornulaca monacantha** Del., determ. Bornmüller. Sandwüste bei Sumedscha zwischen Baghdad und Samarra (Nr. 3121).

Meine Exemplare sind, ebenso wie übereinstimmende von Stapf in Persien (Dizi) gesammelte, sicher ☉. Offenbar kommt die Pflanze schon im ersten Jahre zur Blüte und entwickelt erst später einen Stamm.

Cornulaca setifera (DC.) Moq. Halbwüste zwischen Mejadin und Salhije am rechten Euphratufer (Nr. 622).

Leider fand ich von dieser seltenen, ursprünglich von DC. als *Astragalus* beschriebenen und seit Olivier nicht wiedergefundenen Pflanze nur eben erst beblätterte Stücke, die ich als Beleg für ein (verloren gegangenes) Vegetationsbild mitnahm. Herr Dr. C. de Candolle in Genf hatte die Freundlichkeit, die Übereinstimmung einer eingesandten Probe mit dem Originalexemplar zu bestätigen.

Amarantaceae.

Amarantus retroflexus L. Haleb (Hakim, Nr. 80), arab. «Cheisum-enssa».

Amarantus Graecizans L., s. str. (*A. silvester* Desf. var. *Graecizans* [L.] Boiss.). Baghdad: Kasr Naqib, in Mulden und an Gräben (Nr. 939).

A. Graecizans scheint, abgesehen von seiner eigenartigen Verbreitung, auch keine Übergänge zu *A. silvester* zu zeigen. Wenn man die Pflanzen zusammenzieht, muß der Name *A. Graecizans* angewendet werden (cfr. Ascherson et Schwfth., Ill. Fl. Égypte, p. 132).

Aizoaceae.

(Ficoideae, Mollugineae p. p.)

Glinus lotoides L. Im Sande des Tigris bei Dschesire (Nr. 3066).

Aizoon Hispanicum L. Meskene am Euphrat, auf dem Kalkmergel des Talranges Nr. 370). Halbwüste und Wüste von Der es Sor (Nr. 593) bis Baghdad, häufig.

Mesembryanthemum nodiflorum L. Schlammwüste im Ruinenfeld von Babylon (Nr. 891).

Cactaceae.

Opuntia Ficus Indica (L.) Mill. Kultiviert und verwildert nur bei Mersina und Iskenderun in nächster Nähe des Mittelmeeres.

Portulacaceae.

Portulaca oleracea L. Haleb (Hakim, Nr. 21, arab. «Baklé»). Äcker bei Goro im Sassun, 1700 m (Nr. 2912). Im Sande des Bohtan, 600 m.

Caryophyllaceae.

(Mollugineae p. p., Paronychieae, Alsineae, Sileneae.)

Paronychia argentea Lam. Iskenderun, auf einem Damm am Meere (Nr. 51).

Paronychia Kurdica Boiss. Kömür Han zwischen Kharput und Malatja und am Göldschik auf Silikatgesteinen, sonst auf Kalk; im Sassun überall bis mindestens 1800 m. Dschebel Abd el Asis, an Hängen bei Gharra (Nr. 1750). Dschebel Sindschar ober der Stadt (Nr. 1483). In den Wadi am Tigris zwischen Schergat und Khurnina und nördlich von Tekrit (Nr. 1010).

*Herniaria incana Lam. In dem feuchten Weidenhain bei Göldschik am gleichnamigen See, 1400 m (Nr. 2558).

Herniaria hirsuta L. An humösen Stellen und in Äckern zwischen Dschebrin und Tijara östlich von Haleb (Nr. 255), zum Teil ganz kahlblätterige Exemplare. Auf Schieferdetritus am Hange des Gök Tepe zwischen Kjachta und Malatja, 1800—2000 m (Nr. 2292).

Herniaria glabra L. Am Hange des Gök Tepe mit voriger (Nr. 1120) und auf nackter Erde in Schneetälchen an der Nordwestseite des Nemrud Dagh bei Kjachta, 2000—2200 m (Nr. 2065).

Herniaria cinerea DC. Zwischen Dschebrin und Tijara mit *H. hirsuta* (Nr. 277). Meskene, auf Kalkmergel des Talhanges (Nr. 385). Brachäcker bei Mossul (Nr. 1280).

*Herniaria hemistemon J. Gay. Kieswüste bei Kaijim unterhalb Abukemal (Nr. 648) und unterhalb Hit (Nr. 821) am Euphrat sowie zwischen Beled und Samarra am Tigris ober Baghdad.

**Herniaria Arabica Hand.-Mzt., sp. nova (Textfig. 2; Taf. II, Abb. 5).
Sectio *Eu-Herniaria* Williams (Revis. of the Gen. *Hern.* in Bull. Herb. Boiss., sér. 2, IV, p. 558). Rhizoma perenne, erectum, plus minusve crassum, pluriceps, ramis brevibus. Caules numerosi, primum erecti, serius umbraculatim expansi, haud radicantes, 5—10 cm longi, foliis ramisque longis plurimis oppositis, internodiis inferioribus 4—10 mm, superioribus 3 mm longis. Folia majuscula, lineariobovata, basi longe angustata, maxima latitudine in tertio vel quarto supero, obtusa vel acutiuscula, $1\cdot5 \times 4\cdot5$, 2 vel $2\cdot5 \times 7$ usque $1\cdot75$ vel 2×10 mm, suprema paulo minora, crassiuscula, griseoviridia, marginibus incrassatis revolutis, nervo mediano tenui inferne interdum prominulo, sicut caules circumcirca pilis rigidis albis

151

o·2—o·3 mm longis dense hispida. Stipulae parvae, o·75 — 1 mm longae, late ovato-triangulares, acutae, membranaceae, albae vel partim vel omnes brunneae et albo-marginatae, toto margine dense et longe ciliatae. Fasciculi florum numerosi, sparsi,

Fig. 2.
Blüte von *Herniaria Arabica*.
Vergr. 37.

pauci- (1—3-) flori, foliis breviores, bracteolis stipulis foliorum simillimis. Flores sessiles, pro more magni, 1·5—2 mm longi et aperti 2—3 mm lati, tetrameri, hermaphroditi. Calycis tubus brevissimus, pilis pro maxima parte apice uncinatis breviter hirsutus. Sepala valde inaequalia; exterioria jam ante anthesin mox patula, altero ± recurvo, cucullata, basi tenuia, ceterum carnosa, margine incrassato sursum decolorata, late obovata vel fere orbicularia altero paulum elongatiore, ungue brevissimo subangusto, obtusa, excepta basi tenui utrinque pilis foliorum pilis simillimis, sed in apice sepali etiam illis rigidioribus dense hispida; interiora conniventia, florendi tempore erecta, ovato-lanceolata basi vix angustata, exteriorum medium attingentia et illis dimidio angustiora, ad apicem dorso gibbo crasso aucta, marginibus membranaceis angustis supra basin utrinque late et breviter auriculatis, dense ciliatis, ceterum sicut exteriora vestita. Staminodia 4, breviter filiformia, membranacea. Stamina 4, filamentis tenuibus antheris dimidio brevioribus, his magnis, ellipticis, o·75 mm longis, flavis. Ovarium (juvenile) clavato-globosum, superne papillosum, stylis brevissimis liberis, erectis.

Im Grenzgebiet gegen Nordarabien am rechten Euphratufer bei Kaijim unter Abukemal (Nr. 649) und im Wadi Sradan bei Haditha (Nr. 775) in der Kieswüste, ebenso zwischen Beled und Samarra am rechten Ufer des Tigris ober Baghdad, am ersten und letzten Standort mit *Hern. hemistemon*.

A proxime affini *Hern. Fontanesii* J. Gray (cfr. Murbeck, Contrib. Fl. N.-Ou. Afrique I, p. 45) Africae bor. occ. et Hispaniae differt ramis oppositis, indumento diversissimo, foliis majoribus axillis non fasciculigeris, floribus minus apertis, staminodiis diversis, antheris majoribus filamentis brevioribus et al.

Obwohl von dieser Pflanze nur drei Stücke vorliegen, ist über ihre Stellung kein Zweifel. Von der gemeinsam vorkommenden *H. hemistemon* ist sie, ganz abgesehen von den Details, auch im Wuchs sofort zu unterscheiden.

Scleranthus uncinatus Schur. Schieferdetritus am Gök Tepe zwischen Kjachta und Malatja, 1800—2000 m (Nr. 2293).

Habrosia spinuliflora (Ser.) Fzl. Gesteinfluren: Dschebel Abd el Asis, Dsch. Sindschar (Nr. 1485); Batman Köprü und Deled am Ausgang des Sassun, Fündük und Finik am Tigris ober Dschesire. 500—1200 m.

Polycarpon alsinefolium (Biv.) DC. Iskenderun, auf einem Damm am Meere (Nr. 46).

Pteranthus dichotomus Forsk. (== *P. echinatus* [Desf.] Boiss.). Sand im Wadi el Fhemi zwischen Ana und Haditha (Nr. 759) und Kieswüste unterhalb Hit (Nr. 825) am Euphrat, ebenso und in der Halbwüste bei Tekrit am Tigris.

Spergularia salina Presl. Auf salzigem Schlamm zwischen Mejadin und Salhije (Nr. 635) und Sand im Wadi Dschirrin zwischen Kaijim und Nahije (ober Ana) (Nr. 689) am Euphrat.

Spergularia diandra (Guss.) Boiss. Am Euphrat auf salzigem Schlamm bei Abu Herera (Nr. 431) und zwischen Tibne und Der-es-Sor (Nr. 575) abwärts bis Baghdad, in Senkungen der Steppe zwischen Abu Herera und El Hammam (Nr. 443), im Sande des Wadi Dschirrin zwischen Kaijim und Nahije (Nr. 688) und an Felsen des Talhanges bei Haditha (Nr. 787).

Telephium orientale Boiss. Felsige Stellen des Dschebel Sindschar ober der Stadt, 700—1300 m (Nr. 1477).

Stellaria apetala Ucria. Iskenderun, ruderal (Nr. 45).

*Cerastium cespitosum Gilib. (= *C. vulgatum* aut. [Boiss.] non L. = *C. triviale* Link). Auf feuchtem Rasen an der Talgabelung südlich des Dorfes Bekikara zwischen Kjachta und Malatja, 1600 m (Nr. 2400).

Cerastium dichotomum L. Haleb, in Äckern jenseits des Bahnhofes (Nr. 221), auf Humus am Nahr ed Deheb.

Cerastium perfoliatum L. Haleb, in Äckern jenseits des Bahnhofes (Nr. 220).

Holosteum umbellatum L. In der *Phrygana*-Formation beim Kyryk Han zwischen Haleb und Iskenderun (Nr. 148).

Holosteum liniflorum Stev. Auf Humus, Äckern und üppigem Rasen am Nahr ed Deheb zwischen Haleb und dem Euphrat (Nr. 300); Halbwüste bei Der es Sor (Nr. 605).

Sagina procumbens L. An Bächlein bei Bekikara zwischen Kjachta und Malatja, 1600 m (Nr. 2466).

Buffonia tenuifolia L. An trockenen steinigen Hängen am Göldschik (Nr. 2569), von Mejafarkin gegen Diarbekir und im unteren Teile des Sassun häufig; 700—1500 m.

Queria Hispanica Loefl. Gesteinflur des Dschebel Sindschar ober der Stadt, 700—1300 m (Nr. 1458).

Minuartia recurva (All.) Schinz. et Thellg. (*Alsine recurva* [All.] Wahlenb.). In humösem Schutt nahe dem Gipfel des Meleto Dagh im Sassun, 2900—3100 m, auf paläozoischem Kalk (Nr. 2758).

Es ist sehr bemerkenswert, daß südöstlich des Verbreitungsgebietes der im weiteren Mediterrangebiet die *M. recurva* vertretenden *M. condensata* (Prsl.) Hand.-Mzt. (cfr. Ergebn. bot. Reise Trapezunt, p. 150) wieder die typische *M. recurva* der Alpen auftritt. Speziell meine Exemplare vom Meleto Dagh gehen in der Breite der Blätter sogar noch über die in dieser Hinsicht extremsten Pflanzen, die ich aus den Alpen sah, hinaus. Es gehören zu *M. recurva* noch folgende mir 1909 noch nicht bekannte Exemplare: Armenien, auf dem Ararat (F. v. Kerner, UnW.) und Persien, Prov. Aderbeidschan, Tacht-i-Bälkis, in saxosis (Knapp, UnW.).

Die nördlichsten Standorte der *M. condensata* auf dem Balkan sind nach neuerem Materiale die Jablanica und der Korab in Albanien (lg. Dimonie, UnW.).

Minuartia dianthifolia (Boiss.) Hand.-Mzt., comb. nova (*Alsine dianthifolia* Boiss., Diagn., sér. 1, VIII, p. 99 [1842], Fl. orient. I, p. 674). Gesteinfluren auf Kalk des Ak Dagh zwischen Malatja und Kjachta, 2500—2670 m (Nr. 2335).

An den kompaktesten Rasen sind die Blätter nur 1·3 ✕ 4 mm groß.

Minuartia juniperina (L.) Hand.-Mzt., comb. nova (*Arenaria juniperina* L., Mantissa plt., p. 72 [1767], *Alsine juniperina* Fenzl, Vers. e. Darst. Verbr. Verh. Alsineen, p. 18 [1833], Boiss., Fl. or. I, p. 677). Ak Dagh, wie vorige, 2000—2670 m (Nr. 2346).

Minuartia erythrosepala (Boiss.) Hand.-Mzt., comb. nova (*Alsine erythro-sepala* Boiss., Diagn., sér. 1, VIII, p. 98 [1842], Fl. orient. I, p. 679). Ak Dagh, wie vorige, 2250—2670 m (Nr. 2313).

Die Länge der Petalen variiert an meinen Pflanzen von $^3/_4$ der Kelchlänge bis $1^1/_2$ mal so lang als diese.

***Minuartia Tchihatchewii** (Boiss.) Hand.-Mzt., comb. nova (*Alsine Tchiha-tchewii* Boiss., Ann. sc. nat., sér. 4, II, p. 243 [1854], Fl. orient. I, p. 681). An Kalkfelsen bei den Tschirik Jailassi auf dem Nemrud Dagh bei Kjachta im kataonischen Taurus, 1980 m (Nr. 2150).

Die Identität der seit ihrer Entdeckung durch Tschihatscheff nicht wiedergefundenen[1] Art mit dem Originalexemplar wurde mir nach Vergleich durch den Konservator des Herbier Boissier, Herrn G. Beauverd, bestätigt.

Minuartia intermedia (Boiss.) Hand.-Mzt., comb. nova (*Alsine intermedia* Boiss., Fl. orient. I, p. 685 [1867]). Gesteinflur des Dschebel Sindschar ober der Stadt, 700—1300 m (Nr. 1499) und bei Dschülman nördlich von Urfa, 730 m (Nr. 1857).

Minuartia Meyeri (Boiss.) Bornm., Collect. Strauss. nov. I, p. 318 (1910) (*Alsine Meyeri* Boiss., Diagn., sér. 1, VIII, p. 96 [1842], Fl. orient. I, p. 682). Dschebel Sindschar, mit voriger (Nr. 1459). Äußerer Teil des Sassun; Fündük ober Dschesiret ibm-Omar.

«Ramis filiformibus» bei Boissier ist eine irreführende Angabe.

Minuartia tenuifolia (L.) Hiern. Meskene am Euphrat-Mittellauf, auf Kalkmergel des Talhanges (Nr. 388).

Minuartia vicosa (Schreb.) Schinz et Thellg. (*Alsine tenuifolia ε. viscosa* [Schreb.] Boiss.). Gipssteppe auf dem Rücken El Hilu zwischen Sabcha und Tibne oberhalb Der es-Sor (Nr. 541).

Minuartia Mesogitana (Boiss.) Hand.-Mzt., comb. nova (*Alsine Mesogitana* Boiss., Diagn., sér. 1, I, p. 45 [1842], *Alsine tenuifolia β. macropetala* Boiss., Fl. orient. I, p. 686 [1867]). In der Phryganaformation beim Kyryk Han zwischen Iskenderun und Haleb (Nr. 151).

Minuartia subtilis (Fenzl) Hand.-Mzt., comb. nova (*Alsine subtilis* Fenzl in Boiss., Diagn., sér. 2, I, p. 86 [1854], *Alsine tenuifolia η. subtilis* Boiss., Fl. orient. I, p. 687 [1867], *Minuartia Lydia* var. *Kotschyana* [Boiss.] Bornm., Collect. Strauss. nov. I, p. 318 [1910]). Kalkgrus am Hange ober Karatschor gegen Kumik nördlich von Kjachta, 1600—1700 m (Nr. 2256). In schattigen Weidenkulturen bei Göldschik am Quellsee des Tigris, 1400 m, kalkhältig (Nr. 2565). An feuchten Felsstufen unter üppigen Kräutern am Nordhang des Meleto Dagh im Sassun, 2750 m (Nr. 2808).

Minuartia picta (Sibth. et Sm.) Bornm., Iter Pers.-Turc. I, p. 148 (1911). Äcker und humöse Steppen von Haleb (Nr. 202, 257) bis zum Euphrat (Nr. 344) und abwärts bis in die Halbwüste bei Salhije unter Mejadin.

---

[1] Von Siehe wurde vom Erdschias Dagh unter Nr. 218 als *A. Tchihatchewii* teils *M. recurva* (zir. Hand.-Mzt., Ergebn. bot. Reise Trapezunt, p. 153 [Hfm., UnW.]), teils *M. juniperina* (Hb. Hausknecht. Probe UnW.) ausgegeben.

Arenaria gypsophiloides L. Meleto Dagh, an Felsen des Nordhanges, 2750 m (Nr. 2828).

Arenaria drypidea Boiss. Nemrud Dagh bei Kjachta, an steinigen Hängen unter den Tschirik Jailassi, 1600—1900 m (Nr. 2137). Ebenso auf dem Ak Dagh, 1900 —2400 m (Nr. 2348.

Arenaria Tchihatcheffii Vierh. in Zeder b., Ergebn. Reise Erdschias D., p. 395 (1907) (*Arenaria glutinosa* Boiss., Ann. sci. nat., sér. 4, II, p. 244 [1854] non Willd. nec M. a B., *Arenaria Ledebouriana* Fzl. β. *glutinosa* Boiss., Fl. orient. I, p. 697). Auf Kalkschutt ober Karatschor gegen Kumik zwischen Kjachta und Malatja, 1600—1700 m (Nr. 2260).

Arenaria acerosa Boiss. Schieferdetritus am Gök Tepe zwischen Kjachta und Malatja, 1800—2000 m (Nr. 2300). Zwischen Serpentinfelsen des Hasarbaba Dagh am Göldschik, 2400—2450 m (Nr. 2605).

Meine Pflanzen haben stark drüsige Infloreszenzen, die Art wird also nicht etwa im Osten durch kahle Formen vertreten, was die var. *glabra* Boiss. vom Beryt Dagh vortäuschen könnte. Hierher auch Siehe Nr. 543 von Bulghar Maaden als *Alsine erythrosepala*.

Arenaria Tmolea Boiss. Nemrud Dagh, an Felsen des Nordwesthanges, 2000 —2200 m (Nr. 2060). Ak Dagh, Gesteinfluren, 2500—2670 m (Nr. 2336).

Arenaria rotundifolia M. a. B. Am erdigen Rande eines Wassergrabens bei der Quelle Terk auf dem Ak Dagh zwischen Kjachta und Malatja, 2350 m (Nr. 2374).

*Arenaria Balansae Boiss. In Schneetälchen auf dem Meleto Dagh im Sassun, 2600—3100 m (Nr. 2720).

Arenaria leptoclados Guss. In der Steppe zwischen Abu Herera und El Hammam (Nr. 3188) und an Felsen bei Haditha am Euphrat (Nr. 786). In feuchtschattigen Weidenhainen und an steinigen Hängen bei Göldschik am Quellsee des Tigris, 1400 m (Nr. 2557).

Silene odontopetala Fenzl. An Kalkfelsen auf dem Ak Dagh zwischen Kjachta und Malatja (Nr. 2384) und Meleto Dagh im Sassun (Nr. 2778), 1800—3100 m. Flores viridiflavi usque sordide purpurei.

Silene commutata Guss. Trockene Hänge bei Bekikara im kataonischen Taurus, 1600 m (Nr. 2440).

Silene coniflora Otth. Steppen und Äcker östlich von Haleb (Nr. 263), auf Kalk und Gips über Abu Herera (Nr. 413) und Tibne (Nr. 557) bis Der es Sor, dort in der Halbwüste mit beinahe weißen Blüten (Nr. 609, die ganze Pflanze wird frisch gegessen) und noch zwischen Mejadin und Salhije. Kalaat Schergat (Assur) am Tigris, lg. Maresch (Nr. 1146).

Silene conoidea L. Auf Schlamm bei Hawil Muschahid zwischen Nahije und Ana (Nr. 749).

Silene Oliveriana Otth. Steppen am Euphrat zwischen Abu Herera und El Hammam (Nr. 447), hier an sehr üppigen Stellen (Nr. 494), Halbwüste bei Nahije ober Ana (Nr. 732).

Silene brevicaulis Boiss. Felsige Stellen des Nemrud Dagh bei Kjachta im kataonischen Taurus, 1600—2250 m (Nr. 2095).

Es ist unverständlich, wie Rohrbach, Monogr. d. Gatt. *Silene*, p. 130 *Silene brevicaulis* und *S. Tejedensis* Boiss. (unter *S. Boryi* Boiss.) in verschiedene Gruppen stellen konnte, deren erste «Caules florigeri e foliorum rosula medio edentes», die zweite «caules florigeri e fol. ros. terminali lateraliter adscendentes» haben soll, da beide Pflanzen genau gleiche infrarosulare Blütenäste haben. Auch im Kelch kann ich keinen Unterschied finden. *Silene Tejedensis* unterscheidet sich meines Erachtens nur durch viel dichtere kürzere gleichmäßige Behaarung, an Größe nach oben abnehmende Stengelblätter («folia internodiis breviora» trifft auch am Originalexemplar der *S. brevicaulis* [Hfm.] nur teilweise zu) und deutlich gestielte Blüten, während diese bei *S. brevicaulis* sitzend sind. Meine Pflanzen entsprechen dem Original, doch sind einzelne Äste zweiblütig. Die Petalen sind heller und dunkler rot.

Silene arguta Fzl. var. **Armena** Boiss. Felsen am Nordwesthang des Nemrud Dagh bei Kjachta, 2000—2100 m (Nr. 2059), dortselbst schon 1882 von Luschan gesammelt (UnW.).

Silene compacta Fisch. An feuchten Felsstufen am Nordhang des Meleto Dagh, 2750 m (Nr. 2813).

Silene rubella L. Auf Schlamm bei Haditha am Euphrat (Nr. 790).

Silene Aegyptiaca (L.) L. fil. (*S. Atocion* Murr.). In' der Phryganaformation beim Kyryk Han zwischen Haleb und Iskenderun (Nr. 136).

Die Kelche sind ungewöhnlicherweise 22 mm lang, doch zeigen Exemplare von Kotschy vom Pyramus (It. Cilic.-kurd., Suppl. 4, Hfm.) ebensolche und Übergänge zum Typus.

Silene arenosa K. Koch in Linnaea XV, p. 711 (1841) (*S. leyseroides* Boiss., Diagn., sér. 1, I, p. 41 [1847]). Kiessteppe auf dem Plateau zwischen Kaiaat Schergat (Assur) und Kaijara (Nr. 1156).

Silene Kotschyi Boiss. (*S. microsperma* Fzl. p. p.). Kalkmergelhänge bei Gharra im Dschebel Abd el Asis (Nr. 1737). Steinsteppe bei Dschülman (Nr. 1860) und weiter nördlich von Urfa. Kjachta.

Silene longiflora Ehrh. Trockene Hänge bei Bekikara zwischen Kjachta und Malatja, 1600 m (Nr. 2446).

Silene stenobotrys Boiss. et Hsskn. Gesteinfluren des Dschebel Sindschar ober der Stadt (Nr. 1361) und des Dschebel Abd el Asis ober Gharra, 600—700 m.[1]

Silene spergulifolia (Desf.) M. a B. var. **elongata** Boiss. Felsen bei den Tschirik Jailassi am Nemrud Dagh bei Kjachta, 1980 m (Nr. 2144).

Silene supina M. a B. (= *S. pruinosa* Boiss. non ? *S. supina* α. *genuina* Rohrb., Monogr. d. Gatt. *Silene*, p. 207). Trockene Hänge auf Serpentin bei Bekikara zwischen Kjachta und Malatja, 1600 m (Nr. 2438).

Auch wenn die großblütige, in der Krim und im Kaukasus neben *S. supina* vorkommende Pflanze von ihr verschieden ist (Boiss., Fl. or., Suppl., p. 98), was mir trotz

---

[1] *Silene capitellata* Boiss. Nemrud Dagh bei Kjachta, lg. Luschan, 1882 (UnW.) in einer breitblättrigen Form (foliis anguste obovatis), zu der Nr. 2297 von Sintenis, Iter orient, 1890, den Übergang bildet.

der starken Variabilität der Blütengröße in Kleinasien (cfr. Bornmüller, Ergebn. Reise Sultan Dagh, p. 448 [1909]) doch noch wahrscheinlich ist, hat der Name *S. supina* wegen Marschall v. Biebersteins Bemerkung «flores magnitudine *Silenes nutantis*» (Cent. pl. rar. Ross., fol. III) für unsere Pflanze zu gelten. Das Indument ist an der taurischen Pflanze dasselbe wie an meiner und M. a B. hatte ursprünglich ebenso niedrige wenigblütige Exemplare vorliegen.

Melandryum eriocalycinum Boiss. var. **Persicum** Boiss. et Buhse. Natopa am Meleto Dagh, Wilajet Bitlis, an einem Bächlein, 1790 m (Nr. 2696).

***Gypsophila trichotoma** Wender. var. **Anatolica** (Boiss. et Heldr.) Bornm., Bearb. Knapp nw. Persien, p. 81. Auf nacktem Salzboden und auf Gips am See El Chattunije (Nr. 1636). Arab. «Wdena».

Balansas Pflanze (Hfm.) hat ebensolche Blütenstiele wie meine (noch etwas kürzer, als Boissier beschreibt), die unteren Blätter fehlen an ihr, von Bornmüller ebenfalls bei Kaisarie gesammelte Exemplare (Plt. Anatol. orient., 1890, Nr. 1785, Hfm.) haben aber auch fünfnervige Blätter.

Gypsophila Rokejeka Del. Kieswüste bei Nahije unter Abukemal am Euphrat Nr. 725) und zwischen Samarra und Beled am Tigris (Nr. 993). Stein- und Erdsteppe in Kujundschik (Ninive) (Nr. 1281), zwischen Gharra am Dschebel Abd el Asis und El Abed am Chabur (Nr. 1715) und auf Lava des Tell Kokeb dortselbst.

***Gypsophila Damascena** Boiss. Wüste unter Han Baghdadi am Euphrat oberhalb Hit (Nr. 811) und bei Tekrit am Tigris (?, nach Notiz, vielleicht die folgende). Kelche gleichwie an Originalexemplaren von Damaskus (Hfm.) 2·5 mm = 1·15 lin. lang, von den Petalen wenig überragt. Die Identität der von Boissier hierher gezogenen südpersischen Pflanzen scheint mir fraglich.

Gypsophila pallida Stapf, Bot. Ergebn. Polak Exp. Persien II, p. 281 (1886) (*G. Hausknechtii* Boiss., Fl. or., Suppl., p. 86 [1888], cfr. Bornmüller, Coll. Strauss. nov. I, p. 312). Gesteinfluren des Dschebel Sindschar ober der Stadt (Nr. 1354); Gipssteppe beim See El Chattunije (Nr. 1608) und zwischen Gharra und Sfaijan am Nordwestfuß des Dschebel Abd el Asis. 400—700 m.

Die Infloreszenzäste meiner Pflanzen sind sehr stark drüsig, die Quernerven der Blätter an jener von Chattunije viel schwächer, aber doch deutlich zu erkennen.

Gypsophila ruscifolia Boiss. Auf Kalk und Kalkmergel auf dem Gipfel Tschil Miran (Nr. 1521) und im Wadi Schilu und ober Bara (Nr. 1559) im Dschebel Sindschar. Bei Kabildjous im Sassun und auf dem Meleto Dagh bis zum Gipfel häufig (Nr. 2777). 600—3100 m.

Gypsophila linearifolia (Fisch. et Mey.) Boiss. Halbwüsten und Gipssteppen. Zwischen Sabcha und Tibne ober Der es Sor (Nr. 540) und zwischen Kaijim und Nahije ober Ana (Nr. 710) am Euphrat; nördlich von Tekrit am Tigris (Nr. 1001) und am See El Chattunije (Nr. 1605).

***Gypsophila heteropoda** Freyn, Pl. ex Asia media, in Bull. Herb. Boiss., sér. 2, III, p. 865 (1903). Halbwüste ober dem rechten Euphratufer zwischen Mejadin und Salhije unter Der es Sor (Nr. 623).

Gypsophila porrigens (L.) Boiss. Steppen auf Gips und oft massenhaft an den kiesigen Hängen der Wadi. Flugsand im Wadi Schreimije nördlich von Tekrit am Tigris (Nr. 1012), überall am Dschebel Makhul und um Kalaat Schergat (Nr. 1089);

beim See Chattunije (Nr. 1604) und zwischen Sfaijan und Gharra am Dschebel Abd el Asis, häufig im Gebängeschutt unter dessen Nordkante; auf Lava des Tell Kokeb.

Acanthophyllum verticillatum (Willd.) Hand.-Mzt., comb. nova [1] *(Arenaria verticillata* Willd., Sp. plant. II, p. 725 [1799], *Acanthophyllum Tournefortii* Fenzl, Nachtr. z. Erläutg. d. Gatt. *Acanthophyllum* in Ann. d. Wiener Mus. d. Naturgesch. II, p. 310 [1840], Boiss., Fl. or. I, p. 564). An trockenen Hängen auf Kalk und Silikatgesteinen. Karamuhara am Lilan Tschai nördlich des Euphrat gegen Kjachta (Nr. 1944), Sindschi nördlich von Kjachta; Komür Han zwischen Malatja und Kharput; Haso; Ameril gegen Mossul. 400—1300 m.

Tunica pachygona Fisch. et Mey. Gesteinfluren des Dschebel Sindschar ober der Stadt (Nr. 1501). Mehrfach im äußeren Teile des Sassun.

Vaccaria grandiflora (Fisch.) Jaub. et Sp. Chanimassi nahe der persischen Grenze östlich von Baghdad, auf Sand (Morck, Nr. 13).

Dianthus multipunctatus Ser. Steinsteppen des nördlichen Mesopotamien zwischen Schergat und Kaijara unterhalb Mossul (Nr. 1154), Hmoidat, Sindschar, Chattunije und am Chabur, Ain Arus am Belich, Urfa überall häufig. Ebenso in den Grassteppen bei Mejafarkin und Zoch. 150—1000 m. Im Eichenwald auf dem Sattel zwischen Karatschor und Sindschi nördlich von Kjachta auf Serpentin, 1500 m (Nr. 2215).

Die Pflanzen vom letzteren Standorte haben meist deutlich rötlichgrün genervte Petalenplatten, die Nerven an den Kelchbuchten laufen jedoch weit herab. Die Pflanze könnte daher einen Übergang zu folgendem, den Williams ganz ohne Grund weit entfernt, darstellen.

Dianthus quadrilobus Boiss., in Tchihatch., Asie mineure, Botanique I, p. 222 (1860). (*D. sulcatus* Boiss., Fl. or. I, p. 483 [1867].) An trockenen Hängen bei Kesin am See Göldschik, 1400 m (Nr. 2631).

Dianthus floribundus Boiss. (= *D. pachypetalus* Stapf, Bot. Ergebn. Polak Exp. Persien, p. 10 [1886]). Auf Kalkmergel im Wadi Schilu und ober Bara im Dschebel Sindschar (Nr. 1562) und bei Gharra im Dschebel Abd el Asis (Nr. 1753). An Bachläufen jenseits der Brücke von Kjachta (Nr. 1993). Häufig auf Serpentin des Hasarbaba Dagh am Göldschik (Nr. 2582) und auf Kalk auf dem Meleto Dagh im Sassun bis zum Gipfel (Nr. 2856). 600—3150 m.

Zur Ergänzung der Beschreibungen vgl. Bornm., Pl. Straussian. I, p. 212. Mein Exemplar von Kjachta hat auffallend kleine Kelche von 12 mm Länge und kaum über 2 mm Breite, die auf dem Gipfel des Meleto Dagh gesammelten sind merkwürdig durch die im unteren Teile des Kelches schwindende Nervatur und die weit schwächeren Nerven der etwas längeren Brakteen.

Ich finde an allen Originalexemplaren des *Dianthus pachypetalus* sechs Hüllschuppen, deren unterstes Paar nur sehr selten hinabgerückt ist, aber deutlich Hochblattcharakter trägt. Die Variabilität der Petalenzähnung von nahezu ganzrandigen bis zu solchen, die Boissiers Beschreibung des *D. floribundus* entsprechen, kann man an Pichlers Pflanzen wie an meinen verfolgen. Es bleibt schließlich nichts als Unterschied zwischen *D. floribundus* und *pachypetalus*. Die Pflanze wurde auch bei Mardin gesammelt (Sintenis, Iter or., 1888, Nr. 1156 als *D. Anatolicus*, der sich durch viel kürzere und breitere Kelche sofort unterscheiden läßt). Meine Exemplare vom Hasar-

---

[1] Das Zitat C. A. Mey. des Index Kewensis ist unrichtig.

baba und Meleto Dagh und Dschebel Abd el Asis haben teilweise rote Kelche, entsprechen aber sonst nicht der var. *coloratus* Bornm., Bearb. d. v. Knapp im n. w. Pers. ges. Pilz., p. 80. Diese Pflanze gehört vielmehr gewiß nicht zu *D. floribundus*, denn sie hat stets vier Hüllschuppen, die nahezu kreisrund mit kurzer, plötzlich abgesetzter Spitze und oben sehr breitem Hautrand sind, breitere, oft stumpfe Stengelblätter und viel längere Blattscheiden. Sie sei anhangsweise beschrieben.[1]

Dianthus orientalis Sims. (*D. fimbriatus* M. a B., Boiss.). Auf Kalkgestein am Ak Dagh (Nr. 2323) und Nemrud Dagh (Nr. 2056) im kataonischen Taurus, 2000—2400 m.

Dianthus orientalis Sims. var. **brachyodontus** (Boiss. et Huet) Bornm., Pl. Straussian. I, p. 212 (1905). An steilen Serpentinfelsen auf dem Hasarbaba Dagh am Göldschik, 2400—2450 m (Nr. 2603). Kalkgestein um den Gipfel des Meleto Dagh im Sassun, 2900—3150 m (Nr. 2755), z. T. f. **foliaceosquamatus** Bornm., l. c., p. 213, Exemplare mit überhaupt sehr breiten Blättern.

*****Dianthus Liburnicus** Bartl. Steinige Stellen auf Kalk in der Waldzone des Nemrud Dagh bei Kjachta im Tale um Urik, 1200—1400 m (Nr. 2128).

Die von mir 1909 für Trapezunt (Ergebn. bot. Reise Trapezunt, p. 154) nachgewiesene Pflanze scheint also auch in Armenien im weitesten Sinne eine weite Verbreitung zu haben. Zu den schon damals dazugezogenen Exemplaren von Sintenis, Iter orient., 1890, Nr. 2587 (als *D. Carthusianorum* var. *longebracteatus* Hsskn. ined.) bemerkte zwar Hegi, der diesen Formenkreis im Wiener Universitätsherbar revidierte: «Halte diese Pflanze nicht für *D. Liburnicus.*» Ich kann aber auch heute, trotzdem diese Exemplare durch die sehr schmalen Blätter und die, wie an meinem vom Nemrud Dagh, etwas kleinen Blüten einen auffallenden Habitus zeigen, zu keiner anderen Ansicht darüber kommen. Auch Sintenis, Iter orient., 1889, Nr. 1726 (ohne Bestimmung) von Gümüschkhane in declivibus supra Istavros gehört zu *D. Liburnicus.* Einzelne

---

[1] *****Dianthus coloratus** (Bornm.) Hand.-Mzt. (*D. pachypetalus* β. *coloratus* Bornm., Bearb. Knapp n.-w. Persien, p. 80 [1910]), Taf. II, Abb. 3.

Sectio *Leiopetali* Boiss. vel *Tetralepides* Williams. Perennis caudice indurato ramoso multicipite, surculos steriles paucos et caules floriferos numerosos edente. Caules erecti, 5—15 cm alti, obtuse quadranguli, simplices, uni- vel biflori. Folia caulina illis turionum simillima, pauca, superne valde remota, internodiis multo breviora, inferne approximata internodiis longiora, linearia, plana, 7—30 mm longa et 1 — fere 2 mm lata, acutiuscula vel obtusissima, trinervia, nervis lateralibus prope marginem currentibus, sicut caulis obscure viridia et minutissime scabridula, margine cartilagineo-serrulata, vaginis non inflatis, supremis caulis diametro sesquilongioribus, inferioribus illum quadruplo superantibus, albescentibus. Flores breviter pedicellati, 20—22 mm longi. Calyx ovato-cylindricus, inferne 3 —3'5, superne 2'5 mm latus, argute multistriatus, globerrimus, ad tertiam partem in dentes lanceolatos planos acutiusculos muticos margine anguste membranaceo ciliolatos partitus, squamis quaternis, inter se fere aequilongis, calyce dimidio paulo brevioribus, latissime obovatis, in mucronem brevissimum erectum abrupte et interdum emarginato contractis, supra praecipue latissime membranaceo marginatis, in medio superiore viridi costatostriatis, ceterum sicut calyces plus minus purpurascentibus. Petala calyce 5 mm longiora, unguibus latis parum exsertis, lamina (saltem interdum) rubella, late truncato-obovata, tertia vel quarta longitudinis parte dentato-incisa, nuda.

Persia bor.-occ. Prov. Aderbeidschan: Isperechan, in graminosis, 30. VII. 1884 (Knapp, CnW.).

Die Pflanze erinnert habituell an *D. Liboschitzianus* Ser. var. *multicaulis* (Boiss. et Huet) Boiss., auch sind dessen Kelchschuppen ganz ähnlich, aber die Kelche viel dicker und kürzer. *Dianthus lactiflorus* Fzl., der *D. coloratus* vielleicht am nächsten steht, hat viel längere und schmälere Petalen und verhältnismäßig schmälere Kelchschuppen.

meiner Exemplare vom Nemrud Dagh sind durchwegs dicht kurzhaarig, andere beinahe kahl. Die Kelchzipfel sind bis zur Spitze häutig, ohne runde Granne, was aber auch im liburnischen Gebiete vorkommt, z. B. an den Exemplaren der Flora Carniolica exsiccata Nr. 264.

Saponaria prostrata Willd. var. *typica* Simml., Monogr. d. Gatt. *Sapon.*, in Denkschr. math.-nat. Kl. Akad. d. Wiss. Wien LXXXV, p. 502 (1910). Kalkschutthänge zwischen Kory und Furendscha südöstlich von Malatja, 1700 m (Nr. 2491).

Saponaria orientalis L. Im Bachsand bei der Talgabelung südlich von Bekikara zwischen Kjachta und Malatja, 1600 m (Nr. 2413).

Blütenstiele entgegen der Beschreibung bis von beinahe doppelter Kelchlänge, was auch besonders an kultivierten Exemplaren mitunter zu finden ist.

Velezia rigida L. Gesteinfluren des Dschebel Sindschar ober der Stadt, 700—1300 m (Nr. 1500).

Die Pflanzen von Luschan von Gölbaschi und Chertek (Stapf, Beitr. Fl. Lyc. Car. Mesop. II, p. 349 [1886], als *Vel. quadridentata* Sibth. et Sm.) sind ebenfalls *Velezia rigida*. Dagegen gab Sintenis, Iter Trojanum 1883 unter Nr. 978 *V. quadridentata* von Assos: in montosis gemischt mit *V. rigida* und als letztere bezeichnet aus.

Schedae ad «Kryptogamas exsiccatas»

editae a Museo Palatino Vindobonensi.

Auctore

Dre. A. Zahlbruckner.

Centuria XX.

Unter Mitwirkung der Frau Lily Rechinger und der Herren J. A. Bäumler, Dr. E. Bauer, J. Baumgartner (Musci), Prof. Fr. Blechschmidt, Abate J. Bresadola, Prof. Dr. V. F. Brotherus, Prof. Dr. Fr. Bubák, Dr. A. v. Degen, Dr. F. Filárszky, M. Fleischer, Dr. St. Györffy, Prof. Dr. H. H. Gran, Dr. H. E. Hasse, Prof. D. A. C. Herre, Prof. Dr. F. v. Höhnel, Prof. Dr. L. Hollós, † J. Jack, Dr. K. v. Keißler (Fungi), G. Lång, Prof. K. Loitlesberger, Prof. Dr. P. Magnus, W. A. Maxon, Dr. G. Moesz, Prof. G. v. Nießl, F. Pfeiffer v. Wellheim, Prof. Dr. M. Raciborski, Dr. K. Rechinger (Algae), Dr. H. Rehm, H. Sandstede, † Dr. K. Schiedermayr, Prof. Dr. V. Schiffner, Dr. J. Schiller, Dr. C. Schliephacke, Prof. J. Schuler, † J. Sikora, Hofrat Dr. Fr. Steindachner, Prof. Dr. J. Steiner, Dr. S. Stockmayr, P. P. Strasser, P. Sydow, Prof. Dr. J. Tuzson, J. Vleugel, Dr. A. Zahlbruckner (Lichenes)

herausgegeben

von der botanischen Abteilung des k. k. naturhistorischen Hofmuseums in Wien.

Fungi (Decades 74—77).

1901. Ustilago bromivora.

Fisch. de Waldh., Aperçu syst. Ustilag. Paris (1877), p. 22; Winter apud Rabenh., Kryptfl. v. Deutschl., 2. Aufl., Abt. 1, Bd. I (1884), p. 91; Sacc., Syll. fung., vol. VII 2 (1888), p. 461. — *Ustilago Carbo* var. *vulgaris a. bromivora* Tul. in Ann. sc. natur., Botan., sér. III, T. VII (1847), p. 81.

Hungaria: in floribus *Bromi sterilis* L. ad collem «Gellérthegy» prope Budapest, m. Jun.

det. F. Bubák.   leg. J. Tuzson.

1902. Uromyces Lespedezae-procumbentis.

Lagerh., Ured. Herb. El. Fries in Tromsö Mus. Aarsh., vol. XVI, 1893 (1894), p. 194; Sydow, Monogr. Ured., vol. II (1910), p. 108. — *Puccinia Lespedezae-procumbentis* Schw., Syn. Fung. Carol. super. (1822), p. 73, nr. 497. — *Puccinia Lespedezae-polystachyae* Schw., l. c., n. 73, nr. 498. — *Uromyces Lespedezae* Peck in Ellis, North

161

Americ. Fungi, nr. 245 (1879); Sacc., Syll. Fung., vol. VII/2 (1888), p. 549. — *Uredo Lespedezae* Thuem. in Mycoth. univ., nr. 643 (1877). — *Aecidium leucostictum* Berk. et Curt. in Grevillea, vol. III (1874), p. 61; Sacc., Syll. Fung., vol. VII/2 (1888), p. 787.

America borealis (United States, N. Y.): ad folia *Lespedezae* spec. prope Ithaca, m. Oct.   leg. P. Magnus.

1903. Uromyces Hedysari-obscuri.

Carestia et Piccone in Erb. critt. ital., ed. II, fasc. IX, nr. 447 (1871); Bubák, Pilzfl. Böhm., 1. T. Rostpilze in Arch. naturw. Landesdurchf. Böhm., Bd. XIII, nr. 5 (1908), p. 42; Sydow, Monogr. Ured., vol. II (1910), p. 99. — *Puccinia Hedysari-obscuri* DC., Synops. (1806), p. 46. — *Uredo Hedysari-obscuri* DC. et Lam., Fl. franç., vol. VI (1815), p. 64; Duby, Bot. Gall., vol. II (1830), p. 897. — *Uromyces Hedysari* Fuck., Symb. mycol., Nachtr. III (1875), p. 15; Sacc., Syll. Fung., vol. VII/2 (1888), p. 560. — *Uromyces Hazslinskii* De Toni in Sacc., Syll. Fung., vol. VII. 2 (1888), p. 565. — *Uromyces borealis* Peck in Botan. Gaz., vol. VI (1881), p. 276; Syll. Fung., vol. VII/2 (1888), p. 561.

Helvetia: ad folia viva *Hedysari obscuri* L., Fextal in valle Engadin, m. Aug.
                                                                leg. P. Magnus.

1904. Puccinia Thwaitesii.

Berk. in Journ. Linn. Soc., vol. XIV (1873), p. 91; Sacc., Syll. Fung., voll. VII 2 (1888), p. 720; Racib., Paras. Alg. u. Pilze Javas, pars I (1900), p. 21; Sydow, Monogr. Ured., vol. I (1904), p. 233. — *Puccinia Thwaitesii* Berk. var. *novo-guineensis* P. Henn. in Engl., Botan. Jahrb., Bd. XV (1892), p. 5; Sacc. Fung., vol. XVI (1902), p. 301; Sydow, Monogr. Ured., vol. I (1904), p. 233. — Exsicc.: Racib., Crypt. paras. Java, nr. 27.

Insula Java: ad folia *Justiciae Gendarussae* L. in horto botanico Buitenzorgensi, autumno.   leg. F. de Höhnel.

1905. Peniophora obscura.

Bresad., Hym. Hung. Kmet. in Atti R. Acc. Sc. e Lett. e Arti Agiati Rovereto, sér. III, T. III (1897), p. 113; Höhn. et Litschauer, Z. Kenntn. d. Cortic. II in Sitzungsber. k. Akad. Wiss. Wien, math.-naturw. Kl., Bd. 116, Abt. 1 (1907), p. 784 et 791. — *Thelephora obscura* Pers., Mycol. eur., vol. I (1822), p. 146. — *Corticium obscurum* Fries, Hymen. Europ. (1874), p. 653; Sacc., Syll. Fung., vol. VI (1888), p. 624. — *Peniophora Ellisii* Massee in Journ. Linn. Soc., vol. 25 (1889), p. 144. — Exsicc.: Ellis and Everh., Fungi Columb. exs., nr. 611. — Ellis, North Amer. Fungi, sér. I, Nr. 606 sec. v. Höhnel (pro *Stereo papyrino* Mont.) et sér. II, nr. 3209 sec. v. Höhnel (pro *Peniophora Ellisii* Massee).

Austria inferior: ad corticem siccum *Abietis pectinatae* DC. in monte Sonntagberg prope Rosenau, vere.

det. v. Höhnel.   leg. P. P. Strasser.

1906. Gloeocystidium polygonium.

v. Höhn. et Litschauer, Österr. Cortic. in Wiesner-Festschr. (1908), p. 69. — *Thelephora polygonia* Pers. apud Fries, Syst. mycol., vol. I (1821), p. 444. — *Corticium polygonium* Pers., Tent. dispos. fung. (1797), p. 30; Wint. apud Rabenh., Kryptfl. v. Deutschl., 2. Aufl., Abt. 1, Bd. I (1884), p. 332; Sacc., Syll. fung., vol. VI (1888), p. 627.

Austria inferior: ad ramos siccos *Betulorum* (?), in monte Sonntagberg prope Rosenau, m. Apr.

det. v. Höhnel.
leg. P. P. Strasser.

1907. Polystictus microloma.

Leveill. in Ann. sc. natur., Botan., sér. III, T. 2 (1844), p. 183; Sacc., Syll. Fung., vol. VI (1888), p. 221.

«Forma ad *P. carneo-nigrum* Berk. transiens.»

Madagascaria: ad truncos prope Antananarivo.

det. Bresadola.
leg. J. Sikora.

1908. Fomes subferreus.

Murr. in North Amer. Fl., vol. IX (1908), p. 97 et in Mycologia, vol. II (1910), p. 194.

America (Insula Cuba): ad truncos arborum in montibus prope Jaguey (province of Oriente), altitud. 460 m s. m., m. Apr. (coll. nr. 4234).
leg. W. R. Maxon.

1909. Ganoderma (Amauroderma) Sikorae.

Bres. n. sp.

Pileo suberoso, tenui, laterali, subreniformi, lobato, ruguloso, concentrice subsulcato, castaneo fusco, cute crustacea, opaca, glabra tecto, $2^1/_2$—4 cm lato, contextu fulvello, 1—2 mm crasso ex hyphis, intertextis ex parte crasse tunicatis et ex parte tenuibus et irregularibus, 2—10 μ, conflato; tubulis concoloribus, 2—3 mm longis; poris subpentagonis, demum fuscescentibus, 6—7 pro mm; stipite laterali, verticali pileo concolori, cute opaca tecto, radicato, intus fulvello, 6—10 cm longo, 3—5 mm crasso; sporis luteis, subglobosis, interdum angulatis, laevibus, 9—10 = 8—9 μ; hyphis contextus tubulosum crassa tunicatis, luteis, 2—10 μ crassis.

Madagascaria: ad truncos prope Antananarivo.
leg. J. Sikora.

Ganodermati praeterviso Pat. proximam.
Bresadola.

1910. Trametes avellanea.

Bres. n. sp.

Pileo applanato, suberoso-coriaceo, suborbiculari, basi effusa adnato, e pubescente glabrato, zonato-subsulcato, subruguloso, postice tuberculoso, luride avellaneo, 8—9 cm lato, 4—4$^1/_2$ cm longo, basi 2—3 cm effusa, substantia luride isabellina, 3—4 mm crassa, ex hyphis homogenis 2—4 μ crassis conflata; tubulis concoloribus, 2—3 mm longis; poris pallidis, subpentagonis, 4—5 pro mm; sporis non visis; hyphis contextus hymenii, homogeneis, stramineis 1$^1/_2$—3 raro 4 μ crassis.

Madagascaria: ad truncos.
leg. J. Sikora.

Trameti aphanopodae Reichardt affinis.
Bresadola.

1911. Merulius lacrymans.

Wulf. apud Fries, Syst. mycol., vol. I (1821), p. 328; Wint. apud Rabenh., Kryptfl. v. Deutschl., 2. Aufl., Abt. I, Bd. I (1884), p. 394; Sacc., Syll. Fung., vol. VI (1888), p. 419.

Stiria: ad trabes doliarii (del.) in Aussee, m. Aug.
leg. C. Rechinger.

1912. Lenzites Palisoti.

Fries, Syst. mycol., vol. I (1821), p. 335 et Epicr. syst. mycol. (1836—1838), p. 404; Sacc., Syll. Fung., vol. V (1887), p. 650. — *Daedalea amanitoides* Palis., Fl.

Owar. et Ben., vol. I (1804), p. 44, Tab. 25. — Icon.: Fries, Fungi Guin., Tab. XI, Fig. 23.

Madagascaria: ad truncos prope Antananarivo.

det. Bresadola.   leg. J. Sikora.

1913. Lepiota procera.

Sacc., Syll. Fung., vol. V (1887), p. 27. — *Agaricus procerus* Scop. apud Fries, Syst. mycol., vol. I (1821), p. 20; Wint. apud Rabenh., Kryptfl. v. Deutschl., Abt. 1, Bd. 1 (1884), p. 842.

Hungaria: in silvaticis «Kamaraerdő» ad Budapest, m. Sept.

leg. F. Filárszky.

1914. Geaster Schmideli.

Vittad., Monogr. Lycoperd. in Mem. d. Real. Accad. Torino, ser. II, vol. V (1842), p. 157, Tab. I, Fig. 7; Wint. apud Rabenh., Kryptfl. v. Deutschl., 2. Aufl., Abt. 1, Bd. I (1884), p. 910; Sacc., Syll. Fung., vol. VII/1 (1888), p. 76. — *Geaster nanus* Hollós, Gasteromyc. Ung. (1904), p. 55 u. 152, Tab. IX, Fig. 7—11; Petri in Fl. ital. crypt., pars I, Fungi (1909), p. 76. — *Geastrum nanum* Pers., Mém. in Journ. de Botan., Tom. II (1809), p. 27, Tab. II, Fig. 3. — *Geaster Rabenhorstii* Kunze apud Rabenh., Fungi eur., Nr. 2011 (1875).

Hungaria: in arenosis dictis «Nyir» prope Kecskemét, m. Sept.

leg. L. Hollós.

Da nach den Bestimmungen des Internationalen botanischen Kongresses Brüssel 1910 Fries, Syst. mycologicum (1821—1832) als Ausgangspunkt für die Nomenklatur der Pilze anzusehen ist, kann die von Hollós auf Grund des Persoonschen Namens *Geastrum nanum* (1809) vollzogene Namensänderung in *Geaster nanus* nicht aufrecht erhalten werden, sondern muß der Vittadinische Name «*G. Schmideli*» in Verwendung kommen.   Keißler.

1915. Geaster Bryantii.

Berk., Outl. (1860), p. 300; Wint. apud Rabenh., Kryptfl. v. Deutschl., 2. Aufl., Abt. 1, Bd. I (1884), p. 911; Sacc., Syll. Fung., vol. VII/1 (1888), p. 75; Hollós, Gasteromyc. Ung. (1904), p. 53 u. 151, Tab. IX, Fig. 1—4; Petri in Fl. ital. crypt., pars 1, Fungi (1909), p. 85, Fig. 47. — *Tylostoma atrum* Bolla in Mathem. Természettud. Közlem., vol. 12 (1876), p. 132. — *Geaster orientalis* Hazsl. in Grevillea, vol. VI (1878), p. 108, Tab. 98, Fig. 15. — *Geaster Rabenhorstii* Kunze β) *orientalis* Hazsl. in Mathem. Természettud. Közlem., vol. XV (1878), p. 9. — *Geaster Bryantii* Berk. var. *minor* Berk. apud Massee, Brit. Gasteromyc. (1889), p. 78.

Hungaria (comit. Pest): in *Robinetis* prope Félegyháza, ad «Szent Kút», m. Aug.

leg. L. Hollós.

1916. Myriostoma coliforme.

Corda, Anleit. Stud. Mykol. (1842), p. LXXXI + 105, Tab. D 43, Fig. 16—17; Hollós, Gasteromyc. Ung. (1904), p. 46 et 149, Tab. VII, Fig. 1—10, Tab. VIII, Fig. 8, Tab. XXIX, Fig. 18. — *Geaster coliformis* Fries, Syst. mycol., vol. III/1 (1829), p. 12; Wint. apud Rabenh., Kryptfl. v. Deutschl., 2. Aufl., Abt. 1, Bd. I (1884), p. 909; Sacc., Syll. Fung., vol. VII/1 (1888), p. 73; Petri in Fl. ital. crypt., pars 1 (1909), p. 88, Fig. 1, 2.

Hungaria: in *Robinetis* prope Kecskemét, m. Nov.   leg. L. Hollós.

1917. **Sphaerotheca tomentosa.**

Otth., Fünft. Nachtr. Schweiz. Pilze in Mitteil. Naturf. Gesellsch. Bern (1865), p. 168; Sacc., Elench. fung. nov. in Hedwigia, Bd. 35 (1896), p. XXIII et Syll. Fung., vol. XIV (1899), p. 462; D. Sacc., Contrib. Fl. Schemnitz. in Atti Soc. Venet.-Trent. Padova, sér. II, T. III (1897), p. 184, Tab. V, Fig. 1. — *Erysiphe gigantiasca* Thüm. et Sorok. in Thüm., Mycoth. univ., nr. 645 (1877); Sacc., Syll. Fung., vol. I (1882), p. 18. — *Sphaerotheca gigantiasca* Bäuml. apud Rehm in Hedwigia, Bd. 30 (1891), p. 261 et Beitr. Crypt.-Fl. Preßburg, Pilze in Verhandl. Ver. Natur- u. Heilk. Preßb., N. F., Heft 9 (1897), p. 132, nr. 1110. — Exsicc.: Thüm., Mycoth. univ., nr. 645; Rehm, Ascom. exs., nr. 1049.

Hungaria (comit. Pozsony): ad folia viva *Euphorbiae palustris* L., in silva «Schurwald» prope Szt. György, m. Sept. leg. J. A. Bäumler.

1918. **Stigmatea Pongamiae.**

Racib., Parasit. Alg. u. Pilze Javas, fasc. III (1900), p. 96; Sacc., Syll. Fung., vol. XVI (1902), p. 479.

Insula Sundaicae: ad folia viva *Pongamiae glabrae* Vent. in insula Noesa Kambangan. leg. Dr. M. Raciborski.

1919. **Sphaerella innumerella.**

Karst., Fungi Fenn. exs., nr. 965 sec. Karst., Mycol. Fenn., pars II (1873), p. 182; Sacc., Syll. Fung., vol. I (1882), p. 506; Wint. apud Rabenh., Kryptfl. v. Deutschl., 2. Aufl., Abt. 1, Bd. I (1887), p. 370. — *Mycosphaerella innumerella* Schröt. apud Cohn, Kryptfl. v. Schles., Bd. III/2, Pilze (1893), p. 337. — *Sphaerella maculaeformis* f. *Comari palustris* Rabenh., Fungi Europ., ed. II, nr. 1042 (1856).

Hungaria (comit. Háromszék): in foliis emarcidis *Comari palustris* in consocio speciei *Stilbacearum* indeterminatae, in turfosis «Retyi Nyir», m. Maio.
leg. G. Moesz.

Ich behalte den Genusnamen «*Sphaerella*» bei, nachdem einerseits die Umtaufung der zahlreichen *Sphaerella*-Arten in «*Mycosphaerella*» eine sehr mißliche Sache ist, anderseits der Gattungsnamen «*Sphaerella*» auf algologischem Gebiete ohnedies gegenwärtig nicht mehr zu Recht besteht. In neuester Zeit setzt sich wieder W. B. Grove für die Einführung des Namens «*Mycosphaerella*» ein (vgl. dessen Aufsatz *Sphaerella* v. *Mycosphaerella* in Journ. of Botany, vol. 50 [1912], p. 89). Keißler.

1920. **Gnomonia leptostyla.**

Ces. et De Not., Schema Sfer. in Comm. Soc. Crittog. Ital., vol. I, pt. IV (1863), p. 235; Sacc., Syll. Fung., vol. I (1882), p. 568; Wint. apud Rabenh., Kryptfl. v. Deutschl., 2. Aufl., Abt. 1, Bd. 1 (1885), p. 580.

Hungaria: ad folia putrida *Juglandis regiae* L. in horto ad Pozsony, m. Febr.
leg. J. A. Bäumler.

1921. **Rebentischia unicaudata.**

Sacc., Syll. Fung., vol. II (1883), p. 12; Wint. apud Rabenh., Kryptfl. v. Deutschl., 2. Aufl., Abt. 1, Bd. II (1887), p. 439. — *Sphaeria unicaudata* Berk. et Br. in Ann. Nat. Hist., sér. II. vol. IX (1852), p 383, Tab. 11, Fig. 31.

Stiria: ad ramulos siccos *Clematidis Vitalbae* L. prope Graz, m. Aug.
leg. G. de Nießl.

1922. Eutypa Acharii.

Tul., Sel. Fung. Carpol., vol. II (1863), p. 53; Sacc., Syll. Fung., vol. I (1882), p. 163. — *Sphaeria Eutypa* Fries, Syst. Mycol., vol. II/2 (1823), p. 478. — *Valsa Eutypa* Nitschke, Pyren. Deutschl. (1870), p. 130; Winter apud Rabenh., Kryptfl. v. Deutschl., 2. Aufl., Abt. 1, Bd. II (1887), p. 674.

Austria inferior: ad ramos siccos *Aceris pseudoplatani* L. in monte Sonntagberg prope Rosenau.   leg. P. P. Strasser.

1923. Phacidium infestans.

Karst., Symb. mycol. Fenn. XIX in Medd. Soc. Fauna Flora Fenn., vol. XIV (1887), p. 87; Sacc., Syll. Fung., vol. VIII (1889), p. 714.

Suecia: ad acus *Pini silvestris* L. prope Umeâ, m. Nov.

leg. J. Vleugel, comm. F. Bubák.

1924. Coccophacidium Pini.

Rehm apud Rabenh., Kryptfl. v. Deutschl., 2. Aufl., Abt. 1, Bd. III (1888), p. 98. *Phacidium Pini* Fries, Syst. Mycol., vol. II/2 (1823), p. 573. — *Coccomyces Pini* Karst., Mycol. Fenn., pars I (1871), p. 254; Sacc., Syll. Fung., vol. VIII (1889), p. 748.

Hungaria (comit. Pozsony): ad ramos *Pini Strobi* L. in horto urbis Pozsony, hieme.

leg. J. A. Bäumler.

1925. Ocellaria ocellata.

Schröt. apud Cohn, Kryptfl. v. Schles., Bd. III/2, Pilze (1893), p. 153; Magn. in Kerner, Schedae ad fl. exs. austro-hung. IX (1902), p. 137, nr. 3567. — *Stictis ocellata* Fries, Syst. mycol., vol. II/1 (1822), p. 193. — *Habrostictis ocellata* Fuck., Symb. Mycol., Nachtr. I (1869), p. 326. — *Propolis ocellata* Sacc., Fungi Ital. Delin. (1882), p. 1407. — *Stictis Lecanora* Fries, Syst. Mycol., vol. II/1 (1822), p. 193. — *Ocellaria aurea* Tul., Sel. Fung. Carpol., vol. III (1863), p. 129; Rehm apud Rabenh., Kryptfl. v. Deutschl., 2. Aufl., Abt. 1, Bd. III (1888), p. 134; Sacc., Syll. Fung., vol. VIII (1889), p. 654.

Stiria: ad corticem ramorum siccorum *Salicis grandifoliae* Ser., in valle fluminis Enns dicto «Gesäuse» inter Gstatterboden et Johnsbach, m. Jun.

leg. C. de Keißler.

1926. Tapesia fusca.

Fuck., Symb. Mycol. (1869), p. 302; Sacc., Syll. Fung., vol. VIII (1891), p. 374; Rehm apud Rabenh., Kryptfl. v. Deutschl., 2. Aufl., Abt. 1, Bd. III (1891), p. 579. — *Peziza fusca* Pers. apud Fries, Syst. Mycol., vol. II/1 (1822), p. 109. — *Mollisia fusca* Karst., Mycol. Fenn., pars I (1871), p. 207. — *Phialea fusca* Gill., Champ. Franç., Discom. (1879), p. 113.

Austria inferior: ad ramulos putridos *Alni incanae* L. in insula Danubii (Donau) Prater, prope Vindobonam (Wien).   leg. Dr. A. Zahlbruckner.

1927. Helotium serotinum.

Fries, Summa Veget. Scand., sect. poster. (1849), p. 355; Sacc., Syll. Fung., vol. VIII (1889), p. 222; Rehm apud Rabenh., Kryptfl. v. Deutschl., 2. Aufl., Abt. 1, Bd. III (1893), p. 781. — *Peziza serotina* Pers. apud Fries, System. Mycol., vol. II/1 (1822), p. 119. — *Hymenoscypha serotina* Phill., Man. Brit. Discom. (1887), p. 125.

Hungaria: ad ramulos putridos *Fagi silvatici* L. prope Pozsony, autumno.

leg. J. A. Bäumler.

1928. Helotium sulphuratum.

Phill., Man. Brit. Discom. (1893), p. 161; Sacc., Syll. Fung., vol. VIII (1889), p. 226. — *Peziza sulphurata* Schum. apud Fries, Syst. Mycol., vol. II/1 (1822), p. 72. — *Helotium epiphyllum* δ) *acarium* Karst., Mycol. Fenn., pars I (1871), p. 123. — Exsicc.: Phill., Elv. Brit., nr. 189.

Stiria: ad acus putrescentes partim arena obtectas *Abietis excelsae* DC. ad lacum «Leopoldsteiner See» prope Eisenerz, m. Nov.

det. H. Rehm.   leg. C. de Keißler.

Nach Rehm sind die oben ausgegebenen Exemplare nur durch zitrongelbe Farbe und die nicht deutlich spindelförmigen Sporen von *H. sulphuratum* Phill. etwas abweichend.   Keißler.

1929. Sclerotinia baccarum.

Rehm in Hedwigia, Bd. XXIV (1885), p. 9 et apud Rabenh., Kryptfl. v. Deutschl., 2. Aufl., Abt. 1, Bd. III (1893), p. 807; Sacc., Syll. Fung., vol. VIII (1889), p. 199. — *Rutstroemia baccarum* Schröt. in Hedwigia, Bd. XVIII (1879), p. 177.

Sclerotium (sogenannte «weiße Heidelbeere»).

Stiria: ad baccas *Vaccinii Myrtilli* L. prope Landl ad Hieflau, m. Jul.

leg. C. de Keißler.

Anfangs Juli kann man neben den sich zur Reife anschickenden und schwarz sich färbenden Heidelbeeren eine größere Zahl solcher finden, die sich bläulichgrau verfärben, schließlich fast weißlich werden und abfallen, worauf sie unter dem Einfluß des sich kräftig entwickelnden Sclerotium eine etwas schwärzliche Farbe annehmen. Vgl. Ascherson und Magnus, Die weiße Heidelbeere. Ber. deutsch. bot. Gesellsch., Bd. 7 (1889), p. 10.   Keißler.

1930. Pyronema omphalodes.

Fuck., Symb. Mycol. (1869), p. 319; Sacc., Syll. Fung., vol. VIII (1889), p. 107; Rehm apud Rabenh., Kryptfl. v. Deutschl., 2. Aufl., Abt. 1, Bd. III (1894), p. 964. — *Peziza omphalodes* Bull. apud Fries, Syst. Mycol., vol. II/1 (1822), p. 73. — *Aleuria omphalodes* Gill., Champ. France, Discom. (1879), p. 48, Pl. 51. — *Pyronema Marianum* Carus in Nova Acta Leopold., vol. XVII/1 (1835), p. 369, Tab. 27. — Icon.: Boudier, Icon. Fung., vol. II, Tab. 419.

Litorale austriacum: ad terram locis deustis in silva «Ternovaner Wald» supra Görz, m. Jun.   leg. C. Loitlesberger.

1931. Phoma minutella.

Sacc. et Penz. in Michelia, vol. II / 1882), p. 618; Sacc., Syll. Fung., vol. III (1884), p. 121; Allesch. apud Rabenh., Kryptfl. v. Deutschl., 2. Aufl., Abt. 1, Bd. VI (1899), p. 313. — *Phoma Meliloti* Allesch., Verz. Südbayern Pilze III in 12. Ber. Botan. Ver. Landshut (1892), p. 193; Sacc., Syll. Fung., vol. XI (1895), p. 488; Allesch. apud Rabenh., Kryptfl. v. Deutschl., 2. Aufl., Abt. 1, Bd. VI (1899), p. 306.

Austria inferior: ad caules siccos *Meliloti officinalis* L., prope Edelstal, m. Apr.

leg. C. Rechinger.

Sporen $4 \times 0.5 \mu$, jedoch meist gerade.   Keißler.

Annalen des k. k. naturhistorischen Hofmuseums. Bd. XXVI, Heft 1 u. 2, 1912.   11

1932. Phoma rubiginosa.

P. Brun. in Act. Soc. Linn. Bordeaux, vol. LII (1897), p. 140; Sacc. et Sydow, Syll. Fung., vol. XIV (1899), p. 873; Allesch. apud Rabenh., Kryptfl. v. Deutschl., 2. Aufl., Abt. 1, Bd. VII (1903), p. 824.

Var. maior.

Sydow in Hedwigia, Bd. XXXVIII (1899), p. (136); Sacc. et Sydow, l. c., vol. XVI (1902), p. 860; Allesch., l. c.

Austria inferior: ad fructus siccos *Rosae caninae* L.., prope Retz, m. Majo.
leg. C. Rechinger.

Sporen, wie angegeben, länglich, ca. $7-8 \times 3\mu$ messend, ohne Öltropfen. Von Sydow auf Früchten von *Rosa inodora* bei Berlin beschrieben.   Keißler.

1933. Phyllosticta latemarensis.

Kabát et Bubák in Österr. botan. Zeitschr., Bd. 55 (1905), p. 77; Sacc., Syll. Fung., vol. XVI (1906), p. 243; Bubák in Növén. Közlem., vol. VI (1907), p. 102 et (21).

Hungaria inferior: ad folia viva *Colchici pannonici* Gris. et Sch., in pratis ad cacumen montis Suskuluj ad confines Romaniae, m. Jun.   leg. J. Tuzson.

1934. Septoria Kalchbrenneri.

Sacc., Syll. Fung., vol. III (1884), p. 515; Allesch. apud Rabenh., Kryptfl. v. Deutschl., 2. Aufl., Abt. 1, Bd. IV (1900), p. 779. — *Septoria Euphorbiae* Kalchbr. in Hedwigia, Bd. IV (1865), p. 158 (nec Guep.). — *Septoria media* Sacc. et Brun. apud Brun., Champ. ajout. Fl. Saint. in Bull. de la Soc. Botan. France, Tom. XXXVI (1889), p. 339.

Hungaria (comit. Pozsony): ad folia viva *Euphorbiae palustris* L., in silva Schurwald prope Szt. György, m. Sept.   leg. J. A. Bäumler.

Nach den Angaben von Bäumler sind die Sporen gerade, gebogen oder hin- und hergebogen, $30-45 \times 2-2\cdot5\mu$ messend. Ganz ähnlich sind auch die Sporen von *S. media*, die Saccardo und Brunand, l. c., gleichfalls auf *Euphorbia palustris* beschreiben. Nach Bäumler befinden sich die Gehäuse in ausgebleichten Flecken, die erst hellrot, dann blutrot, endlich dunkel gesäumt sind. Bei *S. media* heißt es «Flecken braun, im Zentrum endlich weißlich, mit schwärzlich-blutrotem Saume». Nachdem also auch in der Beschaffenheit der Flecke ein markanter Unterschied nicht zu bestehen scheint, ziehe ich *S. media* Sacc. et Brun. als Synonym zu *S. Kalchbrenneri* Sacc.   Keißler.

1935. Septoria Senecionis.

Westend. in Bull. Acad. Royal Belg., T. XIX, part I (1852), p. 64 (sine descript.) et part III (1853), p. 120; Sacc., Syll. Fung., vol. III (1884), p 549; Allesch. apud Rabenh., Kryptfl. v. Deutschl., 2. Aufl., Abt. 1, Bd. VI (1900), p. 854.

Stiria: ad folia viva *Senecionis sarracenici* L. in monte «Polster» prope Prebichl, 1300 m s. m., m. Julio.   leg. C. de Keißler.

Sporen ohne Querwände, während gewöhnlich drei bis vier undeutliche Querwände angegeben sind.   Keißler.

1936. Hendersonia vagans.

Fuck., Symb. Mycol. (1869), p. 392; Sacc., Syll. Fung., vol. III (1884), p. 419; Allesch. apud Rabenh., Kryptfl. v. Deutschl.. 2. Aufl., Abt. 1, Bd. VI (1901), p. 208. — *Hendersonia Piri* Fuck., Enum. Fung. Nassov. (1860), p. 50, nr. 415, Fig. 17.

Austria inferior: ad aculeos *Rosae caninae* L., in valle Irenental prope Tullnerbach in silva «Wiener Wald», m. Mart.   leg. C. de Keißler.

Vorliegende Exemplare glaube ich am ehesten mit obigem Pilz identifizieren zu können, der sich durch seine länglichen Gehäuse und gelben Sporen auszeichnet, wie dies auch die hinausgegebenen Stücke (Sporen mit zwei bis drei Wänden, die ungleich sind, 12—14 × 5—6 μ messend) zeigen. *H. vagans* Fuck. wurde ursprünglich für *Pirus, Prunus, Sorbus* etc. angegeben, kommt aber nach Saccardo, Syll. Fung., vol. XII, p. 304 und vol. XIII, p. 1056 auch auf *Rubus* vor, was mich darin bekräftigt, meinen Pilz auf *Rosa* hieher zu ziehen, der allerdings nicht die von Fuckel erwähnten «sporidia longe-stipitata» besitzt (wahrscheinlich bleibt gelegentlich ein Stück des Sporenträgers an der Spore haften). Die übrigen für *Rosa* und *Rubus* beschriebenen *Hendersonia*-Arten stimmen durchwegs nicht auf den von mir gesammelten Pilz, da sie vor allem nie gelbe, sondern dunkler gefärbte Sporen besitzen, von deren Zellen gewöhnlich eine hyalin bleibt. Über Kulturversuche mit *Hendersonia*-Arten etc. vgl. die interessante Arbeit von E. Voges, Über die Pilzgattung *Hendersonia* in Bot. Zeit. (O.-A.), 1911, p. 87.   Keißler.

1937. Naemospora croceola.

Sacc. in Michelia, vol. II (1880), p. 120 et Syll. Fung., vol. III (1884), p. 746; Allesch. apud Rabenh., Kryptfl. v. Deutschl., 2. Aufl., Abt. 1, Bd. VII (1902), p. 537. — Icon.: Sacc., Fungi Ital. Delin., nr. 1086.

Austria inferior: ad corticem *Quercuum* in monte Eichberg prope Purkersdorf (in silva «Wiener Wald»), m. Oct.   leg. C. de Keißler.

1938. Passalora bacilligera.

Fries apud Fresen., Beitr. z. Myk., Heft 3 (1863), p. 93, Tab. XI, Fig. 55—58; Sacc., Fungi Ital. Delin. (1881), nr. 788 et Syll. Fung., vol. IV (1886), p. 345; Lindau apud Rabenh., Kryptfl. v. Deutschl., 2. Aufl., Abt. 3, Bd. VIII (1907), p. 790. — *Cladosporium bacilligerum* Mont. et Fries in Ann. Sc. Natur., Botan., sér. II, Tom. VI (1836), p. 31, Tab. XII, Fig. 5.

Hungaria (comit. Pozsony): ad folia viva *Alni glutinosae* L. in valle Groß-Weidritztal ad Pozsony, m. Aug.   leg. J. A. Bäumler.

Die meisten Autoren zitieren *Passalora bacilligera* Mont. et Fries in Ann. Sc. Natur., Botan., sér. II, Tom. VI (1836), p. 31. An dieser Stelle ist aber von einer Gattung *Passalora* nichts zu finden, sondern nur ein neues *Cladosporium, Cl. bacilligerum,* beschrieben. Die Gattung *Passalora* selbst wurde von Fries in Summa Veget. Scand., sect. poster. (1849), p. 500, aufgestellt, daselbst aber die Kombination *P. bacilligera* nicht gegeben, überhaupt keine Spezies angeführt. *P. bacilligera* erscheint das erstemal rechtsgültig publiziert in Fresenius, Beitr. z. Mykol.   Keißler.

1939. Diplococcium resinae.

Sacc., Syll. Fung., vol. IV (1886), p. 374; Magnus apud Dalla Torre et Sarnth., Fl. v. Tir., Bd. III, Pilze (1905), p. 556; Lindau apud Rabenh., Kryptfl. v. Deutschl.,

11*

2. Aufl., Abt. 1, Bd. VIII (1907), p. 840. — *Dendryphium resinae* Corda, Icon. Fung., vol. VI (1854), p. 10, Fig. 29.

Austria inferior: ad resinam *Abietis excelsae* DC. in monte «Kleiner Wienerberg» prope Tullnerbach, m. Dec.   leg. C. de Keißler.

Dieser Pilz wird von Lindau, l. c., für Böhmen (Corda), für den Sachsenwald bei Hamburg (Jaap), Thüringen (Jaap), Rhöngebirge (Jaap, etwas abweichende Exemplare) und Tirol (Bail) angegeben. Nach meinen Beobachtungen scheint er im Wiener Wald sowie im Bereiche der nördlichen Kalkalpen und ihrer Vorberge in Österreich nicht selten auf Fichtenharz aufzutreten. An der Lokalität, von der hier dieser Pilz ausgegeben ist, habe ich die Wahrnehmung gemacht, daß das ausgeflossene Fichtenharz zunächst von dem Mycel *Sirococcus conorum* Sacc. et Roum. (vgl. das von mir für diese Exsikkaten gesammelte Exemplar nr. 1832) grünlich, dann schwärzlich verfärbt wird. Die Ausbildung der zugehörigen Pyknidengehäuse erfolgt von Dezember bis gegen Anfang März; es scheint sich also um einen typischen Winterpilz zu handeln. Sobald die Gehäuse von *Sirococcus* entleert sind und kollabieren, siedelt sich auf dem Harz das Mycel von *Diplococcium resinae* an, welches das von den Resten des Mycels von *Sirococcus* durchzogene Harz erst schmutzigbraun, später braun färbt. Die Ausbildung von Sporen erfolgt bei *Diplococcium* das ganze Jahr hindurch. Auf dem von *Diplococcium* befallenen Harz siedelt sich dann gelegentlich *Dendrostilbella baeomycioides* Lindau an (vgl. das von mir für diese Exsikkaten gesammelte Exemplar nr. 1838).   Keißler.

1940. Physoderma Schröteri.

Krieger in Hedwigia, Bd. XXXV (1896), p. (144); Sacc., Syll. Fung., vol. XIV (1899), p. 447. — Exsicc.: Krieger, Fungi Saxon., nr. 546 (1890), ubi nomen nud.

Hungaria (comit. Fejér): ad scapos *Heleocharidis palustris* L. prope pagum Nadap, m. Jul.

det. G. Moesz.   leg. F. Filárszky.

Die von Krieger beschriebene Art dürfte sich kaum wohl als eigene Spezies von *Ph. Eleocharidis* Schröt. trennen lassen; sie stellt wohl nur eine Form derselben mit meist kleineren Flecken und etwas größeren Dauersporangien dar.   Keißler.

Addenda:

602. Peronospora calotheca.

De Bary.

b) **Austria inferior:** ad folia *Asperulae odoratae* L. in silva Pfaffenwald prope Purkersdorf, m. Majo.   leg. F. de Höhnel.

945. Polyporus sulphureus.

Fries.

Mycelium.

a) **Austria inferior:** ad truncum *Pyri Mali* L. prope Kritzendorf, m. Nov.

leg. C. Rechinger.

1166. Belonium pineti.

Rehm.

b) **Germania** (Brandenburg): ad acus putrescentes *Pini silvestris* L. ad Sophientädt prope Ruhlsdorf in ditione Nieder-Barnim, m. Jul.   leg. P. Sydow.

1194. Fusarium heterosporum.

Nees ab Esenb.

b) **Hungaria** (com. Pozsony); ad sclerotium *Claviceptis purpureae* Tul. in spicis *Festucae giganteae* Vill. in valle Groß-Weidritztal prope Pozsony, m. Aug.

leg. J. A. Bäumler.

1478. Gloeosporium Tiliae.

Oudem.

Var. maculicolum.

Allesch.

b) **Austria inferior:** ad folia viva *Tiliae parvifoliae* Ehrh. inter Rekawinkl et Finsterleithen in silva «Wiener Wald».	leg. F. de Höhnel.

Algae (Decas 29).

1941. Oscillatoria princeps.

Vaucher, Histoire de Conserv. (1803), p. 190, Tab. XV, Fig. 2; Endlicher, Mantissa bot. altera, Suppl. III (1843), p. 13; Gomont, Monogr. des Oscill. (1894), p. 206, Tab. VI, Fig. 9; De Toni, Syllog. Algar., vol. V (1907), p. 150. — *Oscillaria maxima* Kütz., Phyc. Gener. (1843), p. 190; Idem, Phyc. German. (1845), p. 161; Idem, Tabul. Phycol., vol. I (1846), p. 32, Tab. XLIV, Fig. 11; Idem, Spec. Algar. (1849), p. 248. — *Lyngbya princeps* Hansgirg, Prodr. Algenfl. Böhmen II (1892), p. 119.

Parce immixta: *Oscillatoria formosa* Gomont.

Die vorliegende Form der *Oscillatoria princeps*, deren Dicke nach Gomont zwischen 16 und 60 μ schwankt, ist eine besonders kleine Quantitätsform, sie ist nur 13—14 μ breit. Der Mangel der Granula an den Scheidewänden charakterisiert *Oscillatoria princeps* und *Oscillatoria proboscidea*. Durch die geringe Fadendicke nähert sich unsere Form letzterer Spezies, aber die Form der Fadenenden ist ganz die für *Oscillatoria princeps* so charakteristische.

Austria inferior: in superficie fluminis «Kamp» prope Gars.

leg. C. de Keißler, det. S. Stockmayer.

1942. Cymbella microcephala.

Grunow in Cleve, Synops. of the Naviculoid Diatoms, vol. I, p. 160; Van Heurck, Synops. Diatom. (1880), p. 63, Tab. 3, Fig. 36—39; De Toni, Syll. Alg., vol. II (1891), p. 353.

Eine etwas größere, meist 25 μ, mitunter aber bis zu 34 μ lange Form.

Cymbella lanceolata Ehrenb. in Cleve, Synops. of the Naviculoid Diatoms, vol. I, p. 174; Van Heurck, Synops. Diatom. (1880), p. 63, Tab. 2, Fig. 7.

Chromatophoren gebaut, wie es A. Schmidt, Atlas der Diatomeenkunde, Tab. 72, Fig. 22—24 zeigen.

Austria inferior: in paludibus rivi «Reisenbach» prope Unterwaltersdorf, m. Maio.

leg. et det. S. Stockmayer.

1943. Myrionema strangulans.

Grev., Cryptog. Flora (1826), Tab. 300; Kütz., Spec. Algar. (1849), p. 540; De Toni, Syll. Alg., vol. III (1895), p. 399. — *Myrionema maculiforme* Kütz., Phyc.

German. (1847), p. 264; Idem, Tab. Phycol., vol. VII (1859), Tab. 93, Fig. 2. — *Myrio-nema vulgare* Thuret in Le Jol. List. Alg. Cherb. (1880), p. 82 ex parte.

Dalmatia: *Ulvae Lactucae* Linné insidens in mari prope Spalato, m. Maio.

det. J. Schiller, com. F. Steindachner.

1944. Sphacelaria tribuloides.

Menegh., Alg. Italian. (1842), p. 336; Kütz., Spec. Algar. (1849), p. 464; Idem, Tabul. Phycol., vol. V (1855), Tab. 89, Fig. 2; De Toni, Syll. Alg., vol. III (1895), p. 502.

Istria: in mari adriatico prope Lussinpiccolo.   leg. J. Schiller.

1945. Ectocarpus paradoxus.

Mont. in Moris et de Notaris., Flor. Caprar. (1839), nr. 175, Tab. V, Fig. 1—3; Ardissone, Phycol. Mediterr., vol. II (1886), p. 73; De Toni, Syll. Alg., vol. III (1895), p. 541. — *Ectocarpus caespitulus* J. Agardh, Alg. Mediterr. (1842), p. 26; Kütz., Spec. Alg. (1849), p. 455; Idem, Tab. Phycolog., vol. V (1855), Tab. 62, Fig. 2.

Dalmatia: in mari adriatico prope insulam Pelagosa.   leg. J. Schiller.

1946. Phormidium tinctorium.

Kütz., Tab. Phycol., vol. I (1845), p. 35, Tab. 49, Fig. 3; Idem, Spec. Algar. (1849), p. 255; Gomont, Monogr. (1894), p. 162, Tab. IV, Fig .11 forma stratosa; De Toni, Syll. Algar., vol. V (1907), p. 218.

Die Lager sind zart und bilden tief dunkelgrüne Belege auf dem Grunde und an den Seitenwänden. Häufig lösen sich — wohl vornehmlich infolge des Gehaltes an Gasblasen — Stücke los und bilden in stilleren Ecken sich anhäufende, an der Oberfläche schwimmende Häute, welche in der Regel viel heller grün sind und denen auf der Unterseite reichlich eine gelbliche, lehmig-kotige Masse anhängt, die aus leeren Scheiden, mineralreichen Detritus und Eisenoxydhydrat (aus dem sehr eisenreichen Wasser, das auch radiumhältig ist) bestehen. Desgleichen finden sich im ganzen Verlaufe des Abflusses ca. 500 Schritte weit reichlich Metastasen von *Phormidium tinctorium* teils auf dem Grunde in Form jener zarten, fast *Oscillaria*-artigen Häute, teils an der Oberfläche in Form der festen lederigen Häute. Erstere (Grund- oder *Oscillaria*-ähnliche Form) zeigt hie und da Andeutungen von Fasciculi, aber nur undeutlich, letztere hingegen ist ein sehr ausgeprägtes *Phormidium*.

Die forma *stratosa* ist wohl nur eine Standortsform, bei rascherem Gefälle wird sich wohl die von Gomont als Typus beschriebene faszikulierte Form ausbilden.

Immixtae sunt: *Oscillatoria tenuis* Ag. var. *natans* Gomont, *Oscillatoria splendida* Grev. diatomaceae variae.

Hungaria (comitatus Sopron): in aqua thermali (14° R) in balneo prope Lajtha-Pordany, m. Oct.   leg. et det. S. Stockmayer.

1947. Phormidium laminosum.

Gomont in Journ. de Botanique, vol. IV (1890), p. 355; Gardner in Coll. Hald. et Setch. Phycotheca Bor. Amer., Nr. 1003; De Toni, Syll. Algar., vol. V (1907), p. 225. — *Oscillatoria laminosa* Ag. in Flora, Bd. 10 (1827), p. 633. — *Oscillatoria laminosa* Ag., l. c. *Leptothrix lamellosa* Kütz., Phyc. Gen. (1843), p. 199 — *Leptothrix compacta* Kütz., Tab. Phycol., Bd. I (1846), Tab. 66, Fig. 1. — *Leptothrix Braunii* Kütz., Phycol. gener. (1843), p. 198; Idem, Phyc. German. (1845), p. 166; Idem, Spec. Alg.

(1849), p. 266; Idem, Tab. Phycol., vol. I (1846), p. 40, Tab. 66, Fig. 1. — *Lyngbya laminosa* Thur., Essai (1857), p. 8; Hansgirg, Prodr. Alg. Fl. v. Böhmen II (1892), p. 88 (exclus. synon.). — *Lyngbya laminosa* b. *amphibia* Hansgirg, Alg. Fl. v. Böhmen II (1892), p. 89. — *Lyngbya compacta* Hansgirg, Alg. Fl. v. Böhmen II (1892), p. 88.

Bedeckt die Mauer in der nächsten Nähe der Ausflußöffnung des «kleinen Sprudels» und wird fortwährend vom dampfenden Thermalwasser bespült.

Bohemia: in aqua thermali in muris «kleiner Sprudel» Karlsbad, m. Sept.

det. S. Stockmayer, leg. K. Rechinger.

1948. Microcoleus Chthonoplastes.

Thuret, Essai in Annal. de Scienc. Nat. Botanique, sér. VI, vol. I (1875), p. 378; De Toni, Syll. Alg., vol. V (1907), p. 371; Gomont, Monogr. Oscill. I (1894), p. 91. — *Lyngbya aestuarii* Liebmann, Bemerk. og Tilläg. til danske Algfl. Kröyers Tidskr. (1841), p. 492; De Toni, Syll. Alg., vol. V, p. 262; Gomont, Monograph. II (1894), p. 147.

Immixtum est: *Closterium Dianae* Ehrenb.

Hungaria (comitatus Moson): ad ripas lacus Peisonis inter pagos «Neusiedl am See» et «Weiden» in terra salsa humida, m. Sept.　　　leg. et det. Stockmayer.

1949. Chamaesiphon minutus.

Lemmermann, Algenfl. v. Brandenburg, Bd. III (1907), p. 98. — *Sphaerogonium minutum* Rostafinski, Bericht d. Krakauer Akadem., Bd. X (1883), p. 305; De Toni, Syllog. Algar., vol. V (1907), p. 141.

Dicht überziehend die Scheiden von *Tolypothrix penicillata* Thuret.

Dieses Specimen ist besonders interessant durch das fast vollständige Fehlen von Heterocysten, was bei *Tolypothrix* insbesondere bei *T. penicillata* nicht so selten der Fall ist. An Stelle der Heterocysten treten Spaltkörper an der Basis der «pseudorami solitarii» auf (Übergang zu *Plectonema*).

Sehr häufig finden sich «pseudorami gemini» (Anlehnung an *Scytonema*). Die pseudorami solitarii sind nicht selten eine Strecke lang in der gemeinsamen Scheide eingeschlossen (Anlehnung an den *Rivularia-* und *Schizothrix*-artigen Pseudorami-fikationstypus.

Carniolia: in fonte parvo lapidibus insidens prope Kronau, m. Junio.

leg. K. de Keißler, det. S. Stockmayer.

Glaspräparat:

1950. Ceratium tripos.

Nitzsch, Beitr. z. Infusorienkunde in neuen Schriften d. naturforsch. Gesellsch. zu Halle, Bd. III (1817), p. 4; Lemmermann, Phytoplankton d. Meeres, Beiheft z. bot. Zentralbl., Bd. XIX, 2 (1906), p. 24; Karsten, Phytoplankt. d. Atl. Oz. nach d. Mater. d. deutsch. Tiefsee-Expedit. 1898—1899 (1906), Bd. II, 2. Teil, 2. Lief., p. 140. — *Cercaria tripos* O. F. Müller, Zoologiae Daniae Prodromus (1776), p. 206.

Insunt insuper: *Ceratium furca* Claparède et Lachm. et *C. fusus* Claparède et Lachm.

Norvegia: in mari prope Dröbak, «Kristianiafjord», m. Sept. (Planktonfang).

leg. H. H. Gran, praepar. R. Pfeiffer de Wellheim.

Präparation: Venezianischer Terpentin, Eisenkarminfärbung, Alkoholmaterial.

Addenda:

424 b. Phormidium subfuscum.

Gom.

Stiria superior: in lacu «Leopoldsteiner See», m. Julio.

leg. K. de Keißler, det. S. Stockmayer.

637 b. Vaucheria dichotoma.

(L.) Ag.

Fäden 200—288 μ dick, Antheridien bis zu 192 dick, 240 μ lang, Oogonien 360 —420 μ dick, 400—450 μ lang.

Romania: in rivis prope Campulung.   leg. A. Loitlesberger.

Teodorescu, Matériaux pour la flore algologique de la Romanie in Beil. zum Botan. Zentralblatte, Bd. XXI, 1908, Heft II, p. 157, sagt: «Si les organes qu'ont vus la plupart des auteurs, étaient vraiement des oogones et si ceux-ci ne possédaient qu'un diamètre de 100 μ, il faudra peut-être considérer la plante que Solms et moi avons étudiée, comme une nouvelle forme: *ampla*, qui diffère du type par les dimensions des oogones reproducteurs et de la forma marina Hauck par son habitat ainsi que par les dimensions de toutes ses parties.»

Die vorliegende Form, die ebenso wie die von Teodorescu beschriebene aus Rumänien stammt, hat noch größere Oogone als die forma *ampla* Teodorecus und die Pflanze Solms, die Antheridien unserer und der Exemplare Teodorescus sind ziemlich gleich und fast 1$^2/_3$ mal so groß, als Solms sie angibt; die Fäden sind auch oft noch dicker, als Solms und Teodorescu und auch Heering (s. u.) angeben.

Mit Heering (Die Süßwasseralgen Schleswig-Holsteins, Jahrb. der Hamburg. Wissenschaftl. Anstalten XXIV, 3. Beiheft, p. 139, 1907) glaube ich, daß solche reine Quantitätsformen nicht benannt werden sollen, auch nicht mit dem Epitheton «forma».

S. Stockmayer.

1513 c. Lemania fluviatilis.

C. A. Ag.

Stiria superior: lapidibus insidens in fluvio «Enns» prope Landl ad Hieflau, m. Julio.   leg. K. de Keißler.

Vorliegende Form entspricht der forma α Bornemanns (Beiträge z. Kenntnis der Lemanniaceen, 1887, p. 42), nähert sich aber durch die stark entwickelten Antheridialpapillen der forma β, die Färbung aber entspricht der von α. Nach den Nomenklaturregeln hat die Pflanze jetzt *Sacheria fluviatilis* Sirodot in Ann. Scienc. Nat. Botan., sér. 5, Tom. XVI (1872), p. 70, zu heißen.   S. Stockmayer.

1760 b. Chamaesiphon polonicus.

Hansgirg.

Stiria superior: ad ostium lacus «Leopoldsteiner See», m. Julio.

leg. K. de Keißler, det. S. Stockmayer.

1850 b. Tolypothrix penicillata.

Thur.

Stiria superior: in lacu «Leopoldsteiner See».

leg. K. de Keißler, det. S. Stockmayer.

Lichenes (Decades 47—49).

1951. Verrucaria praetermissa.

Anzi in Comment. Societ. Crittogam. Italian., vol. II, Fasc. 1 (1864), p. 64 (sed non Anzi, Lich. Langob. exsicc.). — *Leiophloea praetermissa* Trevis., Conspect. Verrucar. (1860), p. 101. — *Verrucaria laevata* Körb., Syst. Lich. Germ. (1855), p. 349 non Ach.

Die Flechte ist trotz der durch Trevisan erfolgten Umtaufung noch nicht klargestellt und ihr Verhalten zu den übrigen Arten der *Hydrela*-Gruppe wird erst näher präzisiert werden müssen. Wenn sie unter der vielleicht nur provisorischen Benennung Trevisans schon jetzt zur Ausgabe gelangt, so geschieht dies, um das gleichmäßige und instruktiv gesammelte Material den Lichenologen zugänglich zu machen.

Zahlbruckner.

Hungaria: ad saxa arenacea ad flumen Rečina prope Tanovica, 300—320 m s. m.

leg. F. Blechschmidt et J. Schuler.

1952. Cyphelium californicum.

A. Zahlbr. apud Engler-Prantl, Natürl. Pflanzenfam., I. Teil, Abt. 1* (1903), p. 84; Herre in Proceed. Washington Acad. Sc., vol. XII (1910), p. 61. — *Trachylia californica* Tuck. in Proceed. Americ. Acad. Arts and Sc., vol. VI (1866), p. 263. — *Acolium californicum* Tuck., Lich. of California (1866), p. 27 et Genera Lichen. (1872), p. 237; Reinke in Pringsh., Jahrbüch. f. wissensch. Botan., XXIX (1896), p. 195, Fig. 198.

America Borealis (California): Oakland Hills prope Oakland, ± 1200' s. m., ad saxa arenacea.

leg. A. C. Herre.

1953. Schismatomma pluriloculare.

A. Zahlbr. apud Engler-Prantl, Natürl. Pflanzenfam., I. Teil, Abt. 1* (1905), p. 116. *Platygrapha plurilocularis* A. Zahlbr. in Beihefte zum Botan. Zentralbl., vol. XIII (1902), p. 156.

America Borealis (California): Catalina Island, ad corticem *Rhoidis integrifoliae.* (Locus classicus.)

leg. H. E. Hasse.

1954. Lecidea parasema.

Arn. in Flora, vol. LXVII (1885), p. 559 et Zur Lichenfl. Münchens in Berichte Bayr. Botan. Gesellsch., vol. I (1891), Anhang p. 79.

Ich fasse die Art im engeren Sinne Arnolds: «thallus cinerascens, C—; hypothecium fulvescens» und sehe von anderen Zitaten, welche sich nur zum Teil auf die Flechte beziehen, ab.

Planta lignicola.

Austria inferior: ad scandulas in monte Sonntagberg prope Rosenau.

leg. P. P. Strasser.

1955. Lecidea (sect. Biatora) mollis.

Nyl., Lichen. Scand. (1861), p. 223; Leight., Lich.-Flora Great Britain (1871), p. 277 et edit. 3ª (1879), p. 280; Th. Fries, Lichgr. Scandin., vol. I (1874), p. 451; Hue in Revue de Botan., vol. VI (1887—1888), p. 39 et in Nouv. Archiv. du Muséum, sér. 3ª, vol. III (1891), p. 129; Wainio in Acta Soc. pro Fauna et Flora Fennic., vol. XIII, nr. 6 (1896), p. 18; A. L. Smith, Monogr. Brit. Lich., vol. II (1911), p. 89. — *Lecidea rivulosa*

β. mollis Wahlb., Flora Lappon. (1812), p. 472 et Flora Suecic., vol. II (1826), p. 863.
— *Biatora rivulosa β. mollis* Th. Fries in Nova Acta Reg. Soc. Scient. Upsal., ser. 3ª,
vol. III (1861), p. 298; Tuck., Synops. North Americ. Lich., vol. II (1888), p. 24. —
Biatora mollis Stein apud Cohn, Kryptg.-Flora von Schlesien II, 2. Heft (1879), p. 200;
Arn. in Verh. zool.-bot. Gesellsch. Wien, vol. XXV (1875), p. 441.

Suecia: Lapponia torneensis, paroch. Karesuando, in summo monte Vuokavaara,
ca. 600 m s. m., ad saxa granitica.   leg. G. Lång.

1956. Gyrophora rugifera var. stipitata.

G. Lång. — *Umbilicaria stipitata* Nyl., Scandin. (1861), p. 289, Synops. Meth.
Lichen., vol. II (1863), p. 15 et in Flora, vol. XLVIII (1865), p. 604 not. et vol. LII
(1869), p. 388. — *Gyrophora stipitata* Branth et Grönl., Grönlands Lich.-Flora (1887),
p. 491; Hue in Revue de Bot., vol. V (1886—1887), p. 15 (erron. sub «*G. stipata*»);
Oliv. in Mém. Soc. Nation. Sc. Natur. et Mathém. Cherbourg, vol. XXXVI (1907), p. 261.
— *Gyrophora hirsuta* Darb., Report Second. Norweg. Arctic Expedit., Lichens (1909),
p. 24 saltem pr. p. secund. specim. origin. ex Eliersmerelandie in muscis Heisingforsiae
et Lundae.

Auf demselben Standorte wachsen vollkommen normale *Gyrophora cylindrica*
var. *Delisei* mit *Gyrophora rugifera* var. *stipitata* gemischt, ohne daß Übergänge vorkommen. Die Exemplare aus Ellesmereland stimmen genau mit meinen Stücken überein. *Gyrophora cylindrica* var. *Delisei* hat gerillte Apothezien und einen nabellosen
Thallus.   G. Lång.

Suecia: Lapponia torneensis, paroch. Karesuando, in latere rupis infra cacumen
australe montis Pältsä, ca. 1250 m s. m.   leg. G. Lång.

1957. Gyrophora reticulata.

Th. Fries, Lichgr. Scand., vol. I (1871), p. 166; Arn. in Verh. zool.-botan. Gesellsch. Wien, vol. XXV (1875), p. 439, vol. XXVI (1876), p. 362 et vol. XXVIII (1878),
p. 266; Lamy in Bull. Soc. Botan. France, vol. XXX (1883), p. 365; Hue in Nouv.
Archiv. du Muséum, sér. 3ª, vol. III (1891), p. 35; Harm. in Bull. Soc. Sc. Nancy, sér. 2ª,
vol. XXXI ([1896] 1897), p. 266; Jatta, Sylloge Lich. Italic. (1900), p. 157 et in Flora
Italic. Cryptog., Fasc. III (1911), p. 706; Goffart in Bull. Herb. Boissier, sér. 2ª, vol. II
(1902), p. 961, Tab. X. Fig. 4; Oliv. in Mém. Soc. Nation. Sc. Natur. et Mathém. Cherbourg, vol. XXXVI (1907), p. 258; Lynge in Bergens Mus. Aarbog (1910), nr. 9, p. 56;
Herre in Contrib. U. S. Nation. Museum, vol. XIII (1911), p. 316, Tab. 69. — *Gyrophora polymorpha* c. *G. reticulata* Schaer. in Naturwiss. Anzeiger d. allgem. schwei-
zerisch. Gesellsch. Naturw., vol. I (1818), p. 7. — *Umbilicaria atropruinosa* var. *reticulata* E. Fries, Lichgr. Europ. Reform. (1831), p. 351; Dietrich, Lichgr. German. (1832
—1837), p. 21, Tab. 94; Nyl., Lich. Scandin. (1861), p. 114 et Synops. Meth. Lichen.,
vol. II (1863), p. 6. — *Umbilicaria reticulata* Nyl. in Flora, vol. LII (1869), p. 389.

Exsicc.: Anzi, Lich. Ital. Super., nr. 80; Arnold, Lich. Exsicc., nr. 657; Rabh.,
Lichen. Europ., nr. 424.

Suecia: Lapponia torneensis, paroch. Karesuando, in monte Guåbnetjåkko, ca.
560 m s. m.   leg. G. Lång.

1958. Gyrophora leiocarpa.

Steud., Nomencl. Botanic. (1824), p. 194. — *Umbilicaria leiocarpa* DC., Fl.
Franç., vol. II (1805), p. 410 et Synops. Plant. (1806), p. 88; Wainio in Voyage S. Y.

Belgica, Botan. 1903), p. 9. — *Umbilicaria anthracina* Hoffm., Deutschl. Flora
(1796), p. 110; Schaer., Enumer. Crit. Lich. Europ. (1850), p. 27; Mass., Ricerch. sul-
l'auton. Lich. (1852), p. 62, Fig. 114; Nyl. in Botanisk. Notiser (1853), p. 159; Linds.
in Transact. Linn. Soc. London, vol. XXVII (1869), p. 335, Tab. XLIX, Fig. 9; Tuck.,
Synops. North Americ. Lich., vol. I (1882), p. 84. — *Umbilicaria atropruinosa* var.
anthracina E. Fries, Lichgr. Europ. Reform. (1831), p. 351. — *Gyrophora anthracina*
Körb., Syst. Lich. Germ. (1855), p. 99 et Parerg. Lich. (1859), p. 39; Lichgr. Scand.,
vol. I (1871), p. 165; Hazsl., Magy. Birod. Zuzmóflor. (1884), p. 75; Sydow, Flecht.
Deutschl. (1887), p. 66; Jatta, Sylloge Lich. Italic. (1900), p. 168 et in Flora Italic.
Cryptog., Fasc. III (1911), p. 702; Goffart in Bull. Herb. Boissier, sér. 2ª, vol. II (1902),
p. 961, Tab. X, Fig. 1; A. Zahlbr. apud Engler-Prantl, Natürl. Pflanzenfam., Bd. I, Abt. 1*
(1906), p. 148, Fig. 69, D; Oliv. in Mémoir. Soc. Nation. Sc. Natur. et Math. Cherbourg,
vol. XXXVI (1907), p. 259; Lynge in Bergens Museum Aarbog (1910), nr. 9, p. 51. —
Gyrophora heteroidea ε. *cinerascens* Ach., Lichgr. Univ. (1810), p. 220. — *Gyrophora*
tessellata var. *cinerascens* Ach., Synops. Lich. (1814), p. 64. — *Umbilicaria atro-*
pruinosa var. *cinerascens* Nyl., Lich. Scand. (1861), p. 113 et Synops. Meth. Lichen.,
vol. II (1863), p. 7.

Exsicc.: Arnold, Lich. exsicc., nr. 1650, 1785; Th. Fries, Lich. Scand., nr. 38;
Malme, Lich. exsicc., nr. 153; Univ. Itiner. Cryptog., nr. 12.

Gyrophora anthracina Ach., Method. Lich. (1803), p. 102 (= *Lichen anthracinus*
Wulf.) ist nach Ach., Synopsis *Gyrophora glabra* und mit *Gyrophora anthracina*
Körb. und der späteren Autoren nicht identisch. Mithin ist das Binom für alle Fälle
vergeben und darf im Sinne der Wiener Nomenklaturregeln vom Jahre 1905 nicht
wieder zur Verwendung gelangen. Wir müssen auf die De Candollesche Benennung
zurückgreifen.

Suecia: Lapponia torneensis, paroch. Jukkasjärvi in monte Kattarak, ca. 650 m s. m.
leg. G. Lång.

1959. Gyrophora erosa.

Ach., Method. Lich. (1803), p. 103 et Lichgr. Univ. (1810), p. 224 (α); Sm. et
Sowerb., Engl. Botan., vol. XXIX (1809), Tab. 2066; Schaer. in Naturwiss. Anzeiger
der allgem. schweizer. Gesellsch. f. Naturw., vol. I (1818), p. 7; Tul. in Annal. Sc. Nat.,
Bot., sér. 3ª, vol. XVII (1852), p. 206; Körb., Syst. Lich. Germ. (1855), p. 96 et Parerg.
Lichgr. (1859), p. 40; Mudd, Manual Brit. Lich. (1860), p. 117; Rabh., Kryptog.-Flora
v. Sachsen, 2. Abt. (1870), p. 278; Arn. in Verhandl. zool.-bot. Gesellsch. Wien, vol. XXV
(1875), p. 438; Stein apud Cohn, Kryptog.-Flora von Schlesien, Bd. II, 2. Heft (1879),
p. 94; Th. Fries in Journ. Linn. Soc. London, Bot., vol. XVII (1879), p. 355; Sydow,
Flecht. Deutschl. (1887), p. 66; Hue in Nouv. Archiv. du Muséum, sér. 3ª, vol. III (1891),
p. 37; Cromb., Monogr. Lich. Britain, vol. I (1894), p. 329; Harm. in Bull. Soc. Sc.
Nancy, sér. 2ª, vol. XXXI ([1896] 1897), p. 269; Jatta, Sylloge Lich. Italic. (1900), p. 156
et in Flora Italic. Cryptog., Fasc. III (1911), p. 707; Oliv. in Mémoir. Soc. Nation. Sc.
Natur. et Mathém. Cherbourg, vol. XXXVI (1907), p. 255; Lynge in Bergens Museum.
Aarbog (1910), nr. 9, p. 52; Herre in Contrib. U. S. Nation. Herbar., vol. XIII (1911),
p. 320. — *Lichen erosus* Web., Spicil. Florae Goetting. (1778), p. 259; Ach. in Kgl.
Vetensk.-Akad. Nya Handling., vol. XV (1794), p. 87, Tab. II, Fig. 1 et Lichgr. Suec.
Prodr. (1798), p. 145. — *Umbilicaria erosa* Hoffm., Deutschl. Flora (1796), p. 111 et
Descript. et Adumbr. Plant. Lichen., vol. III (1801), p. 7, Tab. LXX, Fig. 1—5; Hoppe
apud Sturm, Deutschl. Flora, 2. Abt., Heft 7 (1805), p. 10, Tab. XXIV, Fig. 7; E. Fries,
Lichgr. Europ. Reform. (1831), p. 354; Schaer., Enum. Crit. Lich. Europ. (1850), p. 29;

Mass., Ricerch. sull'auton. Lich. (1852), p. 62, Fig. 116; Linds. in Transact. Roy. Soc. Edinbourgh, vol. XXII (1859), p. 187, Tab. IX, Fig. 22—23; Nyl. in Actes Soc. Linn. Bordeaux, vol. XXI (1856), p. 310, Lich. Scandin. (1861), p. 118, Synops. Method. Lich., vol. II (1863), p. 15, Tab. IX, Fig. 12 et in Flora, vol. LII (1869), p. 388; Leight., Lich.-Flora Great Britain (1871), p. 158 et edit. 3ª (1879), p. 145; Wainio in Meddel. Soc. pro Fauna et Flora Fennic., vol. VI (1881), p. 138 et in Arkiv för Botan., vol. VIII, nr. 4 (1909), p. 12; Tuck., Synops. North Americ. Lichen., vol. I (1882), p. 86; Harm., Lichens de France, Fasc. IV ([1909] 1910), p. 702. — *Gyrophora erosa a) normalis* Th. Fries, Lichgr. Scand., vol. I (1871), p. 159; Flagey in Mémoir. Soc. d'Émul. Doubs (1882), p. 475. — *Gyrophora Koldeweyi* Körb. in Zweite Deutsche Nordpolf., vol. II (1874), p. 77.

Suecia: Lapponia torneensis, paroch. Jukkasjärvi, ad rivulum Rautajski prope pagum Junusuando masugnsby.   leg. G. Lång.

1960.   Gyrophora arctica.

Ach., Method. Lich. (1803), p. 106, Tab. II, Fig. 6, in Kgl. Vet.-Akad. Nya Handl. (1808), p. 274 et Lichgr. Univ. (1810), p. 221; Flk. in Gesellsch. naturf. Freunde Berliner Magazin, vol. IV (1810), p. 65; Sm. et Sowerb., Engl. Botany, vol. XXXV (1813), Tab. 2485; S. Gray, Natur. Arrang. Brit. Plant., vol. I (1821), p. 477; Sydow. Flecht. Deutschl. (1887), p. 66; Hue in Nouv. Archiv. du Muséum, sér. 3ª, vol. III (1891), p. 36; Cromb., Monogr. Lich. Britain, vol. I (1894), p. 331; Arn., Labrador (1896), p. 6; Jatta, Sylloge Lich. Italic. (1900), p. 155 et in Flora Italic. Cryptog., Fasc. III (1911), p. 707; Oliv in Mémoir. Soc. Nation. Sc. Natur. et Mathém. Cherbourg, vol. XXXVI (1907), p. 255; Herre in Contrib. U. S. Nation. Herbar., vol. XIII (1911), p. 311. — *Gyromium proboscideum β. arcticum* Wahlbg., Flora Lappon. (1812), p. 483. — *Gyrophora proboscidea* var. *arctica* Ach., Synops. Lich. (1814), p. 65; Mann., Lich. in Bohem. observ. dispos. (1825), p. 67; Hook. in Sm., Engl. Flora, vol. V (1844), p. 221; Körb., Parerg. Lich. (1859), p. 40. — *Umbilicaria proboscidea* var. *arctica* E. Fr., Lichgr. Europ. Reform. (1831), p. 355; Tuckm., Synops. North Americ. Lich., vol. I (1882), p. 84. — *Umbilicaria polymorpha γ. arctica* Schaer., Enum. critic. Lichen. Europ. (1850), p. 27. — *Umbilicaria varia δ. arctica* Leight. in Annals and Magaz. Natur. Hist., ser. 2ª, vol. XVIII (1856), p. 283, Tab. X, Fig. 6. — *Umbilicaria arctica* Nyl., Herb. Musei Fennic. (1859), p. 84; Lich. Scand. (1861), p. 116, Synops. Meth. Lichen., vol. II (1863), p. 13 et in Flora, vol. LII (1869), p. 389; Linds. in Transact. Linn. Soc. London, vol. XXVII (1869), p. 333, Tab. XLIX, Fig. 8; Leight., Lich.-Flora Great Brit. (1871), p. 157 et ed. 3ª (1879), p. 145.

Suecia: Lapponia torneensis, paroch. Jukkasjärvi, in monte Njutum, saxicola.
                                                           leg. G. Lång.

1961.   Cladonia rangiferina f. major.

Flk.; Wainio, Monogr. Cladon. Univ., vol. I (1887), p. 15.

Germania: in montibus «Osenberge».   leg. H. Sandstede.

1962.   Cladonia acuminata.

(Ach.) Norrl. — Wainio, Monogr. Cladon. Univ., vol. II (1894), p. 73 et vol. III (1897), p. 250.

Suecia: Lapponia torneensis, paroch. Karesuando, in latere collis Mustavaara prope pagum Närvä, in loco subhumido regionis sylvaticae.   leg. G. Lång.

1963. Cladonia strepsilis.

(Ach.) Wainio, Monogr. Cladon. Univ., vol. II (1894), p. 403 et vol. III (1897), p. 261.

Germania: in turfosis «Ostermoor» prope Zwischenahn, Oldenburg.

leg. H. Sandstede.

1964. Ephebe solida.

Bornet in Annal. Scienc. Nat., Bot., ser. 3ᵃ, vol. XVIII (1852), p. 169; Nyl., Synops. Lichen., vol. I (1858), p. 90; Tuckm., Synops. North Americ. Lich., vol. I (1882), p. 132; Hue in Nouv. Archiv. du Muséum, sér. 3ᵃ, vol. II (1890), p. 226; Reinke in Pringsh., Jahrbüch. f. wiss. Botan., vol. XXVIII (1895), p. 422, Fig. 140, V; A. Zahlbr. in Engler-Prantl, Natürl. Pflanzenfam., vol. I. Abt. 1* (1906), p. 155, Fig. 76, B; Herre in Proceed. Washingt. Acad. of Scienc., vol. XII (1910), p. 130.

America borealis (California): Santa Cruz Mts. prope New Almaden, ad saxa arenaria. leg. A. C. Herre.

1965. Heppia Zahlbruckneri.

Hasse in Bryologist, vol. XIV (1911), p. 100.

America borealis (California): Rubi Cañon in montibus San Gabriel, Los Angelos Co., ad saxa quartzosa (Specimina originalia). leg. H. E. Hasse.

1966. Nephroma expallidum.

Nyl. in Flora, vol. XLVIII (1865), p. 428 et vol. LII (1869), p. 412; Leight. in Annal. and Magaz. Natur. Hist., ser. 4ᵃ, vol. V (1870), p. 39; Rabh., Flecht. Europ., Fasc. 34 (1871), nr. 911; Arn. in Verhandl. zool.-bot. Gesellsch. Wien, vol. XXVI (1876), p. 371; Tuckm., Synops. North Americ. Lich., vol. I (1882), p. 103; Hue in Nouv. Archiv. du Muséum, sér. 3ᵃ, vol. II (1890), p. 312; Oliv. in Mémoir. Soc. Nation. Sc. Nat. et Mathém., vol. XXXVI (1907), p. 212; Lynge in Bergens Mus. Aarbog (1910), nr. 9, p. 113, Tab. IV, Fig. 2—3. — *Nephronium expallidum* Nyl. in Öfvers. Kgl. Vet.-Akad. Förhandl., vol. XVII (1860), p. 295, Synops. Lichen., vol. I (1860), p. 318 et Lich. Scandin. (1861), p. 86. — *Opisteria expallida* Wainio in Arkiv för Botan., vol. VII, nr. 4 (1909), p. 93 et 94.

Suecia: Lapponia torneensis, paroch. Jukkasjärvi, in monte Luossavaara, ca. 659 m s. m., loco subhumido. leg. G. Lång.

1967. Nephroma resupinatum.¹)

Ach., Lichgr. Univ. (1810), p. 522; S. Gray, Natur. Arrang. Brit. Plants, vol. I (1821), p. 426; Mérat, Nouv. Flor. Envir. Paris, ed. 2ᵃ, vol. I (1826), p. 200; Chevallier, Flore Génér. Envir. Paris, vol. I (1826), p. 616, Tab. XIV, Fig. 8; Link, Grundr. d. Kräuterk., vol. III (1833), p. 176; DNotrs. in Memor. R. Accad. Sc. Torino, nr. 2ᵃ, vol. XII (1851), p. 135, Tab. II, Fig. XI; Tul. in Annal. Sc. Natur., Bot., ser. 3ᵃ, vol. XVII (1852), p. 201, Tab. IX, Fig. 18—23; Mass., Memor. Lichenogr. (1853), p. 23, Fig. 10 et Schedul. critic., Fasc. III (1856), p. 57; Oliv., Flore Lich. de l'Orne, vol. I (1882), p. 89; Hue in Nouv. Archiv. du Muséum, sér. 4, vol. II (1900), p. 104; A. Zahlbr. in Engl.-Prantl,

---

¹) Das Wort «*Nephroma*» wurde in der älteren Literatur mitunter als weibliches Hauptwort betrachtet und dementsprechend der Speziesnamen in der weiblichen Form angewendet. Ich habe bei den obigen Zitaten darauf keine Rücksicht genommen und auch dort die neutrale Form angewendet, wo im ursprünglichen Text die weibliche Form steht.

Natürl. Pflanzenf., vol. I, Abt. 1* (1907), p. 194, Fig. 101, D et Fig. 102, F; Lynge in Bergens Mus. Aarbog (1910), nr. 9, p. 112, Tab. IV, Fig. 4. — *Lichen resupinatus* Linn., Spec. Plant. (1753), p. 1148; Müller, Icon. Plant. Daniae, vol. V, Fasc. 13 (1778), Tab. DCCCXIV; Wulf. apud Jacqu., Collect. Botan., vol. IV (1790), p. 257, Tab. XII, Fig. 1; Sm. et Sowerb., Engl. Botan., vol. V (1796), Tab. 305. — *Nephromium resupinatum* Arn. in Flora, vol. LXVII (1884), p. 231 et Zur Lich.-Flora München in Bericht Bayr. Botan. Gesellsch., vol. I (1891), Anhang, p. 36; Wainio in Meddel. Soc. Fauna et Flora Fennic., vol. XIV (1888), p. 23; Dalla Torre et Sarnth., Flecht. v. Tirol (1902), p. 80; Harm., Lich. de France, Fasc. IV ([1909] 1910), p. 677, Tab. XV, Fig. 9. — *Opisteria resupinata* Wainio in Arkiv för Botan., vol. VIII, nr. 4 (1909), p. 93. — *Peltigera tomentosa* Hoffm., Deutschl. Flora (1796), p. 108. — *Nephroma tomentosum* Fw. in Jahresber. schlesisch. Gesellsch. f. Naturk., vol. II (1850), p. 122; Körb., Syst. Lich. Germ. (1855), p. 56 et Parerga Lich. (1859), p. 23; Nyl. in Actes Soc. Linn. Bordeaux, vol. XXI (1856), p. 295; Rabh., Flecht. Europ., Fasc. 3 (1856), nr. 69 et Kryptog.-Flora v. Sachsen, 2. Abt. (1870), p. 312; Th. Fr. in Nova Acta Reg. Soc. Scient. Upsal., ser. 3ᵃ, vol. III (1861), p. 141; Schwenden. in Nägeli, Beitr. zur wiss. Botan., 3. Heft (1863), p. 173, Tab. IX, Fig. 8; Br. et Rostr. in Botan. Tidsskrift, vol. III (1869), p. 178; Leight. in Annal. and Magaz. Nat. Hist., ser. 4ᵃ, vol. V (1870), p. 40; Tuckm., Synops. North Americ. Lich., vol. I (1882), p. 103; Hazsl., Magy. Birod. Zuzmó-Flor. (1884), p. 54; Jatta, Monogr. Lich. Italiae Merid. (1889), p. 98, Tab. II, Fig. 24—25; Harris in Bryologist, vol. VI (1903), p. 77, Fig. 1; Fink in Contrib. U. S. Nation. Museum, vol. XIV (1910), p. 165. — *Nephromium tomentosum* Nyl. in Mémoir. Soc. Sc. Nat. Cherbourg, vol. V (1857), p. 101, Synops. Lich., vol. I (1860), p. 319 et Lich. Scandin. (1861), p. 86; Malbr. in Bull. Soc. Ann. Sc. Natur. Rouen, vol. III (1867), p. 453; Linds. in Trans. Roy. Soc. Edinb., vol. XXII (1859), p. 172, Tab. IX, Fig. 28—34; Leight., Lich.-Flora Great Brit. (1871), p. 105 et edit. 3ᵃ (1879), p. 99; Stein apud Cohn, Kryptg.-Flora v. Schlesien, Bd. II, 2. Heft (1879), p. 86; Flagey in Mémoir. Soc. d'Émul. Doubs (1882), p. 416; Sydow, Flecht. Deutschl. (1887), p. 60; Hue in Nouv. Arch. du Muséum, sér. 3ᵃ, vol. II (1890), p. 310; Crb., Mongr. Lich. Brit., vol. I (1894), p. 283; Harm. in Bull. Soc. Sc. Nancy, sér. 2ᵃ, vol. XXXI ([1896] 1897), p. 242, Tab. XI, Fig. 34 et Tab. XIV, Fig. 2; Schneider, Guide Study Lich. (1898), p. 196; Jatta, Sylloge Lich. Italic. (1900), p. 113 et in Flora Italic. Cryptog. (1909), p. 183; Boist., Nouv. Flore Lich., 2. partie (1903); p. 83; Oliv. in Mémoir. Soc. Nation. Sc. Natur. et Mathém. Cherbourg, vol. XXXVI (1907), p. 213.

Tirolia: ad corticem truncorum *Acerum* prope Hochfilzen, ca. 1000 m s. m.

leg. A. Zahlbruckner.

1968. Lecanora boligera.

Hedl. in Bihang till K. Svensk. Vet.-Akad. Handl., vol. XVIII, afd. III, nr. 3 (1892), p. 42. — *Lecidea fuscescens* f. *boligera* Norm. apud Th. Fries, Lichgr. Scand., vol. I (1871), p. 461; Wainio in Meddel. Soc. Fauna et Flora Fennic., vol. X (1883), p. 44.

Suecia: Lapponia torneensis, paroch. Jukkasjärvi, in turfosis prope pagum Merasjärvi, ad ramulos *Betularum*.

leg. G. Lång.

1969. Lecanora coerulea.

Nyl. apud Stzbgr. in Jahresber. St.-Gallisch. naturw. Gesellsch., 1880—1881 (1882), p. 384; Schuler, Flechtfl. v. Fiume (1902), p. 55; Jatta in Flora Italic. Cryptog., Fasc. III (1910), p. 133. — *Verrucaria coerulea* DC., Flore Franç., vol. II (1805), p. 318. — *Biatora coerulea* Flagey, Lich. Franche-Comt., vol. II (1894), p. 438. — *Hymenelia*

Prevostii γ. *coerulescens* Krph. in Flora, vol. XXXV (1852), p. 25. — *Manzonia Cantiana* Garov. in Memor. Soc. Italian. Sc. Natur., vol. II, nr. 8 (1866), p. 4, Tab. I, Fig. 1. — *Lecanora coerulea* f. *Cantiana* Nyl. apud Stzbgr., l. s. c. — *Lecanora Cantiana* A. Zahlbr. in Wissensch. Mitteil. aus Bosn. u. d. Hercegov., vol. III (1895), p. 604.

Wie schon Arnold gezeigt hat (Flora, vol. LII, 1869, p. 257), herrscht bezüglich der Nomenklatur der vorliegenden Flechte die größte Verwirrung, die sich aber leicht beheben läßt, wenn man auf De Candolles Beschreibung seiner *Verrucaria coerulea* zurückgeht. *Verrucaria coerulea* DC. ist identisch mit Garovaglios *Manzonia Cantiana*, der De Candolle nicht zitiert und sich daher für berechtigt hielt, einen neuen Speziesnamen zu schaffen. Verschieden von unserer Flechte ist die «*Hymenelia coerulea*» Massalongos, Körbers und Arnolds, ihr fehlt das weiße, mehr weniger strahlende Vorlager, die Apothezien sind in das Substrat versenkt, die Scheibe liegt in der Höhe der Lageroberfläche und wird zu keinem wulstigen Rand, welchen De Candolle für seine Art beschreibt und ihn veranlaßte, sie bei der Gattung *Verrucaria* unterzubringen. Die Flechte Körbers und Arnolds, welche sich durch die angeführten Merkmale von *Lecanora coerulea* (DC.) Nyl. unterscheidet, braucht unbedingt einen Namen als eigene Art; ich schlage vor, sie **Lecanora pseudocoerulea** zu nennen. Zu diesen wären als Syononym zu zitieren: *Hymenelia coerulea* Mass., Geneal. Lichen. (1854), p. 12 et Symmict. Lichen. (1855), p. 25; Beltr., Lichen. Bassan. (1858), p. 153; Körb., Parerg. Lich. (1860), p. 115; Arn. in Flora, vol. LII (1869), p. 257 et in Verhandl. zool.-bot. Gesellsch., vol. XX (1870), p. 537, vol. XLVII (1897), p. 223; Hazsl., Magy. Birod. Zuzmóflor. (1884), p. 141; Jatta, Monogr. Lich. Ital. Merid. (1889), p. 149. **Zahlbruckner.**

Croatia: ad saxa calcarea in monte Eratar, ca. 1200 m s. m. leg. J. Schuler.

1970. Parmelia fraudans.

Nyl., Lich. Scand. (1861), p. 100 et in Flora, vol. LII (1869), p. 292; Th. Fries, Lichgr. Scand., vol. I (1871), p. 115; Hue in Revue de Botan., vol. IV (1885—1886), p. 379 et in Bull. Soc. France, vol. XXXV (1885), p. 44 et in Nouv. Archiv. du Muséum, sér. 3ª, vol. II (1890), p. 288; Oliv. in Mémoir. Soc. Nation. Sc. Natur. et Mathém. Cherbourg, vol. XXXVI (1907 , p. 192.

Fennia: Tavastia australis, Evo, supra saxa erratica loco aprico prope pagum Iso-Evo. leg. G. Lång.

1971. Parmelia minuscula.

Nyl. in Bull. Soc. Linn. Normandie, ser. 4ª, vol. I (1887 , p. 205; Hue in Nouv. Archiv. du Muséum, sér. 3ª, vol. II (1890), p. 291; Wainio in Arkiv för Botan., vol. VIII, nr. 4 (1909), p. 29. — *Alectoria minuscula* Nyl. in Flora, vol. LII (1871), p. 299. — *Parmelia lanata* ⚹ *minuscula* Nyl. in Notis. ur Sällsk. pro Fauna et Flora Fennic. Förh., Ny Serie, vol. V (1866), p. 121 et in Flora, vol. LXII (1879), p. 354; Oliv. in Mémoir. Soc. Nation. Sc. Natur. et Mathém. Cherbourg, vol. XXXVI (1907), p. 201. — *Alectoria lanata* f. *minuscula* Leight., Lich.-Flora Great Brit., ed. 3ª (1879), p. 81. — *Alectoria lanata* ⚹ *A. minuscula* Nyl. apud Norrl. in Notis. ur Sällsk. pro Fauna et Flora Fennica Förh., vol. XIII (1873), p. 322. — *Imbricaria lanata* f. *minuscula* Arn. in Verhandl. zool.-bot. Gesellsch. Wien, vol. XXVI (1876), p. 361 et vol. XXVIII (1878), p. 293.

Fennia: Lapponia enontekiensis, in monte Jorpavaara prope Naimakka, ca. 450 m s. m., saxicola. leg. G. Lång.

1972. Ramalina homalea.

Ach., Lichgr. Univ. (1810), p. 598, Tab. XIII, Fig. 5 et Synops. Lich. (1814), p. 294;
Eaton, Manual of Bot., ed. 7ª (1836), p. 646; Linds. in Transact. Roy. Soc. Edinb.,
vol. XXII (1859), p. 131; Nyl., Synops. Lich., vol. I (1860), p. 289 et in Bullet. Soc.
Linn. Normandie, ser. 4ª, vol. IV (1870), p. 107; Tuckm., Synops. North Americ. Lich.,
vol. I (1882), p. 21; Hue in Nouv. Archiv. du Muséum, sér. 3ª, vol. II (1890), p. 260;
Herre in Proceed. Washingt. Acad. Sc., vol. VII (1906), p. 332 et vol. XII (1910), p. 217.
— *Desmaziera homalea* Mont. in Annal. Scienc. Nat., Bot., ser. 3ª, vol. XVIII (1852),
p. 304, apud Gay, Histor. Fisíc. y polit. Chile, Botan., vol. VIII (1852), p. 70 et Sylloge
Gener. et Spec. Cryptog. (1856), p. 318; Trevis. in Flora, vol. XLIV (1861), p. 51.
America borealis (California): Catalina, Island. ad saxa.　　leg. A. C. Herre.

1973. Cetraria nigricans.

Nyl., Herbar. Mus. Fennic. (1859), p. 109, Synops. Lich., vol. I (1860), p. 299,
Lich. Scandin. (1861), p. 79 et in Flora, vol. LII (1869), p. 443; Th. Fries in Nova Act.
Reg. Soc. Scient. Upsal., ser. 3ª, vol. III (1861), p. 136 not. et Lichgr. Scandin., vol. I
(1871), p. 100; Hue in Revue de Botan., vol. IV (1885—1886), p. 372 et in Nouv.
Archiv. du Muséum, sér. 3ª, vol. II (1890), p. 273; Oliv. in Mémoir. Soc. Nation. Sc. Natur.
et Mathém. Cherbourg, vol. XXXVI (1907), p. 168. — *Cetraria odontella* var. *nigricans*
Lynge in Bergens Mus. Aarbog (1910), nr. 9, p. 79.
Suecia: Lapponia torneensis, paroch. Jukkasjärvi, in monte Auroktjäkko, inter
saxa minora et lapides supra muscos ad terram, ca. 1100 m s. m.　　leg. G. Lång.

1974. Cetraria odontella.

Ach., Synops. Lich. (1814), p. 230; Schaer., Enumer. Critic. Lich. Europ. (1850),
p. 15; Körb., Syst. Lich. Germ. (1855), p. 48; Schwend. in Nägeli, Beitr. zur wissensch.
Botan., 2. Heft (1860), p. 153; Nyl., Synops. Lich., vol. I (1860), p. 301 et Lich. Scandin.
(1861), p. 136; Th. Fries in Nova Acta Reg. Soc. Scient. Upsal., ser. 3ª, vol. III (1861),
p. 136 et Lichgr. Scandin., vol. I (1871), p. 99; Hepp, Flecht. Europ., nr. 487 (1867);
Tuckm., Synops. North Americ. Lich., vol. I (1882), p. 29; Hue in Revue de Bot., vol. IV
(1885—1886), p. 372; Wainio in Meddel. Soc. pro Fauna et Flora Fennic., vol. XIII
(1886), p. 255; Sydow, Flecht. Deutschl. (1887), p. 35; Cromb., Monogr. Lich. Brit.,
vol. I (1894), p. 219; Jatta, Sylloge Lich. Italic. (1900), p. 107 et in Flora Italic. Cryptog.,
Pars III (1909), p. 174; Oliv. in Mémoir. Soc. Nation. Sc. Natur. et Mathém. Cherbourg,
vol. XXXVI (1907), p. 167; Lynge in Bergens Mus. Aarbog (1910), nr. 9, p. 79. —
Lichen odontellus Ach., Lichgr. Suec. Prodr. (1798), p. 213. — *Cornicularia spadicea*
β. *C. odontella* Ach., Method. Lich. (1803), p. 301 et Lichgr. Univ. (1810), p. 611.
Suecia: Lapponia torneensis, paroch. Karesuando, in ripa lacus Rostojaure, supra
saxa in regione alpina, ca. 635 m s. m.　　leg. G. Lång.

1975. Cetraria tenuissima var. muricata.

Dalla Torre et Sarnth., Flecht. von Tirol (1902), p. 104; Navás, Liquen. de Aragón
1908), p. 27. — *Lichen muricatus* Ach., Lichgr. Suec. Prodr. (1798), p. 214. — *Cornicularia muricata* Ach., Method. Lich. (1803), p. 303, Tab. VI, Fig. 2. — *Cetraria aculeata* var. *C. muricata* Ach., Lichgr. Univ. (1810), p. 612; Hepp, Flecht. Europ., nr. 359
(1857); Nyl., Synops. Lich., vol. I (1860), p. 300 et Lich. Scand. (1861), p. 80; Leight.,
Lich.-Flora Great Brit. (1871), p. 98 et edit. 3ª (1879), p. 93; Th. Fries, Lichgr. Scand.

vol. I (1871), p. 101; Arn. in Flora, vol. LXIX (1881), p. 200; Oliv., Flore Lich. de l'Orne, vol. I (1882), p. 66 et in Mémoir. Soc. Nation. Sc. Nat. et Mathém. Cherbourg, vol. XXXVI (1907), p. 169; Harm. in Bull. Soc. Sc. Nancy, sér. 2ª, vol. XXXI (1896), p. 200 et Lich. de France, pars III (1907), p. 423. — *Cornicularia aculeata β. stuppea* Fw. in 47. Jahresber. schles. Gesellsch. für Kultur (1849), p. 101; Körb., Syst. Lich. Germ. (1855), p. 8. Germania (Oldenburg): in turfosis dictis «Ostermoor» prope Zwischenahn.

leg. H. Sandstede.

1976. Alectoria nidulifera.

Nyl. in Flora, vol. LVIII (1875), p. 8; Stzbgr. in Annal. naturh. Hofm. Wien, vol. VII (1892), p. 127; Oliv. in Mémoir. Soc. Nation. Sc. Natur. et Mathém. Cherbourg, vol. XXXVI (1907), p. 91; Lynge in Bergens Mus. Aarbog (1910), nr. 9, p. 63.

Diese Art ist zirkumpolar, aber, wie es scheint, wenig bekannt. Außer Norrlin, nr. 15, ist sie auch noch in einigen anderen Exsikkaten verteilt; so ist mein Exemplar von Elenkins, Lich. Flor. Rossiae, nr. 14 *Alectoria nidulifera*, desgleichen Cummings, Williams and Seymour, Lich. Americ., nr. 16, allerdings nur pro parte, pro alia parte *A. chalybeiformis* (L.), aber nicht *A. prolixa* Ach. Wahrscheinlich liegt die Flechte unter dem Namen «*Alectoria chalybeiformis*» in vielen Herbarien. Sie ist ohne Zweifel eine gute Art. G. Lång.

Fennia: Tavastia australis, ad Evo, ad truncos et ramos *Pinorum* in pineto arenoso siccoque. leg. G. Lång.

1977. Alectoria nidulifera var. simplicior.

Wainio in Meddel. Soc. Fauna et Flora Fennic., vol. VI (1881), p. 115; Stzbgr. in Annal. naturhist. Hofmus. Wien, vol. VII (1892), p. 127; Oliv. in Mémoir. Soc. Nation. Sc. Natur. et Mathém. Cherbourg, vol. XXXVI (1907), p. 91.

Suecia: Lapponia torneensis, paroch. Jukkasjärvi, prope lacum Aptasjärvi, ad ramulos *Pini* desiccatos. leg. G. Lång.

1978. Caloplaca (sect. Fulgensia) fulgida.

A. Zahlbr. in Österr. Botan. Zeitschr., vol. LVII (1907), p. 72. — *Placodium fulgidum* Nyl. in Flora, vol. XLVIII (1865), p. 212; Arn. in Flora, vol. LIII (1870), p. 468. — *Lecanora fulgida* Hue in Revue de Botan., vol. V (1886—1887), p. 21; Nyl., Lich. Pyren. Orient. (1891), p. 15. — *Squamaria fulgida* Oliv. in Mémoir. Soc. Nation. Sc. Natur. et Mathém. Cherbourg, vol. XXXVII (1909), p. 43.

Istria: prope Drenova versus Klana, ca. 300—500 m s. m., in fissuris rupium calcariorum, supra muscos et ad terram. leg. F. Blechschmidt et J. Schuler.

1979. Xanthoria parietina var. imbricata.

Beltr., Lich. Bassan. (1858), p. 102; Müll. Arg. in Bullet. Soc. Natur. Moscou, vol. LIII (1878), p. 103; Arn. in Flora, vol. LXVII (1884), p. 243 (pro f.); Oliv. in Mémoir. Soc. Nation. Sc. Natur. et Mathém. Cherbourg, vol. XXXVI (1907), p. 228; Jatta in Flora Italic. Cryptog., pars III (1909), p. 226. — *Physcia parietina* f. *imbricata* Mass., Schedul. Critic., Fasc. II (1855), p. 41; Jatta, Sylloge Lich. Italic. (1900), p. 148; Harm., Lich. de France, pars IV ([1909] 1910), p. 607 (pro var.).

Carniolia: in colle »Straža« prope Veldes, ad ramos *Laricum*.

leg. J. Steiner.

1980. Physcia grisea.

A. Zahlbr. — *Lichen griseus* Lam., Encycl. Méthod., Botan., vol. III (1789), p. 480. — *Imbricaria grisea* DC., Flor. Franç., vol. II (1805), p. 387 et Synops. Plant. (1806),

Annalen des k. k. naturhistorischen Hofmuseums, Bd. XXVI, Heft 1 u. 2, 1912. 12

p. 83; Mérat, Nouv. Flor. Envir. Paris, éd. 2ª, vol. I (1821), p. 191. — *Parmelia pul-*
verulenta var. *grisea* Schaer., Enumer. Critic. Lichen. Europ. (1850), p. 38. — *Physcia*
pulverulenta var. *grisea* Rabh., Kryptog.-Flora v. Sachsen, 2. Abt. (1870), p. 285;
Berdau, Lischaïn. isled varschavskag. utsch. (1876), p. 84; Flagey in Mém. Soc. d'Émul.
Doubs (1882), p. 462. — *Lichen pityreus* Ach., Lichgr. Suec. Prodr. (1798), p. 124. —
Parmelia pityrea Ach., Lichgr. Univ. (1810), p. 483. — *Physcia pulverulenta* var.
pityrea Nyl. in Actes Soc. Linn. Bordeaux, vol. XXI (1856), p. 308; Synops. Lich., vol. I
(1860), p. 420 et Lich. Scandin. (1861), p. 110; Malbr. in Bull. Soc. Amis Sc. Nat. Rouen,
vol. III (1867), p. 480; Th. Fries, Lichgr. Scand., vol. I (1871), p. 136; Leight., Lich.-
Flora Great Brit. (1871), p. 146 et ed. 3ª (1879), p. 135; Oliv., Flore Lich. de l'Orne,
vol. I (1882), p. 78; Stein apud Cohn, Kryptg.-Flora v. Schlesien, vol. II, 2. Heft (1879),
p. 81; Sydow, Flecht. Deutschl. (1887), p. 48; Hue in Nouv. Archiv. du Muséum, sér. 3ª,
vol. II (1890), p. 240; Jatta in Flora Italic. Cryptog., pars III (1909), p. 240; Lynge in
Bergens Mus. Aarbog (1910), nr. 9, p. 104. — *Physcia pityrea* Lamy in Bull. Soc.
Botan. France, vol. XXV (1878), p. 383; Cromb., Monogr. Lich. Brit., vol. I (1894),
p. 308; Harm. in Bull. Soc. Sc. Nancy, sér. 2ª, vol. XXXI ([1896] 1897), p. 258; Mong.
in Bullet. Acad. Intern. Géogr. Botan., vol. VIII (1899), p. 254; Oliv. in Mémoir. Soc.
Nation. Sc. Natur. et Mathém. Cherbourg, vol. XXXVI (1907), p. 237. — *Physcia pul-*
verulenta subspec. *pityrea* Boist., Nouv. Flore Lich., 2. part. (1903), p. 73. — *Lobaria*
pulveracea Hoffm., Deutschl. Flora (1796), p. 153. — *Physcia farrea* f. *pityrea* Wain.
in Meddel. Soc. Fauna et Flora Fennica, vol. VI (1881), p. 132; Harm., Lich. de France,
pars IV ([1909] 1910), p. 640; B. de Lesd., Recherch. Lich. Dunkerque (1910), p. 105.
— *Physcia pulveracea* Wainio in Act. Soc. Fauna et Flora Fennica, vol. XIII, nr. 6
(1896), p. 14.

Von mehreren Autoren (Harmand, Olivier u. a.) wird zu unserer Flechte als
ältestes Synonym *Lichen lanuginosus* Hoffm., Enum. Lich. (1784), p. 82, Tab. X, Fig. 4
zitiert. Würde Hoffmanns Pflanze tatsächlich mit *Physcia grisea* zusammenfallen,
so müßte man daraus auch in nomenklatorischer Beziehung die Konsequenzen ziehen.
Es unterliegt aber keinem Zweifel, daß Hoffmanns *Lichen lanuginosus* nicht zu
Physcia grisea gehört; der Passus in Hoffmanns Beschreibung: «foliola subtus dense
lanugineo atra obducta» steht in direktem Gegensatze zu den Verhältnissen bei *Physcia*
grisea; ferner passen auch die Ausdrücke «foliola cervina» und «scutellae disco rufe-
scente» nicht. Arnold wird die Hoffmannsche Pflanze richtig gedeutet haben,
indem er sie in seinem Handexemplare der «Enumeratio» als *Pannaria conoplea* bezeichnet.

Nachdem Ehrharts «Plantae Cryptog.» nach den Wiener Nomenklaturregeln
nicht zu jenen Exsikkatenwerken gehören, welche für die Feststellung des ältesten
Namens herangezogen werden können, muß der Speziesnamen Lamarcks zur Benennung der vorliegenden Flechte herangezogen werden.   Zahlbruckner.

Austria inferior: ad truncos *Laricum* prope Neuhaus ad Weißenbach a. d.
Triesting, ca. 450 m s. m.   leg. L. et C. Rechinger.

Addenda:

1051 b.   Usnea florida.

Hoffm.

Litorale austriacum: in sylva dicta «Trnovaner Wald» supra Görz, ca. 1000 m
s. m., ad ramos arborum.   leg. C. Loitlesberger.

1528 b. Platygrapha hypothallina.

A. Zahlbruckner.

America borealis (California): ad saxa granitica maritima prope Monterey, ca.
50 m s. m. leg. A. C. Herre.

Thallus hypothallo mox evanescente demum crassiusculus, usque 2·4 mm altus, tartareus, verrucoso-plicatus vel subcerebrinus, superne albo-suffusus, pulverulentus, sorediis et isidiis destitutus. Apothecia adpresso-sessilia vel subimmersa. Epithecium crassiusculum, pulverulentum, sordidum; paraphyses ad 1·8 μ crassae, eseptatae, in parte superiore utplurimum breviter ramosae; asci 8 spori; sporae in ascis ± biseriales, verticales, bacillari-digitiformes, utrinque subrotundatae, subrectae, 8 loculares, loculis cylindricis, 26—30 μ longae et 3—5 μ latae. Conceptacula pycnoconidiorum immersa, globosa, vertice punctiformi nigro vix emergentia, perifulcrio decolore, fulcris exobasidialibus, pycnoconidiis bacillaribus, rectis, utrinque rotundatis, 5—8 μ longis.

Die Beschreibung, insbesondere diejenige des Lagers mußte erweitert werden, da mir ursprünglich mehr jugendliche Stücke vorlagen. A. C. Herre macht in den Schedae die Bemerkung, daß die Flechte identisch ist mit *Platygrapha pinguis* Tuckm. in Herb. Eine nomenklatorische Umänderung kann auf Grund dieser Konstatierung nicht erfolgen.

Zahlbruckner.

Musci (Decades 44—45).

1981. Lophozia Wenzeli.

Steph., Spec. Hep., vol. II (1902), p. 135; K. Müll. apud Rabenh., Kryptfl. v. Deutschl., ed. 2, vol. VI (1910), p. 675. — *Jungermannia Wenzeli* N. ab Esenb., Naturg. d. eur. Leberm. (1836), vol. II, p. 58.

Austria superior: in turfosis retro lacum «Laudachsee» prope Gmunden, sociis *Lophozia ventricosa* var. *uliginosa* et *Kantia Trichomanis*, m. Aug.
leg. C. Loitlesberger.

1982. Anthelia julacea.

Dum., Rec. d'obs. (1835), p. 18. — *Jungermannia julacea* Linn., Spec. pl., ed. 1 (1753), p. 1135; N. ab Esenb., Naturg. d. eur. Leberm. (1836), vol. II, p. 306.

Bohemia septentrionalis: loco «Wörlichgraben» montium «Riesengebirge», ad rupes madidas, m. Sept. leg. V. Schiffner et E. Bauer.

1983. Radula pallens.

Dum., Rec. d'obs. (1835), p. 14; Synop. Hepat. (1845), p. 256. — *Jungermannia pallens* Swartz, Prodr. Fl. Ind. occ. (1788), p. 143.

Insula Cuba: Farallones ad La Perla, Gaguey ad septentrionem, provincia orientalis, ad truncos in fauce silvatica, 585 m s. m., m. Majo. leg. W. M. Maxon.

1984. Dicranum Bergeri.

Blandow, Musc. frond. exs. III, nr. 114 (1804); Limpr. apud Rabenh., Kryptfl. v. Deutschl., 2. Aufl., Bd. IV, Abt. 1, p. 345 (1886); Paris, Ind. bryol., ed. 2, vol. II (1904), p. 36.

Hungaria septentrionalis: ad pedem montium «Tátra Magna», loco turfoso dicto «Rohrwiesen» ad urbem Szepesbéla, ca. 690 m s. m., m. Jul. leg. E. Győrffy.

12*

1985. Dicranum congestum.

Brid., Spec. musc. I (1806), p. 176; Limpr. apud Rabenh., Kryptfl. v. Deutschl.,
2. Aufl., Bd. IV, Abt. 1, p. 357 (1886); Paris, Ind. bryol., ed. 2, vol. II (1904), p. 40.

Hungaria septentrionalis: montes «Tátra Magna», ad saxa calcarea humosa
montis «Stierberg», ca. 1700 m s. m., m. Aug.   leg. E. Györffy.

1986. Dicranum fulvum.

Hook., Musc. exot., Tab. 149 (1820); Jur., Laubmfl. v. Öst.-Ung. (1882), p. 42;
Limpr. apud Rabenh., Kryptfl. v. Deutschl., 2. Aufl., Bd. IV, Abt. 1 (1886), p. 370; Paris,
Ind. bryol., ed. 2, vol. II (1904), p. 45.

Austria superior: Pechgrabental prope Groß-Raming, fruct.
                    leg. † F. Schiedermayr, com. A. de Degen.

1987. Trematodon ambiguus.

Hornsch. in Flora (1819), I, p. 88; Jur., Laubmfl. v. Öst.-Ung. (1882), p. 29; Limpr.
apud Rabenh., Kryptfl. v. Deutschl., 2. Aufl., Bd. IV, Abt. 1 (1887), p. 415; Paris, Ind.
bryol., ed. 2, vol. V (1906), p. 65. — *Dicranum ambiguum* Hedw., Descr. musc. III,
p. 87, Tab. 36 (1792).

Galicia occidentalis: in pratis turfosis pr. Cieszkowicze, m. Jun., fruct.
                    leg. C. Schliephacke, com. A. de Degen.

1988. Pottia lanceolata.

C. Müll., Synops. I (1849), p. 548; Limpr. apud Rabenh., Kryptfl. v. Deutschl.,
2. Aufl., Bd. IV, Abt. 1 (1888), p. 533; Paris, Ind. bryol., ed. 2, vol. IV (1905), p. 92. —
Leersia lanceolata Hedw., Descr. musc. II, p. 66, Tab. 23 (1789).

Germania (Ducatus Badensis): pr. Salem, m. Mart. et Apr., fruct.
                    leg. † J. Jack, com. A. de Degen.

1989. Heterocladium squarrosulum.

Lindb., Musci scand. (1879), p. 37; Limpr. apud Rabenh., Kryptfl. v. Deutschl.,
2. Aufl., Bd. IV, Abt. 2, p. 817 (1895); Paris, Ind. bryol., ed. 2, vol. II (1904), p. 311.
— *Hypnum squarrosulum* Voit in Sturm, D. Fl., II. Abt., 3. Bändchen, Fasc. 11 (1810),
Tab. XXIV, 5.

Istria: Monte Maggiore, ad terram in fagetis, ca. 1200 m s. m., m. Apr., fruct.
                    leg. C. Loitlesberger.

1990. Wilsoniella Jardini.

Besch., Fl. bryol. Taiti (1894), p. 54; Paris, Ind. bryol., ed. 2, vol. (1906), p. 134.
— *Trematodon Jardini* Schpr. in Jardin, Enum., p. 20.

Samoa (insula Upolu): in silvaticis prope Vailima, ad viarum declivitates, m.
Jul., fruct.   leg. K. et L. Rechinger, det. F. Brotherus.

1991. Trachyloma indicum.

Mitt., Musc. Ind. or. (1859), p. 91; Bryol. Jav. II, p. 82, Tab. 197 (1863); Fleisch.,
Musc. d. Fl. v. Buitenz. III, p. 716 (1906); Paris, Ind. bryol., ed. 2, vol. V (1906), p. 62.

Java occidentalis: in montibus Gedeh prope Kandang-Badak, ad arbores, ca.
2500 m s. m., m. Mart.   leg. M. Fleischer.

1992. Trachypus bicolor.

Rw. et Hornsch. in Nov. Act. Acad. Caes. Leop. Carol. XIV, II. Suppl., p. 708, Tab. 39 (1829); Bryol. Jav. II, p. 98, Tab. 241 (1865); Fleisch., Musc. d. Fl. v. Buitenz. III, p. 738 (1906); Paris, Ind. bryol., ed. 2, vol. V (1906), p. 63.

Java occidentalis: in montibus Gedeh prope Kandang-Badak, ad arbores, ca. 2500 m s. m., m. Mart. part. fruct. leg. M. Fleischer.

1993. Trachypus bicolor.

Rw. et Hornsch. in Nov. Act. Acad. Caes. Leop. Carol. XIV, II. Suppl., p. 708, Tab. 39 (1829).

Var. hispidus.

Card., Mouss. d. Formose in Beiheft v. Bot. Zentralbl., Bd. XIX (1905), p. 116; Fleisch., Musc. d. Fl. v. Buitenz. III, p. 740 (1906). — *Neckera hispida* C. Müll. in Bot. Zeitg. (1854), p. 579. — *Trachypus hispidus* Paris, Ind. bryol., ed. 1, p. 1303 (1897) und ed. 2, vol. V (1906), p. 63.

Insula Ceylon: Wattacalia prope Kandy, ad arbores, ca. 1300 m s. m., m. Febr. leg. M. Fleischer.

1994. Thuidium tamariscellum.

v. d. B. et Lac. in Bryol. Jav. II, p. 20 (1865); Paris, Ind. bryol., ed. 2, vol. V (1906), p. 22. — *Hypnum tamariscellum* C. Müll. in Bot. Zeit., XII (1854), p. 573.

Java occidentalis: Gegerbintang in montibus Gedeh, ad arborum truncos, ca. 1300 m s. m., m. Dec. fruct. leg. M. Fleischer.

1995. Sematophyllum secundum.

Fleisch. in Musc. Archip. Ind. exsicc., nr. 322 et 323; Paris, Ind. bryol., ed. 2, vol. IV (1905), p. 253. — *Leskea ? secunda* Reinw. et Hornsch. in Nov. Act. Caes. Leop. Acad. XIV, Suppl., p. 717 (1828).

Java occidentalis: montes Gedeh prope Tjibodas, ad arbores in silva primigenia, ca. 1500 m s. m., m. Jun. leg. M. Fleischer.

1996. Taxithelium turgidellum.

Paris, Ind. bryol., ed. 2, vol. IV (1905), p. 358. — *Hypnum turgidellum* C. Müll. in Engl., Bot. Jahrb. (1883), p. 87.

Java: Buitenzorg, in viis horti botanici, ca. 280 m s. m., m. Apr. c. fr. vet. leg. M. Fleischer.

1997. Isopterygium Teysmanni.

Jaeg., Adumbr. II (1875—1876), p. 499; Paris, Ind. bryol., ed. 2, vol. III (1905), p. 126. — *Hypnum Teysmanni* Bryol. jav. II, p. 192 (1861—1870).

Insula Ceylon: Peradeniya Garden, ad terram, ca. 800 m s. m., m. Febr. leg. M. Fleischer.

1998. Ectropothecium Chamissonis.

Jaeg., Adumbr. II (1877—1878), p. 528; Paris, Ind. bryol., ed. 2, vol. II (1904), p. 105. — *Hypnum Chamissonis* Hornsch. in Hor. phys. Berol., p. 66, Tab. 13; Bryol. Jav. II, p. 198 (1868).

Var. tepidum.

Fleisch. in Musc. Archip. Ind. exsicc., nr. 341.

Java occidentalis: montes Gedeh, in saxis andesiticis ad thermas, ca. 2000 m s. m., m. Jul.   leg. M. Fleischer.

1999.   Hyocomium polychaetum.

Fleisch. in Musc. Archip. Ind. exsicc., nr. 346. — *Hypnum polychaetum* v. d. B. et Lac. in Bryol. Jav. II, p. 154 (1866).

Java occidentalis: in montibus Gedeh prope Tjiburrum, in silva primigenia, ad fruticum ramos et folia, ca. 1800 m s. m., m. Jul.   leg. M. Fleischer.

2000.   Hypnodendron Junghuhnii.

Lindb. in Öfv. af K. Vet. Akad. Förh. (1861), p. 374; Bryol. jav. II, p. 132, Tab. 231 (1861—1870); Paris in Ind. bryol., ed. 2, vol. II (1904), p. 373. — *Hypnum Junghuhnii* C. Müll., Syn. II (1851), p. 506.

Java occidentalis: in montibus Gedeh supra Tjiburrum, ad terram in silva primigenia, ca. 1800 m s. m., m. Jul.   leg. M. Fleischer.

Register zu Centurie I—XX.

Verfaßt von

Dr. F. Ostermeyer.

Die erste Zahl bezieht sich auf die Nummer, unter welcher die Art in den «Kryptogamae exsiccatae» zur Ausgabe gelangte; die zweite auf den Band, beziehungsweise die Seite der «Annalen des k. k. naturhistorischen Hofmuseums in Wien», wo die dazu gehörige Scheda publiziert wurde.

189

Biatora pullata Norm., 1228, XX, 31.
— *rivulosa* f. *corticola* E. Fries, 364, XIII, 463.
— — *β. mollis* Th. Fries, 1955, XXVI, 169.
— *russula* Tuck., 1030, XIX, 414.
— *sylvana* var. *Rhododendri* Hepp, 453, XV, 183.
— *turgidula* Hepp, 1229, XX, 31.
— *uliginosa* E. Fries, 259, XII, 92.
— *Ungeri* Hepp, 864, XVIII, 366.
— *viridescens* E. Fries, 1230, XX, 32.
— — var. *putrida* Körb., 1230, XX, 32.
Biatorella geophana Strass., 365, XIII, 464.
— (sect. *Sarcogyne*) *latericola* Stnr., 1657, XXIII, 226.
— — *pruinosa* Mudd, 1658, XXIII, 227.
Biatorina cyrtella Körb., 1550, XXII, 114.
— *diluta* Th. Fries, 1028, XIX, 430.
— *Ehrhartiana* Stein., 1231, XX, 32.
— grossa Mudd, 1650, XXIII, 225.
— *Michelettiana* Mass., 864, XVIII, 366.
— *pineti* Mass., 1028, XIX, 413.
— *proteiformis* var. *Rabenhorstii* Mass., 458, XV, 184.
— *vesicularis* Jatta, 754, XVII, 273.
Biatorinopsis diluta Müll. Arg., 1028, XIX, 413.
Bilimbia abietina H. Oliv., 556, XV, 20.
— *albicans* Arn., 165, XI, 94.
— *chlorococca* Th. Fries, 752, XVII, 272.
— *coprodes* Körb., 657, XVI, 83.
— — *α. normalis* Th. Fries, 657, XVI, 83.
— *leucoblephara* Arn., 865, XVIII, 366.
— *lignaria* Arn., 658, XVI, 83.
— *marginata* Arn., 865, XVIII, 366.
— *melaena* Arn., 362, XIII, 463.
— *micromma* var. *annulata* Arn., 865, XVIII, 366.
— *milliaria α. lignaria* Th. Fries, 658, XVI, 83.
— *Nitschkeana* Lahm, 1232, XX, 32.
— *obscurata* Th. Fries, 656, XVI, 82.
— *syncomista* Körb., 658, XVI, 83.
Binatella muricata Brêb., 541, XV, 203.
— *tumida* Brêb., 853, XVIII, 362.
Blastenia arenaria var. *percrocata* Arn., 465, XV, 186.
— *assigena* Lahm, 1255, XX, 39.
— *caesiorufa* Arn., 250, XII, 90.
— *Lallavei* Mass., 253, XII, 90.
— *ochracea* A. Zahlbr., 166, XI, 94.
— *percrocata* Arn., 465, XV, 186.
— *Pollinii* Mass., 1557, XXII, 115.
Blastodesmia nitida Mass., 69, IX, 136.
Blepharozia ciliaris Dum., 1065, XIX, 422.
— — *β. pulcherrima* 478, XV, 189.
Blindia acuta Bryol. Europ., 781, XVII, 278.
Blyttia Mörckii Nees, 384, XIII, 469.
Boletus abietinus Dicks., 316, XIII, 446.
— *adustus* Willd., 308, XIII, 445.
— *applanatus* Pers., 940, XIX, 390.
— *coriaceus* Huds., 945, XIX, 390.
— *ferruginosus* Schrad., 944, XIX, 390.

Boletus fomentarius L., 310, XIII, 445.
— *giganteus* Pers., 1144, XX, 13.
— *hispidus* Bull., 309, XIII, 445.
— *imbricatus* Bull., 609, XVI, 65.
— *linguacervina* Schrank, 945, XIX, 391.
— *obliquus* Pers., 1603, XXIII, 214.
— *odoratus* Wulf., 311, XIII, 445.
— *perennis* L., 606, XVII, 65.
— *sulphureus* Bull., 945, XIX, 390.
— *ungulatus* Schaeff., 939, XIX, 390.
— *unicolor* Bull., 313, XIII, 445.
Botrydium argillaceum Wallr., 88, IX, 140.
— *granulatum* Grev., 88, IX, 140.
— — Rostr. et Wor., 1637, XXIII, 221.
— *Wallrothii* Kütz., 1637, XXIII, 221.
Botryococcus Braunii Kütz., 734, XVII, 266.
Botryocystis morum Kütz., 338, XIII, 456.
Botrytis capsularum Bresad. et Vestergr., 1185, XX, 21.
— *effusa* Grev., 1829, XXV, 229.
— *epiphylla* Pers., 1829, XXV, 229.
— *farinosa* Fries, 1829, XXV, 229.
— *ganglioniformis* Berk., 1195, XX, 22.
— *geminata* Ung., 1195, XX, 22.
— *grisea* Fries, 1833, XXV, 231.
— *haplaria* Corda, 1833, XXV, 231.
— *Lactucae* Ung., 1195, XX, 22.
— *macrospora* Ung., 605, XVI, 64.
— *nivea* Ung., 603, XVI, 64.
— *(Tetradium) sonchicola* Schlechtd., 1195, XX, 22.
— *viticola* Berk. et Curtis, 113, XI, 84.
Bovista plumbea Pers., 1608, XXIII, 215.
— *pusilla* Pers., 1608, XXIII, 215.
Brachymenium melanothecium Jacqu., 1797, XXIV, 291.
— *nepalense* Hook., 1396, XXI, 226.
Brachysteleum polyphyllum Hornsch., 1083, XIX, 225.
Brachythecium rivulare var. *Schmidlea-num* Bauer, 800, XVII, 281.
Braunfelsia scariosa Paris, 1691, XXIII, 234.
Braunia alopecura Limpr., 786, XVII, 279; 779, XVII, 278.
— *sciuroides* 786, XVII, 279.
Bremia Lactucae Reg., 1195, XX, 22.
Bryopogon jubatum β. prolixum Körb., 1879, XXV, 247.
Bryum acutum Huds., 781, XVII, 278.
— *albidum* L., 674, XVI, 86.
— *alpinum* Schleich., 587, XV, 212.
— *apocarpum* 500, XV, 192.
— *argenteum* L., 1276, XX, 43.
— *bartramioides* Hook., 1698, XXIII, 235.
— *bimum* Schreb., 586, XV, 212.
— *Bornmülleri* Ruthe, 1684, XXIII, 233.
— *caepititicium γ. imbricatum* Bryol. Europ., 1783, XXIV, 288.

Cacoma rufum Bonord., 1119, XX, 6.
— *Scrophulariatum* Link, 16, IX, 126.
— *segetum* Link, 9, IX, 122.
— *suaveolens* Link, 1130, XX, 9.
— *Thesii* Schlecht., 811, XVIII, 352.
— *Tragopogonatum* Link, 917, XIX, 384.
— *Umbellatarum* Wallr., 929, XIX, 387.
— *Umbelliferarum* Link, 1121, XXI, 7.
— *urceolorum* Schlecht., 908, XIX, 381.
— *Vacciniorum* Link, 1418, XXII, 85.
— *Veronicae* Link, 930, XIX. 387.
— *vitalbatum* Link, 1705, XXIV, 270.
Calicium adspersum γ. trabinellum Schleich., 552, XV, 206.
— *byssaceum* E. Fries, 173, XI, 96.
— *chrysocephalum* Ach., 551, XV, 205.
— *hyperellum* Ach., 64, IX, 135.
— *hyrellum* Ach., 64 b, XXIII, 230.
— *leucoloma* Pers., 352, XIII, 461.
— *melanophaeum* Ach., 441, XV, 180.
— *minutum* Arn., 1765, XXIV, 284.
— *nigrum β. minutum* Körb., 1765, XXIV, 284.
— — var. *pusillum* Schaer., 1525, XXII, 106.
— *ornicolum* Stnr., 1856, XV, 230.
— *phaeomelaenum* Tuck., 1031, XIX, 414.
— *praecedens* Nyl., 1221, XX, 20; 1856, XXV, 239.
— *pusillum* Floerk., 1525, XXII, 108.
— *roscidum* var. *roscidulum* Nyl., 552, XV, 206.
— — var. *trabinellum* Nyl., 552, XV, 206.
— *subtile* Nyl., 1525, XXII, 108.
— *trabinellum* Ach., 552, XV, 206; 552 b, XIX, 421.
— *turbinatum* Pers., 351, XIII, 460.
— *glonellum β, trabinellum* Ach., 552, XV, 206.
— *viridulum* Schaer., 172, XI, 96.
Callithamnion cruciatum A. Z., 1750, XXIV, 282.
— *Daviesii* J. Ag., 1751, XXIV, 281.
— *floridulum* A. Z., 647, XVI, 78.
— *macropterum* Menegh., 648, XVI, 79.
— *Plumula* Lyngb., 1848, XXV, 236.
— — β. *crispum* J. Ag., 648, XVI, 79.
— *polyacanthum* Kütz., 648, XVI, 79.
— *refractum* Kütz., 648, XVI, 79; 1848, XXV, 236.
— *virgatulum* Harvey, 1751, XXIV, 281.
Callophyllis laciniata Kütz., 1757, XXIV, 282.
Callopisma Agardhianum Bagl. et Car., 879, XVIII, 371.
— *assigenum* Lahm, 1255, XX, 39.
— *cerinum* var. *stillicidiorum* Körb., 575, XV, 210.
— *flavovirescens* Mass., 160, XI, 94.
— *Lallavei* Mudd., 253, XII, 91.
— *luteoalbum* Mass., 251, XII, 90.
— *ochraceum* Mass., 166, XI, 95.
— — α. *callosine* Krph., 166, XI, 95.
— *pyraceum* Arn., 251, XII, 90.

Callopisma rubellinum Mass., 47, IX, 131.
— *Schaereri* Arn., 1054, XIX, 420.
— *vittelinulum* Arn., 1770, XXIV, 287.
Calloria chrysostigma Phill., 1439, XXII, 90.
— *Jungermanniae* Quel., 1320, XXI, 208.
— *tithymalina* Kunze, 524, XV, 198.
Calocladia Berberidis Lév., 127, XI, 87.
— *comata* Lév., 1311, XXI, 207.
— *Dubyi* Lév., 124, XI. 86.
— *grossulariae* Lév., 125, XI, 86.
— *Friesii* Lév., 128, XI, 87.
— *Hedwigii* Lév., 128, XI, 87.
— *holosericea* Lév., 126, XI, 86.
— *penicillata* Lév., 128, XI, 87.
Calocylindrus palangula Kirchn., 231, XIX, 410.
Caloplaca (sect. *Pyrenodesmia*) *Agardhiana* Flagey, 879, XVIII, 371.
— *arenaria* var. *Lallavei* A. Zahlbr., 253, XII, 90.
— *assigena* Dalla Torre et Sarnth., 1255, XX, 39.
— *aurantiaca* var. *flavovirescens* Th. Fr., 160, XI, 94.
— (sect. *Amphiloma*) *Baumgartneri* 765, XVII, 275.
— *caesiorufa* A. Zahlbr., 250, XII, 90.
— (sect. *Amphiloma*) *callopisma* Th. Fries, 1256, XX, 39.
— *cerina* var. *areolata* A. Zahlbr., 1053, XIX, 419.
— — α. *Ehrhartii* 252, XII, 90.
— — var. *stillicidiorum* Th. Fr., 575, XV, 210.
— *citrina* var. *maritima* B. de Lesd., 1667, XXIII, 230.
— (sect. *Amphiloma*) *cirrochroa* Th. Fries, 1257, XX, 39.
— (sect. *Thamnonoma*) *coralloides* A. Zahlbr., 1588, XXII, 116.
— *ferruginea* var. *melanocarpa* Th. Fries, 1557, XXII, 116.
— — var. *nigricans* Th. Fries, 1557, XXII, 116.
— (sect. *Gasparrinia*) *fiumana* A. Zahlbr., 1880, XXV, 248.
— (sect. *Fulgensia*) *fulgida* A. Zahlbr., 1978, XXVI, 177.
— *fuscoatra* A. Zahlbr., 46, IX, 131.
— (sect. *Amphiloma*) *granulosa* Stnr., 1056, XIX, 420.
— (sect. *Pyrenodesmia*) *intercedens* Stnr., 870, XVIII, 371.
— *Lallavei* Flagg., 253, XII, 91.
— *luteoalba* Th. Fries, 251, XII, 90.
— *marina* (Wedd.), 1880, XXV, 248.
— (sect. *Amphiloma*) *medians* Flagg., 1055, XIX, 420.
— *Nideri* Stnr., 766, XVII, 275.
— *percrocata* A. Zahlbr., 465, XV, 186.
— (sect. *Eupercrocata*) *Pollinii* Jatta, 1557, XXII, 115.

Ceramium crispum Ducl., 648, XVI, 79.
— *elegans* J. Ag., 743, XVII, 269.
— *longissimum* Roth., 547, XV, 204.
— *Plumula* Ag., 1848, XXV, 236.
— *radiculosum* Grun., 1753, XXIV, 281.
— *strictum* Grev. et Ham., 743, XVII, 269.
Ceratium furca Duj., 1639, XXIII, 221; 1950, XXVI, 167.
— *fusus* Clap. et Lachm., 1639, XXIII, 221; 1950, XXVI, 167.
— *tripos* Nitzsch., 1639, XXIII, 221; 1950, XXVI, 167.
Ceratodon purpureus Brid., 490, XV, 191.
Cercaria tripos O. F. Müller, 1950, XXVI, 167.
Cercidospora epipolytropa Arn., 970, XIX, 396.
Cercospora Armoraciae Sacc., 838, XVIII, 358.
— *beticola* Sacc., 726, XVII, 263.
— *concors* Sacc., 1837, XXV, 231.
— *depazeoides* Sacc., 727, XVII, 264.
— *Isopyri* Höhnel, 1193, XX, 22.
— *mercurialis* Pass., 725, XVII, 263; 1196, XX, 23.
— *microsora* Sacc., 1192, XX, 22.
— *smilacina* Sacc., 728, XVII, 264.
— *Tiliae* Peck, 1192, XX, 22.
Cesius concinnatus S. Gray, 691, XVI, 88.
Cetraria aculeata β. *hiascens* Fr., 1877, XXV, 247,
— — var. *muricata* Ach., 1975, XXVI, 176.
— *amplicata* Lam., 463, XV, 185.
— *californica* Tuck., 1047, XIX, 418.
— *caperata* Wainio, 847, XVIII, 369.
— *chlorophylla* Wainio, 1246, XX, 36.
— *ciliaris* Ach., 1247, XX, 37.
— *crispa* Nyl., 1777, XXIV, 286.
— *cucullata* Ach., 872, XVIII, 368.
— *glauca* Ach. f. *ulophylla* Körb., 1366, XXI, 221.
— *hiascens* Th. Fr., 1877, XXV, 247.
— *islandica* var. *crispa* Ach., 1777, XXIV, 286.
— — var. *tenuifolia* Retz., 1777, XXIV, 286.
— *junipera* Ach., 873, XVIII, 368.
— — *α. genuina* Körb., 873, XVIII, 369.
— — var. *pinastri* Ach., 874, XVIII, 369.
— *lacunosa* var. *stenophylla* Tuck., 1553, XXII, 115.
— *Laureri* Krph., 463, XV, 185; 463 b, XX, 40.
— *nigricans* Nyl., 1973, XXVI, 176.
— *nivalis* Ach., 871, XVIII, 368.
— *odontella* Ach., 1974, XXVI, 176.
— var. *nigricans* Lynge, 1973, XXVI, 176.
— *pinastri* S. Gray, 874, XVIII, 369.
— *platyphylla* Tuck., 1774, XXIV, 285.
— *saepincola* Ach., 870, XVIII, 368.
— — *α. nuda* Schaer., 870, XVIII, 368.
— — var. *chlorophylla* Schaer., 1246, XX, 36.

Cetraria saepincola var. *scutula* Schaer., 870, XVIII, 368.
— — β. *ulophylla* Ach., 1246, XX, 37.
— *tenuissima* var. *muricata* Dalla Torre et Sarnth., 1975, XXVI, 176.
Chaenotheca chrysocephala Th. Fr., 551, XV, 205.
— *melanophaea* Zwackh., 441, XV, 180.
Chaetomium comatum Fries, 1814, XXV, 226.
— *elatum* Schmidt, 1814, XXV, 226.
— *pusillum* Strauss, 824, XVIII, 355.
Chaetomorpha Linum Kütz., 141, XI, 89.
Chaetophora atra Ag., 748, XVII, 270.
— *Cornu-Damae* Agardh, 438 b, XX, 28; 1501, XXII, 102.
— — f. *polyclados* Kütz., 438, XV, 179.
— *elegans* Ag., 84, IX, 140.
— *endiviaefolia* var. *ramosissima* Rabh., 438, XV, 180.
— *flagellifera* Kütz., 439, XV, 180.
— *incrassata* var. *incrustans* Rabh., 1501, XXII, 102.
— *monilifera* Kütz., 439, XV, 180.
— *tuberculosa* Hook., 845, XVIII, 360.
Chamaesiphon minutus Lemm., 1949, XXVI, 167.
— *polonicus* Hansgirg, 1760, XXIV, 282; 1760 b, XXVI, 168.
Chantransia chalybea var. *radians* Kütz., 1752, XXIV, 281.
— — E. Fries, 1017, XIX, 400; 744, XVII, 269.
— *virgatula* Thuret, 1751, XXIV, 281.
Chara crinita Wallr. f. *brevifolia* 89, IX, 141.
— — Wallr. f. *elongata* Sydow, 1015, XIX, 408.
— — Wallr. f. *leptosperma* 89, IX, 141.
— — Wallr. f. *longispina* 89, IX, 141.
— — Wallr. f. *microsperma* Sydow, 1015, XIX, 408.
— — Wallr. f. *stagnalis* Nordst., 1015, XIX, 408.
— *delicatula* Ag., 1350, XXI, 216.
— — f. *verrucosa* Migula, 738, XVII, 267; 739, XVII, 267.
— *fasciculata* Amici, 434, XV, 178.
— *foetida* subspec. *melanopyrena* A. Br., 1212, XX, 27.
— — var. *subinermis* 1213, XX, 27.
— — f. *longibracteata* A. Br., 1213, XX, 27.
— *intricata* Trentepohl, 434, XV, 178.
— *polysperma* A. Br., 434, XV, 178.
— *rudis* A. Br. f. *elongata* Migula, 1215, XX, 27.
— — A. Br. f. *typica* Migula, 1214, XX, 27.
Characium angustatum A. Br. f. *minor* Stockm., 337, XIII, 455.
Chionyphe niteus Thienem., 1839, XXV, 232.
Chiloscyphus argutus var. *ciliatistipus* Schiffn., 883, XVIII, 372.

199

13*

14*

Lyngbya aestuarii f. *aeruginosa* Gom., 1206, XX, 25.
— *antliaria* var. *repens* Hansg., 225, XII, 83.
— *calcicola* Hansg., 1520, XXII, 106.
— *chalybaea* Hansg., 431, XV, 177.
— *compacta* Hansg., 1947, XXVI, 167.
— *corium* Hansg., 423, XV, 174.
— *crispa* C. Ag., 1013, XIX, 408.
— *elegans* Hansg., 428, XV, 176.
— *gloeophila* Hansg., 1202, XX, 24.
— *gracilis* Rabenh., 1519, XXII, 106.
— *laminosa* Thur., 1947, XXVI, 167.
— — b. *amphibia* Hansg., 1947, XXVI, 167.
— *lateritia* Hansg., 100 b, XIX, 404.
— — Kirchner var. *subtilis* 224, XII, 82.
— *lutea* Gomont, 1201, XX, 24.
— *lutescens* Hansg., 1849, XXV, 236.
— *membranacea* Thr., 1344, XXI, 215.
— *mexiensis* Hansg., 1002, XIX, 403.
— *obscura* Kütz., 1013, XIX, 408.
— *princeps* Hansg., 1941, XXVI, 165.
— *Retzii* Hansg., 425, XV, 175.
— *smaragdina* Hansg., 42, XV, 176.
— *tenuis* Hansg., 429, XV, 177.

Macrodycta pustulata Mass., 356, XIII, 462.
Macromitrium Blumei Nees, 1594, XXII, 122.
— *ceylanicum* Miss., 1696, XXIII, 235.
— *fasciculare* Miss., 1697, XXIII, 235.
— *sulcatum* Brid., 1593, XXII, 122.
Macrothamnium javense Fleisch., 1300, XX, 47.
Madotheca canariensis Nees, 884, XVIII, 373.
— *laevigata* Dum., 1563, XXII, 117.
— *platyphylla* Dum., 1564, XXII, 117.
— — var. *squarrosa* 1565, XXII, 118.
— *Porella* Nees, 1566, XXII, 118.
Magnusiella Umbelliferarum Sadeb., 1630, XXIII, 219.
Mallotium Hildebrandtii Körb., 1035, XIX, 415.
— *myochroum* Mass., 1363, XXI, 220.
— *saturninum* Gray, 1363, XXI, 220.
— *tomentosum* Körb., 1363, XXI, 220.
Mamiana Coryli Ces. et de Not., 511, XV, 194.
— *fimbriata* Ces. et de Not., 827, XVIII, 356.
Mauxonia Cautiana Garov., 1969, XXVI, 175.
Marasmius alliaceus Fries, 304, XIII, 444.
— *ramealis* Fries, 303, XIII, 444.
— *Rotula* Fries, 1809, XXV, 225.
Marchantia angustifolia Uech., 1261, XX, 41.
— *fragrans* Balb., 282, XII, 96.
— *polymorpha* L. var. *aquatica* Nees, 1561, XXII, 117.
— *quadrata* Scop., 381, XIII, 469.
Maronea berica Mass., 1043, XIX, 417.

Marssonia Daphnes Sacc. f. *Passerinae* Bäuml., 1480, XXII, 97.
— *Juglandis* Sacc., 730, XVII, 264.
— *Thomasiana* Sacc., 1179, XX, 20.
Marsupella emarginata Dum., 471, XV, 188; 471 b, XXIV, 291.
— — — var. *erythrorhiza* 192, XI, 100.
Massaria inquinans de Not., 510, XV, 191.
— *Pupula* Tul., 510, XV, 194.
Mastichonema adscendens Näg., 147, XI, 90.
Mastigobryum deflexum Synop. Hepat., 1883, XXV, 249.
— *trilobatum* Gotsch., 386, XIII, 469.
Mazzantia rhytismoides de Not., 412, XV, 171.
Meesea demissa Hoppe et Hornsch., 1583, XXII, 120.
Melachroia xanthomela Boud., 1419, XXII, 92.
Melampsora Allii-fragilis Kleb., 710, XVII, 260.
— *Allii-populina* Kleb., 710, XVII, 260.
— *Allii-Salicis albae* 710, XVII, 260.
— *areolata* Fries, 934, XIX, 388.
— *Chamaenerii* Rostr., 1133, XX, 10.
— *Circeae* 705, XVII, 285.
— *congregata* Dietel, 1133, XX, 5.
— *Epilobii* Fuck., 1133, XX, 10.
— *Euphorbiae dulcis* Otth., 1115, XX, 5; 1115 b, XXII, 102.
— *farinosa* Schröter, 20, IX, 126.
— *Goeppertiana* Wint., 816, XVIII, 353.
— *Helioscopiae* Cast., 1113, XX, 4.
— — Wint., 1115, XX, 5.
— *Hypericorum* Schröt., 23, IX, 127.
— *Klebahni* Bubák, 1114, XX, 4.
— *Magnusiana* Wagner, 1114, XX, 4.
— *mixta* Schlecht., 981, XIX, 398.
— *Padi* Cooke, 934, XIX, 386.
— *Pirolae* Schröt., 935, XIX, 389.
— *populina* Lév., 22, IX, 127.
— — Wint., 1114, XX, 4; 1116, XX, 5.
— *(Pucciniastrum) pustulata* Schröt., 1133, XX, 10.
— *Rostrupii* Wagner, 1116, XX, 5.
— *Salicis Capreae* Wint., 20, IX, 126.
— *tremulae* Tul., 21, IX, 126; 21 b, c, XVII, 265; 1114, XX, 4; 1116, XX, 5.
— *Vaccinii* Wint., 1418, XXII, 86.
— *Vacciniorum* Schröt., 1418, XXII, 85.
Melampsorella Aspidiotus Magn., 1134, XX, 11.
— *Polypodii* Magn., 1135, XX, 11.
— *Symphyti* Bubák, 1117, XX, 5.
Melampsoropsis Rhododendri Schröt., 1132, XX, 10.
Melanconis chrysostoma Fries, 513, XV, 195.
— *macrosperma* Tul., 513, XV, 195.
— *thelebola* Sacc., 1315, XXI, 207.
Melanconium juglandis Corda, 1479, XXII, 97.
— — Kunze, 1479, XXII, 97.

Nectria ditissima L. et Ch. Tul., 302, XV, 192.
— *Galligena* Bres., 613, XVI, 66.
— *graminicola* Berk., 1830, XXV, 233.
— *Lamyi* de Not., 822, XVIII, 355.
— *punicea* Fries, 821, XVIII, 354.
— *Ribis* Ondem., 820, XVIII, 354.
Nephroma arcticum E. Fries, 1544, XXII, 112.
— *expallidum* Nyl., 1966, XXVI, 173.
— *lusitanicum* Schaer., 869, XVIII, 367.
— *parilis* Ach., 42, IX, 130.
— *resupinatum* Ach., 1967, XXVI, 173.
— — *y. rameum* Schaer., 563, XV, 208.
— *tomentosum* 1967, XXVI, 174.
Nephromium expallidum Nyl., 1966, XXVI, 173.
— *laevigatum* var. *parile* Nyl., 42, IX, 130.
— *lusitanicum* Nyl., 869, XVIII, 367.
— *resupinatum* Arn., 1967, XXVI, 174.
— *tomentosum* Nyl., 1967, XXVI, 174.
— — subsp. et var. *rameum* Nyl., 563, XV, 208.
Nephromopsis ciliaris Hue, 1247, XX, 37.
— *platyphylla* Herre, 1774, XXIV, 285.
Nereia filiformis Zanard., 1512, XXII, 104.
Nesolechia oxysporella Rehm, 627, XVI, 68.
— *punctum* Mass., 627, XVI, 68.
Niptera congener de Not., 629, XVI, 69.
— *ramealis* Karst., 956, XVI, 393.
Nitella polysperma Kütz., 434, XV, 179.
— *tenuissima* Coss. et Germ., 347, XIII, 459; 347 b, XXIV, 283.
Nitophyllum ocellatum Grev., 645, XVI, 77.
— *punctatum a. ocellatum* 645, XVI, 77.
Nitzschia hungarica Grun., 1008, XIX, 406; 1844, XXV, 235.
— *vermicularis* Grun., 1008, XIX, 406.
Nodularia sphaerocarpa Born. et Flah., 428, XV, 176.
Normandina Davidis Hue, 1855, XXV, 239.
— *Jungermanniae* Nyl. 1855, XXV, 239.
— *pulchella* Nyl., 1855, XXV, 238.
Nostoc calcicola Ag., 1520, XXII, 106.
— *commune* Vauch., 222, XII, 82; 222 b, XVI, 80.
— *giganteum* Mohr, 1206, XX, 25.
— *macrocarpum* Menegh., Born. et Flah., 632, XVI, 72.
— *microscopicum* Carm., 146, XI, 90; 228, XII, 84; 632, XVI, 71; 1342, XXI, 213.
— *muscorum* 1342, XXI, 213.
— *parmelioides* 631, XVI, 71.
— *piscinale* Kütz., 223, XII, 82.
— *rivulare* Filarszky, 421, XV, 173.
— *verrucosum* Vauch., 71, IX, 137; 71 b, XVI, 80.
— — — var. *Pseudo-Zetterstedtii* Stockm., 631, XVI, 71; 631 b, XXIV, 283.
Notihydnum australe F. de Müll., 211, XII, 80.

Nowellia curvifolia Mitt., 1570, XXII, 118.
Nummularia Balliardii Tul., 516, XV, 196.
— *nummularium* 516, XV, 196.
Nylanderaria canariensis O. Ktze, 769, XVII, 276.
— *vulpina* O. Ktze, 878, XVIII, 371.

Ocellaria aurea Tul., 1925, XXVI, 160.
— *ocellata* Schröt., 1925, XXVI, 160.
Ochrolechia androgyna Arn., 1039, XIX, 416.
— *geminipara* Wainio, 1871, XXV, 244.
— *leprothalia* Arn., 1871, XXV, 244.
— *pallescens* Körb., 1664, XXIII, 329.
— *tartarea* Mass., ssp. *O. androgyna* Arn., 1039, XIX, 416.
Ochroporus fomentarius Schröt., 310, XIII, 445.
— *odoratus* Schröt., 311, XIII, 445.
Octaviana variegata Vitt., 1812, XXV, 226.
Octoblepharum albidum Hedw., 674, XVI, 85.
Octodiceras Julianum Brid., 888, XVIII, 373.
Octospora citrina Hedw., 205, XII, 78.
— *scutellata* Schrk., 1323, XXI, 209.
Odontidium hiemale Kütz., 75, IX, 137.
Oedicladium rufescens Mitt., 1204, XX, 46.
Oedogonium mammiferum Wittr., 234, XII, 85.
Oidium bulbigerum Sacc. et Vogl., 1482, XXII, 98.
— *Epilobii* Lindau, 1481, XXII, 98.
— *erysiphoides* Fries, 995, XIX, 401.
— *fragariae* Hasz., 1481, XXII, 98.
— *fusisporoides* Fries var. *Lampsanae* Desm., 1492, XXII, 100.
— *monilioides* Lk., 1482, XXII, 98.
— *quercinum* Thüm., 1739, XXIV, 277.
— *rubellum* Sacc. et Vogl., 1482, XXII, 98.
— *Tritici* Lib., 1482, XXII, 98.
Oligotrichum hercynicum Lam. et DC., 789, XVII, 279.
Omalia Besseri Lobarz., 1281, XX, 44.
Ombrophila strobilina Rehm, 204, XII, 76.
Omphalia Campanella Sacc. var. *myriadea* Klbr., 949, XIX, 391.
— *dealbata* Quel., 1606, XXIII, 214.
Oncobyrsa rivularis Menegh., 744, XVII, 269.
Oocardium stratum Näg., 342, XIII, 157.
Oocystis solitaria Wittr. var. *crassa* Hansg., 149, XI, 91.
Oospora Epilobii Sacc., 1481, XXII, 98.
Opegrapha atra Pers., 1526, XXII, 109.
— *cymbiformis n. deformis* Schaer., 1858, XXV, 240.
— *elegans* Sm., 369, XIII, 464.
— *Elisae* Mass., 555, XV, 206.
— *gyrocarpa* Flot., 368, XIII, 464.
— *involuta* Kplhb., 551, XV, 206.
— *Personii* Ach., 368, XIII, 464.
— *rimulosa* Mntg., 60, IX, 134.
— *rubella* Mong. et Nestl., 554, XV, 206.

Pertusaria ocellata β. *corallina* Körb., 256, XII, 91.
— *sorediata* Körb., 1038, XIX, 415.
Pestalozzina Soraneriana Sacc., 1180, XX, 20.
Petalonema alatum Berk., 746, XVII, 260.
Petractis clausa Krplhbr., 446, XV, 182.
— *exanthemica* E. Fries, 446, XV, 182.
— — Steiner, 446, XV, 182.
Peyssonelia umbilicata Kütz., 642, XVI, 77.
— *Squamaria* Decaisne, 1516, XXII, 105.
Pezicula carpinea Tul., 1163, XX, 16.
— *eucrita* Karst., 722, XVIII, 359.
Peziza Abietis Pers., 958, XIX, 393.
— *acetabulum* L., 139, XI, 89.
— *acuum* Alb. et Schw., 527, XV, 199; 1442, XXII, 90.
— *amentacea* Balb., 1725, XXIV, 274.
— *amphibola* Hepp, 818, XVIII, 354.
— *amplissima* Fries, 520, XV, 199.
— (*Dasyscyphae*) *aspidiicola* Berk. et Br., 1411, XXII, 90.
— *atrata* β. *Ebuli* Fries, 526, XV, 199 .
— *atrocinerea* Cooke, 955, XIX, 393.
— *Aucupariae* Pers., 1164, XX, 17.
— *aurantia* Müll., 1823, XXV, 228.
— *barbata* Gill., 1727, XXIV, 275.
— *bulgaroides* Rabh., 204, XII, 78.
— *calycina* Willd., 954, XIX, 392.
— — β. *Abietis* Fries, 1168, XX, 18.
— — α. *Pini sylvestris* Fries, 1821, XXV, 227.
— *calyculaeformis* Schum., 1617, XXIII, 217.
— *carpinea* Pers., 1163, XX, 16.
— *Cerasi* Pers., 960, XIX, 394.
— *chrysophthalma* Pers., 1168, XX, 18.
— *chrysostigma* Fries, 1439, XXII, 90.
— *ciliaris* Schrad., 1822, XXV, 228.
— *citrina* Batsch, 205, XII, 78.
— *clandestina* Bull., 1447, XXII, 91.
— *Clissonii* Rip., 529, XV, 199.
— *comitialis* Batsch, 209, XII, 80.
— *conglomerata* Wahlbg., 1164, XX, 17.
— *cornucopioides* L., 317, XIII, 446.
— (*Discina*) *coronaria* Beck, 529, XV, 199.
— *coronaria* Jacq., 529, XV, 199.
— — var. *macrocalyx* Cooke, 529, XV, 199.
— *corticalis* Pers., 1616, XXIII, 216.
— *crenata* Bull., 1730, XXIV, 275.
— *cupula* Holmsk., 1801, XXV, 223.
— *cupularis* L., 1730, XXIV, 275.
— *cyathoidea* Bull., 1170, XX, 18.
— *Dargetasii* Gach., 529, XV, 199.
— *diluta* Pers., 1028, XIX, 413.
— *dumorum* Rob. et Desm., 1614, XXIII, 216.
— *Equiseti* Rabenh., 628, XVI, 69.
— *erumpens* Grev., 1726, XXIV, 275.
— *eucrita* Karst., 722, XVIII, 359.
— *eximia* Dur., 529, XV, 199.

Peziza fascicularis Alb. et Schw., 1436, XXII, 89.
— *flammea* Alb. et Schw., 1444, XXII, 91.
— *flaveola* Cooke, 1439, XXII, 90.
— *frangulae* Pers., 959, XIX, 393.
— *fusca* Pers., 1926, XXVI, 160.
— *fuscescens* Pers., 1169, XX, 18.
— *geaster* Gonn. et Rabh., 529, XV, 199.
— (*Phialea*) *humilis* Desm., 817, XVIII, 353.
— *Humuli* Lasch., 817, XVIII, 353.
— *inquinans* Pers., 525, XV, 198.
— *julacea* Pers., 1725, XXIV, 274.
— *Jungermanniae* 1320, XXI, 208.
— *Leineri* Gonn. et Rabenh., 1731, XXIV, 276.
— *leucoloma* Fries, 1618, XXIII, 217.
— *leucomelas* Gill., 1824, XXV, 228.
— *macrocalyx* Riess., 529, XV, 199.
— *microspis* Karst., 1440, XXII, 90.
— *nidulus* Schmidt et Kunze, 1446, XXII, 91.
— *nigrella* Pers., 1732, XXIV, 276.
— *omphalodes* Bull., 1930, XXVI, 161.
— *Personii* Moug., 628, XVI, 69.
— *pithya* Pers., 1731, XXIV, 276.
— *pineti* Batsch, 1166, XX, 17.
— *polaris* Batsch, 203, XII, 76.
— *polymorpha* Oed., 525, XV, 198.
— *populnea* Pers., 1436, XXII, 89.
— *pulchella* β. *flavococcinea* Alb. et Schw., 1168, XX, 18.
— *Pyri* Pers., 1164, XX, 17.
— *ramealis* Karst., 956, XIX, 393.
— *rufofusca* Web., 1167, XX, 17.
— *schizostoma* Rich., 529, XV, 199.
— *scutella* L., 1323, XXI, 209.
— *scutula* Pers., 528, XV, 199.
— *serotina* Pers., 1927, XXVI, 160.
— *sicula* Inz., 529, XV, 199.
— *Solani* Pers., 1170, XX, 18.
— *sphaeriaeformis* Rebent., 1164, XX, 17.
— *sulcata* Pers., 1825, XXV, 228.
— *sulphurata* Sch., 1928, XXVI, 161.
— *tenella* Batsch, 1170, XX, 18.
— *tenera* Saut., 1728, XXV, 233.
— *testacea* Moug., 1450, XXII, 92.
— *Willkommii* Hartig, 953, XIX, 392.
— *xanthomela* Pers., 1449, XXII, 92.
Pezizella aspidiicola Rehm, 1441, XXII, 90.
— *chrysostigma* Sacc., 1439, XXII, 90; 1441, XXII, 90.
— *flaveola* Sacc., 1439, XXII, 90.
— *fuscescens* Rehm, 1615, XXIII, 216.
— *lutescens* Rehm, 1615, XXIII, 216.
— *microspis* Sacc., 1440, XXII, 90.
— *pulchella* Fuck., 527, XV, 199; 1442, XXII, 91.
Phacidium congener Ces., 629, XVI, 69.
— *coronatum* Fries, 209, XII, 80.
— *infestans* Karst., 1923, XXVI, 160.
— *litigiosum* Rob., 629, XVI, 69.
— *Phoenicis* Moug., 907, XIX, 381.

229

231

Sorosporium hyalinum Wint., 1112, XX, 4.
Spathularia clavata Sacc., 138, XI, 89; 138, XVI, 70.
— *flavida* Pers., 138, XI, 89.
Spatoglossum flabelliforme Kütz., 642, XVI, 77.
— *Spanneri* Menegh., 642, XVI, 77.
Spermothamnion Turneri Aresch., 1848, XXV, 236.
Sphacelaria cirrhosa Ag. var. *aegagropila* Wittr., 1748, XXIV, 280.
— — — var. *irregularis* Hauck, 842, XVIII, 359.
— — — var. *notata* Ag., 1748, XXIV, 280.
fusca Ag., 1748, XXIV, 280.
— *irregularis* Kütz., 842, XVIII, 360.
Sphacelotheca Hidropiperis de Bary, 8, IX, 122.
Sphaenosiphon prasinus Reinsch., 1518, XXII, 106.
Sphaerella canescens Karst., 520, XV, 197.
— *caricicola* Fuck., 1815, XXV, 226.
— *Carlii* Fuck., 969, XIX, 396.
— *carpinea* Auersw., 1313, XXI, 207.
— *chlorospora* Cet. et de Not., 520, XV, 197.
cinerascens Fleisch., 520, XV, 197.
— *depajaeformis* Ces. et de Not., 969, XIX, 396.
— *ditricha* Auersw., 520, XV, 197.
— *fragariae* Sacc., 1834, XXV, 231.
— *innumerella* Karst., 1919, XXVI, 159.
— *(Mycosphaerella) Lysimachiae* Höhn., 1151, XX, 14.
— *maculiformis* 415, XV, 172.
— — f. *Comari palustris* Rab., 1919, XXVI, 159.
— *Menthae* Lamb. et Fautr., 1150, XX, 14.
— *Oedema* Fuck., 414, XV, 172.
— *turgida* Pers., 1431, XXII, 88.
Sphaeria Aegopodii β. Pers., 1158, XX, 16.
— *Aequifolii* Fries, 1610, XXIII, 215.
— *Alliariae* Auersw., 825, XVIII, 355.
— *anthracina* Schmidt, 516, XV, 196.
— *Artoceras* Tode, 1474, XXII, 96.
— *Asari* Klotzsch, 810, XVIII, 352.
— *Aucupariae* Pers., 1169, XX, 17.
— *Berberidis* Pers., 616, XVI, 66.
— *bullata* Hoffm., 514, XV, 195.
— *caespitosa* Tode, 1164, XX, 17.
— *capreae* DC., 1156, XX, 15.
— *carpinea* Fries, 1313, XXI, 207.
— *chlorospora* Ces., 520, XV, 197.
— *Cibostii* de Not., 507, XV, 193.
— *cinnabarina* Tode, 612, XVI, 65.
claviformis Sowerby, 615, XVI, 66.
— *clavulata* Schwein., 1817, XXV, 227.
clivensis Berk. et Br., 971, XIX, 396.
coccinea Pers., 1430, XXII, 88.
— *collapsa* Low., 523, XV, 197.
— *comata* Tode, 1814, XXV, 226.
— *conjuncta* Rees, 975, XIX, 397.
— *conspersa* Fries, 1164, XX, 17.

Sphaeria Corylii Batsch, 511, XV, 195.
— *(Depazea) cruenta* Fr., 411, XV, 171.
— *Cucurbitula* Tode, 965, XIX, 395.
— *decolorans* Pers., 612, XVI, 65.
— *Dematium* Pers., 1456, XXII, 93.
— *depazaeformis* Auersw., 969, XIX, 396.
— *depressa* Bolt., 514, XV, 195.
— — Low., 514, XV, 196.
derasa Berk. et Br., 1314, XXI, 207.
— *disciformis* Hoffm., 515, XV, 195.
— *dictopa* Fries, 826, XVIII, 355.
— *doliolum* Pers., 825, XVIII, 355.
— *Dryadis* Fuck., 618, XVI, 67.
— *dubia* Pers., 960, XIX, 394.
— *elongata* Fries, 617, XVI, 66.
— *Eutypa* Fries, 1922, XXVI, 160.
— *fimbriata* Pers., 827, XVIII, 356.
— *flaccida* Alb. et Schwein., 110, XI, 83.
— *frondicola* Fries, 1466, XXII, 95.
— *fruticum* Desm., 623, XVI, 67.
— *Gnomon* Schum., 511, XV, 195.
— *graminis* Pers., 519, XV, 196.
— *gregaria* Weig., 1222, XX, 29.
— *grisea* DC., 514, XV, 196.
— *hypoderma* Fries, 521, XV, 197.
— *hypoxautha* Lév., 720, XVII, 262.
— *Junci* Fries, 1317, XXI, 208.
— *Kunzei* Fries, 973, XIX, 397.
— *Laburni* Pers., 506, XV, 193.
— *Lamyi* Desm., 822, XVIII, 355.
— *lateritia* Fries, 1611, XXIII, 215.
— *Lingam* Tode, 1171, XX, 18.
— *lycoperdoides* Weig., 517, XV, 196.
— *maculiformis* Ehrh., 207, XII, 79.
— *melaena* Fries, 1172, XX, 19.
— *melanostyla* DC., 1157, XX, 15.
— *Melogramma* Pers., 1310, XXI, 208.
— *modesta* Desm., 507, XV, 193.
— *moriformis* Tode 615, XVI, 66.
— *myrtillina* Schub., 117, XI, 84.
— *Nardi* Fries, 622, XVI, 67.
— *natans* Tode 967, XIX, 395.
— *nitida* Weig., 862, XVIII, 366.
— *nivea* Hoffm., 719, XVII, 262.
— *Nummularia* DC., 516, XV, 196.
— *ocellata* Pers., 1310, XXI, 208.
— *ogilviensis* Berk. et Br., 508, XV, 191; 718, XVII, 262.
— *oleipara* Sollm., 1155, XX, 15.
— *patella* Fries, 721, XVII, 262.
— *penetrans* α. *patella* Tode, 721, XVII, 262.
— *pezizoides* α. *rubrofusca* Lam. et DC., 612, XVI, 66.
— *Placenta* Tode, 514, XV, 195.
— *platanoides* Pers., 624, XVI, 68.
— *Podagrariae* Roth, 1155, XX, 16.
— *polymorpha* Pers., 134, XI, 88; 1433, XXII, 89.

Trentepohlia radicans G. de Beck, 635, XVI, 73.
— *umbrina* Bor., 345, XIII, 458; 345 b, XIX, 410.
— *virgatula* Farl., 1751, XXIV, 281.
Triblidium quercinum Pers., 523, XV, 197.
Trichia chrysosperma DC., 5, IX, 120.
— *cinerea* Bull., 407, XV, 170.
— *gregaria* (Retz), 5, IX, 120.
— *leucopodia* Bull., 3, IX, 119.
— *nitens* Pers., 5, IX, 120.
— *rubiformis* Pers., 406, XV, 170.
— *scabra* Rostaf., 405, XV, 170.
Trichobasis Betae Lév., 1104, XX, 2.
— *Epilobii* Berk., 923, XIX, 385.
— *Iridis* Cooke, 915, XIX, 383.
— *oblongata* Berk., 812, XVIII, 352.
— *Parnassiae* Cooke, 1103, XX, 2.
— *Pirolae* Berk., 935, XIX, 389.
— *Primulae* Cooke, 913, XIX, 382.
— *Symphyti* Lév., 1117, XX, 5.
Trichoceras clavatum Kütz., 743, XVII, 269.
Trichocladia Baileyi Strtn., 877, XVIII, 371.
Trichocolea tomentella Nees, 885, XVIII, 373.
Trichodesmium Phoenicis Chev., 907, XIX, 381.
Tricholea tomentella Dum., 885, XVIII, 372.
Trichopeziza calyculaeformis Rehm, 1617, XXIII, 217.
— *dumorum* Sacc., 1614, XXIII, 216.
— *echinulata* Rehm, 1728, XXIV, 275.
— *nidulus* Fuck., 1446, XXII, 91.
— *nivea* Fuck., 1729, XXIV, 275.
Trichospora Kochii Ell. et Everh., 968, XIX, 396.
Trichostelium aequoreum Fleisch., 1899, XXV, 251.
Trichostomum aloides Schultz, 497, XV, 192.
— *crispulum* Bruch var. *majus* Vel., 1578, XXII, 120.
— *flavovirens* Bruch, 1579, XXII, 120.
— *glaucescens* Hedw., 782, XVII, 278.
— *lanuginosum* Hedw., 673, XVI, 85.
— *litorale* Mitt., 494, XV, 191.
— *mutabile* Bruch, 1579, XXII, 120.
— *nitidum* Schimp., 889, XVIII, 373.
Triphragmium Ulmariae Link, 101, XI, 81.
Trochilia petiolaris Rehm, 1726, XXIV, 274.
Trullula pirina Bres., 836, XVIII, 357; 1434, XXII, 89.
Tryblidium pineum Fries, 958, XIX, 393.
Trypethelium virens Tuck., 1022, XIX, 411.
Tuber aestivum Vitt., 724, XVII, 263.
— *obtextum* Sprg., 1607, XXIII. 215.
Tubercularia fasciculata 1163, XX, 17.
— *persicina* Ditm., 12, IX, 125.
— *vulgaris* Tode, 1500, XXII, 101.
Tuberculina persicina Sacc., 12, IX, 125.
Tubulina cylindrica Lam. et DC., 404, XV, 170.

Tubulina fragiformis Pers., 404, XV, 170.
Turbinaria conoides Kütz., 1509, XXII, 104.
— *denudata* Bory, 1509, XXII, 104.
— *vulgaris* var. *conoides* J. Ag., 1509, XXII, 104.
Tylostoma atrum Bolla, 1915, XXVI, 158.
Tympanis amphibola Karst., 818, XVIII, 354.
— *aucupariae* Wallr., 1164, XX, 17.
— *conspersa* Fries, 1164, XX, 17.
— *Frangulae* Fries, 959, XIX, 393.
Tyndaridea stagnalis Hassk., 1504, XXII, 103.

Ulothrix subtilis Kütz., 535, XV, 202.
— *zonata* Kütz., 240, XII, 87.
— — b. var. *valida* 240, XIII, 460.
Ulva Atomaria Good. et Woodw., 1510, XXII, 104.
— *compressa* L., 731, XVII, 266; 1741, XXIV, 279.
— *cylindrica* Wablenbg., 749, XVII, 271.
— *fluviatilis* Sommers., 83, IX, 139.
— *gelatinosa* Vauch., 339, XIII, 457.
— *granulata* L., 88, IX, 140.
— *incrassata* Huds., 1501, XXII, 102.
— *intestinalis* L., 436, XV, 179.
— *involvens* Savi, 649, XVI, 79.
— *lubrica* Roth, 340, XIII, 457.
— *multifida* Sm., 1270, XX, 28.
— *polypodioides* DC., 1511, XXII, 104.
— *serrata* DC., 1510, XXII, 104.
— *squamaria* Roth, 1516, XXII, 106.
Ulvella radians Schmidle, 649, XVI, 79.
Umbilicaria anthracina Hoffm., 1958, XXVI, 170.
— *arctica* Nyl., 1960, XXVI, 172.
— *atropruinosa* var. *anthracina* E. Fries, 1958, XXVI, 171.
— — var. *cinerascens* Nyl., 1958, XXVI, 171.
— — var. *reticulata* E. Fries, 1957, XXVI, 170.
— *Dillenii* Tuck., 1541, XXII, 111.
— *erosa* Hoffm., 1959, XXVI, 171.
— *hypoborea* 461, XV, 185.
— *leiocarpa* DC., 1958, XXVI, 171.
— *phaea* Tuck., 1656, XXIII, 226.
— *polymorpha* γ. *arctica* Schaer., 1960, XXVI, 172.
— *proboscidea* var. *arctica* E. Fries, 1960, XXVI, 172.
— *pustulata* Hoffm., 356, XIII, 461.
— *reticulata* Nyl., 1957, XXVI, 170.
— *varia* δ. *arctica* Leight, 1960, XXVI, 172.
Uncinula Aceris Sacc., 123, XI, 86.
— *australiana* Mc. Alp., 963, XIX, 394.
— *bicornis* Lév., 123, XI, 86.
— *Bivonae* Lév., 962, XIX, 394.
— *clandestina* Schröt., 962, XIX, 394.
— *Prunastri* Sacc., 122, XI, 86.
— *Salicis* Wint., 121, XI, 86.

Verrucaria controversa β. *nigrescens* Krplh., 1352,
XXI, 217.
— *Jaedalea* Stzbgr., 1645, XXIII, 223.
— *enteroleuca* Sprg., 1359, XXI, 219.
— *epidermidis* Ach., 1353, XXI, 218.
— — var. *fallax* Nyl., 268, XII, 93.
— — var. *platypyrenia* Carr., 1355, XXI, 218.
— *epiphylla* Nyl., 1524, XXII, 108.
— *epipolytropa* Cromb., 970, XIX, 396.
— *fallax* Nyl., 268, XII, 93.
— *flectigena* Nyl., 469, XV, 187.
— *fuscoatra* Wallr., 1352, XXI, 218.
— *Hoffmannii* Hepp, 1643, XXII, 223.
— *Hookeri* Borr., 372, XIII, 465.
— (sect. *Euverrucaria*) *hydrella* Ach., 1642,
XXIII, 222.
— *hydrella* Körb., 467, XV, 186.
— — β. *aethiobola* Mass., 467, XV, 186.
— — vera Hepp, 467, XV, 186.
— *hymenogonia* Nyl., 177, XI, 97.
— *illinata* Nyl., 180, XI, 98.
— (sect. *Euverrucaria*) *integra* Nyl. var. *obductilis* Nyl., 1351, XXI. 217.
— *laevata* Körb., 1951, XXVI, 169.
— *libricola* Nyl., 1357, XXI, 219.
— *Margacea* f. *aethiobola* Nyl., 467, XV, 186.
— — var. *hydrella* Nyl., 1642, XXIII. 222.
— (sect. *Euverrucaria*) *marmorea* Arn. var.
Hoffmanni Arn., 1643, XXII, 223.
— *minima* Mass., 65, IX, 135.
— *muralis* Leight., 177, XI, 97.
— *myricae* Nyl., 861, XVIII, 365.
— (sect. *Lithoicea*) *nigrescens* Pers., 1352, XXI,
217.
— *nitida* Schrad., 862, XVIII, 366.
— — var. *minor* Gar., 1854, XXV, 238.
— — var. *nitidella* Flk., 1854, XXV, 238.
— *nitidella* Nyl., 1854, XXV, 238.
— *oxyspora* Nyl., 1353, XXI, 218.
— *pallida* Nyl., 1522, XXII, 107.
— *papillosa* Flk., 1852, XXV, 237.
— — f. *acrotelia* Arn., 1641, XXIII, 222.
— (sect. *Euverrucaria*) *papillosa* var. *thalassina* A. Zahlbr., 1852, XXV, 237.
— — *pinguicula* Mass., 1761, XXIV, 283.
— *platypyrenia* Nyl., 1355, XXI, 218.
— *plumbea* var. *pinguicula* Nyl., 1761, XXIV, 283.
— *praetermissa* Anzi, 1951, XXVI, 169.
— *pulchella* Borr., 1855, XXV, 239.
— *punctiformis* var. *atomaria* Schaer., 468, XV,
186.
— — var. *ptelaeodes* Ach., 444, XV, 180.
— *purpurascens* Hoffm., 1643, XXIII, 223.
— — α. *Hoffmanni* Körb., 1643, XXIII, 223.
— *rhyponta* Ach., 1021, XIX, 411.
— (sect. *Euverrucaria*) *rupestris* DC. var.
hypophaea Stnr. et A. Zahlbr., 1521, XXII,
107.

Verrucaria rupestris var. *integra* Nyl., 1351, XXI,
217.
— var. *purpurascens* Schaer., 1643, XXIII, 223.
— *sepulta* Nyl., 578, XV, 211.
— *submersa* Hepp, 1642, XXIII, 222.
— (sect. *Euverrucaria*) *submersa* Hepp,
1762, XXIV, 283.
— *tephroides* var. *cartilaginea* 1645, XXII,
223.
— *thelena* E. Fries, 579, XV, 211.
— *theleodes* Sommerf., 579, XV, 211.
— *umbrina* f. *acrotella* Wainio, 1641, XXIII, 222.
— *velana* A. Zahlbr., 580, XV, 211.
Vibrio acerosus Schrk., 229, XII, 84.
Vidalia volubilis J. Ag., 646, XVI, 78; 646 b,
XXIII, 222.
Volubilaria mediterranea Lam., 646, XVI, 78.
Volutella Buxi Berk., 1476, XXII, 97.
Volvox morum Müll., 338, XIII, 436.
Vuilleminia comadens 1803, XXV, 224.

Webera cruda Bruch, 1685, XXIII, 233.
— *elongata* Schwäg., 585, XV, 212; 585 b,
XXIII, 236.
— *Halleriana* Hedw., 98, IX, 142.
— — *nutans* Hedw. var. *sphagnetorum* Schimp.,
893, XVIII, 374.
Weisia calcarea C. Müll., 486, XV, 190.
— *crispata* Jur., 1579, XXII, 120.
— *fugax* Hedw., 887, XVIII, 373.
— *longipes* Sommerf., 195, XI, 100.
— *nigrita* Hedw., 676, XVI, 86.
— *rutilans* Lindb., 394, XIII, 471.
— *viridula* Hedw., 484, XV, 190.
Wilsoniella Jardini B., 1900, XXVI, 180.
Wrangelia penicillata Ag., 644, XVI, 77.
— *tenera* Ag., 644, XVI, 77.
— *verticillata* Kütz., 644, XVI, 77.

Xanthidium armatum Rabenh., 650, XVI, 80.
— — var. *intermedium* Schröd., 539, XXV,
202.
— *Brébissonii* Ralfs. var. *basidentatum* 853,
XVIII, 363.
— *furcatum* Ehrenb., 639, XVI, 76.
— — Ralphs, 650, XVI, 80.
Xanthocarpia ochracea Mass. et de Not., 166,
XI, 95.
Xanthoria candelaria Arn. f. *fulva* Arn.,
1780, XXIV, 287.
— — Arn. f. *laceratula* Arn., 669, XVI, 85.
— (*Candelaria*) *concolor* Th. Fr., 670, XVI, 85.
— *lychnaea* δ. *pygmaea* f. *fulva* A. Zahlbr., 1780,
XXIV, 287.
— *parietina* Th. Fries, 1050, XIX, 420.
— — var. *ectanea* Th. Fr., 1559, XXII, 116.
— — var. *imbricata* Beltr., 1979, XXVI,
177.

Annalen des k. k. naturhistorischen Hofmuseums. Bd. XXVI, Heft 1 u. 2, 1912. 16

Xylaria hungarica Hazsl., 135, XI, 88.
— *longipes* Nitschk., 135, XI, 88.
— *polymorpha* Grev., 134, XI, 88.
— — — var. *integra* Schulzer, 1433, XXII, 89.
— *Readeri* F. de Müll., 136, XI, 89.
Xylographa incerta Mass., 1024, XIX, 412.
— *parallela* E. Fries, 1024, XIX, 412.
— — — f. *elliptica* Nyl., 1025, XIX, 412.
Xyloma acerinum Pers., 207, XII, 79.
- *betulinum* Fries, 1159, XX, 16.
— *Campanulae* DC., 1174, XX, 19.
— *Juglandis* DC., 730, XVII, 264.
- *Liriodendri* Kunze, 729, XVII, 264.
— *Onobrychidis* DC., 1458, XXII, 93.
— *peʒiʒoides* Pers., 209, XII, 80.
— *repandum* Alb. et Schw., 961, XIX, 394.
— *salicinum* Pers., 208, XII, 79.
— *Solidaginis* Fries, 920, XIX, 385.
— *ulmeum* Mart., 1319, XXI, 208.
— *Virgaureae* DC., 920, XIX, 384.

Zanardinia collaris Crou., 642, XVI, 77.
— *Prototypus* Nard., 642, XVI, 77.
Zeora cenisia var. *transcendens* Anzi, 51, IX, 132.
— *sordida α. glaucoma* Körb., 1242, XX, 35.
— *sulphurea* Körb., 1042, XIX, 417.
Zonaria Atomaria Ag., 1510, XXII, 104.

Zonaria collaris Ag., 642, XVI, 77.
— *Squamaria* Ag., 1516, XXII, 105.
Zonotrichia brunnea Rabenh., 332, XIII, 440.
Zwackhia involuta Körb., 554, XV, 206.
— *viridis* Poetsch, 554, XV, 206.
Zygnema cruciatum Ag., 79, IX, 138.
— — Kütz., 1504, XXII, 103.
— *ericetorum* Hansg., 1744, XXIV, 279.
— *maximum* Hass., 851, XVIII, 362.
— *mirabile* Hass., 1842, XXV, 234.
— *orbiculare* Kütz., 851, XVIII, 362.
— *quadratum* Hass., 335, XIII, 455.
— *stagnale* Kütz., 1504, XXII, 103.
— *stellinum* Ag. var. *stagnale* Kirchn., 1504, XXII, 103.
— *tenuissima* Hass., 859, XVIII, 364.
— sp. ster., 428, XV, 177.
— sp., 238, XII, 87.
Zygodon gracilis Wils., 1382, XXI, 224.
— *Mougeotii* Bryol. europ., 1084, XIX, 425.
— *rupestris* Lindb., 1380, XXI, 224; 1382, XXI. 224.
— *viridissimus* Brown, 1379, XXI, 223.
— — — var. *dentatus* Breidl., 1381, XXI, 224.
— — — var. *rupestris* Hartm., 1380, XXI, 224.
Zygogonium ericetorum Kütz., 1744, XXIV, 279.

Botanische Bestimmung grönländischer Holzskulpturen des naturhistorischen Hofmuseums.

Von

Dr. Alfred Burgerstein.

Als Fortsetzung meiner materiellen Untersuchungen von Holzskulpturen der ethnographischen Abteilung des k. k. naturhistorischen Hofmuseums [1]) teile ich die Resultate der botanischen Determinierung von Holzgegenständen aus Grönland mit. Die Objekte (mit wenigen Ausnahmen) wurden dortselbst von Prof. Karl Gieseke (1818) und Dr. Rudolf Trebitsch (1906) aufgesammelt; sie stammen vornehmlich von Egesminde, Godthaab, Ikersuak, Pröven und Upernivik.

Vor Beginn der mikroskopischen Prüfung hielt ich es für nötig, mich über die Holzverhältnisse Grönlands zu orientieren. Nach den Mitteilungen Eug. Warmings [2]) kommt in diesem großen Gebiete eine — wenn man so sagen kann — Baumflora nur in den Fjorden des südlichsten Teiles bis etwa zum 62. Breitegrad vor. Hier findet man noch Wälder von *Betula odorata* var. *tortuosa* Rgl. und *Betula intermedia* Thom., deren Stämme im besten Falle eine Höhe von 6 m erreichen. Ferner *Alnus ovata* Schr. var. *repens* und *Sorbus americana* Willd., 1—3 m hoch; *Juniperus communis* L. var. *nana*, deren Stamm gewöhnlich eine Dicke von höchstens 5—8 cm hat. Das Holz dieser Bäumchen kann begreiflicherweise in Grönland für technische Zwecke, zur Herstellung von Gebrauchsgegenständen, nur eine ganz untergeordnete Rolle spielen. [3])

Die Hauptmasse des in Grönland zur Verarbeitung (z. B. zum Baue von Kajaks) dienenden Holzes ist angeschwemmtes Treibholz. Dazu kommt — besonders in neuerer Zeit — das aus Dänemark importierte Holz. Die Holzeinfuhr nimmt immer mehr zu; außer Rohmaterial werden auch fertige Holzgegenstände von den Dänen eingeführt.

Die weitaus überwiegende Mehrzahl (etwa 85 %) der untersuchten Skulpturen ist aus Coniferenholz verfertigt, und zwar fand ich in der Regel Fichte, Lärche und Kiefer (die alle in Grönland fehlen), ausnahmsweise Tanne und Wacholder. Von Laubhölzern ist namentlich Eiche vertreten; in je ein bis zwei Fällen konstatierte ich Holz der Birke, Erle, Esche und Weide.

---

[1]) Über die botanische Provenienz der sibirischen Holzskulpturen vgl. diese Annalen, Bd. XXIV, 1910 und Bd. XXVI, 1912.

[2]) Om groenlands vegetation. Meddelelser om Groenland, Bd. XII, Kjöbenhavn 1888.

[3]) Nach Joh. Lange und C. Jessen wachsen in Grönland von Pflanzen mit verholzender Achse noch *Betula nana* L., *Betula alpestris* Tr. und *Betula glandulosa* Mchx., *Cornus suecica* L. und mehrere *Salix*-Arten (*S. arctica, glauca, groenlandica, lanata, reticulata, myrsinites*). Vgl. Conspectus florae groenlandicae, in Meddelelser om Groenland, Bd. III, Kjöbenhavn 1880.

16*

Treibhölzer waren schon wiederholt Gegenstand botanischer Arbeiten. Jul. v. Wiesner[1])untersuchte Treibhölzer, die K. Weyprecht und J. Payer gesammelt hatten. Zwei Stücke stammten von der Hope-Insel, eines vom Südkap Spitzbergens, zwei wurden auf hoher See gefunden. Die mikroskopische Prüfung ergab drei Fichten- und zwei Lärchenhölzer. Jos. Schneider[2]) determinierte 13 Treibhölzer, die Dr. F. Fischer, Korvettenarzt der österr. Polarexpedition nach Jan Meyen, von dort mitgebracht hatte. Fünf erwiesen sich als Fichten-, sieben als Lärchenhölzer, eines als das Holz einer Salicinee. Als Arten nehmen die genannten Autoren *Picea obovata (Pic. excelsa* var. *obovata)* und *Larix sibirica (L. europaea* var. *sibirica)* an.

Auf Grund der mikroskopischen Ergebnisse der Skulpturen dürfte das meiste an die grönländischen Küsten angeschwemmte Treibholz aus Sibirien stammen und durch den Polarstrom zugeführt werden.

Auf die Bestimmung der botanischen Spezies konnte ich mich nicht einlassen. Dazu wären eingehende xylotomische Untersuchungen notwendig gewesen, die mit Rücksicht auf die große Menge des Untersuchungs- und die Unzulänglichkeit des Vergleichsmateriales nicht durchführbar waren. Auch konnte ich an den mir anvertrauten Sammlungsgegenständen nicht nach Belieben herumschneiden, wie dies z. B. v. Wiesner und Schneider an von Schäften abgesägten Holzscheiben möglich war. Für die Zwecke der vorliegenden Arbeit genügt indes die Feststellung der Holzgattung, d. h. es genügt zu wissen, ob die Objekte aus Fichten-, Lärchen-, Kiefern-, Eichen-, Birkenholz etc. gemacht sind.

Von der Gattung Kiefer *(Pinus)* sind unter den grönländischen Skulpturen zwei Typen vertreten:[3]) die überwiegende Mehrzahl gehört in jene *Pinus*-Gruppe *(A)*, bei welcher die Quertracheiden der Markstrahlen zackenförmige Vorsprungsbildungen zeigen und an der Radialwand der Markstrahlparenchymzellen im Kreuzungsfeld der Markstrahlzellen mit den Strangtracheiden («Holzzellen») je ein sehr großer vierseitiger Tüpfel erscheint. Hierher gehört unter anderem *Pinus silvestris*. Dieser *Pinus*-Art dürften auch die aus «Kiefernholz» der Gruppe *A* gearbeiteten grönländischen Skulpturen zugehören. Einige wenige der untersuchten Objekte sind aus dem Holze einer *Pinus*-Art gefertigt, die jener Gruppe *(B)* angehört, deren Markstrahlen ebensolche Tüpfel aufweisen wie die der Gruppe *A*, die Quertracheiden jedoch glatte Radialwände besitzen. Diese Eigentümlichkeit zeigen zumeist die fünfnadligen Kiefern, z. B. *Pinus Cembra*. Um diese Art dürfte es sich bei der Kiefer *B* der grönländischen Skulpturen handeln. In der folgenden Zusammenstellung ist dem Kiefernholze dieser Gruppe ein *B* beigesetzt; wo dieser Zusatzbuchstabe fehlt, lag Kiefernholz der Gruppe *A* vor.

Eine Anzahl der Objekte zeigte die von Wiesner und von Schneider an Treibhölzern des nördlichen Eismeeres beobachtete Erscheinung der Vergrauung und Verpilzung. Nach den Untersuchungen v. Wiesners[4]) besteht die Vergrauung in einer

[1]) Untersuchungen einiger Treibhölzer aus dem nördlichen Eismeer. Sitzb. d. kais. Akad. d. Wiss. Wien, math.-nat. Kl., Bd. 65, 1872.

[2]) Untersuchungen einiger Treibhölzer von der Insel Jan Mayen. Die Internationale Polarforschung 1882—1883, Bd. III, 1886.

[3]) In meiner Abhandlung: Vergleichende Anatomie des Holzes der Coniferen (Wiesner Festschrift, Wien 1908) habe ich in der «Bestimmungstabelle der Coniferengattungen nach xylotomischen Merkmalen» die untersuchten 76 *Pinus*-Arten nach dem Baue der Markstrahlen in fünf Gruppen geteilt.

[4]) Untersuchungen einiger Treibhölzer etc., l. c. Ferner «Über die Zerstörung des Holzes in der Atmosphäre». Sitzber. der kais. Akad. d. Wissensch. Wien, math.-nat. Kl., Bd. 49, 1864. Über Pilzmycelien in alten Hölzern vgl. auch J. Schneider, l. c. und H. Schacht in Pringsheim Jahrb. f. wiss. Bot., Bd. 3, 1863.

Umwandlung der verholzten Zellwand in reine Zellulose und in Isolierung der Zellen durch Auflösung der Interzellularsubstanz. Häufiger als die Erscheinung der Vergrauung zeigten, namentlich bei den aus Fichten- und Lärchentreibholz hergestellten Objekten, die Strangtracheiden (Holzzellen) eine eigentümliche Streifung, oft in Form zweier Systeme sich kreuzender Schraubenlinien. Bei stärkerer Vergrößerung ergab sich, daß es sich um Gänge von in der Zellwand gewachsenen, äußerst zarten Mycelien handelt.

Nachstehend die Resultate der mikroskopischen Untersuchungen. Die vorgesetzten Zahlen entsprechen denen des amtlichen Inventars.

271—272. Vogelpfeile: Fichte.

273—275. Wurfpfeile: Wacholder.

276. Bogen für die Landjagd: Wacholder.

280. Ein paar Schneeschuhe: Kiefer.

281. Stock «Took» zur Erprobung der Festigkeit des Eises: Eiche.

284—287. Pfeile mit Holzschäften: Fichte.

288. Wurfbrett zum Schleudern der Harpune: Lärche.

295. Modell eines grönländischen Reisefahrzeuges (Umiak): Fichte; Ruder: Lärche.

296. Modell einer zum Walfischfang ausgerüsteten Harpunenschaluppe; Schiff, Ruder und Segelstangen: Fichte.

301. Ruder für Kajak: Lärche.

302. Modell eines Haifischbaumes (zum Haifischfangen); Querholz und Füßchen: Eiche; Verkleidung der Steinpyramide: Birke.

303. Modell eines grönländischen Fangschlittens: Kiefer; Segelstangen: Erle.

305. Modell eines grönländischen Reisezeltes. Dabei ein Bündel vierkantiger Stäbe; diese Kiefer.

328. Schüssel aus Treibholz geschnitten: Fichte.

329. Schaufelartiger Schöpflöffel aus Treibholz geschnitten: Tanne.

330—331. Speiselöffel aus Holz: Wacholder.

334. Vorrichtung zum Aufhängen von Kleinigkeiten zu Hause (wahrscheinlich importiert): Lärche.

343. Modell eines Umiak mit Seehundleder überzogen: Fichte.

346. Vorrichtung zum Anfachen des Feuers, bestehend aus einem stärkeren Holzstück: Fichte, einem dickeren Holzstift: Tanne und einem flachen Holzstück als Stütze: Eiche.

364—365. Stücke von Treibhölzern (sehr verwittert und schwer bestimmbar); eine Amygdalee oder Pomacee.

366—367. Stücke von Treibhölzern (mit Bohrkanälen von Teredo) 366: Lärche; 367: Fichte.

368. Werkzeug zum Zubereiten von Stiefelleder: Fichte.

4912. Messer mit Holzgriff: Lärche.

5474—5475. Harpunen; Griff: Lärche.

5476. Großer Vogelpfeil mit Wurfbrett: Fichte.

5477. Großer Vogelpfeil mit Wurfbrett: Lärche.

5478. Großer Vogelpfeil mit Luftblase: Fichte.

37684. Modell eines grönländischen Kajakfahrers (aus dem Nachlasse des Kronprinzen Rudolf): Kiefer.

75539. Netz zum Heringsfang; Stiel und Reif am Korb: Fichte.

75542. Messer mit Holzgriff: Lärche.

75543. Griff eines Gerätes: Eiche.

75544. Feuerbohrer, bestehend aus *a)* einem vierkantigen Holzstück mit Bohrlöchern: Kiefer *B*; *b)* einem Bohrer mit drehrundem Holzstab: Kiefer *B*; *c)* einem Querholz: Lärche; *d)* einem Drehriemen mit zwei Handgriffen aus Holz: Lärche.

75546. Ovale Schüssel: Fichte.

75547. Schüssel (fast vierkantig): Lärche.

75548. Kleinere Schüssel: Lärche.

75549. Schöpflöffel: Lärche.

75550. Eimerförmiges Uringefäß: Kiefer.

75552. Kappenansatzstück aus Treibholz: Fichte.

75553. Kappenansatzstück aus Treibholz: Fichte.

75554. Augenschutz für Männer (angeblich aus Treibholz): Kiefer.

75555. Augenschutz für Männer (aus Treibholz): Lärche.

75556. Schneebrille aus Treibholz: Fichte.

75574. Rückenkratzer: Kiefer.

75575—75576. Gesichtsmasken aus Holz: Fichte.

75578. Amulett (aus Holz geschnitzte Seehundsfigur): Fichte.

75580. Figur eines Mannes: Fichte.

75581. Figur eines Bären: Fichte.

75582. Figur eines Hundes: Fichte.

75583. Figur eines Seehundes: Fichte.

75587. Holzstiel (aus einem Grabe bei Umanatsiak): Lärche.

75588. Kajakblock (aus einem Grabe): Fichte.

75590. Ovale Schüssel (aus einem Grabe bei Umanatsiak): Lärche.

75591. Boden einer Schüssel oder Schachtel: Lärche.

75592. Teil einer Holzschüssel (aus einem Grabe bei Umanatsiak): Lärche.

75612. Löffel ohne Stiel: Tanne.

75615—75616. Fragmente von Holzschachteln: Lärche.

75617—75619. Fragmente von Holzschachteln; 75617 und 75619: Fichte; 75618: Lärche.

75629. Fischschnur mit zwei Holzstäbchen; einem flachen, braun gestrichenen Stäbchen: Kiefer und einem weißen, ungestrichenen: Weide.

75632. Fischzeug zum Fluderfang; Längs- und Querstab: Kiefer.

75636. Harpune mit Schleuderholz: Lärche.

75638. Deckwand mit Gestell aus Holz: Lärche.

75640. Kielbrett aus Holz: Kiefer.

75641. Lanze; Schaft: Fichte.

75642. Harpune mit Schleuderholz: Kiefer.

75648 *b*. Vorrichtung zum Schleppen des harpunierten Seehundes; Holzstab: Eiche.

75652. Modell eines dreifüßigen Holzschemels; Platte: Kiefer, Füße: Lärche.

75653. Messer; Griff: Fichte.

75660. Eisschaufel aus Walfischbarten; Griff: Lärche.

75667. Schießschlitten für Seehundjagd: Kiefer; dabei zwei Traghölzer: Kiefer.

75669. Eishackstock tùk; Holz: Kiefer.

75813. Modell eines Frauenbootes; dabei diverse Hölzer: Lärche.

75814. Modell eines Kajaks mit Fischhaut überzogen; Ruder: Kiefer.

75817. Modell eines Schlittens aus Holz; zwei lange Kufenbretter: Kiefer *(B)*; über diesen sieben Querhölzer: Fichte.

75817 *b*. Modell einer Hundspeitsche: Eiche; daran ein kleines, dünnes Stäbchen: Kiefer.

75823. Trockengerüst «Initsát»: Kiefer.

75825. Löffel (alt, schwarz): Kiefer.

75827. Rührholz mit spatelförmigem Ende: Kiefer.

75832. Beil «ulimant»; Holzstiel: Kiefer. __

75833. Instrument zur Lederbearbeitung (wahrscheinlich importiert); Vertikalholz und Basisstützen: Eiche.

75837—75841. Fünf Bohrer; Griffe: Eiche.

75842—75843. Zwei Bohrer; Griffe: Eiche.

75846. Bohrer; Griff: Fichte.

75847. Bohrer; Griff: Eiche.

75890. Segelschiffchen (Spielzeug?): Kiefer.

75987—75990. Schneebrillen: Kiefer.

Fig. 1. Kolonie von *Merops persicus* bei Es-Scheri'at el Beda, nördlich von Bagdad.

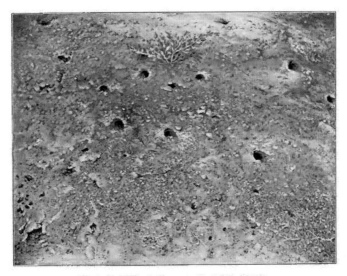

Fig. 2. Nisthöhleneingänge aus der obigen Kolonie.

Annalen des k. k. naturhist. Hofmuseums, Band XXVI. Heft 1 u. 2, 1912.

Phot. Handel-Mazzetti.   Lichtdruck: J. Löwy.

1. *Quercus Libani* Oliv. lus. *pinnata* Hand.-Mzt.   2. *Salix eripolia* Hand.-Mzt.
3. *Dianthus coloratus* (Boiron.) Hand.-Mzt.   4. *Euphorbia Sanasunitensis* Hand.-Mzt.
5. *Herniaria Arabica* Hand.-Mzt.

Annalen des k. k. naturhist. Hofmuseums, Band XXVI. Heft 1 und 2, 1912.

Die Xylocopen (Holzbienen) des Wiener Hofmuseums.

Ein Beitrag zu einer Monographie dieser Gattung.

Von

Dr. Franz Maidl

in Wien.

Mit 2 Tafeln (Nr. III, IV) und 63 Textfiguren.

Einleitung und allgemeiner Teil.

Diese Abhandlung entstand gelegentlich der Aufstellung des Apidengenus *Xylocopa* Latr., die ich mit der gütigen Erlaubnis des Intendanten des k. k. naturhistorischen Hofmuseums in Wien, Herrn Hofrat Dr. Franz Steindachner und des Direktors der zoologischen Abteilung Herrn Regierungsrat Ludwig Ganglbauer am Wiener Hofmuseum vornahm. Beiden Herren, durch deren Liebenswürdigkeit mir die Benützung der Bibliothek und reichen Sammlung des Museums ermöglicht wurde, sage ich an dieser Stelle meinen ergebensten Dank.

Durch diese Arbeit soll zunächst ein Bild der Xylocopensammlung des Museums gegeben werden.

Ferner möchte ich durch Mitteilung der Fundortsangaben zu dem Ausbau des geographischen Bildes der Gattung einen Teil beitragen und durch Festlegung einer Anzahl von Erkenntnissen über die systematische Stellung verschiedener Xylocopenarten, zu denen ich im Laufe der Bestimmung und Aufstellung derselben auf mehr oder minder mühsamem Wege gelangt bin, dem zukünftigen Monographen der Gattung vorarbeiten. Man wird daher bei jeder der aufgezählten Xylocopenarten des Wiener Hofmuseums sowohl die Fundortsangaben der einzelnen Exemplare registriert, als auch bei den meisten Arten noch eine größere oder geringere Anzahl von kritischen oder deskriptiven Bemerkungen vorfinden. Diese kritischen und deskriptiven Bemerkungen beziehen sich nur auf Erkenntnisse, zu denen ich gelegentlich bei der Untersuchung der einzelnen Arten gekommen bin; bei jeder Art eine vollständige Synonymenliste und Beschreibung zu geben hätte soviel bedeutet wie eine Monographie der Gattung schreiben, wozu jedoch weder Zeit noch Material ausreichten. Zur Feststellung von Synonymen gelangte ich zunächst durch Untersuchung von Typen oder nach Typen von dem Autor der Art selbst bestimmten Stücken («Originalexemplaren») aus der Sammlung des Museums, dann bei der Durchsicht der Beschreibungen und Originalbeschreibungen aller bekannten Xylocopenarten gewissermaßen von selbst, wenn die Beschreibungen mehrerer «Arten» auf ein und dasselbe vorliegende Stück gut paßten und endlich bei Durchmusterung größerer Mengen von Stücken durch Feststellung der Unbeständigkeit gewisser von den Autoren zur Unterscheidung der «Arten» benutzten Merkmale. Zur Ergänzung der oft unzulänglichen Beschreibungen der Arten suchte ich nach bisher unbenutzten, konstanten Merkmalen und fand solche nach dem bekannten Vorgange des Hymenopterologen F. F. Kohl in der Bildung des Kopfes und seiner Organe und Anhänge, namentlich in verschiedenen Längenverhältnissen des Gesichtes, der Fühlerglieder, der Abstände der Seitenaugen und Ocellen, der Clypeusränder u. a. m., ferner nach dem Vorgang Vachals und Pérez' in der Bildung der Hinterbeine, der Kniescheibe an den Hintertibien bei den ♀, der Hinterschenkel und Hintertibien bei bestimmten Gruppen von ♂ und endlich in der Bildung der Kopulationsapparate bei allen ♂.

Namentlich diese Methode, die bei anderen Apiden, z. B. bei *Bombus* und *Psithyrus*, schon mit großem Erfolge angewendet worden, bei *Xylocopa* aber merkwürdigerweise noch ganz unversucht geblieben ist, erwies sich einerseits zur Unterscheidung nahe verwandter Arten, andererseits aber auch zur Feststellung von Verwandtschaftsverhältnissen als besonders geeignet. Nun herrscht bei vielen Entomologen eine gewisse Scheu vor der Präparation des Kopulationsapparates. Man findet entweder die Manipulation zu umständlich und bemüht sich lieber, ein einzelnes Tier durch oft stundenlanges Durchgehen ungenügender Beschreibungen zu bestimmen oder man fürchtet das Tier durch Präparation zu zerstören. Beides ist unbegründet. Die Manipulation braucht am aufgeweichten [1]) Tiere kaum eine Minute und ist bei so großen und robusten Tieren, wie die Xylocopen und Hummeln es sind, auch ohne Übung ohne die geringste Beschädigung des Tieres ausführbar. Man führt eine, am besten gekrümmte Nadel, wie man sie zum Spannen von Schmetterlingen benützt, seitlich in die Spalte zwischen Tergit und Sternit der letzten sichtbaren Segmentes ein und drückt mit ihrer Spitze den Kopulationsapparat durch die Spalte heraus. Man kann dann die weichhäutigen Verbindungen des Kopulationsapparates mit dem Innern des Tieres entweder ganz zerreißen oder zerschneiden und den Kopulationsapparat auf ein Zettelchen kleben, das man unter das Tier steckt, oder man läßt den herausgedrückten Apparat am Tier selbst hängen. Löst man den Kopulationsapparat ganz ab, so kann man die Spalte zwischen Tergit und Sternit des letzten Segmentes so zudrücken, daß man überhaupt ohne Untersuchung des Innern nicht feststellen kann, daß aus dem betreffenden Tier der Kopulationsapparat entfernt worden ist. Die Bildung des Kopulationsapparates ist aber mit wenigen und dazu sehr fraglichen Ausnahmen bei den Xylocopen so charakteristisch und konstant, daß nach einer Abbildung wenigstens die betreffende Art, freilich nur im männlichen Geschlecht mit Sicherheit zu bestimmen ist, was oft weder nach noch so genauen und eingehenden Beschreibungen, noch nach Habitusbildern möglich ist. Freilich muß der Kopulationsapparat behufs Publikation mit einem optischen Zeichenapparat gezeichnet oder photographiert werden, weil sich diese Merkmale in der Regel nicht gut beschreiben lassen. Auch noch zu einem anderen Zweck empfiehlt es sich, nach dem Vorgange Kohls, den Zeichenapparat zu benützen, nämlich zur genauen Bestimmung der Längenverhältnisse, von denen ich oben gesprochen habe; das Augenmaß ist da argen Täuschungen unterworfen.

Von den Autoren, namentlich den älteren, wurden zur Charakterisierung von Xylocopenarten oft nur die Farben des Integuments, der Flügel und Haare benutzt. Namentlich die metallischen Glanzfarben der Flügel erschienen auch neueren Autoren

---

[1]) Man weicht die Tiere so auf, wie man es bei trockenen Tieren von Sammelausbeuten tut, um sie zu nadeln, indem man sie unter einer Glasglocke auf feuchten Sand legt und so ca. 24 Stunden beläßt, bis die Segmente des Abdomens gegeneinander beweglich geworden sind. Um Schimmelbildung zu verhindern empfiehlt es sich, dem zum Anfeuchten des Sandes dienenden Wasser ein paar Tropfen Karbolsäure zuzusetzen. Es scheint dies übrigens auch den Aufweichungsprozeß zu beschleunigen.

(z. B. Bingham) konstant genug, um zur Artunterscheidung zu dienen. Pérez behauptete dagegen von einigen Arten eine große Veränderlichkeit der Flügelfärbung. Um diesen Widerstreit der Meinungen zu lösen, wandte ich meine Aufmerksamkeit auch diesem Problem zu und hoffe es bis zu einem gewissen Grad dahin gelöst zu haben, daß wie gewöhnlich beide Autoren recht haben, indem es in der Gattung *Xylocopa* Arten von merkwürdiger Konstanz der Flügelfarben neben solchen mit ebenso merkwürdiger Variabilität derselben gibt. Jedenfalls scheint es, daß sich keine Xylocopenart durch Flügelfärbung allein kennzeichnen läßt. Wenn ich trotzdem eine Anzahl von nur auf Flügelfarben begründeten «Arten» als Arten beließ, so geschah es, weil vielleicht doch auch noch andere Merkmale gefunden werden könnten, um die fraglichen «Arten» zu unterscheiden.

Ungemein erschwert wird die systematische Klarstellung vieler Xylocopenarten auch durch den so häufigen Dimorphismus der Geschlechter. Die überwiegende Mehrzahl aller Xylocopenarten ist nur in einem Geschlechte beschrieben. Für andere ist die Legitimität der Verbindung zweifelhaft oder hat sich geradezu als falsch erwiesen. Das kommt daher, weil bei den meisten Xylocopenarten die beiden Geschlechter einander so unähnlich sind, daß aus morphologischen Merkmalen die Zusammengehörigkeit überhaupt nicht erschlossen werden kann. Bei solchen Arten ist man fast nur auf den oft keineswegs sicheren oder zwingenden Schluß aus dem Zusammenvorkommen angewiesen. Bei einer kleineren Anzahl von Arten wird dieser Schluß freilich oft unterstützt durch eine gewisse Ähnlichkeit der beiden Geschlechter in Form und Farbe. Zur endlichen Lösung dieser Schwierigkeiten müßten wohl nicht leicht anzustellende Beobachtungen der lebenden meist außereuropäischen Tiere an Ort und Stelle ihres Vorkommens gemacht werden. Einige Fragen werden sich wohl auch durch Einsichtnahme in ein sehr großes Material lösen lassen. Was ich an dem mir zur Verfügung stehenden Material aus der Sammlung des Wiener Hofmuseums, zu dem noch eine größere Anzahl von Xylocopen aus Indien (Coll. Bingham) kam, die mir vom königl. zoologischen Museum in Berlin durch die liebenswürdige Vermittlung des Herrn Kustos Dr. R. Heymons geschickt worden waren, mit größerer oder geringerer Sicherheit diese Fragen betreffend konstatieren konnte, werde ich im folgenden ebenfalls mitteilen.

Zum Schlusse dieses allgemeinen Teiles möchte ich noch einen kurzen Überblick über die Xylocopenliteratur geben, soweit sie aus größeren, zusammenfassenden und daher zur Determination benutzbaren Werken besteht. Die Beschreibung einzelner Arten findet man, wo es notwendig schien, im speziellen Teil zitiert. Ich habe dem Namen der betreffenden Art das Zitat nur da beigefügt, wo ich das Zitat einer als synonym konstatierten Art anführen mußte, oder da, wo Zweifel darüber entstehen konnten, welche Art gemeint sei, oder endlich in jedem Fall, wenn eine Art nicht mehr im Catalogus Hymenopterorum von Dalla Torre enthalten war. Wo einem Namen kein Zitat beigefügt ist, wird es sich immer leicht und ohne Zweifel in dem erwähnten bewährten Catalogus neben dem betreffenden Artnamen finden lassen.

Von größeren Werken fehlt leider noch immer eine neuere Monographie. Und gerade nun dieser Gattung dürfte eine Monographie wegen der Farbenpracht und des relativ großen Körpermaßes der Tiere wohl allgemeinerem Interesse begegnen. Vielleicht würden sich auch die Xylocopen für tiergeographische Betrachtungen, namentlich tropischer Gegenden, ebenso eignen wie die Hummeln für solche der gemäßigten Zone. Sind doch die Xylocopen, was ihre Tracht und Farbe anbelangt, geradezu die Hummeln der Tropen zu nennen und daher wie diese fleißiger gesammelt als kleinere, weniger auffallende Hymenopteren.

17*

Zur Bestimmung der paläarktischen Xylocopen kommt hauptsächlich der VI. Teil der «Bienen Europas» von Friese, Innsbruck 1901, in Betracht. Ich habe mir erlaubt, dieses ausgezeichnete Werk dadurch teilweise zu ergänzen, daß ich versuchte, Arten, die sich nicht in den Bestimmungstabellen finden und nicht ausführlich beschrieben sind, weil sie Friese nicht vorlagen, wenn ich sie in der Sammlung des Hofmuseums fand, ausführlich zu beschreiben und, so gut ich konnte, in den Bestimmungstabellen zu plazieren.

Zur Bestimmung der Arten der äthiopischen Region gibt es zwei Werke, ein älteres «Essai d'une révision synoptique des espèces européennes et africaines du genre *Xylocopa* Latr.» von J. Vachal in Miscell. Entomolog., vol. VII, 1899, Narbonne, und eines jüngsten Datums «Die Bienen Afrikas nach dem Stande unserer heutigen Kenntnisse» von H. Friese, Jenaische Denkschriften XIV, Schulze, Forschungsreise in Südafrika II, 1909, p. 85—475, mit Tafel IX–X, 19 Karten und 1 Figur im Text. Das Werk Vachals ist eine große ausführliche Bestimmungstabelle der Xylocopen Afrikas und Europas, eine durchaus fortschrittliche, moderne Arbeit. Das Werk Frieses enthält eine Bestimmungstabelle und die Originalbeschreibungen der Xylocopenarten. So angenehm der letztere Umstand ist, weil er das Herbeischleppen zahlreicher und dicker Folianten erspart, so schmerzlich habe ich es empfunden, daß Friese selbst bei Arten, deren Originalbeschreibung durchaus ungenügend ist, obwohl sie ihm selbst vorlagen, keine ausführlicheren Beschreibungen gibt. Die Ansichten der beiden Autoren, Frieses und Vachals, über verschiedene Arten stimmen durchaus nicht überein. Einige von Vachal festgehaltene, von Friese in die Synonymie verwiesene Arten, mußte ich restituieren. Ausführliche Beschreibungen mir vorliegender Arten habe ich nur da, wo es unbedingt notwendig schien, gegeben und mich sonst auf den Hinweis auf unterscheidende und auszeichnende Merkmale beschränkt. Wo immer möglich, wurde von Arten, die sich nicht in den Bestimmungstabellen finden, sowohl der Platz in den Frieseschen als auch in den Vachalschen Tabellen angegeben. Über einige schwer unterscheidbare ♂ aus der *aestuans*- und *caffra*-Gruppe hoffe ich einige Klarheit verschafft zu haben, andere ♂ habe ich durch Abbildung des Kopulationsapparates wenigstens einigermaßen festzulegen versucht.

Zur Bestimmung der orientalischen Arten steht uns nur ein zusammenfassendes Werk zur Verfügung, «The fauna of british India including Ceylon and Burma», Hym., Vol. I, Wasps and Bees von C. T. Bingham, London 1897, mit 4 Tafeln. Das Werk enthält leider die zahlreichen Arten der malaiischen Inselwelt nicht. Aus diesem Grunde hätte ich gerne eine Bestimmungstabelle gegeben, aber zu einer solchen reichte gegenüber der großen Zahl der beschriebenen Arten das mir vorliegende Material doch nicht aus, weshalb ich mich wie bei den äthiopischen Arten darauf beschränkte, ausführliche Beschreibungen oder Hinweise auf neue unterscheidende Merkmale zu geben. Von einer großen Anzahl von ♂ habe ich die Kopulationsapparate abgebildet, von einer Gruppe von ♂ auch Ansichten der Hinterbeine, deren Formen schon Pérez als charakteristisch bezeichnet hat.

Die Zahl der australischen Arten ist gering, ein umfassendes Werk existiert nicht, nur eine Bearbeitung der Xylocopen Neu-Guineas in «Die Bienenfauna von Neu-Guinea» von H. Friese in Annales Mus. Nation. Hung. VII, 1909, p. 179—288, liegt vor. Ich habe die australischen Arten mit den naheverwandten orientalischen zusammen behandelt.

Für die Bestimmung der amerikanischen Xylocopen gibt es außer der alten Monographie der Gattung *Xylocopa* von Smith kein umfassenderes Werk. Eine spanisch geschriebene Arbeit «Ensalo sobre as abelhas solitarias do Brazil» von C. Schrottky in Revista do Museu Paulista, Vol. V, 1901, p. 230—613, mit 3 Tafeln behandelt nur die Xylocopen von Brasilien. Sie enthält Bestimmungstabellen. Nichtsdestoweniger ist gerade von südamerikanischen Arten eine sehr große Anzahl beschrieben worden. Mir lag nur relativ wenig Material vor. Einige Fragen, wie z. B. die *brasilianorum*-Frage, hoffe ich geklärt zu haben. Eine größere Anzahl von Arten mußte bei der Beschaffenheit der Literatur als neu beschrieben werden. Sollten auch einige davon der Synonymie verfallen, so mögen doch die genauen Beschreibungen und Abbildungen der Wissenschaft dienen.

Von älteren umfassenderen Arbeiten und von solchen neueren Datums, die aber keine Bestimmungstabellen enthalten, nenne ich zuerst die alte Monographie von Smith, «Monograph of the Genus *Xylocopa* Latr.» in Trans. Ent. Soc. London, 1847, p. 241—302. Die Arbeit ist zwar veraltet, aber die meisten Arten lassen sich deuten und bestehen zurecht, was man von den Arten Lepeletiers in Hist. nat. Ins. II, 1841 nicht sagen kann.

Eine ausgezeichnete Arbeit, die nur leider zu wenig Arten behandelt und daher auch keine Bestimmungstabellen enthält, ist «Die Arten der Gattung *Xylocopa* Ltr. des Halleschen zoologischen Museums» von E. Taschenberg in Zeitschr. f. d. ges. Naturw. LII, 1879, p. 563—599. Wo eine Taschenbergsche Beschreibung einer Art vorlag, konnte ich auch heute keine bessere geben und nur auf jene hinweisen.

Eine merkwürdige Arbeit ist die von J. Pérez, Contribution à l'étude des *Xylocopes* par J. Pérez in Act. Soc. Linn. Bordeaux, Vol. LIII, sér. 6, Tome VI, 1901, p. 1—128. Sie enthält minutiös genaue Beschreibungen alter und eben solche einer großen Anzahl neuer Arten. Pérez spricht zum Schlusse der Arbeit die Vermutung aus, der Leser werde die Beschreibungen zu ausführlich und lang finden. Ich finde sie nicht zu ausführlich, aber ich würde es als eine Wohltat empfunden haben, wenn die charakteristischen Merkmale aus der Menge der nebensächlichen mehr hervorgehoben worden wären. Nichtsdestoweniger ist die Arbeit voll von neuen Erkenntnissen, sie stellt den Unwert der Flügelfärbung für die Unterscheidung mancher Arten fest, dagegen den Wert der Bildung der Hinterbeine bei den ♂ sowie des Flügelgeäders bei beiden Geschlechtern. Was das letztere anbelangt, so habe ich die Obliteration der ersten Cubitalquerader in Übereinstimmung mit Pérez dort, wo sie vorhanden ist, als konstant befunden, dagegen erkannte ich das andere von Pérez benützte Merkmal, nämlich das Verhältnis der Längen der ersten und zweiten Cubitalzelle am Cubitus als sehr variabel. Daher habe ich es nicht benützt. Diese Sache bedarf jedoch wohl noch der Untersuchung. Ein Verdienst der Pérezschen Arbeit ist auch die Trennung der *confusa* Pér. von der *aestuans* (L.) Pér. Eine größere Anzahl Pérezscher Arten erwies sich als synonym mit älteren, ihre ausführlichen Beschreibungen leisten jedoch auch so gute Dienste. Viele andere Pérezsche Arten sind mir freilich vollständig rätselhaft geblieben.

Hiemit übergebe ich diese systematisch-hymenopterologische Arbeit über *Xylocopa* der Öffentlichkeit mit dem Wunsche, daß sie in der Sache einen kleinen Fortschritt bedeute und sich das Wohlwollen der Fachgenossen erwerbe.

Anmerkung: Bei der Aufzählung der Fundortsangaben finden sich folgende Abkürzungen: ex coll. = ex collectione, Exp. = Expedition, Fruhst. = Fruhstorfer, ges. v. = gesammelt von, R. = Reise, u. = und. Am Schlusse des speziellen Teiles findet sich eine Zusammenfassung der Resultate dieser Arbeit, soweit sie die Synonymie betreffen.

Spezieller Teil.

Xylocopa Latr.

I. Arten der paläarktischen Region.

A. **Xylocopa** s. str. Grib.[1]) (Subgenus).

I. Gruppe *violacea*.[2])

Xylocopa violacea (L.) Latr.

Von dieser Art, mit *valga* der gemeinsten der paläarktischen Region, besitzt das Wiener Hofmuseum eine große Anzahl von Stücken aus zwei Subregionen.

1. Aus der nordeuropäischen Subregion: Stücke aus der Umgebung Wiens (Bisamberg ges. v. Kolazy u. Handlirsch), Mähren (Czeladna ges. v. Kolazy), Krain (Wippach ges. v. Handlirsch), Ungarn (Plattensee ges. v. Soccolar), Rumänien (Bukarest u. Comannïcu ges. v. Montandon).

2. Aus der mittelländischen Subregion: Stücke aus Tirol (Bozen ges. v. Kohl u. Mann, St. Pauls ges. v. Schletterer), dem Küstenland (Trient und Pola ges. v. Handlirsch), Dalmatien (Sabbioncello ges. v. Penther, Ragusa u. Spalato ges. v. Mann), Frankreich (Marseille), Italien (Manfredonia in Apulien und Aspromonte in Kalabrien ges. v. Paganetti, Sestri Levante ges. v. Uzel, Rom ges. v. Fischer, Sizilien und Korsika ges. v. Mann), Griechenland (Parnaß ges. v. Paganetti, Doris ges. v. Oertzen, Korfu ges. v. Frauenfeld u. Paganetti), Kreta, Rhodos (ges. v. Frauenfeld), Kleinasien (Erdschias ges. v. Penther), Transkaukasien (Helenendorf), Persien (Kuh-dil ges. v. Kotschy), Syrien (Saïdâ u. Ladikije u. Djebel Akra ges. v. Leuthner, Beirut, Amann Geb.) und Mesopotamien (Ninive ges. v. J. Pfeiffer).

Dalla Torre gibt als Verbreitungsgebiet von *X. violacea* »Eur. centr. mer., Afr. bor., As. centr.« an.

Friese sagt in den Bienen Europas von der Verbreitung von *X. violacea*: «In ganz Südeuropa, Nordafrika bis nach Zentralasien häufigste Art, in Mitteleuropa nur im Rheintal bis Bonn, im Maintal bis Bamberg, im Lahntal bis Gießen, 1 ♂ von Innsbruck.»

Auffallenderweise fehlen trotz der großen Zahl der Stücke von den verschiedensten Fundorten, die das Museum besitzt, solche aus der sibirischen Subregion vollständig. Auch in der Literatur konnte ich keine näheren Fundortsangaben bezüglich des von Dalla Torre und Friese angegebenen Vorkommens von *X. violacea* in Zentralasien finden. Ich möchte daher das Verbreitungsgebiet von *X. violacea* vorläufig folgendermaßen abgrenzen: In der ganzen mittelländischen Subregion, in der nordeuropäischen in Deutschland nördlich bis Bonn, Bamberg, Gießen, in Österreich nördlich bis Innsbruck und Czeladna (Mähren).

Xylocopa valga Gerst.

Von dieser Art besitzt das Wiener Hofmuseum viele Stücke aus drei Subregionen.

1. Aus der nordeuropäischen Subregion: Stücke aus der näheren und weiteren Umgebung Wiens (Prater u. Kahlenberg ges. v. Kolazy, Bisamberg ges.

---

[1]) Ich folge dem Beispiel Vachals, Frieses u. a. und fasse die von Gribodo neu aufgestellten Gattungen *Xylocopa* s. str. und *Koptorthosoma* als Untergattungen auf.

[2]) Die Anordnung und Gruppierung der paläarktischen Arten erfolgt nach Friese, «Die Bienen Europas», VI. Teil, 1901.

v. Handlirsch, Piesting ges. v. Tschek), Krain (Wippach ges. v. Handlirsch), Ungarn (Mehadia ges. v. Mann, Neusiedl), der Herzegowina (ges. v. Hawelka), Rumänien (Bukarest und Comannïcu ges. v. Montandon) und Rußland (Wolynien 3 ♂!).

2. Aus der mittelländischen Subregion: Stücke aus Tirol (Bozen ges. v. Kohl, St. Pauls ges. v. Schletterer), dem Küstenland (Görz ges. v. Kolazy, Lovrana, Insel Cherso ges. v. Sturany), aus Fiume, Dalmatien (Spalato), Spanien (Gibraltar von der «Novara»-Reise, Madrid ges. v. Dusmet, Granada), Italien (Antonimina in Kalabrien ges. v. Paganetti, Livorno und Korsika ges. v. Mann), Griechenland (Doris ges. v. Oertzen, Parnaß ges. v. Paganetti), Kleinasien (Erdschias ges. v. Penther, Brussa), Transkaukasien (Helenendorf, Kussari, Schach-Dagh 2000—3000 m), aus Syrien (ges. v. Goedl, Amann Geb.), Persien (ges. v. Rogenhofer, Zentralpersien ges. v. Rodler) und Mesopotamien (Ninive ges. v. J. Pfeiffer).

3. Aus der sibirischen Subregion: Stücke aus Uralsk (ges. v. Barte), Buchara (ges. v. Repetek, Tschintschantan Coll. Hauser), Turkestan (Mts. Ghissar Coll. Hauser), Transkaspien (Bala Ischem) und Westsibirien (ges. v. Finsch).

Dalla Torre gibt in seinem Catalogus Hymenopterorum als Verbreitungsgebiet von *X. valga* «Eur. mer., As. occ.» an.

Friese bemerkt in den Bienen Europas bezüglich der Verbreitung von *X. valga* folgendes: «In Südeuropa bis Bozen und Ungarn, nördlich bis Odrau, auch 1 ♂ in russischen Ostseeprovinzen.»

In der Literatur fand ich noch folgende verläßliche Fundortsangaben bezüglich der Verbreitung von *valga* nach dem Osten. Morawitz erwähnt in den «Insecta in itinere Cl. N. Przewalskii in Asia centrali novissime lecta»: *valga* von «Oasis Nia, Oasis Keria, Russisches Gebirge», und in den «Insecta a Cl. G. N. Potanin in China et in Mongolia novissima lecta» dieselbe Art von «Kansu, Jak-ta-sy, Fui-tyn».

Daraus und aus den Fundorten der Stücke des Wiener Hofmuseums ergibt sich folgendes Verbreitungsgebiet: In der ganzen mittelländischen Subregion. In der nordeuropäischen Subregion nördlich bis Wolynien. In der sibirischen Subregion östlich bis China (Kansu), also durch ganz Zentralasien! nördlich bis Uralsk.

Das Vorkommen des einen ♂ in den russischen Ostseeprovinzen bedarf wohl noch einer Aufklärung.

Auffallend ist, daß *valga* viel weiter nach Osten zu gehen scheint als *violacea*. Vielleicht hängt das mit einer stärkeren Anpassung von *valga* an das Leben in Steppenlandschaften zusammen!

Ich habe nicht um ein Unterscheidungsmerkmal zu gewinnen, sondern nur um zu sehen, ob und wieweit nahverwandte Arten von *Xylocopa* sich im Kopulationsapparat voneinander unterscheiden würden, die Kopulationsapparate von *violacea* und *valga* präpariert, was mit leichter Mühe ganz so wie bei *Bombus* möglich ist, und eine ganz überraschend starke Verschiedenheit der beiden Kopulationsapparate konstatieren können.

Ich habe die Kopulationsapparate von *violacea* und *valga* nebeneinander abgebildet (Fig. 1—4) und bediene mich bei der Beschreibung der Nomenklatur, die Schmiedeknecht in den Apidae europaeae für die Teile des Kopulationsapparates von *Bombus* anwendet. Nur möchte ich gleich bemerken, daß bei *Xylocopa* von den stipites getrennte squamae und laciniae nicht vorhanden sind. Das ganze Stück, welches aus dem mit lacinia und squama verschmolzenen stipes besteht, will ich kurz stipes *(st)* nennen. Der cardo *(c)* schließt sich bei *Bombus* unmittelbar an die stipites an, bei *Xylocopa* ist dies nur seitlich der Fall, mitten ist ein großes weichhäutiges Feld zwischen cardo und stipites eingeschaltet. Eine spatha *(sp)* ist bei *Xylocopa* in ähnlicher Ausbildung wie bei *Bombus* vorhanden, ebenso zwei sagittae *(s)*. Diese sind bei *Xylocopa* häufig stark entwickelt und hakenförmig gebogen, bei *Bombus* erscheinen sie dagegen oft viel schwächer ausgebildet.

Beim Vergleich der Kopulationsapparate von *X. violacea* und *X. valga* fällt bei Dorsalansicht vor allem die sehr verschiedene Ausbildung der stipites auf. Diese sind

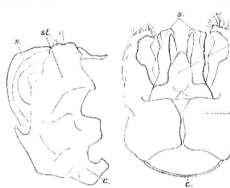

bei *violacea* breiter, enden stumpf und stoßen dorsal in der Mittellinie fast zusammen. Bei *valga* sind sie dagegen nach hinten verschmälert, enden mit zwei stumpfen Fortsätzen und stoßen in der Median-linie nicht zusammen. Der cardo ist bei *violacea* in der Dorsalansicht nicht sichtbar, seine Ausbildung wird in der Seitenansicht deutlich. Bei *valga* ist er dagegen auch in der Dorsal-ansicht zu sehen und in der Seitenansicht anders aus-gebildet. Ein Blick auf die Abbildungen zeigt auch eine große Verschiedenheit in der Ausbildung der spatha und der sagittae bei den beiden Kopulationsapparaten.

Fig. 1. Kopulationsapparat von *Xylocopa violacea* (L.) Latr. ♂ von der Seite.

Fig. 2. Kopulationsapparat von *Xylocopa violacea* (L.) Latr. ♂ von oben.

Xylocopa hottentotta Sm.

Im Besitze des Hofmuseums: 4 ♀, 3 ♂ aus Ägypten (ges. v. Natterer), 2 ♀, 2 ♂ aus Syrien (Totes Meer ges. v. Hauser), 2 ♀ aus Transkaspien (Imam-baba), also aus der sibirischen Subregion! Ein ♂ aus Ägypten ist von Vachal als *fenestrata* F. deter-miniert, gehört aber nach der Bil-dung des Kopulationsapparates un-

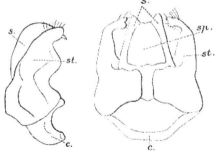

Fig. 3. Kopulations-apparat von *Xylocopa valga* Gerst. ♂ v. d. Seite.

Fig. 4. Kopulationsapparat von *Xylocopa valga* Gerst. ♂ von oben.

zweifelhaft zu *hottentotta*. Der Kopulationsapparat ist das beste und vielleicht einzig sichere Unterscheidungsmerkmal zwischen den ♂ von *fenestrata* und *hottentotta*; ich gebe Abbildungen beider Kopulationsapparate in Fig. 5 und 6. Auf die Unterscheidung der ♀ komme ich bei Besprechung der afrikanischen Arten zurück.

Xylocopa fenestrata Fabr.

Das Museum besitzt von dieser bisher nur aus der orientalischen Region be-kannten Art 1 ♂ aus Mesopotamien (Assur ges. auf der Mesopotamien-Expedition des Vereins zur naturw. Erforschung des Orients 1910 von Pietschmann). Die Vermutung, die Friese in den Bienen Europas VI, p. 209, ausgesprochen hat, daß sich diese Art noch im paläarktischen Gebiet finden würde, hat sich somit bestätigt.

Xylocopa cyanescens Brull.

Von dieser in der mittelländischen Subregion nach *violacea* und *valga* häufigsten Art besitzt das Wiener Hofmuseum zahlreiche Stücke aus zwei Subregionen.

1. Aus der mitelländischen Subregion: Stücke aus dem Küstenland (Haidenschaft ges. v. Kolazy), aus Frankreich (Marseille), Italien (Antonimina in Kalabrien u. Aspromonte u. Manfredonia in Apulien ges. v. Paganetti, Sizilien u. Korsika ges. v. Mann), Griechenland (Olympia ges. v. Schmiedeknecht, Attika ges. v. Krüper, Korfu ges. v. Paganetti u. Erber, Syra ges. v. Frauenfeld u. Mann), Kleinasien (Brussa ges. v. Mann), Transkaukasien (Murut, Helenendorf und Derbent), aus Syrien (Beirut, Ladiktije ges. v. Leuthner) und Nordafrika (Oran u. Tunis ges. v. Schmiedeknecht, Lambese in Algier ges. v. Handlirsch).

2. Aus der sibirischen Subregion: Stücke aus Turkestan (Mts. Ghissar Coll. Hauser), Ost-Buchara (Tschintschantan Coll. Hauser) und Afghanistan (Sefid-Kuh).

Auch diese Art geht weiter nach Osten als Friese in den Bienen Europas angibt. Unser östlichster Fundort ist Sefid-Kuh in Afghanistan, ich vermute aber, daß die Art noch weiter nach Osten verbreitet ist. In Europa geht die Art nicht über die mittelländische Subregion nach Norden, wodurch sich ihr Verbreitungsgebiet wesentlich von dem der *valga* unterscheidet.

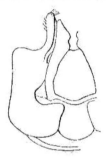

Xylocopa rogenhoferi Friese.
Die Type dieser Art, ein ♀ aus Persien ges. v. Rogenhofer, ist im Besitze des Hofmuseums.

Fig. 5. Kopulationsapparat von *Xylocopa hottentotta* Sm. ♂ von oben.

Fig. 6. Kopulationsapparat von *Xylocopa fenestrata* Fabr. ♂ von oben.

II. Gruppe *dissimilis*.

Xylocopa auripennis Lep.
Im Besitz des Hofmuseums von Stücken aus der paläarktischen Region 1 ♀ aus China (Shanghai) und 1 ♀ aus Japan (?).

In der Bestimmungstabelle von Friese (Bienen Europas VI) kommt diese Art in beiden Geschlechtern neben *dissimilis* zu stehen. Über die Unterscheidung von dieser Art vergleiche man bei der Besprechung der orientalischen Stücke von *auripennis* (p. 285).

Xylocopa attenuata Pérez (früher pictifrons Sm.).
Im Besitz des Hofmuseums 1 ♀, 2 ♂ aus Shanghai (ges. v. Scherzer).

Näheres über diese Art und ihren neuen Namen vergleiche bei *attenuata* unter den Arten der orientalischen Region (p. 287).

Friese bemerkt bei *pictifrons* Sm. (Bienen Europas VI, 1901, p. 232, nr. 34): «Ist vielleicht der *splendidipennis* Rits. sehr ähnlich.» Diese Vermutung ist irrig, *splen-*

didipennis Rits. ist nach der Beschreibung eine *Koptorthosoma, pictifrons* Sm. eine *Xylocopa* s. str.

Attenuata Pér. ist nächstverwandt *auripennis* Lep., gehört demnach wie diese Art in die *dissimilis*-Gruppe.

Das ♀ würde in der Bestimmungstabelle Frieses (Bienen Europas VI, 1901) unter Punkt 2 rangieren neben dem Hinweis auf Punkt 3 und *rogenhoferi* mit der Differenzialdiagnose: «Vorderflügel nicht gleichmäßig schwarzblau, sondern Basalhälfte hyalin, Spitzenhälfte mäßig gebräunt, Glanz auf der Basalhälfte grüngolden, auf der Spitzenhälfte mehr rotgolden.»

Das ♂ von *attenuata* Pér. (= *pictifrons* Bingham nec Smith) kommt neben *dissimilis* Lep. ♂ zu stehen, von welchem es sich durch meist geringere Größe und eine ähnliche Flügelfärbung wie beim *attenuata-*♀ unterscheidet.

III. Gruppe *amedei.*

Xylocopa rufipes Sm.

Das Wiener Hofmuseum besitzt von dieser Art, die Friese bei Abfassung seiner Bienen Europas nicht vorgelegen ist, 23 ♀, leider ohne Fundort mit Coll. Felder bezettelt. Nach anderen ebenfalls mit Coll. Felder bezettelten Stücken zu schließen, die sicher aus China stammen, dürften auch diese Tiere von dem für sie von Smith angegebenen Fundort, Nordchina, herrühren.

Ich gebe eine ausführliche Beschreibung:

Integument: Schwarz, Fühler unten vom vierten Glied an umbrabraun. Hinterränder der Rückensegmente sehr schmal, der Bauchsegmente in ziemlicher Ausdehnung, Unterseite der Schenkel, Tibien und Tarsen pechrot. Flügel bräunlich subhyalin. Am Vorderflügel die Radialzelle stärker gebräunt, ebenso der Flügelsaum. An den Hinterflügeln ist die Bräunung des Saumes schwächer. Der Glanz der Flügel ist schwach, an den hyalinen Teilen messingartig, an den gebräunten kupferig.

Behaarung: Der Kopf ist braunschwarz behaart, und zwar ist die Behaarung des Gesichtes kurz und spärlich, nur in den Fühlergruben dichter, die der Schläfen an der unteren Hälfte lang und bärtig. Der Thorax ist oben schmutzig gelblichweiß, im allgemeinen spärlich behaart. Die Mitte des Mesonotums und der vordere Teil des Scutellums sind unbehaart. Das Postscutellum ist etwas dichter behaart. Das Mittelsegment ist mitten fast kahl, an den Seiten behaart. Die Mesopleuren sind in ihrer ganzen Ausdehnung dicht schmutzig gelblichweiß, die Unterseite des Thorax ist ziemlich dicht und lang kastanienbraun behaart. An den Beinen sind die Schenkel spärlich dunkelrot, die Schienen dicht heller rot, die Hinterschienen unter der Kniescheibe außen hell rotgelb, die Vorder- und Mitteltarsen rot, die Hintertarsen innen rot, außen rotgelb behaart. Das Abdomen ist oben auf dem ersten Segment an den Seiten lang und abstehend, mitten und auf dem ganzen zweiten Segment kurz und anliegend lichtgelb behaart. Die Behaarung ist nur mäßig dicht, so zwar, daß überall das Tegument gut sichtbar ist. Das dritte bis fünfte Segment ist mit Ausnahme des Hinterrandes kurz und anliegend schwärzlich behaart. Auf den Hinterrändern des dritten und vierten Segmentes finden sich vereinzelte helle Haare eingestreut. Der Hinterrand des fünften Segmentes und das ganze sechste Segment mit Ausnahme des Pygidialfeldes sind dicht und lang rotgelb behaart. Das ganze Abdomen ist umsäumt von nach hinten an Länge zunehmenden gelben bis gelbroten Haaren. Das Pygidialfeld ist sehr kurz und spärlich gelbrot behaart. Die

Unterseite des Abdomens ist ziemlich lang spärlich rotgelb, an den Hinterrändern der Segmente dichter und bindenartig behaart.

Plastische Merkmale: Am Kopf (Taf. III, Fig. 1): Das ganze Gesicht ist ungefähr quadratisch, d. h. die Höhe der Seitenaugen ist ungefähr so groß wie der geringste obere und untere Abstand derselben voneinander. Der Abstand der oberen Ocellen voneinander ist $^2/_3$ des Abstandes eines oberen Ocells von einem Seitenauge und gleich der Höhe des Scheitels über den Seitenaugen oder gleich der Länge des 3. + 4. Geißelgliedes. Die Ocellen stehen so hoch, daß die oberen Ocellen eine über das obere Ende der Seitenaugen gelegt gedachte Linie fast berühren würden. Die Wangen sind relativ groß. Das zweite Geißelglied ist so lang wie das 3. + 4. + 5. Geißelglied zusammen.

Das Gesicht ist dicht punktiert (d. h. die Punktzwischenräume sind durchschnittlich kleiner als ein Punktdurchmesser), matt, nur der untere Rand des Clypeus in ziemlicher Ausdehnung und die Seitenränder desselben sind glatt und glänzend. Der untere Rand des Clypeus ist fast gerade, in der Mitte und an den Ecken ein wenig aufgebogen. Die Seitenränder sind gegen den oberen Rand zu etwas vertieft und setzen sich in zwei stärker vertiefte Linien bis zu den Fühlerinsertionen fort. Der obere Rand des Clypeus ist gerade. Vom unteren Ocell zieht ein sanft aufsteigender Kiel bis zwischen die Fühlereinlenkungsstellen, wo er seine höchste Höhe als Frontaltuberkel erreicht. Dieser fällt gegen den oberen Rand des Clypeus zu nicht abrupt, sondern sanft ab. Infolgedessen hat die Frontaltuberkel nicht die Form einer Nase, sondern eines flachen schiefen Kegels. Bis zu seiner höchsten Erhebung zwischen den Fühlereinlenkungsstellen wird der Kiel von einer schmalen Rinne durchzogen, die mit etwas breiterer Basis aus einem das unpaare Ocell umgebenden Ringkanal entspringt. An die oberen Ocellen schließt sich jederseits eine seicht vertiefte, schräg nach außen verlaufende, unpunktierte Stelle, etwa von der Größe eines Ocells, an. Der Scheitel ist mitten dicht, gegen die Seiten hin immer spärlicher punktiert. Die Schläfen sind sehr spärlich, die Wangen gar nicht punktiert und glänzend. Auf der Oberlippe findet sich eine Erhebung. Am Thorax: Die hinteren $^2/_3$ des Mesonotums und fast das ganze Scutellum sind mitten glatt und glänzend. Von dieser Stelle an nimmt die Punktierung nach allen Seiten allmählich an Dichte zu. Das Mittelsegment ist spärlich und undeutlich punktiert, aber die Zwischenräume zwischen den Punkten sind matt. In der Mitte des Mittelsegmentes findet sich eine breite Furche. An den Beinen: Die Kniescheibe der Hintertibien reicht bis zur Mitte der Tibia und endet mit zwei Lappen. Der vordere Lappen ist länger als der nur schwach ausgeprägte hintere; beide sind abgerundet. Am Abdomen: Die Vorderwand des ersten Abdominalsegmentes ist im Profil oben abgerundet. Das ganze Abdomen ist oben ziemlich gleichmäßig, an den Seiten nur wenig dichter als in der Mitte und mäßig dicht (d. h. die Punktzwischenräume sind durchschnittlich einem Punktdurchmesser gleich) punktiert. Die Punkte sind von hinten nach vorne gestochen, oval bis keilförmig. Das Pygidialfeld ist äußerst fein und sehr zerstreut punktiert. Die Unterseite des Abdomens ist mitten sehr schwach, nur am letzten Segment etwas deutlicher gekielt.

Körperlänge 19—22 mm, Vorderflügellänge 15 mm.

Diese Art kommt in der Frieseschen Bestimmungstabelle für die ♀ (Bienen Europas VI) neben «24. prʒewalskyi Mor. Tibet» zu stehen als «19. rufipes Sm. Nordchina». Sie unterscheidet sich von prʒewalskyi durch die Körpergröße von 19—22 mm, durch die helle gelbe bis rotgelbe Umsäumung des Abdomens (bei prʒewalskyi ist der Haarsaum dunkelbraun) und durch die dichtere Punktierung der Rückensegmente (bei prʒewalskyi sind dieselben fast unpunktiert und glänzend).

IV. Gruppe *cantabrita*.

Xylocopa cantabrita Lep.

Das Wiener Hofmuseum besitzt von dieser seltenen Art 1 ♀ aus Granja ges. v. Mercet, 1 ♀ u. 1 ♂ aus Chamartin (?) ges. v. P. Navás und 1 ♂ aus Madrid, das Friese bei Abfassung seiner ausführlichen Beschreibung in den Bienen Europas vorgelegen.

Xylocopa olivieri Lep.

Von dieser Art besitzt das Hofmuseum zahlreiche Arten aus drei paläarktischen Subregionen.

1. Aus der nordeuropäischen Subregion: 1 ♀ aus Mehadia (ges. v. Mann) und 2 ♀ aus Südrußland (Sarepta ges. v. Becker).

2. Aus der mitteliändischen Subregion: Viele Stücke aus Griechenland (Athen, Olympia ges. v. Schmiedeknecht, Argolis ges. v. Natterer, Insel Tinos ges. v. Erber), Rhodos, Konstantinopel (ges. v. Frauenfeld), Kleinasien (Brussa u. Amasia ges. v. Mann), Kaukasien (Araxestal ges. v. Reitter), Syrien (ges. v. Gödl, Erber, Lâdikije ges. v. Leuthner) und Mesopotamien (Ninive ges. v. J. Pfeiffer).

3. Aus der sibirischen Subregion: Viele Stücke aus Buchara (Tschintschantan u. Mts. Karateghin bei Sary-pul 1482 m ges. v. Hauser).

Von der var. *rufa* Friese (Bienen Europas VI, p. 221) besitzt das Museum ein Originalexemplar von Friese, nämlich 1 ♀ aus Turkestan (Sarrachs), ferner 4 ♀ aus Transkaspien (Gr. Balchan), 1 ♀ aus Turkestan (Mts. Ghissar ges. v. Hauser), 1 ♀ aus Buchara (Mts. Karateghin 924 m bei Baldschuan ges. v. Hauser).

Endlich besitzt das Museum noch ein Stück, 1 ♂ aus Turkestan (Baigakum bei Djulek ges. v. S. Malischew), das von Wollmann als *olivieri* var. *fasciata* Ev. bezettelt ist. Ich konnte in der Literatur keine solche Varietät beschrieben finden, vermute daher, daß es sich um einen in litteris Namen handelt. Die fragliche Varietät ist von der Stammform hauptsächlich durch breitere und dichtere Binden verschieden. Das erste und zweite Abdominalsegment ist wie bei der var. *rufa* oben rot gefärbt, die übrigen sind wie bei der Stammform schwarz. Beine und Fühler zeichnen sich durch eine sehr helle Färbung aus. Ebenso erscheint die Farbe der Behaarung durchwegs heller als bei der Stammform, aber nicht rotgelb wie bei der var. *rufa*, sondern hell schmutziggelb bis weiß.

Xylocopa przewalskyi Mor.

Von dieser seltenen Art besitzt das Museum ein typisches Stück von Morawitz, 1 ♂ aus dem Keria Geb., ferner 1 ♀ und 1 ♂ aus Turkestan (Sarachs) von Friese determiniert.

Xylocopa punctilabris Mor.

Von dieser Art, die Friese bei Abfassung seiner Bienen Europas nicht vorgelegen, besitzt das Museum ein leider ziemlich ramponiertes ♂ aus Persia orient. (ges. v. Rogenhofer 1884). Morawitz hat das Tier ausführlich genug beschrieben, so daß ich mich begnüge, seinen Platz in der Frieseschen Bestimmungstabelle für die ♂ (Bienen Europas VI) anzugeben. Sie kommt neben «11. *amethystina* Fabr. India» als «25. *punctilabris* Mor. Persia, Turkestan» zu stehen und unterscheidet sich von der *cyanescens* Brull. durch das schwarze Abdomen, von der *amethystina* Friese durch die nicht verdickten Schenkel, von der *amethystina* Grib. ebenfalls durch das schwarze (nicht blaue) Abdomen, von beiden Arten überdies durch nicht schwarzbraune, sondern ausgesprochen braune Behaarung. Auf die *amethystina* Fabr. und *amethystina* Gribodo komme ich noch bei der Besprechung der indischen Xylocopen zurück.

B. Koptorthosoma Grib.[1]) (Subgenus).

V. Gruppe *leucothorax* (früher *aestuans*).

Xylocopa leucothorax Deg. (= aestuans aut. p. p.).

1773. *Apis leucothorax* Degeer, Mém. hist. Ins. III, p. 573, Taf. 28, Fig. 7.

Im Besitz des Hofmuseums: Zahlreiche ♀ und ♂ aus Ägypten (ges. v. Natterer, Kairo, Adelen-Insel, Suez ges. v. Mayer, Biskel el Kursen ges. v. Werner, Luxor ges. v. Fischer, Luxor u. Elephantine u. Kitschener Insel u. Fayum ges. v. Reimoser), ferner Stücke aus Syrien (Totes Meer ges. v. Hauser).

J. Pérez hat in «Contribution à l'étude des Xylocopes» (Act. Soc. Linn. Bordeaux, Vol. LVI, 1910, p. 1—128) die *X. aestuans* aut. aufgelöst in *X. aestuans* und *X. confusa*. Die Auflösung an und für sich scheint mir berechtigt. Aber Pérez benennt die eine, und zwar die indische Form neu als *confusa* und beläßt der afrikanischen den alten Namen *aestuans* L. Welche Form aber Linné vor sich gehabt hat, ob die afrikanische oder die indische oder gar beide, läßt sich wenigstens aus der Beschreibung nicht nachweisen, denn Linné bemerkt nur «habitat in regionibus calidis» (Syst. nat., ed. 10ª, I, p. 579, nr. 37). Daher kann die afrikanische Form nicht den Namen *aestuans* L. führen, bis nicht nachgewiesen ist, daß Linné wirklich die afrikanische Form vor sich gehabt hat.

Kann aber nicht nachgewiesen werden, welche Form Linné vor sich gehabt hat, so muß die afrikanische Art den Namen *Xylocopa leucothorax* Degeer führen, denn Degeer stellt seine *leucothorax* als synonym zu *aestuans* L. und hat sicher die afrikanische Art vor sich gehabt, denn er bemerkt (Degeer, Abh. Gesch. Ins., 1780, p. 370) «nach Réaumurs Bericht aus Ägypten».

Pérez konnte nicht sagen, ob Stücke aus Palästina zu der afrikanischen oder indischen Art gehören, weil ihm keine solche vorlagen. Ich kann feststellen, daß die mir vorliegenden Stücke vom Toten Meer mit den afrikanischen Stücken übereinstimmen, also zu *leucothorax* Deg. gehören.

Xylocopa circumvolans Sm.

Von dieser Art besitzt das Wiener Hofmuseum 1 ♀ und 1 ♂ von der Weltreise Sr. kais. Hoheit Erzherzog Franz Ferdinand, ferner 4 ♀ und ♂ aus Japan (Tokio von Friese, Kioto ges. v. Roretz, ohne nähere Fundortsangabe ges. v. Roretz u. Seebald).

Über den (Fig. 7) abgebildeten Kopulationsapparat dieser Art und den Vergleich desselben mit dem Kopulationsapparat von *appendiculata* Sm. (Fig. 8) vergleiche man bei letztgenannter Art (p. 262).

---

[1]) Ich glaube die Formen mit im Profil gekantetem Scutellum und ersten Abdominalsegment mit diesem Namen und nicht mit *Mesotrichia* Westw. benennen zu müssen, weil Westwood die Gattung *Mesotrichia* auf ein ganz anderes Merkmal, nämlich auf die eigentümliche Form der Beine von *Mesotrichia torrida* Westw. ♂ begründet hat. Eine ähnliche Beinform kommt aber nur einigen Arten innerhalb der Gattung *Koptorthosoma* zu. *Mesotrichia* wäre also höchstens als Name für eine Untergruppe innerhalb der Gruppe *Koptorthosoma* zu gebrauchen.

Xylocopa appendiculata Sm.

Von dieser Art besitzt das Museum eine größere Anzahl von Stücken aus China (ges. v. Haas, Shanghai), 1 ♀ bezettelt mit Coll. Felder und 1 ♂ ohne Fundortsangabe (ges. v. Dupont).

Smith hat bei Beschreibung dieser Art in «Monograph of the Genus Xylopa Latr.» (Trans. Entom. Soc. London, 1874, p. 272) die Vermutung ausgesprochen, daß appendiculata vielleicht nur eine Varietät von circumvolans Sm. sei. Ich habe mir über das Verwandtschaftsverhältnis der beiden Arten durch Präparation der Kopulationsapparate Klarheit zu verschaffen versucht und wenngleich kleine, so doch sehr merkliche Unterschiede gefunden. Ich gebe statt einer langatmigen Beschreibung Abbildungen der Kopulationsapparate (Fig. 7 und 8). Man beachte besonders die verschiedene Ausbildung der Spitzen der stipites (st) und der Basis der spatha (sp), ferner die verschiedene Entfernung der beiden sagittae (s) voneinander. Ich sehe auf Grund dieser Verschiedenheiten appendiculata Sm. und circumvolans Sm. als zwar nahverwandte, aber gute Arten an.

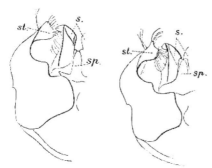

Fig. 7. Xylocopa circumvolans Sm. ♂ von oben.

Fig. 8. Xylocopa appendiculata Sm. ♂ von oben.

Xylocopa sinensis Sm.

Von dieser Art, die Friese bei Abfassung seiner Bienen Europas nicht vorgelegen, besitzt das Museum 2 ♀ aus China 1889.

Ich gebe eine ausführliche Beschreibung:

Integument: Schwarz, Unterseite der Fühler vom vierten Glied an ockergelb, Hinterränder der Rückensegmente sehr schmal, der Bauchsegmente in ziemlicher Ausdehnung, Unterseite der Beine und die Tarsen pechrot. Flügel bräunlich subhyalin. Am Vorderflügel die Radialzelle und die Cubitalzellen sowie der Flügelsaum außerhalb der geschlossenen Zellen stärker gebräunt. Am Hinterflügel ist die Bräunung des Saumes weniger stark. Der Glanz der Flügel ist schwach, an den subhyalinen Teilen messingartig, an den gebräunten kupferig mit leichtem, violetten Schimmer.

Behaarung: Gesicht braun, Scheitel hinten und obere Hälfte der Schläfen dicht und lang abstehend ockergelb, untere Hälfte der Schläfen braun behaart. Der Thorax ist oben und an den Seiten dicht ockergelb behaart. Die Glatze ist auf die Mitte des Mesonotums beschränkt und relativ klein, sie nimmt weniger als $\frac{1}{3}$ der Thoraxbreite ein. Das Mittelsegment ist in der Mitte nur kurz und spärlich behaart. Die Trochanteren und Schenkel sind unten spärlich rotbraun, die Tibien und Tarsen sind innen rot, außen rotgelb behaart. Das Abdomen ist oben am ersten Segment mitten spärlich, seitlich dichter und ziemlich lang abstehend ockergelb behaart. Die übrigen Segmente sind oben spärlich und kurz schwarzbraun behaart. Das ganze Abdomen ist umsäumt von am ersten bis dritten Segment ockergelben, am vierten bis sechsten Segment schwarzbraunen Haaren. An der äußersten Spitze des sechsten Segmentes sind die

Haare rot. Das Pygidialfeld ist fast unbehaart. Die Unterseite des Abdomens ist spärlich gegen die Hinterränder der Segmente zu etwas dichter rotbraun behaart. Plastische Merkmale: Am Kopf (Taf. III, Fig. 2): Das ganze Gesicht ist quer, d. h. die Höhe der Seitenaugen ist geringer als der geringste obere und untere Abstand derselben voneinander. Der Abstand der oberen Ocellen voneinander ist $^1/_2$ des Abstandes eines oberen Ocells vom Seitenauge und gleich $^2/_3$ der Scheitelhöhe über den Seitenaugen. Die Ocellen stehen so tief, daß die oberen Ocellen eine über das obere Ende der Seitenaugen gelegt gedachte Linie nicht berühren, sondern um zirka zwei Ocellendurchmesser von ihr abstehen würden. Die Wangen sind wie gewöhnlich bei den Xylocopen sehr kurz. Das zweite Geißelglied ist so lang wie das 3. + 4. + 5. Geißelglied zusammen. Das Gesicht ist grob und dicht punktiert. Der untere Rand des Clypeus in ziemlicher Ausdehnung, die Seitenränder, der obere Rand ziemlich schmal und eine etwas erhabene Mittellinie sind glatt und glänzend. Der untere Rand des Clypeus ist fast gerade, der obere gerade und so lang wie das 3. + 4. + 5. Geißelglied zusammen. Die Seitenränder des Clypeus setzen sich in zwei vertiefte Linien bis zu den Fühlerinsertionsgruben fort. Vom unteren Ocell zieht ein sehr schwach und sanft aufsteigender Kiel bis zwischen die Fühlerinsertionen, wo er als äußerst flacher Frontaltuberkel seine höchste Höhe erreicht und nach allen Seiten allmählich abfällt; diese hat also die Form eines sehr flachen Kegels. Der Kiel wird durchzogen von einer schmalen Rinne, die aus einem das untere Ocell umgebenden Ringkanal entspringt. Hinter jedem hinteren Ocell findet sich eine schwach vertiefte, teilweise unpunktierte Stelle. Scheitel und Schläfen sind sonst grob und ziemlich gleichmäßig spärlich punktiert. Auf der Oberlippe findet sich eine Erhebung. Am Thorax: Das Scutellum ist im Profil scharf gekantet, das Tier ist also eine Koptorthosoma. Der ganze Thorax mit Ausnahme der Glatze des Mesonotums und der Unterseite des Scutellums ist dicht punktiert. Am Mittelsegment finden sich einige weniger dicht punktierte glänzende Stellen. In der Mitte des Mittelsegmentes verläuft ein starker von einer schmalen Furche durchzogener Kiel. Infolge des bogenförmigen Verlaufes dieses Mittelkieles erscheint der Hinterrand des Thorax von der Seite gesehen bucklig. An den Beinen: Die Kniescheibe reicht bis zur Mitte der Tibia und endet mit zwei Lappen. Der vordere Lappen ist länger als der Hinterlappen; beide sind schmal abgerundet. Am Abdomen: Die Vorderwand des ersten Abdominalsegmentes ist oben gekantet. Das ganze Abdomen ist oben mit Ausnahme der pechroten Hinterränder der Segmente ziemlich gleichmäßig, mäßig dicht punktiert. Auf den beiden letzten Abdominalsegmenten ist die Punktierung feiner und dichter. Die Punkte sind von hinten nach vorne gestochen, keilförmig. Das Pygidialfeld weicht in der Skulptur wenig von den übrigen Teilen des sechsten Abdominalsegmentes ab. Die Unterseite der Segmente ist an der Basis eines jeden Segmentes spärlich, gegen den Hinterrand zu allmählich dichter punktiert, die Hinterränder selbst sind in ziemlicher Ausdehnung unpunktiert. Der Mittelkiel der Unterseite ist schwach, aber an allen Segmenten deutlich, am letzten wie gewöhnlich am meisten ausgeprägt.

Körperlänge 23—25 mm, Vorderflügellänge 21—23 mm.

In der Frieseschen Bestimmungstabelle für die ♀ (Bienen Europas VI) kommt die Art neben «33. appendiculata Sm. N.-China» als «35. sinensis Sm. China» zu stehen. Sie unterscheidet sich von jener durch die Körpergröße von 23—25 mm (appendic. mißt nur 19—21 mm), durch die ockergelbe Farbe der Behaarung (appendic. hat mehr schwefelgelbe) und durch die rote bis rotgelbe Behaarung der Beine (appendic. hat im allgemeinen an den Beinen außen dunkelbraune Behaarung mit einer ± großen Anzahl eingemengter gelber Haare auf der Vordertibia).

Anhang.

Xylocopa brasilianorum L.

In der Sammlung des Museums fand ich ein *Xylocopa-*♀ mit «Japan ges. v. Neustadl» bezettelt, welches ich nach Vergleich mit zahlreichen Stücken von *brasilianorum* L. von Südamerika zu dieser Art stellen muß. Eine falsche Bezettelung ist bei diesem Tier kaum anzunehmen. Eher vermute ich eine Einschleppung dieser Art mit Holz nach Japan, wie eine solche derselben Art nach den Hawai-Inseln stattgefunden haben soll.

II. Arten der äthiopischen Region.

A. Xylocopa s. str. (Subgenus).

I. Gruppe *tarsata*.[1])

Xylocopa tarsata Sm.

Im Besitz des Hofmuseums: 5 ♀, 1 ♂ aus Deutsch-Ostafrika (Kigonsera ges. v. Ertl).

Gehört zu einer Reihe von Arten, die sich alle durch ein Behaarungsmerkmal auszeichnen. Die ♀ sind nämlich schwarz behaart bis auf die Hinterbeine und manchmal auch die Mittelbeine, welche eine ± ausgedehnte rotgelbe bis rote Behaarung aufweisen. Die ♂ zeigen dasselbe Merkmal, nur fällt es hier wegen der auch sonst teilweise hellen Behaarung nicht so auf wie bei den sonst durchaus tief schwarz behaarten ♀. Die helle Behaarung an den Beinen ist bei den verschiedenen Arten, aber auch oft bei verschiedenen Individuen derselben Art sehr verschieden ausgedehnt. Bei den typischen Exemplaren von *tarsata* ♀ sind die Vorder- und an der Basis auch die Außenseite der Hintermetatarsen und die Vorderseite der Hintertibienspitzen licht rotgelb behaart. Diese typische Behaarung zeigt nur ein einziges von den oben angeführten fünf ♀ aus Kigonsera. Bei den übrigen vier sind auch die Mittelmetatarsen ± ausgedehnt rotgelb behaart und die helle Behaarung der Hintermetatarsen ist auf der ganzen Hinter- und Außenseite derselben vorhanden, so daß nur ein schmaler Streif an der Innenseite der Hintermetatarsen dunkel behaart erscheint. Nur an den Vordermetatarsen scheint die helle Behaarung immer zu fehlen. Da Individuen, die sich durch die noch zu besprechenden plastischen Merkmale als sicher zu einer Art gehörig erweisen, solche Differenzen in der Ausdehnung der hellen Behaarung aufweisen, kann dieses Merkmal nicht zur Unterscheidung verwandter Arten benützt werden, wie es Vachal in seiner Bestimmungstabelle im «Essai d'une révision . . . . du genre *Xylocopa* Latr.» (in Misc. Entom., Vol. VII, 1899, Narbonne) versucht hat.

Man muß also nach anderen Merkmalen suchen, um *tarsata* von den verwandten unterscheiden zu können und wird solche unschwer in der Bildung des Gesichtes, des Stirnkieles, der Querkiele unter den oberen Ocellen und der Clypeusränder finden.

Ich kann solche Merkmale nur von einer kleinen Zahl der verwandten Arten angeben, nämlich nur von denen, die mir hier vorliegen. Den Rest der verwandten Arten auf diese Merkmale hin durchzuprüfen, muß Aufgabe des Monographen sein.

---

[1]) Die Anordnung und Gruppierung der äthiopischen Arten erfolgt mit einigen Änderungen nach Friese, «Die Bienen Afrikas, 1909».

Tarsata und die mir vorliegenden ۹ der verwandten Arten, *gaullei, tuberculiceps* und *cornigera*, haben folgende plastische Merkmale gemeinsam (vgl. Taf. III, Fig. 3—6): Einen wohl ausgebildeten Stirnkiel. Die Entfernung der hinteren Ocellen voneinander ist annähernd gleich der Entfernung eines hinteren Ocells von dem Seitenauge derselben Seite. Unter den hinteren Ocellen finden sich ± ausgeprägte Querkiele. An den Clypeus-seitenrändern dort, wo sie aus dem Verlauf nach unten zu umbiegen in einen mehr seitlich gerichteten, zwei ebenfalls ± ausgeprägte Erhebungen. Von den oberen Clypeus-ecken gehen vertiefte Linien zu den Fühlerinsertionen. Endlich finden sich immer drei Erhebungen auf der Oberlippe und ein zweites Geißel-glied, welches so lang oder wie bei *tarsata* fast so lang ist wie das 3. + 4. + 5. zusammengenommen.

Fig. 9. *Xylocopa tarsata* Sm. ♂ von oben.

♀. *Tarsata* ♀ unterscheidet sich von *gaullei, tuberculiceps* und *cornigera* durch folgende Merkmale (vgl. Taf. III, Fig. 3): Das ganze Gesicht ist lang rechteckig, d. h. die Höhe der Seitenaugen ist größer als ihr geringster oberer und unterer Abstand voneinander, und zwar ist sie so groß wie der größte Abstand der Seitenaugen voneinander in der Mitte des Gesichtes. Der Stirnkiel beginnt am unteren Ocell und steigt sanft bis zwischen die Fühlereinlenkungsgruben auf, wo er als Frontaltuberkel seine größte Höhe erreicht. Seine Profillinie ist fast gerade, sein First ein wenig abgeflacht und glänzend und von einer feinen Furche durchzogen, die aus dem das unpaare Ocell umgebenden Ring-kanal entspringt. Der Abfall nach unten ist ziemlich steil und wie das übrige Stirn-schildchen größtenteils dicht punktiert, höchstens in der Mitte infolge sparsamerer Punktierung ein wenig glänzend. Der obere Rand des Clypeus ist so lang wie der Ab-stand einer Clypeusecke von dem Seitenauge derselben Seite. Die Erhebungen an den Seitenrändern haben die Form schwach ausgeprägter Tuberkel. Der untere Clypeus-rand trägt in der Mitte einen kleinen kielförmigen Höcker. Die Wangen sind schmal.

♂. Von dem mutmaßlichen ♂ bilde ich als bestes Unterscheidungsmerkmal den Kopulationsapparat (Fig. 9) ab.

Xylocopa gaullei Vach.

X. gaullei Vachal, Ann. Soc. Ent. France, LXVII. 1898, p. 97, ♂.
X. gaullei Vachal, Misc. ent. VII. 1899, p. 11, ♀.

Im Besitz des Hofmuseums: 8 ♀, 3 ♂ aus Ostafrika (Usambara, Kukoba, Tan-ganika-See, Usumbura und Südende des Albert-Edward-Sees, Urwald hinter dem Rand-berg des N. W. Tanganika-Sees 2200 m, alle ges. v. Grauer).

♀. Diese Art steht *tarsata* am nächsten, sie unterscheidet sich von dieser und den anderen untersuchten verwandten Arten *(tuberculiceps* und *cornigera)* durch folgende plastische Merkmale (vgl. Taf. III, Fig. 4): Das Gesicht hat die Form eines umgekehrten Trapezes, d. h. der geringste obere Abstand der Seitenaugen ist größer als der geringste untere Abstand. Die inneren Augenränder konvergieren also nach unten zu. Der obere Abstand ist übrigens gleich der Höhe der Seitenaugen. Der Stirnkiel steigt sanft bis zwischen die Fühlerinsertionen an. Er ist aber vom unteren Ocell durch eine kleine Kluft getrennt. Die Abflachung oben ist ziemlich breit und glänzend. Die Furche ist meist nur in Resten vorhanden, ein solcher Rest ist die immer deutlich sichtbare punkt-förmige Vertiefung in der Mitte des Kieles. Der Abfall der Frontaltuberkel nach unten zu ist ziemlich steil, die Frontaltuberkel also nasenförmig. Der Abfall sowohl wie das übrige Stirnschildchen sind in Form eines Dreieckes unpunktiert und auffallend glänzend. Die Querkiele unter den oberen Ocellen entsenden Fortsetzungen gegen die Fühler-

Annalen des k. k. naturhistorischen Hofmuseums, Bd. XXVI, Heft 3 u. 4, 1912. 18

insertionen zu (ob immer?). Der obere Rand des Clypeus ist so lang wie der Abstand einer Clypeusecke vom Seitenauge. Die Erhebungen an den Clypeusseitenrändern sind

gut ausgeprägt und haben die Form ovaler Tuberkel. Der untere Rand des Clypeus trägt wie bei *tarsata* und der nächsten Art *(tuberculiceps)* einen rundlichen Höcker.

Diese Art ist in der Frieseschen Bestimmungstabelle für die ♀ (in den «Bien. Afr.») nicht enthalten, sie kommt neben *tarsata* und *tuberculiceps* zu stehen.

♂. Das ♂ läßt sich wohl am besten am Kopulationsapparat erkennen, den ich in Fig. 10 abbilde.

Xylocopa tuberculiceps Rits.

Fig. 10. *Xylocopa gaullei* Vach. ♂ von oben.

Im Besitze des Hofmuseums: 2 ♀ aus Südafrika (ges. v. Holub) und 2 ♀ wahrscheinlich irrtümlich mit «India orient. Fichtl» bezettelt.

♀. Diese Art hält, was die Form des Gesichtes anbelangt, die Mitte zwischen *tarsata* und *gaullei*, erscheint aber infolge der stark ausgeprägten Gesichtserhebungen als extremste Form der Gruppe.

♀. Das Gesicht (vgl. Taf. III, Fig. 5) ist auch trapezisch, aber nicht so auffallend wie bei *gaullei*. Die Höhe der Seitenaugen ist gleich dem oberen geringsten Seitenaugenabstand. Der Gesichtskiel ist vom unteren Ocell durch eine breite Kluft getrennt und hat die Form einer oben abgeflachten, langovalen Tuberkel. Die Abflachung ist glänzend und fast ungefurcht. Die aus dem Ringkanal des unteren Ocells entspringende Furche reicht nur, die Kluft durchquerend, bis zum Anstieg dieser Tuberkel, wo sie mit einem tiefen Punkt endet. Der Abfall der Tuberkel nach unten zu ist steil und mitten unpunktiert. Dagegen ist der übrige Teil des Stirnschildchens dicht punktiert. Die Querkiele unter den paarigen Ocellen sind gut ausgeprägt. Von den feinen, den inneren Augenrändern parallel laufenden Kielen (die hier wie bei den verwandten Arten zu finden sind) erstrecken sich flache Erhebungen als Fortsetzungen bis über die paarigen Ocellen (ob immer?). Der obere Rand des Clypeus ist bedeutend kürzer als der Abstand einer Clypeusecke vom Seitenauge. Die Seitenrandtuberkel sind hoch und oben nicht gerundet, sondern kielartig scharf. Der untere Clypeusrand trägt einen hohen runden Höcker in der Mitte.

♂. Das ♂ dieser Art, die vielleicht nichts anderes als eine extreme Form von *gaullei* ist, ist nicht bekannt.

Xylocopa cornigera Friese.

X. cornigera Friese, Bien. Afr. Jenaische Denkschr. Schultze, Forschungsr. in Südafr. II. 1909, p. 222, ♀ ♂.

Im Besitze des Hofmuseums: 3 ♀, 1 ♂ aus Deutsch-Ostafrika (Kigonsera ges. v. Ertl).

♀. Diese Art ist ausgezeichnet durch ein auffallend langes Gesicht (vgl. Taf. III, Fig. 6). Während bei *tarsata*, die ebenfalls ein lang rechteckiges Gesicht hat, die Höhe der Seitenaugen den geringsten Abstand etwa um die Hälfte des Abstandes der oberen Ocellen voneinander übertrifft, beträgt die Differenz hier den ganzen Abstand. Der Stirnkiel beginnt am unteren Ocell, ist von diesem nicht durch eine Kluft, sondern nur durch den gewöhnlichen Ringkanal getrennt, oben abgeflacht und glänzend und meist nur unvollständig gefurcht. In der Mitte befindet sich ein Punkteindruck, an dieser Stelle erscheint der ganze Kiel schwach quereingedrückt. Der Abfall der Frontaltuberkel ist ziemlich sanft, er reicht über das ganze Stirnschildchen bis an den oberen Clypeusrand und ist in der Mitte unpunktiert und äußerst fein quergerunzelt. Die Querkiele unter den paarigen Ocellen sind schwach und klein. Der obere Rand des Clypeus ist bedeutend länger als der Abstand einer Clypeusecke von dem Seitenauge. Die Clypeusseitenrandtuberkel sind kaum wahrnehmbar. Dafür finden sich oberhalb der Stellen, wo bei den anderen Arten die Tuberkel stehen, zwei stärkere Vertiefungen. Der Unterrand des Clypeus ist ganz glatt und unbewehrt.

♂. Das ♂ ist von allen verwandten leicht an dem ganz schwarzen Gesicht zu unterscheiden. Ich bilde auch hier noch den Kopulationsapparat (Fig. 11) ab.

Fig. 11. *Xylocopa cornigera* Friese ♂ von oben.

Xylocopa angolensis Sm.

Im Besitze des Hofmuseums: 1 ♀ vom Sambesi.

Friese trägt in seiner Bestimmungstabelle für die ♀ in den «Bien. Afr.» die Länge für diese Art nicht ein. Sie beträgt bei dem vorliegenden Stück für den Körper 16 mm, für den Vorderflügel 12 mm, das Tier ist also auffallend klein.

Xylocopa bouyssoui Vach.

X. bouyssoui Vachal, Ann. Soc. Ent. France LXVII. 1898, p. 96, ♀ ♂.

Im Besitze des Hofmuseums: Mehrere Stücke aus Ostafrika (2 ♀, 1 ♂ aus dem Urwald bei Moera, 4 ♀ aus dem Urwald Beni, 1 ♀ von Ukaika, 2 ♀ vom Albert-Edward-See, alle ges. v. Grauer), ferner 1 ♂ aus Kamerun mit *Bouyssoui* J. Vachal det. J. Vachal bezettelt.

Friese hat diese Art in seine Bestimmungstabelle (in den «Bien. Afr.») nicht aufgenommen. In der Tabelle für die ♀ kommt sie neben *gribodoi* zu stehen, von welcher sie sich durch den Mangel der graufilzigen Behaarung unterscheidet. Dafür ist das Abdomen mit Ausnahme des ersten Segmentes und der Spitze von langen weißen Haaren umsäumt. In der Bestimmungstabelle für die ♂ kommt die Art neben *lugubris* zu stehen, von welcher sie sich schon durch die Größe unterscheidet, die 17—20 mm beträgt.

Xylocopa steindachneri n. sp. ♀.[1]

Im Besitze des Hofmuseums: 1 ♀ aus Ostafrika (Urwald Mawambi ges. v. Grauer 1910).

Integument: Schwarz, Unterseite der Fühlergeißel vom dritten Geißelglied an, Coxen, Trochanteren und Endglieder der Tarsen ± ausgedehnt pechrot. Ebenso gefärbt sind die Ränder der Abdominaltergite in sehr geringer und die der Abdominalsternite in ziemlicher Ausdehnung. Die Flügel sind dunkelbraun, jedoch nicht in dem Maße undurchsichtig wie etwa die einer *X. violacea*. Die zwei Basaldrittel sind etwas lichter als das Randdrittel. Der Vorderrand der Flügel sowie am Vorderflügel ein Wisch in der dritten Cubitalzelle und ein eben solcher in der zweiten Discoidalzelle sind ebenfalls stärker verdunkelt. Der Glanz der Flügel ist schwach rot- und blauviolett.

Behaarung: Die Art ist am Gesicht sehr spärlich und dünn weißlich, auf der Hinterseite des Scheitels und an der unteren Hälfte der Schläfen dichter bräunlich-fahlgelb, untermischt mit dunkelbraunen Haaren, auf der Oberseite und den Seiten des Thorax dicht wollig, an der Unterseite spärlicher und dünner behaart. Die unbehaarte

---

[1] Ich erlaube mir, diese Art dem Intendanten des k. k. naturhistorischen Hofmuseums in Wien, Herrn Hofrat Dr. Franz Steindachner, hochachtungsvoll zu widmen.

18*

Stelle auf dem Mesonotum ist relativ klein; die Farbe der Behaarung des Pro- und Mesonotums sowie der Mesopleuren ist bräunlich-fahlgelb. Auf dem Pro- und Mesonotum finden sich zahlreiche dunkelbraune Haare eingemengt. Scutellum, Postscutellum und das Mittelsegment sind reiner weiß, die Beine durchwegs gelbrot behaart. Der erste Abdominaltergit ist dicht und ziemlich anliegend, weiß, die übrigen Tergite sind sehr spärlich, schwarz behaart. Das ganze Abdomen ist mit weißen Haaren umsäumt, nur die äußerste Spitze trägt rote Haare. Die Sternite des Abdomens sind an den Rändern ziemlich dicht und lang, halb abstehend, gelbrot behaart.

Plastische Merkmale: Am Kopf: Das Gesicht (Taf. III, Fig. 7) ist annähernd lang rechteckig, d. h. die Höhe der Seitenaugen ist größer als der geringste obere und untere Abstand derselben voneinander, sie ist ungefähr gleich dem größten Abstand der Seitenaugen in der Mitte des Gesichtes. Die oberen Ocellen stehen ungefähr um den Durchmesser eines Ocells von einer Linie ab, die man sich über die oberen Enden der Seitenaugen gelegt denken kann. Der Abstand der oberen Ocellen voneinander ist etwas kleiner als der Abstand eines oberen Ocells vom Seitenauge. Die Höhe des Scheitels über den Seitenaugen ist merklich kleiner als der Abstand der oberen Ocellen voneinander. Hinter den oberen Ocellen findet sich je eine schwach vertiefte, glatte, aber matte Stelle und in dieser ein tiefer Punkteindruck. Vom unteren Ocell zieht sanft aufsteigend (Profillinie schwach konvex) der Stirnkiel bis zwischen die Fühlereinlenkungsgruben, wo er als Frontaltuberkel endet. Der ganze Kiel trägt oben eine schmale glänzende, ziemlich undeutlich gefurchte Fläche. Die Furche entspringt aus einem das untere Ocell umgebenden Ringkanal und ist ungefähr in der Mitte des Kieles tiefer eingedrückt. Die Frontaltuberkel fällt nach allen Seiten gleichmäßig sanft ab, hat also nicht die Form einer Nase, sondern die eines flachen Kegels. Von der Spitze der Frontaltuberkel bis zur Mitte des Clypeusunterrandes zieht eine sehr schmale, streckenweise unterbrochene, glatte, glänzende, gegen unten zu immer stärker kielförmig sich erhebende Linie. Im übrigen ist das Gesicht mit Ausnahme von sehr schmalen Streifen an den Clypeusseitenrändern und eines ziemlich breiten Streifens am Clypeusunterrand dicht punktiert. Die Punktierung der Schläfen ist wie gewöhnlich weniger dicht. Der obere Rand des Clypeus ist gerade und etwas kürzer als der Abstand der oberen Ecken des Clypeus von den Seitenaugen. Von diesen Ecken laufen zwei vertiefte Linien zu den Fühlerinsertionsgruben. Die Seitenränder des Clypeus sind etwas unterhalb der oberen Ecken eine kurze Strecke lang stärker eingedrückt. Der Unterrand des Clypeus ist schwach geschweift. Von den unteren Ecken ziehen Kiele den Innenränder der Seitenaugen entlang fast bis zum Scheitel. Die Oberlippe trägt drei Erhebungen. Das zweite Geißelglied ist so lang wie das dritte bis fünfte zusammen. Am Thorax: Das Scutellum ist im Profil gerundet. Die Punktierung ist infolge der dichten Behaarung nur in der Nähe der unbehaarten Stelle des Mesonotums sichtbar. Die Mitte des Mesonotums ist glatt, um diese unpunktierte Stelle herum ist die Punktierung spärlich, nach allen Seiten hin allmählich dichter. Die Punkte sind ziemlich grob. Das Mittelsegment ist ziemlich spärlich punktiert, aber matt. An den Beinen: Die Kniescheibe an den Hintertibien reicht über $^2/_3$ der Tibia und endet mit zwei abgerundeten Lappen. Der vordere, größere Lappen ist an der Basis gekielt, der hintere, kleinere ziemlich schwach ausgeprägt. Am Abdomen: Die Vorderwand des ersten Tergits ist oben im Profil gerundet. Die Tergite 2—5 sind in der Mitte mäßig dicht, gegen die Seiten zu allmählich dichter punktiert. Die Punkte sind von hinten nach vorne gestochen. Der letzte Tergit ist feiner und dichter punktiert. Die Sternite sind alle ungekielt.

Länge des Körpers 19 mm, des Vorderflügels 18 mm.

In der Frieseschen Bestimmungstabelle für die ♀ in den «Bien. Afr.» käme diese Art neben *tarsata* und *tuberculiceps* zu stehen. Die Unterschiede von diesen Arten ergeben sich wohl deutlich genug aus der Beschreibung.

In der Vachalschen Bestimmungstabelle im «Essai d'une révision du genre *Xylocopa* Latr.» käme die Art auf p. 12 neben *cantabrica* und *amedei* zu stehen.

II. Gruppe *capensis.*

Xylocopa capensis Lep.

Im Besitze des Hofmuseums: mehrere Stücke aus Südafrika (Kap der guten Hoffnung, und zwar 2 ♀ aus der Coll. Winthem, 4 ♀ ges. v. J. Pfeiffer, 1 ♀, 3 ♂ ges. auf der «Novara»-Reise, 1 ♂ ges. v. Frauenfeld), ferner 2 ♀ ohne nähere Fundortsangabe ges. v. Holub) und mehrere Stücke (aus Coll. Winthem und Fichtel) ohne Fundortsangaben.

Das ♂ dieser Art findet sich zwar in der Frieseschen Bestimmungstabelle für die ♂ (in den «Bien. Afr.»), aber man wird nie auf dasselbe kommen, wenn man nicht bei Punkt 6 statt des Hinweises auf Punkt 7, 8 setzt und statt des Hinweises auf Punkt 8, 7 !

Was die *oblonga* Sm. (nicht *oblongata*, wie Friese schreibt) anbelangt, so mag das ♀ wohl gleich sein der *capensis* Lep., wenigstens spricht in der Beschreibung nichts dagegen, aber das *oblonga* ♂ soll einen weißen Ring um das untere Ocell haben, was wenigstens bei den mir vorliegenden Stücken von *capensis* ♂ nicht der Fall ist.

Xylocopa fraudulenta Grib.

Im Besitze des Hofmuseums: 2 ♀ aus Deutsch-Ostafrika (Kigonsera ges. v. Ertl), 1 ♀ aus der Coll. Felder ohne Fundort. Über die Unterscheidung dieser Art von der nächsten, *subjuncta* Vach., vergleiche man bei dieser!

Xylocopa subjuncta Vach.

X. subjuncta Vachal, Ann. Soc. Ent. France, LXVII. 1898, p. 93, ♀.
X. subjuncta Vachal, Miscell. ent. VII. 1899, p. 7 u. 39, ♀ ♂.

Im Besitze des Hofmuseums: 1 ♀ aus Ostafrika (Ikutha), von Vachal determiniert.

Friese stellt *subjuncta* Vach. als synonym zu *fraudulenta* Grib. Die beiden Arten haben auch wirklich eine große, wenngleich nur oberflächliche Ähnlichkeit. Sie sind aber tatsächlich spezifisch gut unterscheidbar.

Fraudulenta hat erhabene, auffallend glänzende Clypeusränder (oberer Rand und Seitenränder). Der Stirnkiel ist relativ lang, er reicht bis zu einer Linie, die man sich unten an die Fühlereinlenkungsstellen gelegt denken kann. Von dieser Stelle seiner höchsten Erhebung als Frontaltuberkel an fällt er nicht nach allen Seiten gleichmäßig ab, sondern zieht als absteigender Kiel bis zum Oberrand des Clypeus weiter, an welchem er als eine kleine glänzende Tuberkel endet. Die Kniescheibe an den Hintertibien reicht nur bis zu ¹/₃ der Tibia, ist schmal rinnenförmig und endet mit zwei ungefähr gleich breiten, aber nicht gleich langen, gegeneinander gekrümmten, ziemlich spitzigen Lappen. Der vordere Lappen ist wie gewöhnlich länger als der hintere. Beide Lappen erscheinen durch die Fortsetzungen der Kniescheibenränder gekielt.

Subjuncta hat keine erhabenen, auffallend glänzenden Clypeusränder (oberer Rand und Seitenränder). Der Stirnkiel ist kürzer, er reicht nur bis zu einer Linie, welche die Fühlereinlenkungsgruben halbiert. Die Frontaltuberkel ist höher, fällt aber nach allen Seiten gleichmäßig ab, ohne gegen den Clypeusoberrand zu einen absteigenden Kiel zu bilden. Die Kniescheibe an der Hintertibia reicht bis zu $^2/_3$ der Tibia, ist schmal, aber nicht rinnenförmig und endet mit zwei parallel laufenden Lappen. Der vordere längere Lappen ist schmal, spitz und gekielt, der hintere kürzere, deutlich abgesetzte Lappen ist etwas breiter, gerundet und nicht gekielt.

Der Vergleich der beiden Arten ist insofern lehrreich, als er zeigt, wie leicht zwei Arten, die einander in bezug auf Färbung, Behaarung, Statur und Größe vollkommen gleichen, durch plastische Merkmale unterschieden werden können. Es wäre eine der Hauptaufgaben eines Monographen dieser Gattung, die größtenteils auf Merkmale der Färbung und Behaarung begründeten Arten auf ihre plastischen Merkmale hin zu prüfen.

In der Frieseschen Bestimmungstabelle (in den «Bien. Afr.») findet sich nur *fraudulenta*. Neben diese Art käme *subjuncta* zu stehen. Die Unterschiede habe ich schon angegeben.

Xylocopa natalensis Vach. nach Friese, «Bien. Afr.», p. 229 = carinata Sm.

X. natalensis Vach., Misc. ent., VII. 1899, p. 97, ♀.

Im Besitze des Hofmuseums: 1 typisches Stück von Vachal aus Britisch-Ostafrika (Taweta ges. v. Gr. Hansurcourt).

Friese stellt (in den «Bien. Afr.», p. 147) diese Art als synonym zu *carinata* Sm. Ich muß zugeben, daß die Beschreibung Smiths auf das mir vorliegende Stück paßt, sie würde aber wahrscheinlich auch noch auf andere Arten passen. Ohne Einsicht der Type von *carinata* läßt sich wohl nichts entscheiden.

In der Frieseschen Bestimmungstabelle (in den «Bien. Afr.») findet sich natürlich nur *carinata*.

Xylocopa fenestrata Fabr.

Im Besitz des Hofmuseums: 1 ♂ von Mauritius und 1 ♂ von Madagascar (beide ges. v. Boyer). Über die Unterscheidung dieser Art von der nächstverwandten *hottentotta* vergleiche man unten bei dieser Art und auf p. 256.

Xylocopa hottentotta Sm.

X. hottentotta Smith, Cat. Hym. Brit. Mus. II. 1854, p. 349, ♀.
X. taschenbergi Vachal, Misc. ent. VII. 1899, p 94, ♀ ♂.

Im Besitze des Hofmuseums: zahlreiche ♀ und ♂ aus Südarabien (Aden ges. v. Simony u. Leuthner, Makalla und Ras Farták ges. v. Simony, Lahadj ges. v. Steindachner), Erythräa (1 ♀, 2 ♂ aus Massaua) und Westafrika (1 ♀ vom Senegal Brauer don.).

Die Stücke aus Erythräa sind von Vachal als *taschenbergi* Vach. determiniert. Vachal unterscheidet das *taschenbergi* ♀ vom *hottentotta* ♀ durch die bedeutendere Größe und durch die bei *taschenbergi* schwarz gefärbten Fühlerschäfte und Schenkel. Beide Unterscheidungsmerkmale lassen im Stich. Mir liegen Stücke vor von der Größe der *taschenbergi*, aber mit deutlich rot gefärbten Fühlerschäften und Schenkeln, andererseits wieder Stücke, welche in der Größe die Mitte halten zwischen den für die beiden Arten als charakteristisch angegebenen Größen. Ich habe mich bemüht, andere Unterscheidungsmerkmale zu finden, aber solche nicht zu finden vermocht.

Die *taschenbergi* ♂ sind eigentlich nur durch ein Merkmal von den *hottentotta* ♂ zu unterscheiden, nämlich durch die ganz schwarze, nicht weißliche Behaarung des Clypeus, wie sie *hottentotta* zeigt. Durch die Kopulationsapparate kann ich sie nicht mit Sicherheit unterscheiden. Ich stelle daher *taschenbergi* Vach. und damit auch wieder *hottentotta* Taschenberg als synonym zu *hottentotta* Sm.

Unter den ♀ aus Aden fand ich auch ein Stück, welches von Vachal als *fenestrata* Fabr. determiniert worden ist, aber unzweifelhaft zu *hottentotta* gehört. Die *fenestrata* Vach. (in Misc. ent., Vol. VII, 1899, p. 6) ist aber nichtsdestoweniger gleich der *fenestrata* Fabr. aus Indien, deren Hauptunterscheidungsmerkmal von *hottentotta* in der Bildung des Stirnkiels besteht, dessen Profillinie beim *fenestrata* ; eingeknickt, beim *hottentotta* ♀ dagegen ganz gerade ist. Die ♂ sind durch den Kopulationsapparat zu unterscheiden, von dem ich für beide Arten Abbildungen in Fig. 5 und 6 gegeben habe.

Xylocopa rufitarsis Lep.

Im Besitze des Hofmuseums: mehrere Stücke aus Südafrika (3 ♀, 2 ♂ vom Kap der guten Hoffnung aus der Coll. Winthem, 1 ♀ von der Algoa-Bay im Kapland ges. v. Brauns) von Vachal als *maculosa* J. Vach. det., 1 ♀ und 1 ♂ vom Kap der guten Hoff- nung ges. auf der «Novara»-Reise, das ♂ von Vachal als *maculosa* J. Vach. det., 1 ♂ vom Kap der guten Hoffnung ges. v. Pfeiffer ebenfalls von Vachal als *maculosa* Vach. determiniert), einige Stücke ohne Fundortsangaben, darunter 1 ♂ aus der Coll. Fichtel, von Vachal als *maculosa* Vach. determiniert.

Xylocopa ganglbaueri n. sp. ♀ ♂.[1])

Im Besitze des Hofmuseums: 20 ♀ und 9 ♂ aus Ostafrika (Urwald hinter dem Randberg des NW. Tanganika-Sees 1800—2200 m ges. v. Grauer).

♀. Integument: Schwarz, auch die Unterseite der Fühlergeißeln höchstens dunkel- pechrot, ebenso gefärbt sind die Endglieder der Tarsen und die Ränder der Abdominal- sternite. Die Flügel sind dunkelbraun, die Vorderflügel am Vorderrand, am Randdrittel und in der dritten Cubital- und zweiten Discoidalzelle stärker verdunkelt. Der Glanz ist nicht sehr stark, rotviolett, blauviolett und grün gemischt, er variiert; so hat ein In- dividuum an den Basaldritteln blaugrün, am Randdrittel grüngolden glänzende Flügel.

Behaarung: Die Farbe der Behaarung ist durchwegs braunschwarz bis schwarz, mit Ausnahme eines Büschels roter Haare an der äußersten Spitze des Abdomens und rötlich schimmernder an der Unterseite der Vordermetatarsen. Die Behaarung des Kopfes und der Oberseite des Thorax ist ziemlich spärlich und dünn. Die unbehaarte Stelle auf dem Mesonotum ist ziemlich groß, sie reicht über $^2/_3$ der Länge des Meso- notums. Die Seiten des Thorax sind wie gewöhnlich dichter behaart. Das Abdomen ist oben nicht allzu spärlich, halb anliegend behaart, so zwar, daß es einen schwachen Seidenglanz bei bestimmter Haltung aufweist.

Plastische Merkmale: Am Kopf (Taf. III, Fig. 8): Das Gesicht ist etwas lang rechteckig, genauer: Die Höhe der Seitenaugen ist so groß wie deren größter Abstand voneinander in der Mitte des Gesichtes. Der Abstand der oberen Ocellen voneinander ist genau gleich dem Abstand eines oberen Ocells vom oberen Seitenauge. Die oberen Ocellen stehen ungefähr um den Durchmesser eines Ocells von einer über das obere Ende der Seitenaugen gelegt gedachten Linie ab. Die Höhe des Scheitels über den Seitenaugen ist gleich der Hälfte des Abstandes eines oberen Ocells vom Seitenauge. An die oberen Ocellen schließt sich eine unpunktierte vertiefte Stelle mit einem Punkt- eindruck in der Mitte an. Die Punktierung des Gesichtes ist dicht, die der Schläfen etwas spärlicher. Unpunktierte glatte Stellen finden sich nur am oberen Rande des Clypeus, an den Seitenrändern desselben und in Form eines glänzenden, ziemlich breiten Streifens am unteren Rande. Unter den paarigen Ocellen finden sich zwei deutliche, nach unten stark konvergierende Kiele. Der Stirnkiel entspringt nicht unmittelbar am unteren

---

[1]) Ich erlaube mir, diese Art dem Direktor der zoologischen Abteilung am k. k. naturhistorischen Hofmuseum, Herrn Regierungsrat Ludwig Ganglbauer, hochachtungsvoll zu widmen.

Ocell. Seine Profillinie ist gerade, der Aufstieg des Kieles und der Abfall der Frontaltuberkel ziemlich sanft, die Frontaltuberkel ist also nicht ausgesprochen nasenförmig. Der Kiel trägt oben gegen das Ende zu eine schmale glatte Fläche und ist deutlich, wenn auch fein, gefurcht. Die Furche entspringt aus einem das untere Ocell umgebenden Ringkanal und ist ungefähr in der Mitte ihres Verlaufes an einer Stelle stärker eingedrückt. Der obere Rand des Clypeus ist gerade und etwas kürzer als der Abstand der oberen Clypeusecken von den Seitenaugen. Von den Ecken laufen zwei vertiefte Linien fast parallel zu den Fühlerinsertionsgruben. Die Clypeusseitenränder sind an zwei Stellen stärker vertieft. Der untere Rand des Clypeus ist leicht ausgeschweift. Von den unteren Clypeusecken ziehen zwei Kiele die Innenränder der Seitenaugen entlang fast bis zu deren Ende. Die Oberlippe trägt drei Erhebungen. Das zweite Geißelglied ist so lang wie das dritte bis fünfte zusammen. Am Thorax: Das Scutellum ist im Profil gerundet. Die Punktierung wird wie gewöhnlich von der unpunktierten Stelle des Mesonotums aus nach allen Seiten hin allmählich dichter. Das Mittelsegment ist spärlich und undeutlich punktiert, aber matt. An den Beinen: Die Kniescheibe an den Hintertibien reicht nicht ganz bis zu $^2/_3$, aber doch etwas über die Hälfte der Tibia und endet mit einem vorderen, längeren, spitzeren und mit einem hinteren, kürzeren aber sehr deutlich vom vorderen abgesetzten, mehr gerundeten Lappen. Der fast bis zur Basis der Tibia deutliche Hinterrand der Kniescheibe ist fein gezähnelt. Am Abdomen: Die Vorderwand des ersten Tergits ist oben im Profil gerundet. Die Punktierung der Tergite ist ziemlich dicht, wie ja auch die Behaarung, und in der Mitte nur wenig spärlicher.

Länge des Körpers 23—26 mm, des Vorderflügels 19—22 mm.

♂. Integument: Schwarz, wie beim ♀, aber Gesicht bis zur Höhe der Fühlerinsertionen schmutzig gelbweiß, jedoch mit Ausnahme des Clypeusunterrandes in Form eines ziemlich breiten, gegen die Seitenaugen zu sich erweiternden Streifens und der Clypeusnähte, welche schwarz sind. An den Trochanteren der Hinterbeine ist innen der distale Rand weiß. Färbung der Flügel ganz wie beim ♀.

Behaarung: Wie beim ♀ schwarz, aber auch die Spitze des Abdomens nicht rot behaart. Dafür finden sich weißliche Haare an der vorderen Hälfte des Mesonotums, an den Seiten des Thorax, unter den Flügelinsertionen in Form zweier Flecken, an der Unterseite des Thorax, vor den Hinterhüften, an der Unterseite der Hinterhüften und am Endrande des ersten Abdominaltergits in Form einer Binde.

Plastische Merkmale: Der Kopf ist bedeutend kleiner als beim ♀. Die Augen sind am Scheitel einander nicht viel mehr genähert als am unteren Ende, wenngleich etwas stärker gewölbt als beim ♀. Das zweite Geißelglied ist so lang wie das dritte bis fünfte zusammen. Schöne plastische Merkmale finden sich wie oft bei Xylocopen-♂ an den Hinterbeinen. Der innen am distalen Rand weiß gesäumte Trochanter trägt unten einen kleinen Höcker. Die Schenkel sind verdickt, vorne gewölbt, hinten abgeflacht, unten an der Basis mit einem spitzen Zahn, distal davon mit einer großen gerundeten, flach dreieckigen Lamelle bewehrt. Zwischen Zahn und Lamelle findet sich eine Art Ausrandung. Die Tibien sind schwach S-förmig gekrümmt. Als wichtigstes Merkmal bilde ich den Kopulationsapparat (Fig. 12) ab, welcher ebenso wie die Bildung der Hinterbeine die Verwandtschaft dieser Art mit *tarsata* und Verwandten bekundet.

Länge des Körpers und des Vorderflügels ungefähr wie beim ♀, eher etwas größer.

In der Frieseschen Bestimmungstabelle (in den «Bien. Afr.») kommt das ♀ neben *fraudulenta* und *capensis* zu stehen. Von *capensis* unterscheidet es sich durch dasselbe Merkmal wie *fraudulenta*, nämlich durch den nicht konkaven, sondern eher konvexen Clypeus, von *fraudulenta* vor allem durch die fast über $^2/_3$ der Hintertibien reichende Kniescheibe, die bei *fraudulenta* sich nur über $^1/_3$ der Tibia erstreckt, ferner durch die Bildung des Stirnkieles und der Clypeusränder. Näheres über diese Bildungen bei *fraudulenta* Grib. siehe bei dieser Art und der nächsten, *subjuncta* Vach. (p. 269).

Das ♂ kommt in der Tabelle neben *capensis* und *lugubris* zu stehen. Von *lugubris* ist es schon durch seine Größe unterschieden. Mit dem *capensis* ♂, auf das man übrigens nach der Frieseschen Tabelle nie kommen wird (vgl. bei *capensis* p. 269), unterscheidet es sich einmal durch geringere Größe, dann durch die geringere Ausdehnung der hellen Färbung des Nebengesichtes nach oben. Die helle Färbung des Nebengesichtes reicht bei *capensis* ♂ über die Antenneninsertionen nach oben bis ungefähr in die Höhe des unteren Ocells, bei unserer Art dagegen nur bis zur Höhe der Antenneninsertionen, dann fehlt bei *capensis* ♂ der kleine Höcker an der Unterseite der Hintercoxen, während sonst die Hinterbeine ähnlich wie bei unserer Art gebildet sind.

In der Vachalschen Bestimmungstabelle (im «Essai d'une révision du genre *Xylocopa* Latr.») kommt das ♀ unserer Art neben *subjuncta* zu stehen, von der es sich vor allem durch das mehr quadratische Gesicht (bei *subjuncta* beträgt die Höhe der Seitenaugen deutlich mehr als deren größter Abstand voneinander), dichtere Behaarung (die Tergite von *subjuncta* sind fast kahl) und die damit zusammenhängende dichtere und weit feinere Punktierung der Tergite (die Tergite von *subjuncta* sind nur spärlich, aber grob punktiert, das Abdomen daher viel glänzender als bei unserer Art) und endlich auch durch seine bedeutendere Größe (23—26 mm) unterscheidet. Das ♂ kommt ebenfalls neben *subjuncta*, resp. *producta* zu stehen. Von *producta* unterscheidet es sich schon durch seine Größe (23—26 mm).

Fig. 12. *Xylocopa ganglbaueri* n. sp. ♂ von oben.

Ein *subjuncta* ♂ liegt mir leider nicht vor. Nach der Beschreibung Vachals muß es kleiner sein als das ♂ von unserer Art (nur 21—22 mm lang), dann ist es wahrscheinlich wie das ♀ auf den Tergiten weniger dicht behaart und weniger dicht, aber gröber punktiert als das ♂ unserer Art, das auf den Tergiten noch dichter und auffallender behaart und punktiert ist als das ♀, wobei jedoch die Punkte für ein so großes Tier relativ sehr fein sind. Einen weiteren Unterschied würde wohl der Kopulationsapparat von *subjuncta* Vach. ♂ ergeben, wenn man ihn präparieren würde.

Xylocopa graueri n. sp. ♀.[1])

Im Besitze des Hofmuseums: 8 ♀ aus Ostafrika (Urwald hinter dem Randberg des N. W. Tanganika-Sees 1800—2200 mm ges. v. Grauer).

Integument: Ganz schwarz, auch die Unterseite der Fühlergeißel ist kaum lichter, höchstens dunkelpechrot, ebenso gefärbt sind die äußersten Ränder der Abdominaltergite und -sternite und die Endglieder der Tarsen ± ausgedehnt. Die Färbung der Flügel ist dunkelbraun, das Randdrittel, der Vorderrand und auf den Vorderflügeln Wische in der dritten Cubital- und zweiten Discoidalzelle sind dunkler als die übrigen

---

[1]) Ich erlaube mir, diese Art dem als Forschungsreisenden in dieser Arbeit so oft genannten Herrn R. Grauer hochachtungsvoll zu widmen.

Partien. Der Glanz ist schwach, rotviolett, blauviolett und grün gemischt. Der äußerste Flügelsaum glänzt meist rotviolett.

Behaarung: Die Farbe der Haare ist durchgängig braunschwarz bis tiefschwarz. Der Kopf ist im allgemeinen spärlich, der Thorax oben mit Ausnahme der Glatze des Mesonotums ziemlich spärlich, die Seiten sind dichter, die Abdominaltergite mäßig dicht, lang und abstehend, die Sternite mäßig dicht, lang und halbanliegend behaart. Das ganze Abdomen ist mit schwarzen, nicht sehr langen Haaren umsäumt, auch die Haare der äußersten Spitze sind nicht hellrot, sondern kaum ein wenig dunkel pechrot.

Plastische Merkmale: Am Kopf (Taf. III, Fig. 9): Das Gesicht ist lang rechteckig, d. h. die Höhe der Seitenaugen ist größer als deren geringster oberer und unterer Abstand voneinander, und zwar ist sie ungefähr gleich dem größten Abstand derselben in der Mitte des Gesichtes. Die oberen Ocellen stehen etwa um den Durchmesser eines Ocells von einer Linie ab, die man sich über das obere Ende der Seitenaugen gelegt denken kann. Der Abstand der oberen Ocellen voneinander ist fast so groß wie der Abstand eines oberen Ocells vom Seitenauge. Die Höhe des Scheitels über den Seitenaugen ist $^2/_3$ des Abstandes der oberen Ocellen voneinander. Die Profillinie des Stirnkieles ist konkav, erst am äußersten Ende konvex. Derselbe entspringt nicht unmittelbar am unteren Ocell, sondern erst eine Strecke darunter. Nur gegen das Ende zu trägt er oben eine schmale glänzende Fläche. Die wie gewöhnlich vorhandene, deutlich ausgeprägte Furche ist bis zum Ringkanal des unteren Ocells hin zu verfolgen. In der Mitte ihres Verlaufes ist sie tiefer punktförmig eingedrückt. Die Frontaltuberkel fällt gegen das Stirnschildchen zu steil ab, ist also nasenförmig. Hinter den oberen Ocellen, an diese unmittelbar anschließend, finden sich zwei unpunktierte aber matte, vertiefte Stellen mit einem tiefen Punkteindruck in der Mitte. Das ganze Gesicht, auch das Stirnschildchen, nur mit Ausnahme schmaler glatter Stellen an den Clypeusseitenrändern und eines ziemlich breiten glatten und glänzenden Streifens am unteren Rand des Clypeus sowie einer schmalen kielförmig sich erhebenden Linie in der Mitte des Clypeus ist dicht punktiert. Die Schläfen sind nur wenig spärlicher punktiert. Der obere Rand des Clypeus ist schwach gebogen. Die oberen Ecken sind weniger weit voneinander entfernt als von den Seitenaugen, von den Ecken ziehen divergierende, vertiefte Linien bis zu den Fühlerinsertionsgruben. Im Verlauf der Clypeusseitenränder finden sich zwei stärker vertiefte Stellen. Der Clypeusunterrand ist fast gerade. Die Seitenaugen innen begleitende Kiele sind nur ganz unten angedeutet. Die Oberlippe trägt drei Erhebungen. Das zweite Geißelglied ist so lang wie das dritte bis fünfte zusammen. Am Thorax: Das Scutellum ist im Profil gerundet. Die Punktierung ist wie gewöhnlich um die glatte Stelle auf dem Mesonotum herum spärlich und wird von da nach allen Seiten zu allmählich dichter. Das Mittelsegment ist spärlich punktiert, aber matt. An den Beinen: Die Kniescheiben an den Hintertibien reichen bis zu $^2/_3$ der Tibien und enden mit je zwei Lappen. Der vordere Lappen ist länger und zugespizt. Der hintere ist kürzer, wenig ausgeprägt und abgerundet. Am Abdomen: Die Vorderwand des ersten Tergits ist oben im Profil gerundet. Die Tergite sind im allgemeinen dicht punktiert, auf der Mitte etwas spärlicher als an den Seiten. Der letzte Tergit ist wie gewöhnlich sehr dicht und feiner punktiert. Die Punkte sind von hinten nach vorn gestochen. Der letzte Sternit ist deutlich, die übrigen sind ziemlich undeutlich gekielt.

Länge des Körpers 16—18 mm, des Vorderflügels 14—15 mm.

Die Art hat den Habitus einer *tarsata, gaullei, cornigera*, unterscheidet sich aber von diesen leicht durch die ganz schwarze Behaarung der Beine und die Bildung des Gesichtes.

In der Frieseschen Bestimmungstabelle für die ♀ (in den «Bien. Afr.) kommt *graueri* neben *sicheli*, *hottentotta*, *rufitarsis* und *carinata* zu stehen. Sie unterscheidet sich von *sicheli* durch den Mangel eines langen gekrümmten Zahnes in der Mandibelmitte; von *hottentotta* durch die Bildung des Gesichtskieles, dieser trägt bei *hottentotta* oben eine ziemlich breite, glatte, glänzende Fläche, welche in Form einer Mondsichel auch den unteren Teil des unteren Ocells umgibt. Die Profillinie des Kieles ist zugleich gerade oder leicht konvex; von der *rufitarsis* durch den Mangel der Filzflecken an den Tergiten 3 und 4; von *carinata* ist sie am wenigsten unterschieden; ich besitze leider keine *carinata*, muß aber nach der Beschreibung Smiths annehmen, daß sich meine Art von der *carinata* durch die nicht «ochraceous», sondern meist schwarz, höchstens ganz dunkel pechroten Fühlergeißeln, ferner durch geringere Größe und dann hauptsächlich auch durch eine andere Bildung des Stirnkieles unterscheidet.

In der Vachalschen Bestimmungstabelle für die ♀ (Essai d'une révision ... du genre *Xylocopa* Latr.) kommt die Art neben *ditypa* und *cyanescens* zu stehen, sie unterscheidet sich von *cyanescens* durch den Mangel eines blauen Glanzes am Abdomen, von der *ditypa* durch den Mangel der «croix de Saint-André» ähnlichen Bildung auf dem Gesicht.

B. Koptorthosoma Grib. (Subgenus).

III. Gruppe *flavorufa*.

Xylocopa flavorufa (Deg.) Lep.

Im Besitze des Hofmuseums: zahlreiche Stücke.

1. Aus der ostafrikanischen Subregion: Aus Deutsch-Ostafrika (Dar es Salam ges. v. Mayer, Mikindani ges. v. Reimer, Kigonsera und W.-Usambara ges. v. Ertl, W.-Usambara ges. v. Karasek an den Blüten der Tulapflanze, Nyangao, Morogoro aus dem Nachlaß Schmitt, außerdem noch Stücke ges. v. Pachinger u. Baumann), Sansibar, Britisch-Ostafrika (Nairobi ges. v. F. Thomas), Ost- und Zentralafrika (Usumbura und Südende des Albert-Edward-Sees, Urwald hinter dem Randberg des N. W. Tanganika-Sees, Kukoba, alle ges. v. Grauer).

2. Aus der südafrikanischen Subregion: Aus dem Kapland (Mossel-Bay ges. v. Penther, Algoa-Bay ges. v. Brauns, Kap ges. v. Pfeiffer), aus Natal (Pinctown ges. v. Ertl, Port Natal ges. v. Gröger), Mozambique (Laurenzo Marques ges. v. Skerl) und Caffraria (Coll. Winthem).

Die Art scheint demnach ihr Verbreitungszentrum in Ostafrika zu haben.

Vom ♂ bilde ich den Kopulationsapparat (Fig. 13) ab.

Fig. 13. *Xylocopa flavorufa* (Deg.) Lep. von oben.

Xylocopa combusta Sm.

Im Besitze des Hofmuseums: 2 ♀ aus Westafrika (Chinchoxo), 2 ♀ von der Mündung des Kongo (Banana ges. v. Skerl auf der «Zenta»-Reise), 1 ♂ aus Angola (S. Paul de Loanda).

Im Gegensatze zur vorhergehenden Art scheint diese ihr Verbreitungszentrum in Westafrika zu haben.

Man hat diese Art auch als Lokalvarietät von *flavorufa* Deg. aufgefaßt. Um die Frage zu entscheiden, habe ich den Kopulationsapparat von *combusta* untersucht und mit dem von *flavorufa* verglichen. Die Verschiedenheit der Kopulationsapparate ist

auffallend (vgl. Fig. 13 und 14). Ich halte somit *combusta* für eine wohl begründete Art. Es scheint überhaupt, als müßte man bei der Gattung *Xylocopa* eher vorsichtig sein, etwas als Varietät denn als Art zu erklären, ganz umgekehrt wie es z. B. bei *Bombus* der Fall ist.

Xylocopa torrida Westw.

Im Besitze des Hofmuseums: 1. Stücke aus der ostafrikanischen Subregion: Aus Ost- und Zentralafrika (Urwald Mawambi, Ukaika, Usumbura u. Südende des Albert-Edward-Sees, Kukoba, Urwald Beni, Urwald Moera alle ges. v. Grauer, Insel Buvuma im Viktoria-See ges. v. Mertens).

2. Aus der westafrikanischen Subregion: Aus Kamerun (ges. v. Brauns), von Fernando Po, aus Liberia (Grand Bassa ges. v. Brauns), von Gabun (ges. v. Hermann) und dem Kongogebiet.

Fig. 14. *Xylocopa combusta* Sm. ♂ von oben.

Die Art scheint über das ganze tropische Afrika verbreitet zu sein.

IV. Gruppe *varipes*.

Xylocopa varipes Sm.

X. varipes Smith, Catal. Hymen. Brit. Mus. II. 1854, p. 35, nr. 34, ♀.

Im Besitze des Hofmuseums 3 ♀ aus Ostafrika (Urwald Beni ges. v. Grauer), 2 ♀ aus Westafrika (Grand Bassa ges. v. Brauns).

In der Frieseschen Bestimmungstabelle (in den «Bien. Afr.») wird man auf diese Art sowie auf *scioënsis* und *senior* nur dann kommen, wenn man bei Punkt 31 statt des irrtümlichen Hinweises auf Punkt 31 «Punkt 32» setzt.

Mir liegt ein ♂ aus Ostafrika (Mawambi Beni ges. v. Grauer) vor, welches eine auffallende Ähnlichkeit mit den genannten ♀ hat, namentlich mit einem, dessen Thorax nicht braun, sondern licht ockerfarbig behaart ist. Nach der Frieseschen Bestimmungstabelle wäre es *praeusta* Sm. Die Originalbeschreibung paßt nicht ganz, nach ihr soll nämlich das Abdomen an der Basis oben eine goldgelbe Behaarung haben, die gegen die Spitze zu «bright fulvous» werden soll. Bei meinem Stück ist der Kopf, der Thorax und das

Fig. 15. *Xylocopa varipes* Sm. ♂ von oben.

erste Segment lichtockerfarbig, das Abdomen sonst aber ganz schwarz, unten etwas rötlich bebaart.

Trotzdem, besonders weil das von Smith angegebene plastische Merkmal «anterior coxae and trochanters terminating in a sharp spine» bei meinem Stück zutrifft, halte ich es für *praeusta* Sm. Nun hat man als ♀ zu *praeusta* die *albifimbria* Vach gestellt. Ich möchte aber eher die *varipes* Sm. für das ♀ ansehen. Eine endgültige Entscheidung kann ich bei dem geringen Material nicht treffen. Um das ♂, möge es nun zu *albifimbria* oder *varipes* gehören, aber klarzustellen, bilde ich den charakteristischen Kopulationsapparat (Fig. 15) ab.

VI.[1]) Gruppe *africana*.

Xylocopa albiceps Fabr.

Im Besitze des Hofmuseums: Nur Stücke aus der westafrikanischen Subregion: 2 ♀ aus Liberia (Kap Palmas ges. v. Brauns), 2 ♀ aus dem Kongostaat (Santo Antonio am Kongo ges. v. Brauns), 2 ♀ aus Sierra Leone (Freetown), 2 ♀ aus Guinea (Coll. Winthem).

Xylocopa imitator Sm.

Im Besitze des Hofmuseums:

1. Aus der ostafrikanischen Subregion: 4 ♀ aus Ost- und Zentralafrika (Urwald Mawambi, Urwald Moera, Ukaika, alle ges. v. Grauer).

2. Aus der westafrikanischen Subregion: 2 ♀ vom Rio Muni-Gebiet (Batta u. Insel Eloby ges. v. Brauns).

3. Aus der südafrikanischen Subregion: 1 ♀ aus Natal (Port Natal).

VII. Gruppe *nigrita*.

Xylocopa nigrita Fabr.

Im Besitze des Hofmuseums zahlreiche Stücke:

1. Aus der ostafrikanischen Subregion: Aus Deutsch-Ostafrika (Mikindani ges. v. Reimer, Kilimandjaro ges. v. Baumann, W.-Usambara u. Kigonsera ges. v. Ertl, Mgila ges. v. Karasek, Morogoro aus dem Nachlaß Schmitt), Britisch-Ostafrika (Nairobi ges. v. F. Thomas), Ost- und Zentralafrika (Usumbura u. Südende des Albert-Edward-Sees, Urwald hinter dem Randberg des N. W. Tanganika-Sees, Kukoba, Urwald Moera, Urwald Mawambi, Urwald-Beni, Ukaika, alle ges. v. Grauer).

2. Aus der westafrikanischen Subregion: Aus den Aschantiländern, Sierra Leone und Fernando Po (ges. v. Brauns).

3. Aus der südafrikanischen Subregion: Aus Natal (Port Natal ges. v. Poeppig) und ohne nähere Fundortsangabe aus Südafrika (ges. v. Poeppig).

Die Art bewohnt das ganze tropische Afrika.

Xylocopa albifimbria Vach. (♀ = *praeusta* Sm.)

X. albifimbria Vachal, Ann. Soc. Ent. France, LXVII. 1898, p. 99, ♀.

Im Besitze des Hofmuseums: 1 ♀ aus Deutsch-Ostafrika (Kigonsera).

Wenn das bei *varipes* Sm. besprochene *praeusta* Sm. ♂ zu dieser Art gehört, dann heißt sie *praeusta* Sm. Da ich aber an der Legitimität dieser Verbindung zweifle, bleibe ich vorläufig bei dem Vachalschen Namen (vgl. auch bei *varipes* Sm. p. 276).

Die Art heißt übrigens in der Frieseschen Bestimmungstabelle (in den «Bien. Afr.») «*latifimbria*», auch das von Friese determinierte Stück in der Sammlung des Hofmuseums trägt diesen Namen. Eine *latifimbria* hat aber Vachal nie beschrieben, sie existiert auch sonst nirgends in der Xylocopenliteratur, es handelt sich daher wohl nur um einen Irrtum Frieses, den ich hiemit richtigstelle.

VIII. Gruppe *leucothorax* (früher *aestuans*).

Xylocopa leucothorax Deg. (= *aestuans* aut.).[2])

Im Besitze des Hofmuseums: Zahlreiche Stücke, ♀ u. ♂, aus Südarabien und von Sokotra (Aden und Ras Shoab ges. v. Simony, Schaich Othmann u. Gischin ges.

---

[1]) Die V. Gruppe Frieses ist in der Sammlung des Hofmuseums nicht durch Arten vertreten.

[2]) Vgl. bei *leucothorax* Deg. unter den paläarktischen Arten p. 261.

v. Hein), vom Senegal (Brauer don.) und aus Deutsch-Ostafrika (ges. v. Pachinger, Mikindani ges. v. Reimer).

Mit dieser Art beginnt eine Reihe von Arten, die alle im weiblichen Geschlecht am Thorax allein oder am Thorax und ersten Abdominaltergit in größerer oder geringerer Ausdehnung gelb (selten weiß) behaart sind. Die übrige Behaarung ist meist tiefschwarz, am Kopf auch ± licht, weißlich oder gelblich. Alle diese Arten sind ziemlich nahe verwandt und teilweise schwer systematisch klarzustellen.

Die Schwierigkeit einer systematischen Bearbeitung wird aber noch vermehrt durch die in den meisten Fällen immer noch nicht mit Sicherheit gelöste Frage nach der Zusammengehörigkeit der beiden Geschlechter.

Die ♂ dieser Arten sind nämlich alle ganz oder größtenteils einfarbig gelb behaart. Friese gibt in seiner Bestimmungstabelle in den «Bienen Afrikas» für diese ♂ nur eine bloße Aufzählung. Vachal hat sich vor ihm schon bemüht, diese Gesellschaft zu ordnen und teilweise bestimmbar zu machen, aber, wie mir scheint, ohne zu einiger Sicherheit gekommen zu sein.

Ich selbst habe von vielen Fundorten unter den Xylocopen des Hofmuseums sowohl ♀ wie ♂ gefunden. Ich werde im folgenden immer angeben, welche ♂ vom selben Fundort wie die ♀ einer Art das Museum besitzt, und diese ♂ so gut es geht beschreiben und mit Hilfe des Kopulationsapparates wenigstens einigermaßen klarzumachen versuchen. Ich will damit aber nicht immer behaupten, daß diese ♂ vom selben Fundort wie die ♀ auch wirklich die ♂ zu den betreffenden ♀ sind. In vielen Fällen muß ich die Entscheidung anderen überlassen.

Bei *leucothorax* selbst existiert übrigens kein Zweifel an der Legitimität der zusammengestellten ♀ und ♂.

Die ♂ sind von Friese hinreichend genau in den «Bienen Europas» (p. 227) beschrieben worden. Ich möchte nur noch als charakteristisches Unterscheidungsmal von vielen anderen ♂ hinzufügen, daß bei diesem ♂ die Haare des Abdomens fast ganz anliegen. Die Behaarung der Beine ist bei den mir vorliegenden

Fig. 16. *Xylocopa leucothorax* (Deg.) ♂ von oben.

Exemplaren aus Südarabien etwas von der bei den ägyptischen Stücken abweichend, so sind die Hintertibien nicht schwarz, sondern rot gestreift und die Hintermetatarsen nicht fast ganz schwarz, sondern nur hinten schwarz und sonst gelb behaart. Auch die Behaarung der Beine ist größtenteils anliegend. Die Farbe der Beine selbst bezeichnet Friese als schwarz, sie kann aber auch bei ägyptischen Exemplaren ± pechrot sein.

Charakteristisch ist eigentlich nur die schon erwähnte anliegende Behaarung und die Bildung des Kopulationsapparates, den ich (Fig. 16) abbilde.

Xylocopa olivacea Sm. ♀.

X. olivacea Smith, Catal. Hymen. Brit. Mus. II. 1854, p. 349, nr. 24, ♀.

Im Besitze des Hofmuseums: 2 ♀ aus Sierra Leone (Freetown ges. v. Skerl), 1 ♀ vom Kongo (Banana ges. v. Skerl), 2 ♀ bezettelt mit Ägypten (ob richtig?), eines davon von Vachal als *calens* Lep. determiniert, 1 ♀ bezettelt mit Forêt de Si-Banghi J. Carzador, 1 ♀ bezettelt mit Ninive J. Pfeiffer (ob richtig?).

♀. Vachal hat ein ♀ dieser Art, wie oben erwähnt, als *calens* Lep. gedeutet, ich schließe mich aber Enderlein (Berl. ent. Zeitschr., Bd. XLVIII, p. 54) an und deute als *calens* Lep. die auf Madagaskar vorkommende Art *olivacea* var. *malagassa* Saussure, und zwar finde ich mich dazu vornehmlich durch die Provenienz der beiden Arten bestimmt. Smith beschreibt seine *olivacea* von Sierra Leone (und Angola), also von demselben Fundort wie 2 ♀ aus unserer Sammlung, Lepeletier seine *calens* von Madagaskar, woher wir zahlreiche Stücke besitzen, welche aber nur einer Art (*olivacea* var. *malagassa* Sauss.) angehören. Die mir vorliegenden ♀ stimmen mit den Beschreibungen von Smith (im Catal. Hymen. Brit. Mus., Vol. II, p. 352 und in Trans. Entom. Soc. London, 1874, p. 259) und auch mit der Beschreibung von Enderlein (in Berl. ent. Zeitschr., Bd. XLVIII, p. 53) vollkommen überein. Enderlein gibt auch ein ♀ vom oberen Nil an; von derselben Provenienz könnten unsere mit Ägypten bezettelten Exemplare sein.

♂. Das Museum besitzt ein einfarbig gelb behaartes ♂ von derselben Provenienz wie zwei ♀, nämlich von Sierra Leone (Freetown ges. v. Skerl) und ein mit diesem in der Bildung des Kopulationsapparates und auch sonst übereinstimmendes ♂ aus Ukaika (Dez. 1910 ges. v. Grauer).

Die ♂ gleichen in Färbung und Behaarung so ziemlich ägyptischen Stücken von *leucothorax* L., wie sie Friese bei Abfassung seiner Beschreibung in den «Bienen Europas» vorgelegen haben, aber das Abdomen ist bei den vorliegenden zwei ♂ nur vom dritten Segment an anliegend behaart, am ersten und zweiten Segment aber abstehend, wenn auch kurz behaart. Ferner ist die Behaarung in der Mitte der Rückensegmente spärlicher, so daß in der Mitte des Abdomens infolge der besseren Sichtbarkeit des schwarzen Integuments ein dunkler schmaler Längsstreifen sichtbar ist. Einen weiteren Unterschied vom *leucothorax* ♂ finde ich auch in der Größe. Die beiden ♂ aus Sierra Leone und Ukaika sind kleiner und schmäler als die kleinsten mir vorliegenden *leucothorax* ♂, es ist aber möglich, daß es auch größere hieher gehörige Stücke gibt. Ich kann das nicht entscheiden, weil mir nur zwei Exemplare vorliegen. Das ♂ von Sierra Leone mißt 16 mm in der Länge, 7 ¹/₂ mm in der Breite (am Abdomen), 13 mm an den Vorderflügeln. Das ♂ von Ukaika ist in allen Abmessungen noch etwas kleiner. Der Hauptunterschied von *leucothorax* und allen verwandten ♂ liegt aber in der Bildung des Kopulationsapparates, den ich (Fig. 17)

Fig. 17. *Xylocopa olivacea* Sm. ♂ von oben.

abbilde. Die Beschreibung, die Enderlein (in Berl. ent. Zeitschr., Bd. XLVIII, p. 53) von seinem *olivacea* ♂ gibt, paßt nicht ganz auf die mir vorliegenden Stücke, namentlich nicht die Angabe, daß die Mittel- und Hintertarsen mit Ausnahme der Basis des ersten Mitteltarsengliedes schwarzbraun behaart sind. Die Färbung der Behaarung stimmt, wie schon erwähnt, bei meinen ♂ mit der von *leucothorax* überein, ist also größtenteils gelb. Ich kann daher, da Enderlein das einzig sichere Merkmal, den Kopulationsapparat, ununtersucht gelassen hat, nicht sagen, ob meine ♂ die gleichen sind wie die, welche Enderlein zu *olivacea* Sm. ♀ stellt.

Auf die ♀ dieser und der folgenden Art *(calens)* wird man in der Frieseschen Bestimmungstabelle (in den «Bien. Afr.») vergebens zu kommen suchen, nachdem sie unter Punkt 30 stehen. Auf Punkt 30 kommt man durch Punkt 29, auf Punkt 29 durch Punkt 28, auf Punkt 28 aber kommt man überhaupt nicht, dafür kommt man aber zweimal auf Punkt 27, nämlich durch Punkt 25 und 26. Der Hinweis auf Punkt 27 bei Punkt 25 ist ein Irrtum, statt 27 soll es 28 heißen!

Xylocopa calens Lep. ♀.

Im Besitze des Hofmuseums: 14 ♀ aus Madagaskar (ges. v. Sikora u. Pfeiffer), 1 ♀ von den Komoren (Insel Johanna).

♀. Wie schon bei der vorigen Art erwähnt, bin ich der Ansicht, die Enderlein vertritt, daß *calens* Lep. dasselbe ist wie *olivacea* var. *malagassa* Sauss. und *malagassa* Vach.

Die mir vorliegenden ♀ stimmen mit der Beschreibung Lepeletiers von *calens* überein bis auf seine Angabe: «alae . . . a basi ad medium subhyalinae». Subhyalin kann man die Flügelbasis der mir vorliegenden Stücke nicht nennen, aber sie ist immerhin lichter als der Flügelsaum außerhalb der geschlossenen Zellen und dies mag Lepeletier vielleicht gemeint haben. Lepeletier gibt auch an: «thorax . . . et lateribus luteo villosis». Es ist dies nur bei ungefähr der Hälfte der mir vorliegenden Stücke der Fall, bei den anderen ist die gelbe Behaarung auf die Oberseite des Thorax beschränkt und grenzt ein wenig unterhalb der tegulae scharf an die schwarze Behaarung der Thoraxseiten. Ich vermag übrigens die ♀, die ich als *calens* Lep. deute, nur durch ein Merkmal von den ♀ von *olivacea* Sm. zu unterscheiden, nämlich nur durch die stärkere Verdunklung der Flügelbasis ungefähr bis zur Mitte bei *calens*. Dieselbe ist bei *olivacea* Sm. wirklich subhyalin bis vollständig hyalin, bei den mir vorliegenden *calens* ♀ dagegen nur wenig lichter als der dunkle Flügelsaum.

Es drängt sich damit die Frage auf, ob *calens* Lep. als selbständige Art überhaupt zu halten ist. Die Frage läßt sich aber erst dann entscheiden, wenn wir die ♂ der beiden Arten mit Sicherheit kennen.

♂. Die ♂ von *calens* Lep. meiner Auffassung sind nun so ziemlich klar, aber nicht die von *olivacea* Sm. Die Frage ist somit heute unlösbar.

Das Museum besitzt sechs größtenteils einfarbig gelb gefärbte ♂ von Madagaskar (ges. v. Sikora u. Pfeiffer) und 1 ♂ von den Komoren (Insel Johanna). 2 ♂ von Madagaskar sind von Vachal als *malagassa* Sauss. determiniert.

Fig. 18. *Xylocopa calens* Lep. (= *malagassa* Sauss.) ♂ von oben.

Das Aussehen der mir vorliegenden ♂ stimmt vollkommen überein mit der Beschreibung des *calens* ♂ von Smith (in Trans. Ent. Soc. London, 1874, p. 261) und der Beschreibung des *malagassa* Vachal ♂ (in Miscellanea Entomologica, Vol. VII, 1899, p. 34). Ich möchte nur wieder auf die charakteristische Art der Behaarung hinweisen. Die mir vorliegenden mutmaßlichen *calens* ♂ sind auf allen Abdominaltergiten abstehend behaart. Außerdem bilde ich wieder den Kopulationsapparat (Fig. 18) ab.

Über die Bestimmung nach der Frieseschen Bestimmungstabelle vgl. bei *olivacea* p. 279. Übrigens ist, wie aus obigen Ausführungen hervorgeht, das von Friese zur Unterscheidung von *olivacea* und *calens* benützte Merkmal «Mesopleuren unterhalb der Tegulae schwarz behaart» und «Mesopleuren unterhalb der Tegulae noch gelb behaart» wahrscheinlich nicht brauchbar.

Xylocopa apicalis Sm.

Im Besitze des Hofmuseums: 27 ♀, die auf die freilich sehr magere Beschreibung Smiths passen, und zwar 25 Stücke aus Ost- und Zentralafrika (Usambara, Kukoba, Usumbura und Südende des Albert-Edward-Sees, Urwald hinter dem Randberg des N. W. Tanganika-Sees 2200 m, alle ges. v. Grauer, Kagera Nil ges. v. Baumann), 2 ♀ vom Kap der guten Hoffnung (ges. auf der «Novara»-Reise) und 1 ♀ ohne nähere Fundortsangabe aus Südafrika (ges. v. Holub), 1 ♀ ohne Fundortsangabe (Coll. Winthem).

♀. Die Tiere sehen fast genau so aus wie *calens* Lep., sie unterscheiden sich von dieser Art nur durch die schon von Smith bemerkten heller und etwas breiter pechrot gefärbten Tergitränder und die Art der Punktierung auf dem zweiten bis vierten Tergit. Dieselbe ist bei *calens* feiner und auch auf der Mitte der genannten Tergite dicht (d. h. Punktzwischenräume ◁ als ein Punktdurchmesser) zu nennen, bei *apicalis* dagegen etwas gröber und auf der Mitte der genannten Tergite in größerer Ausdehnung als spärlich (d. h. Punktzwischenräume ▷ als ein Punktdurchmesser) zu bezeichnen.

♂. Von denselben Fundorten liegen mir eine größere Anzahl von ♂ vor, und zwar 1 ♂ aus Kukoba, 1 ♂ aus Usumbura und Südende des Albert-Edward-Sees, 7 ♂ aus dem Urwald hinter dem Randberg des N. W. Tanganika-Sees 2200 m (alle ges. v. Grauer), ferner 2 ♂ vom Kap der guten Hoffnung (ges. auf der «Novara»-Reise).

Eines der ♂ vom Kap der guten Hoffnung ist mit *luteola* Lep. det. J. Vachal bezettelt. Mit diesem und mit noch einem ♂ von der Algoa-Bay (ges. v. Brauns), das ebenfalls von Vachal als *luteola* Lep. determiniert ist, stimmen die anderen ♂ vollkommen in Aussehen und Bildung des Kopulationsapparates überein. Ebenso passen sie auf die Beschreibung, die Vachal in «Essai d'une révision synoptique des espèces européennes et africains du genre *Xylocopa* Latr.» (in Miscellan. Entomol.,

Fig. 19. *Xylocopa luteola* Vach. ♂ von oben.

Vol. VII, 1899, p. 34) von der *luteola* Lep. gibt. Ob diese *luteola* Vach. wirklich gleich ist der *luteola* Lep., möchte ich nicht ganz sicher behaupten. Ich füge also zur Charakteristik der *luteola* Vach. hinzu, daß die Haare auf dem ersten Tergit abstehend, auf dem zweiten bis vierten Tergit ziemlich lang und größtenteils halb anliegend (also nicht so anliegend wie bei *leucothorax* und nicht so abstehend wie bei *calens*) und auf dem fünften und sechsten Tergit sehr lang und wieder mehr abstehend sind. Das ganze Tier macht infolgedessen den Eindruck einer länger und dichter behaarten *leucothorax*. Auch dieses ♂ hoffe ich durch die Abbildung des Kopulationsapparates (Fig. 19) endlich einmal sicherzustellen; die Zukunft wird dann lehren, ob es wirklich zu *apicalis* Sm. ♀ gehört.

Die Art findet sich in der Frieseschen Tabelle (in den «Bien. Afr.») nicht, sie käme in der Tabelle für die ♀ neben *calens* zu stehen. Über den Unterschied von dieser Art vergleiche man oben!

Xylocopa modesta Sm.

Fig. 20. *Xylocopa anicula* Vach. ♂ von oben.

Im Besitze des Hofmuseums 1 ♀ aus Chor el Adar und 1 ♀ ohne Fundortsangabe.

Über die Bestimmung dieser Art mittels der Frieseschen Bestimmungstabellen (in den «Bien. Afr.») vgl. bei *olivacea* Sm. (p. 278).

Xylocopa anicula Vach.

X. anicula Vachal, Miscell. ent. VII. 1899, p. 112 u. 123, ♀ ♂.

Im Besitze des Hofmuseums: 1 ♀ und 1 ♂ aus Deutsch-Ostafrika (Tanga) als Typen von *anicula* Vach. bezeichnet, mehrere ♀ aus dem übrigen Ostafrika (Tanganika-See, Urwald Moera, Uvira Baraka Usumbura, alle ges. v. Grauer) und aus Südafrika (Kap der guten Hoffnung ges. auf der «Novara»-Reise und aus der Coll. Winthem, 1 ♂ aus Südafrika ges. v. Holub), ferner 1 ♂ aus Deutsch-Ostafrika (West-Usambara ges. v. Ertl), das mit dem typischen ♂ aus Tanga vollkommen übereinstimmt. Ich bilde den Kopulationsapparat des typischen ♂ (Fig. 20) ab.

Annalen des k. k. naturhistorischen Hofmuseums, Bd. XXVI, Heft 3 u. 4, 1912. 19

Über die Bestimmung dieser und der folgenden Art mittels der Frieseschen Bestimmungstabelle (in den «Bien. Afr.») vgl. man bei *varipes* Sm. (p. 276).

Ich werde mir aus der *scioënsis* Grib., zu der Friese *anicula* Vach. als synonym stellt, nicht recht klug, bleibe daher bei dem Namen der gut beschriebenen *anicula* Vach. Übrigens heißt die Art in der Frieseschen Bestimmungstabelle *anicula* und dann unter den Beschreibungen *scioënsis*!

Xylocopa senior Vach.

X. enior Vachal, Miscell. ent. VII. 1899, p. 159, ♀.

Im Besitze des Hofmuseums: zahlreiche ♀ aus Deutsch-Ostafrika (Kigonsera ges. v. Ertl, W.-Usambara ges. v. Karasek an den Blüten der Tulapflanze, Morogoro aus dem Nachlaß Schmitt, Njangao) und aus dem übrigen Ostafrika (Kukoba, Tanganika-See, Kasindi Beni, Urwald hinter dem Randberg des N. W. Tanganika-Sees 2200 m, alle ges. v. Grauer).

Diese Art steht der vorigen sehr nahe. Sie unterscheidet sich von ihr fast nur durch die Größe. Eine Entscheidung, ob diese Art vielleicht nur eine Varietät der *anicula* Vach. ist, kann erst getroffen werden, wenn der Kopulationsapparat eines ♂ zur Untersuchung gekommen ist; ich besitze leider kein solches von *senior*, ersehe aber aus der Beschreibung Enderleins (Berl. entom. Zeitschr., Bd. XLVIII, p. 52), daß es dem *anicula* ♂ sehr ähnlich sehen muß.

Ein ♀ von Kigonsera (ges. v. Ertl) fällt dadurch auf, daß der Thorax oben in der Ausdehnung eines Dreieckes, dessen Basis gleich ist der ganzen Breite des Pronotums und dessen Spitze ungefähr in der Mitte der glatten Stelle des Mesonotums zu liegen kommt, braunschwarz behaart ist. Das Stück ist zweifellos eine Varietät von *senior*. Ich benenne sie analog der bekannten Varietät von *Bombus agrorum* **tricuspis**.

Über die Bestimmung dieser Art mittels der Frieseschen Bestimmungstabelle vgl. man bei *varipes* Sm. (p. 276).

IX. Gruppe *lateritia*.

Xylocopa lateritia Sm.

im Besitze des Hofmuseums: 2 ♀ von den Komoren (Insel Johanna).

X. Gruppe *caffra*.

Xylocopa caffra (L.) Latr.

Im Besitze des Hofmuseums: Zahlreiche Stücke aus Deutsch-Ostafrika, dem übrigen Ostafrika und Sansibar (West-Usambara ges. v. Ertl, Morogoro aus dem Nachlaß Schmitt, Dar es Salam ges. v. Mayer u. Brauns, Mikindani ges. v. Reimer, dann Stücke ges. v. Pachinger, Hähnel und auf der Saida-Expedition, auf Sansibar ges. v. Weindorfer), ferner aus Südafrika und Mosambique (Kap der guten Hoffnung ges. auf der «Novara»-Reise und aus der Coll. Winthem, Algoa-Bay ges. v. Brauns, Tanga in Natal ges. v. Ertl, Transvaal ges. v. Hartmann, dann Stücke ges. v. Holub u. Penther), ferner von den Seghellen-Inseln und endlich vier Stücke aus Ägypten (?).

♀. Mir fällt auf, daß die mir vorliegenden Stücke relativ starke Größendifferenzen aufweisen (sie messen 21—27 mm in der Länge), ohne daß ich aber die verschiedenen Fundorte dafür verantwortlich machen könnte.

♂. Welches ♂ zu *caffra* gehört, ist vielleicht noch am allerwenigsten sicher. Ich selbst kann auch nichts entscheiden. In der Sammlung des Museums finden sich von den oben aufgezählten Fundorten dreierlei verschiedene ♂.

1. Die schon bei *apicalis* (p. 281) erwähnten 2 ♂ vom Kap der guten Hoffnung und von der Algoa-Bay (letztere ges. v. Brauns), welche von Vachal als *luteola* Lep. determiniert sind. Mit diesen in Aussehen und Bildung des Kopulationsapparates stimmen überein noch 1 ♂ vom Kap der guten Hoffnung (ges. auf der «Novara»-Reise), das auch schon bei *apicalis* (p. 281) erwähnt wurde, 1 ♂ aus W.-Usambara (ges. v. Ertl) und 1 ♂ aus Ägypten (?).

Mit diesen stimmen nur in der Bildung des Kopulationsapparates, nicht aber im Aussehen überein 2 ♂, das eine aus Mikindani (ges. v. Reimer), das andere aus W.-Usambara (ges. v. Ertl). Diese 2 ♂ stehen, was das Aussehen anbelangt, in der Mitte zwischen ägyptischen *leucothorax*-♂ (vgl. p. 278) und *luteola* Vach. ♂ (vgl. p. 281). Die Farbe des Integuments ist dieselbe wie bei *luteola*, sie sind also schwarz mit Ausnahme des Clypeusunterrandes, der Mitte des Clypeus in Form einer ± breiten Linie, zweier Flecke an der Basis der Mandibel, der Unterseite des Fühlerschaftes und' der Unterseite der Fühlergeißel vom dritten Glied an, welche Teile gelb bis rotgelb gefärbt sind. Der Charakter der Behaarung ist ähnlicher dem bei *leucothorax*. Die Haare sind an den Tergiten ebenso kurz und anliegend wie bei dieser Art, an den Beinen, an den Seitenrändern des Abdomens und an dessen Spitze aber so lang und abstehend wie bei *luteola* Vach. Am auffallendsten ist die Abweichung von *luteola* Vach. in der Farbe der Behaarung, das Abdomen ist an den Seitenrändern, an der Unterseite und an der Spitze, mit Ausnahme der Mitte, tiefschwarz behaart. Ebenso sind alle Beine an der Innenseite, die Mittel- und Hintertarsen ganz oder fast ganz, die untere Hälfte der Hintertibien außen ± ausgedehnt und bei dem Stück aus Mikindani auch die untere Hälfte der Mitteltibien größtenteils schwarz behaart. Ich halte die Stücke für eine Varietät von *luteola* Vach. und benenne sie vorläufig als **nigrescens** n. v.

Fig. 21. *Xylocopa leucothoracoides* n. sp. ♂ von oben.

Fig. 22. *Xylocopa pseudoleucothorax* n. sp. ♂ von oben.

2. Ein ♂ aus Dar es Salam (ges. v. H. Mayer) gleicht in Größe und Aussehen auf den ersten Blick einem ägyptischen *leucothorax*-♂, aber der Vorderrand des Clypeus und die Mittellinie desselben sind gelb gefärbt und die Spitze des Abdomens ist länger behaart. Der Hauptunterschied von *leucothorax* sowohl als von *luteola* Vach. liegt aber in der Bildung des Kopulationsapparates (vgl. Fig. 21).

3. Zwei ♂ aus Dar es Salam (ges. v. H. Mayer), welche im Aussehen dem obengenannten ♂ von demselben Fundort gleichen und sich von demselben wie von den anderen verwandten ♂ wieder durch den Kopulationsapparat (Fig. 22) unterscheiden. Dieselben sind auch etwas kleiner als das obengenannte ♂ aus Dar es Salam, nämlich nur 17 mm lang, während dieses ca. 19 mm mißt.

Alle drei ♂ aus Dar es Salam sind mit *caffra* L. det. J. Vachal bezettelt! Zwei davon sind aber von dem dritten sicher spezifisch verschieden. Die Verschiedenheit beruht aber hauptsächlich nur auf der Bildung des Kopulationsapparates. Da Vachal diesen nicht untersucht hat, ist nicht zu sagen, welches ♂ die *caffra* Vach. ist. Andererseits ist es ganz unsicher, welches und ob überhaupt eines wirklich das *caffra* L. ♂ ist. Um leichter von diesen ♂ sprechen zu können, bleibt mir demnach nichts übrig, als sie neu zu benennen. Ich benenne also das erstgenannte ♂ aus Dar es Salam mit dem in

19*

Fig. 21 abgebildeten Kopulationsapparat als *leucothoracoides* n. sp. und die beiden anderen mit dem in Fig. 22 abgebildeten Kopulationsapparat als *pseudoleucothorax* n. sp.

Xylocopa caffra var. mossambica Grib.

X. *caffra* var. *mossambica* Gribodo, Mem. Acc. Bologna, (5) IV. 1894, p. 117, ♀.

Im Besitze des Hofmuseums: 1 ♀ aus Deutsch-Ostafrika (Njangao), 1 ♀ aus Deutsch-Südwestafrika (Damaraland ges. v. Fleck) und 2 ♀ aus Südafrika (ges. v. Holub).

Xylocopa lepeletieri Enderl.

X. *lepeletieri* Enderlein, Berl. Ent. Zeitschr. XLVIII. 1903, p. 48, ♀ ♂.

Im Besitze des Hofmuseums: 1 ♂ aus Ostafrika (Ukaika ges. v. Grauer) und 1 ♂ vom Kongo.

Enderlein gibt in seiner Bestimmungstabelle, welche sich auch in Friese «Die Bien. Afr.», p. 237 abgedruckt findet, als Unterscheidungsmerkmal dieser Art von der *africana* Fabr. an, daß bei *lepeletieri* «außer dem Mittelsegment noch der Hinterrand des Thorax» oben schwarz behaart sei, «hinter der schwarzen Behaarung des Mittelsegmentes» sei bei *lepeletieri* in der Mitte ein Büschel blasser Haare.

Meine zwei ♂ haben den Hinterrand des Scutellums schmal schwarz behaart, das Postscutellum seitlich schwarz, in der Mitte dagegen dicht samtartig hell rötlichgelb behaart.

Wenn meine Vermutung, daß Enderlein das Postscutellum für das Mittelsegment gehalten hat, richtig ist, so passen die Tiere auf die Beschreibung von *lepeletieri*.

Fig. 23. *Xylocopa lepeletieri* Enderl. ♂ von oben.

Fig. 24. *Xylocopa flavo-bicincta* Grib. ♂ von oben.

Fig. 25. *Xylocopa divisa* Klg. ♂ von oben.

Enderlein gibt an, daß diese ♂ zu *caffra* ähnlichen ♀ aus Westafrika gehören. Das Museum besitzt leider keine *caffra* ähnlichen ♀ aus Westafrika, aber das eine ♂ stammt zweifellos aus Ostafrika (Uhaika = Ukajala) und von dort, nämlich aus Ostafrika, liegen mir zahlreiche *caffra* vor, darunter aber kein Stück, das die nach Enderlein das *lepeletieri* ♀ vom *caffra* ♀ unterscheidenden Merkmale aufwiese. (Siehe darüber Friese, «Die Bien. Afr.», p. 249.)

Ich begnüge mich, durch die Abbildung des charakteristischen Kopulationsapparates (Fig. 23) auf jeden Fall einmal das *lepeletieri*-♂ festzulegen.

Xylocopa flavo-bicincta Grib.

X. *flavo-bicincta* Gribodo, Mem. Acc. Bologna, (5) IV. 1894, p. 119, ♀ ♂.

Im Besitze des Hofmuseums: 2 ♀ und 2 ♂ aus dem Kapland (Algoa-Bay ges. v. Brauns), 1 ♀ und 1 ♂ ohne Fundortsangabe (ges. v. Poeppig), 1 ♂ ohne Fundortsangabe (Coll. Winthem).

Die 2 ♂ von der Algoa-Bay sind als Typen von *suspiciosa* Vach., die nach Friese, «Die Bien. Afr.», synonym zu *flavobicincta* Grib. ist, bezettelt. Ich bilde ihren Kopulationsapparat (Fig. 24) ab.

Xylocopa divisa Klg.

Im Besitze des Hofmuseums: Viele ♀ aus Deutsch-Ostafrika (W.-Usambara ges. v. Ertl, Mikindani ges. v. Reimer, Morogoro aus dem Nachlaß Schmitt, Njangao), aus

Britisch-Ostafrika (Insel Buvuma, Uganda ges. v. Mertens), 1 ♀ u. 1 ♂ aus Südafrika (Algoa-Bay ges. v. Brauns) und 1 ♀ aus Mozambique (Delagoa-Bay ges. v. Brauns). Das ♂ dieser Art hat eine gewisse Ähnlichkeit mit dem *lepeletieri* Enderl. ♂. Man beachte, wie ähnlich auch die Kopulationsapparate von *divisa* (Fig. 25) und *lepeletieri* (Fig. 23) sind.

Xylocopa inconstans Sm.

Im Besitze des Hofmuseums: 2 ♀ aus Nubien (Marno).

Anhang.

Xylocopa dissimilis Lep.

Im Besitze des Hofmuseums 1 ♀ von Madagaskar (?) (ges. v. Boyer).

Diese Art ist bisher nur aus der orientalischen Region und aus China bekannt. Das Vorkommen auf Madagaskar wäre interessant, falls es sich bestätigen sollte. Ein Analogon wäre übrigens die bekannte Verbreitung von *fenestrata* Fabr., von der das Museum ebenfalls neben vielen Stücken aus der orientalischen Region die oben schon erwähnten zwei Stücke aus Madagaskar und von Mauritius besitzt.

III. Arten aus der orientalischen und australischen Region.

A. Xylocopa s. str. Grib. (Subgenus).

I. Gruppe *auripennis*.[1])

(*auripennis* Lep., *iridipennis* Lep., *attenuata* Pérez [früher *pictifrons* Sm.], *fallax* n. sp. und *dissimilis* Lep.)

Die zu dieser Gruppe gehörigen Arten, mittelgroße bis große Tiere von lang-gestrecktem Bau, die ♀ ganz, die ♂ größtenteils dunkel behaart, sind miteinander sehr eng verwandt. Sie zeichnen sich in beiden Geschlechtern durch den von vorn be-trachtet nicht kreisförmig umrissenen, sondern oben infolge der Ausschweifung des oben scharfkantigen Scheitels eckigen Kopf (vgl. z. B. Taf. IV, Fig. 10), den nicht breiten und depressen, sondern mehr länglichen und stark konvexen Hinterleib und durch einen meist sehr intensiven und farbenprächtigen Flügelglanz aus. Das ♂ gleicht im allgemeinen dem ♀, besitzt aber ein in größerer oder geringerer Ausdehnung gelbweiß ge-färbtes Gesicht, verlängerte Coxen, verlängerte und verdickte, an der Basis sowohl wie in der Mitte innen mit einem Zahn bewehrte Hinterschenkel, verlängerte und gekrümmte Hinterschienen und einem charakteristischen Kopulationsapparat (vgl. z. B. Fig. 26).

Xylocopa auripennis Lep.

X. *auripennis* Lep., Hist. nat. Insect. Hymén. II. 1841, p. 181, nr. 10, ♀ ♂.
X. *dissimilis* Pérez, Act. Soc. Linn. Bordeaux I.VI. 6. sér., tome VI, 1901, p. 45—46, ♀ ♂.[2])

Im Besitze des Hofmuseums befinden sich mehrere ♀ und ♂ aus Vorderindien (Sind), aus Borneo (ges. v. Raczes), ferner mehrere Stücke aus den Coll. Winthem, Felder und Hügel ohne Fundortsangabe. Dann liegen noch 4 ♀ aus Celebes (Patu-

---

[1]) Bei den Arten dieser und der folgenden Regionen versuche ich eine Gruppeneinteilung, wie sie Friese für die paläarktischen und afrikanischen Xylocopen vorgenommen hat. Die von mir auf-gestellten Gruppen sind nur zum Teil natürliche; einige künstliche sollen mehr der Übersicht als der wissenschaftlichen Systematik dienen.

[2]) Vgl. darüber bei *dissimilis* p. 288.

nuang, im Jänner ges. v. Fruhstorfer) vor, die bei sonstiger vollständiger Übereinstimmung mit den oben aufgezählten ♀, von diesen sowohl in der Lebhaftigkeit als auch in der Farbe des Flügelglanzes stark abweichen.

Außerdem hatte ich Gelegenheit, eine sehr große Menge von *auripennis* ♀ und ♂ aus der Sammlung des königl. zool. Museums in Berlin zu sehen.

Auf Grund dieses reichlichen Materials bin ich in der Lage festzustellen, daß diese Art sowohl in der Körpergröße, als auch bezüglich des Grades und der Farben des Flügelglanzes auffallend stark variiert.

Ich gebe eine kurze Übersicht der Flügelfärbungen, die mir vorliegen: Die typischen Stücke entsprechen der Beschreibung Lepeletiers «Alae fuscae, coerulescenti subviolaceae, anticarum margine lato postico viridi aureo nitidissimo» und ebenso der Beschreibung Binghams (The fauna of british India, Hymen., Vol. I, p. 538, nr. 942) «wings dark brown, with the most brillant effulgence of any of the Oriental species of *Xylocopa*, metallic greenish-blue at base, changing to vivid green with rich golden tints in certain lights towards the apical margins».

Die im Besitze des Hofmuseums befindlichen Stücke haben mit Ausnahme der Stücke aus Celebes alle diese typische Färbung, nur geht die grüngoldene Färbung der Spitzenhälfte gegen die Spitze zu oft in eine rotgoldene über. Die vier Stücke aus Celebes haben dagegen keinen brillanten, sondern nur einen schwachen Flügelglanz, der an der Basalhälfte von grüner, an der Spitzenhälfte von trüb-purpurner Farbe ist. Hier mag vielleicht die Lokalität beeinflussend gewirkt haben. Das scheint aber bei anderen abweichend gefärbten Stücken aus der Sammlung des königl. zool. Museums in Berlin nicht der Fall gewesen zu sein. Denn neben vielen typisch gefärbten Stücken aus Sikkim fanden sich auch von demselben Fundort solche, bei denen die Basalhälfte der Flügel kaum mehr blau, sondern grüngolden und die Spitzenhälfte prächtig purpurn glänzte, andere mit dem matteren Glanz und fast typischer *dissimilis*-Flügelfärbung (auf den zwei Basaldritteln blauviolett, auf dem Spitzendrittel blaugrün bis grün), wieder andere Stücke mit noch matterem Flügelglanz und einer fast eintönig trüb-blaugrünen, gegen die Spitze zu etwas purpurn werdenden Flügelfärbung, wieder andere mit ebenfalls eintönig blaugrün, aber außerordentlich intensiv glänzenden Flügeln, mit nur wenig Violettglanz an der äußersten Basis, wieder andere, bei denen dieser Violettglanz mehr oder weniger bis fast über die ganze Flügel ausgebreitet war, wodurch sie wieder *dissimilis* ähnlich wurden, aber mit intensiverem Flügelglanz, und endlich Stücke aus Burma (Ataran, Coll. Bingham) mit fast typischer Flügelfärbung, aber mit stumpfem Glanz. Alle diese Färbungen gingen mehr oder weniger ineinander über. Man vergleiche außerdem noch die Flügelfärbungen, die Pérez bei der Beschreibung seiner *dissimilis* (♀ = *auripennis* Lep.[1]) erwähnt, um einen Begriff von dem Umfang der Variabilität der Flügelfärbung bei *auripennis* zu bekommen.

Fig. 26. *Xylocopa auripennis* Lep. ♂ von oben.

Was die Größenvariation von *auripennis* anbelangt, so liegen mir Stücke von 22—32 mm Körperlänge und 18—27 mm Vorderflügellänge vor.

Die ♀ haben an den Hintertibien eine Kniescheibe, welche sich bis zur Hälfte der Tibia erstreckt und mit einem spitzen Lappen endet.

Vom ♂ bilde ich den Kopulationsapparat (Fig. 26) ab.

[1]) Näheres darüber vgl. bei *dissimilis* (p. 288).

Xylocopa iridipennis Lep.

Im Besitze des Hofmuseums mehrere ♀ und ♂ aus Java (ges. v. Adensamer, Batavia ges. auf der «Novara»-Reise), Sumatra (ges. v. Plason und auf der ostasiatischen Expedition 1890), 1 ♂ aus Brasilien (??) mit Rio Grande do Sul bezettelt und 3 ♀ und 1 ♂ von Lombok (Sapit 2000', Mai—Juni ges. v. Fruhstorfer), die von der charakteristischen Flügelfärbung etwas abweichen.

Für diese Art ist nur die Flügelfärbung gegenüber *auripennis* charakteristisch. Alle plastischen Merkmale der *iridipennis* ♀ und ♂, auch die Bildung des Kopulationsapparates lassen im Stich. Es ist demnach fraglich, ob *iridipennis* den Rang einer Art beanspruchen darf.

Lepeletier beschreibt die Flügelfärbung von *iridipennis* folgendermaßen: «Alae fusciores, violaceo et purpureo-aeneo micantes; margine praeterea duplici ornatae, interno coeruleo, externo purpureo.» Mit dieser Beschreibung stimmen die mir vorliegenden ♀ und ♂ mit Ausnahme der erwähnten Stücke aus Lombok mehr oder weniger überein. Man könnte am treffendsten den Flügelsaum als wie mit den Farben des Regenbogens geschmückt bezeichnen. Die Flügel glänzen auf der Basalhälfte gewöhnlich grün, blau und stellenweise auch etwas violett, auf der Spitzenhälfte purpurn, gegen den Saum zu zuerst in rotgoldenen, dann am Saum selbst zuerst in grünen, dann in blauen, dann in violetten und endlich wieder in purpurnen Glanzfarben. Diese Regenbogenfarben am Saum können jedoch auch mehr oder weniger geschwunden sein, so zwar, daß im extremsten Falle nur ein schmaler grüner und an der Spitze ein noch schmälerer purpurner Saum übrig ist. Es scheint, daß auch dieser purpurne Saum schwinden kann, wenigstens ist das bei drei ♀ aus Lombok der Fall, deren Flügel auf der Basalhälfte grün, auf der Spitzenhälfte purpurgolden, am Saum schmal grün glänzen, während an der Flügelspitze des ♂ aus Lombok noch ein ganz schmaler Purpurstreifen zu bemerken ist, hinter welchem der Flügelsaum in größerer Ausdehnung grüngolden glänzt. Bei keinem der mir vorliegenden Stücke ist der Glanz so stark wie bei *auripennis*, er gleicht in dieser Hinsicht eher dem von *dissimilis*.

Die Größe der mir vorliegenden 12 ♀ und 7 ♂ variiert nicht so auffallend wie bei der vorher besprochenen Art, *auripennis*, die Körperlänge beträgt ca. 28 mm, die Flügellänge ca. 26 mm.

Xylocopa attenuata Pérez.

Xylocopa attenuata Perez, Act. Soc. Linn. Bordeaux LVI. 6. sér., tome VI, 1901, p. 46, ♀.
Xylocopa pictifrons Smith, Trans. Ent. Soc. London (2), II, P. 2, 1852, p. 42, ♀ nec ♂.
Xylocopa pictifrons Bingham, The fauna of british India, Hymen. I. 1897, p. 538, nr. 941 ♂.

Im Besitze des Hofmuseums: 5 ♀ aus China (ges. v. Haas), 2 ♀ aus Formosa (Takan ges. v. Sauter), 4 ♀ ohne Fundortsangabe, wahrscheinlich ebenfalls aus China (ges. v. Felder), 1 ♀ von Java (Batavia ges. auf der «Novara»-Reise), 1 ♀ und 2 ♂ von Lombok (Sapit 2000', Mai—Juni ges. v. Fruhstorfer).

Außerdem hatte ich Gelegenheit, zahlreiche ♀ und zwei ♂ von Sikkim (Coll. Bingham) aus der Sammlung des königl. zool. Museums in Berlin zu sehen.

Ich gebrauche für die vorliegende Art nicht den alten Namen *pictifrons* Sm., sondern den neueren Namen *attenuata* Per. Smith hat nämlich 1852 unter dem Namen *pictifrons* ein mit diesem Namen charakterisiertes ♂ und ein vermeintlich zu demselben gehöriges ♀ beschrieben. Bingham hat 1897 das richtige ♂ zu dem *pictifrons* Sm. ♀ beschrieben, ohne aber dem *pictifrons* Sm. ♂ einen andern Namen zu geben. Es existiert demnach ein *pictifrons* Sm. ♂ und ein *pictifrons* Bingham ♂, eines muß einen andern Namen bekommen. Ich belasse den alten Namen dem *pictifrons* Sm. ♂, weil es schon durch denselben charakterisiert erscheint, muß demnach für das *pictifrons* Bingham ♂ und das *pictifrons* Smith ♀ einen anderen Namen wählen. Nachdem nun Perez ein *attenuata* ♀ beschrieben hat, das sicher synonym ist mit dem *pictifrons* ♀, muß ich den Perezschen Namen annehmen.

Die typischen *attenuata*-Stücke aus China unterscheiden sich von der nächstverwandten Art *auripennis* leicht durch die subhyaline Basalhälfte der Flügel und die Farben des Flügelglanzes. Die Flügel glänzen nämlich an der Basis kaum spurenweise blau, sondern im ganzen ziemlich eintonig grünlichgolden, gegen die Spitze zu mehr rotgolden bis purpurn. Stücke anderer Provenienz, z. B. aus Sikkim (Coll. Bingham aus dem königl. zool. Museum in Berlin) zeigen aber eine ganz gleichmäßige Bräunung der Flügel, die ♀ annähernd dieselben Glanzfarben an den Flügeln wie die typischen Stücke, die ♂ dagegen Glanzfarben, die schon sehr den typischen *auripennis*-Farben gleichen, indem an der Basis schon ziemlich viel Blauglanz auftritt. Bei den Stücken aus Lombok zeigt auch das Weibchen die *auripennis*-Flügelfärbung. Außerdem liegen mir die schon bei den paläarktischen Arten aufgezählten Stücke aus Shanghai vor, 1 ♀ und 2 ♂, die ♂ mit fast ganz subhyalinen Flügeln und fast ganz ohne Flügelglanz.

Zur Unterscheidung der *attenuata* von der *auripennis* bleibt nur die Größe und die Punktierung der Tergite, denn sonst finden wir eine vollkommene Übereinstimmung aller Merkmale bei den beiden Arten, auch bezüglich des Kopulationsapparates. Die Größe ist schon von Bingham und Perez als Unterscheidungsmerkmal herangezogen worden. In der Tat ist *attenuata* in der Regel kleiner als *auripennis*. Die Körperlänge beträgt durchschnittlich 21—24 mm, die Länge der Vorderflügel 18—20 mm, aber ein typisches Exemplar (♀) aus China mißt 26 mm in der Länge und 22 mm an den Vorderflügeln, ist also größer als die kleinste mir vorliegende *auripennis*. Es bleibt also zur Unterscheidung nur die Punktierung der Tergite, namentlich des zweiten und dritten übrig. Diese ist bei den mir vorliegenden Stücken aus China bedeutend dichter und deutlicher als bei *auripennis*, wenn auch nicht so dicht als bei der noch zu beschreibenden *fallax* n. sp. Dasselbe ist der Fall bei den Stücken aus Lombok, aber einige Stücke aus Sikkim sind wieder fast so spärlich punktiert wie *auripennis*. Es scheint mir also auch *attenuata* als «Art» einigermaßen zweifelhaft.

Die Gesichtsfärbung der ♂ scheint sehr variabel zu sein, die Stücke aus Sikkim haben das ganze Gesicht bis über die Fühlerinsertionen hinauf weißgelb gefärbt und zwei Möndchen zuseiten des unpaaren Ocells, die von Lombok haben nur das Nebengesicht hell gefärbt.

Xylocopa dissimilis Lep.

Im Besitze des Hofmuseums viele ♀ aus Südchina (Canton ges. v. Seitz, Hongkong ges. v. Frauenfeld), China (ges. v. Watts), Tongkin (Than Moi, Juni—Juli, und Chiem Hoa, August—September ges. v. H. Fruhstorfer), Java (Batavia ges. auf der «Novara»-Reise) und 4 ♂, eines aus Südchina (Canton ges. v. Seitz), drei ohne Fundortsangabe (Coll. Winthem u. Hügel).

Dissimilis ist im weiblichen Geschlecht von *auripennis*, *iridipennis* und *attenuata* sehr leicht unterscheidbar. Die Kniescheibe von *dissimilis* ♀ ist nämlich viel kürzer als die von *auripennis* ♀, *iridipennis* ♀ und *attenuata* ♀, sie reicht nur bis zum ersten Drittel der Hintertibia und endet nicht mit einem spitzen, sondern mit einem fast geradlinig abgestutzten oder breit abgerundeten Lappen.

Nun gibt aber Perez für seine *dissimilis* eine spitz endigende, fast bis zur Hälfte der Hintertibia reichende Kniescheibe an, ich vermute daher, daß er gar keine *dissimilis* vor sich gehabt hat, sondern solche *auripennis*-Exemplare, wie ich sie oben schon beschrieben habe, mit Flügelglanzfarben, die von denen typischer *dissimilis*-Stücke kaum abweichen. Ich habe daher *dissimilis* Perez als synonym zu *auripennis* Lep. gesetzt.

Im männlichen Geschlecht vermag ich dagegen *dissimilis* von *auripennis*, *iridipennis* und *attenuata* nur sehr schwer zu unterscheiden, von *attenuata* durch die Größe, die Punktierung der Tergite, die bei *dissimilis* genau so undeutlich und spärlich wie bei *auripennis* ist, und die Flügelfarben, von *iridipennis* nur durch die Flügelfarben und von *auripennis* mit Sicherheit überhaupt nicht. Denn einerseits sind alle plastischen Merkmale, auch der Kopulationsapparat, von *dissimilis* ♂ nicht verschieden von denen bei *auripennis*, und andererseits kann auch in vielen Fällen die Flügelfärbung zur Unterscheidung nicht benützt werden, weil sie bei *auripennis* in dem Maß variabel ist, daß an der spitzen und langen Kniescheibe kenntliche *auripennis*-♀ und nach ihrer Provenienz mit großer Wahrscheinlichkeit zu ihnen gehörige ♂ mit Flügelfarben vorkommen, die sonst für *dissimilis* charakteristisch sind.

Die Flügelfärbung von *dissimilis* ist, soweit ich es an dem nicht so reichlichen Material wie von *auripennis* konstatieren kann, viel konstanter als bei *auripennis*. Bei den meisten Stücken glänzen die Flügel im Bereich der geschlossenen Zellen blau und violett, am Saum blaugrün bis grün und nicht so brillant wie bei vielen *auripennis*-Stücken.

Was die Variation der Größe anbelangt, so liegen mir Stücke mit einer Körperlänge von 22—30 mm und einer Flügellänge von 20—27 mm vor.

Als Beispiel für die Kopfform aller zu dieser Gruppe gehörigen Arten bilde ich das Gesicht von *dissimilis* ♀ (auf Taf. IV, Fig. 10) ab.

Xylocopa fallax n. sp. ♀ ♂.

Im Besitze des Hofmuseums 2 ♀, 1 ♂ von den Philippinen (ges. v. Schadberg). Die Art gehört zum Subgenus *Xylocopa* s. str. Grib., und zwar zur *auripennis*-Gruppe. Sie gleicht in Größe und Habitus ganz einer mittelgroßen *auripennis* Lep., unterscheidet sich aber von dieser Art durch dichtere Punktierung der Abdominaltergite, durch einen ganz leichten, grünlichen Metallglanz des Abdomens, im weiblichen Geschlecht außerdem durch die Bildung der Kniescheibe und von typischen Exemplaren von *auripennis* in beiden Geschlechtern durch matteren Glanz und andere Färbung der Flügel.

♀. Integument: Im allgemeinen schwarz, auf den Abdominaltergiten mit schwachem, ziemlich undeutlichem Metallglanz, an den Segmenträndern schmal pechrot, an der Unterseite der Fühlergeißel vom dritten Glied an rotgelb, infolge der dichten Besetzung mit hellen Sinnesbörstchen wie grau bereift aussehend. Flügel dunkelbraun, nur schwach glänzend, an der Basis grün, sonst trüb-purpurn.

Behaarung: Im allgemeinen schwarzbraun. Charakter der Behaarung auf Kopf, Thorax und Beinen wie bei allen verwandten Arten, z. B. *auripennis*, auf dem Abdomen aber, namentlich an den seitlichen Partien der Tergite ziemlich dicht, wodurch das Abdomen einen schwachen Seidenglanz bekommt. An den Rändern der Abdominaltergite ist die Behaarung geradezu bindenartig, wenn auch diese Binden infolge der dunklen Farbe der Haare nicht sehr auffallen. Diese Binden sind am ersten und zweiten Tergit breit, am dritten schmal, an den folgenden gar nicht unterbrochen. Die Behaarung des ersten Tergits ist etwas abstehend, die der übrigen kurz und anliegend. (Bei *auripennis* ist der Hinterleib oben fast kahl!)

Die Kopfform ist dieselbe wie bei den verwandten Arten (vgl. das Gesicht von *dissimilis* auf Taf. IV, Fig. 10), nämlich ausgezeichnet durch die deutliche Ausschweifung des oben scharfkantigen Scheitels. Infolge der Ausschweifung des Scheitels erscheint von vorn betrachtet der Kopf nicht kreisförmig umrissen wie etwa bei *amethystina* (vgl. Taf. IV, Fig. 11), *collaris* und *nigrocoerulea*, sondern oben eckig. Das zweite Geißelglied ist so lang wie das dritte bis fünfte zusammen.

Das Scutellum ist im Profil gerundet (*Xylocopa* s. str. Grib.).

Die Kniescheibe reicht fast bis zur Hälfte der Hintertibia, ihr ganzer Vorderrand und die unteren $^2/_3$ des Hinterrandes verlaufen nicht wie bei *auripennis* etwas konvex gekrümmt, sondern geradlinig; infolgedessen hat die Kniescheibe die Form eines sehr spitzwinkeligen Dreieckes. Die Spitze ist schärfer wie bei *auripennis*, wo sie meist etwas abgerundet erscheint.

Wie schon erwähnt, unterscheidet sich unsere Art von der *auripennis* am meisten durch die stärkere und dichtere Punktierung der Abdominaltergite, was mit der dichteren Behaarung derselben zusammenhängt. Am deutlichsten wird der Unterschied, wenn wir die zweiten und dritten Abdominaltergite der beiden Arten vergleichen. Dieselben sind bei *auripennis* oben in ihrer ganzen Ausdehnung sehr spärlich punktiert (die Zwischenräume zwischen den Punkten betragen durchschnittlich 5—10 Punktdurchmesser), nur seitlich wie gewöhnlich dichter. Bei unserer Art sind sie dagegen schon auf den mittleren Partien mäßig dicht punktiert (Zwischenräume durchschnittlich = 1— 2 Punktdurchmesser), gegen die Seiten zu noch dichter, sehr dicht an den Seiten selbst.

Länge des Körpers ca. 25 mm, der Vorderflügel 23 mm.

Das ♂ gleicht im allgemeinen dem ♀, es ist von demselben nur in folgenden Punkten verschieden.

Das Gesicht ist bis über die Fühlerinsertionen hinauf schmutzig gelbweiß, nur am unteren Rand des Clypeus in ziemlicher Ausdehnung schwarz. Zu seiten des unpaaren Ocells finden sich zwei weiße Möndchen. Diese Gesichtsfärbung variiert wahrscheinlich so stark wie bei den verwandten Arten (*auripennis, dissimilis* etc.)! Unter den sonst überall schwarzbraunen Haaren finden sich am Vorderrand des Mesonotums, am Hinterrand des Scutellums, an zwei Flecken an den Vorderrändern der Flügelschuppen, an den Spitzen der Hinterschenkel und an der Unterseite vor und auf den Hüften gelblichweiße Haare eingemengt. (Dasselbe ist übrigens bei allen ♂ dieser Gruppe der Fall.)

Die Hinterhüften sind verlängert, aber unbewehrt, die Hinterschenkel verdickt, verlängert, innen an der Basis mit einem kegelförmigen und etwas unter der Mitte mit einem flachgedrückten, oben unregelmäßig gekerbten Zahn bewehrt. Die Hintertibien sind ebenfalls verlängert und gekrümmt.

Die Punktierung der Abdominaltergite ist etwas weniger dicht wie beim ♀, jedoch immer noch viel dichter als bei *auripennis* ♀ und ♂.

Kopulationsapparat wie bei *auripennis* (vgl. den Kopulationsapparat von *auripennis* ♂ Fig. 26).

Länge des Körpers ca. 28 mm, der Vorderflügel 26 mm.

II. Gruppe *amethystina*.

(*amethystina* Grib., *collaris* Lep., *nigrocoerulea* Sm.) Anhang: *ignita* Sm.?

Die zu dieser Gruppe gerechneten Arten, mittelgroße, gedrungener gebaute Xylocopen, zeichnen sich im weiblichen Geschlecht alle durch den von vorn gesehen annähernd kreisförmig umrissenen Kopf ohne vortretende Scheitelecken und ohne deutlich ausgeschweiften Scheitel (vgl. das Gesicht von *amethystina* Grib. ♀ auf Taf. IV, Fig. 11) und in beiden Geschlechtern durch blauen oder grünen Metallglanz des Abdomens aus. *Ignita* Sm. gehört nicht in diese Gruppe. Sie scheint vielmehr ihre nächsten Verwandten in einer Gruppe von afrikanischen Arten, der *tarsata*-Gruppe Frieses, zu haben, was ich jedoch ohne Untersuchung eines ♂ nicht apodiktisch behaupten möchte. Ich erwähne diese Art nur deshalb im Anhang an die *amethystina*-Gruppe, weil ich in ihr die *amethystina* Bingham zu sehen glaube, die ich von der *amethystina* Grib. unterscheiden zu müssen glaube.

Xylocopa amethystina (Fabr.) Grib.

X. amethystina Gribodo, Bull. soc. entom. ital. XXV, 1893, p. 271—274, nr. 18, ♀ ♂.
X. fuliginata Perez, Act. Soc. Linn. Bordeaux LVI, 6. sér., tome VI, 1901, p. 41, ♀.

Im Besitze des Hofmuseums: 11 ♀ von Ceylon (Badurelia ges. v. Dr. Penther), außerdem 2 ♂ gleicher Provenienz, welche im Aussehen vollkommen mit den vorhandenen *collaris*-♂ übereinstimmen.

Obwohl Gribodo eine «*amethystina* Fabr.» kenntlich beschrieben und auch ihre nur allzu verwirrte Synonymie festgestellt hat, scheint doch noch keineswegs bei den Autoren Klarheit über diese Art zu herrschen.

Die vorliegenden 11 ♀ stimmen vollkommen mit der Beschreibung der *amethystina* Gribodo überein, aber auch mit der Beschreibung der *fuliginata* Perez, deshalb stelle ich diese Art als synonym zu *amethystina* Gribodo. Die *amethystina* Grib. ist durch ein Merkmal ausgezeichnet, welches so auffallend ist, daß es wohl keinem Autor entgangen sein kann, falls er wirklich eine *amethystina* Grib. vor sich gehabt hat, nämlich durch einen ziemlich starken blauen Metallglanz des Abdomens.

Diesen blauen Metallglanz scheint aber weder die *amethystina* Lep., noch die *amethystina* Bingham («The fauna of brit. India», Hym., Vol. I, 1897, p. 540), noch die *amethystina* Friese («Bien. Eur.» VI, 1901, p. 211) zu besitzen, denn alle diese Autoren erwähnen von diesem auffallenden Merkmal nichts. Friese und Bingham stellen sogar in den Bestimmungstabellen ihre *amethystina* durch das «schwarze» Abdomen in Gegensatz zu der metallglänzenden *cyanescens* resp. *nigrocoerulea*.

Welche Art aber die Autoren vor sich gehabt haben, kann man nur für Bingham einigermaßen erraten. Bingham stellt nämlich außer der *minuta* Lep. (was mir unverständlich ist, falls er die Originalbeschreibungen verglichen hat) auch noch die *ignita* Sm. als synonym zu seiner *amethystina*, und zwar kann er dabei nicht, wie vielleicht im ersten Falle bei der *minuta* Lep., nur dem Katalog Dalla Torres gefolgt sein, sondern muß die Originalbeschreibungen verglichen haben, denn *ignita* erscheint im Katalog noch nicht als synonym zu *amethystina* Fabr. gestellt. Mit der Beschreibung, die Smith (Trans. Ent. Soc., 1874, p. 276, nr. 62) von seiner *ignita* gibt, stimmt auch die Beschreibung der *amethystina* Bingham so ziemlich überein. Mir liegt leider kein Exemplar der *ignita* Sm. vor (1 ♀ ges. v. Hügel kann ich nicht mit Sicherheit als diese Art deuten); nach der Beschreibung Smiths muß sie sich aber durch folgende Merkmale von der *amethystina* (Fabr.) Grib. unterscheiden: 1. Durch den Mangel des blauen Metallglanzes auf dem Abdomen. 2. Durch spärliche Punktierung und infolgedessen stärkeren Glanz der Tergite. (Die Tergite von *amethystina* Grib. sind gleichmäßig fein und dicht punktiert.) 3. Durch «a sharp carina in front of the anterior ocellus», welche bei *amethystina* so niedrig ist, daß sie sicher nicht als «sharp» zu bezeichnen wäre.

Zum Vergleich mit dem Gesichte eines ♀ (auf Taf. IV, Fig. 12), welches ich als *ignita* Sm. ansehen möchte, bilde ich das Gesicht von *amethystina* Grib. ♀ (auf Taf. IV, Fig. 11) ab. Demnach möchte ich folgende Synonymie von *ignita* Sm. aufstellen:

Xylocopa ignita Smith, Trans. Ent. Soc. London, 1874, p. 276, nr. 62, ♀.
Xylocopa amethystina Bingham, The fauna of brit. India, Hym., Vol. I, 1897, p. 540, nr. 46. ♀.
?*Xylocopa amethystina* Friese, Bien. Eur. VI, 1901, p. 199, Bestimmungstabelle nr. 11, ♀.

Perez spricht bei der Beschreibung seiner *fuliginata* die Vermutung aus, daß diese Art nur eine Varietät von *collaris* Lep. sei.

Um dies festzustellen, müßte man die ♂ von *amethystina* Grib. und die von *collaris* Lep. vergleichen. Ein ♂, welches der Beschreibung Gribodos, die mir übrigens infolge ihrer Kürze ziemlich unverständlich ist, entsprechen würde, liegt mir nicht vor, ebensowenig ein *fuliginata* Per. ♂. Dagegen befinden sich in der Sammlung des Hofmuseums 2 ♂ von Ceylon (Badurelia ges. v. Penther) also von derselben Provenienz wie die angeführten 11 ♀, welche in ihrem Aussehen und auch in der Bildung des Kopulationsapparates vollkommen mit den *collaris*-♂ übereinstimmen. Es wäre nun nicht unmöglich, daß diese ♂ wirklich zu dem *amethystina* Grib. ♀ gehören, wenn dieses, wie Perez (für seine *fuliginata* = *amethystina* Grib.) vermutet, wirklich nur eine Varietät der *collaris* darstellt.

Xylocopa collaris Lep.

Im Besitze des Hofmuseums zahlreiche ♀ und ♂ aus der himalajischen, indo-malaiischen und 2 ♂ ceylonesischen Subregion. Aus Sikkim (ges. v. Fruhstorfer), China (ges. v. Watts), Formosa (Fuhosho ges. v. Sauter), Tongkin (Chiem-Hoa, August—September ges. v. Fruhstorfer), aus Tenasserim (Moulmein u. Ikaungyin Coll. Bingham), Malacca (Kwala Kangsar Perak ges. v. Grubauer), von Java (ges. v. Adensamer), Sumatra (ges. v. Plason), Borneo (ges. v. Raczes), Celebes (Patunuang im Jan. ges. v. Fruhstorfer), von den Philippinen (Bazilan, Februar—März ges. v. Fruhstorfer), endlich 2 ♂ von Ceylon (Badurelia ges. v. Penther).

Das ♀ stimmt in allen plastischen Merkmalen, vor allem in der Gesichtsbildung, mit dem ♀ von *amethystina* Grib. überein.

Eine sehr gute Beschreibung der *collaris* Lep. ♀ und ♂ hat Taschenberg (Zeitschr. f. d. ges. Naturw. LII. 1879, p. 589, nr. 23) gegeben.

Xylocopa nigrocaerulea Sm.

Im Besitze des Hofmuseums: 1 ♀ ohne Fundortsangabe ges. v. Stevens.

Sieht der *amethystina* Grib. sehr ähnlich, unterscheidet sich von ihr durch die bedeutendere Körpergröße (22 mm gegen 15—18 mm von *amethystina* Grib.), den mehr grünen, nicht wie bei *amethystina* Grib. ausgesprochen blauen Metallglanz des Abdomens, durch etwas lichter braune Flügel mit nicht violetten und blauen wie bei *amethystina* Grib., sondern mehr kupferroten bis purpur-goldenen Glanz.

Anhang.

Xylocopa ignita Sm.

X. ignita Smith, Trans. Ent. Soc. London, 1874, p. 276, nr. 62, ♀.

Über die Synonymie dieser Art vergleiche bei *amethystina* (Fabr.) Grib. (p. 292 oben).

Im Besitze des Hofmuseums befindet sich 1 ♀ ohne Fundortsangabe (ges. v. Hügel), das ich als zu dieser Art gehörig deuten möchte; ein weiteres ♀ aus Kumaon (Coll. Bingham), aus der Sammlung des königl. zool. Museums in Berlin, hatte ich Gelegenheit zu sehen.

Ich gebe eine ausführliche Beschreibung:

Integument: Schwarz, bei dem einen ♀ an der Innenseite der Beine, bei beiden an der Unterseite der Fühlergeißel vom dritten Glied an und an den Segmenträndern schmal pechrot. Flügel braun, mit purpurnem, am Saum mehr bläulichem, ziemlich schwachem Glanz.

Behaarung im allgemeinen dunkelbraun, bei dem einen Stück an der Innenseite der Tarsen und an der äußersten Spitze des Abdomens pechrot; Art der Behaarung im allgemeinen mäßig dicht, Abdomen fast kahl.

Der Kopf (Taf. IV, Fig. 12) ist von vorn gesehen annähernd kreisförmig umrissen, der Scheitel ist gerade, nicht ausgeschweift wie bei *auripennis* usw., die Scheitelecken treten infolgedessen nicht vor. Das Gesicht ist merklich breiter als bei *amethystina* Grib. (vgl. Taf. IV, Fig. 11), fast quadratisch, d. h. der kleinste Abstand der Seitenaugen voneinander oben am Scheitel und unten am Clypeus ist ungefähr so groß wie deren Höhe. Der Abstand der paarigen Ocellen voneinander ist größer als der Abstand eines Ocells von einem Seitenauge. Die Höhe des Scheitels über den Seitenaugen ist so groß wie die Hälfte des Abstandes der paarigen Ocellen voneinander. Ober dem unpaaren Ocell findet sich eine Erhebung in Form einer Klammer (—). Der Stirnkiel ist erst eine Strecke unter dem unpaaren Ocell deutlich. Seine Profillinie ist zuerst konvex, dann konkav, das Ende zwischen den Fühlerinsertionen, die Stirntuberkel, ziemlich hoch und nasenförmig. Der Kiel ist oben scharf, nur am Ende ein wenig verbreitert, bis zu der Tuberkel deutlich, aber schmal gefurcht. Die Furche entspringt aus dem Ringkanal des unpaaren Ocelis. Zu seiten der Fühlerinsertionen gegen innen zu verlaufen zwei schwache Erhebungen. Der Clypeus ist in der Mitte ganz schwach und undeutlich, nur gegen den unteren Rand zu etwas deutlicher gekielt. Der obere Rand des Clypeus ist kürzer als der Abstand einer oberen Clypeusecke von einem Seitenauge; von den oberen Ecken verlaufen zwei vertiefte Linien zu den Fühlerinsertionsgruben. Die Seitenränder des Clypeus sind deutlich geschweift, ein wenig unterhalb der oberen Clypeusecken grubenförmig vertieft, darunter schwach kielförmig erhoben. Der untere Rand des Clypeus ist in der Mitte leicht ausgeschweift. Gesicht und Scheitel sind im allgemeinen dicht, die Schläfen spärlich punktiert. Glatt, aber nicht glänzend, sondern fein skulpturiert und infolgedessen matt sind zwei sehr schwach vertiefte Stellen unmittelbar über den paarigen Ocellen, die zwei Erhebungen innen zu seiten der Fühlerinsertionen eine kleine Stelle unter dem Frontaltuberkel, schmale Stellen am oberen und an den Seitenrändern des Clypeus. Glatt und stärker glänzend, wenngleich ebenfalls fein skulpturiert, ist ein Streifen am unteren Rand des Clypeus. Das zweite Geißelglied ist etwas länger als das dritte bis fünfte zusammen. Auf der Oberlippe befindet sich eine deutliche, glatte Erhebung.

An der Hintertibia erstreckt sich die Kniescheibe über $^2/_3$ der Länge derselben und endet mit zwei spitzen, ungleich großen Lappen. Der vordere Lappen ist wie gewöhnlich der größere; der Hinterrand der Kniescheibe ist stark aufgebogen und dicht, aber unregelmäßig gezähnt.

Das Abdomen ist stark konvex, oben namentlich auf den mittleren Partien des zweiten und dritten Tergits sehr spärlich und seicht punktiert, glänzend.

Länge des Körpers 17—19 mm, der Vorderflügel ca. 14 mm.

B. Koptorthosoma Grib. (Subgenus).

IV. Gruppe *latipes*

(*latipes* Drur., *tenuiscapa* Westw., *perforator* Sm., *splendidipennis* Rits.?, *bombiformis* Sm.?, *acutipennis* Sm.?, *caerulea* Fabr. und *abotti* Cock.?).

Die in diese Gruppe gehörigen Koptorthosomen, mittelgroße bis große Tiere von gedrungenem Bau, sind in beiden Geschlechtern durch ein breites, ± plattgedrücktes, oft seitlich scharf gerandetes Abdomen, durch oft lebhafte und bunte Flügelfärbung und durch entweder größtenteils dunkle oder zum Teil blaugrüne, niemals gelbe Behaarung ausgezeichnet.

Die ♂ haben außerdem große, am Scheitel stark genäherte Seitenaugen, ein auffallend stark gewölbtes Mittelsegment und relativ lange, schmale und spitze [1]) Vorderflügel.

Zu einer Anzahl der oben aufgezählten Arten habe ich deshalb ein Fragezeichen gemacht, weil ich von diesen Arten nur ein Geschlecht vorliegen habe.

Xylocopa latipes (Drury) Fabr.

Im Besitze des Hofmuseums zahlreiche ♀ und ♂ aus der ganzen orientalischen Region, mit Ausnahme der ceylonesischen Subregion.

1. Aus der himalajischen Subregion: Stücke aus Sikkim (März—April ges. von Fruhstorfer), China (ges. v. Westerm.), Siam (Hinlap, im Jan. ges. v. Fruhstorfer, Bangkok ges. v. Ranson).

2. Aus der indo-malaiischen Subregion: Die meisten Stücke, aus Tenasserim (Salween, Moulmein aus der Coll. Bingham und ges. v. Ranson), Malacca (Singapore ges. v. Pfeiffer und Ranson, Ober-Perak, Kwala Kangsar ges. v. Grubauer), Java (ges. auf der «Novara»-Reise, ges. v. Fruhstorfer, Baron Wansberg, Moravic, Adensamer, L. v. Ende u. a.), Sumatra (ges. auf der ostasiatischen Expedition, ges. v. Mojsisovics, Padand ges. v. Konsul Schild, Pengalingass 4000' ges. v. Fruhstorfer), Borneo (ges. v. Plason u. a.), Amboina (ges. v. Doleschal).

3. Aus der hindostanischen Subregion: Einige Stücke von nicht ganz sicherer Provenienz aus Sind, Nordindien und Indien (alle ges. v. Plason).

Ferner Stücke ohne Fundortsangabe aus der Coll. Winthem und ges. v. Stevens.

Diese Art (♀ und ♂) unterscheidet sich von der nahe verwandten *tenuiscapa* Westw. außer durch die von den Autoren angegebenen Merkmale auch noch dadurch, daß bei ihr das zweite Geißelglied etwas kürzer ist wie das dritte bis fünfte zusammen, während es bei *tenuiscapa* gleich lang, eher noch etwas länger ist als die genannten Geißelglieder zusammen. Der Unterschied in der Länge der zweiten Geißelglieder wird deutlicher, wenn wir die zweiten Geißelglieder zweier ungefähr gleich großer Individuen der beiden Arten selbst miteinander vergleichen, das zweite Geißelglied von *latipes* ist wie überhaupt die ganze Geißel bedeutend kürzer und dicker als das zweite Geißelglied von *tenuiscapa*.

Die ♂ unterscheiden sich auch durch die verschieden starke und verschieden gebildete Erweiterung der Vordermetatarsen. Diese sind bei der *latipes* an der breitesten Stelle ungefähr $^1/_2$ mal so breit als lang und am Hinterrand ziemlich leicht, wenn auch deutlich S-förmig geschweift. Bei der *tenuiscapa* sind sie viel schmäler, höchstens $^1/_3$ mal so breit als lang, am Vorderrand weniger, am Hinterrand dagegen viel stärker S-förmig geschweift, und zwar ist besonders die Ausrandung an der Basis des Hinterrandes stark entwickelt.

Xylocopa tenuiscapa Westw.

X. (Platynopoda) tenuiscapa Westwood, Duncan, Nat. Hist. of Bees, 1840, p. 371, Taf. 23, Fig. 2, ♀.
X. albofasciata Sichel, Novara-Reise, Hym., p. 154, ♀.

Im Besitze des Hofmuseums: Meist Stücke aus der ceylonesischen, wenige aus der himalajischen Subregion.

---

[1]) Dieses Merkmal kommt nämlich nicht nur den «acutipennis» Sm. ♂ und ♀, sondern allen den genannten ♂, nicht aber auch den ♀ zu.

1. Aus der ceylonischen Subregion: Viele Stücke aus Ceylon (Peradeniya ges. v. Uzel, Kandy, Badurelia ges. v. Penther, Kirinde, 1 Stück ges. auf der «Novara»-Reise, mehrere Stücke ges. v. Heuser, Riebeck u. a.), 1 Stück aus Vorderindien (Madras ges. auf der «Novara»-Reise).

2. Aus der himalajischen Subregion: 1 Stück aus Siam (Bangkok ges. v. Ranson), mehrere Stücke von den Andamanen (ges. v. Plason).

Ein ♀ von Ceylon ges. auf der «Novara»-Reise ist als Type von *albofasciata* Sich. bezeichnet. Es ist ganz unzweifelhaft ein *tenuiscapa*-♀, nur finden sich an den Abdominaltergiten Reste weißer Fettausschwitzungen. Diese weißen Fettausschwitzungen sind die weißen Binden Sichels! Zur Zeit Sichels waren sie wahrscheinlich stärker, denn inzwischen ist das Tier offenbar einmal in Benzin gewaschen worden, wobei sich die Binden aufgelöst haben! Die Art ist als synonym zu *X. tenuiscapa* Westw. zu setzen.

Xylocopa perforator Sm.

Im Besitze des Hofmuseums: 2 ♂, eines von Ceylon (ges. auf der «Novara»-Reise), das andere ohne Fundort, ferner 2 ♀ von Ceylon (ges. auf der «Novara»-Reise und ges. v. Riebeck), 3 ♀ von Lombok (Sapit 2000', Mai—Juni, ges. v. Fruhstorfer), 4 ♀ von Java (2 ges. v. L. v. Ende, 1 aus Batavia ges. auf der «Novara»-Reise, 1 ges. v. Adensamer), 1 ♀ ohne Fundort (ges. auf der «Novara»-Reise) und 1 ♀ angeblich aus Westafrika??

Die ♂ dieser Art sind nach Smith von den ♂ von *tenuiscapa* durch die schwarze Behaarung der Vordermetatarsenerweiterung verschieden. Sie unterscheiden sich aber auch in der Bildung dieser Erweiterung von der *tenuiscapa* sowohl wie von der *latipes*. Die Erweiterung ist nämlich erstens noch schmäler als bei der *tenuiscapa*, ungefähr nur ¹/₄ mal so breit wie lang und dann ist der Vorderrand derselben sehr schwach, der Hinterrand fast gar nicht §-förmig geschweift. In der Bildung des Fühlerschaftes und in der Länge des zweiten Geißelgliedes stimmen die ♂ dieser Art mit der *tenuiscapa* überein, nicht aber in der bei *latipes* sowohl wie bei *tenuiscapa* ziemlich konstanten Flügelfärbung. Diese haben sie eher mit der *latipes* gemeinsam.

Das ♀ konnte Smith von den *tenuiscapa* ♀ nicht unterscheiden. Ich habe in der Sammlung des Museums zahlreiche oben aufgezählte ♀ gefunden, die sich von den *tenuiscapa* ♀, mit denen sie sonst ganz übereinstimmen, durch die wiederum mit *latipes* übereinstimmende Flügelfärbung unterscheiden. Da, wie schon erwähnt, auch das *perforator*-♂ bei sonstiger näherer Übereinstimmung mit den *tenuiscapa*-♂ die Flügelfärbung von *latipes* besitzt, stelle ich die beschriebenen ♀ hieher.

Xylocopa splendidipennis Rits.
Im Besitze des Hofmuseums: 1 ♀ aus Sumatra (Padang ges. v. Schild).

Xylocopa bombiformis Sm.
Im Besitze des Hofmuseums: 3 ♀ von den Philippinen (Manila Coll. Winthem und 2 Stücke ges. v. Schadberg).

Xylocopa caerulea (Fabr.) Lep.
Im Besitze des Hofmuseums: Zahlreiche Stücke, ♀ und ♂, aus der ganzen orientalischen Region, mit Ausnahme der hindostanischen Subregion, aus Tongkin (Montes Manson April—Mai ges. v. Fruhstorfer), Annam (Phuc-Son, November—Dezember ges. v. Fruhstorfer), Sumatra (ges. v. Plason und auf der ostasiatischen Ex-

pedition 1890), Java (ges. v. Adensamer und Moravic, Batavia ges. v. Plason und auf der «Novara»-Reise), endlich 1 ♂ von Ceylon (Ratanpura ges. v. Löbell). Die Beschreibung, die Bingham (The fauna of British India Hym., Vol. I, 1897, p. 544) von dieser Art gibt, bezieht sich nach Cockerell (Proc. U. S. Nat. Mus., Vol. XXVI, 1909, p. 410) auf die von diesem Autor unterschiedene Art *Mesotrichia abbotti* n. sp. Über die Unterscheidung dieser Art von der *caerulea* Fabr. vgl. man l. c., p. 415. Das ♂ wurde von Ashmead (Trans. Amer. Ent. Soc. XXVI. 1899, p. 70) als *Cyanoderes fairchildi* beschrieben.

Fig. 27. *Xylocopa caerulea* (Fabr.) Lep. ♂ von oben.

Mir liegen 6 ♂ vor. Sie stimmen im allgemeinen in ihrem Aussehen mit den ♀ überein, unterscheiden sich aber in folgenden Punkten: Das 'erste Abdominalsegment ist durchaus schwarz behaart. Der Kopf ist im ganzen kleiner, die Augen sind groß, konvergieren gegen den Scheitel, aber nicht bis zur Berührung, vielmehr stehen sie ungefähr um zwei bis drei Ocellendurchmesser voneinander ab. Das Gesicht ist infolge der bedeutenden Größe der Augen schmal, dicht bräunlichgrün behaart, schwarz mit Ausnahme eines undeutlichen pechroten Streifens am unteren Rand des Clypeus. Zwei ebenso gefärbte kleine Flecke finden sich an der Basis der Mandibeln. Die Hinterschenkel sind etwas verdickt und besitzen innen eine scharfe gerade Kante, die aber gegen die Coxen zu nicht winkelig vortritt, sondern im Bogen verläuft. Die Hinterschienen tragen innen gegen die Spitze zu einen tiefen runden Ausschnitt. Die Farbe der Behaarung des Thoraxrückens und der Seiten ist bei den sechs mir vorliegenden Exemplaren nicht so schön grünblau wie bei den meisten ♀, sondern bräunlichgrün.

Ich bilde den Kopulationsapparat (Fig. 27) ab.

Xylocopa abbotti Cock.

Mesotricha abbotti Cockerell, Proc. Unit. Stat. Nat. Mus. XXXVI. 1909, p. 415, ♀.

Im Besitze des Hofmuseums: 1 ♀ aus Tenasserim (Ihanugyin Coll. Bingham).

V. Gruppe *confusa*

(*confusa* Per., *separata* Per., *bryorum* L., *verticalis* Lep., *nobilis* Sm., *ghilianii* Grib., *philippinensis* Sm., *perkinsi* Cam., *perversa* Wiedem., *unicolor* Sm., *flavonigrescens* Sm., *provida* Sm., *volatilis* Sm., *euchlora* Per., *maior* n. sp., *simillima* n. sp., *minor* n. sp., *clavicrus* n. sp.).

Die ♀ dieser Gruppe, alle Koptorthosomen, sind ausgezeichnet durch einen gedrungenen Körperbau und mit einer einzigen Ausnahme (*unicolor* Sm.[1]) durch gelbe Behaarung größerer oder kleinerer Teile des Körpers.

Die ♂ der Gruppe sind wie die ♀ von gedrungener Gestalt, größtenteils gelb, grünlichgelb oder orangegelb behaart und meist durch aufgetriebene, vorne gewölbte, hinten abgeflachte Hinterschenkel mit charakteristischen, systematisch verwertbaren Bildungen an der Basis (Kiele, Höcker) und zugeschärften, gegen die Basis zu meist eckig (Basalecke) vortretendem Innenrand ausgezeichnet. Auch der Kopulationsapparat kennzeichnet sie als zu einer Gruppe gehörig.

---

[1] Ich stelle *unicolor* nur wegen des ♂ hieher, das alle Merkmale der zu dieser Gruppe gehörigen ♂ zeigt.

Xylocopa confusa Per. = aestuans aut. p. p.

X. confusa Perez, Act. Soc. Linn. Bordeaux LVI. 6. sér., tome VI, 1901, p. 57—60, ♀ ♂.

Im Besitze des Hofmuseums zahlreiche ♀: 1. Aus der himalajischen Subregion: Stücke aus Cochinchina (Saigon ges. v. Fruhstorfer und Ranson).

2. Aus der indomalaiischen Subregion: Stücke aus Burma (Ataran), 6 ♀ aus Malacca (Kwala Kangsar Perak ges. v. Grubauer), von Sumatra (Pinang ges. v. Ranson), von Java (ges. v. Baron Wansberg, Moravic, Adensamer und auf der «Novara»-Reise), von Borneo und Celebes (Patunuang, Januar ges. v. Fruhstorfer).

3. 1 ♀ aus Ägypten (?).

Von der von Perez (l. c., p. 58) beschriebenen Varietät von *confusa* ♀ besitzt das Hofmuseum ebenfalls viele Stücke, aus Vorderindien (1 ♀ von Madras), von Ceylon (1 ♀ ges. v. Heuser), aus Annam (Phu Rang. März und Phuc Son, November—Dezember ges. v. Fruhstorfer), 11 ♀ aus Siam (Bangkok ges. v. Ranson), von Java und Celebes (Patunuang, Januar ges. v. Fruhstorfer) und 1 ♀ von Australien (?) (ges. v. Dupont).

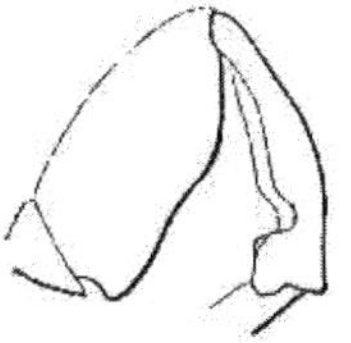

Fig. 28. Hinterseite des Hinterschenkels und der Hinterschiene von *Xylocopa confusa* Perez ♂.

Fig. 29. Kopulationsapparat von *Xylocopa confusa* Perez ♂.

Von *confusa* ♂ besitzt das Hofmuseum zahlreiche Stücke aus der himalajischen und indomalaiischen Subregion: Aus Siam (Bangkok ges. v. Ranson), aus Malacca (Singapore ges. v. Ranson), Java (Batavia ges. auf der «Novara»-Reise), Sumatra und Borneo.

Die ♂ sind von denen der *leucothorax* (*aestuans* aut. p. p.) viel mehr verschieden als die ♀ der beiden Arten voneinander. Die Verschiedenheiten liegen in der Größe und besonders in der Form der Hinterbeine und des Kopulationsapparates.

Perez hat das *confusa* ♂ hinreichend genau beschrieben, ich bilde zur Ergänzung die Hinterseite der Hinterbeine (Fig. 28) und den Kopulationsapparat (Fig. 29) ab.

Xylocopa separata Per.

X. separata Perez, Act. Soc. Linn. Bordeaux LVI. 6. sér., tome VI, p. 60, ♂.

Im Besitze des Hofmuseums: 6 ♂ aus Malacca (Kwala Kangsar Perak ges. v. Grubauer), 3 ♂ von Sumatra, 1 ♂ von den Großen Nicobaren (Sambelong ges. auf der «Novara»-Reise), endlich 1 ♂ aus Ägypten (??), welche mit der Beschreibung Perez' bis auf die Angabe «épine basilaire antérieur du fémur élargie, à sommet tranchant et non en pointe aiguë» übereinstimmen. Der

Fig. 30. Kopulationsapparat von *Xylocopa separata* Perez ♂.

vordere Dorn der Hinterschenkel scheint mir genau so spitz wie bei *confusa* Per. ♂ zu sein. Ich bilde zur Ergänzung den Kopulationsapparat (Fig. 30) ab.

Mir liegen auch 6 ♀ von derselben Provenienz wie die 6 ♂ von Kwala Kangsar vor, ich kann jedoch keinen Unterschied zwischen ihnen und der früher aufgezählten *confusa* ♀ finden; entweder sind sie also nicht die richtigen ♀ zu *separata* Per. ♂, oder die ♀ dieser Art sind nicht zu unterscheiden von den *confusa* ♀, was nicht so ganz unmöglich erscheint, wenn man bedenkt, wie wenig sich die *leucothorax* ♀ von den

Annalen des k. k. naturhistorischen Hofmuseums, Bd. XXVI, Heft 3 u. 4, 1912.   20

confusa-Weibchen eigentlich unterscheiden und wie groß dagegen die Unterschiede der zugehörigen Männchen sind. Es scheint eine bei den Xylocopen vielleicht häufiger (ich erinnere an die ♀ und ♂ der *leucothorax*- und *caffra*-Gruppe der afrikanischen Arten) vorkommende Erscheinung zu sein, daß die ♂ besser unterscheidbar sind als die ♀, wenigstens mit Hilfe der Kopulationsapparate.

Xylocopa bryorum (Fabr.) Sm.

Im Besitze des Hofmuseums zahlreiche ♀ aus der austromalaiischen und australischen Subregion: aus Neu-Guinea (Maupa, Kepelbay in Englisch-Neu-Guinea ges. v. Finsch), aus Neu-Pommern (ges. v. Finsch), aus Australien (ges. v. Thorey u. Müller, Kap York), aus Tasmanien (Somerset ges. v. Finsch), von den Thursday-Inseln (ges. v. Finsch). Ferner 2 ♂ vom Kap York und 1 ♂ (ohne Abdomen) von den Hawai-Inseln (Insel Marie ges. v. Finsch).

Das ♂ ist von Perez (Act. Soc. Linn. Bordeaux, Vol. LVI, 6. sér., tome VI, 1901, p. 57) hinreichend genau beschrieben worden. Ich bilde zur Ergänzung die Hinterseite der Hinterschiene (Fig. 31) und den Kopulationsapparat (Fig. 32) ab.

Fig. 31. Hinterseite des Hinterschenkels und der Hinterschiene von *Xylocopa bryorum* (L.) Fabr. ♂.

Fig. 32. Koputationsapparat von *Xylocopa bryorum* (L.) Fabr. ♂ von oben.

Xylocopa verticalis Lep.

Im Besitze des Hofmuseums: 1 ♀ aus Sumatra und 1 ♀ aus Borneo.

Unterscheidet sich von *confusa* Per. var. (Taf. IV, Fig. 13) sowie von *confusa* Per. ♀ und *bryorum* L. ♀ durch das bedeutend schmälere Gesicht (Taf. IV, Fig. 14). Während bei *confusa* Per. ♀ und den beiden anderen Arten die Höhe der Seitenaugen annähernd so groß ist wie deren kleinste Abstände voneinander am Scheitel und am Clypeus, das Gesicht also annähernd quadratisch ist, ist das Gesicht von *verticalis* ein Trapez, dessen Höhe größer ist als dessen Basis, da hier die Höhe der Seitenaugen merklich größer ist als ihr geringster Abstand am Clypeus und dieser Abstand wieder merklich größer ist als der geringste Abstand der Seitenaugen voneinander am Scheitel. Im Zusammenhang mit der Verschmälerung des Gesichtes stehen auch bei *verticalis* die paarigen Ocellen und die Fühlerinsertionsgruben näher aneinander und ist der obere Rand des Clypeus kürzer als bei *confusa* var. Ferner ist der Scheitel von *confusa* var. viel höher über den Seitenaugen als der von *verticalis,* deren Kopf von vorn betrachtet wie kreisförmig, fast ganz ohne Hervortreten der Scheitelecken erscheint.

Xylocopa nobilis Sm.

Im Besitze des Hofmuseums: 1 ♀ aus Amboina (ges. v. Doleschal), 1 ♀ aus Celebes (Halbinsel Minahassa ges. v. Kükenthal).

Nach Perez (Act. Soc. Linn. Bordeaux, Vol. LVI, 6. sér., tome VI, 1901, p. 64—65) unterscheidet sich diese Art, *tricolor* Rits., *adusta* Per. und *occipitalis* Per. von *ghilianii* Grib. durch die dichte das Integument ganz oder fast bedeckende Behaarung des Abdomens. Bei *ghilianii* Grib. soll die Behaarung viel weniger dicht sein und daher die Punktierung auf dem größten Teil des Abdomens sehen lassen.

Das erstere ist bei den angeführten zwei ♀ der Fall, die Behaarung und damit auch die Punktierung des Abdomens ist sehr dicht. Die Punkte sind fein, die Zwischenräume kleiner als ein Punktdurchmesser.

Xylocopa ghilianii Grib.

Im Besitze des Hofmuseums: 1 ♀ von den Philippinen.

Über die Unterscheidung dieser Art von der *nobilis* Sm., *tricolor* Rits., *adusta* Per. und *occipitalis* Per. vergleiche man bei *nobilis* Sm. (p. 298).

Das vorliegende ♀ gleicht in allen plastischen Merkmalen der *philippinensis* Sm.; sie unterscheidet sich von dieser Art nur durch die stärkere Ausbreitung der gelben Behaarung über das Pronotum und den Vorderrand des Mesonotum, über die Seitenränder des Mesonotum, über die Thoraxseiten unter den Tegulae, über das ganze Scutellum und Postscutellum und über den ersten Tergit. Zwei kleine gelbe Haarbüschel finden sich auch noch am Hinterrand der Tegulae.

Ferner sind die Flügel dunkler braun und ist der Flügelglanz ein etwas verschiedener. Die Flügel glänzen im ganzen blaugrün im Bereich der geschlossenen Zellen, namentlich an den Adern auch purpurn.

Xylocopa philippinensis Sm.

Im Besitze des Hofmuseums: 2 ♀ von den Philippinen (Manila ges. auf der «Novara»-Reise) und 3 ♀ ohne Fundortsangabe.

Außerdem hatte ich Gelegenheit, mehrere Stücke ebenfalls von den Philippinen aus der Sammlung des königl. zool. Museums in Berlin zu sehen.

Die Beschreibung von Smith ist sehr kurz, ich glaube, daß es nicht unnötig ist, eine ausführlichere zu geben.

Integument: Im allgemeinen schwarz, Unterseite der Fühlergeißel vom dritten Glied an rotgelb bis pechrot, Krallenglied der Tarsen ± ausgedehnt und Segmentränder sehr schmal pechrot. Flügel braun, nicht so dunkel wie etwa bei *confusa*, sondern so wie bei *bryorum*, Basalhälfte häufig etwas lichter. Die Färbung des Flügelglanzes variiert. Einige Stücke aus dem Berliner königl. Museum wiesen die typische durchaus purpurne Färbung auf, andere Stücke aus demselben Museum und aus unserer Sammlung hatten ± eintonig grüngolden, gegen die Spitze zu mehr rotgolden schimmernde Flügel.

Behaarung: Im allgemeinen braunschwarz. Gesicht ziemlich dicht schmutzig gelblichweiß, mit eingemengten dünnen braunen Haaren, Schläfen dünn, weißlich behaart.

Die Ausdehnung der gelben Behaarung scheint zu variieren. Neben Stücken, welche außer dem ersten Abdominaltergit nur die Seiten des Scutellums, das Postscutellum und eine ganz kleine Stelle unter den Flügelschuppen gelb behaart haben, gibt es Stücke, bei denen das ganze Scutellum, Postscutellum und auch das Pronotum gelb behaart sind. Einzelne gelbe Haare finden sich auch am äußersten Vorderrand des Mesonotum. Von solchen Stücken nicht mehr allzu sehr verschieden ist das Stück in der Sammlung des Hofmuseums, das ich als *ghilianii* Grib. bestimmt habe, bei welchem sich die gelbe Färbung über das Pronotum, den Vorder-, Seiten- und Hinterrand des Mesonotums, das Scutellum und Postscutellum, die Seiten des Thorax und über den ersten Tergit erstreckt. Plastische Merkmale, welche dieses Stück von den *philippinensis* unterscheiden würden, konnte ich nicht auffinden. Möglicherweise ist also *ghilianii* Grib. nur eine extreme Färbung von *philippinensis* Sm.

Die Tergite sind, wie schon bei *nobilis* Sm. erwähnt, ziemlich dicht schwarz behaart, jedoch nicht so dicht, daß das Integument und seine Punktierung von der Behaarung so vollständig bedeckt würden wie bei *nobilis*. Die Innenseite der Tarsen, namentlich der Hintermetatarsen, sind ± dunkelpechrot behaart.

Plastische Merkmale: Kopf von vorn gesehen (Taf. IV, Fig. 15) ohne hervortretende Scheitelecken, Scheitel nicht ausgeschweift, Gesicht annähernd quadratisch,

20*

d. h. Höhe der Seitenaugen = deren geringstem Abstand am Scheitel und am Clypeus, Abstand der paarigen Ocellen voneinander kleiner als von den Seitenaugen. Höhe des Scheitels über den Seitenaugen so groß wie der Abstand eines paarigen Ocells vom Seitenauge. Stirnkiel und Frontaltuberkel fast nicht vorhanden, an seiner Stelle eine vom Ringkanal des unpaaren Ocells entspringende, bis zwischen die Fühlerinsertionsgruben verlaufende Furche. Oberer Rand des Clypeus so lang wie der Abstand seiner Ecken von den Seitenaugen. Von diesen Ecken laufen zwei parallele stark vertiefte Linien zu den Fühlerinsertionen. Clypeus mitten ganz schwach gekielt. Oberlippe mit einer glänzenden Erhebung. Zweites Geißelglied unten kürzer als das dritte bis fünfte zusammen, aber etwas länger als drittes und viertes zusammen. Punktierung des Gesichtes im allgemeinen dicht, um das unpaare Ocell herum und auf dem Stirnschildchen spärlich. Punktierung des Scheitels und der Schläfen im ganzen spärlich, auf dem Scheitel zu beiden Seiten einer glatten Mittellinie dichter. Unpunktiert und + glänzend sind eine Mittellinie am Scheitel, zwei an zwei vertiefte und punktierte Gruben unmittelbar hinter den paarigen Ocellen sich anschließende Stellen, der obere Rand des Clypeus, die glänzenden Seitenränder des Clypeus, der untere stark glänzende Rand des Clypeus in ziemlicher Ausdehnung, der Kiel des Clypeus und die Wangen.

Fig. 34. Kopulationsapparat von *Xylocopa unicolor* Sm. ♂ von oben.

Fig. 33. Hinterseite des Hinterschenkels und der Hinterschiene von *Xylocopa unicolor* Sm. ♂.

Die Kniescheibe an der Hintertibia reicht bis zur Hälfte der Tibia und endet mit einem zugespitzten, wenig aufgeworfenen Lappen, wie überhaupt die ganze lanzettförmige Kniescheibe wenig aus der Behaarung der Tibia hervortritt.

Die Punktierung der mittleren Partien des zweiten und dritten Tergits ist mäßig dicht, die der seitlichen Partien dicht bis sehr dicht zu nennen, d. h. auf den mittleren Partien beträgt die Größe der Zwischenräume durchschnittlich ein bis zwei Punktdurchmesser, auf den seitlichen Partien durchschnittlich weniger als einen Punktdurchmesser. Die Punkte sind viel gröber als bei *nobilis* Sm.

Länge des Körpers 21—25 mm, der Vorderflügel 19 mm.

Xylocopa perkinsi Cam.

X. perkinsi Cameron, Proc. Zool. Soc., 1901, I. p. 243.

Im Besitze des Hofmuseums: 1 ♀ aus Neu-Pommern (Blanchebay ges. v. Finsch).

Xylocopa perversa Wiedem.

Im Besitze des Hofmuseums: 1 ♀ aus Java (Coll. Winthem).

Xylocopa unicolor Sm.

Im Besitze des Hofmuseums: 8 ♀, 3 ♂ aus Amboina (ges. v. Doleschal, Mocsary und Pfeiffer).

Das ♂ unterscheidet sich von den verwandten mehr eintönig gelb behaarten ♂ durch die am Thorax und ersten Tergit bleich weißgelbe Farbe der Behaarung, durch das meist vollständige Fehlen der ersten Cubitalquerader, durch die Bildung der Hinterbeine (Fig. 33) und durch den Kopulationsapparat (Fig. 34). Auf der Vorderseite ist die Basalecke des zugeschärften Hinterrandes der Hinterschenkel fast gar nicht aufgebogen und der Basalhöcker schneidend, gleichsam der Rest eines Kieles, der bei anderen Arten von der Basalecke bis ungefähr zur Mitte der Schenkelbreite zieht.

Xylocopa flavonigrescens Sm.

1 ♂ aus Tongkin (Than Moi, Juni—Juli ges. v. Fruhstorfer), 2 ♂ von Malacca (Singapore ges. v. Plason, Kwala Kangsar Perak ges. v. Grubauer).

Diese Art ist von den verwandten mehr eintönig gelb gefärbten ♂ leicht durch die gegen die Spitze zu allmählich immer dunkler werdende Behaarung, den Kopulationsapparat (Fig. 36) und die Bildung der Hinterbeine (Fig. 35) zu unterscheiden. Auf der Vorderseite der Hinterschenkel ist die Basalecke ein wenig aufgebogen und der Basalhöcker schneidend, fast kielförmig. Zwischen dem durch die Aufbiegung der Basalecke entstandenen Höcker und dem anderen findet sich eine ziemlich tiefe Einsattlung.

Xylocopa provida Sm.

Im Besitze des Hofmuseums befinden sich 2 ♂ von Neu-Guinea, von Friese als *provida* Sm. determiniert.

Smith gibt von den ♂ dieser Art an «anterior legs elongate». Ich kann nicht finden, daß bei den beiden mir vorliegenden ♂ die Vorderbeine mehr verlängert wären als bei allen verwandten wie *provida* größtenteils eintönig gelb gefärbten ♂. Diese Art zeichnet sich nicht mehr durch etwas abwechselnde Behaarung aus, sondern ist größtenteils ganz eintönig gelb behaart, und zwar mehr rötlich- als grünlichgelb, dagegen besitzt sie einen sehr charakteristischen Kopulationsapparat (Fig. 38) und eine ebenso charakteristische Bildung der Hinterbeine (Fig. 37). Auf der Vorderseite ist

Fig. 35. Hinterseite des Hinterschenkels und der Hinterschiene von *Xylocopa flavonigrescens* Sm. ♂.

Fig. 36. Kopulationsapparat von *Xylocopa flavonigrescens* Sm. ♂ von oben.

Fig. 38. Kopulationsapparat von *Xylocopa provida* Sm. ♂ von oben.

Fig. 37. Hinterseite des Hinterschenkels u. d. Hinterschiene von *Xylocopa provida* Sm. ♂.

die Basalecke ziemlich stark aufgebogen, der Basalhöcker nicht schneidend, aber auch nicht so spitz dornförmig wie bei *confusa*, sondern schön kegelförmig, die zwischen beiden liegende Einsattlung ziemlich tief. Ferner ist, wenigstens bei den beiden mir vorliegenden Stücken, die Basis der ersten Cubitalquerader in ähnlicher Weise obsolet wie bei *bryorum*.

Xylocopa volatilis Sm.

Im Besitze des Hofmuseums: 1 ♂ aus Südcelebes (Samanga, November ges. v. Fruhstorfer), das ich hauptsächlich wegen der rötlichen Farbe seiner Haare als zu dieser Art gehörig ansehe.

Das vorliegende Tier ist größtenteils lebhaft orangegelb behaart, dunkle Haare fehlen fast vollständig. Dort wo solche gewöhnlich bei den verwandten ♂ stehen, also an den Seiten des Abdomens, in Form eines Streifens auf der Außenseite der Hintertibien und an der ganzen Innenseite der Hintertibien und -tarsen finden sich bei unserer Art orangerote (ferrugineous) Haare.

Die erste Cubitalquerader ist an der Basis obsolet.

Die Bildung der Hinterbeine ist im ganzen ähnlich wie bei allen verwandten Arten, die Hinterschenkel sind aufgetrieben und innen zugeschärft. Die Hinterseite der Schenkel zeigt Fig. 39. Die Basalecke ist auf der Vorderseite schwach aufgebogen, der Basalhöcker schneidend kielförmig, von der aufgebogenen Ecke durch eine seichte Einsattlung getrennt. Am meisten erscheint mir der Kopulationsapparat (Fig. 40) charakteristisch. Auch die bedeutendere Körpergröße, die Smith leider nicht angibt, unterscheidet dieses Tier von den meisten verwandten, es mißt 30 mm in der Länge, 12 mm in der Breite, 24 mm an den Vorderflügeln.

Fig. 39. Hinterseite des Hinterschenkels u. d. Hinterschiene von *Xylocopa volatilis* Sm. ♂.

Fig. 40. Kopulationsapparat von *Xylocopa volatilis* Sm. ♂ von oben.

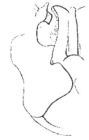

Fig. 42. Kopulationsapparat von *Xylocopa euchlora* Perez ♂ von oben.

Fig. 41. Hinterseite des Hinterschenkels u. d. Hinterschiene v. *Xylocopa euchlora* Perez ♂.

Xylocopa euchlora Per.

X. euchlora Perez, Act. Soc. Linn. Bordeaux, Vol. LVI, 6. sér., tome VI, 1901, p. 61, ♂.

Im Besitze des Hofmuseums: 17 ♂ von den Philippinen (ges. v. Schadberg, auf der «Novara»-Reise, Manila ges. v. Raszlag, 2 Stück ges. v. Semper).

Zur Ergänzung der Perez-schen Beschreibung bilde ich die Hinterseite der Hinterbeine (Fig. 41) und den Kopulationsapparat (Fig. 42) ab. Die Vorderseite der Hinterbeine ist hier sehr interessant gestaltet, indem sich an der Basis der Hinterschenkel jener große Kiel noch im ganzen erhalten findet, als dessen Rest wir uns die zwei durch eine ± tiefe Einsattlung getrennten Basalhöcker der meisten verwandten Arten denken können.

Euchlora ist vielleicht das ♂ zu *philippinensis* Sm.

Xylocopa maior n. sp.

Im Besitze des Hofmuseums: 5 ♀ (4 von den Philippinen ges. v. Schadberg 1890, 1 ohne Fundort).

Zeichnet sich vor den meisten verwandten durch seine Größe aus. Nur *volatilis* und die noch zu besprechende *clavicrus* ist unter den mir vorliegenden von gleicher Größe. Ich gebe die Beschreibung:

Integument: Schwarz, Unterseite der Beine und die Tarsen ± pechrot gefärbt. Unterrand und Mittellinie des Clypeus, Unterseite der Fühler und manchmal ein kleiner Fleck auf der Oberlippe gelb. Flügel subhyalin, leicht bräunlich, am Vorderrand stärker gebräunt, ähnlich wie bei allen verwandten ♂.

Behaarung: Die Farbe der Behaarung ist größtenteils grünlichgelb, an den Beinen, besonders an den Tarsen und auf der Unterseite, mehr rötlichgelb. Auf den

Hintertibien findet sich außen ein roter Haarstreif, an der Innen- und Hinterseite der Hintertarsen mehr oder weniger ausgedehnte braune Behaarung, Haare von ebensolcher Farbe finden sich auch vereinzelt unter der grünlichgelben Behaarung des Scheitels und gegen hinten an Zahl zunehmend an den Seiten der Abdominaltergite, an der Spitze rechts und links von dem die äußerste Spitze zierenden rotgelben Haarbüschel ein dunkles Haarbüschel bildend, wie es übrigens bei fast allen verwandten ♂ der Fall ist. Die Behaarung des Thoraxrückens ist kurz und dicht, wie geschoren, die der Abdominaltergite oben ziemlich anliegend, ähnlich wie bei *leucothorax* Deg. (*aestuans* aut. p. p.), an den Seiten mehr abstehend und lang. Die Schenkel sind sehr spärlich behaart.

Von plastischen Merkmalen kommt wieder in erster Linie der Kopulations-apparat (Fig. 44) in Betracht. Das Gesicht ist annähernd quadratisch, das zweite Geißelglied so lang wie das dritte bis fünfte zusammen. Die Hinterschenkel sind fast gar nicht aufgetrieben, hinten flach, vorne gewölbt, innen gekantet. Den Verlauf dieser Kante zeigt Fig. 43. Auf der Vorderseite ist die Basalecke nur schwach aufgebogen und gegen die Mitte des Schenkels zu in einen ziemlich flachen mitten etwas sattelförmig eingedrückten Kiel fortgesetzt. Die Hinter-tibien tragen wieder wie gewöhnlich bei diesen ♂ gegen die Spitze zu an der Innenseite einen tiefen Ausschnitt.

Länge des Körpers 27—29 mm, der Vorderflügel 22 bis 23 mm.

Xylocopa lombokensis
n. sp. ♂.

Im Besitze des Hofmuseums: 2 ♂ aus Lombok (Sambalun 4000', April und Sapit 2000', Mai—Juni ges. v. Fruhstorfer).

Integument: Schwarz mit Ausnahme des Clypeusunterrandes und einer Linie in der Mitte des Clypeus, der Unterseite des Fühler-

Fig. 43. Hinterseite des Hinter-schenkels u. d. Hinterschiene von *Xylocopa maior* n. sp. ♂.   Fig. 44. Kopulationsapparat von *Xylocopa maior* n. sp. ♂ von oben.

schaftes, zweier Flecke an der Basis der Mandibel und zweier kleiner Flecke auf der Oberlippe, welche gelb, und der Unterseiten der Fühlergeißeln vom zweiten Glied an, welche rotgelb sind. Die Tarsen sind ± pechrot.

Behaarung: Die Farbe der Behaarung ist im allgemeinen grünlichgelb. Rotgelb ist die Behaarung des Gesichtes der ganzen Vorder- und Mittelbeine, der Vorder- und Außenseite der Hintertarsen und der Hintertibien, der Unterseite des Abdomens und der äußersten Spitze desselben. Rot ist ein breiter Haarstreif an der Vorderseite der Hintertibien. Dunkel schwarzbraun behaart sind die Innen- und Hinterseite der Hinter-tibien und Hintertarsen sowie teilweise die Seiten der letzten vier Abdominaltergite, namentlich das vierte trägt zu Seiten des rotgelben Haarbüschels an der Spitze zwei schwarze Haarbüschel. Dunklere Haare sind auch der geringelten Behaarung der Abdominaltergite oben beigemengt. Die Behaarung ist im allgemeinen dicht, an der Unterseite des Abdomens spärlicher, nur an den Hinterrändern der Abdominalsternite dichter, sie fehlt fast vollständig den Coxen, Trochanteren und Schenkeln. Auf der Oberseite der Abdominaltergite ist sie halbanliegend, an den Seiten derselben lang und abstehend.

Von plastischen Merkmalen ist an erster Stelle der Kopulationsapparat (Fig. 46) zu nennen. Die Augen konvergieren schwach nach unten. Das Gesicht ist annähernd quadratisch. Der Abstand der oberen Ocellen voneinander ist ungefähr so groß wie der Abstand eines oberen Ocells vom Auge. Das zweite Geißelglied ist fast so lang wie das dritte bis fünfte zusammen. Die Hintercoxen sind unbewehrt, die Hinterschenkel verdickt, innen zu geschärft. Den Verlauf dieser Kante zeigt Fig. 45. Auf der Vorderseite ist die Basalecke schwach aufgebogen (erster Basalhöcker) und ein zweiter Basalhöcker von der Form eines dünnen spitzen Dornes vorhanden. Die Hintertibien tragen an ihrer Innenseite gegen die Spitze zu einen tiefen Ausschnitt.

Länge des Körpers 21—25 mm, der Vorderflügel 19—21 mm.

Im Anschluß an die Besprechung der erwähnten ♂ der *leucothorax*-Gruppe aus der Sammlung des Wiener Hofmuseums möchte ich die Beschreibung noch zweier solcher ♂ aus der Sammlung des kön. zool. Museums in Berlin geben.

Fig. 45. Hinterseite des Hinterschenkels und der Hinterschiene von *Xylocopa lombokensis* n. sp. ♂.

Fig. 46. Kopulationsapparat von *Xylocopa lombokensis* n. sp. ♂ von oben.

1. *Xylocopa (Koptorthosoma) minor* n. sp. ♂.

Im Besitze des königl. zool. Museums in Berlin zahlreiche ♂ aus Sikkim (Coll. Bingham).

Gehört zu den größtenteils eintönig gelb gefärbten ♂, unterscheidet sich von den verwandten durch die geringe Größe, die Bildung der Hinterschenkel und den Kopulationsapparat (Fig. 48).

Integument im allgemeinen schwarz, Vorderrand und Mittelkiel des Clypeus, zwei Flecke an der Basis der Mandibel und die Unterseite der Fühler rotgelb. Flügel lichtbraun, am Saum etwas dunkler, ähnlich wie bei allen verwandten Arten. Glanz schwach golden, gegen die Spitze zu etwas purpurn.

Fig. 48. Kopulationsapparat von *Xylocopa minor* n. sp. ♂ von oben.

Fig. 47. Hinterseite des Hinterschenkels und der Hinterschiene von *Xylocopa minor* n. sp. ♂.

Behaarung im allgemeinen dicht grünlichgelb, mehr gelb am Thorax, mehr grünlich am Abdomen; Vorder- und Mittelbeine, an diesen vornehmlich die Tarsen, hinten lang rötlichgelb gefranst. Hintertibien mit einem breiten schwarzen Haarstreif an der Außenseite, Hintertarsen lang schwarz behaart, an der Innenseite und gegen die Spitze zu mit ± zahlreichen rötlichen Haaren. Seiten des Abdomens gegen die Spitze zu schwarz gesäumt, äußerste Spitze rotgelb behaart. Die Behaarung auf der Oberseite des Abdomens ist anliegend, nur auf dem ersten Tergit etwas abstehend.

Plastische Merkmale: Das zweite Geißelglied ist von unten gesehen nicht ganz so lang wie das dritte bis fünfte zusammen. Der Clypeus ist schwach gekielt. Die erste Cubitalquerader ist immer vollständig. Die schmal ovale Kniescheibe endet vor der Mitte der Tibia mit einem kaum aufgeworfenen abgerundeten Lappen. Die Hinterschenkel sind schwach verdickt und innen zugeschärft. Den Verlauf des zugeschärften Randes zeigt Fig. 47. Auf der Vorderseite ist die Basalecke nicht aufgebogen und

nur ein niedriger von ihr gegen die Mitte des Schenkels zu ziehender Kiel vorhanden.
Kopulationsapparat (Fig. 48).
Länge des Körpers ca. 17 mm, der Vorderflügel ca. 16 mm.

2. Xylocopa clavicrus n. sp. ♂.

Im Besitze des königl. zool. Museums in Berlin 1 ♂ aus Ceylon und 1 ♀ von
den Philippinen (Insel Luzon).

Ist sehr ähnlich *volatilis* Sm., aber leicht von dieser Art durch die durchaus andere Bildung der Hinterschenkel (Fig. 49) und des Kopulationsapparates (Fig. 50)
zu unterscheiden.

Integument: Größtenteils schwarz. Unterseite des Abdomens und die Beine ±
ausgedehnt hell pechrot. Clypeus, Stirnschildchen, Oberlippe und Unterseite der ganzen
Fühler rotgelb. Flügel wie bei allen verwandten ♂ subhyalin
gelb, am Saum und Vorderrand etwas dunkler.

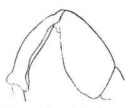

Behaarung: Am Thorax oben und an den Seiten und
am ersten Tergit etwas grünlich-,
sonst lebhaft orangegelb. Oben
überall dicht. Auf den Sterniten
und an den Schenkeln spärlicher,
am Thoraxrücken abstehend und
kurz, wie geschoren, auf den Tergiten halb anliegend.

Plastische Merkmale:
Gesicht etwas länger als breit.
Augen schwach nach unten zu
konvergierend. Zweites Geißelglied etwas kürzer als die drei

Fig. 49. Hinterseite des Hinterschenkels und der Hinterschiene
von *Xylocopa clavicrus* n. sp. ♂.

Fig. 50. Kopulationsapparat
von *Xylocopa clavicrus*
n. sp. von oben.

folgenden. Erste Cubitalquerader wenigstens bei den zwei mir vorliegenden Stücken
an der Basis obsolet. Hinterschenkel aufgetrieben, auffallend breit, im Umriß keulen-
förmig (daher *clavicrus*), innen zugeschärft. Den Verlauf des zugeschärften Randes
zeigt Fig. 49. Auf der Vorderseite ist die Basalecke nicht aufgebogen, aber zu einem
flachen Höcker verdickt. Von diesem gegen die Mediane des Schenkels zu findet sich
ein zweiter flacher Höcker, zwischen beiden eine flache Einsattlung. Die Hinterschienen
sind vor der Spitze nur schwach ausgerandet (Fig. 49). Kopulationsapparat (Fig. 50).

VII. Gruppe *phalothorax*

(*phalothorax* Lep., *leucocephala* Rits., *smithii* Rits.).

Diese Arten bilden wahrscheinlich keine natürliche, sondern nur eine künstliche
Gruppe, die ich nur zur Orientierung aufstelle; sie sind im weiblichen Geschlecht durch
die nur über den Kopf allein oder über Kopf und Thorax ausgedehnte weiße Behaarung
ausgezeichnet. Die ♂ sind unbekannt.

Xylocopa phalothorax Lep.

Im Besitze des Hofmuseums: 2 ♀ aus China (ges. v. Watts u. Coll. Winthem),
2 ♀ aus Tongkin (Than Moi, Juni—Juli, ges. v. Fruhstorfer), 1 ♀ aus Annam (Phuc
Son, November—Dezember, ges. v. Fruhstorfer).

Diese Art ist ausgezeichnet durch eine merkwürdige Verteilung der Punktierung
auf dem Kopf. Das Gesicht ist dicht punktiert, der Scheitel oberhalb der Seitenaugen

und paarigen Ocellen plötzlich gewölbt und fast vollständig unpunktiert. Während die Hinterwand des Thorax oben scharf gekantet ist, erscheint die Vorderwand des ersten Abdominalsegmentes oben im Profil gerundet.

Xylocopa leucocephala Rits.

1 ♀ von Sumatra, 10 ♀ von Lombok (Sapit 2000', Mai—Juni, und Sambalun 4000', April ges. v. Fruhstorfer).

Sieht der afrikanischen *imitator* Sm. zum Verwechseln ähnlich; sie unterscheidet sich von dieser Art fast nur durch die deutlichere und dichtere Punktierung der Abdominaltergite. Die Punktierung der mittleren Partien des zweiten und dritten Abdominaltergits ist bei *imitator* spärlich bis sehr spärlich (Punktzwischenräume > als Punktdurchmesser), bei *leucocephala* 'mäßig dicht bis dicht (Punktzwischenräume = oder < als ein Punktdurchmesser) zu nennen. Ein weiterer Unterschied liegt in der stärkeren Behaarung des Kopfes bei *leucocephala*.

Xylocopa smithii Rits.

X. smithii Ritsema, Tijdschr. v. Entom. XIX. 1876, p. 182, nr. 7, ♀.

X. insidiosa Perez, Act. Soc. Linn. Bordeaux LVI. 6. sér., tome VI, 1901, p. 53, ♀.

Im Besitze des Hofmuseums: 1 ♀ von Südcelebes (Patunuang, Jan., ges. v. Fruhstorfer).

Auch diese Art hat einige Ähnlichkeit mit einer afrikanischen, nämlich mit *albiceps* F., ist jedoch von dieser auf den ersten Blick durch den blauen Glanz der Abdominaltergite zu unterscheiden.

Die Beschreibung, die Perez von seiner *insidiosa* gibt, paßt ganz genau auf das mir vorliegende ♀, nur sind die Haare an der äußersten Spitze des Abdomens nicht dunkel, wie Perez angibt, sondern rot, eine oft vorkommende individuelle Abweichung. Auch die Fundorte von *smithii* und *insidiosa* sind dieselben. Ich stelle daher *insidiosa* Per. als synonym zu *smithii* Rits.

Anhang.

Verschiedene Xylocopen, die ich nicht in eine der vorigen Gruppen einzuordnen vermag. Von diesen bildet *tranquebarica* Fabr. (= *rufescens* Sm.) wahrscheinlich eine Gruppe für sich, während andere, wie z. B. *fenestrata* Fabr. und *brasilianorum* L., zu in der orientalischen Region sonst nicht vertretenen Gruppen gehören.

Xylocopa tranquebarica (Fabr.) Schulz (früher *rufescens* Sm.).

Im Besitze des Hofmuseums: 1 ♀ von Vorderindien (Bangalore ges. v. Cameron), 2 ♀ von Borneo (ges. v. Raczes), 1 ♀ ges. v. Baron Bloch und 1 ♂ ges. v. Hügel (beide ohne Fundort).

W. A. Schulz stellt (in der Zeitschr. f. Hym. u. Dipt., 1901, p. 273—274) *X. rufescens* als synonym zu *Bombus tranquebaricus* Fabr.

Tranquebarica (rufescens) ist eine sehr leicht kenntliche Art. Außer durch die von den Autoren erwähnten Merkmale ist sie noch in beiden Geschlechtern durch die auffallend großen und stark, fast mehr als halbkugelig gewölbten Ocellen ausgezeichnet, was auf der Abbildung, die Bingham (The Faun. of Brit. India, Hym., Vol. I, 1897, p. 543, Fig. 182) gibt, nicht zum Ausdruck gekommen ist. Infolge ihrer Größe stehen die paarigen Ocellen vom unpaaren Ocell um viel weniger als ihren Durchmesser ab.

W. A. Schulz macht (l. c.) die interessante Mitteilung, daß diese *Xylocopa*-Art ein nächtliches Leben führt. Durch eine private Mitteilung von Herrn Konservator Dr.

Th. Krüper aus Athen habe ich erfahren, daß auch *Xylocopa olivieri* Lep. erst nach Sonnenuntergang zu fliegen anfangen soll. Es fällt mir auf, daß beide Arten eine ähnliche rotgelbe Färbung ihres Haarkleides aufweisen, wie sie sonst als Integumentfärbung noch bei anderen zum Teil nächtlich lebenden Hymenopteren, z. B. *Ophion*, vorkommt. Eine ähnliche Färbung des Haarkleides weisen aber auch noch einige Xylocopenarten, und zwar nur im männlichen Geschlecht auf, z. B. *przewalskyi* Mor. ♂, *nigrita* Fabr. ♂, *pictifrons* Sm. ♂, *frontalis* (Ol.) ♂, *fimbriata* Fabr. ♂ und *brasilianorum* (L.) ♂. Führen alle oder einige dieser Tiere auch eine nächtliche Lebensweise?

Die Art steht unter den Xylocopen ziemlich isoliert da, ich möchte am liebsten eine eigene Gruppe für sie machen.

Xylocopa fenestrata Fabr.

Im Besitze des Hofmuseums: 2 ♀ von Ceylon (1 ges. auf der «Novara»-Reise, 1 von Colombo), 1 ♀ von den Andamanen (ges. v. Plason), mehrere ♀, und ♂ ohne Fundort (ges. v. Baron Bloch, Pfeiffer, Hügel u. a.).

Diese Art ist hinreichend genau von den Autoren, zuletzt von Perez (Act. Soc. Linn. Bordeaux, Vol. LVI, 6. sér., tome VI, 1901, p. 41) beschrieben worden, sie ist mit keiner indischen Art zu verwechseln. Über ihre Unterscheidung von der nächstverwandten afrikanischen *hottentotta* vergleiche man bei dieser (p. 270)!

Sie gehört in die afrikanische *capensis*-Gruppe Frieses.

Xylocopa pictifrons Sm.

X. pictifrons Smith, Trans. Entom. Soc. London (2), II, P. 2, 1852, p. 42, ♂ nec ♀.

Im Besitze des Hofmuseums: 2 ♂ aus China (ges. v. Haas).

Dieses ♂ hat eine ganz eigenartige Färbung und Gestalt. Über das sonst rötlichgelb gefärbte Gesicht zieht meistens ein dunkler Streifen vom unteren Rand des Clypeus bis zum Scheitel. Der Scheitel ist auffallend hoch und mitten stark ausgeschweift. Der Körper ist langgestreckt, das Abdomen hat seine größte Breite vor der Mitte, ist also nicht elliptisch, sondern mehr trapezförmig, die Beine sind im Verhältnis zum Körper zu zart. Ich habe nur eine ähnliche Form unter den Xylocopen-♂ gefunden, und zwar merkwürdigerweise unter den südamerikanischen Arten, nämlich *erratica* Sm. Diese Art besitzt eine ganz ähnliche Kopfbildung, einen ähnlichen Körperbau, zeigt ein ähnliches Mißverhältnis zwischen Körper und Beinen und sogar dieselbe charakteristische Zeichnung des Gesichtes wie *pictifrons* Sm. ♂.

Xylocopa brasilianorum (L.) Fabr.

Im Besitze des Hofmuseums: 15 ♀ von den Hawai-Inseln (14 von der Insel Mani ges. v. Finsch, 1 von Honolulu ges. v. Rechinger).

Die Art soll auf den Hawai-Inseln nicht einheimisch, sondern eingeschleppt sein. Näheres darüber vergleiche man bei Alfken «Die *Xylocopa*-Art der Hawaiian Islands» (in Entom. Nachr. Berlin, XXV. 1899, p. 317). Alfken bestreitet aber, daß die betreffende Art *brasilianorum* ist, er hält sie für *chloroptera* Lep. aus China und gibt an, wodurch sich diese *chloroptera* Lep. von der *brasilianorum* unterscheide. Man vergleiche aber einmal die Originalbeschreibung Lepeletiers, wo dieser Autor «coxis duabus posticis valde elongatis» als Kennzeichen seiner *chloroptera* anführt und von «Ailes enfumées, violettes . . .» spricht. Beides stimmt absolut nicht auf die mir vorliegenden Tiere. Andererseits aber stimmt die Beschreibung, die Alfken von der *chloroptera* gibt, ganz gut auch auf meine Tiere, so daß ich annehmen muß, daß ich dieselbe Art vor mir habe, die Alfken untersucht hat. Mit einem Wort, die *chloroptera* Alfken ist nicht die *chloroptera* Lep., sie ist vielmehr doch die *brasilianorum* (L.),

denn die Merkmale, durch die sie sich nach Alfken von der *brasilianorum* unterscheidet, halten auch nicht Stand. Ich habe eine genügende Anzahl von *brasilianorum*
aus Südamerika zum Vergleich zur Verfügung und kann zwischen den Stücken von
den Hawai-Inseln und jenen keine durchgreifenden Unterschiede finden.

Eine andere Frage ist, was ist denn eigentlich die wirkliche *chloroptera* Lep.?
Bingham stellt sie mit einem Fragezeichen als synonym zur *iridipennis* Lep., ich möchte
sie lieber zur *auripennis* Lep. stellen, mache aber ebenfalls ein Fragezeichen dazu.

Xylocopa (Koptorthosoma) penicillata n. sp. ♂.

Im Besitze des Hofmuseums: 1 ♂ aus Annam (Phuc-Son, November-Dezember
ges. v. Fruhstorfer).

Integument: Im allgemeinen schwarz, Clypeus mit Ausnahme zweier großer
schwarzer Flecken, Stirnschildchen, zwei Flecken an der Basis der Mandibel und Unterseite der Fühlerschäfte schmutzig gelbweiß, die letzten Glieder der Tarsen und die
Hinterränder der Sternite pechrot. Flügel lichtbraun, mit schwachem kupferigem Glanz.

Behaarung: Am Clypeus mäßig dicht, braun, am Stirnschildchen, Nebengesicht
und auf der Oberlippe rotgelb, am Scheitel und an den Schläfen rötlich ockergelb; am

Fig. 31. Kopulations-
apparat von *Xylocopa*
penicillata n. sp. ♂
von oben.

ganzen Thorax dicht, oben wie geschoren, auf dem Scutellum und
Postscutellum weiß, sonst ockergelb. An den Beinen, an der Unterseite der Trochanteren spärlich ockergelb, an den Schenkeln spärlich dunkelbraun, an den Vorder- und Mitteltibien sowie an den
Vorder- und Hintertarsen vorn dicht rötlich ockergelb, hinten dicht
und lang fransig dunkelbraun. Die Mitteltarsen sind mit Ausnahme
einer Anzahl heller Haare an der Basis und einiger weniger eingemengter ganz dunkel, die Hintertibien sind vorne und außen im
allgemeinen rötlich ockerig, auf einem Streifen auf der Außenseite
und hinten dunkel schwarzbraun behaart. Am Abdomen ist die
Vorderwand des ersten Tergits ziemlich lang und struppig rötlich
ockergelb, die Oberseite ziemlich dicht kurz samtig schwarzbraun
behaart. Die übrigen Tergite sind im allgemeinen oben sehr gleichmäßig, ziemlich dicht, halb abstehend und kurz, an den Seiten länger
und mehr abstehend, wie mit abgestutzten Büscheln behaart. Am
drittletzten und vorletzten Segment finden sich unter diesen Seitenbüschelhaaren lange
borstige Haare eingemengt, am letzten Tergit bilden eine größere Menge solcher Haare
die starke Analfranse. Die Farbe der Behaarung ist am zweiten Tergit an der ganzen
Basis, am dritten und vierten Tergit nur an den Seiten der Basis rötlich ockergelb, sonst
schwarzbraun. Die Sternite sind mäßig dicht und halb abstehend rötlich ockergelb behaart.

Plastische Merkmale: Die Augen sind groß und stark gewölbt, am Scheitel
einander ein wenig mehr genähert als am Clypeus. Das Gesicht ist mit Ausnahme
einer sehr deutlichen glatten Mittellinie des Clypeus ziemlich dicht punktiert. Die Oberlippe trägt eine glatte kleine dreieckige Erhebung. Das zweite Geißelglied ist so lang
wie die drei folgenden zusammen. Der unpunktierte Raum des Mesonotums ist sehr
klein. Das Scutellum ist im Profil nur stumpf gekantet und nicht über das Postscutellum
vorgezogen, von demselben durch einen tiefen Einschnitt getrennt. Beide sind dicht
punktiert. Die Trochanteren der Hinterbeine sind hinten am Trochanter-Femur-Gelenk
spitzhöckerförmig vorgezogen, die Hintertibien vor der Spitze innen ausgerandet. Die
Punktierung der Tergite ist mitten mäßig dicht, seitlich dicht und ziemlich grob. Die
ganze Unterseite des Abdomens ist sehr deutlich und besonders am ersten und letzten

Sternit scharf gekielt, ohne daß aber die Hinterränder der Sternite am Kiel spitz dreieckig vorgezogen wären. Kopulationsapparat (Fig. 51).
Länge des Körpers 21 mm, der Vorderflügel 16 mm.

IV. Arten der nearktischen Region.[¹]

Xylocopa orpifex (Sm.) Perez.

X. orpifex Perez, Act. Soc. Linn. Bordeaux, Vol. LVI, 6. sér., tome VI, 1901, p. 122.

Im Besitze des Hofmuseums: 1 ♀ aus Kalifornien (ges. v. Mayr), 1 ♀ aus Nevada (ges. v. Morrison), 1 ♀ ohne Fundortsangabe (ex coll. Winthem).

Die vorliegenden Stücke passen auf die Beschreibung, die Perez von der *orpifex* Sm. gibt und auf die Beschreibung von Smith mit Ausnahme jener Punkte, die Perez als einen Irrtum Smiths ansieht.

Xylocopa virginica (L.) Ill.

Im Besitze des Hofmuseums: Zahlreiche ♀ und ♂ aus Baltimore, Boston (ges. v. Konopitzky), Kolorado (ges. v. Morrison), Georgia, New-York (ex coll. Winthem), Pennsylvania (ex coll. Winthem), Philadelphia (ex coll. Winthem) und Texas (ges. v. Birkmann), ferner aus Nordamerika ohne nähere Fundortsangaben (ges. v. Parreys und Lederer).

Ausführliche Beschreibungen geben Taschenberg (Zeitschr. f. d. ges. Naturw. LII. 1879, p. 585, nr. 19) und Perez (Act. Soc. Linn. Bordeaux, Vol. LVI, 6. sér., tome VI, 1901, p. 112—115).

Xylocopa micans Lep.

Im Besitze des Hofmuseums: 1 ♂ aus Georgia (ges. v. Morrison) und 1 Gynandromorph aus Texas (ges. v. Birkmann), von dem in den Verhandlungen der k. k. zool.-bot. Gesellschaft in Wien (Jahrg. 1912) vom Verfasser eine ausführliche Beschreibung geliefert werden wird. Ebendort wird man auch Abbildungen des Gesichtes und des Kopulationsapparates des normalen *micans*-♂ sowohl wie des Gynandromorphen finden.

Xylocopa californica Cress.

Im Besitze des Hofmuseums: 3 ♀ aus Nevada (ges. v. Morrison) und 1 möglicherweise von Cresson selbst als *californica* Cress. bezetteltes ♂ aus Kolorado (ges. v. Morrison).

Ich gebe von letzterem eine Beschreibung:

Integument größtenteils schwarz metallglänzend, an der Unterseite der Fühlergeißel vom dritten Glied an und an den Segmenträndern schmal und an den Tarsen pechrot. Metallglanz am Kopf sehr schwach, nur am Stirnschildchen deutlicher grünlich, am Mesonotum mitten sehr dunkelerzgrün, seitlich hellgrün, ebenso am Schildchen und auf der Oberseite des Abdomens, auf letzterer auch etwas bläulich, auf der Unterseite des Abdomens und an den Beinen reiner blau. Flügel sehr hell bräunlich, am Saum etwas dunkler, mit sehr schwachem Messing- und Kupferglanz.

Behaarung überall mäßig dicht, zweites bis viertes Abdominaltergit fast kahl. Farbe der Haare am Vorderrand des Thoraxrückens, an den Mesopleuren, am Scu-

[¹] Die Arten dieser und der neotropischen Region gehören durchwegs dem Subgenus *Xylocopa* s. str. Grib. an.

tellum, am ersten Tergit und an den Hinterrändern der drei folgenden Tergite seitlich gelblichweiß untermischt mit ± vielen dunklen Haaren, sonst dunkelbraun, so am ganzen Kopf, an der Innen- und Hinterseite der Beine mehr mattbraun bis pechrot.

Plastische Merkmale: Kopf wie gewöhnlich im ganzen kleiner als beim ♀, Augen groß gewölbt, am Scheitel nur wenig mehr genähert als am Clypeusunterrand,

Fig. 52. Kopulations-apparat von *Xylocopa californica* Cress. ♂ von oben.

Fig. 53. Kopulations-apparat von *Xylocopa arizonensis* Cress. ♂ von oben.

Gesicht daher annähernd lang rechteckig, eigentlich infolge der wenn auch geringen Konvergenz der Innenränder der Augen gegen den Scheitel zu trapezisch, ungefähr doppelt so hoch als breit. Abstand der paarigen Ocellen voneinander ungefähr doppelt so groß wie von den Seitenaugen. Zweites Geißelglied etwas länger als die zwei folgenden, aber deutlich kürzer als die drei folgenden. Oberlippe mit einem breiten umgekehrt trapezischen polierten Raum.

Unpunktierter Raum des Mesonotum klein. Scutellum mäßig dicht und ziemlich grob punktiert. Die Hinterbeine unbewehrt. Hinterschenkel hinten zugeschärft, von der Mitte hinten mit einem etwas auffallenderen Haarbüschel. Die Kniescheibe reicht bis zu $^1/_3$ der Tibia und endet mit einem einfachen runden Lappen. Die ersten drei Tergite sind sehr fein und mäßig dicht punktiert, infolge der geringen Durchmessers der Punkte sieht aber diese Punktierung dicht aus, obwohl Punktzwischenräume = ein Punktdurchmesser. Die letzten Tergite sind gröber und spärlicher punktiert. Kopulationsapparat (Fig. 52).

Länge des Körpers 20 mm, der Vorderflügel 18 mm.

Xylocopa arizonensis Cress.

Im Besitze des Hofmuseums: 24 ♀, 1 ♂ aus Arizona (ges. v. Igel).

Ich bilde den Kopulationsapparat des ♂ (Fig. 53) als Ergänzung zu der ziemlich mageren Beschreibung Cressons ab.

Xylocopa binotata Per.

X. binotata Perez, Act. Soc. Linn. Bordeaux, Vol. LVI, 6. sér., tome VI, 1901, p. 73—74, ♀.

Im Besitze des Hofmuseums: 3 ♀ aus Georgia (ges. v. Morrison), 1 ♀ aus Texas (ges. v. Birkmann).

Perez spricht die Vermutung aus, daß seine Art sehr nahe verwandt mit der *lucida* Sm. sein dürfte, die ihm selbst nicht vorgelegen; diese würde sich aber nach der Beschreibung in folgenden Punkten von der *binotata* unterscheiden: «en ce que la couleur du tégument n'est pas violett au delà du 3ᵉ segment: que la ponctuation n'est pas distante; que les ailes ne sont sombres à reflets violets.» In allen dem hat Perez recht, wie ich durch den Vergleich der Tiere selbst feststellen konnte. Außerdem trägt *lucida* (wenigstens das vorliegende Stück) am zweiten bis vierten Segment wenig auffallende, von oben fast nicht sichtbare, *binotata* dagegen am dritten und vierten Segment ebensolche, am fünften und sechsten dagegen auffallende, von oben gut sichtbare weiße Haarbüschel.

Xylocopa brasilianorum (L.) Fabr.

Im Besitze des Hofmuseums von Stücken aus dieser Region 2 ♂ aus Arizona.

Bezüglich der Synonymie dieser Art vergleiche bei *brasilianorum* unter den Arten der neotropischen Region (p. 307).

V. Arten der neotropischen Region.

1. Gruppe *brasilianorum*

(*fimbriata* Fabr., *frontalis* Ol., *brasilianorum* L., *artifex* Sm., *mordax* Sm., *barimal* n. sp., *hirsutissima* n. sp., *nigrocincta* Sm., *carbonaria* Sm., *cubaecola* Sm., *capicornis* Per., *eburnea* Friese).

Diese Gruppe ist nur zum Teil natürlich. Die ♀ sind größtenteils (*frontalis* und *nigrocincta*) oder durchaus schwarz, ohne Metallglanz und durchaus dunkel behaart. Die ♂ sind in der Regel von den ♀ sehr verschieden gefärbt und behaart. Die Arten bis *nigrocincta* bilden eine natürliche Gruppe.

Xylocopa fimbriata Fabr.

Im Besitze des Hofmuseums zahlreiche ♀ und ♂:

1. Aus der chilenischen Subregion, aus Peru? (St. Thomas ges. v. Ritter).

2. Aus der brasilianischen Subregion, aus Venezuela (Maturin und ohne nähere Fundortsangabe ex coll. Fruhstorfer), Niederl.-Guayana (ex coll. Winthem), Franz.-Guayana (Cayenne), Columbien? (St. Martha, N.-Granada).

3. Aus der mexikanischen Subregion, aus Mexiko und Honduras (San Pedro Sula ex coll. Fruhstorfer).

Ausführliche Beschreibungen dieser Art finden sich bei Taschenberg (l. c., wie bei *virginica*, p. 570, nr. 2) und bei Perez (l. c., wie bei *virginica*, p. 81 und 111).

Ich bilde zum Vergleich mit *frontalis* Ol. den Kopulationsapparat (Fig. 54) ab.

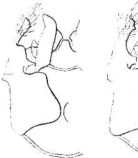

Xylocopa frontalis Ol. und frontalis Ol. var. morio F. ♀.

Fig. 54. Kopulationsapparat von *Xylocopa fimbriata* Fabr. ♂ von oben.

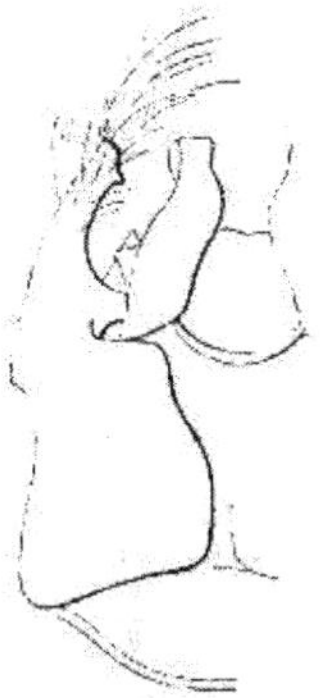

Fig. 55. Kopulationsapparat von *Xylocopa frontalis* Fabr. ♂ von oben.

Im Besitze des Hofmuseums befinden sich von *frontalis* zahlreiche ♀ u. ♂:

1. Aus der chilenischen Subregion, aus Uruguay (Montevideo ges. v. Schönberg) und Argentinien (ex coll. Fruhstorfer).

2. Aus der brasilianischen Subregion, aus Paraguay (ges. v. Jordan, San Luis ges. v. Reimoser, San Bernardino ges. v. Fiebrig) und Brasilien (Rio de Janeiro, Botan. Garten im Juni, Espirito Santo ex coll. Fruhstorfer, Rio Grande do Sul ges. v. Stieglmayer, Rio Grande ges. v. Ihering, Bahia ges. v. Kammerlacher, Helmreich und ex coll. Winthem, ohne nähere Fundortsangabe ges. v. Schott und ex coll. Winthem).

Von der Varietät *morio* Fabr. zahlreiche ♀:

1. Aus der brasilianischen Subregion, aus Brasilien (Bahia ex coll. Fruhstorfer, Cantarera bei São Paulo ges. auf der Brasilien-Expedition 1891 von Wettstein, ohne nähere Fundortsangabe ges. v. Natterer), aus Ecuador (ges. v. Pfeiffer), aus Venezuela, aus Niederl.-Guayana (Paramaribo ges. v. Michaelis, Surinam ges. v. Schiener).

2. Aus der mexikanischen Subregion, aus Mexiko (Takubaya ges. v. Bilimek), Panama (Aguadulce).

Ausführliche Beschreibungen dieser Art und ihrer Varietät finden sich bei Taschenberg (l. c., wie bei *virginica*, p. 569, nr. 1) und bei Perez (l. c., wie bei *virginica*, p. 82 und 110).

Ich bilde zum Vergleiche mit *fimbriata* ♂ den Kopulationsapparat des ♂ (Fig. 55) ab.

Xylocopa brasilianorum (L.) Fabr.

Apis Brasilianorum Linné, Syst. nat.. Ed. 12°, I, 2, 1767, p. 961, nr. 49, ♂.
X. virescens Lepeletier, Hist. nat. Insect. Hymen. II. 1841, p. 186, nr. 18, ♀.
X. Brasilianorum Smith, Trans. Entom. Soc. London, 1874, p. 283, nr. 81, ♀ ♂.
X. aeneipennis Smith, Trans. Entom. Soc. London, 1874, p. 283, nr. 83, ♀.
X. virescens Smith, Trans. Entom. Soc. London, 1874, p. 288, nr. 95, ♀.
X. ordinaria Smith. Trans. Entom. Soc. London, 1874, p. 292, nr. 104, ♀.
X. Brasilianorum Taschenberg, Zeitschr. f. d. ges. Naturw. LII. 1879, p. 570, nr. 3, ♀.
X. virescens Taschenberg. Zeitschr. f. d. ges. Naturw. LII. 1879, p. 591, nr. 25, ♀.
X. Brasilianorum Perez, Act. Soc. Linn. Bordeaux. LVI. 6. sér., tome VI, 1901, p. 88—89, ♀.
X. transitoria Perez, Act. Soc. Linn. Bordeaux. LVI. 6. sér., tome VI, 1901, p. 95—96, ♀.
X. aeneipennis Perez, Act. Soc. Linn. Bordeaux. LVI. 6. sér., tome VI, 1901, p. 97—98, ♀.
X. Brasilianorum Perez, Act. Soc. Linn. Bordeaux. LVI. 6. sér., tome VI, 1901, p. 100—101, ♂.
X. aeneipennis Perez, Act. Soc. Linn. Bordeaux. LVI. 6. sér., tome VI, 1901, p. 105—106, ♂.

Im Besitze des Hofmuseums befinden sich zahlreiche ♀ und ♂.

1. Aus der chilenischen Subregion: 1 ♂ aus Peru? (St. Thomas ex coll. Winthem).

2. Aus der brasilianischen Subregion: Stücke aus Paraguay (S. Bernardino
ges. v. Fiebrig, Lima), aus Venezuela (Maturin, Merida), aus Brasilien (Rio Grande
do Sul, Rio Grande ges. v. Ihering, Espirito Santo ex coll. Fruhstorfer, Santos ges. v.
Brauns, Bahia ges. v. Kammerlacher und ohne nähere Fundortsangabe ges. v. Natterer,
Schott, auf der «Zenta»-Reise v. Skerl, v. Helmreichen, Fruhstorfer und ex coll. Winthem),
aus Niederl.-Guayana (Surinam ges. v. Fruhstorfer, Thorey, Schiener), 1 ♂ von
den Galapagos-Inseln.

3. Aus der mexikanischen Subregion: Stücke aus Mexiko (Cuerna Vacca
und Tlapacocyan ges. v. Bilimek).

4. Aus der westindischen Subregion: Stücke aus Kuba (ex coll. Winthem,
Habana ges. v. Bilimek).

5. ♀ aus China?? (ges. v. Pohl) und 1 ♀ aus Neu-Holland?? (= Australien).

Unter diesen Stücken gehören nach ihrer Flügelfärbung zu *ordinaria* Sm. 14 ♀
aus Brasilien (ges. v. Natterer, Schott, Helmreichen und ex coll. Winthem), 1 ♀ aus Paraguay (ges. v. Fiebrig) und das 1 ♀ China, zu *virescens* Lep. 1 ♀ aus Venezuela (Maturin), 2 ♀ aus Mexiko (Tlapacocyan und Cuerna Vacca ges. v. Bilimek) und 1 ♀ ohne
Fundortsangabe von der «Aurora»-Reise.

Dalla Torre stellt im «Catalogus Hymenopterorum», Vol. X, p. 206 *Apis aeneipennis* aut. mit einem Fragezeichen als synonym zu *brasilianorum* (L.) Fabr.

Perez unterscheidet die beiden genannten «Arten». Nach ihm hat die *brasilianorum* L. im Profil ein «très obtusément» gerundetes Schildchen, braune «bronzés-
pourprés» glänzende Flügel und einen auffallend breiten Kopf (ein Merkmal das auch
Smith erwähnt): die *aeneipennis* hat dagegen einen «métathorax tranchant» und «ailes
cuivreuses, demitransparentes avec le bout légèrement violacé».

Mir lagen nun 48 ♀ aus den verschiedensten Gegenden Südamerikas, 2 darunter
sogar aus Arizona vor, auf die die Diagnosen der Autoren von *aeneipennis* sehr gut
paßten. Unter diesen Stücken fanden sich nun solche mit deutlich und scharf gekan-
teten Rückenschildchen, solche mit ebenso deutlich gerundeten und endlich solche mit
Schildchenbildungen, welche alle Übergangsgrade zwischen den beiden Extremen dar-

stellten. Ferner lagen mir 14 ♀ vor, welche sonst ganz mit den vorgenannten übereinstimmten, aber infolge ihrer Flügelfärbung als *ordinaria* Smith zu deuten waren. Auch bei diesen konnte ich die oben erwähnte Variation in der Bildung des Rückenschildchens konstatieren und sie daher auch als *transitoria* Per. deuten, und dasselbe fand ich bei 5 ♀, welche wieder bei sonstiger Übereinstimmung mit den vorgenannten ♀ infolge ihrer Flügelfärbung auf *virescens* Lep. zu deuten waren. Zwei davon paßten auch vollständig auf die Beschreibung, die Taschenberg von der *virescens* Lep. gibt, die er unter die Arten mit gekantetem Rückenschild einreiht, die drei anderen aber hatten bei sonstiger vollständiger Übereinstimmung mit den erstgenannten mehr oder weniger gerundete Rückenschildchen.

Alle die genannten ♀ gehören meiner Meinung nach zu einer und derselben Art, einer Art mit variabler Scutellumbildung, variabler Flügelfärbung, variabler Körpergröße (die Länge des Körpers beträgt 18—28 mm, die der Vorderflügel 17—23 mm) und variabler Kopfbreite. Denn unter den genannten Stücken finden sich solche, und zwar nur große Stücke mit einem Kopf, der in seiner Dicke und Breite zum Thorax ungefähr in demselben Verhältnis steht wie der unserer *valga*, und andere meist kleinere Stücke, deren Kopf in seiner Breite zum Thorax ungefähr in dem Verhältnis steht wie der unserer *violacea*. In ersterem Falle ist also der Kopf fast so breit wie der Thorax, in letzterem deutlich schmäler. Dieses Verhältnis variiert übrigens auch bei unserer *valga* und *violacea* ziemlich stark. Sehen wir aber von allen oben genannten variablen Merkmalen, also auch von der die *brasilianorum* angeblich auszeichnenden Kopfbreite ab, so bleibt uns kein Merkmal, um die *aeneipennis* aut. von der *brasilianorum* aut., aber auch kein Merkmal, um die *ordinaria* und *virescens* Sm. vonbeiden zu unterscheiden. Als ein alle diese «Arten» auszeichnendes Merkmal erweist sich einmal die Bildung des Clypeus (Taf. IV, Fig. 16), dessen oberer Rand über die Fläche des Clypeus deutlich erhaben ist und in einem sanften gleichmäßigen Bogen verläuft, dann die deutlichen drei Erhebungen der Oberlippe, dann die Bildung der Kniescheibe an den Hintertibien, die bis über die Mitte der Tibia reicht und mit zwei ungleichen Lappen endet, einem vorderen längeren spitzeren und einem hinteren kürzeren mehr abgerundeten, dann eine leichte Kielung der Tergite und eine starke der Sternite, deren Hinterränder am Kiel in kleine Spitzchen ausgezogen sind, dann die kurze, aber deutliche Behaarung der Tergite, die infolgedessen bei bestimmter Haltung einen leichten Seidenglanz zeigen.

Fig. 56. Kopulationsapparat von *Xylocopa brasilianorum* (L.) Fabr. ♂ von oben.

Daß alle diese «Arten» nur ♀ einer Art, und zwar der *brasilianorum* L. sind, dafür erblicke ich einen weiteren Beweis darin, daß in der Sammlung des Wiener Hofmuseums nur eine Art von ♂, und zwar 33 Stück vorhanden sind, die ich als *brasilianorum* L. deute. Diese ♂ sind bei sonstiger Übereinstimmung auch im Kopulationsapparat ebenfalls bezüglich ihrer Körpergröße und Scutellumbildung variabel. Ich bilde als wichtigstes Merkmal den Kopulationsapparat (Fig. 56) ab.

Zum Schlusse möchte ich noch darauf hinweisen, daß es sich hier bei der Schildchenbildung um die Variabilität eines Merkmals handelt, auf das man verschiedene Gattungen (*Xylocopa* s. str. und *Koptorthosoma* Grib.) aufzustellen versucht hat!

Xylocopa artifex Sm.

Im Besitze des Hofmuseums: Mehrere ♀ aus Argentinien (ex coll. Fruhstorfer) und aus Brasilien (Rio Grande do Sul, Rio Grande ges. v. Ihering und Stieglmayr,

Annalen des k. k. naturhistorischen Hofmuseums, Bd. XXVI, Heft 3 u. 4, 1912. 21

Espirito Santo ex coll. Fruhstorfer, ohne nähere Fundortsangabe ges. v. Natterer und ex coll. Fruhstorfer).

Diese Art ist sehr schwer von der vorhergehenden (*brasilianorum*) zu unterscheiden. Ich finde außer der geringeren Größe (ein Merkmal, das aber manchmal im Stiche läßt) nur zwei Unterscheidungsmerkmale, die Bildung des Clypeus und die der Kniescheibe. Der obere Rand des Clypeus ist über dessen Fläche nicht so erhaben wie bei *brasilianorum* und verläuft nicht in einem gleichmäßigen Bogen, sondern mehr gerade, so daß die oberen Ecken des Clypeus, wenn auch abgerundet, deutlich bemerkbar sind (vgl. Taf. IV, Fig. 17). Die Kniescheibe an den Hintertibien von gleicher Länge wie bei *brasilianorum* endet mit zwei fast gleich langen und gleich ausgeprägten Lappen, deren vorderer nur wenig spitzer und schmäler als der hintere ist.

Xylocopa mordax Sm.?

Im Besitze des Hofmuseums: 1 ♀ aus Argentinien (Valle Hermoso Mendoza ges. v. O. Herrmann), 1 ♀ aus Brasilien (Parana ges. v. Reimoser), 1 ♀ aus Mexiko (Cozumel Jukatan).

Die vorliegenden 3 ♀ sehen kleinen Exemplaren von *brasilianorum* L. mit «ordinaria»-Flügelfärbung sehr ähnlich, namentlich in der Bildung des Clypeus und der Kniescheibe. Die Hinterränder der Flügel sind jedoch ziemlich breit «coppery» und das Abdomen ist oben weniger dicht aber gröber punktiert als bei *brasilianorum* L. Dies ist am besten am dritten Tergit zu sehen, der bei *brasilianorum* mitten mäßig dicht (Punktzwischenräume ꞊ Punktdurchmesser), seitlich sehr dicht punktiert ist, während die Punktierung bei unserer Art mitten fast spärlich (Punktzwischenräume ꞊ zwei bis drei Punktdurchmesser), seitlich mäßig dicht bis dicht zu nennen ist. Da die Punkte bei beiden Arten die Ansatzstellen der Haare sind, ist das Abdomen bei *mordax* oben auch nicht so dicht behaart und daher auch nicht leicht seidenglänzend wie bei *brasilianorum*. Auf der Ventralseite des Abdomens ist bei unserer Art der Kiel nicht so ausgeprägt wie bei *brasilianorum*.

Xylocopa bariwal n. sp.

Im Besitze des Hofmuseums: 1 ♀ aus Brasilien (ges. v. Kolenati) und 2 ♀ ohne Fundortsangabe.

Sieht großen Exemplaren von *brasilianorum* sehr ähnlich, unterscheidet sich aber durch die auffallend dichte und lange bärenartige (daher der Name) Behaarung der Oberseite des Abdomens.

Integument im allgemeinen schwarz, Unterseite der Fühlergeißel vom dritten Geißelglied an, Innenseite der Beine ±, Spitze der Krallenglieder der Tarsen und Hinterränder der Sternite pechrot. Flügel gleichmäßig dunkelbraun, grüngolden mit purpurgolden (kupferig) gemischt oder ganz schön purpurgolden glänzend.

Behaarung (sehr charakteristisch!): Gesicht, Scheitel, Schläfen, Thorax und das Abdomen oben und an den Seiten mit Ausnahme einer ziemlich schmalen Stelle auf der Mitte des Mesonotums und Scutellums dicht und lang abstehend, pelzig, schwarzbraun behaart. Das Integument der Tergite ist nur infolge des abstehenden Charakters der Behaarung sichtbar. Unterseite des Abdomen im Gegensatz zur Oberseite wie gewöhnlich spärlich und borstig behaart, an den Hinterrändern der Sternite dichter.

Plastische Merkmale: Höhe des Scheitels, Form des Gesichtes, Bildung des Clypeus, Erhebungen der Oberlippe, Länge des zweiten Geißelgliedes (kürzer als die drei, aber länger als die zwei folgenden) wie bei *brasilianorum* (vgl. Taf. IV, Fig. 16). Punktierung des Scheitels sehr dicht und fein, bei *brasilianorum* gröber aber seicht und spärlich. Punktierung des Abdomens oben für ein so großes Tier auffallend fein, gleichmäßig und dicht. Kiel an der Unterseite ebenso ausgeprägt wie bei *brasilianorum*. Die Kniescheibe ist so lang (bis zur Hälfte der Hintertibia), aber am Ende etwas anders gestaltet als bei *brasilianorum*. Bei unserer Art endet sie mit zwei deutlich ausgeprägten dreieckigen, in Länge und Breite nicht sehr verschiedenen, durch einen dreieckigen Ausschnitt getrennten Lappen. Bei *brasilianorum* sind die Lappen sehr ungleich, der vordere bedeutend länger und spitz, der hintere wenig ausgeprägt, viel kürzer und rund, der trennende Ausschnitt undeutlich.

Länge des Körpers 25—28 mm, der Vorderflügel ca. 24 mm.

Xylocopa hirsutissima n. sp.

Im Besitze des Hofmuseums: 4 ♀ aus Paraguay (San Luis ges. v. Reimoser), 1 ♀ ohne Fundortsangabe.

Sieht der vorhergehenden Art (*barival* n. sp.) und somit auch *brasilianorum* L. ähnlich, unterscheidet sich aber von der letzteren durch die Behaarung des Abdomens, die noch dichter ist als bei *barival*, von beiden durch eine Bildung des Stirnkieles ähnlich wie bei *cavicornis* Per.

Farbe des Integuments wie bei *barival* beschrieben. Flügel gleichmäßig dunkelbraun, an der Basis violett und stellenweise auch blau, am Saume mehr blau bis grünlichblau glänzend, am äußersten Saume wieder violett glänzend. Glanz mittelstark.

Behaarung auf Kopf und Thorax wie bei *barival*, nur etwas kürzer, auf der Oberseite des Abdomens fast noch dichter als bei *barival*, aber mehr anliegend, weshalb das Integument der Tergite fast ganz verdeckt erscheint und die Oberseite des Abdomens einen schwachen Seidenglanz ähnlich wie bei *brasilianorum* zeigt. Die Art der Behaarung und Punktierung der Tergite läßt sich am ehesten mit der einer orientalischen Art, *nobilis* Sm., vergleichen.

Plastische Merkmale: Höhe des Scheitels, Erhebungen der Oberlippe, Länge des zweiten Geißelgliedes und Bildung des Clypeus so wie bei *brasilianorum* L., nur ist der obere Rand des Clypeus nicht so stark aufgeworfen wie bei dieser Art. Die Bildung des Stirnkiels weicht aber bedeutend von der bei *brasilianorum* ab, sie gleicht vollständig der von *cavicornis* Per. ♀ und hat Ähnlichkeit mit der von *fenestrata* Fabr. ♀. Der Kiel ist kurz, seine höchste Erhebung ist von dem unpaaren Oceil nicht weiter entfernt als von den Antenneninsertionsgruben. Er trägt oben eine relativ breite glänzende Fläche, die etwas vor der Mitte deutlich quer eingedrückt ist. Bis zu dieser Stelle ist sie deutlich gefurcht, von dieser an fast ganz glatt und glänzend, das Ende ist halbkreisförmig begrenzt. Der Abfall gegen das Stirnschildchen zu ist im Profil konkav, aber nicht sehr steil. Die Punktierung des Scheitels ist noch dichter als bei *barival*, ebenso die Punktierung der Abdominaltergite. Sie ist als sehr dicht zu bezeichnen, d. h. Punktzwischenräume kleiner als Punktdurchmesser. Die Punkte sind etwas gröber und auf den Tergiten bedeutend tiefer gestochen als bei *barival*, wo sie, wie besonders auf dem dritten Tergit deutlich zu sehen, auffallend seicht und fein sind. Die Bildung der Kniescheibe steht in der Mitte zwischen der bei *brasilianorum* und der bei *barival*. Sie reicht bis zur Mitte der Hintertibia und endet mit zwei Lappen, die deutlich ungleich lang sind, wenn auch nicht so stark wie bei *brasilianorum* L., aber beide spitz und durch einen deutlichen dreieckigen Ausschnitt getrennt wie bei *barival*.

21*

Xylocopa nigrocincta Sm.

Im Besitze des Hofmuseums: Mehrere ♀ aus Brasilien (Rio Grande do Sul ges. v. Stieglmayr, Parana ges. v. Reimoser) und aus Paraguay (S. Bernardino ges. v. Fiebrig, ohne nähere Fundortsangabe ges. v. Jordan).

Eine ausführliche Beschreibung dieser leicht kenntlichen Art findet sich bei Perez (Act. Soc. Linn. Bordeaux, Vol. LVI, 6. sér., tome VI, 1901, p. 95).

Bei dieser Art findet sich ebenfalls jene merkwürdige Variabilität in der Scutellumbildung, die ich bei der *brasilianorum* L. genauer besprochen habe.

Vielleicht ist sie nur eine Varietät von *brasilianorum* so wie *frontalis* eine solche von *morio* ist, eine Vermutung, die schon Perez ausgesprochen hat.

Xylocopa carbonaria Sm.?

Im Besitze des Hofmuseums: 2 ♀ aus Paraguay (San Bernardino ges. v. Fiebrig).

Der Verlauf des oberen und der seitlichen Clypeusränder ist ähnlich dem bei *artifex* (Taf. IV, Fig. 17). Das zweite Geißelglied ist länger als die zwei, aber deutlich kürzer als die drei folgenden zusammen.

Die Kniescheibe erscheint mir charakteristisch. Sie erstreckt sich bis zur Mitte der Hintertibia und endet mit zwei durch einen tiefen spitzwinkeligen Ausschnitt getrennten, voneinander in Länge und Zuspitzung nicht allzu verschiedenen Lappen. Der vordere ist wie gewöhnlich etwas länger, schmäler und spitzer als der hintere spitz zugerundete. Die ganze Ober- und Unterseite des Abdomens ist deutlich, die Unterseite stärker gekielt.

Xylocopa cubaecola Luc.

Im Besitze des Hofmuseums: 4 ♀ aus Kuba (ges. v. Ritter und Pöppig).

Der Verlauf des oberen und der seitlichen Ränder des Clypeus hat Ähnlichkeit mit dem bei *brasilianorum* (vgl. Taf. IV, Fig. 16), auch sind der obere Rand und die oberen Partien der Seitenränder ebenso wie bei dieser Art über die Fläche des Clypeus erhaben. Das zweite Geißelglied ist deutlich kürzer wie die drei folgenden, aber länger wie die zwei folgenden Glieder. Die Kniescheibe reicht bis zur Mitte der Hintertibia und endet mit zwei ungleichen, durch einen schmal gerundeten Ausschnitt deutlich getrennten Lappen, einem vorderen schmäleren spitzeren und einem hinteren breiteren mehr abgerundeten.

Xylocopa cavicornis Per.

X. cavicornis Perez, Act. Soc. Linn. Bordeaux, LVI. 6. sér., tome VI, 1901, p. 70, ♀.

Im Besitze des Hofmuseums: 1 ♀ aus Argentinien (Buenos Aires ex coll. Winthem).

Das genannte ♀ stimmt namentlich im Bau des Stirnkieles mit der Beschreibung der Perezschen Art überein.

Xylocopa eburnea Friese.

X. eburnea Friese, Zeitschr. f. syst. Hym. u. Dipt. III. 1903, p. 202—203. nr. 2, ♀ ♂.

Im Besitze des Hofmuseums: 14 ♀, 8 ♂ aus Brasilien (Rio Grande ges. v. Ihering).

II. Gruppe *grisescens*

(*grisescens* Lep., *augusti* Lep., *aurulenta* [Fabr.], *bimaculata* Friese, *tabaniformis* Sm., *erratica* Sm.).

Eine durchaus künstliche Gruppe, die ich nur der besseren Übersicht wegen aufstelle, deren Mitglieder, ♀ und ♂, größtenteils oder ganz dunkel, ohne jeden

Metallglanz gefärbt, aber nicht ganz dunkel, sondern ± ausgedehnt hell, oft schönfarbig, behaart sind.

Xylocopa grisescens Lep.

Im Besitze des Hofmuseums: Zahlreiche ♀, aus Brasilien (Bahia ges. v. Felder, Corumba ges. v. Jordan, Joazeiro ges. auf der Brasil.-Exped. 1903 v. Wettstein, S. Filomena und Barra Ita Rita ges. auf der Brasil.-Exped. v. Penther), aus Paraguay (San Luis ges. v. Reimoser).

Eine ausführliche Beschreibung dieser Art findet sich bei Taschenberg (Zeitschr. f. d. ges. Naturw. LII, 1879, p. 590, nr. 24) und Perez (Act. Soc. Linn. Bordeaux, Vol. LVI, 6. sér., tome VI, 1901, p. 84).

Xylocopa augusti Lep.

Im Besitze des Hofmuseums: Zahlreiche ♀ aus Brasilien (Rio Grande ges. v. Ihering, Rio Grande do Sul ges. v. Stieglmayr, Buenos Aires ex coll. Winthem, ohne nähere Fundortsangabe ges. v. Natterer), aus Uruguay (Montevideo ges. v. Schönberg und Salmin).

Ausführliche Beschreibungen dieser Art finden sich bei Taschenberg (Zeitschr. f. d. ges. Naturw. LII. 1879, p. 571, nr. 4) und bei Perez (Act. Soc. Linn. Bordeaux, Vol. LVI, 6. sér., tome VI, 1901, p. 83).

Xylocopa aurulenta (Fabr.) Lep.

Im Besitze des Hofmuseums: 2 ♀ aus Niederl.-Guayana (Paramaribo ges. v. Michaelis).

Eine ausführliche Beschreibung dieser Art findet sich bei Taschenberg (Zeitschr. f. d. ges. Naturw. LII. 1879, p. 588, nr. 22).

Xylocopa bimaculata Friese.

X. bimaculata Friese, Zeitschr. f. syst. Hym. u. Dipt. III, 1903, p. 202, nr. 1, ♀.

Im Besitze des Hofmuseums: 1 ♀ und 3 ♂ aus Brasilien (Rio Grande ges. v. Ihering).

Das bisher unbekannte ♂ ist sehr ähnlich dem ♀. Der Kopf ist, wie gewöhnlich bei den Xylocopen-♂, kleiner. Das Gesicht bis zur Höhe der Fühlergruben, die Oberlippe, zwei Flecke an der Basis der Mandibel und die Unterseite des Fühlerschaftes sind schmutzig gelbweiß. Die Clypeusränder, namentlich die oberen Ecken des Clypeus, sind in größerer oder geringerer Ausdehnung schwarz markiert. Bei einem Stücke waren am Clypeus nur ein breiter Mittelstreifen und die unteren Ecken hell gefärbt. Die Vordertarsen, die Spitzen der Vorderschienen außen und die Mitteltarsen vorn außen sind weißlich behaart. Sonst wie das ♀.

Xylocopa tabaniformis Sm.

X. tabaniformis Smith, Cat. Hym. Brit. Mus. II. 1854, p. 348, nr. 23, ♀.
X. azteca Cresson, Trans. Amer. Entom. Soc. VII. 1878, p. 133, ♀.

Im Besitze des Hofmuseums: 4 ♀, 4 ♂ aus Mexiko (3 ♀, 1 ♂ aus Orizaba am 5. Mai ges. v. Bilimek, 1 ♂ von Cuerna Vacca ges. v. Bilimek, 1 ♀, 1 ♂ ohne nähere Fundortsangabe ex coll. Winthem, 1 ♂ ohne nähere Fundortsangabe ges. v. Bilimek).

Die Art scheint stark in der Ausdehnung und Farbe der hellen Behaarung an den Beinen und auf dem Abdomen zu variieren.

Bei allen mir vorliegenden Stücken sind die Mittel- und Hinterbeine innen dunkel, außen ± ausgedehnt hell behaart. Die Vorderbeine sind größtenteils ganz dunkel behaart, jedoch meist mit einer größeren oder geringeren Anzahl heller Haare unter den dunklen.

Bezüglich des Abdomens liegen mir folgende Behaarungsfärbungen vor:

1. Die typische Färbung nach der Beschreibung Smiths (in Trans. Ent. Soc. London, 1874, p. 296, nr. 114) nur bei einem ♂ aus Mexiko (ex coll. Winthem).

Ein ♀ von Orizaba weicht von der von Smith beschriebenen Färbung dadurch ab, daß auch das sechste Segment seitlich je ein Büschel heller Haare trägt. Auch sind die Binden in der Weise unterbrochen, wie sie Perez (Act. Soc. Linn. Bordeaux, Vol. LVI, 6. sér., tome VI, 1901, p. 120—122, ♀ ♂) für seine *tabaniformis* var. *chiriquiensis* beschreibt. Smith läßt es unklar, ob bei seinen Exemplaren die Binden ganz oder unterbrochen waren.

2. Die von Perez als *tabaniformis* var. *chiriquiensis* beschriebene Färbung bei 2 ♂ von Orizaba und Cuerna Vacca.

3. Die von Cresson als *X. azteca* beschriebene Färbung bei 3 ♀ (zwei von Orizaba, eines ohne nähere Fundortsangabe). Die *azteca* Cresson hat höchstens den Rang einer Varietät.

4. Eine ganz abweichende Färbung und Art der Behaarung bei einem ♂ aus Mexiko ohne nähere Fundortsangabe ges. v. Bilimek, das nach seinen sonstigen Merkmalen sowie auch nach der Bildung des Kopulationsapparates zu *tabaniformis* Sm. gehört. Der Thorax desselben erscheint heller behaart als gewöhnlich infolge einer geringeren Beimischung dunkler Haare. Die Ausdehnung der Behaarung auf dem Abdomen ist ähnlich wie bei der var. *chiriquiensis* Per., aber die Binden sin undeutlicher infolge gleichmäßigerer Behaarung der Tergite und auf dem ersten bis fünften Segment fast nicht unterbrochen. Die Farbe der hellen Behaarung des Abdomens und der Beine ist nicht weißlich, sondern schön gelbrot. Ich benenne es als nov. var. *rufina.*

Xylocopa erratica Sm.

Im Besitze des Hofmuseums: 6 ♂ aus Brasilien (Rio Grande do Sul ges. v. Stieglmayr, Rio Grande ges. v. Ihering und ohne nähere Fundortsangabe ges. v. Schott).

Auf die merkwürdige Ähnlichkeit dieser Art mit der chinesisch-indischen *pictifrons* Sm. habe ich schon bei Besprechung dieser Art (p. 307) hingewiesen.

III. Gruppe *cyanea*

(cyanea [Sichel] Sm., *formosa* Sm., *splendidula* Lep., *atra* n. sp., *mendax* n. sp.).

Wieder eine nur zur Erleichterung der Orientierung aufgestellte künstliche Gruppe, deren ♀ sich durch Metallglanz und durchaus dunkle Behaarung auszeichnen. ♂ sind mir nur von einer Art *(cyanea)* bekannt, diese sind teilweise weißlich behaart.

Xylocopa cyanea (Sichel) Sm.

X. cyanea (Sichel) Smith, Trans. Ent. Soc. London, 1874, p. 296, nr. 113, ♂.
X. singularis Perez, Act. Soc. Linn. Bordeaux, LVI. 6. sér., tome VI, 1901, p. 116. ♀ ♂.

Im Besitze des Hofmuseums: 3 ♀, 2 ♂ aus Mexiko (zum Teil ex coll. Winthem), 1 ♀ und 2 ♂ sind als Typen der *cyanea* Sichel bezeichnet. Von dieser Art wurde von Smith nur das ♂ beschrieben. Das ♀ ist unzweifelhaft gleich der *singularis* Perez ♀, die ♂ weichen in der Färbung des Abdomens etwas von dem *singularis* Per. ♂ ab. Das Abdomen ist nämlich bei ihnen nicht «plus vivement coloré que chez la ♀, vert bronzé, presque doré à la base des segments 1—3» wie bei dem *singularis* Perez ♂, sondern ganz ähnlich wie bei dem ♀ blau-, am ersten Segment etwas blaugrün-, an der Basis aller Segmente ± ausgedehnt und deutlich violettglänzend. Trotz dieser Abweichung zweifle ich nicht, daß auch das *cyanea* ♂ gleich ist dem *singularis* Per. ♂, da alle sonstigen Angaben von Perez, namentlich die Beschreibung der charakteristischen Behaarung des Abdomens, auf die vorliegenden ♂ passen.

Xylocopa formosa Sm.

Im Besitze des Hofmuseums: 2 ♀ aus Mexiko (ex coll. Winthem).

Der Stirnkiel dieser Art ist ganz ähnlich dem von *cavicornis* Per. (vgl. dessen Beschreibung in Act. Soc. Linn. Bordeaux, Vol. LVI, 6. sér., tome VI, 1901, p. 70), nur länger, also nicht «à egale distance de l'ocelle médian et du niveau de l'insertion des antennes», der Clypeus auffallend flach, wie z. B. bei *frontalis* und *fimbriata*, unter den oberen Ecken desselben sind die Seitenränder grubenförmig vertieft, darunter leicht erhaben, das zweite Geißelglied ist so lang wie die drei folgenden zusammen, die Kniescheibe erstreckt sich bis zu $^2/_3$ der Hintertibia und endet mit zwei ungleich langen, durch einen schmalen Einschnitt deutlich getrennten Lappen. Der vordere ist etwas schmäler und spitzer, der hintere breiter und ganz abgerundet.

Xylocopa splendidula Lep.

Im Besitze des Hofmuseums: 4 ♀, 2 ♂ aus Argentinien (ex coll. Fruhstorfer, Poterillos Provinz Mendoza ges. v. Reimoser), 1 ♀ aus Chile, 1 ♂ aus Uruguay (Montevideo ges. v. Schönberg), 1 ♀ aus Bolivia (Ascension ges. v. Helmreichen).

Eine ausführliche Beschreibung dieser Art findet sich bei Taschenberg (Zeitschr. f. d. Naturw. LII. p. 579, nr. 11, ♀ ♂).

Xylocopa mendax n. sp. ♀.

Im Besitze des Hofmuseums: 1 ♀ aus Brasilien (Rio Grande ges. v. Ihering) und 1 ♀ ohne Fundortsangabe (Coll. Winthem).

Die Art ist bei oberflächlicher Untersuchung leicht mit *nigrocincta* Sm. zu verwechseln, da sie wie diese Art und *frontalis* (Ol.) Fabr. durch heller oder dunkler rote Integumentbinden an der Basis der Tergite ausgezeichnet ist. Sie ist jedoch von der genannten Art vor allem leicht an dem Metallglanz des Thoraxrückens und der schwarzen Hinterränder der Tergite zu unterscheiden.

Integument größtenteils schwarz. Unterseite der Fühlergeißel vom dritten Geißelglied an, Tarsen, bei dem einen Stück auch die Vorderseite der Hinterschenkel dunkel pechrot. Basalbinden auf den Tergiten und Hinterränder der Sternite heller oder dunkler rot. Mesonotum mitten mit erzgrünem, vorn und an den Seiten ebenso wie das Scutellum und die schwarzen Hinterränder der Tergite mit bläulichem oder grünlichem Metallglanz.

Flügel dunkelbraun, mit violetten und blauen Glanzfarben.

Behaarung braunschwarz, nur zu seiten des Pygidialfeldes und an der Innenseite der Vorder- und Mitteltarsen ± rötlich, am Rumpf im allgemeinen ziemlich spärlich, nur an den Mesopleuren dicht und samtig. Die Randfranse des Abdomens ist viel schwächer und kürzer als bei *nigrocincta* und *brasilianorum*, die Oberseite des Abdomens fast kahl.

Plastische Merkmale: Der Kopf (Taf. IV, Fig. 18) ist von vorn gesehen fast kreisförmig umrissen, der Scheitel leicht ausgeschweift. Das Gesicht ist lang rechteckig, d. h. die Höhe der Seitenaugen ist deutlich größer als ihr geringster Abstand am Scheitel und am Clypeus. Die paarigen Ocellen stehen nur halb soweit voneinander ab als von den Seitenaugen und fast ebensoweit als voneinander von einer Linie, die man sich über das obere Ende der Seitenaugen gelegt denken kann. Der Stirnkiel ist niedrig, deutlich gefurcht, der Abfall sanft; die Furche entspringt aus einem tiefen das unpaare Ocell umgebenden Ringkanal und ist in der Mitte etwas stärker eingedrückt. Der obere

Rand des Clypeus ist gerade, bildet mit den Seitenrändern deutliche Ecken und ist nicht über die Fläche des Clypeus erhoben (bei *nigrocincta* ist er so gebildet wie bei *brasilianorum*; vgl. Taf. IV, Fig. 16). Knapp unter den Ecken sind die Seitenränder eine Strecke lang stärker vertieft. Die Oberlippe trägt eine Erhebung, das zweite Geißelglied ist so lang wie die drei folgenden Glieder zusammen. Das Gesicht ist dicht, der Scheitel, die Schläfen und der Abfall des Frontaltuberkels sind spärlich punktiert. Die Ränder und eine Mittellinie des Clypeus und des Scheitels, zwei vertiefte Stellen hinter den paarigen Ocellen und die Wangen sind unpunktiert. Das Scutellum ist im Profil gerundet und sehr spärlich punktiert. Die Kniescheibe reicht bis zur Mitte der Hintertibia und endet mit zwei ungleich langen, aber ziemlich gleich breiten, durch einen seichten dreieckigen Ausschnitt getrennten, abgerundeten Lappen. Die Vorderwand des ersten Tergits ist oben gerundet. Der zweite und dritte Tergit sind mitten sehr spärlich und ziemlich fein punktiert, die Punkte sind nicht keilförmig, sondern rund (bei *nigrocincta* ist die Punktierung dieser Tergite gröber und sind die Punkte deutlich keilförmig). Ein Längskiel ist auf der Oberseite des Abdomens gar nicht, auf der Unterseite kaum angedeutet, nur auf dem letzten Sternit etwas deutlicher, die Hinterränder der Sternite sind mitten nicht spitzig vorgezogen (bei *nigrocincta* wie bei *brasilianorum* ist dagegen auf dem Abdomen oben ein deutlicher, aber flacher, unten ein scharfer Längskiel vorhanden und sind im Zusammenhang damit die Sternite an dem Kiel mitten spitzig vorgezogen).

Länge des Körpers 20—22 mm, der Vorderflügel 18—19 mm.

Xylocopa caviventris n. sp. ♀ ♂.

Im Besitze des Hofmuseums: 3 ♀, 2 ♂ aus Mexiko (ges. v. Heller).

♀. Integument schwarz, Unterseite der Fühler vom dritten Glied an dunkelbraun, Sternite an der Basis ± ausgedehnt pechrot, am Hinterrand etwas dekoloriert. Rücken des Thorax und Sternite mit schwachem dunkelerzgrünen Metallschimmer.

Flügel dunkelbraun, mit schwachem dunkelgrünen Schimmer.

Behaarung schwarz. Nur am Clypeus finden sich einige weißliche Haare. Zu Seiten des Pygidialfeldes und an der Innenseite der Vorder- und Mitteltarsen sehr dunkel pechrot. Am Kopf und Thorax im allgemeinen ziemlich spärlich, nur an den Mesopleuren dicht. Die Tergite sind mitten mäßig dicht, seitlich dicht bis sehr dicht und kurz behaart. Trotz der relativ dichten Behaarung weist aber das Abdomen oben keinen Seidenglanz auf, sondern erscheint fast ganz matt.

Plastische Merkmale: Kopf und Gesichtsbildungen ganz ähnlich wie bei *mendax* n. sp. (p. 319, vgl. auch Taf. IV, Fig. 18), nur erscheint hier der Stirnkiel in der Mitte quer eingedrückt, stehen die paarigen Ocellen etwas höher und ist der Abstand derselben voneinander mehr als nur halb so groß als der von den Seitenaugen. Die Oberlippe trägt eine starke Erhebung, das zweite Geißelglied ist auffallend schlank und so lang wie die drei folgenden zusammen. Punktierung ähnlich wie bei *mendax*.

Das Scutellum ist im Profil gerundet, spärlich und fein punktiert. Die Kniescheibe reicht bis zur Hälfte der Hintertibia und endet mit zwei sehr ungleichen Lappen. Der vordere ist bedeutend länger und schmäler als der hintere, an der Spitze gerundet. Der hintere ist nur durch eine ganz seichte Ausschweifung vom vorderen getrennt und daher nur schwach ausgeprägt, sanft gerundet.

Die Vorderwand des ersten Tergits ist oben gerundet. Die Punktierung der Tergite ist wie die Behaarung mitten mäßig dicht, seitlich dicht bis sehr dicht und ziemlich grob. Eine Längskielung des Abdomens ist oben nur als zarte Linie, unten nur am letzten Sternit angedeutet.

Länge des Körpers 20—24 mm, der Vorderflügel 18—19 mm.

♂. Integument und Flügel ähnlich wie beim ♀, nur ist das Gesicht mit Ausnahme der schwarz konturierten Clypeusränder bis zur Höhe der Fühlerinsertionen gelbweiß und sind die Sternite und die Ränder der Hintercoxen rotgelb gefärbt.

Behaarung ähnlich wie beim ♀ schwarz, am Seitenrand der Sternite rotgelb, das Gesicht ist sehr spärlich behaart, die Vordertarsen sind lang gefranst, ebenso ist die Analfranse lang, aber schütter. Die sonstige Behaarung der Tergite ist etwas weniger dicht als beim ♀.

Plastische Merkmale: Die Seitenaugen sind sehr groß und gewölbt, am Scheitel einander bis auf die Länge des 3. + 4. Geißelgliedes genähert. Das zweite Geißelglied ist so lang wie die drei folgenden zusammen. Die Oberlippe trägt einen dreieckigen glatten Raum. Die Punktierung der licht gefärbten Teile des Gesichtes ist sehr spärlich. Das Scutellum ist äußerst fein und ziemlich spärlich punktiert, wie beim , im Profil gerundet. Die Kniescheibe an den Hintertibien reicht bis zum ersten Drittel und endet mit einer kleinen Spitze. Die Hinterschenkel sind unten wie zur Aufnahme der Tibien der Länge nach tief ausgehöhlt, der hintere Rand der Aushöhlung trägt gegen die Basis zu einen halbkreisförmigen Ausschnitt. Die

Fig. 57. Kopulationsapparat von *Xylocopa caviventris* n. sp. ♂ von oben.

ganze Unterseite des Abdomens ist konkav, wie ausgehöhlt. Diese Aushöhlung ist rotgelb gefärbt und mit ebenso gefärbten Haaren umsäumt. Kopulationsapparat (Fig. 57).

Länge des Körpers 24 mm, der Vorderflügel 21 mm.

Xylocopa funesta n. sp. ♀ ♂.

Im Besitze des Hofmuseums: 1 ♀ und 1 ♂ aus Brasilien (das ♀ aus Rio Grande do Sul, das ♂ aus Rio Grande ges. v. Ihering).

Das ♀ hat eine ganz oberflächliche Ähnlichkeit mit *brasilianorum* L. mit «ordinaria»-Flügelfarben, unterscheidet sich aber leicht von der genannten Art durch die ganz verschiedene Clypeusbildung, die auffallend feine und dichte Punktierung des Abdomens u. a. m.

♀. Integument tief schwarz, Unterseite der Fühler vom dritten Glied an, Tarsen und Hinterränder der Segmente ganz dunkel pechrot. Flügel dunkelbraun mit schwachem blauem, violettem und am Saume grünem Glanze.

Behaarung tief schwarz, an der Innenseite der Vorder- und Mitteltarsen und an den Seiten des Pygidialfeldes dunkel pechrot, auf dem Kopf und den Rändern des Thoraxrückens spärlich, an den Seiten des Thorax und unten

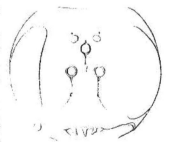

Fig. 58. Gesicht von *Xylocopa funesta* n. sp. ♀.

wie gewöhnlich dicht. Die unbehaarte Stelle des Thoraxrückens ist auffallend groß, sie umfaßt das ganze Mesonotum mit Ausnahme ganz schmaler Partien vorn und seitlich und fast das ganze Scutellum. Das Abdomen ist oben mäßig dicht kurz und anliegend behaart und zeigt deshalb bei bestimmter

Haltung einen leichten Seidenglanz. Die Seiten- und Spitzenfranse des Abdomens ist schwach ausgeprägt.

Plastische Merkmale: Der Kopf (Fig. 58) ist von vorne betrachtet fast kreisförmig umrissen mit ziemlich sanft ausgeschweiftem Scheitel. Das Gesicht ist trapezisch, etwas höher als an der Grundlinie breit. Der Abstand der paarigen Ocellen voneinander ist etwas kleiner als der von den Seitenaugen. Der Stirnkiel ist eigentümlich gestaltet, er beginnt eigentlich erst eine ziemliche Strecke unter dem unpaaren Ocell an der Stelle, wo die aus dem tiefen, das unpaare Ocell umgebenden Ringkanal entspringende tief eingedrückte Furche plötzlich aufhört. Von dieser Stelle an steigt der Kiel ziemlich steil an, gipfelt in einem ganz spitzen Frontaltuberkel und fällt wieder ziemlich steil ab, ohne daß die ganze Bildung aber nasenförmig aussieht. Hinter den paarigen Ocellen finden sich zwei große und tiefe Punkteindrücke. Die Form des Clypeus erhellt aus der Abbildung, die oberen Ecken sind deutlich (nicht wie bei *brasilianorum* abgerundet), die Ränder nicht erhaben, unter den oberen Ecken an zwei Stellen grubenförmig eingedrückt. Die Oberlippe trägt drei Erhebungen; die seitlichen von eigentümlicher Form (siehe Abbildung) sind nur nach Entfernung der Haare zu sehen. Alle drei sind nicht knollenförmig («globuleuses»), sondern flach. Das zweite Geißelglied ist etwas länger als die zwei folgenden, aber deutlich kürzer als die drei folgenden zusammen.

Fig. 59. Kopulationsapparat von *Xylocopa funesta* n. sp. ♂ von oben.

Die Punktierung des Gesichtes ist ungleichmäßig seicht und ziemlich spärlich, die des Scheitels und Stirnschildchens ebenso und sehr spärlich, die Schläfen sind fast unpunktiert. Unpunktiert, aber wenig glänzend sind zwei Stellen hinter den paarigen Ocellen, die Clypeusränder und ein Mittelstreifen auf demselben.

Das Scutellum ist im Profil gerundet. Wie schon bei der Behaarung erwähnt, ist der unbehaarte und unpunktierte Raum des Thoraxrückens auffallend groß und fast über das ganze Mesonotum und Scutellum ausgedehnt. Die Kniescheibe an den Hintertibien reicht etwas über die Hälfte der Tibia und endet mit zwei deutlichen ungleichen Lappen. Der vordere längere, schmälere und mehr zugespitzte ist von dem hinteren, bedeutend kürzeren, breiteren und abgerundeten durch einen zwar seichten, aber deutlichen Einschnitt getrennt.

Die Vorderwand des ersten Tergits ist aber im Profil gerundet. Die Tergite sind mitten mäßig dicht (ganz in der Nähe der Mittellinie spärlich), seitlich dicht bis sehr dicht, aber sehr fein punktiert. Ein Längskiel ist oben am Abdomen kaum angedeutet, unten ebenfalls nur sehr schwach ausgeprägt.

Länge des Körpers ca. 23 mm, der Vorderflügel 19 mm.

♂. Integument, Gesicht und Unterseite der Fühlerschäfte sehr schmutzig-weiß, aber mit schwarz konturierten Clypeusrändern, Tergite mit einem ganz schwachen grünlichen Metallschimmer, sonst wie das ♀. Flügel wie das ♀, nur etwas weniger dunkel.

Behaarung weißlich um die unbehaarte Stelle des Thoraxrückens herum, an der Außenseite der Vorder- und Mitteltibien, der Vordertarsen und an der Unterseite der Hintercoxen. Einige wenige weißliche Haare finden sich auch an der Außenseite der Mitteltarsen. Die unbehaarte Stelle des Thoraxrückens ist kleiner, die Seiten- und Analfranse des Abdomens stärker und länger. Sonst ganz ähnlich dem ♀.

Plastische Merkmale: Die Augen sind relativ groß und gewölbt, am Scheitel einander etwas mehr genähert als am Clypeus. Die Oberlippe trägt fast keinen glatten

Raum, das zweite Geißelglied ist etwas kürzer als die drei folgenden zusammen. Punktierung des ganzen Körpers ähnlich wie beim ♀, nur auf Scheitel und Schläfen dichter (im ganzen mäßig dicht und ziemlich undeutlich, auf dem Scheitel zu Seiten der Mediane sogar dicht zu nennen) und auch auf dem Scutellum, wenn auch sehr fein und sehr spärlich vorhanden. Hinterbeine ohne besondere Auszeichnung. Die Kniescheibe reicht nicht ganz bis zur Hälfte und endet mit einem kleinen schief abgestutzten Schüppchen. Kopulationsapparat (Fig. 59).

IV. Gruppe *lucida*

(*lucida* Sm., *batesi* Cock., *electa* Sm., *macrops* Lep., *barbata* Fabr., *subvirescens* Cress., *ornata* Sm., *pulchra* Sm.).

Wieder eine zum Teil künstliche Gruppe. Die ♀ zeichnen sich durch Metallglanz und durch ± ausgedehnte, oft nur auf die Seiten des Abdomens beschränkte helle, weiße oder gelbliche Behaarung aus. Einige ♂ (von *macrops* und *barbata*) haben große am Scheitel fast zusammenstoßende Augen.

Xylocopa lucida Sm.

Im Besitze des Hofmuseums: 1 ♀ von Peru (S. O. Peru ges. v. Staudinger).

Das zweite Geißelglied ist so lang wie die drei folgenden zusammen. Die Kniescheibe erstreckt sich etwas über die Mitte, aber nicht bis zu $2/_3$ der Kniescheibe und endet mit zwei sehr ungleichen, nur durch einen kleinen Einschnitt undeutlich getrennten Lappen. Der vordere wie gewöhnlich schmälere und spitzere ist bedeutend länger als der breitere abgerundete hintere. An den Seiten des zweiten bis vierten Segmentes, schon mehr an der Unterseite derselben, findet sich jederseits ein Büschel weißlicher Haare.

Xylocopa batesi Cock.

X. batesi Cock., Bull. Amer. Mus. Nat. Hist. XIII. 1907, p. 228, n. n. für *dimidiata* Sm.

Im Besitze des Hofmuseums: 1 ♀ ohne Fundortsgabe.

Das zweite Geißelglied ist so lang wie die drei folgenden zusammen. Die Kniescheibe ähnlich wie bei *lucida*.

Das vorliegende Tier ist sicher die *dimidiata* Sm., wahrscheinlich auch die *dimidiata* Per. (Act. Soc. Linn. Bordeaux, Vol. LVI, 6. sér., tome VI, 1901, p. 71—73), nur hat sie nicht die von Perez behauptete Flügelfärbung «brun noirâtre, avec des reflets bronzés-dorés, cuivrés-pourprés vers le bout, et du plus brillant éclat», sondern die von Smith beschriebene «blue, tinted with violet». Auch ist das zweite Geißelglied bei *dimidiata* Sm. die die drei folgenden zusammen, wie Perez behauptet, sondern gerade so lang. Da ich nur ein Stück habe, kann ich nicht sagen, ob wir es hier nicht auch mit einer Art mit variabler Flügelfärbung zu tun haben. Die Angabe Perez betreffs der Länge des zweiten Geißelgliedes kann in einem Schätzungsfehler seinen Grund haben.

Xylocopa electa Sm.

Im Besitze des Hofmuseums: 1 ♀ aus Mexiko (Cuerna Vacca ges. v. Bilimek).

Das zweite Geißelglied ist deutlich kürzer als die drei folgenden, aber länger als die zwei folgenden Glieder. Die Kniescheibe ist ähnlich der von *lucida* Sm.

Xylocopa macrops Lep.

Im Besitze des Hofmuseums: 2 ♀ aus Brasilien (ex coll. Winthem, Parana ges. Reimoser), 3 ♀, 2 ♂ aus Paraguay (San Bernardino ges. v. Fiebrig).

Eine ausführliche Beschreibung dieser Art findet sich bei Taschenberg (l. c., wie bei *virginica*, p. 580, nr. 12). Taschenberg gibt als Größe für das ♀ 22 mm, mir liegen außer einem solchen auch kleinere Stücke von ca. 17 mm Körperlänge vor.

Xylocopa barbata Fabr.

Im Besitze des Hofmuseums: Eine größere Anzahl von ♀ aus Brasilien (Espirito Santo und Minas Geras ex coll. Fruhstorfer, Bahia ges. v. Kammerlacher und ex coll. Winthem, ohne nähere Fundortsangabe ges. v. Beske), aus Paraguay (Chaco ges. v. Fiebrig), aus Venezuela, aus Niederl.-Guayana (ges. v. Schiener), aus Bolivia? (Ascension ges. v. Helmreichen), ferner 2 ♂ aus Brasilien (ges. v. Natterer).

Eine ausführliche Beschreibung des ♀ findet sich bei Taschenberg (Zeitschr. f. d. ges. Naturw. LII. 1879, p. 581, nr. 13).

Das ♂ ist sehr leicht vom *macrops* Lep. ♂ zu unterscheiden. Ich gebe eine ausführliche Beschreibung:

Integument: Clypeus, Stirnschildchen und Oberlippe, eventuell auch Teile des Nebengesichtes gelbweiß, Unterseite der Fühlergeißel vom dritten Geißelglied an rotgelb. Die übrigen Teile des Kopfes schwarz. Schenkel und Innenseite der Tibien ±

pechrot. Hinterränder der Segmente sehr schmal, Ventralseite des Abdomens mitten breit rotgelb. Die übrigen Teile des Körpers schwarz metallglänzend. Farbe des Metallglanzes auf der unbehaarten Stelle des Mesonotums erzfarben, gegen die Seiten zu regenbogenartig, auf dem Scutellum blau und violett (purpurn), auf dem ersten Tergit grünblau ohne Mischung mit violett, auf den übrigen Tergiten blau und violett, an den Endrändern blaugrün.

Behaarung: Gesicht spärlich schmutzigweiß, Schläfen dicht
bärtig schneeweiß, die übrigen Teile des Kopfes dunkelbraun und
schmutzigweiß gemischt behaart. Thorax oben spärlich weiß, seitlich
unten und hinten dicht schmutzigweiß und dunkelbraun gemischt behaart. Die Menge der dunklen Haare überwiegt an den Mesopleuren, dem Postscutellum und Mittelsegment. Vorderschenkel fast kahl. Vordertibien und Tarsen außen und hinten dicht und lang seidenglänzend weißlich, Mittel- und Hinterschenkel innen ziemlich dicht und lang bürstenartig weiß, Mittel-, Hintertibien und Mitteltarsen außen und hinten lang schwarz, Hintertarsen vorn und hinten lang schwarz behaart. Den hellen Haaren sind ± dunkle, den dunklen namentlich an der Spitze der Hintertibien ± helle beigemengt. Abdomen oben fast kahl, an den Seiten und unten mässig dicht und lang weiß behaart.

Fig. 60. Kopulationsapparat von *Xylocopa barbata* Fabr. ♂ von oben.

Plastische Merkmale: Seitenaugen groß, am Scheitel fast bis zur Berührung genähert. Clypeus und Stirnschildchen unpunktiert glänzend, die übrigen Teile des Gesichtes dicht punktiert. Zweites Geißelglied so lang wie die drei folgenden zusammen. Oberlippe mit einer glänzenden Erhebung.

Mesonotum mitten unpunktiert, gegen die Seiten zu zuerst spärlich, dann allmählich dichter bis sehr dicht punktiert. Scutellum spärlich punktiert. Hinterschienen innen gegen die Spitze zu mit zwei Dornen bewehrt, der vordere ist klein und von der Behaarung fast vollständig bedeckt, der hintere länger und deutlicher sichtbar. Alle Glieder der Hintertarsen, auch das Krallenglied, sind auffallend verbreitert. Abdominaltergite mäßig dicht und gleichmäßig, d. h. seitlich nicht viel dichter als mitten punktiert. Die blaugrün glänzenden Endränder der Tergite unpunktiert. Kopulationsapparat (Fig. 60).

Länge des Körpers ca. 17 mm, der Vorderflügel 13—14 mm.

Xylocopa subvirescens Cress.

Im Besitze des Hofmuseums: 3 ♀, 4 ♂ aus Brasilien (ges. v. Natterer, Schott, Stevens; Santos ges. v. Brauns), 1 ♂ aus Paraguay (San Bernardino ges. v. Fiebrig). Manche Stücke (♀) dieser Art haben eine ähnliche Färbung und Behaarung des Abdomens wie typische Stücke der nächsten Art (*ornata* Sm.) und sind daher leicht mit dieser Art zu verwechseln.

Ein gutes Merkmal bietet die Punktierung des Scheitels, welche bei *subvirescens* fein und dicht, bei *ornata* spärlich und grob zu nennen ist. Ebenso ist das Stirnschildchen und die obere Hälfte des Clypeus bei *ornata* infolge der spärlichen Punktierung glänzend, bei *subvirescens* viel feiner und dichter punktiert und daher matt.

Xylocopa ornata Sm.

Im Besitze des Hofmuseums: 2 ♀ aus Brasilien (Amazonas ges. v. Stevens).

Über die Unterscheidung dieser Art von den vorhergehenden vergleiche man bei dieser (*subvirescens* Cress.). Das zweite Geißelglied ist wie beim *subvirescens*-♂ deutlich kürzer als die drei folgenden, aber länger als die zwei folgenden Glieder zusammen.

Xylocopa pulchra Sm.

Im Besitze des Hofmuseums: 3 ♀, 1 ♂ aus Brasilien (ex coll. Winthem ges. v. Natterer, Cantarera bei S. Paulo ges. auf der Brasil.-Exp. 1891 v. Wettstein).

Ist mit keiner anderen Art zu verwechseln. Eine ausführliche Beschreibung der ♀ findet sich bei Taschenberg (Zeitschr. f. d. ges. Naturw. I.II. 1879, p. 584, nr. 18).

Anhang.

Einige ♂, die ich wegen mangelnder Kenntnis der ♀ nicht in eine der vorigen Gruppen einreihen kann, durchaus ± lebhaft metallglänzende Tiere. Einige wie *loripes* Sm. und *cariventris* n. sp. sind ziemlich bizarr geformt. *Loripes* Sm., *boops* n. sp. und *cariventris* n. sp. haben große am Scheitel fast zusammenstoßende Augen.

Xylocopa loripes Sm.

Im Besitze des Hofmuseums: 1 ♂ aus Mexiko (ex coll. Winthem).

Xylocopa boops n. sp. ♂.

Im Besitze des Hofmuseums: 1 ♂ aus Brasilien (ges. v. Natterer).

Integument schwarz, mit ± lebhaftem blauen Metallglanz am Kopf mit Ausnahme des Gesichtes, auf dem Rücken und den Seiten des Thorax, auf der Außenseite der Tibien und auf der Oberseite des Abdomens, pechrot mit lebhaftem Violettglanz auf der Unterseite des Abdomens, pechrot ohne oder mit nur ganz schwachem Metallglanz auf den Tegulae, den Schenkeln, der Innenseite der Tibien, den Tarsen und an den Hinterrändern der Tergite, weißgelb auf dem Gesicht bis zur Höhe der Fühlerinsertionen, auf der Oberlippe und auf der Unterseite der Fühlerschäfte, rotgelb auf der Unterseite der Fühlergeißel und auf der Unterseite des Abdomens in Form zweier Fleckenreihen, ähnlich wie bei *macrops* Lep. ♂. Die Flecke liegen an der Basis der Sternite, sind auf dem zweiten Sternit undeutlich, auf dem dritten und vierten deutlich annähernd dreieckig, auf den übrigen Sterniten nicht gut sichtbar, weil sie wenigstens bei meinem Exemplar stark eingezogen sind.

Flügel ziemlich lichtbraun, an der Basalhälfte subhyalin, auf der Spitzenhälfte etwas stärker fleckig gebräunt. Glanz sehr schwach, messingartig und kupferig.

Behaarung[1]) gelbweißlich am Gesicht, an den Schläfen, am Vorderrand des Mesonotums, an Flecken auf den Mesopleuren und am Mesosternum, außen an der Spitze der Vordertibien und an der Hinterseite der Vordertarsen, an den Hinterrändern der Sternite und an den Seiten des vorletzten Tergits, sonst ± dunkelbraun. Bei meinem Exemplar ist fast die ganze Oberseite kahl, nur an den Seiten des ersten und der letzten Tergite finden sich Haarbüschel, die Vordermetatarsen sind hinten lang befranst, die Mittel- und Hintermetatarsen, namentlich die ersteren, vorn und hinten lang und dicht borstig abstehend behaart.

Plastische Merkmale: Die Seitenaugen sind sehr groß und gewölbt, ähnlich wie bei den ♂ von *macrops* Lep. oder *barbata* Fabr., sie sind einander am Scheitel fast bis zur Berührung genähert. Die Oberlippe trägt eine polierte Erhebung von der Form eines sehr flachen Dreiecks, das zweite Geißelglied ist so lang wie die drei folgenden zusammen. Das Untergesicht ist spärlich punktiert.

Der unpunktierte Raum des Mesonotums und das Schildchen liegen fast in einer Ebene, der Abfall des Thorax nach hinten beginnt erst beim Postscutellum. Infolgedessen ist bei dieser Art nicht das Schildchen, sondern das Hinterschildchen und das

Fig. 61. Kopulationsapparat von *Xylocopa boops* n. sp. ♂ von oben.

Mittelsegment im Profil gerundet. Der unpunktierte Raum des Mesonotum erstreckt sich fast über die ganze annähernd horizontale Partie desselben, das Scutellum ist vorn spärlich, hinten dichter punktiert. Das Postscutellum ist feiner und mit Punkten ungleicher Größe, besonders seitlich dicht, das Mittelsegment spärlich und undeutlich punktiert, aber fein skulpturiert, mitten mit einer Furche versehen.

Die Hintertrochantern sind innen (unten) mit einem kleinen Höcker bewehrt. Die Hinterschenkel sind kaum aufgetrieben, hinten abgeflacht und mit kurzen halb abstehenden Haaren besetzt, innen auf einer nach vorn abschüssigen Fläche glänzend und unbehaart. Der hintere Sporn der Tibien ist zweizipflig. Der vordere Zipfel ist etwa nur ein Drittel so lang als der hintere, der fast die Länge des vorderen Sporns erreicht. Die beiden Zipfel sind durch eine tiefe Bucht voneinander getrennt. Die Kniescheibe an den Hintertibien reicht bis zur Hälfte derselben und endet mit zwei sehr ungleichen Lappen. Der vordere ist bedeutend schmäler und länger, von dem hinteren kürzeren und breiteren nur durch einen seichten Ausschnitt getrennt. Beide sind an der Spitze gerundet.

Das Abdomen ist oben ziemlich gleichmäßig, mäßig dicht punktiert, gegen die Basis und die Hinterränder der Tergite zu spärlicher, die letzteren selbst sind unpunktiert. Kopulationsapparat (Fig. 61).

Länge des Körpers ca. 22 mm.

Xylocopa lateralis Say?

Im Besitze des Hofmuseums: 1 ♂ aus Peru (Lima ex coll. Winthem).

Diese Art ist infolge der allzu mageren Beschreibung schwer zu deuten. Das mir vorliegende Tier glänzt am Thorax und Abdomen bei bestimmter Haltung grün, bei anderer violett. Die Flügel sind braun, mit ziemlich schwachem violetten und blauen Glanz.

Weißliche Haare finden sich in größerer Menge nicht nur an den Seiten des Abdomens, sondern auch an den Schläfen, am Vorderrand des Mesonotums, an den Meso-

---

[1]) Das mir vorliegende Exemplar ist leider ziemlich stark abgeflogen und abgerieben, die Angaben über die Behaarung bedürfen daher wahrscheinlich noch einer Ergänzung durch Beschreibung eines frischen Exemplars.

pleuren, an der Außen- und Hinterseite der Vordertibien und -Tarsen und an der Vorderseite der Hintertibien.

Der Kopf ist von vorn betrachtet kreisrund umrissen. Die Augen sind groß, gewölbt, aber am Scheitel nicht viel mehr genähert als am Clypeus. Das zweite Geißelglied ist fast so lang wie die drei folgenden zusammen. Der polierte Raum der Oberlippe ist breit dreieckig. Die Kniescheibe reicht nicht bis zur Mitte der Tibia und endet mit einer kleinen abgestutzten Schuppe. Punktierung des Abdomens ziemlich spärlich und fein. Kopulationsapparat (Fig. 62).

Xylocopa piligera n. sp. ♂.

Im Besitze des Hofmuseums: 6 ♂ aus Brasilien (ges. v. Beske).

Integument schwarz, auf den Tergiten mit ganz schwachem grünlichem Metallschimmer. Unterseite der Fühlergeißel vom dritten Geißelglied an, Schenkeln, Innenseite der Tibien und Tarsen und Segmentränder dunkel pechrot. Gesicht ungefähr bis zur Höhe der Fühlerinsertionen, Oberlippe, zwei Flecken an der Basis der Mandibeln und Unterseite der Fühlerschäfte gelb. Die Clypeusränder sind wie gewöhnlich schwarz konturiert.

Flügel ziemlich lichtbraun, am Saum stärker gebräunt, mit sehr schwachem Kupfer- und (gegen die Spitze zu) Purpurglanz.

Behaarung überall auch auf der Oberseite des Abdomens ziemlich dicht, auffallend struppig und ungleich lang, etwa wie bei *Bombus mastrucatus*, nur nicht so dicht, an den ganzen Vorder- und Mitteltarsen, an den Spitzen der Vorder- und Mitteltibien sowie

Fig. 62. Kopulationsapparat von *Xylocopa lateralis* Say ♂ von oben.

Fig. 63. Kopulationsapparat von *Xylocopa piligera* n. sp. ♂ von oben.

Hintermetatarsen ± ausgedehnt, an den übrigen Metatarsengliedern und auf der ganzen Unterseite des Abdomens gelblichweiß seidenglänzend, sonst überall dunkelbraun.

Plastische Merkmale: Kopf klein, Seitenaugen relativ klein, am Scheitel nicht mehr genähert als am Clypeus, Gesicht daher rechteckig, nicht gerade sehr schmal, aber doch deutlich schmäler als hoch. Zweites Geißelglied fast so lang wie die drei folgenden zusammen. Untergesicht mäßig dicht, Obergesicht und Scheitel dicht, Schläfen spärlich punktiert.

Scutellum im Profil gerundet, vorn unpunktiert, hinten mäßig dicht punktiert. Schenkel ohne besondere Auszeichnung. Die Kniescheibe reicht an der Hintertibia nicht ganz bis zur Hälfte und endet mit einer kleinen, kaum zweilappigen, schief abgestutzten Schuppe. Der hintere Sporn der Hintertibien ist kurz, breit und an der Spitze abgerundet.

Die Tergite sind im Zusammenhang mit der ziemlich dichten halbabstehenden Behaarung mäßig dicht und ziemlich fein punktiert zu nennen. Kopulationsapparat (Fig. 63).

Länge des Körpers 19—22 mm, der Vorderflügel 15—17 mm.

Zusammenfassung der Resultate dieser Arbeit, soweit sie die Synonymie betreffen.

aeneipennis Perez	= *brasilianorum* (L.) Fabr.
aeneipennis Sm.	= *brasilianorum* (L.) Fabr.
aestuans aut. p. p.	= *leucothorax* (Deg.) Ill.
albofasciata Sichel	= *tenuiscapa* Westw.
amethystina Bingham	= *ignita* Sm.
amethystina Friese	? = *ignita* Sm.
azteca Cress.	= *tabaniformis* Sm. var.
Brasilianorum Perez	= *brasilianorum* (L.) Fabr.
Brasilianorum Sm.	= *brasilianorum* (L.) Fabr.
Brasilianorum Taschenb.	= *brasilianorum* (L.) Fabr.
dissimilis Perez	= *auripennis* Lep.
fuliginata Perez	= *amethystina* (Fabr.) Lep.
insidiosa Perez	= *smithii* Rits.
ordinaria Sm.	= *brasilianorum* (L.) Fabr.
pictifrons Bingham ♂	= *attenuata* Perez.
pictifrons Sm. ♀	= *attenuata* Perez.
praeusta Sm.	= *varipes* Sm.
singularis Perez	= *cyanea* (Sich.) Sm.
taschenbergi Vach.	= *hottentotta* Sm.
virescens Lep.	= *brasilianorum* (L.) Fabr.
virescens Sm.	= *brasilianorum* (L.) Fabr.
subjuncta Vachal nicht	= *fraudulenta* Grib.

Erklärung zu Tafel III und IV.

Fig. 1.	Gesicht von	*Xylocopa rufipes* Sm. ♀.		
» 2.	»	»	»	*sinensis* Sm. ♀.
» 3.	»	»	»	*tarsata* Sm. ♀.
» 4.	»	»	»	*gaullei* Vach. ♀
» 5.	»	»	»	*tuberculiceps* Rits. ♀.
» 6.	»	»	»	*cornigera* Friese ♀.
» 7.	»	»	»	*steindachneri* n. sp. ♀.
» 8.	»	»	»	*ganglbaueri* n. sp.
» 9.	»	»	»	*graueri* n. sp. ♀.
» 10.	»	»	»	*dissimilis* Lep. ♀.
» 11.	»	»	»	*amethystina* (Fabr.) Grib. ♀.
» 12.	»	»	»	*ignita* Sm. ♀.
» 13.	»	»	»	*confusa* Perez ♀.
» 14.	»	»	»	*verticalis* Lep. ♀.
» 15.	»	»	»	*philippinensis* Sm. ♀.
» 16.	»	»	»	*brasilianorum* (L.) Fabr. ♀.
» 17.	»	»	»	*artifex* Sm. ♀.
» 18.	»	»	»	*mendax* n. sp. ♀.

Inhaltsverzeichnis.[1])

[1]) Die gesperrt gedruckten Namen sind solche von als neu beschriebenen Arten oder Varietäten.
Annalen des k. k. naturhistorischen Hofmuseums, Bd. XXVI, Heft 3 u. 4, 1912. 22

Seit dem im Februar des vorigen Jahres erfolgten Abschluß dieser Arbeit ist soviel Xylocopenmaterial zum Teil für die Sammlung des k. k. naturhistorischen Hofmuseum und zum Teil an mich behufs Determinierung eingelangt, daß mir die vorliegende Arbeit einer Ergänzung bedürftig erscheint. Eine solche soll daher in einiger Zeit diesem Artikel folgen.

Nachträge zu meiner Bearbeitung der Dermapteren des k. k. naturhistorischen Hofmuseums.

Von

Malcolm Burr,
D. Sc.

Mit 16 Abbildungen im Texte.

I. Nachtrag.

Ein Teil meiner vorhergehenden Arbeit über die Dermapteren des Wiener Hofmuseums wurde bereits vor einigen Jahren redigiert. Seitdem habe ich viel mehr Material beobachtet und verglichen und meine Meinung in manchen Fällen geändert und verbessert. Einiges ist auch übersehen worden. Ein Anhang wird demzufolge nötig. Gleichzeitig bringt diese Abhandlung einige Abbildungen von neuen Arten, deren Diagnosen bereits in der vorhergehenden Arbeit enthalten sind. Die Figuren wurden leider verspätet beigestellt und konnten daher nicht zugleich mit den Beschreibungen publiziert werden.

Blandex n. g.

Antennae segmentis 14 (vel magis), tertio sat longo, quarto et quinto brevioribus, sexto tertium fere aequanti; elytra perfecta, obsolete carinata; alae deficientes; mesonotum postice rotundatum; metasternum concavum; pedes compressi, femoribus obsolete carinatis; tarsi breves, segmento secundo parvo, lato, haud lobato; abdomen depressum, segmentis omnibus lateribus acutis; forcipis bracchia valida, basi remota, fortiter curvata; metaparameres apice attenuati et bimucronati.

Antennen mit mindestens 14 Segmenten, zylindrisch und schlank; drittes lang, viertes und fünftes etwas kürzer, das sechste und die übrigen ungefähr so lang als das dritte; Kopf platt; Halsschild subquadratisch; Elytra vollkommen, äußerer Rand stark gekennzeichnet, fast gekielt; keine Flügel; Mesonotum augenscheinlich ohne Kamm; Prosternum hinten etwas abgerundet, vorne hohl; Beine gedrängt; Schenkel mit fast atrophierten Kielen; Fuß ziemlich kurz, drittes Segment etwas kürzer als das erste; zweites sehr kurz, ziemlich breit, mit einem Büschel Haare an der Sohle, nicht lappenförmig. Abdomen platt; Seiten des fünften bis neunten Segments spitzig; letztes Tergit groß, fast viereckig; vorletztes Tergit stumpf runderhaben und am Ende abgestumpft; Zangenarme mit Seitenarmen auseinanderstehend, stark und trigonal in der Basalhälfte, stark gewölbt; Pygidium an der Basis sehr breit und spitz zulaufend. Parameren ziemlich breit, äußeres Segment verkleinert, in einem kurzen doppelten Haken endigend.

22*

Diese Gattung hat mich in große Unschlüssigkeit gebracht. Die äußere Erscheinung dieses Geschöpfes erinnert an keine andere mir bekannte Art; die Art der Färbung ist sicherlich jene der *Pygidicraninae*, während die Bauart der Antennen der Unterfamilie *Forficulinae* ähnelt, aber auch mit jener der *Anataelinae* übereinstimmt; die Kiele der Schenkel sind kaum sichtbar sowie auch die der Flügeldecken; die Bauart des Sternums ist von jener bei *Anataelia* und *Challia* wesentlich verschieden. Ich kann keine Doppelbürste an dem Mesonotum entdecken, demzufolge ist es eine echte ungeflügelte Art, obgleich die Deckflügel voll entwickelt und frei sind.

Die Bauart der Genitalien in *Anataelia* und *Challia* ist nicht bekannt; der Doppelbuckel an dem Apex der Metaparameren erinnert an Pygidicraninen, obgleich eine etwas ähnliche Art in *Esphalmenus* beobachtet werden kann.

Unglücklicherweise besteht das bisher vorhandene Ma-

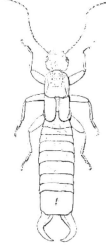

Fig. 1. *Blandex solvendus* Burr ♂. × 4.

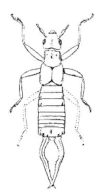

Fig. 2. *Neolobophora handlirschi* Burr ♂. × 3.

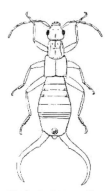

Fig. 3. *Syntonus ensifer* Burr ♂. × 4.

terial aus einem einzigen Männchen in der Wiener Sammlung; sobald weiteres Material beigebracht wird, kann die Bauart der Genitalien und Opisthomeren gründlich untersucht werden.

Inzwischen mögen wir es provisorisch in den *Anataelinae* einreihen, die Definition dieser Unterfamilie zugunsten der freien Elytra dieser Gattung modifizierend.

1. **solvendus** sp. n.

Colore rufo-fulvo, fusco-variegato; abdomen rufescens; forcipis bracchia ♂ basi remota, valida, divergentia, tum attenuata et abrupte arcuata, inermia.

♂

Körperlänge	16·5 mm
Zangenlänge	3 »

Antennen braun, Kopf platt, Nähte schwach, Stirn ziemlich weich, gelblich mit braunen Linien und Merkmalen. Halsschild subrektangular, nach hinten leicht verbreitert, braun mit schokoladebraunen Zeichen und Streifen. Elytra unten eng, einen kleinen Buckel zeigend, braun, Außenkante gelbbraun, abgestumpft; Beine gelbbraun, bräunlich schattiert; Abdomen sehr rotbraun, Seiten der Segmente 5—9 spitzig und oben leidlich geringelt; letztes Tergit glatt, fast viereckig, die Seiten nicht gekielt; Zangenarme entfernt, stark und trigonal in der Basalhälfte und stark auseinandergehend, halbwegs rasch spitz zulaufend und abgerissen, stark gebogen.

Südafrika: 1 ♂ (Dr. Penther, Mus. Vindob.).

Es ist bedauerlich, daß das einzige Stück dieser seltsamen Art ziemlich gebleicht ist, aber es ist ein Männchen und in einem ziemlich guten Zustand.

Es ist zu hoffen, daß weiteres Material bald gefunden und seine genaue Lokalität festgestellt wird.

Pygidicrana egregia Kirby und **V-nigrum** Serv.

Diese zwei Arten unterscheiden sich nur durch die Zeichnung des Pronotums; sie sind wahrscheinlich zu vereinigen.

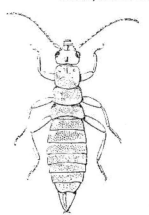 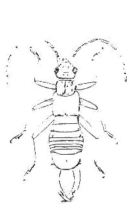 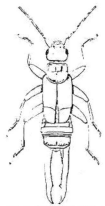

Fig. 4. *Anisolabis holdhausi* Burr ♀. ✕ 3¹⁄₂.   Fig. 5. *Sarakas borellii* Burr ♂. ✕ 4.   Fig. 6. *Doru leucopteryx* Burr ♂. ✕ 4.

Dicrana daemeli Dohrn.

Ich habe später mehr Material erhalten; meine Vermutung bezüglich der Identität von *P. finschi* Karsch mit dieser Art wird dadurch noch bestätigt.

Echinopsalis ? thoracica Serv.

Ich habe in neuerer Zeit eine Reihe von Exemplaren dieser Art aus Guyana erhalten, wodurch ich konstatieren kann, daß es sich hier um eine *Propyragra* handelt. Bei Gelegenheit konnte ich auch bemerken, daß man bei einem zweiten Männchen von *Pyragropsis tristani* Bor., welches mir von Dr. Borelli gütigst mitgeteilt wurde, klar und deutlich sehen kann, daß die Subanalplatte nicht rechteckig, sondern ausgeschnitten ist; dadurch fallen die Unterschiede zwischen diesen zwei Gattungen weg und *Propyragra* muß als Synonym von *Pyragropsis* betrachtet werden. Doch ist der richtige Gattungsname *Pyragropsis* Bor., enthaltend *P. paraguayensis* Bor., *P. tristani* Bor., *P. thoracica* Serv., *P. buschi* Caudell und *P. brunnea* Burr. *Echinopsalis* Borm. bleibt erhalten mit der einzelnen Art *E. guttata* Borm.

Gonolabidura piligera Borm.

  Ich habe Zachers Type von *G. volzi* gesehen; sie ist ohne Zweifel mit *G. piligera* identisch.

Gonolabis javana Borm.

  Java: 1 ♂ (Dr. Candeze, coll. Br. 6996). Typus.

  Dies ist der Typus von de Bormans; er blieb das einzige bekannte Stück, bis Zacher auch ein Männchen aus Java bekam; er konnte es nicht erkennen und beschrieb es als neu unter dem Namen *G. kükentali*; ich habe jedoch seinen Typus gesehen, welcher ohne Zweifel mit diesem identisch ist. In Größe und Färbung stimmen beide überein; sehr charakteristisch ist die Subanalplatte, die in der Mitte gekielt ist. Diese Art ist von mir in Tr. Ent. Soc. London, p. 174, 1910 behandelt worden.

  G. electa Burr und *G. oblita* Burr wurden viele Jahre hindurch in den Sammlungen als *G. javana* ganz irrigerweise etikettiert.

Psalis gagatina Burm.

  Diese zwei Exemplare wurden in neuerer Zeit von mir unter dem Namen *P. festiva* als neue Art beschrieben (Trans. Ent. Soc. London, p. 182, 1910). Ich bin jetzt zu der Ansicht gekommen, daß *P. gagatina* Burm. nur die geflügelte Form von *P. colombiana* ist (s. Burr, Ann. Mag. N. H. [8], IV, p. 126, 1909).

  In Wahrheit handelt es sich um eine plastische Überart, wovon eine fortlaufende Reihe alle Stufen zeigte, von ungefleckten bis beinahe ganz orangegelben Deckflügeln, die Unstabilität ist auch durch Brachypterismus, Makropterismus und Melanismus gekennzeichnet.

  Ich betrachte die Verwandtschaft als folgende:

Größere Formen:
  Melanisch.
    I. geflügelt .   *gagatina* Borm.
    II. ungeflügelt   *robusta* Scudd.
  Nicht melanisch.
    I. geflügelt .   *americana* Beauv.
Kleinere Formen:
  Melanisch . .   *buseki* Rehn.
  Nicht melanisch.
    I. ungeflügelt . . . . . . *festiva* Burr
    und von hier übergehend auf . *pulchra* Rehn.

Anisolabis westralica Burr.

  Dieser Name wurde zum ersten Male in Gen. Ins. Derm., p. 30 (1911) von mir vorgeschlagen.

Anisolabis felix.

  Diese Art ist mit *Horridolabis paradoxura* Zacher identisch; der richtige Name wird *Horridolabis felix* Burr sein.

  Ich nehme diese Gelegenheit wahr, eine Übersicht über die kleinen südamerikanischen Spongophorinen zu geben. Borelli hat schon *Spongiphora pygmaea* Dohrn, *Labia ghilianii* Dohrn und seine *Sp. confusa* gut und richtig getrennt; er glaubt auch, daß *L. ghilianii* nicht eine *Labia*, sondern eine *Spongiphora* ist.

Seitdem habe ich diese Familie revidiert und *pygmaea* in *Labia* eingereiht, die anderen jedoch in *Spongovostox*. Diese Trennung scheint mir allerdings gar nicht natürlich zu sein, weil diese kleinen südamerikanischen Arten eine Gruppe bilden. Nunmehr da ich den Typus von *E. ghilianii* gesehen habe, glaube ich, daß alle diese in *Spongovostox* eingestellt werden können.

Eine vierte Art gehört auch hierher, nämlich *Sp. stigma* Dohrn; leider habe ich Dohrns Typus noch nicht gesehen und in seiner Beschreibung erwähnt er über das Pygidium gar nichts. Ich habe als *Sp. stigma* drei Männchen, welche sich in dem Königsberger Museum befinden, bestimmt. Doch mit Hilfe des Materials im Wiener Museum und in meiner eigenen Sammlung kann ich konstatieren, daß es sich auch hier um mehrere verschiedene Arten handelt.

  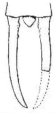 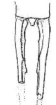

Fig. 7. *Spongo-*	Fig. 8. *Spongo-*	Fig. 9. *Spongo-*	Fig. 10. *Spongo-*
vostox pygmaea	*vostox ghilianii*	*vostox ghilianii*	*vostox confusus*
Dohrn.	Dohrn.	Dohrn var.	Borelli.

Spongovostox pygmaeus Dohrn.

Pygidium ziemlich stark hervorragend, breit, an dem Apex eingeschnitten. Stammt aus Rio de Janeiro (Mikan, Dohrns Typus). Ich besitze sie auch aus Brasilien (sogenannter Topotypus von Sahlbergs Reise) und aus Peru.

Es scheint mir, daß *L. tricolor* Kirby mit dieser Art identisch ist, nur das Pygidium scheint etwas länger zu sein. Die Färbung variiert, ich kenne Exemplare mit gestreiften Elytren und auch mit schwarzen.

Spongovostox ghilianii Dohrn.

Pygidium breit, mehr oder weniger abgerundet, mit einem mikroskopischen Fortsatz an dem Ende. Stammt aus Venezuela (Moritz, Typus von Dohrn); ich besitze sie auch aus Cayenne und Guatemala.

Spongovostox stigma Dohrn.

Pygidium schmal und kurz, an dem Ende abgestutzt. Stammt aus Kolumbien (Mus. Königsberg und in meiner Sammlung) und Venezuela (Dohrn).

Spongovostox confusus Borelli.

Pygidium an der Basis breit, dann verlängert und verengt, an dem Ende abgestutzt.

In dem Wiener Museum befindet sich ein Paar aus Kolumbien (Steinheil, coll. Br., Nr. 10.66); von de Bormans als *P. punctipennis* Stål bestimmt. Ich besitze es aus Neu-Granada. Dies ist die typische Form Bo-rellis, deren Typus aus Paraguay stammt.

Spongovostox vicinus sp. n.

Von *S. confusus* nur durch das spitze Pygidium abweichend, welches breit und lang ist und sehr spitz. Elytren mit gelbem Schulterfleck. ♂ Körperlänge 8 mm, Zangen 2·5 mm.

Stammt aus Bahia. 1 ♂ (Fruhstorfer, coll. Br., Nr. 20.010).

Spongovostox parvus sp. n.

Weicht von *S. confusus* durch die kleinere Gestalt ab und das ganz schmale parallelrändrige Pygidium, am Ende scharf abgestutzt. Elytren braun, mit gelben Schulterecken. Körperlänge 3·5 mm, Zangen 1·5 mm.

Diese Art findet sich nicht in der Wiener Sammlung; ich habe sie aus den folgenden Orten:

Britisch-Guiana: Georgetown, 1 ♂. — Surinam: Tapanokoni, 1 ♂, Typus!

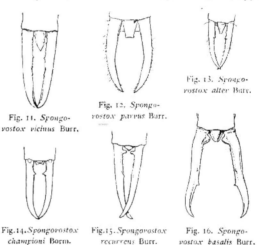

Fig. 11. *Spongovostox vicinus* Burr.

Fig. 12. *Spongovostox parvus* Burr.

Fig. 13. *Spongovostox alter* Burr.

Fig. 14. *Spongovostox championi* Borm.

Fig. 15. *Spongovostox recurrens* Burr.

Fig. 16. *Spongovostox basalis* Burr.

Spongovostox alter sp. n.

Klein wie die letztere; weicht durch das nicht parallelrändrige, sondern dünner werdende Pygidium ab; dieses ist mit dem von *S. confusus* ähnlich, aber länger und schmäler und mehr allmählich dünner werdend; Gestalt auch viel kleiner als bei *S. confusus*; das Abdomen ist glänzend und nicht punktiert, wie es der Fall bei jener Art ist. Schwarz und glänzend. Elytren und Flügel mit gelbem Band. Körperlänge 3·5—4 mm, Zangen 1·5 mm.

Ich besitze sie aus Bolivien: Mapiri, ♂ (Typus). — Minas Geraes, ♂. Panama: Bugaba, ♀.

Spongovostox championi Borm.

Klein, schwarz, mit *S. stigma* ähnlich, jedoch etwas kleiner und das Pygidium ist ganz kurz und breit, mit einem spitzen Fortsatz an den Ecken. Beine gelb oder schwarz; Pronotum gelb oder schwarz. Körperlänge 5·5 mm, Zangen 2 mm.

San Esteban: 1 ♂ (in meiner Sammlung). — Panama (de Bormans, Typus im Brit. Mus.).
Ich betrachte mein Exemplar als identisch mit *P. championi*, obgleich die Färbung etwas davon abweicht.

Spongovostox basalis sp. n.
Etwas größer; Pygidium wie bei *S. ghilianii*; Zangenarme an der Basis mit einem großen dreieckigen abgeplatteten Zahn und ein bis zwei kleinen Zähnchen vor dem Apex. Elytren braun, mit gelbem Band. Körperlänge 6·5 mm, Zangen 3·5 mm.
El Zumbador: 1 ♂ (Typus in meiner Sammlung).

Spongovostox recurrens sp. n.
Der vorgehenden ähnlich, jedoch Pygidium wie bei *S. confusus*; Zangenarme an der Basis mit einem engen stumpfen Zahn. Elytren braun, mit gelbem Band. Körperlänge 6 mm, Zangen 3 mm.
Novo Friburgo: 1 ♂ (Deyrolle, coll. Nr. 4048). — Brasilien: 1 ♂ (Typus in meiner Sammlung).

	Körperlänge (ohne Zangen) Millimeter	Färbung	Pygidium
pygmaeus	6	gestreift	breit und eingeschnitten
ghilianii	5·5—7	»	gerundet, mit sehr kleinem Fortsatz
confusus	5·5—7	»	verengt und abgestutzt, lang
alter	3·5—4	»	verengt und abgestutzt, schmal
stigma	7	schwarz	verengt und abgestutzt, kurz
vicinus	8	gestreift	lang und spitz
parvus	3·5	»	parallelrändrig und abgestutzt
championi	5·5	schwarz	breit und zweispitzig und mit basalem Dorn an den Zangenarmen
basalis	6·5	gestreift	zungenförmig, Zahn breit und abgestutzt, dreieckig
recurrens	6	»	plötzlich verengt, an dem Apex abgestutzt; Zahn schmal und stumpf.

Von den folgenden *Spongovostox*-Arten befinden sich Exemplare im Wiener Hofmuseum:

Sp. pygmaeus Dohrn. Brazil: Rio de Janeiro, 1 ♂ (Mikan). Typus.
Sp. ghilianii Dohrn. Venezuela, ♂ (Kaden). Typus.
Sp. confusus Borelli. Kolumbien, ♂ ♀ (Steinheil, coll. Br., Nr. 10.662).
Sp. vicinus Burr. Brazil: Bahia, ♂ ♀ (Fruhstorfer, coll. Br., Nr. 20.010). Typus.
Sp. recurrens Burr. Novo Friburgo, ♂ (Deyrolle, coll. Br., Nr. 4048). Syntypus.

Gattung **Prosparatta** Burr.

1. *incerta* Borelli.

Brasilien: Iatahy, Pr. Goyaz, ♀ (Pujol, coll. Br., Nr. 23.194).

Ancistrogaster variegata Dohrn.

Dohrn nennt dies «*Forficula appendiculata* Charp. in litt.»; er sagt: «Habitat in Venezuela (Moritz) ... ♂ im Wiener Museum». Unter den alten Dohrnschen Stücken im Wiener Museum befindet sich ein Männchen, etikettiert «Venezuela, Kaden» und auch «*appendiculatus* Charp.». Wenn man die Verwechslung von Moritz statt Kaden annehmen könnte, dann würde dieses Stück mit Dohrns Beschreibung recht gut übereinstimmen. Ich glaube, daß es der echte Typus von *A. variegata* ist; es ist das Exemplar, das ich auf p. 104 als ein ungeflecktes Stück von *A. falcifera* Rehn beschrieben habe; die Färbungsverschiedenheiten sind für mich nicht maßgebend, und ich glaube, daß *A. mixta* Borelli und *A. falcifera* Rehn nur Synonyma von *A. variegata* Dohrn sind, wobei die Deckflügel gefleckt oder ungefleckt sein können. Ob der Kopf rot oder schwarz oder braun ist, ist meiner Meinung nach ganz unwichtig.

II. Nachtrag.

Folgende Arten wurden mir zu spät mitgeteilt, um in den vorhergehenden Seiten eingereiht zu werden. Einige Arten sind ziemlich interessant, teils wegen des Fundortes, teils wegen ihrer Seltenheit.

Kalocrania biafra Borm. Ukaika-Mawambi, 1 ♂ (Grauer).

Dicrana separata Burr. N. W. Tanganika, ♂ (Grauer).

Echinosoma occidentale Borm. Ukaika-Mawambi, ♂, 2 ♀ (Grauer).

Echinosoma afrum Beauv. Ukaika-Mawambi, 3 ♂, 1 ♀ (Grauer).

Euborellia pallipes Shiraki. Formosa, Takao, ♂ (Sauter).

Anisolabis maritima Bon. Formosa, Takao, jung (Sauter).

Anisolabis sp. Formosa, Takao (Sauter).

> Junge Exemplare, die ich genau nicht bestimmen kann; vielleicht sind sie *A. fallax* Shir., die ich als Junge von *A. maritima* oder *A. marginalis* Dohrn betrachten möchte.

Anisolabis mauritanica Luc. Tunis, 2 ♂ (Veith).

Psalis cincticollis Gerst. Urwald Moëra, ♀ (Grauer).

Psalis debilis Burr. Ukaika-Mawambi, ♂ ♀ (Grauer) und N. W. Tanganika, ♀ (Grauer).

Labidura riparia Pall. Formosa, Takao, 3 ♂, 2 ♀, 1 Larve (Sauter); Ukaika-Mawambi, 1 ♂, 3 ♀ (Grauer); N. W. Tanganika, ♀ (Grauer).

Nala lividipes Duf. Formosa, Takao, ♂ ♀ (Sauter); Ishigaki, ♂ (Sauter).

Nala sp. Formosa, Koroton, 3 ♀ (Sauter).

> Ohne das Männchen ist es leider unmöglich festzustellen, ob dies eine neue Art ist, was mir sehr wahrscheinlich scheint, oder eine schöne große Rasse von *N. lividipes*.

Forcipula sp. Formosa, Koroton, 1 Larve (Sauter).

> Vielleicht eine neue Art.

Apachyus reichardi Karsch. Ukaika-Mawambi, 3 ♂, 1 ♀, 5 Larven (Grauer).
Labia minor L. Sizilien, Ficuzza, ♂ (Krüger); Bukarest, 2 ♀ (Montandon); Moldavie, Val. du Berlad, ♂ (Montandon).
Labia owenii Burr. Ukaika-Mawambi, 1 ♀ (Grauer).
Chaetospania rodens Burr. Ukaika-Mawambi, ♂ (Grauer).
Chelisoches formosanus sp. n. Formosa, Fuhosto, 1 ♂ (Sauter).

Das einzelne Männchen ist mit *Ch. morio* und auch mit *fuscipennis* Haan (= *variopictus* Borm. = *rubriceps* Burr) ähnlich; charakteristisch ist die abstechende Färbung der dunkel gelbbraunen Elytren und der ganz schwarzen Flügelschuppen.

Ich kann es mit keinen von Shiraki aus Formosa beschriebenen Arten bestimmen.

Proreus simulans Stål. Iguape, 2 ♂, 6 ♀ (Young).
Anechura lewisi Burr. Japan, Kioto, ♂ ♀ (Sauter).
Anechura asiatica Sem. Gr. Balachan, Dschabell, ♂ ♀ (Hauser).
Anechura bipunctata Fabr. var. *orientalis* Kr. N.-Mongolei, ♂ ♀ (Leder).
Allodahlia scabriuscula Serv. Formosa, Kosempo, 6 ♂, 12 ♀, 2 Larven (Sauter);
Elaunon bipartitus Kirby. Formosa, Takao, 3 ♂, 2 ♀, 1 Larve (Sauter); Yentempo, ♀ (Sauter.)

Diese Art hat eine eigentümliche geographische Verbreitung; sie scheint zahlreich und häufig in Nordindien und in Ceylon zu sein, kommt auch in Neu-Süd-Wales vor und wird jetzt aus Formosa signalisiert; aus keinem Zwischenpunkt jedoch bis jetzt bekannt.

Opisthocosmia poecilocera Borg. Ukaika-Mawambi, ♂, 2 ♀ (Grauer); N. W. Tanganika, ♀ (Grauer).

Einfarbige braune Form, die vielleicht von der mehrfarbigen zu trennen ist.

Cordax forcipatus Haan. Formosa, Kosempo, ♂, 2 ♀ (Sauter).
Thalperus micheli Burr. Urwald Moëra, ♂ (Grauer).
Timomenus aeris Shiraki. Formosa, Kosempo, ♀ (Sauter).
Archidux adolfi Burr. N. W. Tanganika, ♂; W. Tanganika, ♀ (Grauer).

Bis jetzt nur aus dem Rugege-Wald bekannt; diese Exemplare sind nur halb so groß als die originalen und lichtbraun anstatt ganz schwarz. Ich kann jedoch kein spezifisches Merkmal finden. Körperlänge des Männchens nur 9 mm, Zangenarme 5 mm.

Diaperasticus mackinderi Burr. Urwald Moëra, ♂ und Larve (Grauer).

Chelisoches formosanus sp. n.

Ch. morioni vicina; differt antennis unicoloribus, tarsis brunneis, segmento ultimo dorsali margine postico superiori medio carinulis longitudinalibus quattuor instructis, forcipis bracchiis haud dilatatis.

Körperlänge .   11 mm
Zangenarme . . .   4 »

Kopf schwarz, abgeplattet, hinten etwas geschwollen; Antenne schwarz; Pronotum schwarz, hinten etwas verbreitert und abgerundet; Elytren glatt, gelblich rotbraun; Flügelschuppen schwarz; Beine schwarz, Tarsen braun; Abdomen dunkel rotschwarz, Punktierung feiner als bei *Ch. morio*; letztes Tergit groß, kaum punktuliert, Hinterrand an der Mitte mit vier parallelen

Kielchen und jederseits runzelig; Pygidium kurz, kräftig, breit; Zangenarme auseinanderstehend, gekerbt, das zweite Drittel an der Innenseite schwach gekrümmt.

Formosa: Fuhosto, 1 ♂ (Sauter).

Das einzelne Männchen ist mit *Ch. morio* und auch mit *fuscipennis* Haan (= *variopictus* Borm. = *rubriceps* Burr) ähnlich; charakteristisch ist die abstechende Färbung der dunkel gelbbraunen Elytren und der ganz schwarzen Flügelschuppen.

Ich kann es mit keinen von Shiraki aus Formosa beschriebenen Arten identifizieren.

Eine neue Art des Genus Cercococcyx.

Cercococcyx olivinus nov. spec.

Von

Dr. M. Sassi

(Wien).

In der Ausbeute Rudolf Grauers befinden sich zwei Stücke (♂) einer *Cercococcyx*-Art aus dem Urwald der östlichen Randberge der Rutschuru-Ebene (1600 m, Zentralafrika), die sich auffallend von dem ihnen zunächst stehenden *Cercococcyx mechowi* Cab. unterscheiden.

Die Grundfarbe von Kehle, Kropf und Brust ist einheitlich weiß, leicht ockergelblich verwaschen, nicht wie bei *Cercococcyx mechowi* Cab., wo Kehle und Brust sich durch die weißliche Grundfarbe deutlich vom Kropf und Bauch mit ockergelber Grundfarbe abheben. Der Bauch und die Unterschwanzdecken sind blaß ockergelblich, viel lichter als bei *Cercococcyx mechowi* Cab. und dadurch nicht so scharf abstechend.

Die Oberseite ist bräunlichgrau, nicht schiefergrau wie beim erwachsenen *Cercococcyx mechowi*, mit olivbraunem Schimmer, ähnlich der Grundfarbe des Jugendkleides von *C. mechowi*. Die rotbraunen Randflecke der Flügeldecken und Schwingen sind sehr klein und nur unscharf hervortretend; ähnlich verhalten sich die Randflecke an den Schwanzfedern, wo sie zwar deutlicher als an den Flügeln sind, aber nur als am Federrand verlaufende braune Striche erscheinen, ohne, wie bei *Cercococcyx mechowi* Cab., sich keilförmig ziemlich weit in die Fahne gegen den Kiel hin zu erstrecken.

Die Maße sind den für *Cercococcyx mechowi* Cab. angegebenen entsprechend, aber etwas größer als jene von sieben Stücken der verglichenen Art, die sich auch in der Kollektion Grauer befinden.

Flügel: 149 und 153 mm; Schwanz: 195 und 191 mm; Schnabel: 21 mm; Lauf: 19 mm.

Die Vermutung scheint naheliegend, daß diese beiden als neue Art beschriebenen Stücke eine Altersstufe von *Cercococcyx mechowi* Cab. sind, die zwischen dem olivenbraunen, rotbraun gebänderten Jugendstadium und dem schiefergrauen, ungebänderten Altersstadium liegt; es ist dies jedoch, abgesehen von der Größe und der Färbung der Unterseite, deshalb nicht möglich, weil die erwachsenen Exemplare von *C. mechowi* ganz unvergleichlich größere und auffallendere Randflecke an den Schwingen haben als die der neuen Art und hierin den jungen Stücken von *C. mechowi* gleichen. Es wäre also kaum erklärlich, daß die genannten Randflecke bei alten und jungen Vögeln einander ähnlich sind, in einem Zwischenstadium dagegen fast verschwinden.

Ebenso ist die Unterseite von alten und jungen Tieren von *Cercococcyx mechowi* Cab. einander ganz ähnlich und wäre es ebenso unwahrscheinlich, wenn in einem Ubergangskleid die Unterseite anders gefärbt wäre.

Der Typus dieser Art befindet sich im k. k. naturhistorischen Hofmuseum in Wien.

Wien, am 11. Juli 1912.

Carcinologische Notizen.

Von

Dr. Otto Pesta

(Wien).

Mit 5 Abbildungen im Texte.

A. Über ein «abnormales» Vorkommen des Muschelwächters (*Pinnoteres* sp.).

Vor kurzem wurden mir zwei Objekte, Geschenke des Herrn Hofrates Dr. F. Steindachner für die Sammlung des k. k. naturhistorischen Hofmuseums, übergeben, die ihrer außergewöhnlichen Erscheinung wegen einiges Interesse beanspruchen dürfen. Es sind dies Bruchstücke aus der Schale der echten Perlmuschel *(Meleagrina)*, die von Herrn Dr. Breitenstein bei den Banda-Inseln gesammelt wurden. Ein solches ist in Fig. 1 a von oben gesehen abgebildet. Die obere, d. i. die dem Mantel der Muschel zugekehrte Seite bildet eine kleine knopfartige Erhöhung (bei *K*). Es ist nun bekannt, daß die Muschel Fremdkörper, die zwischen Schale und Mantel eindringen, wohl infolge des Reizes, den diese auf die Epidermiszellen des Mantels ausüben, mit demselben Material überzieht, aus dem ihre eigene Schale besteht, und auf diese Weise Fremdkörper abkapselt und unschädlich macht. Dadurch kommt es zu einer Art «unechter» Perlbildung. Da die Perlmutterschichten in feinen Lamellen abgelagert werden, durch die eben im Lichte jener charakteristische Farbenglanz entsteht, gelingt es leicht, Stücke parallel zur Oberfläche zu spalten. Bei den vorliegenden Objekten ergab diese Operation als Einschluß des unter der Wölbung vermuteten Fremdkörpers eine kleine Krabbe (Fig. 2), der Gattung *Pinnoteres* zugehörig. Wie aus den Abbildungen ersichtlich ist (das Stück *a* in Fig. 1 entspricht dem Stück *a'* in Fig. 2), muß dieselbe ihre Bauchseite dem Mantel der Muschel zuge-

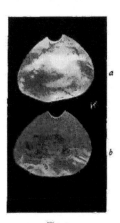

Fig. 1.
Stücke aus der Schale der Perlmuschel. Nat. Gr.

kehrt haben, so daß darüber die Ablagerung der neuen Schichten erfolgte. Auffallend ist dabei die überaus gleichmäßige, fast streng symmetrische Lage der Extremitäten, welche besonders schön bei dem in Fig. 1 nicht sichtbaren Exemplar hervortritt, da alle Glieder erhalten sind. Letztere, wie der ganze übrige Körper, sind innen hohl und ihre Oberfläche von poröser Beschaffenheit, ein Zeichen, daß die Tiere bereits längere Zeit in dieser Weise «konserviert» sind. Aus dem Grunde ist es nicht mehr möglich, eine Determination der Spezies vorzunehmen; eine Präparation, selbst für den Fall, daß sie überhaupt gelänge, würde doch nicht den erwünschten Erfolg bringen.

Das Vorkommen des Muschelwächters *(Pinnoteres)* in der Perlmuschel bietet nichts Überraschendes; neben anderen Arten findet sich in ihr nach den Untersuchungen D. Lauries («Report on the *Brachyura* collect. Herdman at Ceylon» in: Ceylon Pearl Oyster Fisheries, 1906, Part 5, Suppl. Rep. Nr. 40, p. 424, Fig. 10 sub *Pinnoteres margaritiferae*, Perlbänke des Golfes von Manaar) sogar eine eigene Spezies, *P. margariti-*

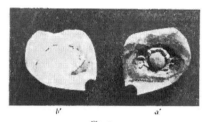

Fig. 2.

Stück aus der Schale der Perlmuschel, aufgespalten.
Nat. Gr. *a'* obere Hälfte, umgekehrt, *b'* untere Hälfte.

ferae von ihm benannt. Unsere Form dürfte jedoch, aus der Habitusform zu schließen, mit jener nicht identisch sein, sondern einer anderen Spezies angehören. Überraschend hingegen erscheint die Art des Vorkommens; es drängt sich sofort die Frage auf, ob die Tiere lebend oder tot von der Muschel eingeschlossen worden sind. Dies wird ohne weitere Beobachtungen schwer beantwortet werden können. Wäre ersteres der Fall, so hätte die Muschel ein Mittel in der Hand, sich an «unliebsamen

Tischgenossen» zu rächen. Vielleicht weist aber der vorhin erwähnte Umstand, daß die Beine der Krabbe jederseits so gleichmäßig ausgespannt erscheinen, doch darauf hin, daß das Tier schon vor der Überwachung mit Perlmutter durch irgendeine langsam wirkende, gleichsam lähmende, Ursache den Tod gefunden hat. Oder sollte auch diese Ursache von der Perlmuschel selbst ausgehen?

B. Bemerkungen zu den *Penaeus*-Arten der «Novara»-Expedition.

Die C. Hellersche Bearbeitung der Crustaceen, welche in der «Reise der österreichischen Fregatte ‚Novara‘ um die Erde in den Jahren 1857—1859», Zoolog. Teil, II. Band, III. Abt., Wien 1865 enthalten ist, zählt auf p. 121—123 folgende elf *Penaeus*-Arten auf:

1. *Penaeus canaliculatus* Olivier.	7. *Penaeus indicus* M.-Edw.
2. » *semisulcatus* de Haan.	8. » *monodon* Fabr.
3. » *setiferus* Linné.	9. » *affinis* M.-Edw.
4. » *tahitensis* nov. spec.	10. » *carinatus* Dana.
5. » *monoceros* Fabr.	11. » *avirostris* Dana.
6. » *sculptilis* nov. spec.	

Von diesen Formen interessiert zunächst Nr. 4, *P. tahitensis*, da die Beschreibungen Hellers (Verhandl. zool.-bot. Ges. Wien, Jahrg. 1862, p. 528 und «Novara»-Crustac., p. 121) im Widerspruch mit der Abbildung («Novara»-Crustac., Taf. 11, Fig. 2) stehen; es heißt z. B.: «Das Rostrum ist . . . am oberen Rande . . . besetzt, am unteren dagegen zahnlos», während die Figur ein Rostrum mit drei Zähnen am Unterrand zeigt. Die Untersuchung der Originalexemplare war daher wünschenswert und ergab folgendes:

Von den zwei vorliegenden Weibchen aus Tahiti mißt das eine 120 mm, das andere 98 mm an Länge. Da das Rostrum bei beiden Exemplaren oberhalb des Auges abgebrochen ist, kann leider nicht mit vollkommener Sicherheit behauptet werden, daß die Beschreibung Hellers in diesem Punkte auf einem Irrtum beruht; aber mit Rücksicht auf seine Abbildung und auf alle weiteren hier unten besprochenen Merkmale der Exemplare scheint dies sehr wahrscheinlich. Diese Merkmale sind: die Ausdehnung der seitlichen Rostralgruben, welche bis zum ersten Oberrandzahn des Rostrums reichte; die Länge der oberen Geißel der ersten Antennen, welche größer ist als die Länge ihres Stieles; der horizontale Verlauf der Leiste unterhalb des Hepaticaldornes; die geringe Länge der Cervicalfurche; das Fehlen von Exopoditen an den Thoraxbeinen des fünften Paares; vergleiche hiezu nebenstehende Abbildung!

Die Tiere stimmen mit der von Alcock gegebenen Beschreibung von *P. semisulcatus* (Catal. Indian Decap. Crust., Part III, *Macrura*, Fasc. 1, Calcutta 1906, p. 10, Taf. I, Fig. 2) überein. Jedoch hat de Man neuerdings (Decap. Siboga-Exp., Part I, *Penaeidae*, Leiden 1911, p. 101, bezw. p. 97) nachgewiesen, daß die typische Form von *P. semisulcatus* de Haan am fünften Perciopodenpaar Exopoditen besitzt. Daher gehören die von Alcock unter diesem Namen beschriebenen Tiere

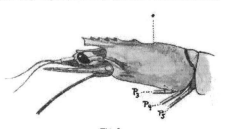

Fig. 3.
Penaeus tahitensis Heller ♀. Nat. Gr.
*] Diese Stufe mit kleiner Carina ist bei dem zweiten Exemplar nicht vorhanden.

nicht zu dieser Art, sondern zu *P. carinatus* Dana. *P. tahitensis* ist somit dem *P. carinatus* sehr nahestehend, wenn nicht mit ihm identisch. Es würde noch erübrigen, ein weiteres, für den Artcharakter wichtiges Merkmal zu besprechen, das Thelycum. Leider ist mir die Arbeit Kishinouyes (Japan. Spec. of *Penaeus*, Journ. Fish. Bur., Vol. 8, Nr. 1, Tokio 1900) nicht zugänglich, so daß ich auf einen Vergleich des erwähnten Organes mit dem der von Kishinouye als *P. monodon* beschriebenen Form, die nach de Man (op. cit., p. 101) ebenfalls zu *P. carinatus* gehört, einstweilen verzichten muß. Nebenstehend eine Abbildung des Thelycums von einem Hellerschen Exemplar. Der Hellersche *P. carinatus* (Nr. 10 der Liste) gehört nicht dieser Art an, da die fünften Perciopoden mit kleinen Exopoditen versehen sind. Es liegen zwei (80 und 62 mm lange) ♂ aus Java vor; sie dürften junge Exemplare von *P. semisulcatus* de Haan sein.

Fig. 4.
Penaeus tahitensis Heller ♀. Thelycum. Nat. Gr.

Die Spezies, welche Heller als *P. semisulcatus* (Nr. 2 der Liste) angibt, ist richtig determiniert; die Exemplare, 1 ♂ von 190 mm Länge aus Hongkong und 2 junge ♀ (74 und 67 mm) von den Nicobaren,[1]) entsprechen der de Manschen Charakteristik dieser Art. Das Petasma des ♂ deckt sich in der Gestalt vollständig mit der Figur Sp. Bates (Challeng. *Macrura*, Taf. 34, Fig. 1" sub *P. monodon*!). Das Thelycum der beiden vorliegenden Weibchen unterscheidet sich von den Abbildungen bei Sp. Bate (op. cit., Taf. 34, Fig. 1"') und bei Alcock (op. cit., Taf. I, Fig. 1 b) nur dadurch, daß seine beiden Hälften median nicht zusammenstoßen, sondern etwas divergieren, welches Verhalten wohl dem unerwachsenen Zustande der Tiere zugeschrieben werden muß.

Von *Penaeus monoceros* (Nr. 5 der Hellerschen Liste) sind 4 ♀ und 1 ♂ aus Ceylon vorhanden; alle Exemplare befinden sich in einem sehr schlecht erhaltenen Zu-

¹) Dieser Fundort wird bei Heller «Novara»-Crustac., p. 121 gar nicht erwähnt!
Annalen des k. k. naturhistorischen Hofmuseums, Bd. XXVI, Heft 3 u. 4, 1912.   23

stand. Für das Männchen läßt sich jedoch noch mit Sicherheit aus der Form des Petasma die Identität mit *Parapenaeopsis sculptulis* (Heller) konstatieren. Vergleiche untenstehende Figur mit Alcocks Abbildung (op. cit., Taf. VII, Fig. 22 c).

Endlich ergab die Untersuchung der von Heller als *P. affinis* (Nr. 9 der Liste) determinierten Art, von welcher 6 ♂ und 1 ♀ aus Hongkong vorliegen, eine vollkommene Übereinstimmung mit *Penaeopsis stridulans* (Woods-Mason). Das größte Männchen mißt ca. 80 cm Länge; das Weibchen ist 72 mm lang. Es sind alle charakteristischen Artmerkmale vorhanden: die eigentümliche Behaarung des Cephalothorax und Abdomens; das gerade, wenig aufwärts gerichtete Rostrum, dessen Spitze höchstens bis zum Endglied des Stieles der ersten Antennen reicht, mit der Zahnformel $\frac{6+1}{0}$ oder $\frac{7+1}{0}$; der Cephalothorax mit kräftigem Antennaldorn, kleinem, aber sehr spitzigem Hepaticaldorn, ohne dorsalem Kiel hinter dem Rostrum, mit Stridulationsorgan an jeder Seite nahe dem ersten Abdominalsegment; das zweite Abdominalsegment mit kurzem, das dritte bis sechste Abdominalsegment mit stärkerem, langem dorsalen Kiel; das Telson jederseits mit vier Dornen; die sämtlichen Perciopoden mit deutlich entwickelten Exopoditen; das Petasma des ♂ asymmetrisch: linke Hälfte länger als die rechte und in einen gezähnelten Lobus endend; das Thelycum des ♀ aus einem breiten Blatt zwischen der Basis des vierten Perciopoden, einer schmalen Querleiste zwischen vierten und fünften Perciopoden und einem dreilappigen Querwulst zwischen den fünften Perciopoden bestehend. Vergleiche hiezu Alcock (op. cit., p. 27, Taf. V, Fig. 14, 14 a—d sub *Metapenaeus stridulans*).

Fig. 5.
Penaeus monoceros Fabr. ♂ Petasma. × 2¹⁄₂ = *Parapenaeopsis sculptilis* (Heller).

Soweit meine Untersuchungen mit Rücksicht auf die neuere Literatur ergeben haben, muß die eingangs zitierte Liste der Hellerschen «Novara»-Penaeiden lauten:

1. *Penaeus japonicus* Sp. Bat. statt *P. canaliculatus* Oliv.
2. *Penaeus semisulcatus* de Haan.
[3. » *setiferus* Linné.]
4. *? Penaeus carinatus* Dana statt *P. tahitensis* Heller.
5. *Parapenaeopsis sculptilis* (Heller) partim statt *P. monoceros* Fabr.

6. *Parapenaeopsis sculptilis* (Heller) = *Penaeus sculptilis* Heller.
[7. *Penaeus indicus* M.-Edw.]
[8. » *monodon* Fabr.]
9. *Penaeopsis stridulans* (Wood-Mas.) statt *Penaeus affinis* M.-Edw.
10. *? Penaeus semisulcatus* de Haan iuven. statt *P. carinatus* Dana.
[11. *Penaeus avirostris* Dana.]

Die in [ ] Klammern gesetzten Arten wurden von mir nicht revidiert.

Wissenschaftliche Ergebnisse der Expedition R. Grauer nach Zentralafrika, Dezember 1909 bis Februar 1911.

Beitrag zur Ornis Zentralafrikas.

Von

Dr. Moriz Sassi.

Mit 1 Tafel (Nr. V).

Im folgenden soll der erste Teil der Ausbeute Grauers besprochen werden, und zwar *Phasianidae, Columbidae, Rallidae, Laridae, Charadriidae, Scolopacidae, Otididae, Ibidae, Scopidae, Ardeidae, Anatidae, Phalacrocoracidae, Falconidae, Strigidae, Psittacidae, Coraciidae, Alcedinidae, Bucerotidae, Upupidae, Meropidae, Caprimulgidae, Macropterigidae, Coliidae, Trogonidae, Musophagidae, Cuculidae, Indicatoridae, Capitonidae* und *Picidae.*

Als neu wurden drei Formen beschrieben, und zwar *Columba albinucha* nov. spec., *Asio abessinicus graueri* nov. subsp. und *Cercococcyx olivinus* nov. spec.

Bevor ich in die Besprechung der einzelnen Arten eingehe, will ich nur kurz die Reiseroute Grauers skizzieren. Die Sammeltätigkeit begann in Bukoba am Westufer des Viktoria-Sees, das Grauer Ende Dezember 1909 verließ, um durch das Sultanat Kissaka und die Provinz Urundi nach Usumbura am Nordende des Tanganjika-Sees zu marschieren. Von hier besuchte er Baraka am Westufer und die westlichen Randberge. Vom Tanganjika-See ging die Expedition durchs Russissi-Tal zum Kiwu-See, weiter durch die Rutschuru-Ebene zum Albert-Eduard-See und von hier nordwestlich in den Congo-Urwald, mit den Stationen Beni, Moëra, Ukaika, Mawambi und Irumu. Der Rückweg ging wieder über den Viktoria-See zur Meeresküste des Indischen Ozeans.

Nähere Bestimmung der hauptsächlichsten Fundorte:

Provinz Bukoba: am Westufer des Viktoria-Sees.

Sultanat Kissaka: zwischen Viktoria- und Tanganjika-See.

Provinz Urundi: am Nordostufer des Tanganjika-Sees, gegen den Viktoria-See hin.

Usumbura: am Nordende des Tanganjika-Sees.

Uvira: am Nordende des Tanganjika-Sees.

Baraka: am nördlichen Westufer des Tanganjika-Sees.

Russissi-Tal: zwischen Tanganjika- und Kiwu-See.

Ishangi: am Südufer des Kiwu-Sees.

Insel Kwidjwi: im Kiwu-See.

Kissenji: am Kiwu-See.

Rutschuru-Ebene: zwischen Kiwu- und Albert-Eduard-See.

Kasindi: am Nordufer des Albert-Eduard-Sees.

Beni: ca. 60 km nördlich vom Albert-Eduard-See.

Moëra: ca. 90 km nördlich vom Albert-Eduard-See.

Ukaika: ca. 50 km westlich von Beni.

Mawambi: ca 28° 30' ö. L. v. Gr., 1° n. Br.

Irumu: am oberen Ituri.

357

1. *Francolinus coqui* A. Sm.

♂ Provinz Urundi I. 1910.

Die Unterseite (Kehle und Zwischenräume zwischen den schwarzen Bändern) ist deutlich ockergelb, viel kräftiger als die der relativ am gelblichsten gefärbten Exemplare unter den Berliner Museumsstücken. Jedenfalls wäre noch größeres Material zu vergleichen. Es wäre möglich, daß sich eine dunklere Subspezies feststellen ließe.

2. *Pternistes cranchi* Leach.

♂ Proviz Bukoba XII. 1909.	♂ Baraka II. 1910.
2 ♂ Sultanat Kissaka I. 1910.	♂ Urwaldrand westlich vom Tanganjika-
2 ♀ » » I. 1910.	See III. 1910.
2 ♂ Provinz Urundi I. 1910.	♂ Kissenji VI. 1910.
3 ♀ » » I. 1910.	♂ iuv. Kasindi VII. 1910.
♀ iuv. Provinz Urundi I. 1910.	

Im allgemeinen ist die Zeichnung der Unterseite bei den ♂ mehr weiß und schwarzgrau gewellt, bei den ♀ mehr sehr licht drapp und braun gewellt. Ebenso scheint der schwärzliche Ton an der Stirne und den Rändern um die nackten Kopf- und Halspartien bei den ♂ ausgeprägter zu sein. Das ♀ iuv. von Urundi hat schon normale Größe, zeigt aber noch (besonders an der Unterseite) Teile des Jugendgefieders. Das ♂ iuv. von Kasindi ist noch nicht erwachsen (Fl. 106 mm) und zeigt die in Reichenow, Vögel Afrikas I, p. 459, für das Junge von *Pternistes böhmi* Rchw. angegebene Färbung; da aber die Jungen von *Pt. cranchi* und *Pt. böhmi* nicht unterscheidbar sein sollen, so kann ich nur für das vorliegende junge Stück dem Fundorte nach annehmen, daß es *Pt. cranchi* ist.

3. *Pternistes cranchi harterti* Rchw.

♀ Uvira II. 1910.

Das vorliegende Stück stimmt mit der Beschreibung jenes ebenfalls vom Nordende des Tanganjika-Sees stammenden Balges überein (mit Ausnahme der bei trockenen Bälgen kaum konstatierbaren lichteren oder dunkleren Färbung der nackten Hautstellen), den Reichenow (Orn. Monatsber., 1909, p. 41) *Pt. harterti* nennt. Es ist jedenfalls auffallend, daß gerade die beiden vom Nordende des Tanganjika stammenden Bälge statt der (lichter oder dunkler) braunen Längsstriche der Unterseite schwarze, in düster Kastanienbraun übergehende Striche haben. Zu einer definitiven Entscheidung über die Konstanz dieses Färbungsunterschiedes bedarf es wohl eines größeren Materials.

4. *Numida intermedia* Neum.

♀ Sultanat Kissaka I. 1910.

Numida frommi Kothe (Orn. Monatsber., Jänner 1911) wurde in Berlin verglichen; diese Art ist größer als das Stück der Grauer-Kollektion, der Helm ist mehr nach hinten überhängend und der Ansatz der Schnabellappen ist dunkel und nicht rot wie bei *N. intermedia*.

5. *Guttera cristata* Pall.

♀ Moëra VIII. 1910.   ♀ med. Ukaika XII. 1910.
♂ Beni X. 1910.

Die Flecken sind deutlich lichtblau, in der Mitte mehr weißlich; ebenso sind die Streifen der Schwungfedern (auch sonst überall dort, wo die Streifen sich noch nicht in Perlflecke aufgelöst haben) in der Mitte mehr weißlich, an den Rändern schön lichtblau.

Was die Farbe der nackten Teile des Kopfes und Halses betrifft, so sind diese bei dem ♂ nach Angabe des Sammlers auf der Etikette «oben blaugrau, am Halse rot»; jetzt noch nach einem Jahre sind am Balg Kinn und Kehle rot, Kopf und Hals oben und seitlich schwärzlich. Dieselbe Färbung zeigt das ♀ aus Moëra, nur ist hier das Rot der Kehle schon verblaßt; überhaupt zeigt dieses Stück noch einige schwarze Federn am Kinn und der oberen Kehle.

Das zweite ♀ (Ukaika) ist noch jünger, die nackten Stellen nach der Etikette blau, der Schopf noch relativ schwach entwickelt, am Ober- und Hinterkopf und den Kopfseiten noch mehrere braune Federchen; Kinn und Kehle ziemlich dicht befiedert, die Federn braunschwarz mit fahlbraunen Rändern. Auf der Brust sind einige interessante Federn, welche die Umfärbung zeigen. Eine Feder ist mattbraun und zeigt gegen die Spitze hin erst ein fahlbraunes, dann ein rotbraunes, dann ein schwarzes Band und schließlich einen fahlbraunen Rand. Eine andere Feder hat von der Wurzel gegen die Spitze folgende Zeichnung: mattbraun, ein lichtblaues Band, ein schwarzbraunes breites Band, ein fahlbräunliches, etwas röstliches Band, ein ganz schmales, schwarzbraunes, dann ein rotbraunes, wieder ein schwarzbraunes Band und fahlbraunen Rand; die letzten vier Bänder bläulich überflogen. Fahlbraune Ränder zeigen noch ziemlich viele Federn, meist solche, bei denen sich statt der Perlflecken noch zwei mit dem Federrand parallel verlaufende blaue Bänder finden, die mehr oder weniger den Übergang, resp. Zerfall in die Perlflecke schön zeigen.

Das Schwarz der Oberbrust ist matt und bräunlich und hier finden sich ebenfalls fahlbraune Endsäume.

Auch auf der Rückenseite sind einige Federn blau gebändert (noch nicht gefleckt), der Saum rötlichbraun, die nach der Spitze zu liegenden letzten blauen Bänder licht röstlich-bräunlich überflogen.

Ferner sind auch die letzten Armschwingen in ihrer terminalen Hälfte ganz gebändert (ohne Tropfenflecken), und zwar sind an der Spitze mehrere einfache Querbänder, die folgenden biegen aber seitlich um und setzen sich als Seitenbänder fort. Die äußerste Spitze ist deutlich schwarzbraun und rotbraun gezeichnet, dann werden die Bänder etwas verschwommen, die Farbe ist schmutzig grünblau, röstlich überflogen, mit schwarzer zackiger Bandzeichnung; dann erst folgen rein blaue Bänder auf schwarzem Grund.

Bezüglich der verschiedenen Subspezies (*granti* Ell , *seth-smithi* Neum. and *suahelica* Neum., die beiden letzteren in Bull. Brit. Orn. Club, 1908—1909, p. 13—14 beschrieben) — über deren Berechtigung wohl noch nicht entschieden werden kann, da die Färbung der nackten Hautstellen, die Intensität der Blaufärbung der Perlflecke, sowie die stärkere oder schwächere Schopfbildung auch auf die durch die Fortpflanzungszeit und Mauser bedingte Variabilität zurückgeführt werden könnten — würden die vorliegenden Bälge zur Subspezies *G. cr. seth-smithi* Neum. gehören.

6. **Vinago nudirostris salvadorii** Dubois (J. f. O., 1904, p. 343).

♂ Bukoba 19. XII. 1909.	♀ Baraka II. 1910.
2 ♂ Provinz Bukoba XII. 1909.	♂ Urwaldrand westlich vom Tanganjika-
? » » XII. 1909.	See, 2000 m, III. 1910.
2 ♂ Sultanat Kissaka I. 1910.	♀ Urwald westlich vom Tanganjika-See,
2 ♀ » » I. 1910.	2000 m, III. 1910.
3 ♂ Provinz Urundi I. 1910.	, Rutschuru-Ebene VI. 1910.
♀ » » I. 1910.	

Mit Ausnahme der drei Stücke vom Westrand des Tanganjika-Sees sind die ange-führten Exemplare aus typischen Steppengegenden, das eine Stück davon aber von der Rutschuru-Ebene, bereits nahe von der Grenze des Urwaldes, aus einer Lokalität, von der die übrigen Exemplare der Grauer-Kollektion im folgenden als Übergangsformen zu *V. n. calva* Tem. angesehen werden. Nur drei Stücke, wie gesagt, stammen aus der Urwaldregion, zwei davon unterscheiden sich auch durch ein nur schwaches Halsband, es dürften diese drei Exemplare also schon eine Zwischenform darstellen, sind aber bei weitem nicht so *calva*-ähnlich wie die folgenden fünf Stücke, sondern haben bis auf das schwächere Halsband ganz den Habitus von *V. n. salvadorii* Dubois. Die Fußfarbe ist bei allen Stücken rot.

7. Übergangsform zwischen **Vinago nudirostris salvadorii** Dubois und **Vinago nudirostris calva** Tem.
5 ♂ Rutschuru-Ebene VI. 1910.   ♀ Rutschuru-Ebene VI. 1910.

Die sechs Stücke stammen von einem Steppengebiet, das an der Grenze des Ur-waldes liegt, sind viel düsterer in der Färbung (ähnlich *calva*), haben das Nackenband teils deutlich (wie *salvadorii*), teils nur angedeutet (wie *calva*), keine besonders auf-fallende Stirnplatte (wie *salvadorii*) und rote Füße (wie *salvadorii*); sie sind im all-gemeinen kleiner als die vorige Art (wie *calva*).

8. **Vinago nudirostris calva** Tem. (J. f. O., 1904, p. 343).
♂ Urwald westlich vom Tanganjika-See,   ♂ Ukaika XII. 1910.
2000 m, III. 1910.   ♂ » I. 1911.
♂ Mawambi XI. 1910.   ♂ Mawambi II. 1911.

Alle Fundorte stammen aus dem Urwaldgebiet, die Färbung ist sehr düster, das Halsband kaum angedeutet; die Stirnplatte bis auf die eines jüngeren Stückes stark aus-gebildet, die Füße gelb.

9. **Columba unicincta** Cass.
♂ Urwald westlich des Tanganjika-Sees   ♂ iuv. Beni IX. 1910.
III. 1910.   ♂ Ukaika XII. 1910.
♂ Moëra VIII. 1910.

Als Fundorte sind in der von mir durchgesehenen Literatur obige Lokalitäten noch nicht erwähnt, sondern einerseits Westafrika und andererseits Ntebbi (Uganda, in Reichenows Vögel Afrikas, Nachtrag). Das junge ♂ zeigt noch einige Federn des Jugendgefieders; diese haben eine ziemlich breite, subterminale, schwarzbraune Binde, der ein weißlicher Endsaum folgt, welcher in seiner Mitte meist einen rostroten Fleck zeigt; an den Flügeldecken ist meist der ganze Saum rostrot.

10. **Columba guinea longipennis** Rchw.
♂ Kissenji V. 1910.   5 ♀ iuv. Kissenji VI. 1910.
4 ♂ » VI. 1910.   2 » » VI. 1910.
7 ⚲ » VI. 1910.
Bei den jungen Tieren sind die Halsfedern noch nicht gegabelt und es fehlen an diesen die lichtgrauen Spitzen; der Hals hat eine matt rötlichbraune Farbe (O. Neu-mann, J. f. O., 1898, p. 292); bei erwachsenen Exemplaren haben diese grauen Spitzen oft einen matten metallischen grünen oder violetten Schimmer.

Reichenow erwähnt in der Bearbeitung der ersten Ausbeute des Herzogs von Mecklenburg einen jungen Vogel, dem die rotbräunlichen Halsfedern fehlen und bei dem der Hals grau ist; es ist dies offenbar ein im Vergleich zu obigen Stücken noch jüngeres Stadium. Flügelmaße: ad. 217, 220, 223, 226, 227, 227, 228, 229, 229, 230, 235, 237 mm; iuv. 214, 214, 221, 222, 223, 227, 230 mm.

11. **Columba arquatrix** Tem. et Knip.

♀ Urwald westlich vom Tanganjika-See ♀ Urwald der östlichen Randberge der
(2000 m) III. 1910. Rutschuru-Ebene (1600m) VI. 1910.
Beni X. 1910.
Bei dem ♀ aus Beni sind die weißen Flecke deutlich größer.

12. **Columba albinucha** nov. spec. (Taf. V).
♂ Moëra VIII. 1910.
Der Vollständigkeit halber will ich hier die in den Orn. Monatsberichten XIX
(April 1911, Nr. 4, p. 68) erschienene Originalbeschreibung dieser der Columba arquatrix Tem. et Knip. nahestehenden neuen Art wiederholen.

Stirn, Vorderkopf bis zur Mitte der Augen und vordere Wangen düster violettbraun, Hinterkopf rein weiß; eine schmale Übergangszone zwischen dem violettbraunen Vorderkopf und dem weißen Hinterkopf, ferner Zügel, hintere Wangen, Ohrgegend und Kinn düster grau, in ein lichteres Grau am oberen Vorderhals übergehend, Mitte der Kehle lichter grau. Die Nackenfedern zugespitzt, schwärzlich, mit einem graulila Spitzensaum, der gegen den Oberrücken hin abnimmt und die hier tief kastanienbraun werdenden Federmitten mehr sehen läßt. Unterer Vorderhals und Halsseiten haben auch schwärzliche Federmitten mit graulila Randsaum, der aber so breit ist, daß die dunklen Federmitten gedeckt sind und erst gegen die Oberbrust hin sichtbar werden, weil hier die lichten Säume schmäler werden. Die Zuspitzung der Nackenfedern wird an den Halsseiten allmählich schwächer, am Vorderhals zeigen nur die dunklen Federmitten eine Spitze, während die Feder an sich abgerundet ist. Rücken kastanienbraun, die Federränder lichter, mit einem Stich ins Violette. Schwingen schwarzgrau, mit ganz zarten lichten Rändern; Flügeldecken und letzte Armschwingen mehr schiefergrau, auch mit schmalen lichten Rändern, die an den kleinen Deckfedern etwas breiter und weißlich werden; die oberen kleinen Decken braunviolett verwaschen.

Unterrücken, Bürzel und Oberschwanzdecken licht schiefergrau mit lichtgrauen Säumen. Brustfedern tief kastanienbraun mit weißlich graulila Endsäumen, die nicht gegen die Federseiten allmählich auslaufen, sondern mit einer Rundung abbrechen und in der Mitte der Feder durch die braune Spitze der Federmitte verschmälert werden; diese Verschmälerung ist manchmal so stark, daß sich auf jeder Fahne je ein keulenförmiger Randfleck bildet, der mit dem der Gegenseite an der Federspitze durch ein schmales Band zusammenhängt. Gegen den Bauch und die Körperseiten hin werden die Federn grau, die lichten Bänder heben sich weniger scharf ab, die Körperseiten selbst sind ganz schiefergrau, die Analregion perlgrau mit zart lachsfarbenen Säumen, ein Ton, der schon an den lichten Säumen der Bauchfedern auftritt. Unterflügeldecken und Achselfedern dunkel schiefergrau; Unterschwanzdecken perlgrau, mit zart lachsfarbenen Säumen, wie die Federn der Analregion; Schwanzfedern an der Basalhälfte schiefergrau, die mittleren etwas lichter, Terminalhälfte lichtgrau.

Nach Grauer: «Iris gelb, Füße rot, Schnabel rot und dunkelrot.» Der Schnabel ist am trockenen Balg an der Basis dunkel bordeauxrot, über rot in eine orangegelbe Spitze übergehend.

Länge des Balges ca. 312 mm, Fl. 200 mm, Schw. 125 mm, Schn. 20 mm, L. 27 mm.

Type im k. k. Hofmuseum in Wien.

13. **Turturoena iriditorques** Cass.

♂ Ukaika I. 1911. | ♀ med. Ukaika I. 1911.

Die beiden mittleren Schwanzfedern des erwachsenen Stückes weichen etwas von der Beschreibung bei Reichenow (Vögel Afrikas) und von den zwei Angola-Stücken im Berliner Museum ab, welche die mittleren Schwanzfedern, so wie bei Reichenow beschrieben, einfärbig grau haben. Bei dem Stück der Grauer-Kollektion ist aber der Kiel subterminal 1 ¹/₂ cm lang weißlich, die angrenzenden Fahnenpartien sind ockergelblich verwaschen (ebenso, aber schwächer, bei einem erwachsenen Stück in Berlin); an der Übergangsstelle der beiden Farben an den übrigen Schwanzfedern sind diese ockergelb und schiefergrau fein gesprenkelt, die äußeren Steuerfedern an der Innenfahne vor der lichten Spitze dunkelkastanienbraun nur überflogen (das Berliner Stück viel deutlicher kastanienbraun); auf der Unterseite des Schwanzes ist das Kastanienrotbraun der Innenfahne deutlicher. Nach der Etikette: »Iris rot, Füße rot, Schnabel grau«; am Balg: Schnabelwurzel schwarzgrau, Spitze lichthornfarben und grau gefleckt.

Fl. 167 mm, Schw. 113 mm, Schn. 14·5 mm, L. 22 mm.

Das noch nicht ganz ausgefärbte ♂ zeigt am Scheitel einige rostfarbene, am Hinterkopf und Genick lichtgraue Federsäume, der grüne Glanz am Kopf ist kaum merklich. Das Nackenband ist nur mit wenig Glanz angedeutet, auf den Halsseiten röstliche Säume, auch die Ohrdecken bräunlich verwaschen. Der Glanz der übrigen Oberseite ist am Rücken und den Flügeldecken nur angedeutet; auf der Unterseite teils rostrote Federsäume, teils ganz rostrote Federn zwischen den weinroten. Unterschwanzdecken rostbraun. Mittlere Schwanzfedern ohne den oben genannten lichten subterminalen Schaftstreifen; die übrigen Steuerfedern deutlich rotbraun an der Innenfahne und auf der Unterseite. Nach der Etikette: «Iris rot, Füße hellrot, Schnabel grau». am Balg: ganzer Schnabel schwarzgrau, ein hornfarbener Saum um die Spitze des Oberschnabels, Unterschnabel an der Vereinigung der Kieferäste licht hornfarben.

Fl. 162 mm, Schw. 100 mm, Schn. 16·5 mm, L. 22 mm.

Ein noch jüngeres Stadium zeigt ein Stück im Berliner Museum, bei dem die ganze Unterseite noch rostbraun ist.

Von der fraglichen Spezies *T. incerta* Salv. unterscheiden sich die vorliegenden Bälge vor allem durch die ockergelben Spitzen der Schwanzfedern.

T. iriditorques rothschildi Neum. (Brit. Orn. Club. XXI, 1907—1908, p. 42) aus dem Ituri-Wald soll ein kupferrotes Nackenband haben, aber ohne Metallglanz (das ♂ med. der Grauer-Kollektion hat wenig Braun am Nacken, aber Metallglanz) und keinen Glanz am Mantel, am Hals keine grünen, sondern amethystfarbene Reflexe; Oberseite fast schwarz. Der Fundort dieser Art ist aber fast derselbe wie der der Grauer-Bälge.

Im Ibis (Juli 1911, p. 487) wird von einem ♂ von *T. iriditorques* aus Cameroon gesagt, daß es die mittleren Schwanzfedern breit gelblichweiß am Ende hat, wie die übrigen Steuerfedern; wenn nicht bei diesem Stück die mittleren Schwanzfedern fehlen, so wäre dies eine noch viel weitgehendere Abweichung von der typischen Färbung, als dies von dem einen Grauer-Balg angeführt wurde.

14. **Turtur lugens** Rüpp.

♂ Kissenji VI. 1910.   ♀ Kissenji VI. 1910.

Beide Stücke haben eine relativ geringe Flügellänge (♂ 175 mm, ♀ 165 mm) (Reichenow, Vögel Afrikas: Fl. 180—185 mm); dieselbe Flügellänge gibt Reichenow in den Orn. Monatsber. (1910, p. 174) für eine neue Art (*Turtur hypopyrrhus* Rchw.)

von Adamaua an, deren unterscheidende Merkmale von *T. lugens* nach der Beschreibung nur gering zu sein scheinen.

Die Schnabel- und Laufmaße stimmen aber besser mit denen von *T. lugens* überein, ferner treffen Merkmale von *T. hypopyrrhus*, wie «Kehle reinweiß, kleine Flügeldecken mit helleren, blaß rostbraunen Säumen» für die Grauer-Bälge nicht zu, so daß ich trotz der geringeren Flügelmaße die Stücke als *T. lugens* bezeichne.

Von der Spezies *T. hypopyrrhus* Rchw. existiert gegenwärtig nur ein Exemplar.

15. **Turtur (Streptopelia) semitorquatus intermedius** Erl. (J. f. O., 1905, p. 122 u. 124.)

♂ Bukoba	18./XII. 1909.		♂ Urwaldrand westlich des Tanganjika-
♂ »	22./XII. 1909.		Sees IV. 1910.
♂ »	23./XII. 1909.		♀ Urwaldrand westlich des Tanganjika-
♀ »	17./XII. 1909.		Sees (2000 m) IV. 1910.
♂ Provinz Bukoba XII. 1909.			♂ Kissenji V. 1910.
♀ » » I. 1910.			♀ med. Kissenji VI. 1910.
♂ » Urundi I. 1910.			♂ iuv. Rutschuru-Ebene VI. 1910.
♀ Uvira II. 1910.			♂ Moëra VIII. 1910.

Das junge ♀ von Kissenji ist als solches durch seine dunklere weinfarbene Brust und einige röstliche Federn daselbst kenntlich; das junge ♂ der Rutschuru-Ebene ist überhaupt noch im Jugendgefieder. Nach Reichenow (I. Mecklenburg-Expedition) bedarf es noch einer Bestätigung, ob die Subspezies *T. s. intermedius* Erl. zurecht besteht.

Fl. 167 (iuv.), 174, 176, 177, 177, 177, 180, 182, 182, 182, 184, 184, 188, 188 mm.

16. **Turtur (Streptopelia) capicola tropicus** Rchw. (Reichenow, Vögel Afrikas, III. Nachtrag, p. 808.)

2 ♂ Provinz Bukoba XII. 1909.		♀ Provinz Urundi I. 1910.
♀ » » XII. 1909.	2 ♂ Uvira II. 1910.	
♀ Sultanat Kissaka I. 1910.		

17. **Turtur (Stigmatopelia) senegalensis** L.

♂ Provinz Bukoba I. 1010.		♂ Rutschuru-Ebene VI. 1910.
♀ » » XII. 1909.	, » » VI. 1910.	
♀ Sultanat Kissaka I. 1910.		♀ iuv. Kasindi VII. 1910.
♀ Uvira II. 1910.		♂ Beni IX. 1910.

Nach der Tafel (J. f. O., 1905), auf welcher *T. s. senegalensis* L., *T. s. aegyptiacus* Lath. und *T. s. aequatorialis* Erl. zum Vergleich abgebildet sind, stimmen die vorliegenden Bälge entschieden bei weitem besser mit *T. s. senegalensis* L. als mit *T. s. aequatorialis* Erl. überein. Die im Nachtrag der Vögel Afrikas von Reichenow gemachte Bemerkung, daß die Unterschiede, auf Grund deren Erlanger *T. s. aequatorialis* aufgestellt hat (Orn. Monatsber., 1904, p. 98; J. f. O., 1905, p. 116) nicht scharf genug sind, finde ich sehr berechtigt. Ich benenne daher die vorliegenden Stücke *T. senegalensis* L. und nicht, wie sie nach dem Fundort genannt werden müßten, *T. s. aequatorialis* Erl.

18. **Tympanistria tympanistria** Tem.

♂ Bukoba 20./XII. 1909.		, Urwald westlich vom Tanganjika-See
♂ » 22./XII. 1909.		(2000 m) II. 1910.
♂ » 23. XII. 1909.	3 ♂ Rutschuru-Ebene VI. 1910.	
♀ » 19./XII. 1909.		Beni IX. 1910.
♀ » 23./XII. 1909.		» X. 1910.

2 ♂ iuv. Beni X. 1910. | ♀ iuv. Mawambi XI. 1910.
♂ Mawambi XI. 1910.   ♂ Ukaika I. 1911.

19. *Chalcopelia afra* und

19a. *Chalcopelia chalcospilos* Wagl.

2 ♂ Bukoba 23./XII. 1909. | ♂ Usumbura   I. 1910.
2 ♂ Provinz Bukoba XII. 1909 (*Ch. chal-* | 2 ♂ Rutschuru-Ebene VI. 1910.
cospilos Wagl.). | 3 ♀   »   »   VI. 1910.
♀ Urundi I. 1910. | ♂ Kasindi VII. 1910.

Von den zwölf Bälgen haben zwei (Provinz Bukoba) grünschillernde Flügelflecke, wären also als *Chalcopelia chalcospilos* Wagl. zu bezeichnen, falls die Trennung von *Ch. afra* L. und *Ch. chalcospilos* Wagl. aufrecht erhalten bleibt. Alle übrigen Stücke haben blau schillernde Flügelflecke, also unzweifelhafte *Ch. afra*; darunter zwei von Bukoba, also vom selben Fundort, wie die beiden Stücke mit grünen Flecken. Die Flügellänge der blaugefleckten Exemplare bewegt sich zwischen 105 und 115 mm, die grüngefleckten messen 110 und 113 mm.

Die zwei Bälge von *Ch. chalcospilos* Wagl. haben dunkle Schnäbel ohne lichte Spitze, ebenso aber auch der Balg von *Ch. afra* L. von Kasindi.

20. *Calopelia brehmeri* Hartl.

♂ Beni-Mawambi X. 1910.   ♂ iuv. Ukaika   I. 1911.
♂   »   »   X. 1910.   ♀   »   »   I. 1911.
♂   »   »   XI. 1910.   ♂ Mawambi-Irumu II. 1911.
♂ iuv. Mawambi XI. 1910.   ♀   »   »   II. 1911.
2 ♀   »   »   XI. 1910.

Bei Reichenow (Vögel Afrikas) unerwähnt ist ein bei ganz ausgefärbten Stücken sehr deutlicher dunkel weinfarbener Ton am Rücken, der bei *C. puella* Schl. viel schwächer bemerkbar ist.

Die jungen Vögel haben nicht nur die bei Reichenow (Vögel Afrikas) erwähnte schwarze Bänderung von Schulterfedern, Flügeldecken und Armschwingen, sondern in einem noch früheren Stadium sind auch die Schwanzfedern schwarz gebändert, wie dies bei dem Stück (♂) aus Mawambi der Fall ist. Ferner wäre bei Beschreibung des Jugendgefieders zu ergänzen, daß der Oberkopf und die Wangen mehr oder weniger stark rostrot gemischt sind.

21. *Limnocorax niger* Gm.

♀ Provinz Urundi I. 1910.   ♀ Albert-Eduard-See VI. 1910.
3 ♂ Albert-Eduard-See VI. 1910.

22. *Porphyrio porphyrio* L.

2 Albert-Eduard-See VI. 1910.

Von den beiden Stücken hat das eine die Kehle und den Vorderhals bis zur Oberbrust hellblau, etwas grünlich überlaufen, das andere hat nur die Kehle so gefärbt, vom Vorderhals abwärts ist es rein und dunkler blau. (Eine ähnliche Bemerkung bei O. Neumann, J. f. O., 1904, p. 335.)

23. *Hydrochelidon leucoptera* Schinz.

♂ Albert-Eduard-See VI. 1910.   ♀ iuv. Albert-Eduard-See VI. 1910.

Das ♂ ist im ausgefärbten Sommerkleid; das ♀ zeigt die Färbung des Winterkleides, nur einige wenige bräunliche Töne am Flügelbug und am Rande der Schwanzfedern lassen es als junges Weibchen erkennen.

24. **Larus cirrocephalus** Vieill.

2 ♂ Albert-Eduard-See VI. u. VII. 1910.   3 ♀ Albert-Eduard-See VI. u. VII. 1910.

Das Sommerkleid ist noch nicht ganz ausgefärbt. Lauflänge 48—50 mm, dadurch deutlich von der im Winterkleid ähnlichen Art *Larus hartlaubi* Bruch (L. 39—42 mm) unterschieden; der nach Reichenow (Vögel Afrikas) in der Färbung der siebenten Schwinge erkennbare Unterschied trifft bei den vorliegenden fünf Stücken nicht immer zu.

25. **Larus fuscus** L.

♂ iuv. Kissenji VI. 1910.

Das vorliegende unausgefärbte Stück ist schon der Größe nach *L. fuscus* L. — genau derselbe Fundort wird von Reichenow (I. Mecklenburg-Expedition, coll. Stegmann) angegeben — doch gibt Grauer als Fußfarbe rosa an, welche Färbung für die größere *L. cachinans* Pall. angegeben wird, während *L. fuscus* L. die Füße (nach Reichenow, Vögel Afrikas) blaßbraun bis gelblichbraun haben soll.

26. **Sarciophorus superciliosus** Rchw.

♀ Ukaika XII. 1910.

Das Stück zeigt noch Reste des Jugendgefieders.

27. **Lobivanellus lateralis** A. Sm.

2 ♂ Provinz Urundi I. 1910.	♂ Ishangi	V. 1910.
♀ » » I. 1910.	♀ »	V. 1910.
3 ♀ iuv. Provinz Urundi I. 1910.	♂ Albert-Eduard-See VI. 1910.	
2 ♂ Russissi-Tal V. 1910.		

Nach Reichenow (Vögel Afrikas) ist «die Stirn weiß»; es ist diese Angabe zu eng begrenzt; nach der Originalabbildung ist der Vorderkopf bis ober den vorderen Augenwinkel weiß, bei den oben angeführten Exemplaren der Vorderkopf (mit Ausnahme der jungen Tiere) bis oberhalb des hinteren Augenwinkels weiß.

Die nach den Etiketten gelben Teile (Schnabelbasis und Füße) sind an den Bälgen grün, nur teilweise noch gelblich.

Die jungen Stücke haben den Vorderkopf braun, teilweise weißlich gemischt.

Der bisher nördlichste Fundort dieser Spezies war das Vulkangebiet von Nord-Ruanda (Reichenow, I. Mecklenburg-Expedition), resp. Bukoba; durch die Kollektion Grauer ist die Grenze noch etwas mehr nach Norden bis zum Albert-Eduard-See gerückt worden.

28. **Hoplopterus spinosus** L.

3 ♂ Albert-Eduard-See VI. 1910.

Die beiden äußeren Schwanzfederpaare oder mindestens das äußerste Paar haben einen weißen Endsaum; es sei dies deshalb erwähnt, da diese Färbung aus der Beschreibung in Reichenows «Vögel Afrikas» nicht hervorgeht; dasselbe findet sich bei zwei Stücken aus dem Sudan (aus der hiesigen Sammlung).

29. **Hemiparra crassirostris** Fil. (Übergang zu *H. leucoptera* Rchw.)

♀ Sultanat Kissaka I. 1910.   ♂ Albert-Eduard-See VI. 1910.
♂ Provinz Urundi I. 1910.

Das ♀ aus dem Sultanat Kissaka und das ♂ vom Albert-Eduard-See haben alle Schwingen schwarz, das ♀ an den mittleren und hinteren Schwingen einen schmalen weißen Endsaum, das ♂ diesen bei ganz wenigen Schwingen angedeutet; die großen Armdecken sind mit wenigen Ausnahmen weiß. Das ♂ aus der Provinz Urundi hat die Schwingen mit Ausnahme der ersten drei und innersten zwei an der Außenfahne und an der Spitze an beiden Fahnen stark weiß gesprenkelt, die vierte und drittletzte hat nur eine schwache Andeutung von Weiß an der Spitze. Die großen Armdecken haben einen weißen Innenrand und etwas Weiß an der Spitze; auch die Handdecken zeigen wenig Weiß an den Spitzen; die kleinen und mittleren Flügeldecken sind auch schwarz mit breiterem weißen Innensaum, der sich von der Spitze in einen schmäleren Außensaum fortsetzt; die hinteren kleinen Deckfedern sind ganz weiß; es ist dies ein junger Vogel, da viele Federn einen röstlichen Rand haben. Auffallend ist also bei diesem Stück, daß es zwar stark weiß gesprenkelte Schwingen und die großen Armdecken partiell weiß hat, daß aber sogar die kleinen und mittleren Armdecken teilweise schwarz sind, die auch bei der echten *Hemiparra crassirostris* weiß sind. Es ist dies wohl auf das jüngere Alter dieses Stückes zurückzuführen und anzunehmen, daß die ganzen Armdecken weiß werden.

Die Übergangsstadien zwischen *H. crassirostris* und *H. leucoptera* nennt Reichenow (in Orn. Monatsber., 1909, p. 42) *Hemiparra hybrida* Rchw.; er sagt: «Die großen Armdecken sind größtenteils weiß, wie bei *H. leucoptera*, aber untermischt mit einzelnen schwarzen Federn, oder auch schwarz mit weißer Sprenkelung, die Schwingen sind schwarz, nur die Armschwingen zum Teil an der Wurzel und auf der Innenfahne weiß (dies aber auch bei der echten *H. crassirostris* Fil. nach Reichenow, Vögel Afrikas I, p. 184), bisweilen sind einzelne Schwingen ganz weiß.»

Von den Stücken aus Mongalla (Weißer Nil) hat ein ♂ auch weißliche Säume an einigen Armschwingen, dieses und ein ♀, fast ausnahmslos weiße große Armdecken, dagegen ein anderes ♂ schwarze große Armdecken; nur dieses letztere ist also eine echte *Hemiparra crassirostris* Fil., die anderen infolge der weißen großen Armdecken Übergangsstadien zu *H. leucoptera* Rchw.

30. *Himantopus himantopus* L.

2 ♂ Albert-Eduard-See VI. 1910.   3 ♀ Albert-Eduard-See VI. 1910.

Bei allen fünf Exemplaren ist der Oberkopf ganz weiß, bei vier Stücken nur wenig grau verwaschen; die Schwanzfedern zart grau oder bräunlichgrau; bei zwei Stücken (einem ♂ und einem ♀) der Oberrücken, Schulterfedern und innerste Armschwingen schwarz mit grünem Glanz und bräunlichen Federrändern, die anderen drei haben diese Federpartien erdbraun, eines davon am Rücken feine weißliche Federränder.

31. *Actophilus africanus* Gm.

2 ♂ Albert-Eduard-See VI. 1910.   ♀ juv. Albert-Eduard-See VI. 1910.
♀ »   »   » VI. 1910.

Das junge ♀ ist relativ groß; Schnabel vom vorderen Augenrand zur Schnabelspitze 46 mm, vom vorderen Nasenlochrand zur Spitze 22 mm, Lauf 75 mm; die entsprechenden Maße der übrigen drei Stücke sind: Schn. 40, resp. 20 mm; Lauf 63, 65, 67 mm. Bei acht Stücken von Mongalla und Gondokoro (Weißer Nil) sind die betreffenden Maße: Schn. 41—47, resp. 20—23 mm; L. 65—73 mm.

32. *Charadrius hiaticula* L.

Beni-Mawambi X. 1910.   ♀ Mawambi XI. 1910.

33. *Charadrius marginatus tenellus* Hartl.

♀ Usumbura V. 1910.

34. *Charadrius varius* Vieill.

2 Albert-Eduard-See VI. 1910.

35. *Totanus ochropus* L.

Provinz Bukoba XII. 1909.

36. *Tringoides hypoleucus* L.

2 ♂ Uvira II. 1910.   Beni-Mawambi X. 1910
♂ Beni X. 1910.

37. *Totanus glareola* L.
♂ Sultanat Kissaka I. 1910.

38. *Tringa minuta* Leisl.
♀ Mawambi XI. 1910.

39. *Glareola melanoptera* Nordm.

2 ♂ iuv. Provinz Urundi I. 1910.   ♀ iuv. Provinz Urundi I. 1910.

Alle drei sind noch jüngere Exemplare, da das Kehlband noch aus einzelnen dunklen Flecken besteht, beim ♀ auch diese noch schwach entwickelt sind.

Ein so weit östlicher Fundort wurde anscheinend bisher noch nicht nachgewiesen.

40. *Glareola fusca fülleborni* O. Neum. (Orn. Monatsber., 1910, p. 10).

2 ♂ Provinz Urundi I. 1910.   6 ♂ Kasindi-Beni VII. 1910.
2 ♀ »   » I. 1910.   5 ♀ »   » VII. 1910.
♀ iuv. Provinz Urundi I. 1910.

Der Fundort Kasindi-Beni dürfte für diese Subspezies neu sein und fällt durch seine nördliche Lage auf. Das Vorkommen in der Provinz Urundi ist nach den Fundortsangaben Neumanns in der Originalbeschreibung dagegen nicht auffallend.

Fl. 175—200 mm, ♀ iuv. 170 mm; Schw. 106—127 mm; Schn. 16—18·5 mm; L. 30—35 mm.

41. *Oedicnemus vermiculatus* Cab.

♂ Kissenji   V. 1910.   2 ♀ Albert-Eduard-See VI. und VII. 1910.
2 ♂ Albert-Eduard-See VII. 1910.

Nach C. v. Erlanger (J. f. O., 1905, p. 69 u. 71—72) ist von dem echten *Oe. vermiculatus* Cab. aus dem Südsomaliland die süd- und ostafrikanische Form als *Oe. gularis* Verr. zu trennen; erstere zeigt an der Brust, den Backen und dem Nacken einen isabellfarbenen Ton, während *Oe. gularis* mehr einen Ton ins Graubraune aufweist.

Ich konnte nur ein Stück *Oe. vermiculatus* (vom Cap) vergleichen, das allerdings nicht die sandfarbenen Töne der vorliegenden Stücke zeigt, also eigentlich *Oe. gularis* Verr. wäre. Die Bälge vom Kiwu- und Albert-Eduard-See müssen wohl nach ihrer Färbung zu dem echten *Oe. vermiculatus* Cab. gerechnet werden, da sie einen deutlichen sandfarbenen Ton zeigen. Ein Stück im Berliner Museum vom Massailand ist noch gelblicher, dagegen hat ein Stück von Zanzibar denselben sandfarbenen Ton wie die vorliegenden; Stücke vom Albert- und vom Tanganjika-See und ein Exemplar vom Albert-Eduard-See zeigen diese Färbung nicht. Es kommen also im Seengebiet offenbar Übergänge zwischen beiden Formen vor und dürfte sich schwer eine strikte Trennung durchführen lassen. Die Exemplare der Kollektion Grauer sind aber jedenfalls bei weitem näher zu *Oe. vermiculatus* als zu *Oe. gularis* zu stellen.

Reichenow gibt in der Bearbeitung der I. Mecklenburg-Expedition dieselben Fundorte wie die der vorliegenden Stücke ebenfalls für *Oe. vermiculatus* an.

Oedicnemus csongor Madarasz (Arch. Zoolog., 1909) wird von Reichenow (I. Mecklenburg-Expedition) eingezogen.

Die Form *Oe. büttikoferi* Rchw. (vom Seengebiet) mit den Schnabelmaßen von 50—53 mm kommt schon deshalb hier nicht in Betracht, da die besprochenen Exemplare Schnabelmaße von 41—45·5 mm haben.

42. *Otis cafra* Lcht.

Sultanat Kissaka I. 1910.

43. *Hagedashia hagedash* Lath. (*H. h. guineensis* O. Neum.).

♂ Usumbura V. 1910.　　　　　　　♀ Usumbura V. 1910.

Von den in Ornis XIII, p. 190 von O. Neumann aufgestellten Subspezies steht die vorliegende Form der Unterart *H. h. guineensis* O. Neum. am nächsten, die aber meist noch etwas dunkler ist als die Grauer-Bälge.

44. *Plegadis falcinellus* (*Pl. autumnalis* Hasselqu.).

♀ Albert-Eduard-See VI. 1910.

Die Schwanzfärbung sehr variabel; hier an der Wurzel grün (ölgrün), an der Spitze purpurviolett glänzend (Reichenow, Vögel Afrikas: Ende stahlgrün, Wurzel purpurrot glänzend). Die ersten vier Handschwingen (bes. zweite bis vierte) zeigen eine fahlbraune Spitze, die zweite und dritte im mittleren Teil einen schmalen fahlbraunen Außensaum.

45. *Scopus umbretta* Gm.

2 ♂ Usumbura V. 1910.

46. *Ardea (Pyrrherodias) purpurea* L.

♂ Ishangi V. 1910.

47. *Ardea melanocephala* Vig. et Childr.

♀ Provinz Urundi I. 1910.　　　　　♂ Kissenji VI. 1910.

48. *Butorides atricapillus* Afz.

♂ Albert-Eduard-See VI. 1910.

49. *Ardeola ralloides* Scop.

2 ♀ Albert-Eduard-See VI. 1910.

50. *Bubulcus ibis* L. (*B. lucidus* Rafin.).

2 ♂ Sultanat Kissaka I. 1910.		♂ Uvira	II. 1910.
♀ » » I. 1910.		♀ »	II. 1910.
♂ Provinz Urundi I. 1910.		♀ Russissi-Tal V. 1910.
♂ Usumbura II. 1910.		? » V. 1910.
2 ♀ » II. 1910.			

Die zwei Stücke vom Russissi-Tal haben die gelbbräunlichen Federn stark röstlich, die anderen mehr oder weniger weinrötlich.

51. *Ardetta payesi* Verr.

♂ Albert-Eduard-See VI. 1910.

52. *Chenalopex (Alopochen) aegyptiacus* L.

♂ Kissenji VI. 1910.

53. *Anas undulata* Dubois.

♀ Provinz Urundi I. 1910.

Der bei geschlossenen Flügeln sichtbare Teil des Spiegels ist blau bis veilchenblau, der übrige Teil schön grün. Es wäre möglich, daß der vorliegende Balg zu den von O. Neumann (J. f. O., 1904, p. 327—328) erwähnten Übergangsformen zwischen *A. undulata* Dubois und *A. u. rueppelli* Blyth gehört (vgl. Reichenow, Vögel Afrikas III, p. 800). Übrigens habe ich im Berliner Museum ein Stück aus Südafrika und eines von Bukoba mit ausgesprochenem grünen Spiegel gesehen, wie dies nach Neumann bei der nordostafrikanischen Form *A. u. rueppelli* vorkommen soll.

54. *Anas (Poecilonetta) erythrorhyncha* Gm.
♀ Albert-Eduard-See VI. 1910.

55. *Phalacrocorax africanus* Gm.

♂ Ishangi V. 1910.   ♂ Kissenji   VI. 1910.
♀ » V. 1910.   ♀ Albert-Eduard-See VI. 1910.

Das Stück vom Albert-Eduard-See ist am Kopf und an der Unterseite ganz schwarz, die anderen sind im Übergangskleid.

56. *Micronisus gabar* Daud.
♂ iuv. Kasindi VII. 1010.

57. *Accipiter erythropus* Hartl.
♂ iuv. Beni VII. 1910.   ♀ iuv. Beni VII. 1910.

Die beiden Bälge hielt ich anfangs mangels eines genügenden Vergleichsmaterials für junge Stücke von *Accipiter minullus* Daud. O. Neumann machte mich darauf aufmerksam, daß es eher *A. erythropus* sein dürfte, und der Vergleich mit dem Berliner Material bestätigte auch dies.

Das ♀ iuv. ist oberseits schon ziemlich ausgefärbt, hat an den Flügeldecken aber noch schmale rotbraune Säume. Die Unterseite zeigt die starke rotbraune Farbe der Weichen und Schenkel wie bei den erwachsenen Tieren. Körperseiten und Hosen sind dunkelbraun gebändert, Vorderhals und Brust zeigt schwarzbraune Tropfenflecke, die in der Brustmitte sich oft bis zu Schaftstrichen verschmälern. An der Kropfseite einige schwarzbraun gebänderte Federn; es würde dieser letztere Umstand auf das von Reichenow (Vögel Afrikas) angeführte Stadium hinweisen.

Das ♂ iuv. ist jünger, zeigt an der ganzen Oberseite rotbraune Federsäume, dagegen relativ wenige und kleinere Tropfenflecke, und zwar nur an Hals- und Brustseiten.

58. *Accipiter ovampensis* Gurn.
♂ iuv. Moera VIII. 1910.

59. *Accipiter rufiventris* A. Sm.
♀ Urwald westlich vom Tanganjika-See (2000 m) III. 1910.

60. *Buteo augur* Rüpp.

♂ Provinz Bukoba   XII. 1909.   3 ♀ Kissenji (Kiwu-See)   VI. 1910.
♂ »   »   I. 1910.   ♀ iuv. Kissenji (Kiwu-See) VI. 1910.
♀ iuv. Provinz Bukoba XII. 1909.   2 ♂ Rutschuru-Ebene VI. 1910.
♂ Sultanat Kissaka   I. 1910.   ♀ »   »   VI. 1910.
3 ♂ Kissenji (Kiwu-See)   VI. 1910.

Drei Stücke (ein ♂ und zwei ♀ von Kissenji) gehören der dunklen Variation an, davon eines mit schwarzer Unterseite, eines ebenso, mit noch etwas Braun verwaschen, und eines schwarz und braun gemischt (iuv.); unter den Stücken mit weißer Unterseite befindet sich auch ein iuv. Ein Stück (Sultanat Kissaka) hat die ganze Unterseite rein weiß, nur am Vorderhals schwarze Schäfte; zwei andere dagegen Kehle und Vorderhals fast ganz schwarz. Von den lichten Stücken haben alle die Unterschwanzdecken mehr oder weniger mit röstlichen Spitzen (bei zweien nur angedeutet). Es ist bemerkenswert, daß nach Reichenow (I. Mecklenburg-Expedition) sowohl auf der Expedition des Herzogs von Mecklenburg, als auch von Stegmann die schwarze Varietät gerade in der Gegend von Kissenji gesammelt wurde.

61. *Buteo desertorum* Daud.

iuv. Urwald westlich vom Tanganjika-See III. 1910.

Hosen crèmefarbig, mit braunen Schaftflecken (nicht quergebändert, wie bei Reichenow, Vögel Afrikas, angegeben).

62. *Lophoaetus occipitalis* Daud.

♀ Provinz Bukoba   XII. 1909.

♀ iuv. Sultanat Kissaka I. 1910.

♂ Usumbura   II. 1910.

♀ Urwald westlich vom Tanganjika-See (2000 m) IV. 1910.

♂ Beni IX. 1910.

Ein Stück mit braunen Läufen; bei dreien sind diese braun und weiß gemischt, ein Stück (Usumbura) hat weiße Läufe.

63. *Kaupifalco monogrammicus* Tem.

♂ Beni-Mawambi X. 1910.

Der vorliegende Vogel scheint ein altes Tier zu sein, da, wie von Reichenow (Vögel Afrikas) erwähnt, Endsaum und Binde des Schwanzes röstlich verwaschen sind.

In der Schwingenfärbung weicht das vorliegende Stück (auch wohl infolge des Alters) von der Beschreibung Reichenows (Vögel Afrikas) ab; dieser sagt: «Handschwingen braun, mit schwarzbraunen Querbinden»; hier sind die Handschwingen tief schwarzbraun, erst bei der dritten und den folgenden Handschwingen sieht man breite schwarze Binden, die aber kaum bemerkbar sind.

64. *Haliaetus vocifer* Daud.

♂ Usumbura V. 1910.

♂ iuv. Albert-Eduard-See VII. 1910.

Das junge Exemplar hat die braune Fleckung der Brust sehr stark ausgeprägt, einige Federn sind ganz braun. Bauch und Hosen weiß (ersterer etwas bräunlich verwaschen), mit einigen lichtbraunen, mäßig großen Schaftflecken; Läufe lichtbräunlich-weiß.

65. *Milvus aegyptius* Gm.

♀ Usumbura II. 1910.

♀ Urwald westlich vom Tanganjika-See (2000 m) III. 1910.

♂ iuv. Urwald westlich vom Tanganjika-See (2000 m) IV. 1910.

♂ Ukaika I. 1911.

66. *Elanus caeruleus* Desf.

♀ Provinz Urundi I. 1910.

67. *Falco ruficollis* Sw.

♂ iuv. Kissenji VI. 1910.

68. *Falco biarmicus* Tem.

♂ Kissenji VI. 1910.

69. *Cerchneis tinnunculus carlo* Hart. & O. Neum.

♂ Uvira II. 1910.

70. *Cerchneis ardosiacea* Vieill.

♂ Sultanat Kissaka I. 1910.

♀ Sultanat Kissaka I. 1910.

Beim ♀ sind Kopf und Unterseite lichtbräunlich verwaschen, sonst schwache bräunliche Säume, deutlicher am Schwanz und den Unterschwanzdecken, offenbar ein noch jüngeres Stück.

71. *Asio abessinicus graueri* nov. subsp.

Urwald westlich vom Tanganjika-See (2000 m) III. 1910.

Diese neue Unterart steht der Spezies *Asio abessinicus* Guér. sehr nahe und unterscheidet sich von den beiden verglichenen Exemplaren (1 Stück in Wien *Otus montanus* Heugl. ♀ ad., 1 Stück in Berlin *Asio abessinicus* Guér. ♂ coll. Erlanger) in folgenden Punkten:

Asio graueri ist kleiner als *Asio abessinicus* Guér., die Maße sind die folgenden; *A. abessinicus* Guér. (Wien): Fl. 330, Schw. 175, Schn. 34, v. d. W. 18, L. 55 mm; *A. abessinicus* Guér. (Berlin): Fl. 335, Schw. 190, Schn. 36, v. d. W. 19, L. 50; *A. graueri*: Fl. 309, Schw. 163, Schn. 29, v. d. W. 19, L. 40.

Das Braun der Oberseite ist mehr **schwarzbraun** (bei *A. abessinicus* rein braun). Die Zeichnung der Rückenseite viel ruhiger und nicht so scheckig wie bei *Asio abessinicus*; es kommt das daher, daß die braunen Federspitzen länger sind und dadurch die Fleckung und Bänderung der basalen Federteile mehr gedeckt wird. Die Fleckung des Bürzels und der Oberschwanzdecken ist verschwommener.

Neben der geringeren Größe, der einheitlicheren und dunkler gefärbten Oberseite ist das wichtigste Unterscheidungsmerkmal die Zeichnung der Bauchseite. Es ist die **ganze Brust** mit verschwommenen Längsstreifen gezeichnet (bei *Asio abessinicus* nur die Kropfgegend) und erst **unterhalb** der Brust findet sich jene charakteristische Längs- und Querstreifung, die dem Gefieder ein kariertes Aussehen verleiht und bei *Asio abessinicus* schon auf der Brust auftritt. Die Zehen sind fast bis zu den Krallen befiedert.

Asio abessinicus Guér. ist in J. f. O., 1904, Taf. XVIII abgebildet und die über die ganze Brust- und Bauchseite sich ausbreitende karierte Zeichnung deutlich sichtbar. **Erlanger** gibt hier (p. 231) für sechs Stücke folgende Maße an: Fl. 327—345, Schw. 190, Schn. v. d. W. 18—20 mm.

Es ist anzunehmen, daß *Asio abessinicus graueri* sich vom Seengebiet westlich durch den Urwald bis gegen die Westküste verbreitet.

Typus im k. k. Hofmuseum in Wien.

Die Originalbeschreibung erschien in dem Anzeiger der kaiserl. Akademie der Wissenschaften in Wien, Nr. 10 (Sitzung vom 2. Mai 1912).

72. *Bubo lacteus* Tem.
♂ Bukoba 21. XII. 1909.

73. *Bubo poensis* Fras.
♂ Moera VIII. 1910.   ♀ Beni X. 1910.

Die schwarzen Spitzen der Ohrdecken und der Wangenfedern bilden ein auffallendes schwarzes Band, ein Merkmal, das in **Reichenows** Vögel Afrikas nicht hervorgehoben ist.

Diese Art scheint bisher nur aus Westafrika bekannt zu sein. Die vorliegenden Stücke stimmen gut mit der Abbildung in P. Z. S., 1863, Taf. 33 (*B. fasciolatus = B. poensis*) überein.

74. *Pisorhina capensis* A. Sm.
2 ♂ Baraka II. 1910.

Von den verschiedenen Subspezies, die von *Pisorhina capensis* aufgestellt wurden, schien mir anfangs nach der Beschreibung *P. c. ugandae* O. Neum. der vorliegenden Form am nächsten zu kommen. Doch ein Vergleich mit dem Berliner Material zeigte, daß *P. c. ugandae* auf der Bauchseite noch viel mehr Rotbraun zeigt als die Grauer-Bälge. Von **Gunning** und **Roberts** wurden neuestens (Ann. of the Trans. Mus., July 1911) drei neue Subspezies aufgestellt und unter diesen findet sich eine, nämlich *Piso-*

rhina capensis pusilla Gunning und Roberts, die den vorliegenden Stücken sehr ähnlich zu sein scheint. Die Belegstücke sind aus Boror, Portugiesisch-Ostafrika, und befinden sich im Transvaal-Museum. Die Flügellänge 127—129 mm stimmt genau, der Schwanz ist etwas länger (60 mm, bei *P. c. pusilla* 56 mm), die kurze Diagnose paßt besonders gut auf das eine der vorliegenden ♂, während das zweite ♂ im ganzen mehr rotbräunliche Töne zeigt und besonders sich hier nicht soviel Weiß am Bauch findet. Die beiden Stücke von Baraka haben eine sehr charakteristische Kopfzeichnung; während nämlich die Mitte des Oberkopfes dunkelbraun mit rostgelben Säumen gezeichnet ist, sind die breiten Augenbrauenstreifen rein weiß mit feinen schwärzlich-braunen Wellenlinien ohne gelblicher Verwaschung, ähnlich auch Wangen und Ohrdecken; dagegen finden sich sonst am ganzen Körper gelbliche Töne.

75. *Syrnium woodfordi* A. Sm.
♀ Urwald westlich vom Tanganjika-See (2000 m) III. 1910.

76. *Syrnium nuchale* Sharpe.
♂ Ukaika I. 1911.

77. *Glaucidium perlatum* Vieill.
♂ Provinz Urundi I. 1910.   ♂ Baraka II. 1910.
2 ♀ Uvira   II. 1910.

Ein Stück (♂ von Urundi) hat nur am Vorderkopf einige wenige weiße Flecke; Rücken und Schultern zeigen auch nur wenige von den kleinen weißen Flecken, während die großen an der Außenfahne der Schulterfedern sehr deutlich sind.

78. *Poicephalus robustus suahelicus* Rchw.
4 ♂ Urwald westlich vom Tanganjika-See (2000 m) III. 1910.

Nach O. Neumann, Nov. Zool., 1908, p. 380, hätten nur die Weibchen Stirn und Vorderkopf rot, was bezüglich der vorliegenden Männchen stimmen würde, die den Oberkopf nur so wie die Kopfseiten rötlich verwaschen haben; nur bei einem Stück finden sich zirka vier gelblichrote Federchen ganz vorn an der Stirn.

Ich glaube aber, daß die Ansicht Reichenows (I. Mecklenburg-Expedition) die richtige ist, die dahin geht, daß die rote Kopfplatte ein Alterszeichen beider Geschlechter ist und daher bei jüngeren Vögeln fehlt; es findet sich auch im Berliner Museum ein diese Ansicht bestätigendes ♂ mit deutlicher roter Kopfplatte.

Die vier von Grauer gesammelten Stücke sind also noch jüngere Tiere, das älteste davon jenes mit den wenigen roten Federn an der Stirn (Schn. v. d. W. 44—46 mm; bei Reichenow, Vögel Afrikas, 38—39 mm).

79. *Poicephalus robustus fuscicollis* Kuhl.
♂ Kissenji-Rutschuru VI. 1910.

Die Stirn und der Scheitel sind ziegelrot; es würde sich also, wenn O. Neumann in der eben zitierten Arbeit recht hätte, diese Subspezies von der vorigen auch dadurch unterscheiden, daß auch das ♂ eine rote Kopfplatte hat (nicht nur das ♀).

Es finden sich in der hiesigen Sammlung zwei Stücke dieser Art, beide aus Gambia, von denen das ♂ mit dem vorliegenden Exemplar gut übereinstimmt (auch mit roter Kopfplatte), das ♀ nur einige wenige rote Federn an der Stirn hat; da aber auch am Flügelrand nur wenig Rot zu sehen ist, dürfte dieses ♀ noch nicht ausgefärbt sein; ferner findet sich im Berliner Museum ein ♀ mit deutlicher roter Kopfplatte und endlich im Journ. of South Afr. Orn. Union III. 1907, p. 194, wird von Davies sogar bemerkt, daß nur bei ♀, und zwar nicht bei allen, diese Färbung vorkommt.

Dies alles bestätigt die Ansicht, daß auch hier die rote Kopfplatte bei alten Männchen und Weibchen vorkommt, den jüngeren dagegen fehlt. (Schn. v. d. W. 41 mm; bei Reichenow, Vögel Afrikas, 42—46 mm.) Als Fundort ist bisher scheint's nur Westafrika vom Gambia bis Gabun angegeben.

80 **Poicephalus gulielmi aubryanus** Sou. (nach Reichenow, Vögel Afrikas; P. g. gulielmi Jard. nach O. Neumann, Nov. Zool., 1908).

♂ Moëra   VIII. 1910.   ♂ Mawambi XI. 1910.
♀ iuv. Moëra VIII. 1910. | ♀ »   XI. 1910.

Reichenow nennt die Form von der Goldküste P. g. gulielmi Jard., die südliche Form von Kamerun und dem Kongogebiet P. g. aubryanus Sou.; O. Neumann bezeichnet den Goldküstenvogel als P. g. fantiensis Neum., die Form vom Kongogebiet als P. g. gulielmi Jard. und die Form von Kamerun und Gabun als P. g. aubryanus Sou.

Die beiden südlichen Formen Neumanns (P. g. gulielmi und P. g. aubryanus) zieht Reichenow (l. Mecklenburg-Expedition) zusammen, und zwar nach dem vorliegenden Material wohl mit Recht; die beiden Subspezies sollen sich nach Neumann nur durch die Größe unterscheiden; nun messen die Flügel von dreien der Grauer-Bälge 190—192 mm, müßten also (nach Neumann) als P. g. gulielmi (190—196 mm) bezeichnet werden; das vierte Stück (♂ Moëra) mißt aber 207 mm, wäre also als P. g. aubryanus (202—223 mm), zu bestimmen; auch der Schnabel dieses einen Stückes ist größer (34 mm v. d. W.) als der der anderen drei (30—31 mm), wie dies auch nach Neumann für P. g. aubryanus der Fall sein soll.

Da aber beide Formen sich, wie gesagt, nur durch die Größe unterscheiden sollen, wie der Balg aus Moera aber zeigt, auch an der Ostgrenze des Kongowaldes sich größere Stücke finden, so dürfte wohl die Vereinigung beider Formen, wie dies Reichenow tut, berechtigt sein. Die beiden ♀ haben Bürzel und Oberschwanzdecken stark mit Gelb gemischt, ja sogar rötliche bis rötlichbraune Töne kommen vor. Der jüngste Vogel (♀ iuv. Moëra) hat auf der Stirn nur einige wenige rote Federn, kein Rot am Flügelbug, dagegen sind die Spitzen der Unterflügeldecken rot. Das ♂ von Moera hat schon die ganze Stirn, das ♂ von Mawambi Stirn und mittleren Teil des Oberkopfes, das ♀ von Mawambi die ganze Kopfplatte rot. Es ist also hier außer Zweifel, daß die größere oder kleinere Ausbreitung von Rot am Kopf vom Alter abhängt, wie dies Reichenow, Vögel Afrikas, und O. Neumann, Nov. Zool., 1908, angibt.

81. **Poicephalus meyeri saturatus** Sharpe.

2 ♂ Provinz Bukoba XII. 1909. | 3 ♂ Provinz Urundi I. 1910.
4 ♀ »   »   XII. 1909. | 3 ♀ »   »   I. 1910.
2 ♂ Sultanat Kissaka I. 1910. | 1 ♀ Baraka   II. 1910.
5 ♀ »   »   I. 1910.

Nach der bei der vorigen Spezies genannten Arbeit Neumanns jedenfalls zur Subspezies P. m. saturatus Sharpe zu rechnen.

Von den vorliegenden 20 Stücken haben 17 Exemplare ein deutliches breites, gelbes Scheitelband, manchmal schmäler, einmal mit braunen Federn untermischt (♂ Provinz Bukoba); das ♀ von Baraka hat nur einige wenige gelbe Federn am Scheitel und je ein ♀ aus der Provinz Bukoba und dem Sultanat Kissaka gar kein Gelb am Kopf; es sind dies jüngere Vögel, um so mehr, als sich hier auch grüne Säume an der Flügelbefiederung zeigen.

24*

P. m. reichenowi O. Neumann hat überhaupt kein gelbes Scheitelband.

Das Stück vom Westufer des Tanganjika-Sees (Baraka) unterscheidet sich nicht von denen der Ostseite, ist also auch *P. m. saturatus*; S. A. Neave (Ibis, 1910, p. 107) hat auch für den noch westlicher liegenden Katanga-Distrikt diese Subspezies nachgewiesen.

82. Psittacus erithacus L.

♀ Usumbura II. 1910.
♂ Insel Kwidjwi im Kiwu-See V. 1910.

♂ Östliche Randberge der Rutschuru-Ebene, Urwald (1600 m) VI. 1910.
♂ Ukaika I. 1911.

83. Agapornis pullarius L. (A. p. ugandae O. Neum.)

♂ iuv. Provinz Bukoba XII. 1909.
2 ♂ Sultanat Kissaka   I. 1910.
♀   »   »   I. 1910.

♂ Kasindi   VII. 1910.
♂ iuv. Kasindi VII. 1910.
♀ Beni   IX. 1910.

Nach O. Neumann (Nov. Zool., 1908, p. 388) zu der Subspezies *A. p. ugandae* zu rechnen. Ogilvie Grant (Transact. Zool. Soc. London, Vol. XIX, 1909—1910 [Results of the Ruwenzori expedition], p. 439) führt *Agapornis pullarius* L. als aus dieser Gegend stammend an, ebenso Reichenow (I. Mecklenburg-Expedition) mit der Bemerkung, daß die Subspezies *A. p. ugandae* O. Neum. nicht aufrecht zu erhalten ist.

84. Agapornis swinderianus zenkeri Rchw.

6 ♂ Moëra VIII. 1910.
2 ♀   »   VIII. 1910.
♀   »   IX. 1910.

♂ iuv. Beni-Mawambi X. 1910.
♂ Mawambi   XI. 1910.

Die Subspezies *A. s. emini* O. Neum. ist, wie mir der Autor selbst sagte und wie es Reichenow (I. Mecklenburg-Expedition) angibt, einzuziehen.

Ein junges Stück hat licht hornfarbenen Schnabel (Etikette: gelb) und gar kein Halsband, nur einen schwärzlichen und dahinter einen rotbräunlichen Anflug dort, wo sich später das Halsband entwickelt.

85. Coracias caudatus L.

♂ Usumbura II. 1910.

O. Neumann stellt im J. f. O., 1907, p. 593 für Ostafrika die Subspezies *C. c. suahelicus* auf, deren kleine Flügeldecken, Bürzel und Oberschwanzdecken dunkler blau als die entsprechenden Partien der südafrikanischen Form sein sollen. Drei Bälge vom Matabeleland und der Gegend nördlich von Pretoria (coll. Penther) stimmen aber in der blauen Farbe völlig mit dem vorliegenden Stück überein, so daß ich dieses nur als *C. caudatus* L. bestimmen kann. Ein Stück aus der Kalahari, drei vom Damaraland und eines aus Transvaal (diese fünf Stücke im Berliner Museum) haben zwar einen etwas lichteren Bürzel, aber keine lichteren Flügel als der Balg von Usumbura.

86. Eurystomus rufobuccalis Rchw.

♀ iuv. Uvira   II. 1910.
♀   »   »   V. 1910.
♂   » Usumbura V. 1910.
♂   » Kissenji   VI. 1910.
♂ Beni   X. 1910.
♀   »   X. 1910.
♂ Beni-Mawambi X. 1910.

2 ♂ Mawambi XI. 1910.
♂ Ukaika   I. 1911.
♀   »   I. 1911.
♂ Mawambi II. 1911.
6 ♂ Irumu   II. 1911.
4 ♀   »   II. 1911.

Die Subspezies *Eurystomus afer aethiopicus* Neum. wird von Reichenow im J. f. O., 1909, p. 235 mit *E. rufobuccalis* identifiziert.

Fl.: 164 (iuv.), 166, 167, 170, 171, 174, 175, 175, 177, 177, 178, 178, 179, 180, 180, 182, 183, 187 (iuv.), 189, 190, 194 (iuv.), 204 (iuv.) mm. Schn.: 23 (iuv.), 23, 23, 23, 23, 25, 22, 23, 24, 25, 21·5, 25·5, 24, 24, 24, 25, 26, 28 (iuv.), 25, 25, 28 (iuv.), 27 (iuv.) mm (21·5—28 mm).

87. Übergang zwischen **Eurystomus rufobuccalis** Rchw. und **Eurystomus afer suahelicus** Neum.

Q Beni VII. 1910.

Infolge der fast ganz blauen Oberschwanzdecken und der stärker lila verwaschenen Wangen neigt dieses Stück von *E. rufocuccalis* stark zu *E. afer suahelicus* Neum. (J. f. O., 1905, p. 186). Fl. 161 mm, Schn. 23 mm.

Die Subspezies *F. a. pulcherrimus* Neum. wird von Reichenow (I. Mecklenburg-Expedition) eingezogen.

88. **Eurystomus gularis** Vieill.

♂ Moëra	IX. 1910.		2 Q Ukaika	XII. 1910 u. I. 1911.
♂ Beni-Mawambi	X. 1910.		2 ♂ Mawambi	II. 1911.
♂ » »	X. 1910.		Q »	II. 1911.
2 Q Mawambi	XI. 1910.		Q Irumu	II. 1911.
♂ Ukaika	XII. 1910.			

Die für diese Gegend von O. Neumann in Orn. Monatsber., 1908, p. 28 aufgestellte Subspezies *E. g. neglectus* wird von Reichenow im J. f. O., 1909, p. 235 wieder eingezogen.

89. **Ceryle rudis** L.

♂ Ishangi V. 1910.

90. **Ceryle maxima** Pall.

♂ Albert-Eduard-See VI. 1910. | Q Albert-Eduard-See VI. 1910.

Beide Stücke haben nur wenige weiße Tupfen am Rücken.

91. **Ispidina picta** Bodd.

Q Bukoba 20. XII. 1909. | 2 Q Rutschuru-Ebene VI. 1910.
2 Q Provinz Bukoba 25. u. 26. XII. 1909. | ♂ Beni IX. 1910.
Q Uvira IV. 1910. |

92. **Myioceyx lecontei** Cass. (*ruficeps* Hartl.).

Moëra VIII. 1910.   2 ♂ Ukaika XII. 1910 u. I. 1911.

Von Reichenow in «Vögel Afrikas» noch für Westafrika angeführt; seither aber von O. Grant (Ibis, 1908, p. 315) in Ponthiersville (Upper Congo) und (Transact. Zool. Soc. London XIX, p. 438) in Avakubi (E. Congo Forest) nachgewiesen. Beide Fundorte liegen noch immer westlicher als Moëra und Ukaika, zeigen aber an, daß *Myioceyx lecontei* ebenso wie viele andere westafrikanische Formen sich durch den ganzen Kongourwald bis zum Seengebiet ausbreitet.

Nach Ibis V, 1911, p. 514, weist Bates nach, daß *M. lecontei* Cass. nur das Jugendstadium von *M. ruficeps* Hartl. ist, folglich der ältere Name «*lecontei*» angewandt werden muß, was übrigens schon Reichenow (Vögel Afrikas) vermutet hat.

93. *Halcyon badius* Verr.

♂ Moëra	VIII. 1910.	2 ♂ Ukaika	XII. 1910 u. I. 1911.
♀ Mawambi	XI. 1910.	2 ♀ iuv. Ukaika	XII. 1910.
2 ♂ iuv. Ukaika	XII. 1910 u. I. 1911.	♂ Mawambi-Irumu II. 1911.	

94. *Halcyon semicaeruleus* Forsk.

♀ Irumu II. 1911.

Reichenow zieht (I. Mecklenburg-Expedition) die Subspezies *H. s. centralis* Neum. ebenso wie seine in «Vögel Afrikas» genannte Unterart *H. s. hyacinthinus* Rchw. ein. Der vorliegende Balg wäre bei Aufrechterhaltung letzterer Subspezies zu *H. s. hyacinthinus* Rchw. zu rechnen.

95. *Halcyon semicaeruleus swainsoni* A. Sm. (*H. pallidiventris* Cab.).

♂. Moëra VIII. 1910.

Nach Reichenow (Vögel Afrikas) ist die Verbreitungsgrenze nach Norden ungefähr der 5.° s. Br.; seitdem wurde diese Art von O. Grant (Transact. Zool. Soc. London XIX, p. 437 unter dem Namen *H. pallidiventris* Cab.) von Beni und von Reichenow (I. Mecklenburg-Expedition) ebenfalls von Beni (Coll. Carruthers) nachgewiesen; der Fundort des vorliegenden Stückes liegt noch ca. 60 km nördlich von Beni.

O. Grant ist der Ansicht, daß die von Reichenow (Vögel Afrikas) als *H. swainsoni* beschriebene Art nicht mit dieser identisch ist, sondern richtig *H. pallidiventris* Cab. heißen muß, während *H. swainsoni* A. Sm. nach der Urbeschreibung das Blau des Rückens, der Flügel und des Schwanzes mit einem grünen Schimmer haben soll. Leider ist mir die Originalbeschreibung nicht zugänglich gewesen. Reichenow hält dagegen (I. Mecklenburg-Expedition) die Identifizierung von *H. swainsoni* A. Sm. und *H. pallidiventris* Cab. aufrecht. Ich glaube, daß O. Neumann *H. swainsoni* A. Sm. mit Recht als Subspezies von *H. semicaeruleus* Forsk. ansieht (J. f. O., 1905, p. 189).

96. *Halcyon chelicuti* Stanl.

6 ♂ Uvira	II. 1910.	♀ Baraka II. 1910.	
5 ♀ »	II. 1910.	♂ Kasindi-Beni VII. 1910.	
5 ♂ Baraka II. 1910.			

97. *Halcyon senegalensis* L.

♂ Sultanat Kissaka I. 1910.		♀ Beni-Mawambi X. 1910.	
2 ♂ Provinz Urundi I. 1910.		♂ Mawambi	XI. 1910.
2 ♂ Beni	VII. 1910.	2 ♀ »	XI. 1910.
♀ »	VII. 1910.	2 ♀ Ukaika XII. 1910 u. I. 1911.	
2 ♂ Moëra	VIII. 1910.	♂ Irumu	II. 1911.
♀ »	VIII. 1910.	♀ »	II. 1911.

Bei einigen Stücken (♂ Moëra, ♀ Moëra, ♀ Ukaika) ist der Oberkopf graubraun, genau so wie bei *Halcyon fuscopileus* Rchw. im Berliner Museum; es finden sich aber alle Übergänge von dieser dunkleren Kopffärbung zu der typischen lichten, so daß ich nicht glaube, daß die Form *H. fuscopileus* Rchw. (Orn. Monatsber., 1906, p. 171) aufrecht zu erhalten ist. Reichenow selbst gibt später (I. Mecklenburg-Expedition) diese Form als zweifelhaft an.

Einige wenige Stücke zeigen auch einen mehr oder weniger deutlichen Ansatz zu dem bei der folgenden Art hervorgehobenen Strich hinter dem Auge.

Es sei ferner erwähnt, daß ein deutlicher schwarzer Augenring in der Beschreibung dieser Art in Reichenows «Vögel Afrikas» nicht angeführt, bei Reichenbach (Alc., T. CCCC) aber gut abgebildet ist.

98. Halcyon senegalensis cyanoleucus Vieill.

♂ Moëra   VII. 1910.   ♀ Ukaika XII. 1910.
2 ♀ iuv. Mawambi XI. 1910.   ♂   »   I. 1911.

O. Grant führt (Transact. Zool. Soc. London XIX, p. 438) als vornehmlichstes Kennzeichen gegenüber der Spezies *H. senegalensis* L. ein schwarzes Band hinter dem Auge an. Vorliegende Bälge haben dieses nach hinten gerichtete Band als Fortsetzung des auch bei *H. senegalensis* L. vorhandenen Augenringes sehr deutlich; sie zeigen auch einen stark blau verwaschenen Oberkopf und Nacken, doch soll dieses Merkmal nach Reichenow auch für junge *H. senegalensis* L. zutreffen. Reichenow meint sehr richtig (I. Mecklenburg-Expedition), daß die Stellung von *H. senegalensis cyanoleucus* Vieill. zu *H. senegalensis* L. noch einer weiteren Prüfung bedarf, da auch das von O. Grant angegebene Merkmal nicht immer stichhältig ist (vgl. vorige Spezies). Völlig erwachsen ist keines der fünf Exemplare, da auch die drei fast ausgefärbten Stücke an der Spitze und auf dem Rücken des Oberschnabels noch Schwarz zeigen.

99. Halcyon torquatus Sw.

♀ Ukaika I. 1911.

100. Halcyon torquatus forbesi Sharpe.

♂ Rutschuru-Ebene VI. 1910.

In Reichenows «Vögel Afrikas» heißt es für diese und die vorige Art: «... vordere Wangen weiß ...»; dies trifft nun bei den vorliegenden Bälgen nicht zu, die vorderen Wangen sind hier blau, wie dies auch im Brit. Cat., T. XVII, Pl. VI abgebildet ist. Auch bei den Stücken des Berliner Museums sind die vorderen Wangen blau, höchstens manchmal weißlich-blau.

101. Halcyon sp. (*H. senegaloides* A. Sm.?).

♀ iuv. Ukaika I. 1911.

Weder hier noch im Berliner Museum konnte ich ein ähnliches Stück vorfinden. Am allerwahrscheinlichsten ist der Balg ein junges Exemplar von *H. senegaloides* A. Sm. Der Schnabel ist bis auf einige von der Wurzel zur Spitze verlaufende schwarze Streifen rot. Die Oberseite sehr dunkel grau mit kaum merklichen bläulichen Säumen am Kopf und deutlicheren an den Schulterfedern. Im übrigen würde die Beschreibung von *H. senegaloides* passen.

Fl. 100 mm, Schw. 63 mm, Schn. 33·5 mm, L. 14 mm.

102. Ceratogymna atrata Tem.

♀ Ukaika XII. 1910.

103. Lophoceros melanoleucos A. Icht.

♂ Bukoba   20./XII. 1909.   ♀ Urwald westlich vom Tanganjika-See
♂ Sultanat Kissaka I. 1910.   (2000 m) III. 1910.
♂ Urwald westlich vom Tanganjika-See
(2000 m) III. 1910.

Die Subspezies *L. m. suahelicus* Neum., zu welcher die genannten Stücke zu rechnen wären, wird von Reichenow (I. Mecklenburg-Expedition) und O. Grant (Transact. Zool. Soc. London XIX, p. 432) eingezogen.

Die beiden ersten Exemplare, ganz besonders aber das zweite, sind röstlich an der Unterseite verwaschen, jedenfalls infolge äußerer Ursachen.

104. *Lophoceros fasciatus* Shaw.

♂ Beni VII. 1910.	2 ♀ Mawambi XI. 1910.
2 ♀ Moëra VIII. u. IX. 1910.	♀ » XI. 1910.
♂ Beni IX. 1910.	♂ » II. 1911.

Die meisten sind an den weißen Teilen der Bauchseite mehr oder weniger wein-
farben verwaschen, wohl auch aus äußeren Ursachen.

105. *Lophoceros camurus* Cass.

3 ♂ Beni VII. 1910.	♀ Beni-Mawambi X. 1910.
♂ Moëra VII. 1910.	♀ Mawambi XI. 1910.
♀ » VII. 1910.	3 ♂ Ukaika XII. 1910.
2 ♀ » VIII. 1910.	2 ♂ » I. 1911.
♂ Beni IX. 1910.	♀ » I. 1911.
3 ♂ » IX. 1910.	2 ♂ Mawambi I. u. II. 1911.
♂ » X. 1910.	2 ♀ » II. 1911.
3 ♀ » X. 1919.	♂ Mawambi-Irumu II. 1911.

Einige Stücke schwach, ein Exemplar (♀ Moëra) auffallend stark an der Unterseite weinrötlich verwaschen (vgl. Spezies Nr. 103 und 104).

106. *Lophoceros nasutus epirhinus* Sund.
    ♂ Sultanat Kissaka I. 1910.

107. *Lophoceros granti* Hart.

2 ♂ Moëra VII. u. IX. 1910.	♀ Mawambi XI. 1910.
♂ Beni IX. 1910.	♂ Ukaika I. 1911.

Eine anscheinend selten gesammelte Art; Reichenow erwähnt in «Vögel Afrikas»
nur ein Stück als bekannt, Dubois in «Annales du Musée du Congo» (Tome 1, Fasc. 1)
1905 drei Stücke, Reichenow in der Bearbeitung der I. Mecklenburg-Expedition
ein Stück.

Die Randflecke der Handschwingen variieren, wie dies auch Dubois angibt, ebenso
die weißen Flecke am Ende der Außenfahne der inneren Armschwingen (bei einem
Stück fehlen sie ganz), die übrigens Dubois gar nicht erwähnt.

Von *L. hartlaubi* J. Gd. scheint sich *L. granti* Hart. noch dadurch zu unterscheiden, daß bei *L. granti* die Schwingen am Innensaum lichter grau (die Handschwingen
schmal weißlich) gesäumt sind und nicht wie Reichenow es für *L. hartlaubi* angibt:
«Alle Schwingen mit breiten weißen Innensäumen». Fl. 140, 146, 156, 161, 163 mm.
Schw. 165, 175, 185, 193, 195 mm (nach Dubois: Fl. 160 mm, Schw. 160 mm).

108. *Bycanistes subcylindricus* Scl.

♂ Urwald westlich vom Tanganjika-See	2 ♀ Urwald westlich vom Tanganjika-See
(2000 m) III. 1910.	(2000 m) III. u. IV. 1910.

Die Iris ist nach Grauer grauweiß (Reichenow: rotbraun).

Die mittleren Schwanzfedern des ♂, das zugleich jedenfalls das älteste Stück ist,
sind am Ende weiß gesäumt; es scheint also dies auch bei erwachsenen Exemplaren
vorzukommen und kein Jugendkennzeichen zu sein, wie dies Reichenow (Vögel
Afrikas) annimmt.

B. aloysii Salv. ist nach O. Grant (Transact. Zool. Soc. London XIX, p. 432)
einzuziehen, da diese Spezies anscheinend nach einem unvollständigen Balg aufgestellt
wurde.

109. **Bycanistes albotibialis** Cab. Rchw.
♂ Moëra VIII. 1910.

110. **Bycanistes leucopygus** Giebel (Rchw., Vögel Afrikas: *Bycanistes sharpei* Ell.).
♀ Mawambi XI. 1910.
Wie dies auch von O. Grant (Ibis, 1908, p. 314) für das ♀ angeführt ist, ist der Schnabel ganz kalkweiß.

Unter den Berliner Stücken, von denen gerade bei den auffallendsten Exemplaren die Geschlechtsbestimmung fehlt, haben mehrere sehr tiefe Rillen am Ober- und Unterschnabel, die sich über die Firste von einer zur andern Seite fortsetzen, und zwar finden sich diese Rillen bei Stücken mit noch kleinerem, leistenlosem Schnabel.

Der vorliegende Balg zeigt an der Basis der Armschwingen zwar ein breiteres schwarzes Band (die Wurzel ist wieder weiß), an der Basis der seitlichen Schwanzfedern ebenfalls Schwarz in verschiedener Ausbreitung, doch sind die weißen Spitzen doppelt und dreifach so lang als bei einem erwachsenen *B. fistulator* Cass. Wenn also auch bei *B. leucopygus* an den genannten Teilen kein Schwarz vorkommen soll, so rechne ich den Grauer-Balg doch zu letztgenannter Art, und zwar ist dies offenbar ein noch nicht ausgefärbtes Exemplar; das Schwarz der äußeren Schwanzfedern ist rechts und links, an der Außen- und Innenfahne ganz ungleich verteilt und löst sich gegen die weißen Spitzen hin in einzelne schwarze Strichel auf; solche Strichel finden sich auch bei einigen Federn vereinzelt im weißen Spitzenteil. Die mittelsten Schwanzfedern haben ganz unregelmäßig begrenzte weiße Spitzen (die eine nur an der Außenfahne). Fl. 220 mm, Schw. 205 mm (Rchw.: Fl. 230—280, Schw. 190--230 mm). Bezüglich der Nomenklatur s. Ibis, 1910, p. 202 und Annales du Musée du Congo, Tome I, Fasc. I, p. 7, pl. IV.

111. **Ortholophus cassini** Finsch (Rchw., Vögel Afrikas II, p. 719).
♂ Beni VII. 1910. ♀ Mawambi-Irumu II. 1911.
♂ Mawambi XI. 1910.
Die Haube der beiden offenbar jüngeren Männchen ist fahlbräunlich überflogen.

112. **Irrisor erythrorhynchus** Lath.
♀ Baraka II. 1910.

113. **Irrisor jacksoni** Sharpe.
2 ♂ (1 iuv.) Urwald westlich vom Tanganjika-See (2000 m) II. 1910.
4 ♂ Urwald westlich vom Tanganjika-See (2000 m) III. 1910.
♂ Urwald westlich vom Tanganjika-See (2000 m) IV. 1910.
6 ♀ (2 iuv.) Urwald westlich vom Tanganjika-See (2000 m) II. 1910.
7 ♀ Urwald westlich vom Tanganjika-See (2000 m) III. 1910.
4 ♀ (1 iuv.) Urwald westlich vom Tanganjika-See (2000 m) IV. 1910.
♀ Urwald westlich von Baraka (am Tanganjika-See, 2000 m) III. 1910.
3 ♀ (1 iuv.) Urwald, östliche Randberge der Rutschuru-Ebene (1600 m) VI. 1910.
♀ Urwald, östliche Randberge der Rutschuru-Ebene (1600 m) VI. 1910.
♀ Moëra VIII. 1910.

Grauer gibt als Irisfarbe braun an, ebenso Jackson (Ibis, 1906, p. 517), Reichenow (Vögel Afrikas) orange.

Die Farbe der Oberseite ist manchmal mehr blaugrün, manchmal mehr gelbgrün glänzend, an der Unterseite zeigen einige Exemplare einen kupferigen Schimmer. Von den fünf jüngeren Stücken haben zwei noch dunkle Schnäbel, der Oberkopf ist hinten und im Genick gelblichweiß und schwärzlich gemischt, sonst schon weißlich; zwei andere von den jungen Stücken haben zwar schon einen roten Schnabel, aber der Oberkopf ist noch ganz dunkel gefärbt (wie der Rücken), nur die Stirn weißlich; das fünfte Stück hat einen roten Schnabel und Stirn sowie vorderen Oberkopf weißlich.

114. *Scoptelus adolfi friederici* Rchw. (Orn. Monatsber., 1908, p. 160).

2	Moëra	VIII. 1910.	♂ Beni-Mawambi	X. 1910.
2 ♀	»	VIII. 1910.	♀ » »	X. 1910.
		IX. 1910.	♀ Mawambi	XI. 1910.
	»	IX. 1910.	♂ Mawambi-Irumu	II. 1911.
2	Beni IX. u. X. 1910.			

Fl. 95—107 mm, Schw. 149—190 mm, Schn. 26—32 mm.

Reichenow führt in der Originalbeschreibung (wie viele Stücke hiebei vorlagen, ist nicht ersichtlich) als Schnabelfarbe «silbergrau» an; Grauer gibt hiefür braun und braungelb, nur in einem Falle (♀ Moëra) grau an.

Die Kopffarbe ist bei drei Stücken (darunter ist auch jenes mit grauem Schnabel [Fl. 95—98 mm]) rötlichbraun, bei anderen bräunlichweiß, teilweise mit rötlichbraunen Federn gemischt. Ferner haben die lichteren Kopffedern (besonders am Oberkopf) meist eine schmale schwarze Endbinde. Vielleicht sind jene Exemplare mit dunklerem Kopf jüngere Vögel und die Schnabelfarbe bei jungen grau.

115. *Rhinopomastes cyanomelas schalowi* Neum.

♂ Russissi-Tal V. 1910. , Kasindi-Beni VII. 1910.

116. *Melittophagus meridionalis* Sharpe.

♀	Bukoba	18./XII. 1909.	2 ♀ Uvira	V. 1910.
♀	(iuv.) Provinz Urundi I. 1910.		2 ♀ Russissi-Tal	V. 1910.
2 ♂	Baraka	II. 1910.	3 ♂ Kissenji	VI. 1910.
2 ♂	»	IV. 1910.	4 ♂ Rutschuru-Ebene VI. 1910.	
2 ♀	»	II. u. IV. 1910.		

Das unausgefärbte Stück ist an der Kehle blaßgelb, an der übrigen Unterseite grün und röstlich ziemlich breit, aber verschwommen gestrichelt, das Brustschild ist noch ganz klein (vgl. Ibis, 1911 Okt., p. 707).

117. *Melittophagus variegatus* Vieill.

♀	iuv. Provinz Bukoba 26. XII. 1909.		♂ Rutschuru-Ebene VI. 1910.	
2 ♂	Russissi-Tal	V. 1910.	♀ » »	VI. 1910.
♀	» »	V. 1910.	♀ Irumu	II. 1911.

Das junge Stück hat noch keine Spur eines Brustschildes; Kehle blaßgelb, Brust olivenbräunlich und röstlich gestrichelt; Unterbrust und Bauch grün. Der weiße Streifen an der Kopfseite bereits deutlich kenntlich.

118. *Melittophagus oreobates* Sharpe.

3 ♂	Urwald westlich vom Tanganjika-See (2000 m) II. 1910.		
	♂ iuv. Urwald westlich vom Tanganjika-See (2000 m) II. 1910.		
3 ♀	Urwald westlich vom Tanganjika-See (2000 m) II. 1910.		
2 ♀	iuv. Urwald westlich vom Tanganjika-See (2000 m) II. 1910.		
	Urwald westlich vom Tanganjika-See (2000 m) III. 1910.		
4	» » » »	III. 1910.	
	» » »	IV. 1910.	

Der Beschreibung dieser Art in Reichenows «Vögel Afrikas» wäre nachzutragen, daß zwischen dem schwarzen Strich an der Kopfseite und dem Kehlschild sich ein weißer Streifen findet (ähnlich wie bei *M. variegatus* Vieill.); vgl. J. f. O., Taf. X, 1905.

Die grünen Teile des Gefieders sind mehr oder weniger stark (am stärksten die Armschwingen am Außensaum) lichtblau überflogen, am Rücken am deutlichsten bei den drei jungen Stücken, während die Außensäume der Armschwingen bei den ausgefärbten Stücken blauer sind ais bei den unausgefärbten.

119. *Melittophagus gularis australis* Rchw.

♂ Östliche Randberge der Rutschuru-	2 ♀ Beni	IX. 1910.
Ebene (Urwald, 1600 m) VI. 1910.	2 ♀ »	X. 1910.
2 ♂ Beni VII. u. X. 1910.	♂ Mawambi XI. 1910.
2 ♂ » IX. 1910.	♀ Ukaika XII. 1910.
♀ » VII. 1910.	

120. *Melittophagus bullockoides* A. Sm.

4 ♂ Russissi-Tal V. 1910.   3 ♀ Russissi-Tal V. 1910.

Das Grün der Oberseite ist auch hier bei allen sieben Stücken blau überflogen; Reichenow sagt (Vögel Afrikas): «Scheitel hell bläulichgrün»; bei den vorliegenden Stücken und bei der Mehrzahl der Stücke im Berliner Museum ist der Scheitel bräunlich und in verschiedener Stärke weißlich, bläulich und grünlich verwaschen.

121. *Melittophagus mülleri* Cass.

♂ Beni	VII. 1910.	♂ Beni-Mawambi XI. 1910.
2 ♂ iuv. Beni	VII. 1910.	♂ Ukaika XII. 1910.
♂ Moëra	VIII. 1910.	♀ » I. 1911.
♀ Beni-Mawambi X. 1910.		

Ebenso wie das eine Stück, das Reichenow (I. Mecklenburg-Expedition) erwähnt, gehören die vorliegenden Exemplare zur zweiten in «Vögel Afrikas» genannten Farbenstufe dieser Art. Bis zur Zitierung des eben genannten Stückes durch Reichenow (Fundort Beni) war diese Art nur von Westafrika bekannt.

Die beiden jüngeren Exemplare haben den Kopf oben düsterer blau, etwas grünlichblau gefärbt, das Rotbraun der Oberseite zieht etwas ins Olivenbräunliche, der Bürzel ist olivengrünlich; das Rot der Kehle gelblich, gegen das Blau des Kropfes etwas grünlich verwaschen, der Kropf düster blauschwarz, die übrige Unterseite blau mit einem grünlichen Stich.

Im Ibis, 1909, p. 24, sagt Bates: «The young birds are mostly black, the brighter colours of the adults appearing but slightly.» Es scheint hier ein noch jüngeres Stadium vorgelegen zu sein, denn «mostly black» kann man von den Grauer-Bälgen nicht sagen.

122. *Merops apiaster* L.

3 ♂ Bukoba 18. u. 23./XII. 1909.	2 ♀ Beni IX. u. X. 1910.
4 ♀ » 18. u. 23./XII. 1909	2 ♀ Ukaika XII. 1910.

Die vier Stücke von Beni und Ukaika sind (obwohl teils auch von Dezember) viel weniger ausgefärbt als die Stücke aus Bukoba; sie sind auf der Unterseite fast rein lichtblau, nicht grünblau, das Braun des Kopfes ist blasser, bei zweien ist der Rücken fast ganz grün. Drei Exemplare haben die Federenden der Oberseite besonders stark bläulich, grünlich und weißlich verwaschen; die verlängerten mittleren Schwanzfedern ragen noch kaum über die übrigen Steuerfedern hervor.

Die Flügelmaße sind geringer als die der Bukoba-Stücke (138—144 gegen 140—147 mm). Es scheinen also die Tiere in der Steppengegend von Bukoba denen des Urwaldes (Beni, Ukaika) in der Entwicklung voraus zu sein.

123. *Merops persicus* Pall.

2 ♂ Provinz Bukoba	I. 1910.		6 ♀ Uvira	II. 1910.
4 ♀ » »	I. 1910.		2 ♂ Baraka	II. 1910.
7 ♂ Uvira	II. 1910.		2 ♀ »	II. 1910.

Die Exemplare vom Jänner (Bukoba) sind besonders am Kopf und auf der Unterseite stärker blau verwaschen, die anderen meist rein grün; das Gelb der oberen Kehle ist bei den Bukobavögeln viel blasser, oft fast weiß; ebenso ist hier der blau verwaschene Oberkopf etwas bräunlich, ähnlich dem der folgenden Art.

124. *Merops persicus superciliosus* L.

2 ♀ Uvira V. 1910.		♀ Rutschuru-Ebene VI. 1910.

Außer durch den braunen Oberkopf vielleicht am deutlichsten durch den fast ganz rein weißen Wangenstrich von *Merops persicus* Pall. unterschieden.

125. *Merops nubicoides* De Murs Puch.

8 ♂ Usumbura V. 1910.   6 ♀ Usumbura V. 1910.

Reichenow erwähnt (I. Mecklenburg-Expedition) diese Art von Usumbura und der Russissi-Ebene und bemerkt, daß diese Spezies bisher vom Seengebiet noch nicht nachgewiesen war.

Für die vorliegenden Stücke wäre zu erwähnen (weil in «Vögel Afrikas» nicht angeführt), daß 1. die Schwanzfedern fast stets einen schmalen grauen Außensaum zeigen, daß 2. die inneren Armschwingen meist grün (nicht blau) verwaschen sind und daß 3. das Braunrot vor der schwarzen Endbinde der Schwingen einen grünen (auch bläulichen) Ton zeigt. Dasselbe fand ich auch in der Berliner Sammlung bei den Stücken von Ussumbura und der Russissi-Ebene (coll. Grauer) und von Kidugala (coll. Fromm), die auch von April und Mai stammen, also wohl relativ frisch vermauserte Vögel sind. Bei den übrigen in Berlin durchgesehenen Exemplaren fand ich zwar den grünlichen, resp. bläulichen Ton vor der schwarzen Endbinde der Schwingen, aber nicht die unter Punkt 1 und 2 angegebenen Färbungen, die sich offenbar auf ein sehr frisches Gefieder beziehen.

126. *Merops (Aerops) albicollis* Vieill.

6 ♂ Beni	IX. 1910.		4 ♀ Ukaika XII. 1910.
3 ♀ »	IX. 1910.		3 ♂ » I. 1911.
♂ u. ♀ Beni	X. 1910.		» I. 1911.
♂ Beni-Mawambi X. 1910.			♀ Mawambi II. 1911.
5 ♂ Mawambi	XI. 1910.		♂ Irumu II. 1911.
2 ♀ »	XI. 1910.		2 ♀ » II. 1911.
6 ♂ Ukaika	XII. 1910.		

Dem Fundort nach wären obige Stücke zur Subspezies *M. albicollis maior* Parrot (Orn. Monatsber., 1910, p. 12) zu rechnen, die sich nur durch größere Maße von der westlichen Form unterscheiden soll. In der Urbeschreibung sind leider nur die Flügelmaße (98—108 mm) angeführt. Von den vorliegenden 37 Stücken messen nun die Flügel von 11 Stücken weniger als 98 mm (92, 95, 96, 97). Die Schwanzlänge ist bis auf 4—5 Stücke 83—90 mm.

Es müßte erst eine ebenso große Serie westafrikanischer Bälge verglichen werden, bevor es sich entscheiden läßt, ob die genannte Subspezies beibehalten werden kann. Zu erwähnen wäre noch, daß das schwarze Kropfschild oft auch oben ganz fein blau oder grünlich gesäumt ist, wie dies auch in Dressers Monographie angedeutet, bei Reichenow (Vögel Afrikas) aber nicht erwähnt ist.

Die mittleren verlängerten Schwanzfedern sind, wenn noch frisch, grün und werden dann erst blau, oft matt schmutzigblau (nicht so rein gefärbt wie die übrigen Schwanzfedern).

127. Macrodypteryx vexillarius J. Gd.

5 ♂ Kasindi VII. 1910.   4 ♀ Kasindi VII. 1910.

Nach Reichenow, Vögel Afrikas, soll die neunte Handschwinge folgende Färbung haben: «. . . auf der Innenfahne, an der Wurzel und am Ende weiß, in der Mitte der Außenfahne zunächst schwarz, weiter durch graubraun zu weiß abgetönt.» Nur bei einem ♂ scheinen die verlängerten Schwingen ziemlich ausgewachsen zu sein, hier sieht man auch auf der Ober- und Unterseite der Feder das Weiß an der Wurzel. Sonst sind die verlängerten neunten Schwingen an der Unterseite gleichmäßig braun, an der Basis der Innenfahne lichter werdend; an der Oberseite sind sie silberig bräunlichweiß, nur der basale Teil der Außenfahne ist braun, und zwar auch nur bei den schon ziemlich entwickelten Federn. Die Kiele sind von oben weiß, von unten braun; es sind dies alles offenbar jüngere ♂.

128. Caprimulgus fossei Hartl.

2 ♂ Uvira   II. 1910.   ♀ Uvira   II. 1910.
♂ Kasindi VII. 1910 (n. Etikette ♀).   — ♀ Kasindi VII. 1910.
♀ Provinz Bukoba XII. 1909.

129. Chaetura brevicauda Rchw. (= Chaetura cassini Scl.?)

♂ Moëra VIII. 1910.

Nach Vergleich mit einem durch die Liebenswürdigkeit von Herrn Geheimrat Prof. Reichenow mir zur Verfügung gestellten Balg (aus dem Berliner Museum) von Chaetura brevicauda Rchw. ist das Stück der Grauer-Kollektion zu dieser Art zu stellen (Orn. Monatsber., 1911, p. 159). In der Urbeschreibung heißt es zwar: «Oberschwanzdecken weiß», aber an dem zum Vergleich gesandten Balg, sowie nach brieflicher Mitteilung von Herrn Prof. Reichenow sind nur die kürzeren Oberschwanzdecken weiß, ebenso wie bei dem vorliegenden Exemplar. Reichenow vermutet, daß Chaetura brevicauda Rchw. mit Ch. cassini Scl. identisch sein könnte, wenn auch in der Urbeschreibung letzterer Art ein weißes «Bürzelband» genannt wird, was zwar nicht dasselbe bedeutet wie weiße kürzere Oberschwanzdecken, aber vielleicht auf ungenauer Angabe beruhen kann. Auf der Abbildung allerdings (P. Z. S., 1863, Pl. 14, Fig. 2) ist, wie auch Reichenow mir schreibt, «die Kehle nicht graubraun, sondern weißlich mit feinen schwarzen Stricheln».

130. Colius leucotis affinis Shell.

♂ Bukoba	19./XII. 1909.		♂ Usumbura	II. 1910.
♀ »	19./XII. 1909.		♂ Uvira	II. 1910.
2 ♂ »	20. u. 22. XII. 1909.		2 ♀ Kissenji	VI. 1910.
♂ Provinz Bukoba XII. 1909.				

Durch die Liebenswürdigkeit von Herrn Prof. Reichenow war es mir möglich, eine Serie von ca. 20 Bälgen von C. l. affinis, ferner kleinere Serien von C. nigricollis

Vieill., *C. leucotis* Rüpp. und ein Exemplar von *C. kivuensis* Rchw. zu vergleichen. Ferner standen mir noch einige Stücke aus der terra typica von *C. l. affinis* (Weißer Nil) aus dem Wiener Museum zur Verfügung. Das Ergebnis war, daß die Grauer-Bälge als *C. l. affinis* zu bezeichnen sind, wenn sie sich auch durch einen etwas dunkleren Schopf ein wenig von den Berliner Exemplaren unterscheiden. Dagegen sind sieben bis acht Stücke des Berliner Museum im ganzen Gefieder auffallend lichter!

131. *Colius macrourus* L.

3 ♂ Kasindi VII. 1910. 2 ♀ Kasindi VII. 1910.

Ein jüngeres Stück zeigt nur sehr wenig Blau am Nacken, das vom Schopf ganz verdeckt wird. Noch früheren Stadien fehlt wohl überhaupt das Blau, wie das zwar im Brit. Cat., aber nicht in Reichenows «Vögel Afrikas» angegeben ist.

Die vier ausgefärbten Exemplare haben auch eine etwas gelblich braune Stirne, wie dies O. Neumann für die nordöstliche Form zum Unterschied von der östlichen (*C. m. pulcher* Neum.) angibt; dagegen befindet sich hier ein Stück von Senaar, das gar kein Gelb an der Stirn zeigt. Ich glaube kaum, daß sich die Subspezies *C. m. pulcher* wird halten lassen (vgl. Reichenow, Vögel Afrikas und I. Mecklenburg-Expedition).

132. *Apaloderma narina* Steph.

♀ Sultanat Kissaka I. 1910 (♀?). ♂ Ukaika XII. 1910.
♂ Moëra VIII. 1910. ♀ » XII. 1910.
♀ » VIII. 1910. ♂ » I. 1911.
♀ Beni IX. 1910 (♀?). 2 ♀ » I. 1911.
2 ♀ Mawambi XI. 1910 (1 ♀?).

Keines der elf Exemplare ist völlig ausgefärbt.

Bei den ♂ und einigen ♀, die aber wohl richtiger junge ♂ sind, ist der Vorderhals fahlröstlichbraun, mit metallisch glänzenden grünen Federn gemischt.

Die Brust ist teils grau, teils rostbraun (lebhafter als der Vorderhals), meist dunkel gewellt, hie und da rosig überflogen; vielleicht ist bei jüngeren Vögeln die Brust rostbraun und wird später erst grau, um beim ♂ endlich rot zu werden; die Bänderung tritt im braunen und grauen Stadium auf.

In fünf Fällen sind die großen Armdecken und innersten Armschwingen röstlich gewellt und teils gegen das Ende gebändert, mit einem röstlichgelben bis weißlichen größeren Endfleck.

Der Schnabel ist bei allen Stücken noch mehr oder weniger schwärzlichgrau.

133. *Heterotrogon vittatum* Shell.

9 ♂ Urwald westlich vom Tanganjika-See (2000 m), II. (3), III. (5), IV. (1) 1910.
6 » » » » II. (2), III. (4) 1910.
♂ » der östlichen Randberge der Rutschuru-Ebene (1600 m) VI. 1910.

Die Flügel messen bei den Exemplaren vom Tanganjika-See zwischen 115 und 124 mm, beim Stück von der Rutschuru-Ebene 123 mm. Es nähern sich also diese Maße mehr denen der allerdings noch unsicheren westlichen Form *Heterotrogon vittatum camerunense* Rchw. («Vögel Afrikas»).

134. *Turacus emini* Rchw.

6 ♂ Urwald westlich vom Tanganjika-See (2000 m) III. (3) u. IV. (2) 1910.   12 ♀ Urwald westlich vom Tanganjika-See (2000 m) II. (2), III. (9) u. IV. (1) 1910.

6 ♂ Moëra VII. (1),VIII.(4)u. IX.(1)1910. | 3 ♂ Beni-Mawambi X. (1910).
3 ♀ » VIII. 1910. 2 ♀ » » X. (1910).
14 ♂ Beni VII. (1), IX. (5) u. X. (8) 1910. 4 ♂ Ukaika XII. 1910 (1) u. l. 1911 (3).
6 ♀ » IX. (3) u. X. (3) 1910. 4 ♀ » XII. 1910 (1) u. l. 1911 (3).
Die in den Orn. Monatsber., 1907, p. 4, von Reichenow aufgestellte neue Sub-spezies *T. e. ugandae* läßt sich meiner Ansicht nach nach der vorliegenden großen Serie wohl nicht gut aufrecht erhalten, sondern dürfte, wie auch O. Neumann dies in Nov. Zool., 1908, p. 375 tut, mit *T. emini* zu identifizieren sein.

Nach der Urbeschreibung soll bei *T. e. ugandae* der Schwanz nicht blau schim-mernd sein, wie dies bei allen vorliegenden Stücken der Fall ist, die aber andererseits dieselben Fundorte haben, wie die von Reichenow (I. Mecklenburg-Expedition) als *T. e. ugandae* angeführten Stücke.

Ein mehr gelblich- oder bläulichgrüner Schimmer der Schulterfedern und letzten Armschwingen (ein Hauptunterschied zwischen *T. emini* und *T. e. ugandae*) ist wohl teils individuell, teils auf mehr oder weniger frisches Gefieder zurückzuführen; so finden sich hier Exemplare, wo zwischen messinggelblich glänzenden Federn einige deutlich blauglänzende zu sehen sind.

Ein mir zum Vergleich von Berlin gesandter Balg von *Turacus emini*, der nach brieflicher Angabe Prof. Reichenows etwas weniger blauglänzend sein soll als die Type, also zu *T. emini ugandae* hinneigt, unterscheidet sich gar nicht von den Bälgen der Grauer-Serie, er gleicht ganz den etwas mehr blauglänzenden Stücken. Ich kann nun unmöglich annehmen, daß alle mir vorliegenden Exemplare einen Übergang von *T. emini* zu *T. emini ugandae* vorstellen, insbesondere wegen der Bälge vom Tangan-jika-See; Übergänge könnten höchstens im Gebiete zwischen Albert-See und Albert-Eduard-See vorkommen. Ich bin daher der Ansicht, daß die vorliegende Serie als *T. emini* zu bezeichnen ist, wenn sie auch dem Fundorte nach als *T. emini ugandae* Rchw. zu bezeichnen wäre, falls, wie gesagt, diese Subspezies überhaupt bestehen bleiben kann.

135. **Ruwenzonis chalcophthalmicus** Rchw. (*kivuensis* Neum.) (Orn. Mo-natsber., 1908, p. 48; Bull. Br. Orn. Club, 1907—1908, p. 54).
2 ♂ Urwald westlich vom Tanganjika-See ♀ Urwald westlich vom Tanganjika-See
(2000 m) III. 1910. (2000 m) III. 1910.
Obiger Fundort scheint für diese Art neu zu sein.

136. **Musophaga rossae** J. Gd.
2 ♂ Bukoba 20./XII. 1909.

137. **Corythaeola cristata** Vieill.
♂ Moëra VIII. 1910. ♀ Ukaika XII. 1910.
2 ♂ Ukaika XII. 1910 u. l. 1911.
Nicht nur das Kinn (Reichenow, Vögel Afrikas), sondern auch die unteren Wangen sind mehr oder weniger fahlgrau; bei dem Stück von Moëra findet sich ziem-lich stark, bei den anderen schwächer, eine aus kleinen Federchen gebildete fahlgraue Umrandung der nackten Augengegend.

138. **Chizaerhis zonura** Rüpp.
2 ♂ Provinz Urundi I. 1910.
Die mittleren Handschwingen haben auch an der Außenfahne längs des Schaftes einen länglichen weißen Fleck.
Diese Art verbreitet sich also südlich bis gegen den Tanganjika-See.

139. *Gymnoschizorhis personata leopoldi* Shell.

3 ♂ Provinz Bukoba XII. 1909. 2 ♂ Provinz Urundi I. 1910.
♀ » » XII. 1909. » » I. 1910.

Der Schopf der vorliegenden sieben Exemplare ist etwas dunkler als der Rücken und bräunlich überflogen im Vergleich mit der reiner grauen Oberseite, keineswegs kann man aber die Schopffarbe als «almost greyish-black» bezeichnen, wie dies bei der gerade in dieser Gegend vorkommen sollenden Unterart *G. p. centralis* O. Neum. (Bull. Br. Orn. Club, 1907—1908, p. 94) der Fall sein soll. Reichenow zieht diese Subspezies auch ein (I. Mecklenburg-Expedition); er erwähnt, daß die Haubenfedern im ersten Jugendkleid jedenfalls weiß sind, und nimmt wohl mit Recht an, daß die Haube bei älteren Stücken dunkler ist.

140. *Clamator cafer* A. Lcht.

♂ iuv. Bukoba 20./XII. 1909. ♂ Urwaldrand westlich vom Tanganjika-
♀ » » 20./XII. 1909. See (2000 m) 1910.
♂ Provinz Bukoba XII. 1909. 2 ♂ Kissenji V. u. VI. 1910.
♀ » » XII. 1909. ♀ Kasindi VII. 1910.
♂ Sultanat Kissaka I. 1910. ♂ iuv. Moëra VIII. 1910.
2 ♀ Provinz Urundi I. 1910. ♀ » » VIII. 1910.
♂ Urwaldrand westlich vom Tanganjika- 4 ♂ (3 med.) Beni X. 1910.
See (2000 m) II. 1910.

Die jüngeren Stücke zeigen alle schon teilweise das Altersgefieder; der Kopf ist lichtbraun, der Rücken dunkler braun, mit den endgültigen schwarzen, glänzenden Federn untermischt. Auffallend ist einer dieser jüngeren Vögel (♂ Moëra) dadurch, daß die Reste des Jugendgefieders am Kopf, an den Schultern und den Oberflügeldecken ausgesprochen licht rotbraun sind; ferner befindet sich ein rotbrauner Ton an den rückwärtigen Handschwingen an der Grenze zwischen der weißen Basis und der braunen Spitze; mit derselben Farbe sind die Enden der hinteren Armschwingen überflogen und endlich sind der Vorderhals, der Bauch, die Seiten und auch die Unterflügeldecken mehr oder weniger mit Rotbraun gemischt.

141. *Cuculus gularis* Steph.
♀ Baraka II. 1910.

Der Kropf ist hier kaum merklich röstlich verwaschen, während ein ♀ der hiesigen Sammlung Kropf und Brust deutlich röstlich gefärbt hat.

142. *Cuculus canorus* L.
Urwald westlich vom Tanganjika-See ♂ iuv. Beni X. 1910.
(2000 m) IV. 1910.

143. *Cuculus poliocephalus* Lath.
♀ Kissenji VI. 1910.

Reichenow erwähnt vom selben Fundort ein Stück aus der Ausbeute des Herzogs von Mecklenburg.

144. *Cuculus solitarius* Steph.
♂ med. Provinz Bukoba XII. 1909. ♀ iuv. Ishangi (Kiwu-See) V. 1910.
♂ Ishangi (Kiwu-See) V. 1910. 2 ♂ Beni VII. 1910.

Das Stück aus Bukoba ist jünger, hat noch die gebänderten Unterschwanzdecken und Reste einer Bänderung am rotbraunen Kropf. Hier sowie bei dem erwachsenen Exemplar von Ishangi sind die schwarzen Binden der Unterseite breiter als bei den offenbar älteren Stücken aus Beni. Das Exemplar von Ishangi hat die Mitte des Kropfes ziemlich blaß rotbraun.

Nach Bates (Ibis, 1911, p. 500—502) ist das junge Stück als *C. solitarius* zu bestimmen, nachdem die Jungen von *C. gabonensis* Lafr. keine weißen Federsäume haben sollen, sondern dies nur bei *C. solitarius* im Jugendkleid der Fall sein soll.

145. *Cuculus gabonensis* Lafr.

♀ Beni VII. 1910. ♂ iuv. Ukaika XII. 1910.

Beim ♀ zeigen nur die großen Unterschwanzdecken Reste der schwarzen Bänderung des Jugendkleides; das ♂ iuv. entspricht jenem von Bates (Ibis, 1911, p. 500—502) beschriebenen sehr frühen Jugendstadium, es ist vollkommen schwarz, oben tief schwarz mit etwas Glanz, unten braunschwarz.

146. *Cuculus jacksoni* Sharpe.

♀ med. Russissi-Tal V. 1910.

Ein nicht ganz ausgefärbtes Stück; die Federn der Oberseite noch mit schmalen weißen Federrändern, der Vorderhals aber schon isabellfarben, rotbraun und schwarz gebändert. (Zwischen schwarzen, mit einer weißen Querbinde in der Mitte und einem weißen Rande gezeichneten Federn des Jugendkleides stehen solche mit dunkelgrauer Basis, der erst ein licht- oder isabellbraunes, dann ein schwarzes und als Endbinde ein rotbraunes Band folgt.) Die Unterschwanzdecken sind sämtlich, auch die kleineren, breit schwarz quergebändert, während bei *C. solitarius* in dem jüngeren Stadium ohne jedes Braun am Vorderhals nur die großen Unterschwanzdecken einige schwarze Binden aufweisen.

147. *Cercococcyx mechowi* Cab.

♀ iuv. Urwald westlich vom Tanganjika-See (2000 m) II. 1910.
♀ iuv. Urwald westlich vom Tanganjika-See (2000 m) III. 1910.
3 ♂ iuv. Urwald westlich vom Tanganjika-See (2000 m) III. 1910.
♂ Beni-Mawambi X. 1910.
♀ Ukaika XII. 1910.

Die jungen Vögel sind auf der Oberseite (inklusive Oberschwanzdecken) rostrot gebändert (bei einem ♂ vom Tanganjika ist die Bänderung schon ziemlich undeutlich), am Oberkopf lichtbräunliche Federmitten, die übrigen Federn der Oberseite mit rostrotem Endsaum und einem oft unvollständigen ebenso gefärbten Querband, die Oberschwanzdecken mit braunem Endsaum und ebensolchen Randflecken, die Grundfarbe ist olivenbraun mit olivengrünlichem Schimmer.

Kopf, Nacken, Rücken, Bürzel und Oberschwanzdecken der ausgefärbten Stücke sind ausgesprochen schiefergrau, mit grünerem, mehr metallischem Schimmer am Rücken als bei jungen Tieren, der Bürzel und die Oberschwanzdecken mit mehr oder weniger deutlichem weißgrauen Endsaum und ebensolchen Randflecken. Schwanzfedern mit weißem Endsaum (auch beim jüngsten Stück); die rostroten Randflecke auch bei den erwachsenen Exemplaren fast bis in die Hälfte der Außenfahne hineinreichend.

Auf der Unterseite sieht man deutlich, daß der Kropf, der Bauch und die Unterschwanzdecken schön isabell-ockerfarben sind, während Kehle und Brust meist weiß oder blaß isabellfarben sind, jedenfalls auffallend lichter als die anderen Teile der Unterseite; nur ein junges ♀ zeigt diese Färbung etwas undeutlich, immerhin ist die lichtere Grundfarbe der Brust gut kenntlich. Die Bänderung der Unterseite ist bei den jüngeren Tieren vielleicht etwas breiter.

Die Unterschwanzdecken haben bei den jüngsten Stücken schwarze Querbinden, die sich später zu schwarzen Flecken reduzieren, um bei den erwachsenen Stücken

ganz zu verschwinden. Daß die Unterschwanzdecken der älteren Tiere dunkler ockergelb sind als die der jüngeren, wie dies Sharpe im Ibis, 1907, p. 436, angibt, kann ich
nicht finden. Die rotbraune Bänderung der Flügelfedern ist auch bei den erwachsenen
Stücken noch sehr deutlich hervortretend. Nachzutragen wäre, daß die Zügelgegend
und ein kurzer Augenbrauenstrich licht gefleckt sind, was in den bisherigen Beschreibungen, wie es scheint, noch nicht erwähnt wurde.

Fl.: 130, 135, 135, 137, 129, 139, 139 mm. Schw.: 180, 183, 185, 200, 183, 191,
186 mm. Schn.: 20, 21, 19, 19, 19, 19, 19 mm. L.: 18·5, 20·5, 19, 18, 18, 18, 18 mm.

Die Maße der vorliegenden Stücke sind zwar etwas kleiner als die für *C. mechowi*
angeführten, doch sowohl die Urbeschreibung (J. f. O., 1882, p. 230), als die Arbeiten
Reichenows (J. f. O., 1891, p. 377, 1897, p. 14; Vögel Afrikas) und endlich der Vergleich mit dem Typus lassen mich darauf schließen, daß die genannten Exemplare und
nicht die folgenden zwei zum echten *C. mechowi* zu rechnen sind. Vor allem kommt
die deutlich schiefergraue Oberseite und die dunklere Grundfarbe von Kropf und Bauch
im Vergleich zu Kehle und Brust hier in Betracht; ferner stimmen auch die deutlichen
braunen Randbänder der Flügel und des Schwanzes, wie auch das Grau der Oberseite
mit der Abbildung (J. f. O., 1897, Taf. 1) gut überein; nur die Färbung der Unterseite
ist auf der Tafel nicht entsprechend.

148. *Cercococcyx olivinus* spec. nov.

2 ♂ Urwald der östlichen Randberge der Rutschuru-Ebene (1600 m) VI. 1910.

Diese zwei Exemplare unterscheiden sich von den sieben unter der vorigen Spezies
genannten Stücken sehr auffallend, wenn auch diese Art, deren Originalbeschreibung
sich hier auf p. 341 findet, dem *Cercococcyx mechowi* Cab. sehr nahe steht.

Die Grundfarbe von Kehle, Kropf und Brust ist einheitlich weiß, leicht ockergelblich verwaschen, nicht wie bei *C. mechowi* Cab., wo Kehle und Brust sich durch
die weißliche Grundfarbe deutlich vom Kropf und Bauch mit ockergelber Grundfarbe
abheben. Der Bauch und die Unterschwanzdecken sind blaß ockergelblich, viel lichter
als bei *C. mechowi* und dadurch sich nicht so scharf abhebend.

Die Oberseite ist bräunlichgrau, nicht schiefergrau wie bei erwachsenen *C. mechowi*, mit olivenbraunem Schiefer, ähnlich der Grundfarbe des Jugendkleides von *C.
mechowi*. Die rotbraunen Randflecke der Flügeldecken und Schwingen sind sehr klein
und nur unscharf hervortretend, ebenso am Schwanz, wo sie zwar deutlicher sind, aber
nur als am Federrand verlaufende braune Striche erscheinen, ohne, wie bei *C. mechowi*,
sich keilförmig ziemlich weit gegen den Kiel zu erstrecken.

Die Maße sind den für *C. mechowi* angegebenen entsprechend, aber größer als
die der sieben Stücke, die ich im Vorausgehenden als *C. mechowi* bestimmt habe.

Fl.: 149, 153 mm; Schw.: 195, 191 mm; Schn.: 21 mm; L. 19 mm.

Anfangs könnte man annehmen, daß diese beiden Stücke eine Altersstufe von *C.
mechowi* sind, die zwischen dem olivenbraunen, rotbraun gebänderten Jugendstadium
und dem schiefergrauen, ungebänderten Altersstadium liegt, doch ist dies, abgesehen
von der Größe und der Färbung der Unterseite, deshalb nicht möglich, weil die erwachsenen Exemplare von *C. mechowi* ganz unvergleichlich größere und auffallendere
Randflecke an den Schwingen haben, die nicht bei einem jüngeren Stadium kaum merklich sein können, um in einem noch früheren Alter wieder ebenso deutlich und noch
deutlicher als bei erwachsenen Tieren zu sein.

Der Typus dieser Art befindet sich im k. k. Hofmuseum in Wien.

Der Vergleich mit dem Material des Berliner Museums ergab, daß von den dort befindlichen Bälgen von *Cercococcyx mechowi* Cab. drei Stücke zu *C. olivinus* spec. nov. zu rechnen wären. Die Maße ergaben jedoch, daß die neue Art nicht als absolut größer als *C. mechowi* angesehen werden kann, da sich unter den Berliner Stücken einige *C. mechowi* fanden, die größer sind als die der Grauer-Kollektion, andererseits zwei *C. olivinus* kleiner sind als die beiden typischen Stücke. Bei den drei als *C. olivinus* zu bestimmenden Stücken der Berliner Sammlung sind die Unterschwanzdecken nicht so auffallend lichter als die von *C. mechowi*; eines dieser drei Exemplare ist offenbar noch jünger (die Oberschwanzdecken haben braune, nicht weißliche Randflecke), es sind hier daher die Randflecke der Schwanzfedern auch größer.

Von den Berliner Bälgen stammen die von *C. mechowi* von Bismarckburg, Kamerun, Urwald nördlich Beni und Uwamba (zwischen Albert- und Albert-Eduard-See), die von *C. olivinus* von Togo und Kamerun.

149. **Metallococcyx smaragdineus** Sw.

♀ Baraka	II. 1910.		2 ♂ Ukaika	XII. 1910.
2 ♀ Moëra	VIII. 1910.		♂ iuv. Ukaika XII. 1910.	
♂ iuv. Mawambi XI. 1910.				

Die Unterschwanzdecken der ausgefärbten ♂ sind gelb wie der Bauch, mit breiten smaragdgrünen Binden, wie auch im Brit. Cat. angegeben; nach Reichenow, Vögel Afrikas, wären sie einfarbig gelb, nur bei jüngeren Vögeln weiß mit smaragdgrünen Binden (letzteres bezieht sich vielleicht auf *M. s. intermedius* Hartl. [Ibis, 1912, p. 244], falls diese Subspezies berechtigt ist). Die Zeichnung der Schwanzfedern bei ♀ und Jungen variiert; sowohl die Zahl der Binden auf den äußersten Federn ist nicht konstant, wie auch bei jüngeren Tieren nur die zwei mittelsten Federn einfarbig bronzefarben sind, während das nächste Paar rostrote, am Rande miteinander verbundene Querbinden aufweist.

Ein ♀ zeigt auch schon beim zweiten Federpaar von außen an der Basis, ein anderes hier und am Saum der Innenfahne eine rostbräunliche Färbung.

Das Weiß am Wurzelteil der Innenfahne der äußeren Handschwingen bildet ein Längsband.

Bei zwei ♀ ist der Vorderhals, bei einem ♀ nur die Halsseiten röstlich verwaschen.

Die Spitzen der zwei mittelsten Schwanzfedern sind bei den vorliegenden ♀ und Jungen nicht rein weiß, sondern röstlich.

150. **Chrysococcyx klaasi** Steph.

2 ♂ Bukoba	18. u. 22./XII. 1909.		♂ Moëra	VIII. 1910.
2 ♂ Provinz Bukoba 27./XII. 1909.			♀ Beni	IX. 1910.
♂ Sultanat Kissaka	I. 1910.		♂ Mawambi XI. 1910.	
♂ Baraka	II. 1910.			

Beim ♀ nicht nur Oberkörper, auch Oberkopf schön bronzerot glänzend, Kopf- und Halsseiten nur mit schwachem Glanz.

151. **Chrysococcyx flavigularis** Shell.

2 ♂ Ukaika I. 1911.

Die beiden mittelsten Schwanzfederpaare (nicht «die beiden mittelsten Schwanzfedern» Rchw., Vögel Afrikas) sind kupferrot, das äußere dieser Paare mit röstlichweißer Spitze; das nächste Federnpaar ist auf der Innenfahne nicht einfach kupferrot, sondern

25*

kupferrot mit mehr oder weniger ausgeprägten rostbraunen Querbinden, zeigt also noch einen Rest der Jugendfärbung.

152. Chrysococcyx cupreus Bodd.

♂ Bukoba	20./XII. 1909.	♂ Kissenji (Kiwu-See)	VI. 1910.
2 ♀ Provinz Bukoba	XII. 1909.	♂ iuv. Rutschuru-Ebene	VI. 1910.
♀ Sultanat Kissaka	I. 1910.	♀ med. Kasindi	VII. 1910.
♂ Usumbura	V. 1910.	♂ Kasindi-Beni	VII. 1910.
♀ med. Usumbura	V. 1910.	♀ iuv. Kasindi-Beni	VII. 1910.
2 ♂ Ishangi (Kiwu-See)	V. 1910.	♂ Moëra	VIII. 1910.
♂ med. Ishangi »	V. 1910.	♀ med. Moëra	VIII. 1910.
♀ Ishangi »	V. 1910.		

Ein erwachsenes ♂ hat einen röstlich verwaschenen Vorderhals, nicht gleichmäßig verwaschen, sondern in unregelmäßigen Flecken.

153. Centropus grilli Hartl.

4 ♀ Russissi-Tal V. 1910.

Ein Stück hat einen mehr bläulichen Schimmer am Kopf, der Schwanz ist aber deutlich grün schillernd.

Die Subspezies C. grilli caeruleiceps Neum. (J. f. O., 1904, p. 380) soll einen ganz matten lilablauen Schein am Schwanz haben.

Jedenfalls zeigt das eine Stück mit bläulichem Schimmer am Kopf vom selben Fundort wie die übrigen drei, daß auch beim echten C. grilli Hartl. diese Abweichung vorkommen kann.

154. Centropus leucogaster Leach.

♂ Beni X. 1910. | ♀ iuv. Ukaika XII. 1910.

Centropus efulensis Sharpe (Ibis, 1904, p. 615), der hier nicht in Betracht kommt, wird von Reichenow, Vögel Afrikas III, p. 823, eingezogen; Centropus neumanni Alex. (Bull. Br. Orn. Cl. XXI, 1907—1908, p. 78) soll sich von C. efulensis Sharpe nur durch geringere Größe unterscheiden. Auch diese Unterart dürfte fraglich sein.

Auch das Stück von Beni ist noch nicht ganz erwachsen, da die mittleren Schwanzfedern noch fast in ihrer ganzen Länge die schmale lichte Bänderung zeigen; auch sind die Maße relativ gering. Fl.: 157, 140 mm; Schw.: 245, 110 mm; Sch.: 34·5, 26 mm; L. 46, 38 mm.

155. Centropus monachus occidentalis Neum.

♀ iuv. Beni X. 1910.

Da der vorliegende Vogel noch nicht ausgefärbt ist, so ist nicht mit Sicherheit zu entscheiden, zu welcher Form der monachus-Gruppe er zu rechnen wäre.

Dem Fundort nach jedoch ist es ziemlich sicher, daß der Balg als C. m. occidentalis Neum. zu bestimmen ist.

156. Centropus superciliosus H. E.

2 ♂ Bukoba	23. XII. 1909.	♂ Provinz Bukoba	XII. 1909.
♂ iuv. Bukoba	23. XII. 1909.	2 ♂ » Urundi	I. 1910.
♀ Bukoba	23./XII. 1909.	♂ Uvira	II. 1910.
♂ Provinz Bukoba	XII. 1909.	♂ Usumbura	V. 1910.

157. Ceuthmochares aereus Vieill. (aereus intermedius Sharpe).

♂ Urwald westlich vom Tanganjika-See		♂ Beni	VII. 1910.
(2000 m) III. 1910.		3 ♂ Moëra VIII. 1910.	

♀ Moëra	VIII. 1910.		2 ♀	Beni-Mawambi XI. 1910.
13 ♂ Beni	IX. 1910.		2 ♂	Mawambi XI. 1910.
2 ♂ »	X. 1910.		4 ♀	» XI. 1910.
♀ »	VII. 1910.		♂	Ukaika XII. 1910.
9 ♀ »	IX. 1910.		3 ♀	» XII. 1910.
6 ♀ »	X. 1910.		2 ♂	» I. 1911.
2 ♂ » -Mawambi X. 1910.			♀	» I. 1911.
2 ♀ » » X. 1910.				

Die Subspezies *C. aereus intermedius* Sharpe ist im Brit. Cat. of Birds (XIX, p. 402) und von O. Grant (Ibis, 1908, p. 312 und Trans. Zool. Soc. London, 1910, p. 423) eingezogen; Reichenow hält sie in der Bearbeitung der I. Ausbeute des Herzogs von Mecklenburg (1910) zwar aufrecht, sagt aber, daß die beiden Formen kaum gesondert werden können und daß einzelne Vögel beider Formen nicht zu unterscheiden sind.

Dem Fundorte nach wären die Bälge der Grauer-Kollektion zu *C. aereus intermedius* Sharpe zu rechnen.

Die Unterseite des Schwanzes ist hier oft sogar veilchenblau; die Oberseite ist bei frischem Gefieder blauer, die Unterseite veilchenblauer, später werden die Schwanzfedern oben und unten grüner; noch ältere, bereits stark abgenützte Schwanzfedern sind matt schwarz, fast ohne Glanz.

Die Unterseite des Körpers ist manchmal lichter und reiner grau, manchmal schmutziger, dunkler grau.

Jüngere Exemplare haben den Schnabel mehr oder weniger hornbraun.

158. Indicator indicator Gm.

♂ Rutschuru-Ebene VI. 1910.   ♀ juv. Kasindi VII. 1910.

Das ♂ ist auf der Etikette zwar als ♀ bezeichnet, hat aber eine schwarze Kehle, weshalb die Geschlechtsbestimmung wohl irrtümlich ist. Das junge ♀ hat die Federränder der Kopfplatte leicht grünlich verwaschen, aber unvergleichlich schwächer, als dies bei einem *Indicator barianus* Heugl. (= *major* Steph.) der hiesigen Sammlung der Fall ist, auch ist der Schnabel bei diesem *I. barianus* deutlich schmäler.

159. Indicator variegatus Less.

♀ Sultanat Kissaka I. 1910.   Kasindi-Beni VII. 1910.
♂ Kasindi   VII. 1910.

160. Indicator strictithorax Rchw.

♀ Beni VII. 1910.   ♂ Ukaika XII. 1910.

Es bleibt noch zu entscheiden, ob obige Stücke vielleicht zur Subspezies *I. str. theresae* Alex. (Bull. Br. Orn. Club XXI, 1907—1908, p. 90) gehören, deren Fundort «Gudima, R. Iri» ist.

161. Indicator minor Steph.

♀ Provinz Bukoba XII. 1909.

Flügellänge 91 mm. Dieser Balg könnte nach Vergleich mit dem Berliner Material eventuell zu der von Reichenow (Vögel Afrikas, p. 112) und O. Grant (Trans. Zool. Soc. London, 1909—1910, p. 414) eingezogenen Subspezies *I. m. teitensis* Neum. (J. f. O., 1900, p. 195) gerechnet werden, nur hat der vorliegende Balg deutlichere Längsstriche auf der Oberseite und längere Flügel als die als *I. m. teitensis* bestimmten Stücke.

162. *Indicator exilis* Cass.

♂ Urwald westlich vom Tanganjika-See | ♀ iuv. Moëra VIII. 1910.
    (2000 m) III. 1910. | ♀ Ukaika   XII. 1910.
♀ Urwald westlich vom Tanganjika-See |
    (2000 m) III. 1910. |

Das ♂ hat folgende Maße: Fl. 79, Schw. 57, Schn. 9, L. 14 mm; die beiden ♀:
Fl. 71—72, Schw. 46—48, Schn. 9, L. 13 mm.

Der Größe nach könnte man das ♂ als *Indicator pygmaeus* Rchw. bestimmen,
es unterscheidet sich aber in der Färbung gar nicht von den beiden anderen erwachsenen Stücken (mit einem von ihnen hat es auch den Fundort gemeinsam), so daß ich
auch das ♂ für *I. exilis* Cass. halte; auch ist der Schnabel ganz so wie der der beiden anderen Exemplare.

Das ♀ von Moëra ist ein jüngeres Exemplar von *I. exilis* Cass. Vom erwachsenen Vogel unterscheidet es sich durch das Fehlen des weißlichen Bandes längs der
Schnabelwurzel sowie durch das Fehlen eines Bartstriches; Kopf und Nacken sind nicht
so grau, sondern wie der Rücken gefärbt mit dunklen Federmitten und olivengrünen Rändern; die lichteren Säume der Oberseite sind grüner, weniger gelb als die der anderen
Stücke, aber andererseits doch gelblicher als die grünen Säume des Oberkopfes. Auch
die Unterseite ist grünlicher als die von erwachsenen *I. exilis*; die Wurzel des Unter-
kiefers ist nicht blasser; der Schnabel gedrungener. Die Maße sind die folgenden: Fl. 68,
Schw. 49, Schn. 8, L. 13 mm.

Im Berliner Museum fanden sich drei ähnliche Stücke (vgl. Erlanger, J. f. O.,
1905, p. 466—467 und Sharpe, Ibis, 1907, p. 441 [oben]).

Die Art *I. narokensis* Jackson (Bull. Br. Orn. Cl. XIX, p. 20) kommt nicht in Betracht, da der Rücken hier fast einfärbig sein soll.

163. *Prodotiscus insignis* Cass.
      ♂ Moëra VIII. 1910.

164. *Lybius bidentatus aequatorialis* Shell.

♂ Bukoba   19./XII. 1909. | 2 ♀ Usumbura   I. u. V. 1910.
2 ♀   »   20./XII. 1909. | 2 ♂ Rutschuru-Ebene VI. 1910.
♂ Provinz Bukoba XII. 1909. | ♀   »   »   VI. 1910.
♀   »   XII. 1909. |

Bei zwei Exemplaren ist die Flügelbinde dunkler (nicht rosenrot, sondern eher
karminrot); es neigen offenbar diese Stücke zur echten *Lybius bidentatus* Shaw hin.

Daß der Schnabel von *L. b. aequatorialis* Shell. kleiner als von *L. bidentatus* Shaw
ist, wie dies O. Neumann (J. f. O., 1904, p. 385) angibt, kann ich nicht finden; die
Schnäbel der untersuchten Stücke sind mindestens so groß, wie sie von Reichenow,
Vögel Afrikas, für *L. bidentatus* angeführt werden.

165. *Lybius torquatus irroratus* Cab.

♂ Uvira   II. 1910. | ♂ iuv. Baraka IV. 1910.
8 ♂ Baraka II. 1910. | 2 ♀   »   »   IV. 1910.
10 ♀   »   II. 1910. | ♂ Uvira   V. 1910.
4 ♂   »   IV. 1910. | ♀   »   V. 1910.

Von den untersuchten 28 Stücken messen die Flügel von 6 Stücken etwas mehr
(89 —91 mm), als für *L. t. irroratus* Cab. von Reichenow, Vögel Afrikas, angegeben
wird; sie nähern sich etwas der Subspezies *L. t. congicus* Rchw. mit 90—95 mm
Flügellänge.

Auch bezüglich der Wellenzeichnung der großen Oberflügeldecken finden sich fast durchwegs Annäherungen an *L. t. congicus*; es sind nämlich oft diese Wellenlinien weniger deutlich (fast immer undeutlicher als auf den kleinen und mittleren Decken) zu sehen, oft nur auf der Außenfahne oder Federnspitze und oft nur auf den hinteren großen Deckfedern deutlich sichtbar. Der Bürzel und die Oberschwanzdecken sind grünlichgelb verwaschen, wie dies auch im Brit. Cat. erwähnt ist; Reichenow («Vögel Afrikas») gibt für *L. torquatus* Dum. «Oberschwanzdecken mit blaßgelben Spitzen» an, was für *L. t. irroratus* Cab. keine entsprechende Bezeichnung ist. In der Urbeschreibung von *L. t. irroratus* (J. f. O., 1878, p. 205 u. 239) ist diesbezüglich überhaupt nichts angegeben.

Bei drei jüngeren Stücken ist der Schnabel zahnlos und viel kürzer; die roten Vorderhalsfedern haben gelbe Spitzen; der Oberkopf ist schwarz, vom Nasenloch verläuft ein roter Augenbrauenstreif bis zu den Ohrdecken; am schwarzen Gefieder des Oberkopfes finden sich einzelne grünlichgelbe oder rötlichgelbe Federspitzen.

Die ganze Serie stammt von der Nordwestseite des Tanganjika-Sees, was die Annäherung an *L. t. congicus* erklärt.

166. Tricholaema ansorgei Shell.

♂ Rutschuru-Ebene VI. 1910.		2 ♂ iuv. Beni	X. 1910.
♀ iuv. Kasindi-Beni VII. 1910.		2 ♀ Beni	X. 1910.
♂ Beni	VII. 1910.	♀ iuv. Beni	X. 1910.
♂ iuv. Beni	VII. 1910.	♂ Beni-Mawambi	X. 1910.
♀ Beni	VII. 1910.	2 ♀ iuv. Beni-Mawambi X. u. XI. 1910.
2 ♂ Moëra	VIII. 1910.	♂ Mawambi	XI. 1910.
♂ iuv. Moëra	VIII. 1910.	3 ♀ iuv. Mawambi	XI. 1910.
♀ Moëra	VIII. 1910.	2 ♂ Ukaika	XII. 1910.
3 ♀ iuv. Moëra	VIII. 1910.	♂ iuv. Ukaika	XII. 1910.
♀ » »	IX. 1910.	♀ Ukaika	XII. 1910.
2 ♂ Beni	IX. 1910.	♂ »	I. 1911.
♀ »	IX. 1910.	♂ Mawambi-Irumu	II. 1911.
♀ iuv. Beni	IX. 1910.	♀ iuv. Irumu	II. 1911.
♂ Beni	X. 1910.		

13 ♂ und 6 ♀ sind ausgefärbt, der schwarze Oberkopf ungefleckt, die lichten Flecke und Ränder licht grüngelb, ebenso die Grundfarbe der Unterseite (mit Ausnahme des Vorderhalses).

5 ♂ und 13 ♀ sind jüngere Vögel, bei mehreren der Oberkopf ganz gefleckt, bei anderen die Flecke schon reduziert oder ganz fehlend; der Rücken ist reiner und lichter braun, während er bei den erwachsenen Tieren mehr schwarzbraun ist. Die Flecke und Ränder sind ausgesprochen gelb, auch die Unterseite ist mehr oder weniger stark mit einem reinen Gelb überflogen.

167. Tricholaema lacrymosum Cab.

♂ Bukoba	20./XII. 1909.	2 ♂ Kasindi VII. 1910.
♀ »	18./XII. 1909.	2 ♀ » VII. 1910.
♂ Provinz Bukoba 27./XII. 1909.		

Die Subspezies *T. l. ruahae* Neum. kommt, abgesehen vom Fundort, nicht in Betracht, da die Grauer-Bälge eine deutlich grünlichgelb verwaschene Unterseite haben.

Die Subspezies *T. l. radcliffei* Grant (Bull. Br. Orn. Cl. XV, p. 29) wird von Reichenow eingezogen, aber auch falls sie zurecht bestehen bliebe, sind die vorliegenden

Stücke nicht dazu zu rechnen, da erstens die schwarzen Flecke der Unterseite eher länglich sind und hauptsächlich die mittleren Flügeldecken deutlich die braunen Spitzen zeigen, die bei *T. l. radcliffei* fehlen sollen.

168. *Gymnobucco sladeni* Grant.

♂ Beni-Mawambi X. 1910.   ♀ Mawambi II. 1911.

♂ Mawambi XI. 1910.

Für die beiden ♂ ist als Irisfarbe auf den Etiketten rot, resp. dunkelrot, für das ♀ gelb angegeben.

Die Kehle ist nicht so deutlich grau wie bei *Gymnobucco cinereiceps* Sharpe.

169. *Gymnobucco cinereiceps* Sharpe.

♂ Moëra	IX. 1910.		4 ♂ Ukaika	I. 1911.
5 ♀ Beni	X. 1910.		5 ♀ »	I. 1911.
3 ♂ Mawambi XI. 1910.			2 ♂ Mawambi	II. 1911.
3 ♀ »	XI. 1910.		2 ♀ »	II. 1911.
♂ Ukaika	XII. 1910.			

Die Flügel messen zwischen 85 und 94 mm, die meisten 87—93 mm, also nach den Maßen von Reichenow, Vögel Afrikas, größer als *G. bonapartei* (Verr.) Hartl. (75—80 mm) und kleiner als *G. cinereiceps* Sharpe (98—100 m).

Schnabel 16—19 mm (*G. bonapartei* 18—19 mm, *G. cinereiceps* 21—22 mm).

Schwanz 50—57 mm (je einmal 46, 48, 59 und 60 mm) (*G. bonapartei* 40—45 mm, *G. cinereiceps* 55—60 mm).

Lauf 21—23 mm (einmal 19 mm) (*G. bonapartei* 17—19 mm, *G. cinereiceps* 21—23 mm).

Den Schwanz- und Laufmaßen nach wie *G. cinereiceps*, den Schnabelmaßen nach mehr wie *G. bonapartei*.

Bis auf ein Stück haben alle auf der Oberseite mehr oder weniger deutliche lichte Schaftstriche mit einem lichten Endfleck, der häufig zu einem lichten Endsaum sich verbreitert; ebenso auf der Unterseite, und zwar besonders auf der Brust, während am Bauch häufig nur lichte Endsäume zu sehen sind.

Für *G. bonapartei* sind im Brit. Cat. lichte Schaftstriche, von Hartlaub (J. f. O., 1854, p. 410, Urbeschreibung) lichte Säume angegeben; für *G. cinereiceps* sind in der Urbeschreibung (Ibis, 1891, p. 122) lichte Ränder und für *G. calvus* Lafr. von Reichenow (Vögel Afrikas) helle Schaftstriche angeführt.

Der Vergleich mit dem Berliner Material ergab die Richtigkeit der Bestimmung als *G. cinereiceps* Sharpe. Bei *G. bonapartei* (Verr.) Hartl. ist der Schwanz viel mehr grün überflogen und auch die Schwingensäume sind deutlicher olivengrün. Die oben angeführte Strichelung findet sich auch bei *G. bonapartei*, dagegen sind auf der Unterseite die Federsäume bei *G. bonapartei* olivengrünlich, bei *G. cinereiceps* licht bräunlich. In der Berliner Balgsammlung befindet sich nur ein Stück von *G. cinereiceps*, das aber sehr gut mit den Grauer-Exemplaren übereinstimmt.

170. *Buccanodon duchaillui* Cass.

2 ♂ med. Moëra VIII. 1910.		♀ Mawambi	XI. 1910.
5 ♂ Moëra	VIII. 1910.	♂ iuv. Ukaika	XII. 1910.
2 ♀ med. Moëra VIII. 1910.		♀ Ukaika	I. 1911.
3 ♀ Moëra	VIII. 1910.	♂ Mawambi-Irumu II. 1911.
5 ♂ »	IX. 1910.	

Nachdem es in der Originalbeschreibung der Unterart *B. d. ugandae* Rchw. (J. f. O., 1892, p. 215) heißt: «... interscapulio et tergo medio chalybeo-nigris unicoloribus ...» (Rchw., Vögel Afrikas: ... Rücken einfarbig glänzend schwarz ...), so wollte ich erst die vorliegenden Exemplare zu dieser Subspezies rechnen, wenn auch der Unterrücken immer die gelben Flecke aufweist. Bei zwei ♀ aus Moëra und bei den nicht ganz ausgefärbten Stücken finden sich aber auch höher oben am Rücken die typischen Flecke, wie dies nur die westafrikanische Form *B. duchaillui* Cass. zeigen soll.

Beim Vergleich mit dem Berliner Material ergab sich nun, daß die Fleckung des Rückens sehr variabel ist und daß die Unterart *B. d. ugandae* Rchw. entschieden eingezogen werden muß.

Der Schnabel mißt höchstens 16, meist nur 15 mm.

171. Barbatula extoni Lay.

♀ Baraka II. 1910.

Einen ebenso auffallend nördlichen Fundort gibt Grant im Ibis, 1908, p. 310 an, wo er obige Art vom N. W. des Tanganjika-Sees anführt. *B. centralis* Rchw. hat eine ebenso grünlichgelb gefärbte Bauchseite wie die Kehle, während der vorliegende Balg bezüglich der Unterseitenfärbung mit *B. extoni* übereinstimmt.

172. Barbatula erythronota Cuv.

♀ Moëra VIII. 1910. ♀ med. Ukaika I. 1911.

♂ Ukaika I. 1911.

So weit im Osten wurde diese westafrikanische Art zuerst auf der deutschen Zentralafrika-Expedition 1907—1908 in einem Exemplar gesammelt, und zwar auf der Westseite des Ruwenzori (Reichenow, I. Mecklenburg-Expedition, p. 279).

173. Barbatula leucolaima Verr.

2 ♂ Bukoba	19. u. 24./XII. 1909.		♀ Moëra	VIII. 1910.
♀ Provinz Bukoba 26./XII. 1909.			2 ♂ Beni	IX. 1910.
4 ♂ Urwald westlich vom Tanganjika-See			2 ♀ »	IX. 1910.
(2000 m) II. 1910.			3 ♂ Mawambi	XI. 1910.
♂ Urwald westlich vom Tanganjika-See			♂ med. Mawambi XI. 1910.
(2000 m) IV. 1910.			♀ » »	XI. 1910.
♂ Moëra VII. 1910.			♀ Ukaika	XII. 1910.
4 ♂ » VIII. 1910.			♀ med. Ukaika	I. 1911.

Jüngere Stücke haben am Rücken düster grünlichgelbe Federspitzen, was weder im Brit. Cat., noch bei Reichenow, Vögel Afrikas, erwähnt ist. Die von O. Neumann (J. f. O., 1907, p. 347) und O. Grant (Bull. Br. Orn. Cl., 1907, p. 107) aufgestellten neuen Formen *Barbatula leucolaima nyansae* Neum. und *Barbatula mfumbiri* Grant werden von Reichenow (I. Mecklenburg-Expedition) wohl mit Recht wieder eingezogen.

174. Barbatula subsulphurea Fras.

♂ Beni VII. 1910. ♀ Ukaika XII. 1910.

2 ♀ Mawambi XI. 1910. ♀ » XII. 1910.

Die Oberseite zeigt deutlich einen dunkel ölgrünen Glanz, es können daher obige Stücke nicht zu der von O. Neumann (J. f. O., 1907, p. 344) aufgestellten Subspezies *B. subsulphurea ituriensis* gerechnet werden, trotz des auffallend ähnlichen Fundortes (1 Exemplar von Kitima am Ituri, 21 Tagereisen von Fort Beni), da diese neue Subspezies an der Oberseite einen stahlblauen Glanz aufweisen soll.

Obige Fundorte scheinen für *B. subsulphurea* Fras. neu zu sein, die bisherigen Angaben stammen alle aus Westafrika.

Zu den Unterschieden von *B. leucolaima* wäre in Reichenow, Vögel Afrikas, noch die ganz andere Färbung der Unterseite hinzuzufügen. Die Kehle ist hier schwefelgelb, die übrige Unterseite grün-grau-gelblich. Fl. 48—51·5 mm. Ein jüngeres Stück zeigt am Rücken wenig Glanz und grünliche Federspitzen. Die Iris ist nach Grauer schwarz (Rchw.: gelb).

175. Barbatula scolopacea flavisquamata Verr.

♂ Urwald, östliche Randberge der Ru-	♂ Beni	IX. 1910.
tschuru-Ebene (1600 m) VI. 1910.	♂ »	X. 1910.
♂ Urwald, östliche Randberge der Ru-	2 ♂ Mawambi	XI. 1910.
tschuru-Ebene (1600 m) VI. 1910.	♀ »	XI. 1910.
♂ Moëra VIII. 1910.	♀ Ukaika	XII. 1910.
+ ♀ » VIII. 1910.	2 ♂ »	I. 1911.
♂ » IX. 1910.	3 ♀ »	I. 1911.
2 ♀ » IX. 1910.	♀ Mawambi	II. 1911.
♂ Beni IX. 1910.	♀ Mawambi-Irumu	II. 1911.

Die Federränder der Oberseite mit Ausnahme der grünlichen des Kopfes sind deutlich olivengelb, die der Bürzelfedern sogar schön goldgelb; auch die Unterseite ist stark gelb überflogen; deshalb kommt *B. sc. consobrina* Rchw. hier nicht in Betracht.

Die Unterseite von der Kehle abwärts ist durchwegs auf weißlich-grauem, stark gelb verwaschenem Grunde mehr oder weniger deutlich dunkel gefleckt, teils mit kleineren schwärzlichen Fleckchen, teils mit olivenbräunlichen, verwaschenen Längsstreifen, nur zirka drei Stücke zeigen eine minimale Zeichnung. Außer Reichenow, Vögel Afrikas («stellata») erwähnt Bates (Ibis, 1911, p. 506) die unruhige Zeichnung der Unterseite als für *B. sc. flavisquamata* Verr. charakteristisch. Die Körperseiten sind dunkel quergebändert. Bisher unerwähnt scheint der Umstand zu sein, daß die weißlichen Kehlfedern fast durchwegs einen zarten dunklen Saum zeigen. Die von Salvadori (Boll. Mus. Torino XXI, Nr. 542) angeführte neue Spezies *Xylobucco aloysii* (Entebbe) kommt wegen den, wie es scheint, größeren Dimensionen (Fl. 61, Schw. 47 mm), den durchaus olivengrünen Säumen und wegen des Vorkommens hier nicht in Betracht.

Von dem Berliner Material stimmen die meisten Stücke bezüglich der unruhigen Brust- und Bauchfärbung, einige auch bezüglich der Kehlfärbung mit den vorliegenden überein, es dürften dies alles jüngere Exemplare sein, während die einheitlicher gefärbten Vögel als ausgewachsen zu betrachten sein dürften.

Nach Reichenow (I. Mecklenburg-Expedition) stammt *B. sc. stellata* Jard. Fras. von Fernando Po, die west- und zentralafrikanische Form heißt *B. sc. flavisquamata* Verr.

176. Trachylaemus purpuratus Verr.

♂ Beni VII. 1910.	2 ♂ Moëra VIII. u. IX. 1910.
♂ » VII. 1910.	♂ juv. Beni IX. 1910.
♀ Moëra VII. 1910.	♂ Irumu II. 1911.

Die Beschreibung dieser Art in Reichenows «Vögel Afrikas» wäre dahin zu ergänzen, daß erstens nicht nur die Stirn, sondern der ganze Vorderkopf tief braunrot ist und zweitens auch der Vorderhals einen braunroten Schimmer hat, dadurch, daß hier die Federn in der Mitte ein braunrotes Querband haben, welches die weißlichen Spitzen von der schwarzen Basis trennt. Die kleinen Unterflügeldecken sind oft gelblich verwaschen, die Basis und teils auch die Spitze der großen Unterflügeldecken sind graubraun. Ein jüngeres Stück hat die feuerrote Brustbinde nur unvollständig ausgebildet und es fehlen ihm die weißlichen Spitzen der Vorderhalsfedern, so daß die oben genannten braunroten Querbinden hier sehr deutlich erscheinen.

Bei einem Stück (♂ Moëra VIII.) sieht man je einen runden weißen Fleck (2 mm Durchmesser) an einer der großen Oberflügeldecken und rechts einen ebensolchen an einer der letzten Armschwingen (in beiden Fällen an der terminalen Hälfte der Außenfahne).

Tr. purpuratus elgonensis Sharpe zieht Reichenow (I. Mecklenburg-Expedition) ein; der von O. Grant (Trans. Zool. Soc. London, 1910, p. 419) hervorgehobene Unterschied, daß bei *T. p. elgonensis* die lichten Spitzen am Vorderhals geringer an Zahl und nicht so blaß sind, dürfte nach dem oben genannten jungen Exemplar auf das Alter zurückzuführen sein.

177. **Dendromus nubicus** Sm.

2 ♂ Rutschuru-Ebene VI. 1910 (1 Stück ♂ 2 ♂ Kasindi-Beni VII. 1910.
med.),

Beide Stücke von der Rutschuru-Ebene sind auf den Etiketten irrtümlich als ♀ bezeichnet; das eine davon ist noch nicht ganz ausgefärbt; der Oberkopf ist grau mit schwärzlichen Federsäumen, am Vorderkopf einige sehr kleine weiße Tupfen, vereinzelte rote Federn stehen schon zwischen den grauen, ebenso ist der hintere Rand des Bartstreifens bereits rot.

Da weder die Oberseite der vorliegenden Exemplare nur «sehr kleine und sparsame weißliche Flecken» hat, noch «nur das Kinn, bezw. die obere Kehle (die zwischen den Unterkieferästen befindliche Befiederung)» ungefleckt ist, so kommt trotz des Fundortes, der ganz nahe dem von Reichenow (I. Mecklenburg-Expedition) für einen *D. nubicus neumanni* angegebenen liegt, diese Subspezies (Orn. Monatsber., 1896, p. 132; J. f. O., 1900, p. 203) für die Bälge der Grauer-Kollektion nicht in Betracht.

178. **Dendromus malherbi** Cass.

2 ♀ Provinz Bukoba XII. 1909.   ♂ Rutschuru-Ebene VI. 1910.
2 ♂ Sultanat Kissaka I. 1910.

Das Stück von der Rutschuru-Ebene ist an der Oberseite frischer und gelblicher grün als die anderen Stücke, wohl weil es frischer im Gefieder ist («Juni», die anderen «Dezember-Jänner»). Ein ♀ von Bukoba ist offenbar irrtümlich als ♂ bezeichnet. Weder die Merkmale von *D. m. nyansae* O. Neum., noch die von *D. m. fülleborni* O. Neum. (J. f. O., 1900, p. 204) passen auf die vorliegenden Stücke; beide Unterarten sind übrigens nach Reichenows «Vögel Afrikas» unsicher. (Vgl. auch Erlanger, J. f. O., 1905, p. 473 und Hesse, Mitteil. a. d. Zool. Mus. Berlin, 1912, p. 253.)

179. **Dendromus abingoni annectens** O. Neum. (Bull. Br. Orn. Cl. XXI, p. 95).

♂ Sultanat Kissaka I. 1910.   2 ♂ Baraka II. u. IV. 1910.

Nach der geographischen Verteilung der verschiedenen Subspezies in der oben genannten Arbeit O. Neumanns zu *D. abingoni annectens* O. Neum. zu rechnen, was sich auch nach Vergleich mit dem Berliner Material bestätigte. (Vgl. Hesse, Mitteil. a. d. Zool. Mus. Berlin, 1912, p. 256.)

180. **Dendromus benetti uniamwesicus** Neum.

♂ Provinz Urundi I. 1910.

Der echte *Dendromus benetti* A. Sm. hat einen klar und deutlich gebänderten Schwanz. (Vgl. Hesse, Mitteil. a. d. Zool. Mus. Berlin, 1912, p. 260.)

181. *Dendromus permistus* Rchw.

♂ Beni	VII. 1910.		♂ Mawambi	XI. 1910.
♂ Moëra	VII. 1910.		♂ Ukaika	XII. 1910.
2 ♂	» VIII. 1910.		♀ »	XII. 1910.
2 ♂ Beni	IX. 1910.		3 ♂ »	I. 1911.
3 ♀	» IX. 1910.		♀ Mawambi-Irumu	II. 1911.
♂	» X. 1910.			

Sämtliche 17 Exemplare haben eine deutlich rostfarbene Zügelgegend, ein Merkmal, das weder im Brit. Cat., noch in Reichenows «Vögel Afrikas» erwähnt ist, das aber wahrscheinlich auf äußere Einflüsse zurückzuführen ist; von zehn Stücken in Berlin ist bei acht Exemplaren dasselbe zu beobachten. Ein Stück (Ukaika ♂ I.) zeigt am Oberrücken lichte gelblich grüne Flecke, etwas Ähnliches erwähnt Reichenow in «Vögel Afrikas».

182. *Dendromus taeniolaema* Rchw. Neum.

♂ Urwald westlich vom Tanganjika-See (2000 m)						II. 1910.	
2 ♂	»	»	»	»	»	III. 1910.	
3 ♂	»	»	»	»	»	IV. 1910.	
2 ♀	»	»	»	»	»	II. 1910.	
2 ♀	»	»	»	»	»	III. 1910.	
3 ♂	» der östlichen Randberge der Rutschuru-Ebene (1600 m)					VI. 1910.	
2 ♀	»	»	»	»	»	» VI. 1910.	

Die von O. Grant (Trans. Zool. Soc. London, 1910, p. 410) eingezogene Subspezies *D. t. hausburgi* Sharpe käme nach der Beschreibung für die Grauer-Bälge nicht in Betracht.

Der Fundort westlich vom Tanganjika scheint für diese Art neu zu sein und läßt vermuten, daß sich diese Spezies auch noch weiter westlich verbreitet.

Ein Stück (♂ Tanganjika III.) hat am Oberrücken bräunlichrote Federsäume.

183. *Dendromus caroli* Malh.

3 ♂ Beni	VII. 1910.		♀ med. Ukaika	XII. 1910.
♀ »	VII. 1910.		2 ♀ Ukaika	I. 1911.
2 ♀ med. Beni	VII. 1910.		♀ med. Ukaika	I. 1911.
6 ♂ Moëra	VIII. 1910.		♀ Mawambi	II. 1911.
♀ »	VIII. 1910.		♂ Mawambi-Irumu	II. 1911.
♂ »	IX. 1910.			
♀ »	IX. 1910.		♂ Beni	X. 1910.
8 ♂ Beni	IX. 1910.		♂ Mawambi	XI. 1910.
♂ med. Beni	IX. 1910.		♂ Ukaika	XII. 1910.
9 ♀ Beni	IX. 1910.		♀ »	XII. 1910.
3 ♂ »	X. 1910.		♂	I. 1911.
5 ♀ »	X. 1910.		3 ♀ »	I. 1911.
♀ med. Beni	X. 1910.			
2 ♂ Beni-Mawambi	X. 1910.		3 ♂ Mawambi	XI. 1910.
5 ♀ »	X. 1910.		5 ♀ »	XI. 1910.
2 ♂ Mawambi	XI. 1910.		2 ♂ Ukaika	XII. 1910.
3 ♀ »	XI. 1910.		4 ♀ »	XII. 1910.
♂ Ukaika	XII. 1910.		4 ♀ »	I. 1911.
♀ »	XII. 1910.		♀ »	I. 1911.

♀ Mawambi II. 1911.   ♂ Mawambi-Irumu II. 1911.

♀ med. Mawambi II. 1911.

Von dieser Art liegt eine stattliche Serie von 92 Stücken vor, die ich in drei Gruppen sonderte; die zweite Gruppe ist intermediär zwischen der ersten und dritten. Die Vögel der ersten Gruppe stammen aus den Monaten Juli 1910 bis Februar 1911, die der zweiten und dritten Gruppe aus den Monaten Oktober 1910 bis Februar 1911. Wenn auch hier die Monate Juli, August und September fehlen, so decken sich die übrigen Monate, so daß die zu erörternden Unterschiede nicht auf die Jahreszeit zurückgeführt werden können.

Die Gruppe 1 verhält sich nun zur Gruppe 3 in folgender Weise:

Bei Gruppe 1 ist der Augenbrauen- und Schläfenstreif blaß gelblich-weiß (teils mit einem Hauch von grünlich oder röstlich), bei Gruppe 3 sind diese Partien deutlich grün, bei Gruppe 2 gelblichgrün in verschiedenen Abstufungen.

Die Unterflügeldecken sind bei Gruppe 1 blaß isabellfarben bis blaß grünlichgelb; bei Gruppe 3 weißlichgrün, selten mit einem gelblichen Anflug; Gruppe 2 steht wieder dazwischen.

Bezüglich des Braun der Kopfseiten und der Färbung der Oberseite kann ich keine konstanten, durchgreifenden Unterschiede zwischen den drei Gruppen finden; ebenso wenig bezüglich der Färbung der Unterseite, die olivengrün mit grünlichweißen Flecken ist, oft aber in verschiedenem Grade braun oder röstlich verwaschen ist.

Die Stücke der Gruppe 3 nun mit ihren starken grünen Tönen ähnelt offenbar der Subspezies *D. caroli ari≥elus* Oberh. von Liberia; ein Vergleich einer größeren Serie dieser Subspezies müßte erst zeigen, ob diese sich halten läßt; das Überwiegen der grünen Töne ist jedenfalls nicht ausschlaggebend; es müßten sich die anderen Merkmale, wie kleinere und weniger zahlreiche Fleckung sowie hellere und gelblichere Färbung des rotbraunen Kopfseitenbandes als konstant erweisen.

Die auf Grund eines Weibchens vom Kassaigebiet von Dubois aufgestellte Spezies *Dendromus kasaicus* (Revue française d'Ornithologie, Nr. 22, Février 1911) bedarf nach der großen Variabilität dieser Art wohl noch einer Bestätigung.

Ich bin überzeugt, die ganze Serie, die in ihrer Gesamtheit aus einem relativ kleinen Gebiete stammt, zu einer Spezies rechnen zu müssen, die eben in den genannten Richtungen (braune Färbung der Unterseite und grüne Töne am Kopf und den Unterflügeldecken) stark variiert, und zwar infolge rein äußerlicher Ursachen (Abfärben der Baumrinde etc.) (Brit. Cat. XVIII, p. 107).

Die sieben nicht ganz erwachsenen Exemplare sind durch eine verwaschenere, auch weniger abstechende Fleckung der Unterseite, besonders des Bauches kenntlich; die lichteren Flecke des Schläfenbandes sind teilweise rotbraun wie die Kopfseiten. Ein Stück von diesen jüngeren Tieren zeigt schon einen grünlichen Ton an den Flecken des Schläfenbandes und an den Unterflügeldecken; letztere sind bei den übrigen sechs Exemplaren gelblichweiß oder licht isabellfarben.

Dendromus caroli Malh., früher nur von Westafrika (Goldküste bis Angola) bekannt, wird zuerst von Jackson (Ibis, 1906, p. 528) vom Toro-Wald, dann von Reichenow (1. Mecklenburg-Expedition) von Beni angeführt. (Vgl. Hesse, Mitteil. a. d. Zool. Mus. Berlin, 6. Bd., 2. Heft, 1912, p. 247.)

184. *Dendromus nivosus efulensis* Chubb.

♂ Beni VII. 1910.   4 ♂ Moëra VIII. 1910.

♀ » VII. 1910.   ♂ » IX. 1910.

♀ Moëra	VII. 1910.		3 ♀ Mawambi	XI. 1910.
3 ♀ »	VIII. 1910.		5 ♂ Ukaika	XII. 1910.
♀ »	IX. 1910.		♀ »	XII. 1910.
12 ♂ Beni	IX. 1910.		8 ♂ »	I. 1911.
5 ♀ »	IX. 1910.		5 ♀ »	I. 1911.
5 ♂ »	X. 1910.		2 ♀ inv. Ukaika	I. 1911.
6 ♀ »	X. 1910.		♂ Mawambi	II. 1911.
♂ Beni-Mawambi	X. 1910.		♂ Mawambi-Irumu	II. 1911.
♀ »	X. 1910.		2 ♀ »	II. 1911.
♂ »	XI. 1910.		♀ inv. »	II. 1911.
2 ♂ Mawambi	XI. 1910.			

Der goldbraune Schimmer der grünen Oberseite variiert; ein ♀ von Mawambi
fällt durch eine besonders bräunliche Oberseite auf.

Bei den jüngeren drei Exemplaren ist der Rücken reiner grün, der Oberkopf
grauer; die Unterseite grau-olivengrün, die Flecke weißlich, ohne gelblichen Ton; die
Nasenkiele sind gar nicht oder kaum bemerkbar.

Ich glaube, daß die Spezies *Dendromus efulensis* Chubb (Bull. Br. Orn. Cl. XXI,
1908, p. 92) als Subspezies von *D. nivosus* Sw. aufgefaßt werden sollte, wie dies auch
Dr. Erich Hesse in seiner Arbeit über die Piciden des Berliner Museums (Mitteil. a. d.
Zool. Mus. Berlin, 6. Bd., 2. Heft, 1912) tut. Hesse zweifelt überhaupt die Subspezies
efulensis an, da die grünere Färbung sich durch Alkohol abwaschen läßt. Die von
Boyd Alexander aufgestellte Spezies *Dendromus herberti* (Bull. Br. Orn. Cl. XXI,
1908, p. 89) dürfte, wie auch Reichenow (I. Mecklenburg-Expedition) erwähnt, noch
zu bestätigen sein. Nach dem Fundort müßte ich die Grauer-Bälge *D. efulensis herberti*
nennen, doch stimmt das Unterscheidungsmerkmal «chin, throat and sides of head hoary-
white, streaked with brown» gar nicht, da die Strichelung überall deutlich olivenfarben ist.

Im übrigen glaube ich, wie gesagt, daß *D. herberti* nicht haltbar sein dürfte und
daß sich die Kamerunform *D. n. efulensis* eben bis an den Urwaldrand am Seengebiet
ausbreitet.

185. Dendropicos lafresnayei Malh.

♂ Bukoba	18./XII. 1909.		♂ Kissenji (Kiwu-See) VI. 1910.
*2 ♂ Provinz Bukoba	XII. 1909.		♂♀ Kissenji-Rutschuru VI. 1910.
♂ Baraka	II. 1910.		♂ Urwald der östlichen Randberge der
♂ Urwald westlich vom Tanganjika-See			Rutschuru-Ebene (1600m) VI. 1910.
(2000 m) II. 1910.			2 ♂ Kasindi VII. 1910.
3 ♂ Urwald westlich vom Tanganjika-See			*♂ » VII. 1910.
(2000 m) III. 1910.			3 ♀ » VII. 1910.
2 ♀ Urwald westlich vom Tanganjika-See			2 ♂ Kasindi-Beni VII. 1910.
(2000 m) III. 1910.			♀ » VII. 1910.
2 ♂ Urwald westlich vom Tanganjika-See			♂ Beni VII. 1910.
(2000 m) IV. 1910.			

Die drei mit * bezeichneten Stücke stehen vielleicht der Art *D. hartlaubi* Malh.
nahe, da die Oberseite eine recht deutliche Querbänderung zeigt, wenn diese nicht auf
eine Jugendfärbung zurückzuführen ist; bei den übrigen ist diese Bänderung teils verwaschen, wenig abstechend, bei einigen kaum merklich.

Nach den Originaletiketten ist die Iris rot, wie dies auch Jackson (Ibis, 1906,
p. 530 «Iris crimson») und O. Grant (Ibis, 1908, p. 309 «Iris darkred») angeben, wäh-

rend Reichenow braun (für *D. hartlaubi* rot) und der Brit. Cat. hellbraun anführen. (Vgl. Hesse, Mitteil. a. d. Zool. Mus. Berlin, 1912, p. 167.)

186. **Dendropicos poecilolaemus** Rchw.
  ♀ Irumu II. 1911.
Bisher anscheinend nur aus dem Seengebiet bekannt; obiger Fundort läßt aber auch auf ein weiter westliches Ausbreiten schließen.

187. **Dendropicos gabonensis** Verr.

♂ Beni IX. 1910.	♀ Beni-Mawambi X. 1910.
2 ♀ » IX. 1910.	♂ Mawambi XI. 1910.
3 ♂ » X. 1910.	♂ Ukaika XII. 1910.
2 ⸰ » X. 1910.	

Das Fahlbraun des Kopfes ist meist olivenfarben verwaschen; ein ♀ hat einen rein braunen Oberkopf, ein anderes einen stark olivenfarbenen, die anderen bilden Übergänge zwischen diesen beiden. Auch die Stirne der ♂ zeigt oft diese grünliche Färbung, die bei Reichenow, Vögel Afrikas, zwar nicht, aber im Brit. Cat. angegeben ist (slithly washed with olive). Es dürfte dies ein Jugendmerkmal sein, ebenso wie die oft nicht hornbraunen, sondern gelblich-lichtbraunen Schäfte der Schwanzfedern.

188. **Mesopicos namaquus** A. Lcht.
  ♂ Sultanat Kissaka I. 1910.

189. **Mesopicos namaquus schoensis** Rüpp.
  ♀ Kasindi-Beni VII. 1910.
Dieses Stück zeigt alle für diese allerdings etwas unsichere Subspezies (O. Neumann, J. f. O., 1904, p. 368) angegebenen Unterscheidungsmerkmale, nur die Vereinigung der beiden schwarzen Bartstreifen unterhalb der lichten Kehle ist nicht vollständig.

Ähnliches erwähnt Lönnberg (Kunigl. Sven. Vetensk. Handl., Band 47, Nr. 5) für zwei ♂ aus der Gegend von Nairobi.

Bannermann (Ibis, 1910, p. 702) führt ein ♀ von *M. n. schoensis* von Shimoni (südlich von Mombasa) an.

Neumann (J. f. O., 1900, p. 202 und 1904, p. 397) bemerkt auch, daß seine Stücke von Kavirondo näher von *M. n. schoensis* stehen als von *M. namaquus.*

190. **Mesopicos goertae poicephalus** Sw.

♂ Provinz Bukoba XII. 1909.	♀ Kasindi-Beni VII. 1910 (nach Eti-
♂ Kasindi-Beni VII. 1910.	kette «♂»).

Das Grau der Unterseite ist vom Kropf an leicht schmutzig-grünlich überflogen. Die Iris ist nach Grauer rot.

Ein Stück vom Senegal ist oben lichter und (mit Ausnahme des Unterrückens) ohne den olivengrünlichen Ton, der bei den Grauer-Bälgen, bei einem Stück von Franz.-Guinea (Klaptoč coll.) und bei Exemplaren von Magungo (Nordende des Albert-Sees, Emin coll.) zu sehen ist (vgl. O. Neumann, J. f. O., 1900, p. 201). Der Senegalbalg ist also als *M. goertae* St. Müll. zu bezeichnen, die anderen genannten als *M. g. poicephalus* Sw. Abgesehen davon, daß *M. goertae centralis* Rchw., zu welcher Subspezies dem Fundorte nach die Grauer-Bälge gehören würden, nach der Ansicht von Grant (Ibis, 1902, p. 425), Sharpe (Ibis, 1902, p. 641) und Neumann (J. f. O., 1904, p. 396) einzuziehen ist, sind die drei vorliegenden Bälge in nichts von dem oben genannten (frisch gesammelten) von Franz.-Guinea zu unterscheiden.

191. **Mesopicos griseocephalus ruwenzori** Sharpe.

♀ Urwald westlich vom Tanganjika-See (2000 m) II. 1910.
♂ » » » » » » III. 1910.
♂ » » « » » IV. 1910.
♂ Insel Kwidschwi (Kiwu-See) V. 1910.

Das ♂ von der Kwidschwi-Insel ist auf der Brust reiner grün, weniger goldgelb überflogen (Mai).

Zwei (♂ ♀) anscheinend jüngere oder frischer vermauserte Stücke sind an der Brust nicht nur goldgelb, sondern stellenweise bräunlich-orange verwaschen (Februar und April). Das eben genannte ♂ zeigt ferner an den Handschwingen blaß grünlich-gelbe, deutliche Randflecke, wie dies Reichenow in der Urbeschreibung von *M. g. kiwuensis* (Vögel Afrikas III, p. 824) für diese Subspezies angibt, was ich jedoch für ein Jugendmerkmal halte, da bei diesem Exemplar die roten Kopffedern nur verstreut stehen und der Oberkopf besonders in der Mitte noch grau ist.

Fl. bis 117 mm (Sharpe 115 mm, resp. 4.6 inch).

Iris (nach Etikette) grau (Grant, Trans. Zool. Soc. London, 1910, p. 411 «dark brown»).

M. g. kiwuensis Rchw. wird von Grant (l. c.) und von Reichenow (I. Mecklenburg-Expedition, p. 282) mit *M. g. ruwenzori* Sharpe identifiziert; die Widersprüche in den beiden Urbeschreibungen rühren, wie Grant anführt, daher, daß der von Sharpe beschriebene Vogel noch unausgefärbt war.

192. **Mesopicos ellioti** Cass.

♂ ♀ Moëra	VIII. 1910.	3 ♀ Mawambi	XI. 1910.
♀ Beni	IX. 1910.	2 ♂ Ukaika	I. 1911.
♂ »	X. 1910.	♂ Mawambi	II. 1911.
♀ Beni-Mawambi	XI. 1910.	3 ♂ Mawambi-Irumu	II. 1911.
3 ♂ Mawambi	XI. 1910.	♀ »	II. 1911.

Die Kopfseiten sind öfter grünlich verwaschen.

Nach dem Text in Reichenows «Vögel Afrikas» könnte man annehmen, daß ein Bartstreif vorhanden ist, was aber nicht der Fall ist.

Wie es auch Cassin ähnlich in der Originalbeschreibung (Proc. Acad. Philad., 1863, p. 197) angibt, haben die Oberschwanzdecken öfter orangerötliche oder orangebräunliche Spitzen. Hargitt (Ibis, 1883, p. 448) gibt nur den Text Cassins wieder. Reichenow (Vögel Afrikas) gibt als Schnabelfarbe schwarz an. Nach dem Originaltext von Cassin sowie nach dem Brit. Cat. ist die Spitze des Oberschnabels und der Unterschnabel «fast weiß», resp. «blaß hornbraun». Es stimmt dies genau mit den vorliegenden Bälgen, nur ist hier die Wurzel des Unterschnabels auch dunkel, der größte Teil des Unterschnabels aber licht, während beim Oberschnabel die Farbenverteilung umgekehrt ist.

Das ♀ ist ohne Zweifel durch einen ganz schwarzen Oberkopf gekennzeichnet (Reichenow, Vögel Afrikas «vermutlich»), was übrigens bereits aus dem Originaltext hervorgeht.

Die Oberseite ist meist schön grün, manchmal stumpfer, in zwei Fällen bräunlich verwaschen; ein ♀ ist im ganzen auch unten bräunlich überflogen.

O. Grant (Trans. Zool. Soc. London, 1910, p. 412) erwähnt, wie es scheint, als erster diese Art vom Seengebiet (Fort Portal), Reichenow (I. Mecklenburg-Expedition) vom selben Fundort; vorher war sie nur von Kamerun und Gabun bekannt.

193. *Mesopicos xantholophus* Harg.

2 ♂ Beni	VII. 1810.		♂ Beni-Mawambi	X. 1910.	
2 ♀ »	VII. 1910.		♂ »	XI. 1910.	
♂♀ Moëra	VII. 1910.		4 ♂ Mawambi	XI. 1910.	
*3 ♂ »	VIII. 1910.		*♀ »	XI. 1910.	
*3 ♀ »	VIII. 1910.		♀ »	XI. 1910.	
*♀ »	IX. 1910.		*2 ♂ Ukaika	XII. 1910.	
3 ♂ Beni	IX. 1910.		♂ Mawambi-Irumu	II. 1911.	
2 ♀ »	IX. 1910.		*3 ♂ »	II. 1911.	
2 ♂ »	X. 1910.		*2 ♀ »	II. 1911.	
*2 ♂ Beni-Mawambi	X. 1910.				

Die mit * bezeichneten Stücke sind mehr oder weniger am ganzen Körper, besonders aber auf Brust und Bauch, am Nacken und um die Schnabelbasis, auffallend schokoladebraun verwaschen, eine Farbe, die sich leicht mit einem feuchten Tuch abwischen läßt, also offenbar von der Baumrinde herrührt; auch in den Ritzen zwischen den Fußschildern sieht man dieselbe bräunliche Farbe abgesetzt.

Es sind ziemlich viel Exemplare mit gelben Kopffedern auf den Etiketten als ♀ bezeichnet, was wohl auf einem Irrtum beruht.

Beitrag zur Kenntnis der Gattung *Buddleia* L.

Fr. Kränzlin.

Die hier teils als neu beschriebenen, teils kritisch besprochenen Arten befinden sich alle im Herbarium des Wiener Hofmuseums und stammen bis auf eine alle aus dem Reichenbachschen Nachlaß. Auffällig ist, daß die Namen der Männer hier erscheinen, welche in der ersten Häifte des vorigen Jahrhunderts den Herbarien Englands so überaus reiche Schätze zuführten, Jameson, Cuming, Lobb und Spruce. Eine zusammenhängende Bearbeitung dieser so wertvollen Sammlungen ist nie erfolgt und so ist es nicht weiter erstaunlich, daß gelegentlich immer noch einzelne Neuheiten auftauchen. Die mir aufgetragene Bestimmung der meist in Berlin befindlichen Weberbauerschen *Buddleia*-Arten zog mich stärker in das Studium dieser Gattung, als anfänglich meine Absicht war; ich habe aber dabei nicht umhin gekonnt, mir die Materialien aus zwei der größeren Sammlungen auszubitten, und die Einsicht in diese verschaffte mir die Gewißheit, daß die von mir hier als neu aufgestellten Arten zurzeit nirgends beschrieben sind.

Buddleia vernixia Kränzl. n. sp. — [*Loxada* § *Paniculatae.*] Summitas tantum adest, dense foliata, rami novelli dense ferrugineo-villosi. Folia petiolata, lanceolata, acuta, stricta et satis firma, supra nitida, calva, leviter reticulata, subtus dense ferrugineo-tomentosa, cum petiolo 1·5 cm longo 18 ad 20 cm longa, 4 ad 5 cm lata, nervo mediano subtus valde prominente, additis utrinque nervis lateralibus ad 20. Panicula quam folia brevior et inter illa abscondita, ramuli valde divergentes, semper terni, ramulis capitulisque florum semper ternatis, pedunculi longiores, illi primi ordinis 5 cm longi, omnes necnon calyces dense ferrugineo-tomentosi, bracteae ramulorum nullae, illae florum parvae lineares, capitula ultra semiglobosa, densi- et multiflora. Calyx turbinatus v. obconicus, patens, fere medium usque partitus, lobi anguste trianguli, acuti. Corolla ampla, calycem subduplo superans, extus dense pilosa, intus glabra v. pilis singulis passim obsita, lobi lati, semiorbiculares, patentes. Antherae in sinubus loborum exsertae. Flores 4·5 mm sub anthesi diam. vix 4 mm longi; de colore nil constat.

Ich stelle die Art nicht ohne Bedenken auf. Zur Verfügung stand mir ein Gipfelstück eines Zweiges (dies zum Glück von tadelloser Erhaltung) mit sechs Blättern und in der Mitte der sehr viel kürzere Blütenstand. Die Blätter erinnern an die von *B. longifolia* H. B. K., sie sind aber auf der Oberfläche gänzlich unbehaart und glänzend. Die Blütenköpfe haben die Form von Kugeln, bei denen ungefähr ein Viertel von unten her herausgeschnitten ist. Die Kelche sind umgekehrt kegelförmig und spreizen mit den vier ziemlich langen Zähnen weit auseinander. Es ist zu bedauern, daß die Etikettierung so überaus dürftig ist. Das einzige mir bekannte Exemplar ist im Herbarium des Wiener Hofmuseums, stammt aber aus der Reichenbachschen Erbschaft;

ich nehme an, daß Reichenbach es in England erhalten hat und daß sich dort weitere Exemplare finden. Mit den im Prodromus beschriebenen Arten läßt sich die Pflanze nicht identifizieren; ihr Platz ist jedenfalls in der Nähe von *B. longifolia* H. B. K. Peru. Andes Quitenses (Spruce ohne N.!).

Buddleia Bangii Kränzl. n. sp. — [*Neemda* § *Stachyoideae.*] Fruticosa. Caulis pars, quae adest, 4·5 cm longa, cortice flavo passim fragili tecta; rami subtetragoni, vix alati dicendi; novelli dense villosi, flavi v. pallide ferruginei, inferiores plus minus glabrescentes. Folia satis longe petiolata, oblongo-lanceolata, acuta v. acuminata, integerrima, supra glabra (vix nitida), subtus dense pallide ferrugineo-villosa (discoloria igitur), petioli non auriculati, canaliculati, ad 2 cm longi, laminae ad 12 cm longae, ad 3 cm latae (certe interdum majores, ut ex rudimentis judicari potest). Inflorescentiae capitulis brevi-pedunculatis glomeratis, multi- et densifloris compositae, internodiis 4 ad 5 cm longis, capitula inferiora ex axillis foliorum orientia, superiora foliis parvis linearibus suffulta. Flores sessiles, dense congesti. Calyx brevissimus, extus dense lanatus, intus nudus, lobi abbreviati rotundati, totus 4·5 mm longus. Corolla calycem paulum excedens, campanulata v. late urceolaris, extus et intus exceptis lobis dense pilosa, ut videtur rubra. Antherae in angulis loborum paulum infra marginem sessiles. Ovarium globosum, stylus et stigma clavatum satis conspicua, lobi sub anthesi valde ringentes. Fructus mihi non visi.

Zweifellos sind *B. stachyoides* Cham. et Schlecht. und *B. brasiliensis* Jacq. die zunächststehenden Arten, aber beide haben gekerbte Blätter, beide eine, wenigstens an der Spitze ununterbrochene, Ähre von Blütenquirlen. *B. brasiliensis* hat geöhrte Blattstiele, *B. stachyoides* kurzgestielte Blätter, was beides für diese Art hier nicht zutrifft. Bentham scheint keine vollständige Sammlung Cumingscher Pflanzen zur Verfügung gehabt zu haben. Bei *Calceolaria* kehrt dieser Name oft wieder, während er bei *Buddleia* fehlt. Die sehr viel später von Mig. Bang gesammelte Pflanze stimmt mit der älteren Cumings völlig überein.

Bolivia. Bei Cochabamba (Mig. Bang, Nr. 1117!). — (Cuming, Nr. 170!). — Ohne genaueren Standort.

Buddleia rhododendroides Kränzl. n. sp. — [*Globosae.*] Arborea? Frutex? Planta certe grandis, valida, crasse ramosa. Rami vetustiores cortice fragili tecti, glabriusculi, novelli ut etiam folia subtus dense ferrugineo-tomentosi. Folia sessilia, obovato-lanceolata, acuta, nervo mediano subtus valde prominente, supra glaberrima, sicca obscure viridia, subtus ferruginea, 3 cm, rarissime ultra 4 cm longa, antice 7—8 mm lata; tota planta exceptis floribus *Rhododendro ferrugineo* L. similis. Capitula florum ca. 10 in racemum simplicem disposita, basi longius, supra brevius pedunculata v. sessilia, multi- et densiflora, 1·8 cm diam., pedunculi et calyces dense ferrugineo-villosi, dentibus brevibus, acutis, 4 mm longi. Corolla calyce paulo longior, 6 mm longa, supra 5 mm expansa diam., extus pilosa, basin versus sensim angustata (igitur obconica), lobuli late transverse oblongi, suborbiculares, intus glabri et extus. Antherae in orificio corollae sessiles. Ovarium ovato-globosum, dense pilosum; stylus cum stigmate magno clavato orificium corollae non attingens. Flores sicci colorem singularem obscure coeruleum praebent, de colore viventium nil notum est.

Ich habe durch den Speziesnamen die allgemeine Ähnlichkeit der Pflanze zum Ausdruck bringen wollen und diese ist allerdings derartig groß, daß sie auch Laien auffällt. Die Blütenköpfe erinnern von fern an die von *B. globosa* Lam., auffallend ist

26*

aber der dunkel stahlblaue Farbenton, welchen die getrockneten Blüten zeigen. Es ist zu bedauern, daß die Etikettierung so überaus dürftig ist.

Bolivia (Lobb, ohne N.!).

Buddleia simplex Kränzl. n. sp. — [*Verticillatae.*] Fruticulus. Caulis ramulis quibusdam brevibus, sterilibus onustus, cortice sordide luteo, glabriusculo v. superne tantum brevi-villoso tectus, summitates, quae adsunt, ad 25 cm longae, satis dense foliatae. Folia satis longe petiolata, lanceolata, acuta, rarius acuminata, subtus pallide ferrugineo-tomentosa, superne parce pilosa, incluso petiolo 1 cm longo ad 4·5 cm longa, 7—8 mm lata, superiora minora, internodia ca. 2 cm longa. Inflorescentiae simplices aristatae, verticillis paucifloris, superioribus sese attingentibus compositi, ad 3 cm longae, exceptis inferioribus, bracteolis parvis suffultis omnino nudae; floribus minutis, extus villosis. Calyx pro flore magnus, 2·5 mm longus, dentibus brevissimis, obtusis. Corolla calycem paulum excedens, superne vix patens, lobis erectis, haud ringentibus, 3·5 mm longa, extus pilosa; stamina medio in tubo filamentis brevissimis sed conspicuis affixa; stigma magnum, faucem corollae attingens; capsula 5 mm longa.

Eine winzige, unschöne Art, aber ausgezeichnet durch eine ganze Anzahl von Merkmalen. Der Wuchs ist etwas struppig, da der Hauptstamm eine ganze Menge kurzer, wenig entwickelter Seitenzweige hervorbringt. Blütenstände finden sich nur am Haupttrieb oder den einen oder andern größern Seitenzweig; es sind kurze, einfache, aus 6—8 Quirlen zusammengesetzte Ähren. Die Blüten sind sehr klein und haben, was sie noch kleiner erscheinen läßt, schräg nach oben stehende Abschnitte. Einzelne stärker entwickelte Gipfeltriebe können bisweilen eine entfernte Ähnlichkeit mit *B. elegans* Cham. et Schlecht. zeigen. Ich fand zwei derartige Exemplare unter derselben Nummer von Berlandiers Pflanzen im St. Petersburger Herbar. Die Entfernung zwischen dem Standort (Saltillo) der Berlandierschen Pflanze und selbst dem nördlichsten Vorkommen von *B. elegans* ist aber doch zu beträchtlich, um an eine Identität glauben zu können. Die Untersuchung zeigt alsbald, daß die Übereinstimmung gleichzeitig mit den rein habituellen Merkmalen aufhört.

Mexiko. Bei Saltillo (Berlandier, Nr. 1372!).

Buddleia Hosseusiana Kränzl. n. sp. — [§ 5. *Macrothyrsae.*] Frutex ad 2·5 m altus. Rami crassiusculi, quadranguli (neque alato-tetragoni), internodiis basi brevibus (1 cm), supra longioribus (ad 3 cm), ultra dimidium glabri, apicem versus luteo-tomentosi. Folia elongato-lanceolata, vix petiolata, basi auriculato-connata, longe acuminata, excepta ipsa basi brevi-arguteque dentata, superne in nervo mediano leviter impresso tantum pilosa, ceterum glabra, subtus dense flavido- v. luteo-pilosa, nervis omnibus subtus valde prominentibus, ad 17 cm longa, 3 cm lata. Inflorescentia basi ramosa, ramulis tamen parum evolutis, ceterum dense spicata, multiflora, in specimine unico satis juvenili 11 cm longa (adulta certe 20 cm longa), bracteae, rhachis, calyces, corolla extus densissime flavido-villosae, bracteae lineares, angustissimae. Calycis profunde fissi lobi longe elongato-triguli, totus calyx 5·5 mm, lobi 2·5 mm longi. Corolla calycem haud multum superans, 8—9 mm longa, segmenta late oblonga, antice rotundata, ad 3 mm longa, 2 mm lata, patentia; tubus corollae ab orificio medium usque minute pilosus. Stamina orificio corollae inserta. Stylus brevis, stigma satis longum, medium tubi attingens. De colore nil profert cl. collector. Fructus mihi non visi. — Fl. Februaris.

Eine äußere Ähnlichkeit mit *B. macrostachya* Benth. ist vorhanden, aber keine meiner zahlreichen Exemplare jener Art war auch nur annähernd identisch mit dieser

Pflanze. Das Exemplar war im allerersten Anfang des Blühens gesammelt und das Aussehen des Blütenstandes hätte sich zweifellos noch geändert, aber die Behaarung, die hier viel heller ist als je bei *B. macrostachya*, die Zähnelung der sehr schmalen Blätter, welche fast bis zur Basis reicht, und die wesentlich kürzeren Blüten ergeben Abweichungen genug, um eine neue Art zu rechtfertigen.

Siam. Kalkfelsen auf Gipfel III bei 2180 m ü. d. M. Doi Djieng-Dao Hochland. Nur 1 Strauch! (Dr. Hosseus Nr. 400!).

Buddleia teucrioides Kränzl. n. sp. — [Sect. II. *Globosae*.] Suffrutex humilis, caule ascendente, ramoso, ad 30 cm alto. Rami basin versus glabri, cortice luteo tecti, superne sensim, praesertim sub nodis brevi-denseque puberuli. Folia petiolata, ovato-oblonga, margine crenata, obtuse acutata, supra glabra, membranacea, subtus obscure v. fusco-ferrugineo-pilosa, petioli 5 mm longi, laminae ad 5 cm longae, 2 ad 2·5 cm latae. Inflorescentiae spicatae, capitulis pisiformibus, pedicellatis numerosis compositae, capitula 5 mm diam. multiflora, densissime luteo-villosa ut etiam calyces et flores. Calyx brevis, amplus, late campanulatus, extus dense villosus, 2 mm longus, 2·5 mm diam., dentes breves, trianguli. Corolla ampla, urceolaris, extus exceptis lobis et intus dense pilosa, lobi transverse lateque oblongi; tota corolla 3 mm longa et in orificio diametro. Antherae paulum supra basin corollae insertae. Ovarium ovatum, dense pilosum, stylus subnullus. Capsula subglobosa, densiuscula pilosa, corolla capsula jam dehiscente persistens. Fl. Maio et Junio.

Es ist sehr unbequem, daß wir von der Herkunft dieser sehr eigentümlich aussehenden Art nichts Genaueres wissen. Der Verwandtschaftskreis setzt sich zusammen aus *B. marrubiifolia* Benth. als älterer Art und *B. utahensis* Colvill., von der es mir sehr wahrscheinlich ist, daß sie eine Form der ersteren oder allenfalls eine Varietät ist. Ich habe mit dem Speziesnamen die Verwandtschaft mit manchen Labiatenblättern im allgemeinen ausdrücken wollen, aber nicht die mit einer ganz bestimmten Art, obwohl die Blätter von *Teucrium flavum* in der Tat ähnlich sind. Auffallend ist, außer dem stauden- oder beinahe krautähnlichen Wuchs, die geringe Behaarung, welche erst in den oberen Partien etwas dichter wird, der sehr kurze, aber weite Kelch und in der ebenfalls weiten, glockenförmigen Blumenkrone die sehr tief inserierten Antheren. *B. racemosa* Torrey, gleichfalls texanischer Herkunft, gehört auch in diesen Formenkreis, diese Art hat aber eiförmige, am Grunde scharf abgesetzte, gelegentlich fast spießförmige Blätter und auf der Innenseite unbehaarte Blüten mit hoch inserierten Antheren. B. Texas? Genauerer Standort und Sammler unbekannt. Die Etikettierung ist leider völlig ungenügend.

Buddleia betonicaefolia Lam., Ill. I, p. 291; Benth. in DC. Prodr. X, p. 439? — Frutex, cujus ramulus tantum adest, cum inflorescentia 18 cm longus, obscure tetragonus, dense pallide ferrugineo-pilosus, internodia 2·5—3 cm longa. Folia brevi-petiolata, ovato-oblonga, obtuse acutata, crenata, superne bullata, opaca, subtus sparsim pilosa, pallidiora, brunneo-reticulata, maxima, quae vidi, cum petiolo 5 mm longo 5·5 ad 6 cm longa, 2·5 ad 2·8 cm lata. Inflorescentia paniculata, ramis compluribus ca. 5 cm longis composita. Flores in verticillos densos, pauciflores, paulum distantes dispositi, rami inflorescentiae necnon pedicelli, calyces dense griseo-pilosi. Flores minutissimi forsan generis, vix 2 mm longi. Calycis lobi acuti, breviter trianguli. Corolla calycem vix excedens lobis rotundatis.

Aus dem Jussieuschen Originaltext, welchen Bentham, l. c., wörtlich wiederholt, und zwar mit ?, ist wenig zu ersehen. Ich gestehe gern, daß die Ähnlichkeit der

Blätter mit denen unserer *Stachys Betonica* es hauptsächlich gewesen ist, welche mich veranlaßte, Jamesons Nr. 148, welche sich sonst nirgends zitiert findet, auf diese alte Lamarcksche Art zu beziehen. Diese Ähnlichkeit ist aber sehr frappant. Die kurze Diagnose enthält wenig, dies wenige trifft aber in allen Einzelheiten zu.

Peru. «Quitian Andes» (Jameson Nr. 148!).

Buddleia Szyszylowiczii A. Zahlbr. in Ann. Hofmus. Wien VII (1892), p. 6 und **B. pilulifera** Kränzl. in Engl. Jahrb. XL (1908), p. 310. — Beide Arten sind einander sehr ähnlich und eine Zusammenziehung wäre zu erwägen. Sie unterscheiden sich jedoch durch die Blätter, welche bei der älteren Art eilanzettlich (basi obtusata) sind, bei *B. pilulifera* Kränzl. jedoch ausgesprochen lanzettlich (basi et apice acuminata). Ferner sind bei *B. Szyszylowiczii* die Blütenstände paarweise deutlich gesondert, bei *B. pilulifera* sind je zwei zu einer kleinen «pilula» verschmolzen. Ein weiterer allerdings sehr schwer zu findender Unterschied liegt in der Form der Kelchzipfel, die bei der ersteren dreieckig sind mit runden Sinus zwischen je zwei, bei der zweiten Art breit oblong oder beinahe quadratisch mit sehr engem Sinus. Merkmale, deren jedes einzelne man unter Umständen nicht allzu hoch bewerten mag, die aber zusammen doch ein etwas verschiedenes Bild ergeben.

Kritisches Verzeichnis
der boreoalpinen Tierformen (Glazialrelikte) der mittel- und südeuropäischen Hochgebirge.

Unter Mitarbeit von Prof. Dr. Vinzenz Brehm (Eger), Prof. Dr. Franz Klapálek (Prag), Prof. Direktor Eduard Reimoser (Aspang), Prof. Dr. O. M. Reuter (Helsingfors), Dr. F. Ris (Rheinau), Dr. P. Speiser (Labes), Oberstabsarzt Dr. A. Wagner (Bruck a. M.), Dr. Karl Walter (Basel), Dr. H. Zerny (Wien) und zahlreichen anderen Zoologen

zusammengestellt von

Karl Holdhaus.

I. Vorbemerkungen.

Aus zahlreichen Fossilfunden in diluvialen Ablagerungen wissen wir, daß während der Eiszeit (oder besser gesagt während bestimmter Abschnitte der Eiszeit) in den gletscherfreien Gebieten von Mitteleuropa eine Fauna und Flora von nordischem Charakter lebte. Die Reste nordischer Säugetiere (Rentier, Moschusochs, Eisfuchs, Lemminge, Schneehase) sind weithin über die Ebenen und niedrigen Gebirge von Deutschland und Frankreich ausgestreut. Moschusochs und Rentier wurden noch im südlichen Siebenbürgen in der Nähe von Hermannstadt gefunden, in Höhlen der Nordkarpathen traf man außer diesen beiden Arten auch Lemming und Schneehase. Das Rentier betrat die Alpen und Pyrenäen. Unter den Vögeln hat das Alpenschneehuhn (*Lagopus mutus* Mont.) eine ähnliche Verbreitung in eiszeitlichen Ablagerungen wie die oben genannten Säugetiere. Diluviale Conchylienfaunen von arktischem und subarktischem Charakter wurden an verschiedenen Orten im Bereiche des norddeutschen Flachlandes nachgewiesen; typische Leitfossilien, die auf kaltes Klima hinweisen, sind *Vertigo arctica* Wallenb., *Planorbis Stroemi* West. und *Planorbis arcticus* Beck. Auch Käferreste werden in diluvialen Sedimenten oft gefunden. Von besonderem zoogeographischen Interesse ist die Beschreibung einer artenreichen, altdiluvialen Käferfauna von Borysław in Galizien durch Prof. Łomnicki. Diese Fauna, in ihrer Zusammensetzung auf das deutlichste den Einfluß kalten Klimas zeigend, enthält unter anderem *Diachila arctica* Gyllh., *Hydroporus lapponum* Gyllh., *Colymbetes dolobratus* Payk., *Pterostichus blanduloides* Łom. (dem *Pterost. blandulus* sehr ähnlich), *Otiorrhynchus blanduloides* Łom. (dem *Otiorrh. monticola* zunächststehend). Bei Deuben in Sachsen wurden in einem diluvialen Lehm, der auch eine reiche Glazialflora enthielt, neben anderen Käferresten *Helophorus glacialis* Villa und *Simplocaria metallica* Marsh. in Anzahl gefunden. Hingegen bedarf die Determination einer ebenfalls aus dem Diluvium von Deuben stammenden Carabenflügeldecke als *Carabus groenlandicus* wohl noch sehr der genaueren Nachprüfung.[1])

Alle diese als Beispiele nordischen Faunencharakters angeführten Tierformen fehlen gegenwärtig in den niedrigen Teilen von Mitteleuropa. Die meisten sind überhaupt ganz aus Mitteleuropa verschwunden und haben sich nach dem Norden zurückgezogen. Bei anderen kälteliebenden Arten (Schneehase, Schneehuhn, *Vertigo arctica*, *Simplocaria metallica*, *Otiorrhynchus monticola*) zerriß das Verbreitungsgebiet. Sie vermochten sich in Mitteleuropa zu erhalten, indem sie hier in die alpine und subalpine Zone der höheren Gebirge zurückwichen. Dadurch entstand diskontinuierliche Verbreitung. Zwischen dem nordischen Areal und den Wohnplätzen auf den mitteleuropäischen Gebirgen liegt eine breite Auslöschungszone. Diese Auslöschungszone umfaßt das norddeutsche Flachland, Belgien, Holland, die niedrigen Teile von Frankreich und das russische Flachland etwa südlich des 55. Breitengrades. Bei vielen Arten ist die Auslöschungszone aber noch wesentlich breiter. Arten, welche diesen Verbreitungstypus zeigen, bezeichnet man als boreoalpin.[2]) Man kann daher folgende Definition geben: Boreoalpine Tierformen sind solche, welche in diskontinuierlicher Verbreitung im Norden der paläarktischen Region und in den höheren Lagen der Gebirge Mitteleuropas (und teilweise auch noch Südeuropas und Zentralasiens) vorkommen, im Zwischengebiet aber vollständig fehlen.

In der zoologischen Literatur finden sich viele zerstreute Hinweise auf boreoalpine Arten und viele theoretische Erörterungen über diesen Gegenstand. Eine kritische Zusammenstellung der boreoalpinen Tierformen wurde aber bisher nirgends gegeben. Ich habe versucht, diese Basis zu schaffen.

Die boreoalpine Art ist eine Grenzerscheinung. Neben den typisch boreoalpinen Tierformen mit breiter Auslöschung gibt es viele andere, welche im Norden und in den höheren Lagen der mitteleuropäischen Gebirge Maxima der Häufigkeit erreichen, im Zwischengebiete zwar gleichfalls gefunden werden, aber hier nur sporadisch und selten vorkommen. Solche Arten sind von Interesse, weil sie den Übergang vermitteln zwischen normaler einheitlicher Verbreitung und dem boreoalpinen Verbreitungstypus. In das folgende Verzeichnis sind nur typisch boreoalpine Tierformen aufgenommen, doch sind manche Arten, welche in solcher Weise Anklänge an boreoalpine Verbreitung zeigen, in Anmerkungen genannt.

Das folgende Verzeichnis vermag kein lückenloses Bild zu geben, da nicht alle Tiergruppen der europäischen Fauna in gleich befriedigender Weise durchgearbeitet sind. Über die geographische Verbreitung der Wirbeltiere, Mollusken, Coleopteren,

---

[1]) An wichtigsten Arbeiten über das Vorkommen nordischer Tierformen im mitteleuropäischen Diluvium seien genannt: Nehring, Über Tundren und Steppen der Jetzt- und Vorzeit, Berlin 1890; Beyer, Zur Verbreitung der Tierformen der arkti-chen Region in Europa während der Diluvialzeit, Bericht der Wetterauischen Gesellschaft für Naturkunde, Hanau 1895, p. 1—76, mit Karte; Frech, Die Flora und Fauna des Quartärs, *Lethaea geognostica*, Quartär, I. Abt., Lief. 1 (Stuttgart 1903), p. 1—41; Menzel, Klimaänderungen und Binnenmollusken im nördlichen Deutschland seit der letzten Eiszeit, Zeitschr. Deutsch. Geol. Ges., 62. (1910), p. 199—267; A. M. Łomnicki, Pleistoceńskie owady z Borysławia (Fauna pleistocenica insectorum Boryslaviensium), Lemberg 1894; Nathorst, Die Entdeckung einer fossilen Glazialflora in Sachsen, am äußersten Rande des nordischen Diluviums, Öfversigt Kongl. Vet. Ak. Förhandl., Stockholm 1894, p. 510—513 (Coleopterenliste auf p. 539; die Angabe über *Carabus groenlandicus* hier p. 521 sowie bei Sauer und Beck, Erläuterungen zur geologischen Spezialkarte des Königreichs Sachsen, Sektion Tharandt, Blatt 81, p. 87). Über die Diluvialfauna der Alpen siehe auch Penck-Brückner, Die Alpen im Eiszeitalter.

[2]) Gewöhnlich liest man »boreal-alpin«. Mir scheint die Sprachform »boreoalpin« vorzuziehen.

Lepidopteren, Orthopteren besitzen wir gute Kenntnisse. Mangelhafter sind die Vorarbeiten bei Dipteren, Hymenopteren, Hemipteren und einigen anderen Insektenordnungen, ferner bei Krebsen und Arachniden. Aus der Gruppe der Würmer kenne ich nur eine Art, die mit einer gewissen Beschränkung als Glazialrelikt angesprochen werden kann. Unter den Myriapoden scheinen boreoalpine Arten zu fehlen. Einige Tiergruppen, in denen möglicherweise boreoalpine Elemente enthalten sind, wie die Ephemeriden, die apterygoten Insekten, die terricolen Milben, die Opilioniden, sind noch zu wenig durchforscht, um in die Untersuchung einbezogen werden zu können.

Die Klarheit des Bildes wird durch diese Lückenhaftigkeit unserer Kenntnisse, wie ich glaube, kaum gestört. Das Phänomen der boreoalpinen Art wiederholt sich in allen in Betracht kommenden Tiergruppen in typisch gleicher Weise. Auch haben wir unter den gut durchforschten Tiergruppen alle Biocoenosen, in denen boreoalpine Elemente zu erwarten sind, in reichlichem Maße vertreten und von einer späteren Heranziehung der wenigen hier nicht oder in mangelhafter Weise berücksichtigten Ordnungen ist nur eine erfreuliche Verbreiterung unseres Wissens, aber kaum eine Vertiefung oder Korrektur der bereits jetzt zu gewinnenden allgemeinen Erkenntnisse zu gewärtigen.

Bei der Feststellung der boreoalpinen Arten wurde mit größter Vorsicht vorgegangen. Alle irgendwie zweifelhaft scheinenden Fälle wurden entweder beiseite gelassen oder soweit sie in die Liste Aufnahme fanden, ausdrücklich als fraglich gekennzeichnet. So ergab sich eine Zahl von etwa 160 Arten, die mit größter Wahrscheinlichkeit als typisch boreoalpin betrachtet werden können. Die Zahl der tatsächlich existierenden boreoalpinen Arten dürfte sich höchstens mit ungefähr 250 veranschlagen lassen.

Bei dem großen Umfange der systematischen und faunistischen Literatur und den zahllosen Schwierigkeiten, welche sich im einzelnen aus der schwankenden Synonymie und der Unverläßlichkeit und Ungenauigkeit vieler Provenienzangaben herleiten, wäre es mir nicht möglich gewesen, diese Untersuchung zu Ende zu führen, wenn nicht zahlreiche bewährte Spezialisten mir ihre wertvolle Mithilfe hätten zuteil werden lassen. Jene Herren, welche mir selbständige Manuskripte über einzelne Tiergruppen zur Verfügung stellten, sind im Titel dieser Arbeit genannt. Außerdem hatten zahlreiche Herren die besondere Güte, die ihr Spezialgebiet betreffenden Abschnitte dieses Verzeichnisses einer kritischen Durchsicht zu unterziehen und mich auf notwendige Ergänzungen und Korrekturen aufmerksam zu machen. Die Anteilnahme der einzelnen Herren an der vorliegenden Arbeit ergibt sich aus folgender Übersicht. Es wurden bearbeitet:

Planaria alpina von mir. Herrn Prof. Dr. Walter Voigt (Bonn) und Herrn Dr. A. Thienemann (Münster) bin ich für freundliche Auskünfte zu Dank verpflichtet.

Die Krebse von mir unter Zugrundelegung eines Manuskriptes von Prof. Dr. Vinzenz Brehm (Eger). Die Herren Dr. Otto Pesta (Wien), Prof. Dr. A. Steuer (Innsbruck) und Dr. M. A. Tollinger (Innsbruck) unterstützten mich mit Auskünften.

Die Spinnen *(Araneida)* von Herrn Direktor Eduard Reimoser (Aspang).

Die Hydracarinen von Herrn Dr. Karl Walter (Basel).

Die Orthopteren von mir.

Die Plecopteren von Herrn Prof. Dr. Franz Klapálek (Prag).

Die Odonaten von Herrn Dr. F. Ris (Rheinau).

Die Rhynchoten von mir unter Zugrundelegung brieflicher Mitteilungen von Herrn Prof. Dr. O. M. Reuter (Helsingfors). Herr Direktor G. Horváth (Budapest), Herr Hofrat Dr. Melichar (Wien) und Herr Dr. Karel Šulc (Michalkowitz) hatten die Güte, mir Auskünfte zukommen zu lassen.

Die Dipteren von Herrn Dr. P. Speiser (Labes). Die Herren Stadtbaurat Th. Becker (Liegnitz), Friedrich Hendel (Wien) und Lorenz Oldenberg (Berlin) steuerten viele wichtige Angaben bei, welche von mir in das Manuskript Dr. Speisers eingefügt wurden.

Die Hymenopteren von mir. Herrn Kustos A. Handlirsch (Wien) und Herrn Kustos F. F. Kohl (Wien) bin ich für Auskünfte Dank schuldig.

Die Coleopteren von mir. Mit zahlreichen Auskünften unterstützten mich die Herren Dr. Max Bernhauer (Grünburg), Dr. Karl Daniel (München), Dr. Josef Daniel (Ingolstadt), Jean Sainte-Claire Deville (Paris), Oberlehrer Gerhardt (Liegnitz), Prof. Dr. Josef Müller (Triest), Dr. Fritz Netolitzky (Czernowitz).

Die Lepidopteren von Herrn Dr. H. Zerny (Wien). Herr Prof. Dr. H. Rebel (Wien) hatte die Güte, die Benützung seiner handschriftlichen Notizen (Nachträge zum Katalog der paläarktischen Lepidopteren) zu gestatten und außerdem das Manuskript einer Durchsicht zu unterziehen.

Die Mollusken von Herrn Dr. Anton Wagner (Bruck a. M.). Den Herren P. Hesse (Venedig) und Direktor Dr. R. F. Scharff (Dublin) danken wir für Auskünfte.

Die Wirbeltiere von mir. Herr Viktor Ritter v. Tschusi zu Schmidhoffen (Hallein) hatte die Güte, mir zahlreiche Angaben, die Vögel betreffend, zukommen zu lassen.

Bei den Phryganiden suchte ich mit Unterstützung des Herrn Georg Ulmer (Hamburg) vergeblich nach Arten, die mit einiger Wahrscheinlichkeit als typisch boreoalpin betrachtet werden könnten. Die Opilioniden betreffend teilt mir der Monograph Herr Dr. C. Fr. Roewer (Bremen) mit, daß sich nach dem gegenwärtigen Stande unserer Kenntnisse boreoalpine Arten in dieser Tiergruppe nicht feststellen lassen.

Alle Herren, welche mir in solcher Weise mit ihren Kenntnissen zuhilfe kamen, mögen auch an dieser Stelle den geziemenden Dank entgegennehmen.

II. Verzeichnisse boreoalpiner Tierformen.

Turbellaria, Strudelwürmer.

Unter den Würmern kenne ich nur eine einzige vermutlich boreoalpine Art und diese zeigt in mancher Hinsicht atypisches Verhalten. Die Auslöschungszone ist bei *Planaria alpina* sehr wenig breit, da die Art sich in Deutschland und Belgien unmittelbar bis an den Rand des Flachlandes vorschiebt und im Norden bereits auf Rügen wieder auftritt. Die weite Verbreitung im niedrigen Gebirge und im mesozoischen Tafellande erklärt sich daraus, daß *Planaria alpina* in unterirdischen Gewässern zu leben vermag und daher stellenweise in tiefster Lage am Ausfluß unterirdischer Wasserläufe gefunden wird. So traf Prof. Voigt *Planaria alpina* bei Roisdorf nordwestlich von Bonn in einer kleinen Quelle, die nur 55 m über dem Meere liegt. Im eigentlichen norddeutschen Flachland ist *Planaria alpina* bisher noch niemals gefunden worden.[1]

[1] Über *Planaria alpina* als Glazialrelikt existiert eine umfangreiche Literatur. Die Arbeiten bis zum Jahre 1900 sind zusammengestellt bei Thienemann, *Planaria alpina* auf Rügen und die Eiszeit, X. Jahresbericht der Geograph. Gesellsch. zu Greifswald, 1906; vgl. außerdem Brandes, Das Vorkommen von *Planaria alpina* nördlich vom Harz, Zeitschr. f. Naturwiss., Leipzig, 73 (1900), p. 303; Hofsten, *Planaria alpina* im nordschwedischen Hochgebirge, Ark. Zool. IV, Nr. 7 (1907), p. 1—14; Steinmann, Die Tierwelt der Gebirgsbäche, Ann. Biol. lacustre II (1907); Brinkmann, Om *Planaria*

Planaria alpina Dana.

Verbreitung: Skandinavien, Finnland, Schottland, Rügen und Möen, Belgien, Deutschland mit Ausschluß des norddeutschen Flachlandes,[1] Böhmen, Alpen, Jura, Umgebung von Nancy, Pyrenäen, Auvergne, Hohe Tátra, Bulgarien (Vitoša).

Lebensweise: Die Art lebt in Gewässern, deren Temperatur $15°$ C. normal nicht übersteigt, in tieferen Lagen nur in kalten Quellen und Bächen, im Hochgebirge aber auch in stehendem Wasser (in den Alpen in zahlreichen hochgelegenen Seen überaus häufig), in der Schweiz bei Zermatt von Dr. Steinmann (Archiv für Hydrobiol. II, 1907, p. 188) noch in einer Höhe von 2850 m beobachtet.

Crustacea, Krebse.

In der hydrobiologischen Literatur finden wir eingehende Erörterungen über Glazialrelikte unter den Planktonkrebsen. Ich konnte aus diesen Ausführungen nur geringen Nutzen ziehen, da die meisten Hydrobiologen dem Begriff Glazialrelikt eine von meiner Auffassung sehr abweichende Definition zugrunde legen. Ich kenne unter den Krebsen nur vier Arten, die sich nach dem derzeitigen Stande unserer Kenntnisse mit größerer oder geringerer Wahrscheinlichkeit als boreoalpin ansprechen lassen.[2]

Ordnung *Phyllopoda*.

Branchinecta paludosa Müll.

Verbreitung: Arktisches Amerika, Grönland, Spitzbergen, arktisches Europa und Asien, Hochplateau des Dovre-Gebirges in Norwegen, — außerdem in der Hohen Tátra.

alpina's Forekomst i Danmark, Nat. Medd., Kopenhagen 1907. p. 1—10; Voigt, Wann sind die Strudelwurmarten *Planaria alpina*, *Polycelis cornuta* und *Planaria gonocephala* in die Quellbäche an den Vulkanen der Eifel eingewandert, Bericht. Versamml. Naturhist. Ver. für Rheinl.-Westf., Bonn 1907, p. 67—75; Lutter, Über das Vorkommen von *Planaria alpina* in Lappland, Medd. Soc. pro Fauna et Flora Fenn., Helsingfors, XXXIV (1908), p. 56—59; Thienemann, Das Vorkommen echter Höhlen- und Grundwassertiere in oberirdischen Gewässern, Archiv für Hydrobiol. u. Planktonkunde IV (1908). p. 17—36 (vgl. besonders p. 24); Bruyant, Sur la présence de *Planaria alpina* en Auvergne, C. R. Acad. sci., Paris, 147 (1908), p. 937—938 und Ann. Station limnologique de Besse I (1909), p. 55—57; Mercier, Sur la présence de *Planaria alpina* aux environs de Nancy, Arch. zool. Paris, ser. 5, I (1909), Notes et Revue, p. XLIX—LVII; Hankó, Beiträge zur Planarienfauna Ungarns, Zool. Anzeiger XXXVII (1911), p. 136.

[1] In der Quelle der Niers, die südlich von München-Gladbach in der Ebene entspringt, kommt *Planaria alpina* jetzt nicht mehr vor (Prof. Voigt in litt.).

[2] Wichtigste Literatur: Daday, *Branchipus paludosus* Müll. in der ungarischen Fauna, Term. Füz. XIII (1890), p. 34—39; Wierzejski, Übersicht der Crustaceenfauna Galiziens, Anzeiger Akad. Wiss. Krakau, 1895. p. 170—178; Derselbe, Przegląd fauny skorupiaków galizyjskich, Spraw. Kom. Fiz. Akad. Krakau XXX (1896), p. 160—215; Sars, Fauna Norvegiae, *Phyllocarida* og *Phyllopoda*, Christiania 1896; Zschokke, Die Tierwelt der Hochgebirgsseen, Neue Denkschr. der schweiz. Ges. f. Naturwiss. XXXVII (1900); Derselbe, Die Beziehungen der mitteleuropäischen Tierwelt zur Eiszeit, Verh. Deutsch. Zool. Ges , 1908, p. 21—77; Derselbe, Die tierbiologische Bedeutung der Eiszeit. Fortschritte der naturwiss. Forschung IV (1912), p. 103—148; Ekman, Die Phyllopoden. Cladoceren und freilebenden Copepoden der nordschwedischen Hochgebirge, Zool. Jahrb., Abt. f. Syst. XXI (1904); Wesenberg-Lund, Plankton Investigations of the Danish Lakes, 1908, Kapitel XIV; Steuer, Planktonkunde, Leipzig 1910; Tollinger, Die geographische Verbreitung der Diaptomiden, Zool. Jahrb., Abt. f. Syst. XXX (1911), p. 1—302. Aus diesen Arbeiten ist die weitere Literatur zu entnehmen. — Außer den genannten Krebsen sind möglicherweise noch einige Arten der Gattung *Canthocamptus* boreoalpin. Zu achten wäre namentlich auf die geographische Verbreitung von *Canthocamptus arcticus* Lilljeb., *rhaeticus* Schmeil und *rubellus* Lilljeb.

Lebensweise: In stehendem Wasser, in Norwegen häufig in kleinen Seen und auch in Schmelzwassertümpeln, die im Sommer austrocknen. In der Tátra in einem See (einem der Raupen-Seen) der alpinen Zone.

Ordnung *Copepoda.*

Diaptomus laciniatus Lilljeb.

Verbreitung: Fennoskandia, Schottland, — Schwarzwald, Alpen, Pyrenäen, Auvergne, Montenegro (Riblje jezero und Vražije jezero am Fuße des Durmitor, nach Mrázek).[1]

Lebensweise: Planktonisch, im Norden ebensowohl in seichten Tümpeln als in Seen, in Mitteleuropa in einzelnen Seen und Tümpeln im Bereiche der oberen Waldzone und der alpinen Zone, sowie als Tiefentier in zahlreichen großen Seen des Alpenrandes.

? Diaptomus laticeps Sars.

Verbreitung: Norwegen, Schweden, Schottland, Irland, — außerdem im Wocheiner See (Julische Alpen) und in der Herzegowina im Mostarsko blato (Brehm).

Lebensweise: In Seen, planktonisch.

Heterocope Weismanni Imhof.

Verbreitung: Fennoskandia, Sibirien (südwärts bis Akmolinsk), Novaja-Semlja, Neusibirische Inseln, — ferner in den Alpen im Bodensee, Züricher See, Zeller Untersee und im Oberengadin in Seen der alpinen Zone (noch bei 2780 m).

Lebensweise: Planktonisch, im Norden in Seen, Tümpeln und Gräben; in den großen Seen des Alpenrandes bei Tage vorwiegend in größerer Tiefe (bei 15—25 m am häufigsten).

Hydracarina, Wassermilben.

Die Hydracarinenfauna von Europa ist in sehr ungleichmäßiger Weise durchforscht. Am besten bekannt ist die Fauna von Deutschland. Auch über die Wassermilben der Alpen besitzen wir bereits umfangreiche, wenn auch keineswegs erschöpfende Kenntnisse. Minder gut exploriert ist Nordeuropa. Die Hydracarinenfauna der südeuropäischen Gebirge und der Karpathen ist bisher äußerst mangelhaft untersucht.[2]

---

[1]) Die Angaben über das Vorkommen dieser Art in Galizien und im Méheser und Bálder Teich in Ungarn sind unrichtig (nach brieflicher Mitteilung von Dr. Tollinger). Ebenso falsch ist vermutlich auch die Angabe, daß *Diaptomus laciniatus* bei Agram und Warasdin vorkommt. — Möglicherweise ist auch *Diaptomus denticornis* Wierz. boreoalpin (vgl. Tollinger, Zool. Jahrb., Syst., 1911, p. 58—64).

[2]) Wichtigste Literatur: Piersig, Deutschlands Hydrachniden. Zoologica, Heft 22 (1897—1900); Derselbe, *Hydrachnidae,* Tierreich, 13 Lief. (1901); Koenike, *Acarina,* Süßwasserfauna Deutschlands, Heft 12 (1909); Halbert, Notes on Irish Hydrachnida, Ann. and Mag. of Nat. Hist. XVIII (1906); Williamson, *Hydrachnidae* collected by the Lake Survey, Proc. Royal Soc. of Edinburgh XXVII (1906—1907); Walter, Die Hydracarinen der Schweiz. Revue Suisse de Zool. XV (1907); Derselbe, Hydracarinen der nordschwedischen Hochgebirge, Naturwiss. Untersuchung des Sarekgebirges in Schwedisch-Lappland IV (1911); Sig Thor, Norges Hydrachnider, Arch. for Math. og Naturv. XIX und XX (1897, 1898); Derselbe, *Lebertia*-Studien, Zool. Anzeiger, XXVIII XXXII; Monti, Contributo alla biologia degli idracnidi alpini in relazione all'ambiente, Atti Soc. ital. di Sc. nat. II. (1910); Maglio, Idracarini del Trentino, Atti Soc. ital. di Sc. nat. XLVIII (1909).

Familie *Hydryphantidae.*

Panisus Michaeli Koen.

Verbreitung: Norwegen, Schottland, Irland (Fluß bei Balyssadare Bay), — ferner in den Alpen von folgenden Fundstellen: Landwasser bei Davos, 1500 m (Walter);[1]) Quellen bei Tenna, 1700 m (Walter); Waldquelle bei Preda an der Albula, 1800 m (Walter); Trinkquellbach bei Lunz, Niederösterreich (Biolog. Station Lunz); Quellen im Val Anzasca, 700—2400 m; Val d'Aoste: Quelle bei Châtelare, 1250 m, Bach von Charvaz, Fluß bei Cours.

Lebensweise: Bisher nur in Bächen und Flüssen gefunden.

Familie *Hygrobatidae.*

Sperchon longirostris Koen.

Verbreitung: Schweden, Irland, — ferner in den Alpen von folgenden Fundstellen: Garschinasee im Rätikon; Quellen am Tomsee, 2030 m (Walter); Waldquellen bei Preda, 1800 m (Walter); Bach bei Malè im Trentino.

Lebensweise: Sowohl in stehendem Wasser, als auch in Flüssen und Gebirgsbächen.

? Lebertia tauinsignita Lebert.

Verbreitung: Schottland (Morar and Loch Tarff; St. Marys Loch, in einer Tiefe von 100 Fuß), — ferner in den Alpen im Vierwaldstätter See in Tiefen von 30—90 m, im Genfer See vor Morges in Tiefen von 20—40 m, im Bodensee (Untersee) in einer Tiefe von 22 m gefunden. Die Art dürfte sich wohl auch in Fennoskandia nachweisen lassen.

Lebensweise: Bisher nur in Seen gefunden, in den Alpen profund.

Lebertia glabra Thor.

Verbreitung: Nördliches Norwegen, — ferner im Böhmerwald (Teufelsbach, Zwiesler Waldhaus, Ferdinandstal bei Bayrisch-Eisenstein, leg. Piersig) und in den Alpen von folgenden Fundstellen: Bach im Ammerwaldtal (Piersig); Quelle am Passo di Coronella in den Bergamasker Alpen, 1700 m (Walter).

Lebensweise: Bisher nur in Bächen und Flüssen gefunden.

Hygrobates norwegicus Thor.

Verbreitung: Norwegen, Schweden, — ferner im Erzgebirge (sehr kalte Quelle im Crottendorfer Forst), im Schwarzwald (Quellen auf Ödland, 1000 m, Bornhauser), in den Vogesen (Quellen bei Lochberg, 900 m (Bornhauser) und in den Alpen von folgenden Lokalitäten: Quellen im Val Anzasca, 700 bis 900 m; Quellen am Pian di Bedole (im obersten Val di Genova, Trentino), 1500 m; Bach am Pian Borgone, 1500 m; Wasserfall bei Vallegio (Vanzone); Lintiney bei Lazey, 2000 m (Valle d'Aosta); Quellen und Bäche bei Zermatt, 1700—2300 m; Quellen bei Partnun, 1800 m; Quellen bei Feuchten im Kaunsertal, 1350 m (Walter); Quelle am Tomsee, Gotthardt, 2030 m (Walter).

Lebensweise: Bisher nur in Bächen gefunden.

Hygrobates albinus Thor.

Verbreitung: Norwegen, Schweden, — ferner in den Alpen im Vierwaldstätter See in Tiefen von 30—214 m, im Thuner und Brienzer See in Tiefen von 30—70 m, im Genfer See vor Ouchy aus einer Tiefe von 100 m (Walter).

---

[1]) Bei jenen Fundorten, die hier zum erstenmal publiziert werden, ist der Name des Sammlers in Klammern beigefügt.

Lebensweise: Im Norden sowohl in stehendem Wasser als auch in Bächen und Flüssen, in den Alpen bisher nur in der Tiefe größerer Seen gefunden.

?Feltria composita Thor.

Verbreitung: Norwegen, Schweden, — ferner in den Alpen von folgenden Fundstellen: Alfbach am Hasliberg, 1500 m; Passo di Rolle; Pian di Bedole, 1500 m.

Lebensweise: Bisher nur in Bächen gefunden.

Araneida, Spinnen.

Bei den Spinnen ist das faunistische Tatsachenmaterial noch recht lückenhaft.[1]
Die folgenden Arten scheinen boreoalpin:

Familie *Argyopidae.*

Tiso aestivus L. Koch.

Verbreitung: Norwegen, — Ostalpen (Schlern, Sulden, Pfandlscharte), Hohe Tátra (Großer Kriván).

Lebensweise: Terricol, in Mitteleuropa in der alpinen Zone.

Walkenaera Karpinskii Cambr.

Verbreitung: Norwegen, Ostsibirien, — Schweizer Alpen (Grisons, 2500 bis 2900 m).

Lebensweise: Terricol, in den Alpen in der alpinen Zone.

Erigone remota L. Koch.

Verbeitung: Nowaja-Semlja, Jenissey (wohl sicher auch in Nordeuropa), — Alpen Tirols, der Schweiz und Südfrankreichs.

Lebensweise: Terricol, in den Alpen in der alpinen Zone.[2]

Familie *Lycosidae.*

Tarentula alpigena Dol.

Verbreitung: Grönland, arktisches Norwegen, — Alpen (Rax, Schneeberg, Pfandlscharte, Trafoi, Stubai, Tessin, Valais, Grisons etc.).

Lebensweise: Terricol, in den Alpen in der alpinen Zone.

Familie *Salticidae.*

Pellenes lapponicus Sundev.

Verbreitung: Lappland, — Schweizer und französische Alpen, Pyrenäen.

Lebensweise: Terricol, in Mitteleuropa in der alpinen Zone.

Orthoptera, Heuschrecken.

Podisma frigida Boh.[3]

Verbreitung: Fennoskandia, Sibirien (Akmolinsk, Altai, Werschne Udinsk, Tschita, Amurgebiet), — Alpen der Schweiz und Tirols, Glocknergebiet (Pasterze).

---

[1] Ein Katalog der europäischen Spinnen, verfaßt von Herrn E. Reimoser, wird in Bälde erscheinen.

[2] Eine weitere, vermutlich boreoalpine Spinnenart ist *Erigone tiroliensis* L. Koch, bisher bekannt von Spitzbergen und aus der alpinen Zone der Alpen und der Hohen Tátra.

[3] Wichtigste Literatur: Brunner v. Wattenwyl, Prodromus der europäischen Orthopteren, Leipzig 1882; Jakobson und Bianchi, Orthopteren und Odonaten des russischen Reiches, St. Peters-

Eine äußerst nahestehende Form (vielleicht nur Varietät) wurde unter dem Namen *Podisma Prosseni* aus der alpinen Zone des Eisenhutes in Nordkärnten von Dr. Puschnigg beschrieben.

Lebensweise: Pianticol, in den Alpen in der alpinen Zone.

Plecoptera.

Dictyopterygella recta Kempny. [1]

Verbreitung: Schottland, Fennoskandia, Sibirien, — ferner im Riesengebirge an den Teichen der beiden Schneegruben und in der Hohen Tátra am Grünsee, Hinzenssee, Eissee und Popradsee. Ich habe aber auch ein Stück aus Flinsberg (Schlesien) und ein ♂ aus dem Schwarzwald gesehen.

Lebensweise: Larve im Wasser von Seen, in den Gebirgen von Mitteleuropa an der Waldgrenze und im Bereiche der Krummholzzone.

Dictyopterygella septentrionis Klap.

Verbreitung: Bisher bekannt aus Finnland und aus Sibirien, — ferner aus dem Riesengebirge und vom Eissee in der Hohen Tátra.

Lebensweise: Larve im Wasser von Seen, in Mitteleuropa in der alpinen Zone.

Arcynopteryx dovrensis Mort.

Verbreitung: Bisher bekannt aus Norwegen (Dovrefjeld) und von der Kola-Halbinsel; ferner vom Hinzenssee in der alpinen Zone der Hohen Tátra. [2]

Lebensweise: An Seen, Larve im Wasser lebend.

Odonata, Wasserjungfern. [3]

Aeschna coerulea Ström.

Verbreitung: Schottland, Skandinavien, Sibirien (am Jenisei in 67° 25' und 68° 55', nach Trybom; Ob-Jenisei-Kanal, nach Bartenet; Fluß Wilni, nach

---

burg 1905 (Text russisch); Puschnigg, Beiträge zur Kenntnis der Orthopterenfauna von Kärnten, Verb. zool.-bot. Ges. Wien, 1910, p. 1—60; Ikonnikov, Zur Kenntnis der Acridiodeen Sibiriens, Ann. Mus. Zool., St. Petersburg, XVI (1911), p. 242—270.

[1] Wichtigste Literatur: Klapálek, Revision und Synopsis der europäischen Dictyopterygiden, Bull. internat. Acad. Sci. de Bohème, 1906; Derselbe, *Plecoptera* in Süßwasserfauna Deutschlands, Heft 8 (1909), p. 33—95.

[2] Eine dieser Art sehr nahestehende Form erhielt ich durch P. Strobl von der Koralpe in Steiermark. — Die Gattung *Arcynopteryx* ist in toto ein gutes Beispiel für boreoalpine Verbreitung. Das Gros der Gattung ist nordisch zirkumpolar, aber einzelne Formen kommen in der alpinen Zone der Nord- und Ostkarpathen, Transsylvanischen Alpen, Alpen und Pyrenäen vor. Infolge der Isolation zerfallen diese Relikte der Glazialperiode in geographische Rassen (kleine Arten). Im Zwischengebiet (deutsches Flachland etc.) fehlt die Gattung vollständig.

[3] Wichtigste Literatur: Selys-Longchamps und Hagen, Revue des Odonates ou Libellules d'Europe, 1850; Brauer und Löw, Neuroptera austriaca, Wien 1857; Brauer, Die Neuropteren Europas. Wien 1876; Ausserer, Neurotteri tirolesi, Modena 1869; Johanson, Odonata Sueciae, 1859; Bergroth, Zur geographischen Verbreitung einiger Odonaten, Entom. Nachrichten VII (1881), p. 85—88; Trybom, Trollsländor (Odonater), insamlade under Svenska Expeditionen till Jenisei 1876, Bihang till K. Svensk. Vet.-Akad. Handl. Band XV (1889), Afd. IV. Nr. 4; Mac Lachlan, Trichoptera, Planipennia and Pseudo-Neuroptera, collected in Finmark, Entom. Monthly Mag., 2. ser., X (1899), p. 28—30; Morton, *Aeschna coerulea* Ström., a boreal Dragon-Fly, Ann. of Scottish Nat. Hist., 1899, p. 26—29; Fröhlich, Die Odonaten und Orthopteren Deutschlands, Jena 1903; Bartenet, Data relating to Siberian Dragonflies, Zoolog. Anzeiger XXXV (1910), p. 270—278; Ris, Die schweizerischen Libellen,

Selys, Ann. Soc. Ent. Belg. XV, 1871, p. 37), — ferner in den Schweizer Alpen und in den Ostalpen (ostwärts bekannt bis Gastein).[1]

Lebensweise: In den Schweizer Alpen an flachen, torfigen Gewässern mit Schlammgrund, in der oberen Waldzone und in der alpinen Zone. Die Larve ist unbekannt.

Somatochlora alpestris Selys.

Verbreitung: Fennoskandia, nach Bartenet (Arb. Zool. Samml. Univ. Warschau, 1910, Sep., p. 29) auch in Sibirien (Batakan), — ferner in den Sudeten, in den Schweizer Alpen und in den Ostalpen (ostwärts nachgewiesen bis Gastein, vgl. Brauer, Verh. zool.-bot. Ges. Wien XVIII, 1868, p. 741).

Lebensweise: Larve in der Schweiz in kleinen, stark verwachsenen Ansammlungen stehenden Wassers von quelligem und torfigem Charakter; in der subalpinen und alpinen Zone.[2]

Lepidoptera, Schmetterlinge.

Bei den Lepidopteren sind unsere faunistischen Kenntnisse in den als «Großschmetterlinge» bezeichneten Familien (*Papilionidae-Hepialidae* des Kataloges von Rebel und Staudinger) sehr gute, besser als in jeder anderen Insektenordnung. Hingegen sind die sogenannten Mikrolepidopteren viel mangelhafter durchgearbeitet; namentlich die Mikrolepidopterenfauna des paläarktischen Asien ist noch sehr ungenügend erforscht.[3]

Familie *Nymphalidae.*

Argynnis (Brenthis) thore Hb.

Verbreitung: Fennoskandia bis in die arktische Region, Altai, Ostsibirien (Kamtschatka, Kentei, Amurgebiet), — Alpen, Pyrenäen.

Lebensweise: Raupe auf *Viola biflora* L., überwinternd; in den Alpen in einer Höhe von etwa 1000—1700 m.

Erebia lappona Esp.

Verbreitung: Fennoskandia bis in die arktische Region, Altai, — Pyrenäen, Alpen, Karpathen, Gebirge Bulgariens (Rilo), der Herzegowina (Prenj) und Montenegros (Durmitor).

Schaffhausen 1885; Ris, Übersicht der mitteleuropäischen Cordulinenlarven, Mitteil. Schweiz. Entom. Ges. XII (1911), p. 25—41; Ris, Odonata, Süßwasserfauna Deutschlands, Heft 9, Jena 1909; Scholz, Die schlesischen Odonaten, Zeitschr. f. wiss. Insektenbiol. IV (1908), p. 457—462. — Anklänge an boreoalpinen Verbreitungstypus zeigt auch *Somatochlora arctica.*

[1] Die Angabe, daß *Aeschna coerulea* in Schlesien (bei Hirschberg, nach Selys, Rev. Odon., p. 121) vorkomme, ist seither ohne Bestätigung geblieben. Morton nennt für *Aeschna coerulea* noch den Schwarzwald, doch halte ich diese Angabe für irrtümlich. In Mac Lachlans Verzeichnis der Schwarzwald-Neuropteren ist die Art nicht erwähnt. Immerhin ist das Vorkommen als möglich zu bezeichnen. Zwei mit *Aeschna coerulea* sehr nahe verwandte Arten (*Aeschna septentrionalis* Burm. und *sitchensis* Hag.) leben im borealen Nordamerika (vgl. Walker, Canad. Entom. XL, 1908. p. 451).

[2] Ein einzelnes Exemplar wurde von mir in der Talsohle bei Flums (430 m) angetroffen, doch dürfte es sich wohl um einen Zufallsfund handeln. Scholz gibt an, daß die Art in Schlesien bei Petrowitz und Althammer in Moorwäldern lebt. Auch *Somatochlora alpestris* hat sehr nahe Verwandte im borealen Amerika.

[3] Wichtigste Literatur: Staudinger und Rebel, Katalog der Lepidopteren des paläarktischen Faunengebietes, Berlin 1901; Pagenstecher, Die arktische Lepidopterenfauna, Fauna arctica, Bd. II (1902), p. 197—400; Rebel, Berges Schmetterlingsbuch, 9. Aufl., Stuttgart 1910.

Lebensweise: Raupe an *Festuca*; in Mitteleuropa in Höhen von 1900 bis 3000 m.[1])

Familie *Lycaenidae.*

Lycaena orbitulus Prun.

Verbreitung: Arktisches Nordamerika, Labrador, Grönland, Lappland, Ostsibirien (von Kamtschatka bis Irkutsk und Urga), Altai, Tarbagatai, Tibet (Amdo), Ladak, Nordwest-Himalaya, Ararat, Kaukasus, Gebirge Kleinasiens (Tokater Alpen und Ak Dagh bei Amasia, Olymp bei Brussa), Gebirge der Herzegowina, Alpen ostwärts bis zu den Hohen Tauern, Pyrenäen, Sierra Nevada.[2])

Lebensweise: Raupe auf *Soldanella alpina* L. (vgl. Chapman, Trans. Ent. Soc. London, 1911, p. 148—159), bei Tage unter Steinen, Puppe unter Steinen, in Mitteleuropa von ca. 1800 m an aufwärts.

Lycaena pheretes Hb.

Verbreitung: Gebirge Zentralskandinaviens, Ostsibirien (Amurgebiet bis Sajangebirge), Westchina, Tibet (Amdo), Himalaya (Sikkim), Ladak, Pamir, Issyk Kul, Altai, — Alpen ostwärts bis zu den Niederen Tauern.

Lebensweise der Raupe unbekannt, Falter in den Alpen in der alpinen Zone.

Familie *Hesperiidae.*

Hesperia andromedae Wallgr.

Verbreitung: Fennoskandia bis in die arktische Region, Ostsibirien (Irkutsk, Amur), — Alpen, Gebirge Bosniens und der Herzegowina.

Lebensweise der Raupe unbekannt, Falter meist in der alpinen Zone, in engen Tälern aber bisweilen in die subalpine Zone hinabsteigend (Radmer-Tal bei Eisenerz, 700 m, leg. Groß).

Familie *Noctuidae.*

Agrotis hyperborea Zett.

Verbreitung: Irland, Schottland, Shetland-Inseln, Fennoskandia bis in die arktische Region, Nordrußland (südwärts noch bei St. Petersburg), — Alpen, Riesengebirge, Karpathen.

Lebensweise: Raupe polyphag auf *Vaccinium, Vicia* etc., zweimal überwinternd; in Mitteleuropa meist in der alpinen Zone, bisweilen subalpin (Ratzes in Tirol, 1200 m, leg. Kohl 1911, det. Zerny).

Agrotis speciosa Hb.

Verbreitung: Boreales Nordamerika, Skandinavien bis in die arktische Region, Nordrußland, Nordostsibirien, Mongolei (Changaigebirge), — Alpen, Vogesen, Harz, Sudeten, Transsylvanische Alpen.

Lebensweise: Raupe anfangs an Gräsern, später an *Vaccinium myrtillus* L., zweimal überwinternd; in den mitteleuropäischen Gebirgen in der subalpinen und alpinen Zone.

---

[1]) *Erebia euryale* Esp. wurde wegen der Unsicherheit ihrer spezifischen Trennung von *E. ligea* L. in dieses Verzeichnis nicht aufgenommen.

[2]) *Lycaena aegagrus* Chr. aus dem Elbrus ist nach Petersen eigene Art, dagegen *L. Pheretiades* Ev. (Thian-schan, Tarbagatai, Fergana, Pamir) vielleicht nur Rasse von *L. orbitulus*.

Agrotis cuprea Hb.

Verbreitung: Skandinavien, Rußland südwärts bis Kasan, Ural, Kamtschatka, — Alpen, Vogesen, Schwarzwald, Sudeten, Karpathen, Gebirge Bosniens, Gebirge Armeniens.

Lebensweise: Raupe an niederen Pflanzen, besonders *Leontodon*, bei Tage verborgen, überwinternd; in Mitteleuropa in der subalpinen Zone.

Agrotis fatidica Hb.

Verbreitung: Norwegen, Ural, Altai, Ostsibirien (Changai, Urga, Irkutsk), — Pyrenäen, Alpen ostwärts bis zu den Hohen Tauern, Kaukasus.[1]

Lebensweise: Raupe unter Steinen an Gräsern; in den Alpen in der alpinen Zone nicht unterhalb einer Höhe von 2200 m.

Miana captiuncula Tr.

Verbreitung: Irland, Nordengland, Schottland, Fennoskandia, Rußland südwärts bis Livland und Kasan, Ural, Ostsibirien (Dahurien, Ussurigebiet), — Pyrenäen, Alpen, Sudeten, Karpathen, Herzegowina (Prenj), Bulgarien (Vitoša), Gebirge Armeniens.

Lebensweise: Raupe in den Stielen von *Carex flacca* Schreb., überwinternd; in Mitteleuropa in der subalpinen Zone.

Hadena Maillardi H. G.

Verbreitung: Färöer, Shetland-Inseln, Norwegen, Nordfinnland, Tarbagatai, Ak-su im chinesischen Turkestan, — Pyrenäen, Alpen, Transsylvanische Alpen, Bulgarien (Vitoša).[2]

Lebensweise: Raupe vermutlich an *Poa*; in Mitteleuropa in der oberen Waldzone und in der alpinen Zone.

Anarta melanopa Thbg.

Verbreitung: Labrador, Kanada, Rocky Mountains, Schottland, Fennoskandia bis in die arktische Region, — Alpen ostwärts bis zu den Hohen Tauern und zum Triglav, Abruzzen (Gran Sasso), Bulgarien (Rilo).

Lebensweise: Raupe polyphag, überwinternd; in der alpinen Zone.

Anarta funebris Hb.

Verbreitung: Labrador, Fennoskandia bis in die arktische Region, Nordostsibirien, — Alpen der Schweiz und Tirols.

Lebensweise der Raupe unbekannt, der Falter in den Alpen in der alpinen Zone.

Plusia Hochenwarthi Hochenw.

Verbreitung: Arktisches Nordamerika, Skandinavien bis in die arktische Region, Ostsibirien bis Kamtschatka, Altai, Tarbagatai, Ala Tau, Alai, Issyk Kul, Thianschan, Fergana, Tibet (Amdo, Kuku Nor), Gebirge Armeniens, Alpen.

Lebensweise: Raupe an Umbelliferen und Plantago, in den Alpen in der alpinen Zone.

---

[1] Nach einer unverbürgten Angabe von Drenowsky (Entom. Rundschau XXVI, Vereinsbl. p. 32) auch am Rilo.

[2] *Hadena difflua* Hb. (Labrador, Grönland, Island, Färöer, Schottland, Shetland-Inseln) ist vielleicht von *H. Maillardi* nicht spezifisch verschieden.

Familie *Geometridae*.

Larentia munitata Hb.

Verbreitung: Norden der nearktischen Region, Island, Nordengland, Shetland-Inseln, Nordeuropa bis in die arktische Region, Kurland, Ural, Nordostsibirien, Amurgebiet, Ala Tau, Ili, Issyk Kul, Kaukasus, Karpathen, Sudeten, Harz, Alpen.

Lebensweise: Raupe an niederen Pflanzen, überwinternd, Puppe im Moos; in Mitteleuropa in der oberen subalpinen und in der alpinen Zone.

Larentia turbata Hb.

Verbreitung: Nordrußland und Fennoskandia bis in die arktische Region. Altai, — Pyrenäen, Alpen, Gebirge Bosniens.

Lebensweise der Raupe unbekannt, Falter in Mitteleuropa in der subalpinen und in der alpinen Zone.

Larentia flavicinctata Hb.

Verbreitung: Irland, Schottland, Norwegen bis in die arktische Region, — Alpen, Schwarzwald, Sudeten, Karpathen, Gebirge Bosniens und der Herzegowina, Abruzzen. [1]

Lebensweise: Raupe auf *Saxifraga, Salix*; in Mitteleuropa in der subalpinen Zone.

Larentia nobiliaria H. S.

Verbreitung: Zentralnorwegen, — Alpen, Karpathen, Gebirge der Herzegowina.

Lebensweise: Raupe auf *Saxifraga oppositifolia*; in der alpinen Zone. [2]

Tephroclystia undata Frr. (**scriptaria** H. S.)

Verbreitung: Labrador, Fennoskandia bis in die arktische Region, Ostsibirien (Ussuri-Gebiet), — Alpen, Abruzzen, Transsylvanische Alpen, Gebirge Bosniens, Armeniens und Nordost-Kleinasiens (Amasia).

Lebensweise: Raupe in den Kapseln von *Heliosperma (Silene) alpestre* Jacq.; in Mitteleuropa in der oberen subalpinen und in der alpinen Zone.

Biston lapponarius Boisd.

Verbreitung: Schottland, Shetland-Inseln, Lappland, Nordrußland, — Sudeten, Alpen.

Lebensweise: Raupe auf Lärchen und Birken; in Mitteleuropa in der subalpinen Zone; einmal wurde diese Art auch bei St. Andrae vor dem Hagentale (172 m) am Nordrand des Wienerwaldes gefangen, doch dürfte es sich bei diesem Funde wohl um ein verschlepptes Exemplar handeln.

Gnophos sordarius Thbg.

Verbreitung: Fennoskandia bis in die arktische Region, Altai, — Alpen, Sudeten, Karpathen, Gebirge der Herzegowina, Velebit.

Lebensweise: Raupe polyphag auf niederen Pflanzen; in Mitteleuropa subalpin und alpin.

Gnophos myrtillatus Thbg.

Verbreitung: Irland, Schottland, Skandinavien, Nordrußland, Altai, Thianschan, Issyk Kul, — Pyrenäen, Gebirge Kastiliens, Abruzzen, Alpen, Transsylvanische Alpen, Gebirge der Herzegowina, Kaukasus.

---

[1] *Larentia relegata* Püng. vom Kuku Nor ist wohl eigene Art.

[2] *Larentia intermediaria* Alph. vom Thianschan ist nach Alphéraky eigene Art. — *Larentia rubezata* Frr. wurde wegen der Unsicherheit ihrer spezifischen Trennung von *L. autumnalis* Ström. in diese Liste nicht aufgenommen.

27*

Lebensweise: Raupe an niederen Pflanzen, besonders *Vicia*, überwinternd; in Mitteleuropa subalpin und alpin.

Psodos coracinus Esp.

Verbreitung: Schottland, Norwegen, Lappland, Nowaja-Semlja, Altai, — Pyrenäen, Alpen, Karpathen.

Lebensweise der Raupe unbekannt, Falter in Mitteleuropa in der alpinen Zone.

Pygmaena fusca Thbg.

Verbreitung: Fennoskandia bis in die arktische Region, — Alpen ostwärts bis zu den Niederen Tauern.

Lebensweise: Raupe auf niederen Pflanzen, wie *Vaccinium, Draba*, überwinternd; in den Alpen in der alpinen Zone.

Familie *Arctiidae*.

Arctia Quenseli Payk.

Verbreitung: Arktisches Nordamerika, Lappland, Sibirien (Jakutsk, Amurgebiet), Tarbagatai, — Alpen ostwärts bis zu den Hohen Tauern, Transsylvanische Alpen.

Lebensweise: Raupe an niederen Pflanzen, wie *Geum. Plantago*; in Mitteleuropa in der alpinen Zone.

Lithosia cereola Hb.

Verbreitung: Lappland, Finnland, Esthland, Zentralrußland (Kasan), — Alpen.

Lebensweise: Raupe an Steinflechten *(Parmelia)*; in den Alpen in der subalpinen Zone.

Familie *Zygaenidae*.

Zygaena exulans Hochenw.

Verbreitung: Schottland, Skandinavien bis in die arktische Region, — Pyrenäen, Abruzzen, Alpen ostwärts bis zu den Niederen Tauern, Transsylvanische Alpen, Ljubeten (Schar Dagh in Nordalbanien, vgl. Rebel, Verh. zool.-bot. Ges. Wien, 1910, Sitzungsber., p. 4).

Lebensweise: Raupe auf niederen Pflanzen, wie *Silene acaulis* L., *Loiseleuria procumbens* L., zweijährig; in unseren Gebirgen in der alpinen Zone.[1]

Familie *Hepialidae*.

Hepialus ganna Hb.

Verbreitung: Schweden, Nordrußland, Amurgebiet, — Alpen ostwärts bis zu den Hohen Tauern.[2]

Lebensweise der Raupe unbekannt, Falter in den Alpen in der alpinen Zone.

Familie *Pyralidae*.

Crambus furcatellus Zett.

Verbreitung: Gebirge Schottlands und Norwegens, Lappland, — Alpen ostwärts bis zu den Hohen Tauern.

---

[1] *Sterrhopteryx Standfussi* H. S. ist vielleicht nur eine Klimaform von *St. hirsutella* Hb. und wurde daher in dieses Verzeichnis nicht aufgenommen.

[2] Die Angabe, daß *Hepialus ganna* in Ostpreußen vorkommt, ist sehr fraglich.

Lebensweise der Raupe unbekannt, Falter in den Alpen in der alpinen Zone.

Crambus conchellus Schiff.

Verbreitung: Schweden, Finnland, Livland, — Alpen.

Lebensweise: Raupe an Moos; in den Alpen subalpin.

Crambus maculalis Zett.

Verbreitung: Norwegen, Lappland, Nordwestrußland, — Alpen, Riesengebirge, Hohe Tátra.

Lebensweise der Raupe unbekannt, Falter in Mitteleuropa in der oberen subalpinen Zone.

Crambus biarmicus Tgstr.

Verbreitung: Finnland, Livland, — Alpen Tirols.

Lebensweise der Raupe unbekannt, Falter in Tirol vermutlich subalpin.

Asarta aethiopella Dup.

Verbreitung: Norwegen, — Alpen, Gebirge Bosniens und der Herzegowina.

Lebensweise der Raupe unbekannt, Falter in der alpinen Zone.

Scoparia centuriella Schiff.

Verbreitung: Norden der nearktischen Region. Fennoskandia, Nord- und Zentralrußland, Nordostsibirien, — Alpen, Sudeten, Karpathen, Kaukasus.

Lebensweise der Raupe unbekannt, Falter in Mitteleuropa in der oberen subalpinen Zone.

Orenaia alpestralis Fabr.

Verbreitung: Gebirge Skandinaviens, Ural, — Pyrenäen, Alpen, Karpathen, Bulgarien (Rilo).[1]

Lebensweise der Raupe unbekannt, Falter in Mitteleuropa subalpin und alpin.

Titanio schrankiana Hochenw.

Verbreitung: Fennoskandia bis in die arktische Region, Kamtschatka, — Pyrenäen, Gebirge Kastiliens, Alpen, Transsylvanische Alpen, Bulgarien (Rilo), Olymp bei Brussa,[2] Kaukasus.

Lebensweise der Raupe unbekannt, Falter in der alpinen Zone.

Titanio phrygialis Hb.

Verbreitung: Gebirge Skandinaviens, Ural, Alai, — Pyrenäen, Alpen, Karpathen, Bosnien, Herzegowina, Gebirge Armeniens.[3]

Lebensweise der Raupe unbekannt, Falter in Mitteleuropa in der alpinen Zone.

Pionea inquinatalis Zell.

Verbreitung: Labrador, Nordeuropa bis in die arktische Region, — Alpen, Ostkarpathen.

Lebensweise: Raupe an *Vaccinium myrtillus (?)*, *Alnus viridis (?)*, Falter in Mitteleuropa in der subalpinen und alpinen Zone.

---

[1] Die Angabe, daß diese Art bei Kasan vorkommt (vgl. Kulikowsky, Iris, XXI, p. 251) scheint mir unglaubwürdig. Die Angabe «Bosn. mont.» im Katalog Staudinger-Rebel beruht auf einem Irrtum (vgl. Rebel, Ann. nat. Hofmus. Wien, XVIII, p. 302).

[2] *Titanio sericatalis* H. S. ist nach Rebel (Ann. nat. Hofmus. Wien, XVIII, p. 304) nur Lokalform von *T. schrankiana.*

[3] Zu dieser Art wird als Varietät gestellt *Titanio neradalis* Staud., bisher bekannt aus der Sierra Nevada und aus Griechenland (Parnaß, Veluchi).

Pionea nebulalis Hb.

Verbreitung: Skandinavien bis in die arktische Region, Nordwestrußland, — Alpen. Sudeten, Karpathen, Gebirge Bosniens und der Herzegowina, Biocovo-Gebirge (Dalmatien).

Lebensweise der Raupe unbekannt, Falter in Mitteleuropa in der subalpinen und alpinen Zone.

Pionea decrepitalis H. S.

Verbreitung: Schottland, Norwegen, Lappland, Nordwest- und Zentralrußland, — Alpen, Sudeten, Transsylvanische Alpen.

Lebensweise der Raupe unbekannt, Falter in Mitteleuropa subalpin und alpin.

Familie *Tortricidae.*

Conchylis aurofasciana Mn.

Verbreitung: Norwegen, — Alpen.

Lebensweise der Raupe unbekannt, Falter subalpin und alpin.

Conchylis deutschiana Zett.

Verbreitung: Britisch-Kolumbien, Labrador, Norwegen, Lappland, Alai, — Alpen Südtirols und der Südschweiz, Abruzzen.

Lebensweise der Raupe unbekannt, Falter in den Alpen in der alpinen Zone.

Olethreutis noricana H. S.

Verbreitung: Arktisches Norwegen, — Alpen.

Lebensweise der Raupe unbekannt, Falter in der alpinen Zone.

Olethreutis schaefferana H. S.

Verbreitung: Norwegen bis in die arktische Region, — Alpen.

Lebensweise der Raupe unbekannt, Falter in der alpinen Zone.

Steganoptycha mercuriana Hb.

Verbreitung: Schottland, Fennoskandia, — Alpen, Karpathen Rumäniens (?), Gebirge der Herzegowina.

Lebensweise: Raupe an *Dryas octopetala* L.; in der alpinen Zone.

Epiblema nemorivaga Tgstr.

Verbreitung: England, Schottland, Skandinavien bis in die arktische Region, Nordwestrußland, — Alpen.

Lebensweise: Raupe an *Arctostaphylos alpina* L. und *uva ursi* L.; in Mitteleuropa subalpin und alpin.

Grapholitha phacana Wcke.

Verbreitung: Gebirge Norwegens, — Großglockner.

Lebensweise der Raupe unbekannt, Falter in der alpinen Zone.

Familie *Hyponomeutidae.*

Swammerdamia conspersella Tgstr.

Verbreitung: Norwegen, Lappland, Nordwestrußland, — Alpen.

Lebensweise: Raupe an *Empetrum nigrum* L., in der alpinen Zone.

Hofmannia fasciapennella Stt.

Verbreitung: Schottland, Finnland, Livland, — Alpen Niederösterreichs, Bayerns und der Schweiz.[1]

Lebensweise der Raupe unbekannt, Falter in den Alpen in der alpinen Zone.

---

[1] Angeblich auch in Spanien.

Familie *Plutellidae.*

Plutella senilella Zett.

Verbreitung: Island, England, Schottland, Fennoskandia, — Alpen, Sudeten, Transsylvanische Alpen.

Lebensweise: Raupe an *Arabis*; in Mitteleuropa subalpin und alpin.

Familie *Elachistidae.*

Cataplectica auromaculata Frey.

Verbreitung: Shetlands-Inseln, Norwegen bis in die arktische Region, — Alpen der Schweiz und Tirols.

Lebensweise: Raupe an Umbelliferen (?), Falter in den Alpen in der alpinen Zone.

Elachista immolatella Z.

Verbreitung: Südliches Norwegen, — Ostalpen.

Lebensweise der Raupe unbekannt, Falter in den Alpen in der alpinen Zone.

Familie *Gracilariidae.*

Ornix interruptella Zett.

Verbreitung: Labrador (?), Nordeuropa bis in die arktische Region, — Alpen, Abruzzen, Karpathen.

Lebensweise: Raupe an niedrigen Weiden, in Mitteleuropa in der alpinen Zone.

Familie *Lyonetiidae.*

Lyonetia frigidariella H. S.

Verbreitung: Finnland, Lappland, — Alpen der Schweiz und Tirols.

Lebensweise: Raupe an *Salix*; in den Alpen in der alpinen Zone.

Familie *Tineidae.*

Myrmecozela ochraceella Tgstr.

Verbreitung: England, Lappland, Finnland, Livland, Insel Ösel, Zentralrußland (Kasan), Ostsibirien (Amurgebiet), — Alpen der Schweiz und Tirols.[1])

Lebensweise: Raupe in Ameisennestern; in den Alpen subalpin und alpin.

Incurvaria vetulella Zett.

Verbreitung: Fennoskandia bis in die arktische Region, — Alpen, Sudeten, Karpathen, Velebit, Gebirge Bosniens, Taurus.

Lebensweise: Raupe nach Höfner wahrscheinlich an *Vaccinium*; in Mitteleuropa in der subalpinen und alpinen Zone.

Diptera, Fliegen.

Unsere Kenntnisse über die geographische Verbreitung der europäischen Dipteren sind vielfach noch recht lückenhaft. Das folgende Verzeichnis kann daher nur als eine Vorarbeit angesehen werden, welche in der Zukunft viele Ergänzungen und Korrekturen finden wird. Auch über die Lebensweise der boreoalpinen Dipterenarten liegen im

---

[1]) Angeblich auch in Spanien.

einzelnen noch viel zu wenig Beobachtungen vor. Es konnten daher in dem folgenden Verzeichnis diesbezüglich keine Daten gegeben werden. Was sich ganz im allgemeinen über die Biocoenotik der boreoalpinen Dipteren sagen läßt, ist in dem III. Abschnitt dieser Arbeit zusammengefaßt.[1]

Familie *Mycetophilidae*.

Boletina conformis Siebke.

Verbreitung: Zuerst in Norwegen gefunden, von Strobl nochmals als *B. pseudosciarina* beschrieben, nach Exemplaren, die er in Steiermark an Waldbächen um Admont, im Gesäuse, im Wirtsgraben bei Hohentauern, auf Krummholzwiesen des Tamischbachturm und Scheiblingstein im Juni bis August gefangen hatte. «Auch bei Gastein» (Oldenberg in litt.).[2]

Gnoriste bilineata Zett.

Verbreitung: Skandinavien, Alpen; Strobl fand sie in Steiermark, ich bei Trafoi, Maloja, Gastein und auf der Seiser Alpe (Oldenberg in litt.).[3]

Familie *Simuliidae*.

Simulium hirtipes Fries.

Verbreitung: Skandinavien; nach Schiner in Österreich anscheinend nur im Hochgebirge vorkommend. Ich fand die Art in allen bisher besuchten Gebieten der Hochalpen, ferner in der Hohen Tátra und im Glatzer Gebirge (Oldenberg in litt.).

Familie *Limnobiidae*.

Phyllolabis macrura Siebke.

Verbreitung: Dovrefjeld, Lappland und Finnland, nach Mik auf dem Wege vom Scheiplsee zum Gipfel des Bösenstein und nach Strobl auf Almwiesen des Bösenstein, des Zirbitzkogels und der Grebenzen gefunden.[4]

Familie *Bibionidae*.

Aspistes analis Kirby.

Verbreitung: Von dieser nordischen Art fand ich je ein Exemplar bei Trafoi und St. Moritz (Oldenberg in litt.).[5]

Familie *Tipulidae*.

Tipula Zetterstedti Strobl.

Verbreitung: Diese von Strobl in Steiermark an feuchten Waldstellen des Lichtmeßberges und um den Scheiplsee am Bösenstein gefundene Art hatte Zetterstedt «in Scandinavia boreali in jugo alpino Norvegiae ad diversorium Suul» gefangen und Lundstroem nennt sie aus dem finnischen Lappland.

---

[1] Hinsichtlich der Literatur sei auf die großen Kataloge von Kertész verwiesen.

[2] Vielleicht ist außerdem boreoalpin *Boletina consobrina* Zett., aus Fennoskandia beschrieben, nach Strobl in Obersteiermark und am Trebević in Bosnien.

[3] Möglicherweise sind ferner boreoalpin *Phronia Tiefi* Dziedz., *Phronia appropinquata* Strobl und *Mycetophila magnicauda* Strobl, alle drei Arten bisher nur aus den Ostalpen und aus Finnland bekannt.

[4] *Limnophila decolor* Zett. aus Lappmarken und Umea wird von Strobl aus den obersteirischen Alpen angegeben.

[5] Vielleicht ist auch *Bibio fuscipennis* Pok. boreoalpin; doch ist die Speziessystematik noch nicht vollkommen geklärt.

Familie *Stratiomyidae.*

Oxycera amoena Loew.

Verbreitung: Skandinavien (Smoland), außerdem an zahlreichen hochgelegenen Lokalitäten in den Alpen gefunden. «Auch in den Westpyrenäen bei Ragaz» (Becker in litt.).

Familie *Empididae.*

Empis lucida Zett.

Verbreitung: Fennoskandia, England, -- ferner in den Alpen bei St. Moritz (Becker in litt.) und bei Gastein (Oldenberg in litt.) gefunden.

Rhamphomyia rufipes Zett.

Verbreitung: Diese aus Skandinavien und dem finnischen Lappland bekannte Art fand Th. Becker auch bei St. Moritz.

Rhamphomyia caudata Zett.

Verbreitung: In Skandinavien und im Riesengebirge (Becker in litt.).

Rhamphomyia plumifera Zett.

Verbreitung: Fennoskandia, — nach Strobl in Obersteiermark auf Krummholzwiesen des Kalbling und Scheiblingstein, außerdem in' den Sudeten (Becker und Oldenberg in litt.).

Rhamphomyia pallidiventris Fall.

Verbreitung: Skandinavien; ich fand sie am Glatzer Schneeberg und öfter in den Alpen (Gastein, Seiser Alpe, Engadin, Ortler). Ein Pärchen von mir aus Maloja hat Becker mit nordischen Exemplaren in Lund verglichen (Oldenberg in litt.).

Rhamphomyia villosa Zett.

Verbreitung: Diese Art, die ihr Autor auf den Alpen des Dovre auffand, scheint in den Alpen Steiermarks recht verbreitet; Strobl nennt folgende Fundorte um Admont: an Bachrändern der Scheiblegger Hochalpe und auf Krummholzwiesen des Kalbling; im Tauernzuge um den Scheiplsee, an den Alpenbächen des Hochschwung und in Wäldern oberhalb des Triebentales bis auf die Spitze des Griessteines, 7079 Fuß. Th. Becker fing die Art bei St. Moritz und beschrieb die ♂ als diejenigen seiner *Rh. sancti-mauritii.*

Iteaphila nitidula Zett.

Verbreitung: Diese zuerst aus den Alpen Dalekarliens bekannt gewordene Art beschrieb Th. Becker unter dem Namen *I. styriensis,* den er nachher in *I. meridionalis* änderte, von dem Wege von Paneveggio über den Rollepaß nach San Martino. «Ich fand je ein Weibchen bei Sulden, Wölfelsgrund (Sudeten) und Gellivare in Lappland» (Oldenberg in litt.).

Iteaphila macquarti Zett.

Verbreitung: Diese Art wurde aus dem nördlichen Schweden beschrieben und von Bonsdorff aus Nordfinnland erwähnt. Th. Becker hat eine *Steleochaeta setacea* aus St. Moritz beschrieben, die er später auch in Exemplaren aus Nordsibirien, vom Flusse Jenisei, erhielt und die für identisch mit der Zetterstedtschen Art gilt, obwohl das noch nicht ganz sicher zu sein scheint.

Hilaria spinimana Zett.

Verbreitung: Fennoskandia (Alpen Dalekarliens, Dovre, Jemtland, Lappland), in den Alpen von Strobl auf Krummholzwiesen des Natterriegel bei Admont, im Wirtsgraben bei Hohentauern, beim Scheiplsee am Bösenstein, in der Stelzing (1410 m) auf der Saualpe und bei Gastein gefunden. «Ferner auf der Seiser Alpe, im Oberengadin, bei Macugnaga (hier besonders häufig; hinsichtlich der Beinfärbung fanden sich daselbst alle Übergänge zwischen Hell und Dunkel, so daß mir die Aufstellung einer besonderen Alpenrasse var. *spinigera* Strobl nicht zweckmäßig erscheint), in den Sudeten (Glatzer Gebirge) und in der Hohen Tátra» (Oldenberg in litt.).[1]

Tachydromia stigmatella Zett.

Verbreitung: Fennoskandia, — von Strobl in den Alpen Obersteiermarks gefunden, ferner «bei Gastein, am Ortler, Adamello, auf der Seiser Alpe, im Oberengadin, im Riesengebirge und in der Hohen Tátra» (Oldenberg in litt.). Nach Th. Becker (in litt.) im obersten Rheintal (Sedrun).

Tachydromia aeneicollis Zett.

Verbreitung: In Schweden und in der Schweiz am Furkapaß (Becker in litt.).

Tachydromia macula Zett.

Verbreitung: Fennoskandia, — von Strobl in Obersteiermark, von Becker bei St. Moritz, von mir auf der Seiser Alpe, im Ortlergebiet und Oberengadin, am Mte. Rosa und in den Sudeten (Wölfelsgrund) gefunden (Oldenberg in litt.).

Familie *Dolichopodidae.*

Hercostomus Sahlbergi Zett.

Verbreitung: Fennoskandia, — Alpen, Hohe Tátra (Becker und Oldenberg in litt.).

Familie *Phoridae.*

Phora palposa Zett.

Verbreitung: Nordbottnien, Finnland, Lappland, nach Becker auch am Schuler in Siebenbürgen.

Familie *Syrphidae.*

Chilosia Sahlbergi Becker.

Verbreitung: Diese Art ist bekannt aus Finnland und aus der Schweiz (Bergün).[2]

Syrphus tarsatus Zett.

Verbreitung: Lundbeck, der diese Art aus Grönland (Hau, Nunasarnausak bei 68° n. Br.) vor sich hatte, sagt von ihr: sie kommt auch in Nordamerika vor und auf den Bergen Mitteleuropas oberhalb einer gewissen Höhe. Aldrich nennt keine eigentlichen nordamerikanischen Fundorte, die nordeuropäischen, die ich finde, sind Jemtland, Lappland, Norwegen (Zetterstedt), Island (Stäger), Enare, Tornea, Lappmark (Bonsdorff) und Matoschkin Scharr auf Nowaja Semlja sowie Spitzbergen (Holmgren). Und von mitteleuropäischen Fundorten ist mir nur der Wiener Schneeberg nach Egger und Schiner bekannt.

---

[1] Vielleicht sind ferner boreoalpin *Hilara Czernyi* Strobl (von mir nicht nur in den Alpen bei St. Moritz und Gastein, sondern auch in Lappland bei Gellivare gefunden), *Hilara abdominalis* Zett. (wahrscheinlich nicht spezifisch verschieden von *H. heterogastra* Now.).

[2] Vielleicht sind ferner boreoalpin *Chilosia melanopa* Zett. (von mir in Tirol auf dem Rollepaß, ferner bei Genf und in den Pyrenäen, Canterets, gefunden) und *Chilosia morio* Zett. (von mir im Schlesischen Gebirge und in Tirol bei Innsbruck gefunden) Becker in litt.).

Xylota triangularis Zett.

Verbreitung: Diese Art aus Lappland und Dalekarlien sowie aus Finnland, von wo Bonsdorff sie als ganz seltenen Fund von Esbo, Tavatsland und Muonioniska im finnischen Lappland verzeichnet, wurde bei Gastein und auf der Saualpe in Kärnten wiedergefunden (Schiner), ferner «bei St. Moritz» (Becker in litt.); Oldenberg (in litt.) nennt außerdem die Fundorte: Seiser Alpe, Val di Genova (Adamello), Maloja, Bergün, Macugnaga.

Familie *Anthomyidae*.

Phaonia alpicola Zett.

Verbreitung: Fennoskandia, — nach Pandellé in den Hautes-Pyrénées, nach Strobl in den Alpen Obersteiermarks, ich erhielt die Art durch Bezzi aus den Alpen (Oldenberg in litt.).

Phaonia Sundevalli Zett.

• Verbreitung: Fennoskandia, — Erzgebirge, Sudeten, Alpen Obersteiermarks (Strobl) und Piemonts (Rondani), Dauphiné (La Grane, 1800 m, Becker in litt.), Hautes-Pyrénées (Pandellé).[1]

Trichopticus aculeipes Zett.

Verbreitung: Aus Fennoskandia und von zahlreichen höher gelegenen Lokalitäten der Alpen (von mir im Engadin und Ortlergebiet gesammelt) bekannt (Oldenberg in litt.). Auch in den Pyrenäen (Becker in litt.).

Trichopticus nigritellus Zett.

Verbreitung: Fennoskandia, Großbritannien, — Sudeten, Alpen (Becker und Oldenberg in litt.).

Trichopticus subrostratus Zett.

Verbreitung: Fennoskandia, — Alpen (Oldenberg in litt.).

Mydaea obtusipennis Zett.

Verbreitung: Fennoskandia, — Hautes-Pyrénées (Pandellé), Alpen Obersteiermarks (Strobl), von mir bei Sulden und Maloja gefunden (Oldenberg in litt.).

Familie *Cordyluridae*.

Acanthocnema nigrimana Zett.

Verbreitung: Schweden, Sudeten, oberes Rheintal (Sedrun, Becker), nach Oldenberg (in litt.) bei Gastein und in der Val di Genova (Adamello).

Scatophaga maculipes Zett.

Verbreitung: Lappland, — Zermatt, Gastein (Becker in litt.).

Microprosopa haemorrhoidalis Meig.

Verbreitung: Schweden, Lappland, Finnland, Sibirien, — Dauphiné (Lautaret, 2100 m) (Becker in litt.), nach Oldenberg (in litt.) bei Gastein und im Oberengadin.

Microprosopa pallicauda Zett.

Verbreitung: Lappland, — St. Moritz (Becker), von Oldenberg im Ortlergebiet (Sulden, Trafoi), im Oberengadin und in der Hohen Tátra (Kohlbachtal) gefunden.

---

[1] Auch auf die Verbreitung von *Phaonia morio* Zett. wäre zu achten.

Gymnomera dorsata Zett.

Verbreitung: Lappland, — St. Moritz, Caressapaß (Südtirol), Lautaret (Dauphinée) (Becker in litt.), nach Oldenberg in litt. auch bei Sulden.[1]

Familie *Sciomycidae.*

Eurygnathomyia bicolor Zett.

Verbreitung: Fennoskandia, — Wiener Schneeberg (Loew, auch von Hendel wiedergefunden). Herr Oldenberg schreibt mir über diese Art: «Sciomyza bicolor Zett. ist nichts anderes als *Eurygnathomyia opomyzina* Zett. Die Beschreibungen stimmen gut zusammen. Wie ich im Jahre 1910 im Stockholmer Museum feststellen konnte, steckt dort eine Reihe lappländischer Tiere, die mit der alpinen *Eurygnathomyia opomyzina* Zett. (aus Gastein, mir von Czerny bestimmt) vollkommen identisch sind. Ich fand beide Geschlechter bei Gastein und auf der Seiser Alpe.»

Familie *Helomyzidae.*

Helomyza Miki Pok.

Verbreitung: Diese von Pokorny aus Südtirol beschriebene Art fand ich bei Trafoi, Maloja, Gastein und auf der Seiser Alpe; außerdem aber fanden wir sie auch in Lappland bei Gellivare und Abisko (Oldenberg in litt.).[2]

Familie *Sapromyzidae.*

Sapromyza laeta Zett.

Verbreitung: Fennoskandia, — Sudeten, Alpen, an vielen Orten in der subalpinen und alpinen Zone (Oldenberg in litt.).

Familie *Psilidae.*

Psilosoma Audouini Zett.

Verbreitung: Fennoskandia (Lappland, Dovregebirge), ferner in den Sudeten (Hendel, Oldenberg), in der Hohen Tátra (Loew, Oldenberg), am Wiener Schneeberg (Schiner) und von Becker im Dauphiné am Lautaret (2100 m), von Kertész am Mt. Cenis, von Oldenberg bei Gastein, auf der Seiser Alpe, im Ortlergebiet und im Engadin gefunden.

Psilosoma Lefebvrei Zett.

Verbreitung: Fennoskandia, — Riesengebirge (Becker in litt.), Wiener Schneeberg (Schiner).

Coleoptera, Käfer.

Bei weiterem Ausbau unserer faunistischen Kenntnisse dürfte sich die Zahl der boreoalpinen Coleopteren noch um einige wenige Arten vermehren. Einzelne alte An-

---

[1] Die folgenden Arten sind bisher nur aus Fennoskandia und aus den Sudeten bekannt: *Cordyiura atrata* Zett., *Orthochaeta pilosa* Zett., *Leptopa filiformis* Zett., *Micropselapha filiformis* Zett., *Amaurosoma leucostoma* Zett., *Amaurosoma nigripes* Zett., *Amaurosoma inerme* Beck., *Amaurosoma armillatum* Zett., *Coniosternum obscurum* Zett. Zwei andere aus Fennoskandia beschriebene Arten wurden von Becker bei St. Moritz wiedergefunden; es sind dies *Cosmetopus dentimanus* Zett. und *Spathiophora hydromyzina* Fall. (Becker in litt.).

[2] Vielleicht ist außerdem boreoalpin *Helomyza (Eccoptomera) flavotestacea* Zett., aus Skandinavien beschrieben, nach Strobl in Obersteiermark (Sunk, Wirtsgraben bei Hohentauern), von mir in den Sudeten (Spindelmühle, Wölfelsgrund), am Abhang der Seiser Alpe, bei Gastein, Trafoi, Sulden, St. Moritz, Macugnaga und in Lappland bei Gellivare gefunden (Oldenberg in litt.).

gaben über das Vorkommen gewisser nordischer Käferarten in den mitteleuropäischen Hochgebirgen mußte ich beiseite lassen, da es mir nicht möglich war, in den Besitz von Belegstücken oder einer sicheren Bestätigung zu gelangen. So soll die nordische *Acmaeops smaragdula* F. nach Gredler in Tirol, nach Heer in der Schweiz, nach Fauvel bei Chamounix und am Mt. Cenis vorkommen. Eine andere nordische Cerambycidenart (*Evodinus borealis* Gyllh.) wird von Redtenbacher aus den niederösterreichischen Alpen angegeben. Diese Provenienz scheint falsch.[1] Belegstücke sind nicht erhalten. Die Angaben über das Vorkommen von *Anthobium lapponicum* Mannh. und *Atheta arctica* Thoms. (*clavipes* Sharp.) in den Sudeten wurden bei Nachprüfung von Belegstücken durch Luze, bezw. Gerhardt als unrichtig erwiesen.[2]

Familie *Carabidae.*[3]

Nebria Gyllenhali Schönh.

Verbreitung: Grönland, Island, Färöer, Shetland, England (im Gebirge, Wales, Derbyshire, Lake District), Schottland, Irland, Fennoskandia, Nord- und Zentralrußland (nach Jakobson südwärts noch bei Moskau und Kasan), Westsibirien, — Sudeten, Alpen, südlicher Jura, Auvergne (Cantal, Mont-Dore etc., sehr häufig), Pyrenäen, Karpathen, Montenegro (Durmitor), Bulgarien (Westrhodope, Rhilo-Dagh).

---

[1] Überhaupt ist bei Benützung älterer koleopterologisch-faunistischer Literatur ganz besondere Vorsicht geboten. Die Gepflogenheit, sofort bei der Präparation alle gesammelten Coleopteren mit genauem Fundortzettel zu versehen, hat sich erst vor etwa 40 Jahren ziemlich allgemein eingebürgert. Vor dieser Zeit unterließen es auch die Besitzer großer und berühmter Sammlungen vielfach, ihr Material ordnungsmäßig zu bezetteln. Selbstgesammeltes und Eingetauschtes steckte in den Laden durcheinander, bezüglich des Fundortes verließ man sich auf das Gedächtnis. So sind viele seither nicht bestätigte Provenienzangaben in alten Listen und Faunenwerken auf Gedächtnisfehler, oft aber auch auf unrichtige Determination, mitunter selbst auf absichtliche Irreleitung zurückzuführen. Es war ein Fehler Schilskys, solche zweifellos falsche Provenienzangaben aus gänzlich veralteten faunistischen Arbeiten ohne jede Kritik in sein neues Verzeichnis der Käfer Deutschlands und Deutschösterreichs aufzunehmen.

[2] Wichtigste Literatur: Reitter, Catalogus Coleopterorum Europae, 1906; Ganglbauer, Die Käfer von Mitteleuropa; Apfelbeck, Die Käferfauna der Balkanhalbinsel I. (*Caraboidea*), Berlin 1904; Claes Grill, Catalogus Coleopterorum Scandinaviae, Daniae et Fenniae, Holmiae 1896; Poppius, Die Coleopteren des arktischen Gebietes, Fauna arctica, 5. Band, 1. Lief. (Jena 1910), p. 291—447; Kolbe, Über boreal-alpine Verbreitung von Tieren und eine unrichtige Behauptung in R. F. Scharffs «European animals», Entom. Rundschau XXVI (1909), Nr. 1—2; Kolbe, Glazialzeitliche Reliktenfauna im hohen Norden, Deutsche Entom. Zeitschr., 1912, p. 35—63; Letzner und Gerhardt, Verzeichnis der Käfer Schlesiens, 2. Aufl., Zeitschr. für Entom., Breslau, N. F., X—XVI (1885—1891); Gerhardt, Verzeichnis der Käfer Schlesiens, 3. Aufl., Berlin 1910; Schilsky, Systematisches Verzeichnis der Käfer Deutschlands und Deutsch-Österreichs, Stuttgart 1909; Holdhaus und Deubel, Untersuchungen über die Zoogeographie der Karpathen, Jena 1910; Holdhaus, Zur Kenntnis der Coleopterenfauna der Färöer, Deutsche Entom. Nationalbibliothek II (1911), Nr. 16; Jakobson, Die Käfer Rußlands und Westeuropas, St. Petersburg 1905— (unvollendet) (Text russisch; auf p. 131—165 eine Zusammenstellung der coleopterologisch-faunistischen Literatur aus dem Bereiche der paläarktischen Region); Thiem, Biogeographische Betrachtung des Rachel, Nürnberg 1906, Coleoptera, p. 97—117. Aus den genannten Arbeiten ist die weitere Literatur zu entnehmen.

[3] Neben den im folgenden genannten Carabiden gibt es manche andere Arten, welche, ohne typisch boreoalpin zu sein, doch starke Anklänge an diesen Verbreitungstypus zeigen. Als Beispiel sei genannt: *Miscodera arctica* Payk. Verbreitung: England, Schottland, Nordeuropa, Dänemark, Sibirien, Norden der nearktischen Region, sehr sporadisch und selten im deutschen Flachland südwärts bis in die schlesische Ebene (daselbst in Kiefernwäldern auf Sandboden), außerdem in der alpinen Zone der Tiroler und Schweizer Alpen. Ähnlichen Verbreitungstypus zeigen auch *Notiophilus hypocrita* Putz., *Amara praetermissa* Sahlb., *Cymindis vaporariorum* L.

Lebensweise: Ripicol, am Ufer stehender und fließender Gewässer, aber auch sonst an feuchten Stellen im Erdboden, in Mitteleuropa vorwiegend in der alpinen und subalpinen Zone, aber entlang der Gebirgsbäche bis in eine Höhe von 500 m (stellenweise vielleicht noch tiefer) herabsteigend.

Bembidium Fellmanni Mannh.

Verbreitung: Fennoskandia, Nordrußland, Nordsibirien, — Transsylvanische Alpen.

Lebensweise: An feuchten Stellen im Erdboden, unter Laub, Moos etc., auch an den Ufern verschiedener Gewässer, in den Südkarpathen in der obersten Waldzone und in der alpinen Zone.

Patrobus septentrionis Dej.

Verbreitung: Norden der nearktischen Region, Grönland, Island, Färöer, Schottland, Fennoskandia (nach Claes Grill auch auf den dänischen Inseln Lolland und Seeland), Nordrußland (südwärts noch bei St. Petersburg), Sibirien, Beringsinsel, Aleuten, — außerdem in den Schweizer und Tiroler Alpen und im Glocknergebiet.

Lebensweise: Terricol, an feuchten Stellen, in den Alpen in der alpinen Zone.

Patrobus assimilis Chaud.

Verbreitung: Färöer, Großbritannien, Irland, Fennoskandia, Nordrußland (noch bei St. Petersburg), Nordwestsibirien, — in den Tiroler Alpen auf der Paßhöhe des Arlberg (1802 m, leg. Breit, conf. München. Kol. Zeitschr. I, p. 257) und auf der Seiser Alpe, ferner im Riesengebirge. Nach Kraatz (Deutsche Entom. Zeitschr., 1886, p. 212) soll diese Art einmal im Brieselanger Forst in der Mark Brandenburg gefangen worden sein. Belegstücke für diese Angabe sind in der Coll. Kraatz nicht vorhanden und es handelt sich wohl sicher um eine falsche Determination.

Lebensweise: Terricol, an feuchten Stellen. In den Sudeten »besonders oberhalb der Waldgrenze, unter Steinen, auf Moorboden, aber wohl auch noch in der obersten Waldzone« (Gerhardt in litt.). Die Fundstelle am Arlberg liegt nach brieflicher Mitteilung von Herrn J. Breit oberhalb der Waldgrenze.

? Amara erratica Duftschm.

Verbreitung: Norden der nearktischen Region, Fennoskandia, Nordrußland, Sibirien, — Harz, Taunus, Thüringerwald, Sudeten, Karpathen, Alpen, Jura, Pyrenäen, Bosnien, Montenegro, Serbien (Stara planina, Kopaonik), Bulgarien (Rhilo-Dagh, Zentralrhodope, Karlak), Kaukasus. Nach Łomnicki (Spraw. Kom. Fiz. Krakau XXV, p. 167) in Galizien in der Umgebung von Lemberg sehr selten. Nach Schilsky an der Nordsee. Herr Prof. Kolbe teilt mir mit, daß das königl. Museum in Berlin ein Exemplar aus Emden (Nordsee) besitze. Da aber in den durch Everts so gut durchforschten Niederlanden *Amara erratica* bisher nicht nachgewiesen werden konnte, scheint mir das Vorkommen an der deutschen Nordseeküste noch weiterer Bestätigung zu bedürfen.

Lebensweise: Terricol, an feuchten Stellen, besonders häufig im Umkreise der sommerlichen Schneeflecken in der alpinen Zone. In Mitteleuropa (abgesehen von dem eigenartigen Vorkommen bei Lemberg) nur im Gebirge in der oberen Waldzone und in der alpinen Zone.

Amara Quenseli Schönh.

Verbreitung: Island, Schottland, Fennoskandia, Nordrußland (südwärts nach Jakobson noch bei St. Petersburg), Sibirien, — Pyrenäen, Alpen, Karpathen,

Kaukasus, Bosnien, Herzegowina, Montenegro, Serbien (Kopaonik), Bulgarien (Balkan, Rhilo-Dagh, Rhodope, Mussalâh). Die Angabe, daß *Amara Quenseli* bei Hamburg vorkomme, beruht zweifellos auf Verwechslung mit *A. silvicola* Zimm. (Belegstücke sind nach Mitteilung von Herrn Koltze nicht vorhanden).

Lebensweise: Terricol, an feuchten Stellen, besonders auch im Umkreis von Schneeflecken, in den mitteleuropäischen Gebirgen in der alpinen Zone.

Familie *Dytiscidae*.[1]

Agabus Solieri Aubé.

Verbreitung: Island, Färöer, Schottland, Fennoskandia, Nordrußland, — Pyrenäen, Alpen, Karpathen, Montenegro (Durmitor).

Lebensweise: In stehendem Wasser, in den südlichen Gebirgen in Seen der alpinen Zone.

Ilybius crassus Thoms.

Verbreitung: Fennoskandia, Nordrußland (südwärts nach Jakobson noch bei St. Petersburg und Jaroslaw), — von Herrn R. Pinker auf der Schwalben-wand bei Zell am See in einem kleinen Tümpel in einer Höhe von etwa 1900 m gefangen (det. Ganglbauer; Belegstücke im Wiener Hofmuseum).

Lebensweise: In stehendem Wasser.

Familie *Staphylinidae*.

Mannerheimia arctica Er.

Verbreitung: Fennoskandia, Nordrußland, Westsibirien, — Ortlergebiet (Stilfserjoch), Abruzzen (am Gipfel der Majella, nach Dodero, Riv. Col. Ital. VI, 1908, p. 95).

Lebensweise: Terricol, unter Moos und modernden Vegetabilien, auch am Rande von Schneefeldern, in den Alpen in der alpinen Zone.

Arpedium brachypterum Grav.

Verbreitung: Färöer, Großbritannien, Irland, Beeren-Insel, Fennoskandia, Nordrußland, Sibirien, nach Fauvel auch in den White Mountains in Nord-amerika, — außerdem in den Alpen, Sudeten, Nordkarpathen, Bulgarien (Vitoša und Rila-Planina, nach Rambousek, 1909) und im Kaukasus. Die Stücke von der preußischen Ostseeküste, die früher zu *A. brachypterum* gezogen wurden, sind nach Mitteilung von Dr. Bernhauer eine andere Art (*tenue* Lec.).

Lebensweise: Terricol, in den mitteleuropäischen Gebirgen in der alpinen Zone.

---

[1] Außer den beiden im folgenden genannten Arten enthält noch die Gattung *Hydroporus* zweifellos einige mehr oder minder typisch boreoalpine Arten, doch sehe ich davon ab, dieselben in das Verzeichnis aufzunehmen, da mir die Gattung in systematischer und faunistischer Hinsicht doch noch etwas zu wenig durchgearbeitet erscheint. Zu achten wäre namentlich auf *Hydroporus tartaricus* Lec., *borealis* Gyllh., *septentrionalis* Gyllh., *assimilis* Payk. und *atriceps* Crotch. »Une autre espèce boréo-alpine est *Coelambus Marklini* Gyllh., qui existe dans les Hautes-Pyrénées et Pyrénées orientales, mais pas dans les Alpes» (Deville in litt.). In beschränktem Maße boreoalpin ist *Dytiscus lapponicus* Gyllh. Verbreitung: Irland, Schottland, Fennoskandia, Dänemark, Rußland südwärts bis Woronesh und Kiew, Sibirien, sporadisch in Holland und Norddeutschland, — außerdem in den Westalpen im Lago della Maddalena (ca. 2000 m) am Col de Larche (vgl. Griffini, Boll. Mus. Zool. Torino XI, 1896, Nr. 248 und Régimbart, Ann. Soc. Ent. Fr., 1898, p. 318) und bei La Grave, Isère (Pelet, coll. Dongé, nach brieflicher Mitteilung von Herrn Deville). Bei La Grave die typische Form, im Lago della Maddalena var. *disjunctus* Cam.

Geodromicus globulicollis Mannh.

Verbreitung: England (Snowdon), Schottland, Fennoskandia, — Pyrenäen, Auvergne (Mont-Dore), Lozère, Jura (Deville in litt.), Alpen, Sudeten, Karpathen, Kaukasus, Armenien (Kasi-Koporan).

Lebensweise: An feuchten Stellen, besonders am Rande von Schneeflecken im Erdboden, von mir in den Alpen stets nur in der alpinen Zone gefunden.

Anthophagus alpinus Fabr.

Verbreitung: Irland, England, Schottland, Fennoskandia, — Taunus, Alpen, Sudeten, Karpathen, Bosnien, Abruzzen.

Lebensweise: Planticol, in unseren Gebirgen in der subalpinen und alpinen Zone.

Anthophagus omalinus Zett.

Verbreitung: Fennoskandia, nördliches Rußland (nach Jakobson südwärts noch bei Moskau), Westsibirien, — Alpen, Böhmerwald (Rachel), Sudeten, Karpathen.

Lebensweise: Planticol, in Mitteleuropa in der subalpinen Zone.

Stenus alpicola Fauv.

Verbreitung: Lappland, Sibirien, Norden der nearktischen Region, — Pyrenäen, Alpen, Südkarpathen, Talysch.[1])

Lebensweise: Terricol, in den mitteleuropäischen Gebirgen in der alpinen Zone.

Autalia puncticollis Sharp.

Verbreitung: Island, Färöer, Orkney, Schottland, Fennoskandia, Nordrußland (südwärts bis Livland), — Alpen, Jura (Reculet, teste Deville), Südkarpathen (von Ganglbauer am Paring gesammelt).

Lebensweise: In Dünger (Schafmist, Rindermist), in den Alpen in der obersten Waldzone und in der alpinen Zone.

Atheta islandica Kr.

Verbreitung: Grönland, Island, Schottland, Fennoskandia, Nordrußland, Nordsibirien, — Schlesien, Ostkarpathen (Czernahora), Auvergne (Mont-Dore, vgl. Deville, Abeille XXXI, p. 131).

Lebensweise: Terricol, an feuchten Stellen, auch am Rande von Schneefeldern. Auf der Czernahora in der alpinen Zone. Auch die Fundstelle am Mont-Dore liegt nach brieflicher Mitteilung von Herrn Sainte-Claire Deville oberhalb der Waldgrenze.

Atheta Brisouti Har.

Verbreitung: Fennoskandia, — Pyrenäen, Auvergne (Mont-Dore), Alpen, Schwarzwald, Karpathen.

Lebensweise: Terricol, in den südlichen Gebirgen in der oberen Waldzone und in der alpinen Zone.

Atheta depressicollis Fauv.

Verbreitung: Fennoskandia, — Pyrenäen, Alpen (Großglockner, steirische Alpen).

Lebensweise: Terricol, in den Alpen in der alpinen Zone am Rande von Schneeflecken.

---

[1]) Herr Dr. Bernhauer teilt mir mit, daß ihm die Exemplare aus Sibirien von der Alpenform nicht zu trennen scheinen.

Atheta laevicauda Sahlb.

Verbreitung: Fennoskandia, Nordrußland, — Alpen, Böhmerwald (Rachel), Sudeten, Karpathen, Kaukasus.

Lebensweise: Terricol, in unseren Gebirgen in der subalpinen und alpinen Zone.

Familie Scydmaenidae.

Neuraphes coronatus Sahlb.

Verbreitung: Fennoskandia, — Auvergne (Montagne du Cantal), Alpen, Sudeten, Karpathen, Bosnien (Ivan).

Lebensweise: Terricol, in den mitteleuropäischen Gebirgen in der subalpinen und alpinen Zone.

Familie Silphidae.

Pteroloma Forstroemi Gyllh.

Verbreitung: Fennoskandia, Nordrußland (südwärts nach Jakobson noch bei Moskau), Sibirien, Alaska, — Kärntner Alpen (Berge bei Metnitz im Gurktal, von Herrn Pfarrer Edgar Klimsch gesammelt), Erzgebirge (oberhalb Annaberg, leg. Lange), Thüringer Wald (bei der Schmücke, nach Hubenthal, Deutsche Entom. Zeitschr., 1912, p. 73), Sudeten, Nordkarpathen.

Lebensweise: Am Rande von Gewässern im Gerölle und im Ufersande, in den mitteleuropäischen Gebirgen in der subalpinen Zone.

Agathidium rhinoceros Sharp.

Verbreitung: Schottland, Fennoskandia, — Hohe Tauern (Gastein), Basses-Alpes (leg. de Peyerimhoff, nach Mitteilung von Deville), Ostkarpathen (Nagy-Hagymás), nach Csiki (Magyarország Bogárfaun. II, 1909, p. 58) auch in den Nordkarpathen bei Bártfa (Bartfeld).

Lebensweise: Nach Fowler in Schottland unter der Rinde abgestorbener Nadelhölzer, von mir am Nagy-Hagymás in der oberen Waldzone aus Moos gesiebt.[1])

Familie Hydrophilidae.

Helophorus glacialis Vill.

Verbreitung: Fennoskandia, — Pyrenäen, Alpen, Sudeten, Karpathen, Rhodope-Gebirge, Kaukasus; falls Helophorus insularis Reiche wirklich nur eine Rasse des H. glacialis sein sollte, auch auf Korsika.

Lebensweise: In stehendem Wasser, in den südlichen Gebirgen in der obersten Waldzone und in der alpinen Zone.

Familie Byrrhidae.

Simplocaria metallica Sturm.

Verbreitung: Grönland?, Fennoskandia, Sibirien?, — Alpen, Sudeten, Karpathen.

---

[1]) Das im nördlichen Fennoskandia vorkommende Agathidium arcticum Thoms. wird auch aus der Schweiz und aus den Ostkarpathen (Howerla) angegeben. Ich habe mitteleuropäische Exemplare nicht gesehen. Ebenso ist Liodes picea Ill. boreoalpin, falls sie nicht doch nur eine Rasse der L. dubia Kug. sein sollte. In beschränktem Maße boreoalpin sind Liodes rhaetica Er. und Liodes silesiaca Kr.

Lebensweise: Terricol, in den mitteleuropäischen Gebirgen in der oberen Waldzone und in der alpinen Zone. Selten.

Familie *Elateridae.*

Cryptohypnus rivularius Gyllh.

Verbreitung: Fennoskandia, Nordrußland, Nordsibirien, — Alpen, Sudeten, Karpathen.

Lebensweise: An feuchten Stellen unter Steinen, Moos etc., in den mitteleuropäischen Gebirgen in der obersten Waldzone und der alpinen Zone.[1]

Cryptohypnus hyperboreus Gyllh.

Verbreitung: Fennoskandia, Nordsibirien, angeblich auch in Alaska, — Alpen ostwärts bis in die Dolomiten.

Lebensweise: Unter Steinen, in den Alpen in der alpinen Zone.

Corymbites cupreus F.

Verbreitung: Großbritannien und Irland, Fennoskandia, Nordrußland, Sibirien, — Pyrenäen, französisches Zentralplateau, mitteldeutsche Gebirge, Alpen, Sudeten, Karpathen, Bosnien, Herzegowina, Kaukasus, nach Bertolini auch in Toskana und in der Emilia.

Lebensweise: Planticol, in den Gebirgen von Mitteleuropa in der Waldzone (stellenweise tief herabsteigend) und in der alpinen Zone.

Selatosomus affinis Payk.

Verbreitung: Fennoskandia, Nordrußland (nach Seidlitz noch in den baltischen Provinzen), Sibirien, — Auvergne, mitteldeutsche Gebirge, Alpen, Sudeten, Karpathen.

Lebensweise: Planticol, in Mitteleuropa in der subalpinen und alpinen Zone.

Familie *Chrysomelidae.*

Syneta betulae F.

Verbreitung: Fennoskandia, Sibirien, — Schweiz (Bündtner Alpen).

Lebensweise: Nach Stierlin in den Bündtner Alpen auf Birken, sehr selten.

Familie *Cerambycidae.*

Brachyta interrogationis L.

Verbreitung: Fennoskandia, Dänemark?, Sibirien, Altai, Tarbagatai, — Pyrenäen, Alpen, Jura, Auvergne, Vogesen (Deville in litt.).[2]

Lebensweise: Planticol, in den mitteleuropäischen Gebirgen in der subalpinen und alpinen Zone.

---

[1] Auch Herr Direktor Ganglbauer, der die Angelegenheit vor kurzem untersuchte, kam zu dem Resultate, daß *Cryptohypnus frigidus* Kiesw. von *Cr. rivularius* nicht spezifisch getrennt werden kann. — Anklänge an boreoalpine Verbreitung zeigt: *Cryptohypnus riparius* F. Verbreitung: Island, Färöer, Großbritannien und Irland, Fennoskandia, Dänemark (Jylland und Seeland), Nord- und Mittelrußland, Sibirien, — Pyrenäen, französisches Zentralplateau, Gebirge von Mitteldeutschland, Alpen, Sudeten, Karpathen, sehr sporadisch und selten im norddeutschen Flachland (z. B. bei Hamburg). Die Art wird an feuchten Stellen im Boden gefunden, in den Alpen in der subalpinen und alpinen Zone.

[2] Nach Lentz soll diese Art im Jahre 1788 von Kugelann bei Königsberg gefangen worden sein, seitdem aber nicht wieder.

Acmaeops septentrionis Thoms.

Verbreitung: Fennoskandia, Sibirien. — Alpen, ?Schlesien (nach Gerhardt, Verz. Käf. Schles., III. Aufl., p. 288 in Coll. Letzner ein Stück aus Schlesien). Lebensweise: Planticol, in den Alpen in der subalpinen Zone.[1]

Familie Curculionidae.

Otiorrhynchus dubius Ström.

Verbreitung: Grönland, Island, Färöer, Großbritannien und Irland, Fennoskandia (nach Schioedte auch in Jylland, Dänemark), Nordrußland, — Sudeten, Karpathen, Alpen, Harz, Schwarzwald, nach brieflicher Mitteilung von Herrn Deville auch in den Vogesen und Cévennes.

Lebensweise: Larve terricol, der Käfer wird gleichfalls sehr häufig im Erdboden, unter Steinen, Moos etc. gefunden, aber gelegentlich auch auf Pflanzen (z. B. in der oberen Waldzone auf Fichten) angetroffen. In den mitteleuropäischen Gebirgen in der subalpinen und alpinen Zone.

Otiorrhynchus arcticus F.

Verbreitung: Grönland, Island, Färöer, Shetland, Schottland, Irland, Fennoskandia, Nordrußland, — Pyrenäen, Auvergne (Cantal nnd Mont-Dore), Sudeten, Nord- und Ostkarpathen. Das Vorkommen dieser Art in den Alpen ist, wie mir Herr Dr. K. Daniel mitteilt, noch nicht einwandfrei sichergestellt.

Lebensweise: Larve terricol. Käfer nach Poppius im arktischen Europa «an verschiedenen Pflanzen an den Meeresküsten», nach Letzner in den Sudeten «unter und an Steinen, isländischem Moos, Gras etc.». In den mitteleuropäischen Gebirgen in der alpinen Zone.

Otiorrhynchus salicis Ström. **(lepidopterus** F.).

Verbreitung: Fennoskandia, — Alpen, Sudeten, Karpathen.

Lebensweise: Larve terricol, Käfer planticol, namentlich auf Nadelholz, aber auch auf niedrigen Pflanzen (z. B. Brennesseln). In Mitteleuropa in der subalpinen Zone.

Barynotus Schönherri Zett.

Verbreitung: Island, Färöer, Orkney- und Shetland-Inseln, Großbritannien und Irland, Fennoskandia, angeblich auch in Neuschottland und Neufundland, — Pyrenäen, Cévennes, Mont-Dore (letztere Angaben nach Deville in litt.). Die französischen Exemplare gehören zur subsp. squamosus Fairm.

Lebensweise: Terricol, in Frankreich oberhalb der Waldgrenze.

? Scleropterus serratus Germ.

Verbreitung: Fennoskandia, Livland, —Sudeten, Karpathen. Die Angaben über das Vorkommen dieser Art im deutschen Flachland bedürfen der Bestätigung. Lebensweise: Terricol, in den mitteleuropäischen Gebirgen in der Waldzone und in der alpinen Zone.

Familie Scarabaeidae.

Aphodius piceus Gyllh.

Verbreitung: Fennoskandia, — Sudeten, nach Thiem auch im Böhmerwald (Rachel); nach Xambeu (Ann. Soc. Linn. Lyon, 42, 1895, p. 74) in den

---

[1] Mehrere andere Cerambycidenarten sind in beschränktem Maße boreoalpin. Als solche sind zu nennen: Tragosoma depsarium L., Acmaeops marginata F., Acmaeops pratensis Laich., Pachyta lamed F., Leptura virens L. Vgl. Kolbe, Entom. Rundschau XXVI (1909), Nr. 1—2.

28*

Ostpyrenäen (Canigou) in einer Höhe von 2000 m; die Angabe, daß *A. piceus* in den Alpen vorkommt, bedarf nach brieflicher Mitteilung von Dr. Josef Daniel noch der sicheren Bestätigung. [1] Die Angaben über das Vorkommen von *A. piceus* im deutschen Flachland sind wohl sicher falsch. Die Angabe, daß *A. piceus* im Velebit vorkommt, ist nach Mitteilung von Prof. Dr. J. Müller unrichtig.

Lebensweise: In den Sudeten nach Letzner in der obersten Waldzone und in der alpinen Zone in Menschen-, Hirsch- und Kuhmist häufig. Über das Vorkommen im arktischen Europa schreibt Poppius: «Auf den Tundren kommt diese Art oft auf Stellen vor, wo reichlich modernde Vegetabilien vorhanden sind.» [2]

Hymenoptera.

Ich vermag nur drei Hymenopterenarten mit boreoalpiner Verbreitung zu nennen. Es dürfte wohl mehr geben. Namentlich wäre unter den Blattwespen *(Hymenoptera symphyta)* zu suchen. [3]

Familie *Pompilidae.*

Pompilus Tromsöensis Spangberg.

Verbreitung: Skandinavien, — in den Ostalpen bei Raibl gefunden.

Lebensweise: Über die Lebensweise von *Pompilus tromsöensis* im besonderen sind mir keine Beobachtungen bekannt. Die *Pompilus*-Arten machen ihre Entwicklung im Erdboden durch in den von der Imago zu diesem Zwecke gegrabenen Gängen. Im übrigen ist die Imago freilebend, auf der Oberfläche des Bodens nach Spinnen jagend, auch auf Pflanzen.

Familie *Apidae.*

Bombus alpinus L.

Verbreitung: Fennoskandia, — Alpen. Die Angabe Dalla Torres, daß diese Art bei Mehadia vorkommt, ist wohl sehr zweifelhaft. [4]

---

[1] Herr Dr. J. Daniel schreibt mir: «*Aphodius piceus* sammelte ich niemals in den Alpen. Mir wurde zwar von Reitter ein *Aphodius*, den ich in der Bernina-Gruppe sammelte, als solcher bestimmt, doch handelte es sich hier sicher nicht um *piceus*, sondern um eine neue Art.» Einige *Aphodius piceus* aus den Sudeten, die ich von Herrn Gerhardt erhielt und an Dr. J. Daniel zur Nachprüfung einsandte, erwiesen sich als richtig bestimmt.

[2] *Aphodius piceus* scheint die einzige boreoalpine Art dieser Gattung. *Aphodius alpinus* Scop. kommt in Nordeuropa nicht vor (vgl. Poppius, Fauna arctica, Coleopt., p. 427). *Aphodius borealis* Gyllh. ist keinesfalls boreoalpin. Die Art findet sich südwärts noch in Apulien am Mte. Gargano, dessen Fauna keinerlei nordischen Einschlag hat, ebenso nach Mitteilung von Prof. Müller am Athos leg. Schatzmayr. Über das Vorkommen von *Aph. borealis* in Frankreich schreibt mir Herr Deville: «C'est un insecte de forêts, qui se trouve partout, où abonde encore le gros gibier (Hirsch und Reh).»

[3] Wichtigste Literatur: Dalla Torre, Catalogus Hymenopterorum; Schmiedeknecht, Die Hymenopteren Mitteleuropas, Jena 1907; Schmiedeknecht, Apidae Europeae, Bd. I (1882—1889); Friese, Die arktischen Hymenopteren mit Ausnahme der Tenthrediniden, Fauna arctica II (1902), p. 439—198; Hoffer, Die Hummeln Steiermarks, Graz 1882, 1883; Hoffer, Beiträge zur Hymenopterenkunde Steiermarks und der angrenzenden Länder, Mitteil. Naturwiss. Ver. Steiermark, Jahrg. 1887; Frey-Gessner, Fauna Insectorum Helvetiae, Hymenoptera, Bd. I (1899—1907); Sparre-Schneider, Hymenoptera aculeata im arktischen Norwegen. Tromsö Museums Aarsheft XXIX (1906), p. 81—160.

[4] Die Angabe desselben Autors, daß *Bombus alpinus* bei Dover vorkommt, ist falsch und bezieht sich auf ein aus dem Dovre-Gebirge in Norwegen stammendes Exemplar (vgl. Handlirsch, Ann. naturhist. Hofmus. Wien III, 1888, p. 215).

Lebensweise: Auf verschiedenen Blütenpflanzen, in den Alpen in der subalpinen und alpinen Zone. Nester vermutlich im Erdboden.

Bombus lapponicus F.

Verbreitung: Im Norden des kontinentalen Amerika, in Fennoskandia und Sibirien, auf Nowaja-Semlja, in den höheren Gebirgen von Schottland und England, — außerdem in den Pyrenäen, im Jura und in den Alpen.

Lebensweise: Auf verschiedenen Blütenpflanzen in den Alpen, vorwiegend in der subalpinen und alpinen Zone, aber stellenweise auch in tieferen Lagen beobachtet (z. B. von Hoffer auf dem Rosenberg bei Graz gefangen, nach Frey-Geßner «in der heißen Talsohle bei Siders im Wallis»). Nester vermutlich im Erdboden.

Rhynchota.

Die Zahl der boreoalpinen Rhynchoten ist sehr gering. Allerdings sind unsere faunistischen Kenntnisse vielfach noch recht lückenhaft und so wäre es möglich, daß sich späterhin noch einige weitere Arten, über deren geographische Verbreitung wir gegenwärtig keine ausreichenden Daten besitzen, als boreoalpin erweisen. Zu achten wäre in dieser Hinsicht auf die Gattung *Salda*,[1] auf die Homopterenarten *Eupteryx pictilis* Stål und *Aphalara affinis* Zett., endlich auf *Orthezia cataphracta* Olafs. und *Chermes sibiricus* Chol. Hingegen wird die Richtigkeit der Angabe, daß die nordische *Helicoptera lapponica* Zett. bei Brosteni in den Südkarpathen vorkommt (vgl. Montandon, Bul. Soc. Sc. Bukarest, 1901, p. 752, Determination von Lethierry) sowohl von Direktor Horváth als auch von Hofrat Melichar bezweifelt. Es dürfte eine Verwechslung mit *Helicoptera marginicollis* Spin. vorliegen, die Hofrat Melichar auch in den Südkarpathen (Domoglet bei Herkulesbad) fing.[2]

Psallus lapponicus Reut.

Verbreitung: Lappland, Sibirien (Ochotsk), — Vogesen, Jura, Alpen, Karpathen, ferner in Kroatien «in der Großen Kapela bei Breze in einer Höhe von 800 m» (Horváth in litt.).

Lebensweise: Planticol, in Lappland auf *Salix*, in den Alpen und Karpathen in Gebirgswäldern auf *Picea excelsa, Abies alba* und *Larix europaea* gefunden.

Corisa carinata Sahlb.

Verbreitung: Island, Färöer, Shetland-Inseln, Schottland, Fennoskandia, — Alpen, Pyrenäen, Armenien (Chosapin-See).

Lebensweise: In Tümpeln und Seen, gelegentlich auch in Bächen, in den Alpen und Pyrenäen in der alpinen Zone.

---

[1] *Salda fucicola* Sahlb., sonst nur aus Nordskandinavien und Nordrußland bekannt, findet sich nach Horváth (Ann. Mus. Nat. Hung. V, p. 503) auch am Retyezát in den Transsylvanischen Alpen. *Salda Brancziki* Reut. aus der Hohen Tátra ist äußerst nahe verwandt mit der nordischen *Salda bifasciata* Thoms.

[2] Wichtigste Literatur: Oshanin. Verzeichnis der paläarktischen Hemipteren mit besonderer Berücksichtigung ihrer Verbreitung im russischen Reiche, St. Petersburg 1906—1910: Horváth, Fauna Regni Hungariae, Hemiptera, Budapest 1897; Hueber. Deutschlands Wasserwanzen, Jahreshefte Ver. für vaterl. Naturkunde in Württemberg, 61. Jahrg., 1905; Breddin. Die Hemipteren und Siphunculaten des arktischen Gebietes, Fauna arctica II (1902), p. 531—560; Reuter, Species palaearcticae Generis *Acanthia*, Acta Soc. Scient. Fenn. XXI, Nr. 2 (1895); Reuter, Charakteristik und Entwicklungsgeschichte der Hemipterenfauna der paläarktischen Coniferen, Helsingfors 1908; Sulc, Zur Kenntnis und Synonymie der weidenbewohnenden *Psylla*-Arten, Wiener Entom. Zeitung XXVIII (1909), p. 11—24.

Glaenocorisa cavifrons Thoms.

Verbreitung: Fennoskandia, Schottland, — Böhmerwald, Karpathen (Csorba-See, Szent-Anna tó bei Tusnád).

Lebensweise: In stehendem Wasser, im Böhmerwald und in den Karpathen in höher gelegenen Seen im Bereiche der Waldzone.

Psylla elegantula Zett.

Verbreitung: Lappland, Großbritannien,[1] — ferner in den Alpen, Karpathen und Sudeten (Debrné bei Arnau, Böhmen).

Lebensweise: Planticol, in Böhmen nach Šulc auf Weiden (*Salix caprea* und *aurita*), in der Schweiz nach Meyer-Dür «in abietibus», von Horváth in den Karpathen auf *Pinus montana* gefunden.

Mollusca, Weichtiere.

Unter den Mollusken lassen sich nach dem derzeitigen Stande unserer Kenntnisse nur drei Formen mit Sicherheit als boreoalpin ansprechen. Es sind dies drei kleine Landschneckenarten. Einige andere mitteleuropäische Molluskenarten, die in der Literatur mehrfach als Glazialrelikte genannt werden, sind besser nicht zu berücksichtigen. Das Vorkommen von *Vertigo Genesii* Gredl. in Nordeuropa ist nicht mit Sicherheit erwiesen. *Vertigo shuttleworthiana* Gredl. (syn. *alpestris* Alder) findet sich nicht nur in Nordeuropa und in den mitteleuropäischen Hochgebirgen, sondern auch im Zwischengebiete, und auch *Patula ruderata* Stud. wird sporadisch im norddeutschen Flachland gefunden. Ob die Gattung *Pisidium* boreoalpine Elemente enthält, läßt sich derzeit nicht entscheiden, da die Speziessystematik in diesem Genus noch zu wenig geklärt ist.[2]

Zoogenetes harpa Say.

Verbreitung: Fennoskandia, Sibirien, Amurland, Behrings-Inseln, Norden der nearktischen Region, außerdem auf der Riffelalpe (2100 m) bei Zermatt in der Schweiz.

Lebensweise: Über das Vorkommen auf der Riffelalpe berichtet Craven: «L'*Helix harpa* se trouvait, au Riffelalpe, sous du bois mort et, particulièrement, sous des morceaux d'écorce de sapin tombés à terre. L'arbre en question était le *Pinus pinea*, espèce peu abondante en Suisse.» Die Art wurde auf der Riffelalpe in Mehrzahl gesammelt. Mit «*Pinus pinea*» ist wohl die Zirbe gemeint.

Vertigo arctica Wallenberg.

Verbreitung: Island,[3] Fennoskandia, Sibirien, — außerdem in den Alpen, im Riesengebirge und falls *Vertigo tatrica* Hazay, wie Clessin angibt, mit dieser Art identisch ist, auch in der Hohen Tátra.

[1] *Psylla brunneipennis* Edwards 1896 ist nach brieflicher Mitteilung von Dr. K. Šulc identisch mit *Psylla elegantula*.

[2] Wichtigste Literatur: Clessin, Deutsche Exkursionsmolluskenfauna, Nürnberg 1884; Derselbe, Die Molluskenfauna Österreich-Ungarns und der Schweiz, Nürnberg 1887; Kobelt, Studien zur Zoogeographie, 2 Bände, Wiesbaden 1897, 1898; Derselbe, Die geographische Verbreitung der Mollusken in dem paläarktischen Gebiet, in Roßmäßler, Iconographie der Land- und Süßwassermollusken, N. F., XI. Band (1904); Westerlund, Synopsis Molluscorum extramarinorum Scandinaviae, Acta Soc. pro Fauna et Flora Fennica XIII, Nr. 7 (1897); Csiki, Fauna Regni Hungariae, Mollusca, Budapest 1906; Craven, Note sur *Helix harpa* Say, Journal de Conchyliologie XXXVI (1888), p. 101—103; Taylor, Discovery of *Helix harpa* Say in Switzerland, Quart. Journal of Conchology V (1886—1888), p. 312.

[3] Falls *Vertigo Hoppei* Möller, wie Clessin vermutet, mit *Vertigo arctica* identisch ist, auch in Grönland. Die Angabe, daß *Vertigo arctica* bei Berlin vorkommt, ist unrichtig und beruht auf Verwechslung mit *Vertigo ronnebyensis*.

Lebensweise: Terricol, in den mitteleuropäischen Gebirgen nur in der alpinen Zone.

Sphyradium Gredleri Clessin.

Verbreitung: Fennoskandia, Sibirien, — außerdem in den Alpen und Karpathen.

Lebensweise: Terricol, in den Alpen und Karpathen in der oberen Waldzone und in der alpinen Zone.

Aves, Vögel.

Im strengsten Sinne wird man von den im folgenden genannten Arten wohl nur das Alpenschneehuhn und den Dreizehenspecht als boreoalpin betrachten dürfen. Diese beiden sind Standvögel. Aber auch bei einigen Zugvögeln wiederholt sich das Phänomen der boreoalpinen Art, in entsprechend modifizierter Form. Der boreoalpine Verbreitungstypus kommt hier in der Verteilung der Brutgebiete zum Ausdruck. Leinzeisig, Alpenamsel, Mornell-Regenpfeifer sind gute Beispiele. Auch der Bergfink (*Fringilla montifringilla* L.) wäre hierherzustellen, falls diese Art wirklich in den Südalpen (vgl. Arrigoni degli Oddi, Manuale di Ornitologia italiana, p. 424) und in den Transsylvanischen Alpen normal als Brutvogel vorkommen sollte.[1]

Acanthis linaria L. (Birkenzeisig, Leinzeisig).

Verbreitung: Brütet im Norden von Europa, Asien und Amerika, auf Grönland und Island, in Schottland, England und Irland, im festländischen Europa in der Ebene südwärts bis ins nördliche Ostpreußen, — außerdem in den Alpen, vielleicht auch in den Sudeten, Karpathen und im Balkan. Auch im Kaukasus sollen nach Radde Leinzeisige brüten. Die Form aus den Alpen und aus England, Schottland und Irland ist von den nordischen Exemplaren durch geringere Größe und etwas abweichende Färbung verschieden (subsp. *cabaret* Müll.).

Lebensweise: Der Leinzeisig ist Zugvogel und wandert im Winter zuweilen bis nach Oberitalien. In den Alpen lebt die Art in der Waldzone, in der Schweiz bis fast 1900 m hoch brütend.

Turdus torquatus L. (Ringamsel, Alpenamsel).

Verbreitung: Brütet in Fennoskandia bis zum Nordkap, in Großbritannien, Irland und auf den Orkney-Inseln, — außerdem in den Alpen, Karpathen, Sudeten, Erzgebirge, Pyrenäen, Apennin, in den Hochgebirgen von Bosnien, Herzegowina, Montenegro, im Balkangebirge, im Kaukasus, in Nordpersien (Elbursgebirge) und im angrenzenden südlichen gebirgigen Transkaspien. Die Art soll aber auch in Belgien und Luxemburg, im Sauerlande und bei Osnabrück, bei Echternach, in der Eifel und im Schwarzwald gebrütet haben, doch bedürfen nach Hartert die meisten dieser Angaben fernerer Bestätigung. Die Form aus den Gebirgen von Mittel- und Südeuropa ist eine eigene Rasse (subsp. *alpestris* Brehm).

Lebensweise: Die Ringamsel ist Zugvogel, ihre winterlichen Wanderungen führen sie bis nach Nordwestafrika. Bei uns im Gebirge in subalpinen Nadelwäldern und in der Krummholzzone.

---

[1] Wichtigste Literatur: Naumann, Naturgeschichte der Vögel Mitteleuropas; Hartert, Die Vögel der paläarktischen Fauna; Schalow, Die Vögel der Arktis, Fauna arctica IV (1906), p. 81—288.

Picoides tridactylus L. (Dreizehenspecht).

Verbreitung: Skandinavien, Nord- und Zentralrußland (südwärts bis Moskau streichend), Sibirien bis Kamtschatka,[1]) Sachalin, Ussuriland, Altai, Thianschan, nordwestliche Mongolei, Sze-tschuan (Mupin und Ta-tsien-lu), — außerdem in den Alpen, im Böhmerwald, in den Sudeten, Karpathen und in den Gebirgen von Bosnien, Herzegowina und Montenegro. Vereinzelte, offenbar verstrichene Exemplare wurden auch schon in Ostpreußen beobachtet.

Lebensweise: Stand- und Strichvogel. In den Gebirgen von Mitteleuropa vorwiegend in subalpinen Nadelwäldern.

Charadrius morinellus L. (Mornell-Regenpfeifer).

Verbreitung: Brütet in Nordeuropa und Nordasien, in den Gebirgen von Schottland, — außerdem in den Sudeten, Karpathen, in den Alpen von Steiermark und Kärnten und in den Hochgebirgen Zentralasiens.

Lebensweise: Der Mornell-Regenpfeifer gelangt als Zugvogel im Winter in großen Mengen bis nach Nordafrika. Auf unseren Gebirgen brütet die Art in der alpinen Zone.

Lagopus mutus Mont. (Alpenschneehuhn).

Verbreitung: In den Gebirgen von Schottland, in Nordeuropa, im Ural, in Sibirien, Japan («Hondo; ich besitze ein Männchen von dort», v. Tschusi in litt.), auf den Aleuten und Behring-Inseln, im hohen Norden von Nordamerika, auf Grönland und Island, — außerdem in den Pyrenäen und Alpen. Das asiatische und nordamerikanische Schneehuhn, wozu auch die Formen von Grönland und Island zu rechnen sind, wird vielfach als eigene Art (oder auch als mehrere Arten) von *Lagopus mutus* abgetrennt. Ich folge hier der Auffassung jener Autoren, welche den Rassenkreis des Alpenschneehuhns minder eng ziehen.

Lebensweise: Das Alpenschneehuhn ist im Norden Strichvogel, in den Alpen bedingter Standvogel. In den Alpen oberhalb der Waldgrenze, nur im Winter zeitweilig in tiefere Lagen herabsteigend.

Mammalia, Säugetiere.

Eine einzige Art ist boreoalpin, lebt aber sporadisch noch in Ostpreußen.[2])

Lepus variabilis Pall.

Verbreitung: «Der Schneehase kommt in Irland und Schottland, durch ganz Skandinavien und Lappland bis zum Nordkap, durch Nordrußland südwärts

---

[1]) Mehrere sehr nahestehende Formen leben in Nordamerika.

[2]) Wichtigste Literatur: Blasius, Fauna der Wirbeltiere Deutschlands, Säugetiere (Braunschweig 1857), p. 420—425; Trouessart, Catalogus Mammalium, Nova editio (Berlin 1898—1899), p. 649, Supplement (1904), p. 540; Hilzheimer, Die Hasenarten Europas, Jahreshefte Ver. für vaterl. Naturkunde in Würtemberg LXIV (1908), p. 383—419; Schäff, Die wildlebenden Säugetiere Deutschlands, Neudamm 1911, p. 120—121; Barrett-Hamilton, On Some Skins of the Variable Hare, Proc. Zool. Soc. London, 1900, p. 87—92; R. F. Scharff, Distribution and Origin of Life in America, London 1911, p. 9—10; Scharff, European Animals, London 1907, p. 140 (Verbreitungskarte); Zschokke, Übersicht über das Vorkommen und die Verteilung der Fische, Amphibien, Reptilien und Säugetiere in der Schweiz, Basel 1905. Ich halte die klassischen, auf einem nicht allzu engen Speziesbegriff fußenden Untersuchungen von Blasius in jeder Hinsicht für maßgebend. Seither ist viel Verwirrung gestiftet worden. Aus Prioritätsgründen sollte der Schneehase eigentlich *Lepus timidus* L. heißen und wird auch in der modernen Literatur vielfach so genannt. Früher wurde der Name *Lepus timidus* L. auf den gewöhnlichen Hasen bezogen. Sind solche Änderungen opportun? Die Speziessystematik Hilz-

bis zum 55° n. Br., bis nach Ostpreußen und Lithauen und nach Pallas durch ganz Sibirien bis nach Kamtschatka vor. Ganz getrennt von diesem nordischen Vorkommen ist das in den alpinischen Gebirgen Mitteleuropas, in den Pyrenäen und der ganzen Alpenkette. Menétriés führt an, daß auch im Kaukasus in der Nähe des ewigen Schnees noch weiße Hasen gesehen werden» (Blasius, Wirbeltiere Deutschlands I, p. 425). Auch aus den Kettengebirgen des nördlichen Zentralasiens (Saissansk, Altai, Urga), von Spitzbergen sowie von Sachalin, Nordjapan und Alaska wird der Schneehase angegeben. Der grönländische Schneehase ist nach Barrett-Hamilton als Rasse von *Lepus variabilis* zu betrachten.

Lebensweise: In den Alpen in der subalpinen und alpinen Zone, in der Schweiz aus einer Höhe von 1300 bis zu 3200 m beobachtet.

III. Allgemeine Ergebnisse.

1. Biocoenosen.

Unter den Tieren mit boreoalpiner Verbreitung sind folgende Biocoenosen vertreten:

1. Planticole Arten. Es sind dies solche Tiere, die auf Pflanzen leben. In diese Biocoenose gehören:

Orthopteren: *Podisma frigida.*

Rhynchoten: *Psallus lapponicus, Psylla elegantula.*

Hymenopteren: Die Imagines aller bisher als boreoalpin erwiesenen Arten.

Coleopteren: Die *Anthophagus*-Arten, *Corymbites cupreus, Sclatosomus affinis*, alle Cerambyciden, *Syneta betulae*, die Imagines einiger Curculioniden.

Lepidopteren: Alle als boreoalpin erwiesenen Arten mit Ausnahme von *Myrmecozela ochraceella*, deren Raupe in Ameisennestern lebt. Die Raupen mancher Arten sind nächtliche Tiere und haben die Gewohnheit, sich bei Tage unter Steinen u. dgl. zu verbergen (Konvergenz zu terricoler Lebensweise).

Dipteren: Die Imagines von Stratiomyiden, Empididen, Syrphiden, Anthomyiden, Sciomyziden, Psiliden.

Wirbeltiere: Die Vögel; auch der Schneehase ist schließlich noch am besten hier unterzubringen.

Die meisten auf Pflanzen lebenden boreoalpinen Tiere sind phytophag. Carnivor sind nur eine Anzahl von Dipteren *(Empididae)*, unter den Coleopteren vermutlich die *Anthophagus*-Arten, ferner unter den Vögeln der Dreizehenspecht und die Ringamsel. Von den phytophagen Arten sind anscheinend nur die Raupen mancher Schmetterlinge auf ganz bestimmte Futterpflanzen angewiesen. Alle übrigen Arten leben polyphag an verschiedenen Nährpflanzen.

Infolge der großen Zahl boreoalpiner Schmetterlinge ist die Planticolfauna unter den boreoalpinen Tieren die artenreichste Biocoenose.

2. Terricole Arten. Es sind dies solche Tiere, die im Erdboden leben. Beim Sammeln werden diese Arten unter Steinen, unter Moos und moderndem Laub, zwischen Graswurzeln u. dgl. gefunden.[1] Zur Terricolfauna gehören:

heimers ist an ganz unzureichendem Material gewonnen und fast ausschließlich auf Färbungsunterschiede begründet.

[1] Auch einige mit Vorliebe am Ufer von Gewässern lebende Arten (wie *Nebria Gyllenhali, Pteroloma Forstroemi*) stelle ich hieher, da sich die in wärmeren Klimaten sehr scharfe Grenze zwi-

Araneiden: Alle bisher als boreoalpin erwiesenen Arten.

Coleopteren: alle Carabiden, die Staphyliniden mit Ausnahme von *Anthophagus* und *Autalia*, *Neuraphes coronatus*, die Silphiden, *Simplocaria metallica*, die *Cryptohypnus*-Arten (?), die Larven der *Otiorrhynchus*-Arten (teilweise auch die Imagines), *Scleropterus serratus*.

Hymenopteren: Die Larve von *Pompilus tromsöensis* lebt zweifellos im Erdboden. Die Hummeln bauen ihre Nester im Erdboden.

Dipteren: Die Larven der Bibioniden, Empididen, Helomyziden und vermutlich noch mancher anderer Arten.

Mollusken: *Vertigo arctica*, *Sphyradium Gredleri*. Auch *Zoogenetes harpa*, auf der Riffelalpe unter am Boden liegendem morschen Holz gefunden, ist höchst wahrscheinlich der Terricolfauna anzugliedern.[1]

3. Aquicole Arten. Es sind dies Tiere, die im Wasser leben. In diese Biocoenose gehören:

Planaria alpina.

Crustaceen: alle bisher als boreoalpin erwiesenen Arten.

Hydracarinen: Alle Arten.

Plecopteren: Die Larven aller Arten.

Odonaten: Die Larven aller Arten.

Rhynchoten: *Corisa carinata* und *Glaenocorisa cavifrons*.

Coleopteren: Alle Dytisciden, *Helophorus glacialis*.

Dipteren: Die Larve von *Simulium*, vielleicht auch jene einiger anderer boreoalpiner Dipteren.

Mit Ausnahme einiger Hydracarinen und Dipteren, über deren Biologie wir noch keine ausreichenden Kenntnisse besitzen, sind alle boreoalpinen Wassertiere als normale Bewohner stehender Gewässer erwiesen. Unter den zahlreichen Insekten, die ausschließlich im Gebirgsbach leben, unter den exklusiv torrenticolen Mollusken etc. fehlen boreoalpine Elemente völlig. Der Immigration exklusiv torrenticoler Tierformen nach Fennoskandia in postglazialer Zeit stand das norddeutsche Flachland als Verbreitungshindernis entgegen.[2]

4. Stercoricole Arten. Es sind dies Tiere, die in Exkrementen leben. Hieher gehören:

---

schen Terricol- und Ripicolfauna im Norden verwischt. Diese Erscheinung erklärt sich aus der Art der Gesteinsverwitterung im arktischen und subarktischen Gebiet (Böden vorwiegend durch mechanischen Gesteinszerfall entstanden, arm an Feinerde).

[1]) In der Terricolfauna läßt sich am klarsten eine Erscheinung beobachten, welche in den anderen Biocoenosen mehr verwischt ist. Während unter den autochthonen (im Norden fehlenden) terricolen Hochgebirgstieren der mitteleuropäischen Fauna zahlreiche große, prächtige Formen vorhanden sind, sind die terricolen boreoalpinen Tiere ausnahmslos kleine, unscheinbare Arten. Eine diesbezügliche Statistik bei den Coleopteren oder Mollusken ergäbe sehr plastische Resultate. Hingegen enthält die Planticolfauna mit boreoalpiner Verbreitung neben einer Überzahl von unscheinbaren Arten doch auch manche größere Formen, z. B. verschiedene Lepidopteren, die Hummeln, auch die Cerambyciden-art *Brachyta interrogationis*. Durch statistische Untersuchungen ließe sich aber auch in der Planticolfauna die bedeutendere Durchschnittsgröße der autochthonen Hochgebirgsarten nachweisen. Unter den boreoalpinen Wassertieren finden wir die großen Odonaten, einige wenige mittelgroße, sonst lauter sehr kleine Arten. Auch unter den Pflanzen sind die boreoalpinen Arten im Durchschnitt schmuckloser und unscheinbarer als die dem Norden fehlenden Hochgebirgsarten.

[2]) Vgl. auch K. Holdhaus. Über die Abhängigkeit der Fauna vom Gestein, Verh. VIII. Internat. Zoologen-Kongr. (1911), p. 720—744.

Coleopteren: *Autalia puncticollis* und *Aphodius piceus*. Beide Arten vermögen in verschiedenen Düngersorten zu leben, *Aphodius piceus* auch in Menschenkot. Dipteren: Möglicherweise einige Arten aus der Familie der Cordyluriden.

2. Charakteristik einzelner Areale in bezug auf das Vorkommen boreoalpiner Tiere.

Wenn wir die Art der Verteilung der boreoalpinen Faunenelemente über die einzelnen getrennten Areale einer vergleichenden Betrachtung unterziehen, so gewahren wir manche bemerkenswerte Verschiedenheiten. Naturgemäß muß eine solche vergleichende Untersuchung, die ja auch Negatives hervorheben soll, sich vorwiegend auf jene Tiergruppen stützen, in denen wir die gediegensten faunistischen Kenntnisse besitzen. Es sind daher im folgenden in erster Linie Wirbeltiere, Mollusken, Coleopteren und Lepidopteren berücksichtigt.

1. Das Nordareal.

Schon auf Grund unserer gegenwärtigen Kenntnisse läßt sich bei den meisten boreoalpinen Arten feststellen, daß ihr Nordareal um vieles umfangreicher ist als das Südareal. Zahlreiche boreoalpine Arten können von Skandinavien ostwärts bis in die ostsibirischen Küstenprovinzen verfolgt werden. Manche boreoalpine Tierformen sind zirkumpolar. Als solche seien genannt: die Phyliopodenart *Branchinecta paludosa*, die Dipterenart *Syrphus tarsatus*, die Coleopteren *Patrobus septentrionis*, *Amara erratica*, *Stenus alpicola*, *Arpedium brachypterum*, *Pteroloma Forstroemi*, *Cryptohypnus hyperboreus (?)*, die Lepidopterenarten *Lycaena orbitulus*, *Agrotis speciosa*, *Anarta funebris*, *Plusia Hochenwarthi*, *Larentia munitata*, *Tephroclystia undata*, *Arctia Quenseli*, wahrscheinlich auch *Pionea inquinatalis* und *Conchylis deutschiana*, ferner die Schneckenart *Zoogenetes harpa*, die Vögel *Lagopus mutus* und *Acanthis linaria*. Bei einer genaueren faunistischen Durchforschung des Nordens der nearktischen Region wird sich jedenfalls noch eine größere Anzahl boreoalpiner Tiere als zirkumpolar erweisen.

Besonderes Interesse gebührt jenen boreoalpinen Tierformen, die auch auf den nordatlantischen Inseln gefunden werden. Von Grönland kennt man außer einigen bereits als zirkumpolar genannten Arten noch die Spinne *Tarentula alpigena*, die Coleopteren *Nebria Gyllenhali*, *Atheta islandica*, *Autalia puncticollis*, *Otiorrhynchus dubius*, *Otiorrhynchus arcticus*; auch die Schneckenart *Vertigo arctica* wird von Grönland angegeben.

Von Island kennt man die Hemipterenart *Corisa carinata*, die Dipterenart *Syrphus tarsatus*, die Coleopteren *Nebria Gyllenhali*, *Patrobus septentrionis*, *Amara Quenseli*, *Agabus Solieri*, *Atheta islandica*, *Otiorrhynchus dubius*, *Otiorrhynchus arcticus*, *Barynotus Schönherri*, die Lepidopteren *Larentia munitata* und *Plutella senilella*, die Molluskenart *Vertigo arctica*, endlich den Leinzeisig (*Acanthis linaria*).

Auf den Färöern kommen vor die Hemipterenart *Corisa carinata*, die Lepidopterenart *Hadena Maillardi*, die Coleopteren *Nebria Gyllenhali*, *Patrobus septentrionis*, *Patrobus assimilis*, *Agabus Solieri*, *Arpedium brachypterum*, *Autalia puncticollis*, *Otiorrhynchus dubius*, *Otiorrhynchus arcticus*, *Barynotus Schönherri*. Hingegen war der Schneehase auf den Färöern nicht ursprünglich einheimisch, sondern wurde dorthin in der ersten Hälfte des vergangenen Jahrhunderts importiert.[1])

Recht beträchtlich ist die Zahl der boreoalpinen Tierformen, welche in Großbritannien vorkommen. Während aber auf Grönland, Island und den Färöern die boreoalpinen Arten in tiefster Lage gefunden werden, macht sich auf Großbritannien bereits eine Hebung bemerkbar. Die meisten boreoalpinen Arten leben daselbst in den höheren Gebirgen von Schottland, Nordengland und Wales. Nur wenige Arten scheinen bis in tiefste Lage herabzusteigen. Der Gegenstand bedarf noch näheren Studiums. Viel ärmer an boreoalpinen Arten als England und Schottland ist die Fauna von Irland.

Im hohen Norden von Europa und Asien leben die boreoalpinen Arten in tiefster Lage. Ob es boreoalpine Tierformen gibt, deren Verbreitung im Norden sich ausschließlich auf das Areal außerhalb der Grenzen des Baumwuchses, also auf das eigentliche arktische oder Tundrengebiet beschränkt, ist derzeit nicht feststellbar. Die Zahl dieser Arten ist zweifellos gering. In Rußland reichen manche boreoalpinen Arten bis in die baltischen Provinzen und bis in die Gegend von Moskau und Kasan nach Süden. Dieses Südwärtsdringen wird hier begünstigt durch die Bodenbeschaffenheit (vorwiegend diluviale Sedimente). Weiter im Westen sehen wir einige wenige boreoalpine Arten in Dänemark die Südgrenze ihrer nordischen Verbreitung erreichen. *Planaria alpina* lebt noch auf Rügen. Der Schneehase findet sich sporadisch in Ostpreußen.

Über die Südgrenzen ihres Verbreitungsgebietes im paläarktischen Asien besitzen wir nur bei wenigen boreoalpinen Tierformen ausreichende Daten. In Sibirien reicht der boreoalpine Fauneneinschlag südwärts bis in die Amurprovinz, bis Transbaikalien und bis ins Altaigebirge und es handelt sich hier wohl zweifellos um durchaus einheitliche, ununterbrochene Verbreitung. Manche boreoalpine Lepidopteren drangen aber in den hohen zentralasiatischen Kettengebirgen weiter nach Süden, wir kennen boreoalpine Schmetterlinge vom Tarbagatai, Tianschan, Ferghana, Alaigebirge, Pamir, Ladakh, Kuku Nor, Amdo, mehrere Arten selbst vom Himalaja. Die Ausbreitung der Lepidopteren wird durch ihre planticole Lebensweise und durch ihr Flugvermögen besonders begünstigt. Eine gleichfalls planticole, geflügelte Coleopterenart, *Brachyta interrogationis*, ist vom Tarbagatai bekannt.

2. Die Südareale.

Die Zahl der boreoalpinen Arten ist in den einzelnen Gebirgen sehr verschieden. Es zeigt sich hiebei eine Abhängigkeit von zwei Faktoren: Massenerhebung und Entfernung des Gebirges vom Rande des nordischen Inlandeises. Die Alpen mit größter Massenerhebung beherbergen unter allen Gebirgen von Mittel- und Südeuropa die größte Zahl von boreoalpinen Tierformen. Merklich geringer, aber doch recht beträchtlich ist die Zahl der boreoalpinen Arten in den Sudeten und Karpathen. Die deutschen Mittelgebirge und das französische Zentralplateau sind arm an nordischen Faunenelementen. Die Massenerhebung dieser Gebirge ist zu gering. Die Pyrenäen, die Abruzzen, die Gebirge der Balkanhalbinsel, der Kaukasus sind vom Südrande des nordischen Inlandeises zu weit abgerückt und tragen daher eine wesentlich geringere Zahl von boreoalpinen Arten als die mitteleuropäischen Hochgebirge.

Die Alpen besitzen eine geringe Anzahl boreoalpiner Arten, welche allen anderen Gebirgen von Mittel- und Südeuropa fehlen. Ob es Tierformen mit boreoalpiner Ver-

---

[1]) Vgl. Willemoes-Suhm, Remarks on the Zoology of the Faroe Islands. Nature VII (1873), p. 103—101.

breitung gibt, welche den Alpen fehlen, läßt sich gegenwärtig nicht mit Sicherheit feststellen. Wir kennen aus den Pyrenäen, aus der Auvergne, aus dem Böhmerwald, den Sudeten und Karpathen vereinzelte nordische Arten, welche bisher aus den Alpen nicht nachgewiesen werden konnten. Die Zahl dieser den Alpen fehlenden boreoalpinen Arten, wenn es solche überhaupt gibt, ist aber zweifellos äußerst gering. In den Abruzzen, in den Gebirgen der Balkanhalbinsel, im Kaukasus leben nur solche nordische Tierformen, die auch in den Hochgebirgen von Mitteleuropa eine weite Verbreitung besitzen. Über die einzelnen Gebirge sei noch folgendes bemerkt:

Aus den Pyrenäen, deren Fauna als relativ gut durchforscht gelten kann, kennen wir bisher an boreoalpinen Tieren *Planaria alpina*, einen Planktonkrebs *(Diaptomus laciniatus)*, eine Spinne *(Pellenes lapponicus)*, eine Wasserwanze *(Corisa carinata)*, 12 Lepidopteren, 13 Coleopteren, einige Dipteren, das Schneehuhn und den Schneehasen. Besonders bemerkenswert ist die Verbreitung der Coleopterenart *Barynotus Schönherri*, deren Südareal sich auf die Pyrenäen und das französische Zentralplateau zu beschränken scheint. Ob die Gebirge von Zentral- und Südspanien boreoalpinen Fauneneinschlag zeigen, läßt sich derzeit infolge der mangelhaften Explorierung dieser Gebiete nicht feststellen. Die boreoalpine Lepidopterenart *Lycaena orbitulus*, die auch in Asien abnormal weit nach Süden dringt, ist aus der Sierra Nevada bekannt.

In den Alpen gibt es einzelne boreoalpine Arten, welche ausschließlich in den höchsten Teilen, in den Alpen der Schweiz oder Tirols gefunden werden. Manche dieser Arten erreichen ihre Ostgrenze in den Hohen Tauern. Solche auf die Alpenteile mit größter Massenerhebung lokalisierte Tierformen sind die Schneckenart *Zoogenetes harpa*, die Coleopteren *Patrobus septentrionis*, *Miscodera arctica*, *Mannerheimia arctica*, *Cryptohypnus hyperboreus*, die Lepidopteren *Anarta funebris*, *Agrotis fatidica*, *Arctia Quenseli*. An Arten, welche außerhalb ihres nordischen Verbreitungsgebietes nur noch in den Alpen vorzukommen scheinen, seien genannt: *Zoogenetes harpa*, die Coleopteren *Patrobus septentrionis*, *Cryptohypnus hyperboreus*, *Syneta betulae*, vermutlich auch *Acmaeops septentrionis*, die Lepidopteren *Lycaena pheretes*, *Anarta funebris*, *Pygmaena fusca*, *Lithosia cereola*.

Die deutschen Mittelgebirge beherbergen nur auf ihren höchsten Erhebungen (Harz, Taunus, Thüringer Wald, Erzgebirge, Böhmerwald, Schwarzwald, Vogesen) eine geringe Zahl boreoalpiner Arten. Auch der Jura ist arm an boreoalpinen Faunenelementen. Das französische Zentralplateau zeigt in seinen höchsten Teilen, namentlich in den Cevennen und in der Auvergne, boreoalpinen Fauneneinschlag.

Reich an boreoalpinen Elementen ist die Fauna der Sudeten, welche ja wie die Beskiden vom Südrand des nordischen Inlandeises unmittelbar berührt wurden. Auch die Fauna der Karpathen enthält zahlreiche boreoalpine Arten, namentlich in den höchsten Teilen, in der Tátra, im Czernahoragebiet, im Rodnaer Gebirge und in den Transsylvanischen Alpen. Auch im Biharer Gebirge dürften sich boreoalpine Tierformen auffinden lassen. Die Krebsart *Branchinecta paludosa* ist bisher außerhalb ihres nordischen Verbreitungsgebietes nur noch in der Hohen Tátra aufgefunden worden, die Coleopterenart *Bembidium Fellmanni*, eine leicht kenntliche und leicht zu sammelnde Form, ist bisher nur aus dem Norden der paläarktischen Region und aus den Transsylvanischen Alpen bekannt.

Auf der Balkanhalbinsel finden wir boreoalpine Arten in den Hochgebirgen von Bosnien, Herzegowina, Serbien, am Durmitor in Montenegro, im Balkangebirge, auf der Vitoša, am Rilo Dagh und im Rhodopegebirge, einzelne Arten auch auf der Hohen Kapella, im Velebit- und im Biokovogebirge. Aus Nordalbanien (Ljubeten im Schar

Dagh, ist eine boreoalpine Lepidopterenart *(Zygaena exulans)* bekannt. In den Gebirgen der Balkanhalbinsel südlich des 41. Breitengrades konnten bisher boreoalpine Tierformen nicht nachgewiesen werden, obwohl daselbst auch in hohen Gebirgslagen schon vielfach gesammelt wurde.

Aus den Abruzzen sind an boreoalpinen Tierformen bisher bekannt sieben Lepidopterenarten und zwei Coleopterenarten. Bei sorgfältigen Aufsammlungen dürften wohl noch einige Arten hinzukommen. Südlich der Abruzzen könnten boreoalpine Tierformen höchstens noch im Matesegebirge zu finden sein. In der Coleopterenfauna des Aspromonte (1958 m), die durch Herrn G. Paganetti-Hummler während mehrerer Jahre auf das sorgfältigste exploriert wurde, fehlen boreoalpine Elemente vollständig. Hingegen dürfte sich im Etruskischen Apennin im Gebiet des Mte. Cimone, vielleicht auch in den Apuaner Alpen bei genauem Nachsuchen wohl ein schwacher boreoalpiner Fauneneinschlag nachweisen lassen. Die hohen Gebirge von Sizilien, Sardinien und Korsika [1]) sind vollständig frei von boreoalpinen Arten.

In geringer Zahl finden sich boreoalpine Tierformen auch im Kaukasus und in den armenischen Hochgebirgen. Einige boreoalpine Lepidopteren werden aus den Gebirgen des nördlichen Kleinasien angegeben. Weitere Aufsammlungen sind hier notwendig.

IV. Vikariierende Arten im Norden und in den mittel- und südeuropäischen Hochgebirgen.

Neben den Phänomen der boreoalpinen Tierformen, welche in vollständiger Artidentität im Norden und in den mitteleuropäischen Hochgebirgen auftreten, treffen wir in der Fauna unserer Gebirge noch eine andere verwandte Erscheinung. Es gibt in unseren Hochgebirgen Tierformen, welche in den Ebenen von Mitteleuropa vollständig fehlen und hier auch keinerlei nähere Verwandte besitzen, hingegen mit nordischen Arten zwar nicht identisch sind, aber in sehr naher genetischer Beziehung stehen. Also vikariierende Arten im Norden und in unseren Hochgebirgen. Die Zahl dieser Fälle ist aber gering. Es gibt auch vereinzelte Gattungen und Untergattungen mit boreoalpiner Verbreitung. Solche Gattungen besitzen Arten in den mitteleuropäischen Hochgebirgen, andere Arten in Nordeuropa, sind aber im Zwischengebiet überhaupt nicht vertreten. Aus dem Pflanzenreich ist ein bekanntes Beispiel die Gattung *Rhododendron.* Aus dem Tierreich seien im folgenden einige Beispiele von boreoalpinen Untergattungen und vikariierenden Arten angeführt.[2])

Hemiptera.

Salda Brancziki Reut. aus der Hohen Tátra ist äußerst nahe verwandt mit *Salda bifasciata* Thoms., bisher bekannt aus Lappland, in Schweden südwärts bis Ångermanland, ferner aus Sibirien von Dudinka in der Tundrazone am Jenissey und von Kultuk im Gouvernement Irkutsk (Reuter in litt.).

Globiceps juniperi Reut., auf der Grebenzen in Obersteiermark auf *Juniperus nana* und *Pinus montana* gefunden, ist vikariierende Art von *Globiceps salicicola*

---

[1]) Bezüglich Korsikas besteht vielleicht eine Ausnahme, da der korsische *Helophorus insularis* eine Rasse des boreoalpinen *Helophorus glacialis* sein soll.

[2]) Die Beispiele betreffen Hemipteren und Coleopteren. Es dürften sich aber wohl auch in anderen Tiergruppen analoge Fälle nachweisen lassen.

Reut. aus Fennoskandia, Nordrußland und Sibirien. *Globiceps salicicola* lebt auf Weiden (Reuter in litt.).

Coleoptera.

Das Subgenus *Cryobius* der Carabidengattung *Pterostichus* ist mit zahlreichen Arten nordisch zirkumpolar, in Asien südwärts bis in die Gebirge südlich des Baikalsees und bis in den Altai. In Nordeuropa ist die Gattung mit fünf Arten auf Nordrußland nördlich des 65. Breitengrades (Nowaja-Semlja, Insel Waigatsch, Kolgujew, Halbinseln Kola und Kanin, Unterlauf der Flüsse Mesen und Petschora) beschränkt. *Cryobius blandulus* Mill. ist in der Hohen Tátra endemisch, in der alpinen Zone lebend (vgl. Poppius, Zur Kenntnis der Pterostichenuntergattung *Cryobius* Chaud., Acta Soc. pro Fauna et Flora Fenn. XXVIII, 1906, Nr. 5).

Die Carabidenart *Trichocellus (Oreoxenus) Mannerheimi* Sahlb. findet sich im arktischen Europa auf der Halbinsel Kola, außerdem in weiter Verbreitung in Sibirien, südwärts bis ins Quellgebiet des Irkut. Außerdem besitzt das Subgenus *Oreoxenus* nur noch eine zweite, dem *Tr. Mannerheimi* sehr ähnliche Art (*Tr. oreophilus* Dan.), welche in den Ostalpen auf der Koralpe, am Ameringkogel, Zirbitzkogel und in der Nockgruppe in Nordkärnten am Rosennock und Rodresnock gefunden wurde; *Tr. oreophilus* lebt in der alpinen Zone, terricol (vgl. Tschitschérine, Hor. Soc. Ent. Ross. XXXII, p. 445—447 und XXXIV, p. 53).

Das Subgenus *Oreostiba* der Staphilinidengattung *Atheta* besitzt sechs Arten in den arktischen Gebieten von Europa und Asien.[1] Weitere vier Arten, die mit den nordischen nicht identisch sind, leben in den Hochgebirgen von Mitteleuropa. Es sind dies die folgenden:

Atheta Spurnyi Bernh. Südalpen, in der alpinen Zone.

Atheta tibialis Heer. Alpen, Sudeten, Karpathen, subalpin und alpin; auch aus den schottischen Gebirgen angegeben.

Atheta bosnica Bernh. Karpathen, Gebirge Bosniens, subalpin und alpin.

Atheta hercegovinensis Bernh. Auf dem Prenj in der Herzegowina, alpin.

Die Curculionidenart *Lepyrus arcticus* Payk. lebt in den arktischen und subarktischen Gebieten von Nordeuropa und Sibirien an *Salix*-Arten. Eine nahestehende vikariierende Art ist *Lepyrus variegatus* Schmidt aus den Karawanken und Julischen Alpen, daselbst in der alpinen Zone an Zwergweiden vorkommend.

---

[1] Vgl. Poppius, Fauna arctica, Coleopteren, p. 385.

Inhaltsübersicht.

Orthoptera.

I.

Mantoidea und *Tettigonioidea* (= *Locustodea*).

Von

R. Ebner.

Wien.

Mit 3 Abbildungen im Texte.

Von den Orthopteren, welche Herr Dr. V. Pietschmann von seiner Reise nach Mesopotamien mitgebracht hatte, übernahm ich die Bearbeitung der *Mantoidea* und *Tettigonioidea* (= *Locustodea*). Die Ausbeute verdient großes Interesse, denn aus Mesopotamien ist an Orthopteren bisher fast gar nichts bekannt geworden. Außerdem liegen einzelne Arten in großer Anzahl vor, so daß bezüglich der Variabilität manches Neue festgestellt werden konnte. Bei der Bestimmung der Mantoideen sowie der Sagiden wurde ich von meinem verehrten Lehrer Prof. Werner vielfach unterstützt, ebenso bin ich auch Herrn Dr. Holdhaus für die Benützung der Sammlung und der Bibliothek des Museums sehr zu Dank verpflichtet. Die Zeichnungen wurden von Herrn J. Fleischmann in Wien ausgeführt.

Das mir vorliegende Material umfaßt sechs Mantoideen und zehn Tettigonioideen. In ihrer Zusammensetzung weist die Fauna einige Übereinstimmung mit Syrien einerseits, mit Persien andererseits auf. Zwei Arten sind neu: *Pholidoptera pietschmanni* und *Paradrymadusa maculata*; außerdem sind von einigen bekannten Arten auffallende Varietäten vorhanden, welche zum Teil wegen der Größe, zum Teil wegen der Färbung erwähnenswert sind. Dies gilt namentlich für *Fischeria baetica, Isophya triangularis, Saga syriaca* und *Tettigonia caudata*. Leider wurden alle Exemplare in Alkohol konserviert, wodurch die Farben in den meisten Fällen recht gelitten haben.

Mantoidea.

Eremiaphila cerisyi Lef.

Assur (Kal'at Schergat), 1 ♀ und einige Larven.

Eremiaphila braueri Krauss?

Kal'at-Feludja, 12. IV. 1910, 1 Larve.

Mantis religiosa L.

Chatunije 13./VI. 1910, 1 ♂.

Fischeria baetica Ramb.

Aleppo.

Assur (= Kal'at Schergat), VIII. 1910.

Mosul.

Djeddale, 10./VI. 1910.

Vor Doghrum Ali, 6./VII. 1910.

Zwischen Diarbekir und Chan Achpur,
24./VII.

Harrin, 28./VII.

Nehrwan, 3./VIII.

Gurna, 9./IX.

Unter den vorliegenden Tieren befinden sich auch viele Larven. Einige entwickelte Exemplare übertreffen die im Prodromus angegebenen Maße etwas, so fällt

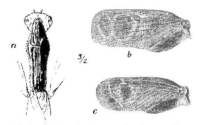

Fig. 1. Farbenvarietäten von *Fischeria baetica*. a) ♀ von Aleppo (Pronotum), b) ♀ von Doghrum Ali (linke Flügeldecke). c) ♀ von Nehrwan (linke Flügeldecke).

namentlich das ♂ von Gurna durch seine beträchtliche Größe auf. Die Dimensionen sind folgende:

Körperlänge .	. 67·5 mm
Pronotum .	18 »
Elytren . . .	47·5 »
Vorderhüften . .	13 »
Vorderschenkel	17·5 »

Außerdem sind mehrere sehr interessante Varietäten zu erwähnen. Bei dem ♂ von Harrin und dem ♀ aus Aleppo heben sich die Längsadern der Elytren wegen ihrer dunkelbraunen Färbung von dem lichteren Untergrund deutlich ab. Auch das Pronotum dieser beiden Exemplare ist sehr lebhaft gezeichnet (namentlich beim ♀) und mit braunen Längsstreifen versehen. Diese Abart entspricht wegen der Farbe der Flugorgane im allgemeinen der *striata*-Form bei *Mantis religiosa*, ist aber für *Fischeria* noch nirgends angegeben worden. Die anderen Varietäten sind durch eine abweichende Fleckenzeichnung der Vorderflügel ausgezeichnet, die ich sonst weder bei dieser Art noch bei *F. caucasica* Sauss. gesehen habe.

Verbreitung: Südspanien, Griechenland, Nordafrika, Abessinien, Kleinasien, Syrien, Turkestan, Samarkand.

Empusa egena Charp.

Bagdad, VII. 1910.　　　　　　　Assur.

Sonstige Verbreitung: Spanien, Südfrankreich, Italien, Nordafrika, Kleinasien, Syrien und am Kaspisee.

Blepharopsis mendica Fabr.

Assur, ♂ ♀.

Verbreitung: Ganz Nordafrika von Marokko bis Ägypten, Kanaren, Nordsudan, Schoa, Syrien. Auch in Afghanistan (Kirby).[1]

[1] W. F. Kirby. Orthoptera. In J. E. T. Aitchison, The Zoology of the Afghan Delimitation Commission. Trans. Linn. Soc. Lond. (2) V, Zool., 1889, Orthoptera, p. 137—140.

Tettigonioidea (Locustodea).

Isophya triangularis Br. var.

Brunner, Additamenta z. Mon. d. Phan., p. 36.

Djebel-Sindjar, 9./VI. 1910.

Das Exemplar stimmt im allgemeinen mit der Beschreibung überein, ist aber in allen Teilen viel kleiner. In der Brunner-Sammlung befinden sich auch mehrere Exemplare aus Syrien, welche bezüglich ihrer Größe zwischen den Typen und dem mir vorliegenden Tier in der Mitte stehen.

Die Farbe dieses ♂ ist durch den Alkohol verändert und bräunlich geworden; der Halsschild ist oben an den Seiten mit zwei hellen Längsstreifen versehen, der Hinterleib läßt ebenfalls zwei hellere Längsbinden erkennen. Die Subgenitalplatte erscheint seitlich erst vor dem Einschnitt etwas verschmälert, während sie bei den typischen Stücken gleichmäßig verschmälert ist. Nachstehend sind die Dimensionen im Vergleich mit anderen ♂♂ angegeben.

Fundort	Körperlänge	Pronotum	Hinterschenkel
Ladakia in Syrien (Koll. Brunner) Typen.	20—22 mm	5 mm	18 mm
Syrien (Koll. Brunner) . . .	16—17·5 »	4·5 »	16 »
Djebel-Sindjar (Pietschmann).	14·5 »	3·7 »	12 »

Andere Fundorte dieser Art sind mir nicht bekannt.

Aus Syrien ist von der Gattung *Isophya* außer dieser Art nur noch *I. amplipennis* Br. und *I. savignyi* Br. (= *I. festae* Griffini) bekannt geworden.

Saga syriaca Luc.

Es liegen im ganzen über 40 Exemplare vor, welche bezüglich ihrer Variabilität interessante Ergebnisse liefern. Nach der Tabelle von Saussure[1] beruht der Unterschied zwischen *Saga syriaca* und *S. ephippigera* in erster Linie auf der Anzahl der Dornen der Vorder- und Mitteltibien. Sonst sind nur ganz unwesentliche Unterschiede angegeben, welche bei der Durchsicht eines größeren Materials nicht aufrecht erhalten werden können. Die Bedornung ist aber durchaus nicht konstant, sondern wechselt sogar innerhalb der einzelnen Arten, wie ich in der angegebenen Tabelle für die mir vorliegenden Tiere nachweisen konnte. Im allgemeinen überwiegt bei der Anzahl der Dornen die Zahl 10, die Exemplare gehören daher zu *syriaca*, womit auch in den meisten Fällen die Größe und die übrigen Eigenschaften recht gut übereinstimmen. Außer der Bedornung, welche, wie die Tabelle zeigt, sehr wechselnd und häufig auf der linken und rechten Seite ungleich ist, läßt sich aber kein scharfer Unterschied gegen *Saga ephippigera* Fisch. de W. angeben, so daß es sowohl nach der Ansicht von Prof. Werner, wie auch nach meiner eigenen Ansicht gerechtfertigt wäre, *Saga syriaca* und *S. ephippigera* unter einem Namen zu vereinigen. Das Tier hätte dann nach den

[1] H. de Saussure, Synopsis de la tribu des Sagiens, Ann. Soc. Ent. France, (6) VIII, 1888, p. 127—155.

29*

Bedornung der Vorder- und Mitteltibien.

Fundort	Geschlecht	Erstes Beinpaar				Zweites Beinpaar				Anmerkung
		linkes Bein		rechtes Bein		linkes Bein		rechtes Bein		
		außen	innen	außen	innen	außen	innen	außen	innen	
Aleppo	♂	10	10	10	10	10	10	11	10	
	♂	10	10	10	10	10	10	11	9	
	♀	10	10	9	9	10	9	11	10	
	♀	10	9	10	10	11	10	11	10	
	♀	10	10	10	10	11	10	11	10	
	♀	10	10	10	10	11	9	11	10	
	♀	10	10	10	10	11	10	11	10	
	♀	10	10	10	10	11	10	11	9	
	♀	10	10	9	10	11	10	11	10	
Assur = Kal'at Schergat VIII. 1910	♀	10	10	10	10	10	10	10	10	
	♀	10	10	10	10	10	10	10	10	
	♂	10	10	11	10	11	10	11	10	
	♂	10	10	10	10	11	10	10	10	
	♂	8	10	10	10	11	11	11	10	
	♂	10	10	9	10	10	10	11	10	
	♂	10	9	10	10	10	10	10	10	
	♀	10	10	10	10	11	11	11	10	Larve
	♀	10	10	10	10	10	10	10	9	
	♀	10	10	10	10	10	10	10	10	
Zwischen Assur und Wadi Sefa, 11./V. 1910	♂	10	10	10	10	10	10	10	10	
	♂	9	10	10	9	10	10	10	10	
	♂	10	10	10	10	10	9	10	10	Larve
	♂	10	10	10	10	10	10	10	10	Larve
	♀	10	9	10	10	10	10	10	8	Larve
Zwischen Assur und Kajara, V. 1910	♀	10	10	10	9	10	10	9	9	
Mosul	♂	11	10	10	10	12	10	—	—	
	♂	10	10	10	10	11	10	—	—	
	♀	10	10	10	10	11	11	—	—	
Vor Tell Afar, 4. VI.	♀	10	10	10	10	10	10	11	10	
Vor Ain Ghasal, 4. VI.	♂	10	10	10	10	10	10	11	10	
	♂	10	10	10	10	10	10	10	10	
	♀	10	10	10	10	11	10	11	10	
Vor Chatunije, 12. VI.		10	10	10	10	10	10	10	10	

Fundort	Geschlecht	Erstes Beinpaar				Zweites Beinpaar				Anmerkung
		linkes Bein		rechtes Bein		linkes Bein		rechtes Bein		
		außen	innen	außen	innen	außen	innen	außen	innen	
Hsitsche am Khabur, VI. 1910	♂	10	10	10	10	10	10	11	10	
	♂	10	10	10	10	11	11	11	10	
	♀	10	10	10	10	10	10	10	10	
	♀	11	10	10	10	10	10	11	10	
	♀	10	10	10	10	11	10	10	10	
	♀	10	10	10	10	11	10	11	11	
	♀	10	10	11	10	11	10	10	10	
	♀	10	10	10	10	11	10	11	9	
Um Rakka, VI. 1910	♀	10	10	10	9	11	10	10	9	
	♀	10	10	10	10	11	10	10	10	
	♀	10	10	10	10	11	10	—	—	
	♀	10	10	—	—	11	10	—	—	
	♀	11	10	10	10	—	—	10	10	

Regeln der Nomenklatur *Saga ephippigera* Fisch. de W. zu heißen, doch habe ich in dieser Arbeit den Namen *syriaca* gewählt, weil die Bedornung doch besser dafür spricht. Ein eingehendes Studium der Gattung *Saga* an einem großen Material aus allen möglichen Gegenden dürfte wohl die Richtigkeit meiner Ansicht ergeben; namentlich wäre es notwendig, jene Exemplare zu untersuchen, welche Saussure zur Verfügung standen.

Die Variabilität der mir vorliegenden Tiere betrifft aber nicht nur die Bedornung der Vorder- und Mitteltibien, sondern auch Größe und Färbung. Wie schon früher erwähnt, stimmen die meisten Stücke in bezug auf ihre Größe besser mit *syriaca* überein, doch bleiben auch manche unter den bei Saussure angegebenen Maßen [1] zurück. Ein Überschreiten dieser Dimensionen wurde nur selten beobachtet. Die Färbung der in Alkohol aufbewahrten Tiere ist gewöhnlich gleichmäßig braungelb, doch treten sehr häufig dunklere Zeichnungen auf. Der Kopf ist vorne immer dunkler, meist schwarzbraun, die kräftigen Mandibeln sind gewöhnlich schwarz. Die Brustringe sind sehr wechselnd gefärbt, einfärbig oder mehr weniger braun, namentlich an den Rändern. Die Beine sind entweder einfärbig hell oder mit schwarzbraunen Zeichnungen geziert, so sind nicht selten die Schenkel oben an der Basis und an der Spitze dunkler. Sehr häufig sind die Vorder- und Mittelschenkel auch unten mit großen dunklen Flecken und außerdem vor der Spitze mit einer ebenfalls dunklen, halbmondförmigen Zeichnung versehen. Auch der Hinterleib ist entweder einfärbig hell oder aber die einzelnen Ringe besitzen knapp vor ihrem Hinterende eine schmale braune Querbinde. Nur selten beobachtete ich eine verhältnismäßig bunte Zeichnung des Hinterleibes, indem dieser vier Längsreihen von schwach braunen Flecken aufwies. Doch liegen von denselben Fundorten auch einfärbig helle sowie dunklere Exemplare vor.

Wie mir Herr Dr. Pietschmann mitteilt, ist der Fang dieser Tiere nicht sehr einfach. Bei Annäherung eines Feindes richten sie sich nämlich auf den Beinen hoch

---

[1] In der bereits früher zitierten Arbeit ist ein Druckfehler, es muß bei der Längenangabe der Legeröhre von *Saga syriaca* wohl 39 statt 89 mm heißen (l. c., p. 137).

auf, wobei sie namentlich den Vorderkörper in die Höhe strecken und sich durch Beißen zu verteidigen suchen. Da sie vermittelst ihrer überaus kräftigen Mandibeln empfindlich verletzen können, wirft man gewöhnlich ein Tuch über sie, um sie dann ohne Gefahr aufheben zu können.

Tettigonia (= Locusta) viridissima L.

Assur (Kal'at Schergat, VIII. 1910).
Twâl Abâh bis Belich, 25./VI.

Gölbaschi, 4. VII.

Sonstige Verbreitung: Ganz Europa, Nordafrika, Kleinasien, Syrien, Armenien, Kaukasus, Transkaspien und am Amur.

Tettigonia caudata Charp.

Mosul, 1 ♀ und 1 Larve.
Die Dimensionen des ♀ sind:

Körperlänge . . . 36 mm Elytren . 61 mm
Pronotum . . . . . . 9·5 » Legeröhre . . . . 41 »

Bei diesem verhältnismäßig großen Exemplar überragt die Legeröhre die Flügeldecken nur unbedeutend.

Verbreitung: Osteuropa, Kleinasien, Syrien, Kaukasus, Persien, Transkaspien, Turkestan.

Paradrymadusa maculata n. sp.

Diarbekir, VII. 1910, 1 ♀.

Hell braungrau (in Alkohol gebleicht?) und überall dunkel gefleckt. Stirne ohne schwarze Binde zwischen den Augen. Pronotum hinten abgerundet, nicht mit hellem Rand, dunkel marmoriert, besonders auffallend sind die kurzen Längsstreifen im hinteren Abschnitt. Prosternum unbewehrt. Elytren kurz, das erste Hinterleibssegment nicht überragend, einfärbig grau. Beine stark bedornt; Schenkel und Schienen der beiden ersten Beinpaare bei den Dornen deutlich schwarz gefleckt. Hinterschenkel außen mit einigen dunkleren Flecken, unten auf beiden Seiten mit schwarzen Dornen versehen. Hinterschienen unten schwarz gefleckt. Legeröhre schlank, schwach nach aufwärts gebogen, die Hinterschenkel nicht überragend.

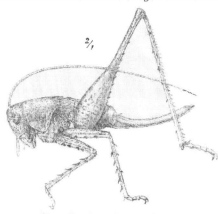

Fig. 2. Paradrymadusa maculata n. sp.

Körperlänge .	18 mm	Elytren von der Seite gemessen	4 mm
Pronotum	7 »	Hinterschenkel . .	24 »
Elytren von oben gemessen .	2·5 »	Legeröhre .	16 »

Von der Gattung *Paradrymadusa* sind gegenwärtig folgende Arten bekannt:

P. *sordida* Herm. 1874 — Transkaukasien,   P. *syriaca* Pict. 1888 — Syrien.

Syrien.   P. *anatolica* Wern. 1901 — Taurus.

P. *longipes* Br. 1882 — Transkaukasien,   P. *beckeri* Ad. 1907 — Kaukasus.

Transkaspien.   P. *retowskii* Ad. 1907 — Krim.

P. *galitzini* Ret. 1888 — Krim.   P. *werneri* Ad. 1910 — Ostpersien.

Außerdem ist im Kirby-Katalog (II, p. 180) noch P. *caucasica* Fisch. de W. *(= Pterolepis c.)* 1846 vom Kaukasus angegeben, doch dürfte es sich dabei wahrscheinlich um eine *Pholidoptera* handeln. In der Brunner-Sammlung befinden sich mehrere noch unbeschriebene Arten, von denen namentlich *Paradrymadusa ornatipennis* Br. in litt. von Chios durch ihre gefleckten Elytren und Beine auffällt.

Wie man aus diesen Angaben ersehen kann, ist die Gattung ziemlich artenreich. Unter den bekannten Arten kommt die neue Art P. *syriaca* und namentlich P. *anatolica* [1]) am nächsten, unterscheidet sich aber von diesen durch die Färbung sehr wesentlich, von der erstgenannten Art auch durch bedeutend geringere Größe. In der Koll. Brunner stecken drei Exemplare einer *Paradrymadusa* von Jerusalem, welche mit meiner neuen Art die charakteristische Fleckenzeichnung der Beine gemeinsam haben, sich aber doch in manchen Punkten, namentlich durch die bedeutendere Größe und durch die Elytren, davon unterscheiden.

Pholidoptera pietschmanni n. sp.

Magharâd (Schlucht bei Sindjar), 8./VI.   Djeddale, 11./VI. 1910.

Farbe der in Alkohol konservierten Tiere hell gelbbraun. Stirn hell mit vier schwarzen Punkten. Pronotum vorn mit schwarzer Zeichnung, Seitenlappen schwarz marmoriert, Vorderrand schmal, Unter- und Hinterrand hingegen breit hell gesäumt; von den dunklen Seitenlappen setzt sich eine schwarze Linie fort, welche den ganzen Hinterrand des Halsschildes umgibt. Dieser selbst ist nach hinten stark verlängert und bedeckt die Flügeldecken vollständig. Vorder- und Mittelbeine einfärbig hell. Hinterschenkel unten am Innenrand mit mehreren kleinen Dornen versehen, mit Ausnahme der glänzend schwarzen Spitze, hell und einfärbig. Hinterschienen seitlich an der Basis ebenfalls schwarz, beim ♀ etwas heller wie beim ♂. Hin-

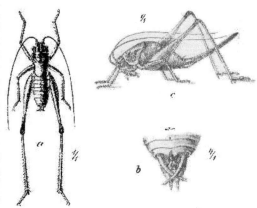

Fig. 3. *Pholidoptera pietschmanni* n. sp. *a)* Männchen von oben, *b)* Hinterleibsende des Männchens schief von oben und hinten. *c)* Weibchen von der Seite.

terleib einfärbig, nur trägt jedes Segment oben in der Mitte des Hinterrandes einen schwarzen Punkt. Erstes Abdominalsegment auch am Vorderrand dunkel. Cerci hell,

[1]) Von *Paradrymadusa anatolica* Wern. ist nur das Männchen bekannt!

nahe der Basis mit einem kleinen Zähnchen versehen. Supraanalplatte des ♂ in der Mitte tief eingeschnitten, die beiden Spitzen nach abwärts gebogen und schwärzlich. Subgenitalplatte des ♂ breit, in der Mitte etwas gekielt, am Ende dreieckig ausgeschnitten. Der hornige Teil des Penis (Titillator) ist winkelig nach aufwärts gebogen. Subgenitalplatte des ♀ nicht weit vorgezogen, an der Spitze dreieckig eingeschnitten. Legeröhre schwach gebogen und schlank.

	♂-♀	♀
Körperlänge .	21—23 mm	
Pronotum . .	8·5—9 »	
Hinterschenkel	21—23 »	
Legeröhre	—	23 mm

Nächstverwandt mit *Ph. castaneo-viridis* Br., aber an den angegebenen Merkmalen leicht davon zu unterscheiden. Besonders charakteristisch sind namentlich die schwarzen Spitzen der sonst einfärbig hellen Hinterschenkel.

Platycleis spec.?

Beled, 1 Larve.

Platycleis spec.?

Assur, 1 ♀-Larve.

Da die Anzahl der Dornen auf den Vorderschienen in beiden Fällen drei beträgt, stelle ich die zwei Larven zu *Platycleis*. Die Bedornung der Beine ist aber bei den Tettigonioideen durchaus nicht konstant, so daß es immerhin möglich wäre, daß die beiden Larven zu *Decticus* gehören. Das Exemplar von Beled zeigt einen deutlichen Längskiel in der Mitte des Halsschildes; die kleinen Flügelansätze sind an der Basis breit schwarz gefärbt, ein schwach angedeuteter dunklerer Fleck tritt in der Mitte des Flügels besonders am oberen Rande hervor. Das Exemplar von Assur ist fast einfärbig hell, die Flügel sind etwas länger wie bei dem früheren und ganz hell.

Decticus albifrons Fabr.

Nehrwan, 5./VIII., 1 ♀.

Verbreitung: Mittelmeergebiet (Spanien bis Kleinasien), Azoren, Madeira, Kanaren, Algerien, Tunesien, Tripolis, Südrußland bis zum Ural (Orenburg, Kirgisensteppe, Krim), Transkaspien, Kaukasus, Turkestan, Persien.

Medecticus assimilis Fieb.

Brunner, Prodromus, p. 366.
Giglio-Tos, Boll. Mus. Zool. An. Univ. Torino VIII, 1893, Nr. 104, p. 16.
Burr in Günther, Journ. Linn. Soc., Zool. XXVII, 1899—1900, p. 416—418.
Jacobson und Bianchi, Orthopteren, p. 419.
Kirby, Catalogue II, p. 214.
Uvarov, Revue Russe d'Entom. XII, 1912, p. 214 (8).

Djeddale, 10./VI.   Chan Achpur, 24./VII.
Hsitsche, 19./VI.   Tez Charab.

An dem ungekielten Pronotum leicht von der vorhergehenden Art zu unterscheiden. Im allgemeinen heller gefärbt wie diese.

Verbreitung: Transkaukasien (Tiflis), Astrachan, Persien, Turkestan, Syrien.

Sphenophyllum charaeforme nov. spec.

Von

Dr. W. J. Jongmans

in Leiden.

Mit 1 Tafel (Nr. VI) und 4 Abbildungen im Texte.

Bei Gelegenheit einer Revision der verschiedenen *Calamariaceae* fand ich im Hofmuseum in Wien eine interessante Pflanze, welche auf den ersten Blick Ähnlichkeit zeigte mit einer *Characeae* und auch wohl wie ein zarter *Asterophyllites* aussah. Bei der ersten Untersuchung war es mir nicht möglich, die Pflanze zu bestimmen. Erst die wiederholte Untersuchung, besonders die der Fruktifikation, hat zu dem Resultat geführt, daß es sich um eine Pflanze handelte, welche große Ähnlichkeit mit *Sphenophyllum* zeigt, jedoch in ihrem Habitus von allen bekannten Arten verschieden ist.

Sphenophyllum charaeforme nov. spec.

Der Stamm ist sehr schlank, gegliedert; Blattwirtel an jedem Knoten; an einigen der Knoten befindet sich ein Seitenast.

Die Internodien sind im Vergleich zu ihrer Breite sehr lang. Das unterste Glied mißt 3·4 cm, die übrigen 3, 2·5, 2·5, 2·2 cm. Die Länge nimmt also nach der Spitze des Exemplares zu ab. Die Internodien sind nicht deutlich gerippt, vielmehr fein gestreift, wie besonders deutlich auf Fig. 2 zu sehen ist.

Die Stämme sind an den Knoten kaum merkbar verdickt. An den Knoten findet sich ein Wirtel von Blattnarben. Der Knoten auf Fig. 2 zeigt sechs solche Narben.

Die Blätter stehen in Wirteln und sind sehr schmal lineal; ein Mittelnerv fehlt, die Spitze ist stumpf. Offenbar waren sie äußerst dünn und zart.

Die Fruktifikationsorgane stehen in der Nähe der Knoten. Die Sporangienträger entstehen aus den unteren Teilen der Blätter (oder vielmehr Brakteen), sind oben um-

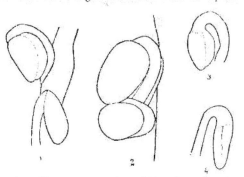

Fig. 1. Zwei Sporangienträger mit ihren Sporangien, das obere ist dem darunter liegenden Blatte angeheftet; wahrscheinlich gehört auch der zweite Träger zu dem gleichen Blatt.

Fig. 2. Zwei Sporangienträger mit Sporangien ohne Teilungslinie (Taf. VI, Fig. 3).

Fig. 3 und 4. Sporangienträger mit ihren Sporangien, beide aus den in Fig. 4 auf der Tafel sichtbaren Wirteln.

459

gebogen und am Ende etwas verdickt. An diesem Ende sind die Sporangien befestigt.

In den meisten Fällen war die Stellung der Sporangien nicht zu Gesicht zu bekommen. In einigen günstigen Fällen waren ihre Form und Stellung jedoch ersichtlich. Die Träger stehen auf den unteren Teilen der Blätter (Textfig. 1) und tragen an ihrem umgebogenen, etwas verdickten Ende die Sporangien. Man findet an diesem Ende einen etwa eiförmigen Körper, wie besonders deutlich aus Fig. 4 (oberer Wirtel rechts) und Textfig. 3 und 4 hervorgeht. Auf diesem Körper konnte in manchen Fällen ein längs verlaufender Strich beobachtet werden. In einigen Fällen (Textfig. 3) war diese Linie so deutlich, daß man daraus schließen möchte, es seien zwei Sporangien an jedem Träger befestigt. Daß an anderen Stellen (Textfig. 2) diese Linie nicht zu sehen ist, wäre dann in der Weise zu deuten, daß hier eines der beiden Sporangien von der Vorderseite gesehen und das andere dadurch verdeckt wird. Außerdem war an anderen Stellen noch eine Querlinie zu beobachten (Textfig. 1, 4).

Ein Versuch, durch Mazeration etwas von dem Inhalt der Sporangien zu Gesicht zu bekommen, lieferte negative Resultate. Der Erhaltungszustand war nicht genügend günstig. Es wurde jedoch bei diesem Versuch auch nichts von einer Anwesenheit zweier Sporangien an einem Träger bemerkt. Hierin liegt also eine Andeutung, daß die beiden Linien nur als Skulptur oder vielleicht Falten der Oberfläche betrachtet werden müssen. In diesem Falle wäre eine große Ähnlichkeit in Form und Stellung der Sporangien mit *Sphenophyllum cuneifolium* und besonders mit der von Solms unter dem Namen *Bowmanites germanicus* Weiß gegebenen Abbildung nicht zu verkennen.

Es muß jedoch neuen Untersuchungen an der Hand neueren Materials überlassen bleiben, die Frage, ob zwei oder nur ein Sporangium an jedem Träger befestigt sind, definitiv zu entscheiden. Wenn nur ein einziges Sporangium an jedem Träger befestigt ist, was mir vorläufig noch am wahrscheinlichsten ist, so ist die Ähnlichkeit mit dem Typus *S. cuneifolium* usw. groß, um so mehr, da, wie auch aus Textfig. 1 hervorgeht, Andeutungen gefunden wurden, daß zu jedem Blatt mehrere Träger mit ihren Sporangien gehören, und zwar mindestens zwei.

Falls es sich herausstellen würde, daß zwei Sporangien zu jedem Träger gehören, so wäre die einzige bekannte Art, mit der *S. charaeforme* verglichen werden könnte, *S. Römeri* Solms. Da diese Art nicht als Abdruck bekannt ist, ist die Durchführung eines weiteren Vergleiches nicht gut möglich.

Jedenfalls ist *S. charaeforme* durch seinen Habitus und dadurch, daß der fertile Teil der Pflanze nicht ährenförmig ist, von allen anderen Arten verschieden und die neue Art nimmt daher eine ganz isolierte Stellung innerhalb der Gattung ein. Form und Stellung der Sporangien und ihrer Träger deuten aber entschieden auf Zugehörigkeit zur Gattung *Sphenophyllum*.

Das Material stammt aus dem Hangendschiefer des Franziska-Flözes, Hruschau (Ostrauer Schichten), Schacht Nr. 1, Coll. Max v. Gutmann, k. k. Hofmuseum Wien, geologisch-paläontologische Abteilung, Nr. H. M. 4.

Tafelerklärung.

Fig. 1. Habitus in natürlicher Größe.

Fig. 2. Unterster Knoten des Exemplars mit Blattnarben. Die Internodien deutlich gestreift. Vergr. $2^{1}/_{2}$.

Fig. 3. Blattwirtel mit Sporangien aus dem unteren Teil des Exemplars. Die beiden dem schief aufsteigenden Ästchen angedrückten Sporangien sind die in der Textfig. 2 abgebildeten. Vergr. $2^{1}/_{2}$.

Fig. 4. Der obere Zweig mit zwei Wirteln. Die Sporangien und ihre Träger sind hier besonders in dem oberen Wirtel (mit Lupe) deutlich zu sehen. Oben rechts das in Textfig. 3 abgebildete Sporangium. Die in Textfig. 1 u. 4 abgebildeten Sporangien befinden sich in dem zweiten Wirtel. Vergr. $2^{1}/_{2}$.

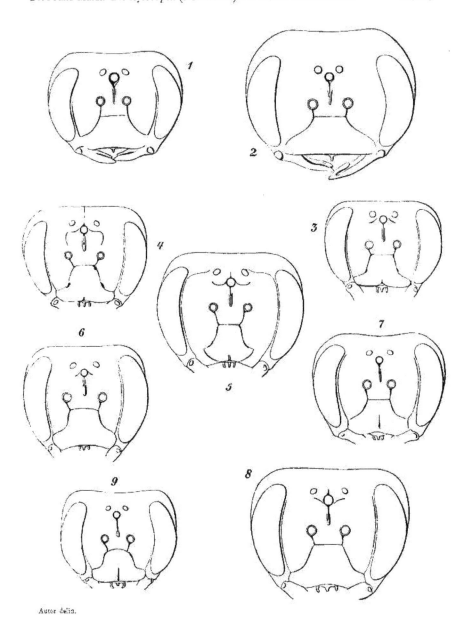

Autor delin.

Annalen des k. k. naturhist. Hofmuseums, Band XXVI, Heft 3 u. 4, 1912.

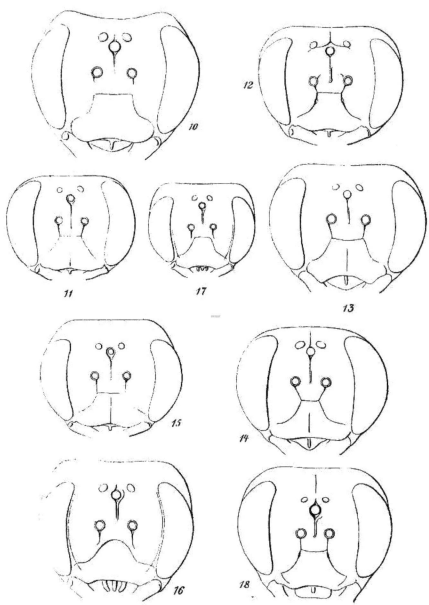

Autor del:n.

Annalen des k. k. naturhist. Hofmuseums, Band XXVI, Heft 3 u. 4, 1912.

Columba albinucha, Sassi.

Annalen des k. k. naturhistorischen Hofmuseums, Band XXVI, Heft 3 4, 1912.

467

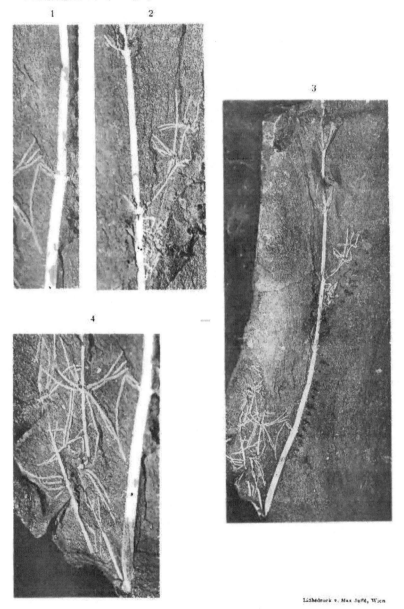

1   2

3

4

Lichtdruck v. Max Jaffé, Wien

Annalen d. k. k. Naturhist. Hofmuseums, Band XXVI, 1912.

Notizen.

Jahresbericht für 1911

von

Dr. Franz Steindachner.

Einleitung.

Se. k. u. k. Apostolische Majestät geruhten mit Allerhöchster Entschließung vom 6. September 1911 Allerhöchst Ihren Kämmerer Se. Exzellenz L. Grafen v. Gudenus zu beauftragen, dem Intendanten des k. k. naturhistorischen Hofmuseums Hofrat Dr. Franz Steindachner aus Anlaß seines fünfzigjährigen Dienstjubiläums Allerhöchst Ihre allergnädigsten Glückwünsche zu vermitteln.

Die Allergnädigste Kundgebung fand ihren Ausdruck in einem von Sr. Exzellenz dem Herrn Oberstkämmerer L. Grafen v. Gudenus an den Jubilar gerichteten Schreiben, welches dem letzteren am 12. September im großen Vestibule des Hofmuseums in Gegenwart der vollzählig versammelten Beamten dieses Hofinstitutes überreicht wurde.

Se. k. u. k. Apostolische Majestät haben mit Allerhöchster Entschließung vom 5. Jänner 1911 den Kustoden II. Klasse am naturhistorischen Hofmuseum Dr. Rudolf Köchlin und Anton Handlirsch das Ritterkreuz des Franz Josefs-Ordens Allergnädigst zu verleihen geruht.

Se. k. u. k. Apostolische Majestät haben ferner mit Allerhöchster Enschließung vom 19. Jänner 1911 dem Museumsdiener I. Klasse am naturhistorischen Hofmuseum Alois Fischer und mit Allerhöchster Entschließung vom 23. Jänner 1911 dem Museumsaufseher Johann Fiala aus Anlaß der von ihm erbetenen Versetzung in den dauernden Ruhestand das silberne Verdienstkreuz mit der Krone Allergnädigst zu verleihen geruht.

Der Ausdruck der Allerhöchsten Anerkennung wurde dem Kustos Regierungsrat Josef Szombathy aus Anlaß verdienstvoller Mitwirkung an der Veranstaltung der I. internationalen Jagdausstellung in Wien 1910 zuteil.

Sr. k. u. k. Apostolischen Majestät Oberstkämmerer Exzellenz Graf v. Gudenus hat dem Präparator August Unterreiter die Ehrenmedaille für 40jährige treue Dienste zugesprochen.

Sr. k. u. k. Apostolischen Majestät Oberstkämmerer Se. Exzellenz Graf v. Gudenus hat laut Erlaß vom 5. August 1911, Z. 2177 den Volontär am naturhistorischen Hofmuseum Dr. Josef Bayer [1]) zum Assistenten ernannt und laut Erlaß vom 15. April 1911, Z. 1261 die Intendanz ermächtigt, den Phil. Dr. Friedrich Trauth [1]) als Volontär mit Adjutum an der geologisch-paläontologischen Abteilung in Verwendung zu nehmen,

---

[1]) Aus Versehen wurden die erst im Jahre 1911 erfolgten Ernennungen der Herren Dr. Josef Bayer und Dr. Friedrich Trauth in den vorjährigen Jahresbericht unter irriger Angabe der Jahreszahl aufgenommen.

endlich laut Erlaß vom 14. Juni 1911, Z. 1842 gestattet, den Phil. Dr. Viktor Christian als Hospitanten an der anthropologisch-ethnographischen Abteilung zuzulassen. Vom 16. Oktober ab beteiligte sich letzterer mit hochamtlicher Genehmigung gegen eine Remuneration an den laufenden Musealarbeiten in der ethnographischen Sammlung, nachdem Kustos Prof. Dr. M. Haberlandt auf sein Ansuchen vom 1. September 1911 an auf die Dauer von 13 Monaten mit Karenz der Gebühren beurlaubt worden war.

Durch einen schweren Unglücksfall wurde im abgelaufenen Jahre in den Beamtenstand unseres Museums eine empfindliche Lücke gerissen.

Dr. Friedrich Blaschke hatte Ende März mit mehreren Freunden eine Skitour in die Niederen Tauern unternommen. Nachdem er am 25. März den Bösenstein besucht hatte, wurde er am 26. März bei der Ersteigung des Bruderkogels von einer Lawine erfaßt und von derselben begraben.

Dr. Blaschke wurde am 1. Mai 1883 zu Wien geboren und vollendete seine Studien daselbst an der Universität im Juni 1905. Am 1. Oktober 1906 als Volontär in der geologisch-paläontologischen Abteilung zugelassen, erfolgte seine Ernennung zum Assistenten am 1. April 1910. Dr. Blaschke war für unser Museum eine sehr wertvolle und nützliche Kraft, da er sich den ihm gestellten Aufgaben stets mit Eifer und Fleiß hingab. Wir verdanken ihm manche wertvolle Aufsammlung, so die am Polzberg bei Lunz, solche in Stramberg usw. Seine wissenschaftliche Tätigkeit war eine mannigfaltige. Einer Bearbeitung der Gastropoden der triadischen Pachycardientuffe der Seiser Alpe folgten einige kleinere Publikationen und zuletzt ein Beitrag «Zur Tithonfauna von Stramberg», dessen Fertigstellung im Drucke er nicht mehr erlebte; er hat an den geologischen Untersuchungen längs der Trasse der II. Kaiser Franz Josef-Hochquellenleitung der Stadt Wien mitgewirkt und eine geologische Neuaufnahme des Gebietes zwischen Waidhofen a. Y., Scheibbs und Gaming begonnen und fast fertiggestellt. Wir werden dem uns leider so plötzlich entrissenen, hoffnungsvollen jungen Gelehrten das wärmste Andenken bewahren.

In diesem Jahre hat ferner das naturhistorische Hofmuseum durch den Tod des Herrn Philipp v. Oberländer den Verlust eines warmen Gönners zu beklagen, der sein Interesse speziell der Säugetiersammlung zugewendet hatte und bestrebt war, dieselbe durch neue Exemplare zu vervollständigen. Seinem Eifer verdankt diese Sammlung die meisten Bereicherungen an seltenen und wertvollen Tieren in den letzten drei Jahren.

Auf einer Jagdexpedition, die v. Oberländer an den oberen Nil zu Beginn des Jahres unternommen hatte und die ihn in die Lado-Enklave und nach Uganda führte, ereilte ihn ein tragisches Ende, indem er am 3. März in der Nähe von Mongalla, bei Lavalla, durch einen verwundeten Büffel getötet wurde.

Am 22. Mai 1911 starb nach längerem Leiden der Präparator an der zoologischen Abteilung Max Baron Schlehenried, genannt Schlereth. Derselbe diente ursprünglich als Offizier in der k. u. k. Armee, gab aber diese Stellung auf, um sich verehelichen zu können. Am 17. März 1887 wurde er zum Präparator ernannt und den entomologischen Sammlungen zur Dienstleistung zugewiesen. Schlereth, der die Bildung eines akademischen Malers besaß, leistete namentlich bei Aufstellungsarbeiten Hervorragendes und fertigte auch zahlreiche Zeichnungen zu wissenschaftlichen Zwecken in vollendeter Weise an.

Das Museum war an 253 Tagen dem Besuche des Publikums geöffnet. Die Gesamtzahl der Besucher, welche die Tourniquets passierten, betrug 288.103 (gegen 308.705 des Vorjahres). Davon entfallen 190.374 auf die Sonn- und Feiertage, 36.799 auf die Donnerstage, 6865 auf die Zahltage. Der stärkste Besuch fand wie alljährlich am Pfingstmontag statt, an welchem 8734 Personen die Schausammlungen besichtigten. Der nächst stärkste Besuch fiel auf den Ostermontag (7674 Personen).

Am 4. März beehrten Se. k. u. k. Hoheit Herr Erzherzog Albrecht, am 6. März Ihre königl. Hoheiten Prinz Georg und Konrad von Bayern und am 15. März die Familie Sr. k. u. k. Hoheit des Herrn Erzherzogs Franz Salvator unser Museum mit einem längeren Besuche.

Korporativ besichtigten das Museum, teilweise auch an Zahltagen bei freiem Eintritt und zu wiederholten Malen die zahlreichen Zöglinge der verschiedenen allgemeinen Gewerbe-Fortbildungsschulen in Wien, ferner die vieler öffentlicher wie privater Volks-, Bürger- und Realschulen, Handelsschulen und Handelsakademien, Mädchenlyzeen, Lehrer- und Lehrerinnen- Bildungsanstalten und Gymnasien in Wien, Mödling, St. Georgen, Oberhollabrunn, Gyula und Esseg, die Zöglinge des k. u. k. Theresianums in Wien und der k. u. k. Infanteriekadettenschule in Peterwardein, endlich sehr zahlreiche Mitglieder der in diesem Jahre in Wien abgehaltenen Kongresse und Zusammenkünfte von Vereinen.

Durch Ankäufe und Spenden wurden auch in diesem Jahre die Sammlungen des Museums bedeutend bereichert, von denen an dieser Stelle nur die bedeutendsten erwähnt werden sollen. Ein vollständiges Verzeichnis sämtlicher Ankäufe und Spenden ist in dem Abschnitte III («Die Vermehrung der Sammlungen») dieses Jahresberichtes gegeben. Von der im Vorjahre käuflich übernommenen paläarktischen Coleopterensammlung des Oberstleutnants Friedrich Hauser wurde die zweite Hälfte, bestehend aus 10.095 Arten in 52.070 Exemplaren übernommen; die ganze Sammlung enthält demnach, wie bereits im vergangenen Jahre berichtet wurde, 22.576 Arten in 114.143 Exemplaren.

Nach der im Laufe dieses Jahres vollendeten Sichtung des von R. Grauer während seiner im hochamtlichen Auftrage nach Innerafrika unternommenen Expedition (November 1909 bis April 1911) aufgesammelten Materiales wurden dem Museum abgeliefert: an Säugetieren 398 Arten in 800 Fellen mit Schädeln, bezw. ganzen Skeletten, an Vögeln 640 Arten in mehr als 6300 Exemplaren, an Coleopteren ca. 500 Arten in über 11.000 Exemplaren, an Lepidopteren 620 Arten in mehr als 5000 Exemplaren, an Orthopteren, Hemipteren, Neuropteren und Odonaten ca. 576 Arten in ca. 5900 Exemplaren, Crustaceen und Arachnoideen 210 Exemplare, an Mollusken 20 Arten in ca. 180 Exemplaren, an Fischen, Amphibien und Reptilien ca. 90 Arten in ca. 300 Exemplaren.

Herr Baron N. Charles Rothschild bereicherte die lepidopterologische Sammlung durch eine Spende von 21 sehr seltenen Arten aus Portugal in 170 Stücken und 63 Arten in 480 Stücken aus England.

Hofrat Steindachner spendete eine große Sammlung von Süßwasserfischen von Angola, Portugiesisch-Guinea, Britisch-Guiana und Südbrasilien, eine große Anzahl von Cotypen enthaltend, sowie pelagische Fische von Nizza und Messina.

Eine Spende von hohem wissenschaftlichen Werte verdankt die Meteoritensammlung wiederum ihrem hochverehrten Gönner Kommerzialrat J. Weinberger, bestehend aus einer Kollektion von 194 Nummern Meteoriten und 200 Meteoritendünnschliffen. Hiedurch ist das Studienmaterial für die mikroskopische Meteoritenforschung zu einer

a*

nirgend anderswo erreichten Höhe angewachsen. Von der Kis-Sebeser Granit-steinbruch-Aktiengesellschaft erhielt das Museum eine ungewöhnlich große und schwere Basaltsäule von Alsó-Rákos und von Prof. Jahn in Brünn eine Serie großer Basaltbomben vom Köhlerberg in Schlesien.

Für die geologisch-paläontologische Abteilung wurde ein nahezu vollständiges Skelett von *Dorygnathus banthensis*, eines langgeschwänzten Flugsauriers aus den Schiefern des oberen Lias in Württemberg, angekauft. Die Erwerbung dieses kostbaren Objektes verdankt das Museum der Bewilligung eines Extraordinariums von Seite des hohen Oberstkämmereramtes.

Die Gebrüder Hollitzer in Deutsch-Altenburg spendeten derselben Abteilung umfangreiche und interessante diluviale Knochenfunde aus dem dortigen Steinbruche.

Die hohe kais. Akademie der Wissenschaften übergab der anthropologisch-ethno-graphischen Abteilung 176 Schädel und 12 Skelette aus alten Gräbern in Oberägypten, ausgegraben von Prof. Dr. Junker, sowie eine Sammlung prähistorischer Bronzen, Menschen- und Tierknochen aus der Knochenhöhle bei St. Canzian in Istrien, ferner das k. k. Finanzministerium durch die Salinenverwaltung in Hallstatt diverse Holzfunde aus dem Grünerwerke auf dem Salzberge von Hallstatt als Geschenk.

Eine Spende des Herrn Gutsbesitzers Arthur Berger ermöglichte die Fort-setzung von Ausgrabungen in der Knochen- und Fliegenhöhle bei St. Canzian und eine Spende des Herrn Gustav Figdor die Vornahme von Ausgrabungen in dem Löß bei Aggsbach in Niederösterreich.

Mit Genehmigung eines hohen Amtes wurde von der ethnographischen Samm-lung eine der bedeutendsten Erwerbungen der letzten Jahre durch den Ankauf der großen Sammlung von Diagitas- (Calchaqui-) Altertümern aus dem nordwestlichen Argentinien von Herrn Rudolf Schreiter in Tucuman gemacht. Diese sehr hervor-ragende Sammlung, welche seit dem Jahre 1908 in Chemnitz lagerte, wurde dank der Opferwilligkeit des Sammlers um einen verhältnismäßig niederen Preis erworben. Re-gierungsrat Heger übernahm diese Sammlung persönlich in den letzten Tagen des Monates August und den ersten Tagen des Monates September in Chemnitz und leitete deren Abtransport nach Wien. Nach erfolgter Restaurierung wurde sie sodann in dem linken Seitengange des Stiegenhauses provisorisch aufgestellt.

Eine weitere wertvolle Akquisition der ethnographischen Sammlung bestand in dem Ankaufe von 14 überaus prächtigen goldgestickten Seidenstoffen aus Palembang auf der Insel Sumatra, welche von Herrn J. W. Teillers erworben wurden.

Herrn General J. W. N. Munthe in Tientsin, einem alten Gönner der ethno-graphischen Sammlung, verdankt diese als wertvolles Geschenk eine Sammlung von 32 chinesischen Zeremonialwaffen aus der Provinz Kwangtung.

In den Schausammlungen fast sämtlicher Abteilungen des Museums wurden im Laufe des Jahres 1911 sehr bedeutende Verschiebungen und Neuaufstellungen vor-genommen.

In der zoologischen Abteilung wurde, namentlich um Platz zu gewinnen, die Sammlung weil. Sr. k. u. k. Hoheit des durchlauchtigsten Herrn Erzherzogs Kronprinz Rudolf von dem an die Säugetiersammlung anstoßenden Nebensaal XXXVIIIc in den der Lage nach korrespondierenden, von der Vogelsammlung aus zugänglichen Neben-saal XXXIIc übertragen und die bisher daselbst und in den angrenzenden Nebenräumen befindliche Reservesammlung gestopfter Vögel in den Arbeitsräumen sowie in dem nun freigewordenen Nebensaal untergebracht, was durch die Anschaffung einer Anzahl neuer Aufsatzkästen ermöglicht wurde. Der Saal XXXVIIIc dient nunmehr als Arbeitsraum und stellt die direkte Verbindung zwischen den anderen Bureauräumen in zweckmäßiger Weise her.

Ferner erfuhren die Schausäle XXXIV—XXXVI eine gänzliche Umgestaltung, indem die älteren minderwertigen Objekte und ein großer Teil der osteologischen Präparate in die Reservesäle des zweiten Stockwerkes übertragen und durch zahlreiche neuerworbene große Säugetiere ersetzt wurden. Gelegentlich dieser Neuaufstellung in den Schausälen der Säugetiersammlung wurde für die wertvolle *Giraffa reticulata* Winton von der Firma Kühnscherf in Dresden eine über 5 m hohe Vitrine geliefert, deren vier Seitenwände aus je einer Spiegelglasscheibe bestehen.

In der Schausammlung der Vögel wurden weiters 14, in der der Säugetiere 46 neue Objekte ausgestellt, von denen als hervorragendste Stücke ein großes altes Männchen von *Simia satyrus* und ein Prachtexemplar eines alten Männchens von *Gorilla gorilla beringei* Matschie besonders zu erwähnen wären.

Im Saale V der mineralogisch-petrographischen Abteilung wurden die seinerzeit von Prof. O. Simony gespendeten vulkanischen Bomben von den Kanarischen Inseln, dann solche von großen Dimensionen aus Schlesien, Neuseeland, Insel Zebejir im Roten Meere u. a. frei zur Schau gestellt.

Im Saale VI der geologisch-paläontologischen Abteilung wurden in einem neuen Kasten Liaspflanzen aus Hinterholz und Kreidepflanzen aus Grünbach und im Saale VIII das vom Musée d'histoire naturelle in Brüssel erworbene Modell des *Iguanodon bernissartensis* zur Aufstellung gebracht.

In der ethnographischen Sammlung fanden folgende Umstellungen und Neuaufstellungen statt:

Im Saale XIV wurde der Eckschrank mit den Sammlungen aus der europäischen und asiatischen Türkei, aus Bosnien und der Herzegowina, Bulgarien usw., ferner aus dem Kaukasus und Arabien neu austapeziert und die bezüglichen Kollektionen unter Berücksichtigung der Neuerwerbungen nach Maßgabe des sehr beschränkten verfügbaren Raumes neu aufgestellt.

Im Saale XV wurden die Sammlungen aus Hinterindien, Ceylon, Assam, Ladakh und eines Teiles von Vorderindien neu angeordnet.

Im Saale XIX wurden eine Reihe von Umstellungen vorgenommen und hiebei namentlich die Sammlungen aus dem nordwestlichen Afrika einschließlich der Atlasländer, aus dem westlichen Sudan, aus Ober- und Nieder-Guinea, aus Kamerun und aus dem Gebiete des Kongostaates unter Einbeziehung der neuen Erwerbungen ganz neu aufgestellt. Auch die Sammlungen aus den anderen Gebieten Afrikas erfuhren verschiedene kleinere Rektifikationen und Ergänzungen. Die Ausstattung der ausgestellten Objekte mit gedruckten Etiketten wurde hier fortgesetzt.

Im linken Seitengange des Vestibüles waren ursprünglich verschiedene Erwerbungen, welche gelegentlich der Internationalen Jagdausstellung gemacht worden waren, sowie das Vermächtnis des verstorbenen Legationsrates Dr. Camille Jones Samson ausgestellt. Später erfolgte in einem Teil der hier befindlichen Schränke während der Dauer mehrerer Monate die Aufstellung der Privatsammlung des Grafen Eduard Wickenburg von peruanischen Altertümern, die von demselben während einer dreijährigen Reise durch Südamerika in den Jahren 1907—1910 erworben worden waren, und schließlich nach Räumung der gesamten Schränke die Ausstellung der bereits früher erwähnten großen Sammlung von Calchaqui-Altertümern von Herrn Rudolf Schreiter in Tucuman.

Subventionen aus dem Reisefonds erhielten zur Vornahme wissenschaftlicher Studien- und Forschungsreisen die Abteilungsleiter Kustos Kittl und Dr. Zahlbruckner, die Kustoden Szombathy, Dr. Haberlandt und Handlirsch sowie Assistent Dr. Karl Graf Attems.

Die Erwerbungen der zoologischen Abteilung an Tieren betrugen 210.986 Exemplare in ca. 175.386 Arten, von diesen entfallen auf die Insekten allein 190.658 Exemplare in ca. 15.115 Arten. An Wirbeltieren vermehrten sich die Sammlungen um 1718 Arten in 11.822 Exemplaren.

Die Pflanzensammlungen erhielten einen Zuwachs von 8148 Nummern, von denen 4457 durch Ankauf, 1282 Nummern durch Tausch und 2409 Nummern als Geschenk erworben wurden.

In der mineralogisch-petrographischen Abteilung wurde die Meteoritensammlung um 212 Stücke und 209 Meteoritendünnschliffe, die Sammlung der Minerale um 176 und jene der Gesteine um 210 Stücke vermehrt. Eingetauscht wurden 12 Stück Minerale und 48 Gesteine.

Das Einlaufjournal der geologisch-paläontologischen Abteilung weist 92 Nummern neuer Erwerbungen aus, von denen 30 Nummern angekauft, 2 eingetauscht, 3 durch Prof. Kustos Kittl, Dr. Trauth und Oberlehrer Josef Leth aufgesammelt wurden. Der Rest verteilt sich auf Geschenke.

In der anthropologisch-prähistorischen Sammlung liefen 27 Posten ein, und zwar durch Ankauf 3 Posten für die anthropologische, 10 für die prähistorische Sammlung, durch Geschenk 3 Posten für die anthropologische, 10 für die prähistorische Sammlung. Auf Kosten des Museums wurde eine Ausgrabung von 12 Gräbern der früheren Bronzezeit bei Unterwölbling im Bezirk Herzogenburg, Niederösterreich, durch Dr. J. Bayer ausgeführt.

Die Neuerwerbungen der ethnographischen Sammlung verteilen sich auf 23 Posten mit zusammen 1413 Nummern, von denen 10 Posten als Geschenk und ein Posten durch direkte Aufsammlung einliefen, während die restlichen 12 Posten durch Ankauf erworben wurden.

Der Zuwachs der Bibliothek der zoologischen Abteilung beträgt an Einzelwerken und Separatabdrücken: 568 Nummern in 593 Teilen, wovon durch Ankauf 31 Nummern in 37 Teilen, als Geschenk 512 Nummern in 523 Teilen und im Tausche 25 Nummern in 33 Teilen erworben wurden.

An Zeit- und Gesellschaftsschriften liefen ein: 309 Nummern in 385 Teilen, davon 94 Nummern in 133 Teilen (6 Nummern neu) durch Ankauf und 215 Nummern in 252 Teilen (3 Nummern neu) im Tausch gegen die «Annalen».

Die Bibliothek der botanischen Abteilung vermehrte sich an Einzelwerken und Separatabdrücken um 146 Nummern in 324 Teilen, von denen 90 Nummern in 205 Teilen als Geschenk, 26 Nummern in 31 Teilen im Tausche gegen die «Annalen» einliefen und 30 Nummern in 88 Teilen angekauft wurden.

An Zeit- und Gesellschaftsschriften liefen ein: 61 Nummern in 80 Teilen durch Kauf, 33 Nummern in 55 Teilen durch Tausch gegen die «Annalen», zusammen 94 Nummern in 135 Teilen.

Die Bibliothek der mineralogisch-petrographischen Abteilung erhielt an Einzelwerken und Separatabdrücken 218 Nummern in 219 Teilen, von diesen wurden durch Kauf 36 Nummern in 36 Teilen, durch Tausch gegen die «Annalen» 27 Nummern in 27 Teilen, als Geschenk 156 Nummern in 156 Teilen erworben.

Der Zuwuchs der Bibliothek der geologisch-paläontologischen Abteilung beträgt an Einzelwerken und Separatabdrücken 158 Nummern in 167 Teilen, von denen 26 Nummern in 29 Teilen angekauft, 24 Nummern in 29 Teilen im Tausche gegen die «Annalen» erworben und 108 Nummern in 109 Teilen gespendet wurden.

An Zeitschriften wurden erworben durch Kauf 25 Nummern in 35 Bänden, durch die Intendanz im Tausche gegen die «Annalen» 56 Nummern in 119 Bänden, als Geschenk 14 Nummern in 181 Bänden, von denen 5 Nummern in 6 Bänden neu sind.

Die Kartensammlung vermehrte sich um 1 Nummer in 4 Blättern durch Kauf, um 7 Nummern in 120 Blättern im Tausche, davon 4 Nummern in 9 Blättern neu.

Der Zuwachs an Photographien betrug 34 Nummern durch Ankauf.

Die Bibliothek der anthropologisch-prähistorischen Sammlung erhielt an Einzelwerken 37 Nummern in 89 Teilen. davon als Geschenk 15 Nummern in 17 Teilen, von der Anthropologischen Gesellschaft 56 Nummern in 56 Teilen, durch die Intendanz 3 Nummern in 3 Teilen, durch Ankauf 13 Nummern in 13 Teilen.

An periodischen Schriften liefen ein 131 Nummern, und zwar durch Ankauf 24 Nummern in 24 Teilen, als Geschenk 5 Nummern in 5 Teilen und im Tauschwege 102 Nummern in 106 Teilen. hievon 21 Nummern in 21 Teilen gegen die «Annalen».

Die Bibliothek der ethnographischen Sammlung bezog an Einzelwerken und Sonderabdrücken 122 Nummern in 133 Teilen, davon 2 Nummern in 2 Teilen als Geschenk, 12 Nummern in 13 Teilen durch die Intendanz, 45 Nummern in 49 Teilen durch die Anthropologische Gesellschaft und 63 Nummern in 69 Teilen durch Ankauf.

An laufenden Zeitschriften vermehrte sich dieselbe Sammlung um 200 Nummern in 226 Teilen, davon 11 Nummern in 1 Teil neu. Hievon wurden 84 Nummern in 27 Teilen im Tausch gegen die «Annalen» durch die Intendanz, 72 Nummen in 84 Teilen von 62 Gesellschaften und Redaktionen durch die Anthropologische Gesellschaft gegen Ersatz der Kosten der von derselben für diese Schriften abgegebenen Exemplare ihrer «Mitteilungen», 31 Nummern in 40 Teilen durch Ankauf und 13 Nummern in 15 Teilen als Geschenk erworben.

Die Intendanz des Museums stand im Jahre 1911 mit 461 wissenschaftlichen Korporationen und Redaktionen im Schriftentausch.

Übersicht des Gesamtstandes der fünf Fachbibliotheken des k. k. naturhistorischen Hofmuseums am Schlusse des Jahres 1911.

	Einzelwerke und Separatabdrücke		Zeitschriften		Karten		Photographien und Bilder
	Numm.	Teile	Numm.	Teile	Numm.	Teile	
Zoologische Abteilung .	26323	31593	833	12830	—	—	—
Botanische » . . .	13107	16552	360	4896	—	—	—
Mineralogisch-petrographische Abteilung	15357	16366	242	7298	—	—	—
Geologisch - paläontologische Abteilung	14597	16072	597	10061	816	9016	6858
Anthropologisch - prähistorische Sammlung . . .	3935	6503	224	4394	—	—	—
Ethnographische Sammlung .	5458	6586	477	6282	—	—	10539
	78777	93672	2733	45761	816	9046	17397

I. Das Personale.

(Stand vom 31. Dezember 1911.)

K. u. k. Intendanz.

Intendant:

Steindachner Dr. Franz, k. u. k. Hofrat.

Zugeteilt:

Hold Richard Freiherr von Ferneck, k. u. k. Hofsekretär.

Hofmuseums-Aufseher:

Mendyka Johann.
Exner Johann.
5 Hofmuseums-Diener I. Klasse, 7 Hofmuseums-Diener II. Klasse, 1 Portier, 17 Hausdiener.

Zoologische Abteilung.

Direktor:

Ganglbauer Ludwig (mit Titel und Charakter eines Regierungsrates).

Kustoden I. Klasse:

Lorenz Ritter von Liburnau Dr. Ludwig, Honorardozent für Zoologie an der k. k. Hochschule für Bodenkultur (mit dem Titel eines a. o. Professors).
Kohl Franz Friedrich.
Siebenrock Friedrich.

Kustoden II. Klasse:

Handlirsch Anton.
Sturany Dr. Rudolf.
Rebel Dr. Hans, Dozent für Zoologie an der k. k. Hochschule für Bodenkultur (mit dem Titel eines a. o. Professors).

Kustos-Adjunkten:

Penther Dr. Arnold.
Toldt Dr. Karl.

Assistenten:

Attems Dr. Karl Graf.
Holdhaus Dr. Karl.
Pietschmann Dr. Viktor.

Volontär (mit Adjutum):

Pesta Dr. Otto.

Präparatoren:

Kolař Peter.
Wald Franz.
Radax Georg.

Aushilfspräparatoren:

Irmler Rudolf.
Sarg Emil.

Botanische Abteilung.

Kustos II. Klasse und Leiter:

Zahlbruckner Dr. Alexander.

Kustos-Adjunkten:

Keißler Dr. Karl Ritter von.
Rechinger Dr. Karl.

Präparator:

Buchmann Ferdinand.

Mineralogisch-petrographische Abteilung.

Direktor:

Berwerth Dr. Friedrich (mit dem Titel und Charakter eines Regierungsrates), o. ö. Universitätsprofessor.

Kustos II. Klasse:

Köchlin Dr. Rudolf.

Kustos-Adjunkt:

Wachter Dr. Ferdinand.

Volontär:

Hlawatsch Dr. Karl.

Präparator:

Nimmerrichter Johann.

Geologisch-paläontologische Abteilung.

Kustos I. Klasse und Leiter:

Kittl Ernst, Privatdozent für Paläontologie (mit dem Titel eines a. o. Professors an der k. k. technischen Hochschule in Wien).

Kustos-Adjunkt:
Schaffer Dr. Franz X.

Volontär (mit Adjutum):
Trauth Dr. Friedrich.

Volontär:
Müller Oskar von.

Präparator:
Unterreiter August.

Anthropologisch-ethnographische Abteilung.

Direktor:
Heger Franz (mit Titel und Charakter eines Regierungsrates).

Kustos I. Klasse (VI. Rangsklasse ad personam):
Szombathy Josef (mit Titel und Charakter eines Regierungsrates).

Kustos I. Klasse:
Haberlandt Dr. Michael, Privatdozent für allgemeine Ethnographie an der k. k. Universität zu Wien (mit dem Titel eines a. o. Universitätsprofessors).

Assistent:
Bayer Dr. Josef.

Zu Konservierungsarbeiten in Verwendung:
Frau Marie Hein.

Präparatoren:
Brattina Franz.
Zeidler Paul.
Ziskal Johann.

II. Musealarbeiten.

a) Zoologische Abteilung.

Direktor: Regierungsrat Ludwig Ganglbauer.

α) Gruppe der Coelenteraten, Echinodermen und Würmer (Assistent Dr. Karl Graf Attems).

Es wurde die ganze Polychätensammlung neu geordnet und aufgestellt. Diese Sammlung umfaßt 545 Spezies.

Die Nematodensammlung wurde durch Dr. Leiper aus London durch längere Zeit benützt. Dr. Leiper hat bei dieser Gelegenheit eine große Zahl von Bestimmungen teils neu gemacht, teils korrigiert und die Nematoden sind dank seiner Tätigkeit jetzt ziemlich in Ordnung.

β) Gruppe der Crustaceen, Pantopoden, Arachnoideen, Myriapoden und Onychophoren (Kustos-Adjunkt Dr. A. Penther, Assistent Dr. Karl Graf Attems und Volontär Dr. O. Pesta).

Kustos-Adjunkt Dr. A. Penther war von der Direktion für das ganze abgelaufene Jahr der entomologischen Abteilung zugeteilt worden, um bei den Ordnungs- und Bestimmungsarbeiten der Dipterensammlung behilflich zu sein. Nebenbei wurde von ihm die Ausbeute an Skorpionen des Dr. V. Pietschmann aus Mesopotamien bearbeitet.

Volontär Dr. O. Pesta determinierte die von Dr. Rechinger auf den Samoa-Inseln gesammelten Decapoden, ferner die von Dr. V. Pietschmann im Persischen Golfe gesammelten Copepoden. Gleichzeitig wurden vielfache Revisionen und Nach-

bestimmungen an dem Materiale der alten Museumssammlung vorgenommen und die
Anlage eines Kataloges der Entomostrakensammlung begonnen.

Assistent Dr. K. Graf Attems vollendete den Zettelkatalog der Diplopoden-
sammlung.

In mündlichen oder brieflichen Verkehr traten die Herren Kustos V. Apfelbeck-
Sarajevo, V. Birula-St. Petersburg, Dr. Burckhardt-Basel, Prof. Cori-Triest, F. H.
Gravely-Kalkutta, Dr. Langhans-Prag, Dr. Roewer-Bremen, Dr. Rogenhofer-
Wien, E. W. Sexton-Plymouth, Prof. Steuer-Innsbruck, Dr. Verhoeff-Cannstatt,
Volksbildungsverein-Wien u. a.

Dr. V. Langhans-Prag stellte die Koelbelsche Entomostrakensammlung zurück;
desgleichen Dr. Roewer-Bremen entliehenes Sammlungsmaterial. Letzterer entlieh
aus der Sammlung einen Teil der *Opiliones* und Dr. Burckhardt-Basel Materiale der
Entomostrakensammlung.

Die Fachbibliothek wurde außer von Herren anderer Abteilungen des Museums
hauptsächlich von den Herren Prof. Grobben-Wien, E. Reimoser-Mödling und Prof.
Werner-Wien benützt.

γ) Gruppe der Orthopteren und Coleopteren (Regierungsrat Direktor L.
Ganglbauer und Assistent Dr. K. Holdhaus).

Orthopteren (Assistent Dr. K. Holdhaus). Die Neuaufstellung der umfangreichen Phasmidensammlung wurde nahezu zu Ende geführt. Außerdem wurde ein
Teil der Gryllacriden etikettiert und an Herrn Prof. Dr. Griffini (Bologna) über dessen
Ansuchen zur wissenschaftlichen Bearbeitung gesandt. Untersuchungsmaterial ent-
lehnte auch Herr Ermanno Giglio-Tos (Torino).

Als Gäste benützten die Orthopterensammlung die Herren Kustos D. Kuthy
(Budapest), Dr. Nikolaus Ikonnikov (Moskau), R. Ebner, Dr. H. Karny (Wien).

Coleopteren (Regierungsrat Direktor Ganglbauer). Zur Revision nach der
neuesten Literatur, Individuenetikettierung und Neuaufstellung gelangten mit Einbeziehung des herrlichen Materiales der Hauserschen Sammlung die paläarktischen Cicin-
deliden, die Calosomen, weitere Partien der Gattung *Carabus*, die Halipliden, von
Buprestiden die Gattungen *Sternocera*, *Julodis*, *Buprestis* und *Poecilonota*, von Elateriden die Gattungen *Elater* und *Hypnoidus*, von Cleriden die Gattung *Trichodes*.

Dr. Holdhaus besorgte die Einreihung seiner Coleopterenausbeute vom Monte
Gargano, bei deren Bearbeitung er von den Herren Dr. Bernhauer, Dr. J. und K.
Daniel, J. Sainte-Claire-Deville, F. Heikertinger, H. v. Krekich, Dr. J. Müller,
Dr. Pečirka, A. und F. Solari, H. Wagner und A. Wingelmüller durch Determi-
nationen unterstützt wurde.

Kritische Revision unseres Bestandes verschiedener Genera verdanken wir den
Herren: Dr. K. Daniel in München *(Xylotrechus)*, W. Hubenthal in Bufleben *(Prio-
bium)*, Prof. Dr. Aug. Lameere in Brüssel (Cyrthognathinen), Dr. F. Netolitzky in
Czernowitz (weitere Gruppen der Gattung *Bembidium*), Achille Raffray in Rom
(Euplectus), G. Seidlitz in Ebenhausen *(Salpingidae)*.

Die Herren Dr. Max Bernhauer in Grünburg, Franz Heikertinger, Alfred
Kniž, Hugo Scheuch, Dr. Franz Spaeth und Alois Wingelmüller bestimmten
wieder Einläufe aus den Gruppen, deren Spezialstudien sie pflegen.

Direktor Ganglbauer besorgte Determinationen für das Deutsche Entomologi-
sche Museum in Berlin, das Kaiser Wilhelms-Institut für Landwirtschaft in Bromberg
und für die Herren G. Faloz in Vienne, Al. Gobanz in Eisenkappel, J. Haberfelner

in Lunz, Otto Leonhard in Blasewitz, P. Novak in Spalato, O. Reiß in Innsbruck, Viktor Stiller in Agram.

δ) Gruppe der Apterygogenen, Thysanopteren, Isopteren, Corrodentien, Mallophagen, Siphunculaten, Embiarien, Perlarien, Odonaten, Plectopteren, Neuropteren, Panorpaten, Phryganoiden, Dipteren, Suctorien und Hemipteren (Kustos II. Klasse A. Handlirsch).

Dank der eifrigen Mitarbeit Dr. A. Penthers gelang es, einen beträchtlichen Teil der für die Neuaufstellung der Dipterensammlung notwendigen Vorarbeiten zu erledigen, so daß bereits die Familien: *Mycetophilidae, Sciaridae, Bibionidae, Rhyphidae, Ptychopteridae, Blepharoceridae, Psychodidae, Dixidae, Culicidae, Chironomidae, Simulidae, Orphnephilidae, Limnobidae, Tipulidae, Cylindrotomidae, Pantophthalmidae, Leptidae, Tabanidae, Acroceridae, Apioceridae, Mydasidae, Bombyliidae* und *Syrphidae* definitiv aufgestellt werden konnten. Dieser Teil der Sammlung nimmt fast 300 Laden ein. Mit der Ordnung und Bestimmung der Acalypteren (Dipteren) beschäftigte sich wieder in entgegenkommender Weise Herr Fr. Hendel, die Stratiomyiden revidierte Dr. Kertész in Budapest, die Asiliden Prof. Herrmann in Erlangen, die Physopoden Dr. Schmutz in Innsbruck.

In reichem Maße wurde wie bisher das Materiale des Museums von zahlreichen auswärtigen Fachmännern benützt, unter anderen von Herrn Th. Becker (Liegnitz), Prof. O. M. Reuter (Abo), Dr. Poppius (Helsingfors), Dr. G. Horváth (Budapest), Dr. Schouteden (Brüssel), Dr. Šulc (Michalkowitz), W. Rübsaamen (Berlin), Dr. Villeneuve (Rambouillet), C. Riedel (Uerding), Kröber (Hamburg), Dr. F. Klapalek (Karolinental), L. Navas (Zaragoza), Dr. N. Holmgren (Stockholm), E. Brunetti (Kalkutta), Dr. Lindinger (Hamburg), Dr. Karny (Eilbogen), Sack (Frankfurt), Meijere (Amsterdam), Kuntze (Dresden).

ε) Gruppe der Lepidopteren (Kustos Prof. Dr. H. Rebel).

Die Aufstellungsarbeiten in der systematischen Hauptsammlung haben im abgelaufenen Jahre dank der freiwilligen Unterstützung des Herrn Dr. H. Zerny einen sehr erfreulichen Fortschritt gemacht.

Es gelangten durch ihn die Familien der Thyrididen, Syntomiden, Noliden, Lithosiiden, Dioptiden, Pericopiden, Eupterotiden, Ceratocampiden und Hepialiden zur Neuaufstellung.

Einen sehr großen Teil der verfügbaren Zeit nahm die provisorische Sichtung und Determination des umfangreichen Materiales der Grauerschen Expedition aus dem östlichen Zentralafrika in Anspruch, wobei sofort einige auffallende neue Arten zur Publikation gelangten (vgl. später Publikationen) und die Artenserien für die projektierte Ausstellung schon bei der Präparation ausgewählt wurden.

Die Einreihung zahlreicher Einläufe, darunter auch der Sammelausbeute von Karl Reimoser aus Paraguay und Argentinien, konnte größtenteils zur Durchführung gelangen.

Die Determinationsarbeiten für auswärtige Interessenten nahmen trotz prinzipieller Ablehnung neuer Interessenten einen nicht mehr zu bewältigenden Umfang an und werden in Zukunft bis auf Ausnahmsfälle ganz eingestellt werden müssen.

Zum Teil sehr umfangreiche und überaus zeitraubende Bestimmungsarbeiten wurden ausgeführt für Adolf Andres (Bakos Ramleh), Baron Julian Brunicki (Podhorce), Dr. D. Czekelius (Hermannstadt), Generalstabsarzt Dr. H. Fischer (St. Pölten),

Prof. Götschmann (Breslau), H. Hafner (Laibach), Prof. M. Hellweger (Brixen), Fritz Hoffmann (Krieglach), A. Kloecker (Kopenhagen), Prof. Karl Prohaska (Graz), Baron N. Charles Rothschild (zwei überaus umfangreiche Sammelausbeuten aus Ungarn), Wilhelm Soja (Wien), Prof. G. Stange (Mecklenburg), Prof. P. Tschorbadjiew (Slivno), A. Wettl (Doboj), überdies für den österr. Reichsverein für Bienenzucht, für das zool. Universitätsinstitut in Czernowitz und für das naturhistorische Museum in Hamburg.

An den wöchentlichen Besuchstagen (Samstag) wurde namentlich die Landessammlung sehr stark in Benützung gezogen.

ζ) Gruppe der Hymenopteren (Kustos I. Klasse Franz Fr. Kohl).

Von der erworbenen G. Mayrschen Sammlung kamen zur Bezettelung und Neuaufstellung ein Teil der Chalcididen und die von G. Mayr seinerzeit erworbenen Proctotrupiden (14 Laden). Ferner wurde Mayrs Cynipidensammlung unter Beihilfe des Präparators Max Freih. v. Schlereth (†) mit der bisherigen Gallwespensammlung vereinigt. In 128 Laden aufgestellt, umfaßt sie derzeit 606 Spezies (118 Gattungen).

Durch Herrn Dr. Franz Maidl wurden mit Erlaubnis der Intendanz und der Direktion der zoologischen Abteilung die Xylocopinen des Museums kritisch revidiert, bezettelt und in 15 Laden neu aufgestellt. Im Bande 1912 der Museums-Annalen wird auch eine wissenschaftliche Bearbeitung der Xylocopinen unserer Sammlung erscheinen.

Bestimmungen wurden ausgeführt für das königl. Museum in Berlin, das britische Museum in London (Entom. research. committee Tropical Africa), für die Herren Dr. Edm. Bordage in Cozes, Dr. Enslin in Fürth, Ch. Ferton in S. Bonifacio (Korsika), C. G. Nurse in Timworth Hall, F. D. Morice in Woking.

Benützt wurde die Sammlung von den Herren Dr. Mehmed Surga (Agronome), H. Viehmeyer in Dresden und Dr. E. Zavattari in Turin.

η) Gruppe der Mollusken, Molluskoiden und Tunicaten (Kustos Dr. R. Sturany).

Durch die im verflossenen Jahre durchgeführte Vergrößerung dreier Mittelschränke konnte mit der Neuaufstellung der Landconchylien begonnen und zunächst eine Partie von 160 Laden der Hauptsammlung, welche die Gattungen 636—858 umfassen, erledigt werden, so daß nebst anderen Familien auch die Heliciden, deren System sich im Laufe der letzten Jahre vollständig umgestaltet hat, nach Pilsbry neu geordnet erscheinen. Diese Umstellungen waren ebenso zeitraubend wie das Etikettieren, Eintragen und Einreihen des starken Akquisitionspostens Geyer und die wissenschaftlichen Bestimmungen in dem umfangreichen, durch Aufsammlungen älteren und jüngeren Datums zusammengebrachten paläarktischen Materiale. Der Berichterstatter wurde bei den zahlreichen kalligraphischen Arbeiten wieder von Herrn Friedrich Matzka und in der Ausführung von Determinationen von Herrn Oberstabsarzt Dr. A. Wagner, einem jahrelangen Mitarbeiter und steten Gönner des Museums, in emsigster Weise unterstützt. Herr Dr. J. Fl. Bábor (Prag) bemühte sich um die Bestimmung von Nacktschnecken, Herr Prof. Dr. A. Steuer (Innsbruck) sorgte für die Bearbeitung des anläßlich der österreichischen Tiefsee-Expeditionen im Mittelmeere und in der Adria erbeuteten Salpenmateriales durch Frl. A. Sigl.

Im Mai 1911 stellte sich dem Museum Herr Dr. Theodor Weindl als freiwillige Hilfskraft zur Verfügung. Der genannte Fachmann hat sich in die schwierige Gruppe der Tintenfische eingearbeitet und ist gegenwärtig mit der Bearbeitung der durch Hofrat

Steindachner und Kustos Siebenrock im Roten Meere aufgesammelten Cephalopoden beschäftigt.

Die Molluskensammlung und die Fachbibliothek wurde von den Herren Jonescu Argetoaia (Bukarest), Bergrat Dr. Julius Dreger, Josef Fleischmann, Adolf Hackl, stud. phil. L. Kuščer, Dr. A. Oberwimmer, Dr. F. Poche, Dr. Jos. Porsche, Dr. G. Schlesinger und von Beamten des Hauses zu Studienzwecken benützt.

Den Herren Landesgerichtsrat Karl Aust, Hofrat C. Gerstenbrandt und O. Wohlberedt (Triebes) wurden Auskünfte erteilt und Herr Dr. Haas in Frankfurt a. M. erhielt Studienmaterial zugeschickt.

ϑ) Gruppe der Fische, Amphibien und Reptilien (Hofrat Dr. Steindachner, Kustos I. Klasse Friedr. Siebenrock, Assistent Dr. V. Pietschmann).

Die laufenden Musealarbeiten wurden wie in den Vorjahren gemeinschaftlich von Steindachner, Siebenrock und Pietschmann, die wissenschaftliche Bestimmung, Etikettierung und Katalogisierung der neuen Einläufe von Schildkröten und Krokodilen von Kustos Siebenrock, die sämtlicher übrigen Reptilien sowie der Amphibien und Fische von Hofrat Steindachner ausgeführt.

Dr. Pietschmann sichtete und verteilte die von der Mesopotamien-Expedition eingelangten zoologischen Sammlungen und begann, nachdem er die Bestimmung der japanischen Fischsammlung Haberers für das Berliner Museum beendigt hatte, mit der Durcharbeitung der ichthyologischen Ausbeute dieser Expedition, die mehrere tausend Exemplare aus dem ganzen Gebiete, das bereist wurde (nördl. Syrien, Kurdistan, Mesopotanien, Irak Arabi), umfaßt.

Die individuenreiche Schildkrötensammlung Dr. V. Pietschmanns aus Kurdistan und Mesopotanien, von der besonders *Trionyx euphraticus* Daud. in zahlreichen Spiritusexemplaren verschiedener Größen erwähnenswert erscheint, wurde speziell von Kustos Siebenrock gesichtet und für eine morphologisch-systematische Publikation vorbereitet. Diese Schildkröte war in der Sammlung des hiesigen Museums bloß durch ein Trockenexemplar in sehr mangelhaftem Zustande vertreten. Aber auch die übrigen großen Museen besitzen nur wenige Trockenexemplare, während solche im Alkohol konserviert, so weit es nachweisbar ist, bisher überhaupt gefehlt haben.

Siebenrock und Pietschmann besorgten auch die Einreihung der durchbestimmten Arten in die wissenschaftliche Hauptsammlung.

Der Präparator Peter Kolař fertigte 111 Skelette und Eingeweidepräparate an und montierte 95 Spirituspräparate.

ι) Gruppe der Vögel und Säugetiere (Kustos I. Klasse Prof. Dr. L. v. Lorenz und Kustos-Adjunkt Dr. K. Toldt).

In der Schausammlung wurden folgende neue Objekte ausgestellt:

a) Vögel. 1 Riesenreiher (*Ardea goliat* Temm.), 2 Perlsteißhühner (*Calopezus elegans* d'Orb. et Geoffr. St. Hil., Gruppe), 2 Silbermöwen (*Larus argentatus cachinnans* Pall.), 2 Königshühner (1 ♂ *Tetraogallus altaicus* Geb. und 1 *T. himalayensis* Gray), 1 Kampfadler (*Spizaetus bellicosus* Daud.), 1 Kondor (*Sarcorhamphus gryphus* L.) und 3 Schneeeulen (*Nyctea scandiaca* L.) sowie in einer eigenen Vitrine ein Laubenvogel-Pärchen (*Chlamydodera nuchalis* Jard. et Selby) mit seiner Laube.

b) Säugetiere. 1 Kopf eines Schneehasen (*Lepus groenlandicus* Rhoads), 2 mexikanische Hirsche (*Odocoileus couesi* Coues et Jarrow), 1 Bambusbär (*Ailuropus melanoleucus* A. E. Edw.), 1 Waschbär (*Procyon lotor* L.), 1 Seeotter (*Latax lutris* L.), 1 Zobel (*Mustela zibellina* L.), 1 alte und 1 junge Bartrobbe (*Phoca barbata* Fabr.), deren Häute von Herrn Ph. v. Oberländer im Jahre 1909 gespendet wurden, 1 Ohrenmaki, 2 Brüllaffen (*Alouata seniculus* L. und *nigra* E. Geoffr.), 1 Kapuzineraffe (*Cebus variegatus* E. Geoffr.), 2 Schlankaffen (*Semnopithecus maurus* Schreb. und *S. mitratus* Esch.), 2 Gibbons (*Hylobates agilis* Geoffr.) sowie 1 alter ♂ Orang-Utan (*Simia satyrus* L.). Ferner wurden von der Kollektion Grauer aus dem belgischen Kongo 28 Objekte aufgestellt, und zwar 1 Schuppentier, 10 kleine Nager, 4 kleine Waldantilopen, 1 Ferkelhirsch, 1 Okapi, 1 Schakal, 1 weißschwänziger Ichneumon, 1 Ohrenmaki, 3 Meerkatzen, 3 Seidenaffen, 1 Mangabe und 1 alter ♂ Berggorilla (*Gorilla gorilla beringei* Matschie).

Aus praktischen Gründen, namentlich um Platz zu gewinnen, war in beiden Sammlungen eine Reihe von größeren Umstellungen erforderlich. So wurde die Sammlung weil. Sr. k. u. k. Hoheit des durchlauchtigsten Herrn Erzherzogs Kronprinz Rudolf von dem an die Säugetiersammlung anstoßenden Nebensaal XXXVIIIc in den der Lage nach korrespondierenden, von der Vogelsammlung aus zugänglichen Raum XXXIIc übertragen und die bisher daselbst und in anstoßenden Nebenräumen befindliche Reservesammlung gestopfter Vögel in den Arbeitsräumen sowie in dem nun freigewordenen Nebensaal untergebracht, was durch die Anschaffung einer Anzahl neuer Aufsatzkästen ermöglicht wurde. Der Saal XXXVIIIc dient nun als Arbeitsraum und stellt die Verbindung zwischen den anderen, bisher durch die Kronprinzen-Sammlung getrennten Bureaulokalen her. Der neue Platz für diese Sammlung ist schon deswegen der passendere, weil sie hauptsächlich Vögel enthält und ihre Angliederung an die Vogelsammlung auch von diesem Standpunkte aus angezeigter erschien.

Ferner erfuhren die Säle der Säugetier-Schausammlung XXXIV, XXXV und XXXVI eine gänzliche Umgestaltung, um durch die Ausscheidung älterer, minderwertiger Objekte sowie namentlich durch die Restringierung des osteologischen Materiales für die zahlreichen neu erworbenen großen Säugetiere Platz zu gewinnen. Gleichzeitig wurde, soweit es bei der Verschiedenheit der Größe der Objekte möglich ist, eine Verbesserung der systematischen Aufstellung angestrebt. Diese verschiedenen Veränderungen brachten es mit sich, daß die Reservesammlung der kleineren gestopften Säugetiere vom 2. Stockwerke in das erste und die Alkoholpräparatensammlung sowie eine große Anzahl von montierten Skeletten vom 1. Stock in den 2. übertragen werden mußten.

Gelegentlich der Neuaufstellung in den Säugetier-Schausäulen wurde für die wertvolle *Giraffa reticulata* Wint. von der Firma Kühnscherf in Dresden eine über 5 m hohe Vitrine hergestellt, deren vier Seitenwände aus je einer Spiegelglasscheibe bestehen. Die Neuordnung der genannten drei Schausäle wurde soweit durchgeführt, daß deren Wiedereröffnung mit Beginn des nächsten Jahres zu erwarten steht.

Eine weitere zeitraubende Arbeit erforderte die temporäre Ausstellung des größten Teiles des von Grauer im belgischen Kongo gesammelten Materiales aus den verschiedenen Tierklassen, welche in den Räumen XXXVIIIc und XXXVIIa vorbereitet veranstaltet wurde, um am 3. Jänner des folgenden Jahres zur Eröffnung zu gelangen.

Noch sei erwähnt, daß im Laufe des Sommers die Wände und Plafonds sämtlicher Schausäle der Vogel- und Säugetiersammlung gereinigt und restauriert wurden. Infolge aller dieser Arbeiten mußte jeweils ein Teil der Schausammlung für den öffentlichen Besuch geschlossen bleiben.

Material bestimmt oder anderweitige Auskünfte wurden unter anderem erteilt der k. k. Zentralkommission für Erforschung und Erhaltung der Kunst- und historischen Denkmale, der kais. Menagerie in Schönbrunn, der Firma A. Pichlers Witwe & Sohn, den Herren Major Baron Koblitz (Salzburg), C. Fritsch, Forstrat E. Scholimayer, Dr. H. v. Schrötter, H. Schützner (Absdorf), Hofrat Prof. F. Toula, Hofrat Prof. J. R. v. Wiesner.

Die Sammlungen, beziehungsweise die Bibliothek nahmen in Anspruch: die k. k. graphische Versuchsanstalt, die Knihovna C. K. České Vysoké Školy Technické (Brünn), die k. k. Studienbibliothek in Klagenfurt, die Herren Prof. O. Abel, Prof. Arndt (Zschepplin, Prov. Sachsen), W. Czapek (Oslavan), J. Fleischmann, Dr. K. R. v. Frisch, Kustos Hellmayr (München), E. Hodek, Dr. R. Kowarzik, Hofrat Prof. Dr. Gorjanovic-Kramberger (Agram), J. Michel (Bodenbach), Dr. F. Netolitzky (Czernowitz), Dozent Dr. H. Přibram, Prof. Alipio de Miranda Ribeiro (Rio de Janeiro), Kustos O. Reiser (Sarajevo), Dr. G. Schlesinger u. v. a.

In der Vogelsammlung arbeitete, wie schon seit einer Reihe von Jahren, regelmäßig Herr Hospitant Dr. M. Sassi.

An den Verein «Volksheim» wurde eine Anzahl nordischer Vögel und Säugetiere abgegeben, wofür die Säugetierabteilung den Nachlaß des weil. Prof. Dr. L. H. Jeitteles an diversen Schriften, Zeichnungen und dergleichen übernahm. Der Schulleitung St. Oswald in Steiermark wurden 10 gestopfte nordische Vögel und den beiden anatomischen Universitäts-Instituten wie alljährlich eine Anzahl von Kadavern, welche aus der kaiserl. Menagerie in Schönbrunn einlangten, übergeben. Ferner wurden 6 Gipsabgüsse eines in der Sammlung befindlichen Schädels von *Megaladapis edwardsi* Grand. angeschafft, von welchen einer an Herrn Geheimrat G. Schwalbe (Straßburg) gegen Entgelt abgetreten wurde.

Die Präparatoren Wald, Radax und Irmler fertigten von Vögeln 9 Stopfpräparate, 12 Bälge und 3 osteologische Präparate an, von Säugetieren 16 Stopfpräparate, 33 Bälge, 37 osteologische und 17 Alkoholpräparate. Außerdem hatten sie zahlreiche Arbeiten bei den verschiedenen Um- und Aufstellungen in der Schausammlung auszuführen.

b) Botanische Abteilung.

Leiter Kustos Dr. A. Zahlbruckner, zugeteilt die Kustos-Adjunkten Dr. K. v. Keißler und Dr. K. Rechinger.

Die seit einigen Jahren eingeführte und bewährte Diensteinteilung wurde auch ferner beibehalten. Dank der durch ihr bewirkten Arbeitsteilung war es möglich, den ganzen Pflanzeneinlauf aufzupräparieren, zu verteilen und in das Herbar einzureihen, die Zuwächse der Bibliothek zu verbuchen und aufzustellen und dabei — unter Erledigung der laufenden Angelegenheiten — im Herbare eine Reihe von Pflanzengruppen kritisch zu sichten und unbestimmtes Material zu determinieren.

Als Flechtenspezialist widmete Kustos Dr. Zahlbruckner die ihm für wissenschaftliche Arbeiten übrig bleibende Zeit den Lichenen. Es wurde die im Vorjahre begonnene Bearbeitung afrikanischer Flechten fortgesetzt, ferner die Bearbeitung einer großen Flechtenausbeute aus dem Velebitgebiet und derjenigen von Baumgartner, Brunnthaler und Ginzberger in Dalmatien aufgebrachten fertiggestellt. Mit der Bearbeitung der Flechten der hawaiischen Inseln auf Grund der außerordentlich reichhaltigen Aufsammlungen Fauries und Rocks begonnen und einzelne Nummern exotischer Flechten diverser Sammler studiert. Außer den wissenschaftlichen Ergebnissen selbst resultierte aus diesen Arbeiten eine wertvolle Typensammlung für das Herbar der Abteilung.

Im Phanerogamenherbar widmete er den *Euphorbiaceen* seine fortgesetzte Aufmerk-keit und nahm auf Grundlage der neuen Monographien, welche Pax über diese Familie verfaßt, die notwendige Umänderungen vor. Auch sichtete er mehrere andere kleinere Gattungen oder Gruppen kritisch. Mit Aufmerksamkeit die neue Literatur verfolgend, konnte er auch eine Reihe von Pflanzen des unbestimmten, numerierten Materials einer Bestimmung zuführen.

Kustos-Adjunkt Keißler widmete die nach den Bibliotheksgeschäften frei bleibende Zeit den Arbeiten im Herbare. Vor allem ordnete er unter gleichzeitiger kriti-scher Revision und Determinierung die Familie der *Polemoniaceen, Sarraceniaceen, Nepenthaceen, Cephalotaceen* und *Betulaceen* nach den in Englers Werk «Das Pflanzenreich» erschienenen Monographien. Gleichzeitig wurde auch mit dem Ordnen der Familie der *Phytolaccaceen* begonnen. Das Erscheinen zweier Monographien von R. Fries bot Gelegenheit, die Gattungen *Wissadula* und *Abutilon* zu ordnen und durch-zubestimmen. Ferner determinierte derselbe die von ihm während des Urlaubes in Steiermark gesammelten Flechtenparasiten und sonstigen Pilze sowie die von ihm in Niederösterreich gefundenen Pilze und benützte diese Gelegenheit, um im Pilzherbar Revisionen vorzunehmen. Außerdem wurde von dem Genannten die Aufbestimmung diverser während des Urlaubes in Steiermark eingesammelter Algen ausgeführt und die Zusammenstellung der in den Jahren 1907 und 1908 in Krain gefundenen Fungi in Angriff genommen. Schließlich determinierte derselbe eine Kollektion von Flechten-parasiten aus Thüringen von Dr. G. Lettau, wobei sich diverse Doubletten für das Herbar der botanischen Abteilung ergaben.

Von der im Berichtsjahre zur Ausgabe gelangten Centurie XIX bearbeitete der Genannte die Pilze.

Kustos-Adjunkt Rechinger widmete längere Zeit der systematischen Revision der Familie der *Urticaceen* im Herbare, wobei zahlreiche unbestimmte Exemplare be-stimmt, respektive unrichtig benannte revidiert wurden. Alle Zeit, welche dem Ge-nannten nach Erledigung der Amtsgeschäfte verblieb, wendete er der Bestimmung seiner Ausbeute von den Salomons-Inseln und Neu-Guinea zu. Die Algen der XIX. Cen-turie der von der Abteilung herausgegebenen «Kryptogamae exsiccatae» wurde von demselben bearbeitet.

Frl. Zemann setzte die Bearbeitung bolivianischer Pflanzen fort und beendete damit ihre freiwillige Mitarbeiterschaft an den Arbeiten der Abteilung. Die Abteilungs-leitung bedauert es sehr, daß sich Frl. Zemann infolge ihrer Ernennung zur Professorin gezwungen sah, die Arbeiten an unserer Abteilung einzustellen, und erfüllt eine ange-nehme Pflicht, indem sie ihr für ihre Mitarbeiterschaft den verbindlichsten Dank aus-spricht.

Mit dem Ausdrucke wärmsten Dankes muß auch wieder der Mitarbeiterschaft Dr. Fr. Ostermeyers gedacht werden. Er widmete auch heuer drei Vormittage wöchentlich den Arbeiten für die botanische Abteilung und leistete uns wertvolle Dienste. Er begann und beendete die Bestimmung einer größeren Pflanzenaufsamm-lung des Herrn k. u. k. Hauptmanns Paul Zahlbruckner, welche dieser in einem botanisch noch fast unbekannten und schwer zugänglichen Gebiet, in der Umgebung des Jankov vrh ober Cattaro aufbrachte. Ferner begann er die Sichtung des umfang-reichen schriftlichen Nachlasses und der Korrespondenz H. G. Reichenbachs und revidierte die aus dem Nachlasse des genannten Botanikers stammenden Originalauf-sammlungen Zollingers in Java, wodurch die Abteilung in den Besitz mehrerer nun-mehr bestimmter Dublettenserien dieser Kollektion gelangte.

Präparator F. Buchmann besorgte hauptsächlich die Verteilung und Einordnung der Phanerogamen in das Herbar, W. Engl diejenige der Zellkryptogamen und des «Americain Index».

Von den «Kryptogamae exsiccatae» gelangte die XIX. Zenturie zur Ausgabe. An ihrer Herausgabe und an der Aufsammlung des Materiales wirkten mit: die Frauen E. G. Britton und L. Rechinger, die Herren: J. A. Bäumler, Dr. E. Bauer, Prof. W. C. Barbour, Dr. E. Bernátsky, J. Baumgartner (Musci), Prof. F. Blechschmidt, Dr. M. Bouly de Lesdain, Abbate J. Bresadola, Prof. Dr. F. Bubák, Dr. A. v. Degen, Dr. J. Familler, Dr. F. Filarszky, M. Fleischer, P. L. Galbenegger, H. Gams, F. Grecman, Dr. St. Györffy, Prof. Dr. Th. Hanausek, Dr. H. v. Handel-Mazzetti, Kustos A. Handlirsch, Dr. H. E. Hasse, Dr. A. C. Herre, Prof. Dr. F. v. Höhnel, Prof. Dr. L. Hollós, F. Hustedt, † J. Jack, Dr. v. Keißler (Fungi), F. Kovář, G. Láng, Dr. G. Lettau, † F. Baron Lichtenstern, † Prof. G. Lojka, Prof. Dr. P. Magnus, Prof. Dr. A. Mágócsy-Dietz, Prof. F. Matouschek, W. M. Maxon, † J. Milde, Dr. G. Moesz, R. Paul, † A. Piccone, † C. A. Picquenard, † Dr. L. Rabenhorst, Dr. K. Rechinger (Algae), J. F. Rock, R. Ruthe, H. Sandstede, Prof. Dr. V. Schiffner, Prof. Dr. J. Schiller, Prof. Dr. H. Schinz, Dr. C. Schliephacke, Prof. J. Schuler, † F. Schultz, † J. Sikora, Prof. Dr. J. Steiner, Dr. S. Stockmayr, P. P. Straßer, P. Sydow, Prof. Dr. J. Tuzson, C. Warnstorf, Dr. A. Zahlbruckner (Lichenes) und Zettnow.

Über die Entlehnung einzelner Teile des Herbares zu wissenschaftlichen Zwecken diene der folgende Ausweis:

A. Im Berichtsjahre wurden zu wissenschaftlichen Untersuchungen entlehnt und wieder zurückgestellt: *Begonia*-Arten von Prof. E. Gilg in Berlin (2 Spannblätter), *Mesotaenium* von Primarius Dr. J. Lütkemüller in Baden bei Wien (4 Spannblätter), die Gattung *Iris* von J. Dykes in Godalming (1380 Spannblätter), Teile der Gattungen *Callicarpa*, *Geissois* und verschiedene *Cunoniaceae* von R. Schrödinger in Wien (82 Spannblätter), *Amblystegia*-Arten von H. Loeske in Berlin (6 Arten), *Philonotis* von Prof. Aladár Richter in Kolozsvár (624 Arten), *Thelasis* und *Phreatia* von Prof F. Kränzlin in Berlin (26 Spannblätter), *Atropa*-Arten von Dr. A. Pascher in Prag (69 Spannblätter), *Vitis*-Arten aus dem Kaukasus von Dr. E. H. L. Krause in Straßburg (56 Spannblätter).

B. Von älteren Entlehnungen wurden im Jahre 1911 zurückgestellt: *Vellozia*- und *Barbacenia*-Arten von Dr. H. Goethart in Leiden (74 Spannblätter), die Gattung *Saponaria* von Prof. K. Fritsch in Graz (536 Spannblätter), *Daphne Cneorum* und *petraea* von Prof. Dr. J. Tuzson in Budapest (141 Spannblätter), *Loranthus*-Arten von Direktor J. Prain in Kew (6 Spannblätter), die Gattung *Doronicum* von Cavillier in Nant (357 Spannblätter), ein Teil der *Euphorbiaceae* von Geh. Rat Dr. F. Pax in Breslau (66 Arten), die amerikanischen Arten der Gattung *Saurauja* von Prof. G. Buscalioni in Catania (79 Arten), verschiedene Hybriden der Gattung *Salix* von A. Toepffer in München (56 Spannblätter), verschiedene *Rosaceen* von G. Bitter in Bremen (83 Spannblätter), Abbildungen von *Araceen* von Geh. Rat A. Engler in Berlin (186 Stücke).

C. Mit Ende des Jahres 1911 verblieben noch entlehnt: der Rest der *Sapindaceen* und *Sapataceen* (Geh. Rat Dr. L. Radlkofer in München), die Gattung *Sempervivum* (Hofrat Dr. R. v. Wettstein in Wien), makedonische Pflanzen, gesammelt von Hoffmann (Prof. Dr. G. R. v. Beck in Prag), die Gattung *Acorella* (Prof. E. Palla in Graz), die Gattung *Pedicularis* (Direktion des botanischen Institutes der k. k. Universität in

487

Wien), *Amarantaceen* (Prof. Dr. H. Schinz in Zürich), *Lasiospermum* und *Oedera* (Prof. M. Baccarini in Florenz), Plantae Surinamensis, gesammelt von Wullschlägel (Dr. A. Pulle in Utrecht), *Heliosperma*-Arten (Direktion des botanischen Institutes und Gartens der k. k. Universität in Wien), *Jasione* (Dr. A. v. Sterneck in Prag), *Avena*-Arten (Dr. F. Vierhapper in Wien). *Prunella* und *Hyoscyamus* (Dr. A. Pascher in Prag), *Canna*-Arten (Prof. F. Kränzlin in Berlin), *Lophocolea* und *Chiloscyphus* (Prof. V. Schiffner in Wien), *Pilea*-Arten und einige Pteridophyten (Dr. F. Kümmerle in Budapest), unbestimmte amerikanische *Gesneraceen* (Prof. Dr. K. Fritsch in Graz), *Malpighiaceae* (Prof. A. Niedenzu in Braunsberg i. Pr.), *Euphorbiaceae* (Geh. Rat Dr. F. Pax in Breslau), *Crassulaceae* (R. Hamet in Paris), *Eryngium* und *Sanicula* (H. Wolff in Berlin), *Rhamnus Frangula, Convolvulus arvensis Cephalaria* (Hofrat Prof. Dr. A. Mágocsy-Dietz), *Genista*-Arten (Dr. E. Janchen in Wien), *Statice* (Dr. J. Wangerin in Königsberg i. Pr.), *Xyris* und *Abolboda* (Lektor A. Malme in Stockholm), *Kalanchoe* (R. Hamet in Paris), *Erysimum* und *Hesperis* (Dr. S. Jávorka in Budapest), *Ptilotus* und *Achyranthes* (Prof. H. Schinz in Zürich), *Mirabilis* (Prof. A. Heimerl in Wien), *Hedera*-Arten aus Kleinasien (Prof. F. Tobler in Münster i. W.), verschiedene *Orchideen* (Prof. F. Kränzlin in Berlin), *Fucus musciformis* (Prof. J. Setchell in Berkeley U. S. A.), *Pittosporaceae* (Geh. Rat A. Engler in Berlin), *Molendoa* (Dr. J. Györffy in Löcse), *Engelhartia-, Juliania-* und *Linum*-Arten (Hofrat R. v. Wettstein in Wien), *Urtica*-Arten aus Südamerika (Dr. H. Roß in München), *Sargassum* aus China und Japan (A. Grunow in Berndorf), *Spergularia* (R. Schrödinger in Wien).

Die Anzahl aller noch entlehnter Herbarteile umfaßt 19.154 Spannblätter und 117 Icones, zusammen 19.271 Nummern.

Abgesehen von Auskünften und Determinationen, welche auf kurzem Wege erledigt werden konnten, mögen hier nur die Namen derjenigen Herren, respektive diejenigen Anstalten genannt werden, deren Anfragen erst auf Grund eingehenderer und mehr Zeit in Anspruch nehmender Untersuchungen oder Literarstudien erledigt werden konnten. Es sei genannt: die Handels- und Gewerbekammer für das Erzherzogtum unter der Enns (Z. 7694, ddo. 4. Juli), die k. u. k. Hofgartendirektion, die fürstl. Liechtensteinsche Gartendirektion in Wien, ferner die Herren: Osk. v. Müller (Wien), Prof. Dr. J. Hockauf (Wien), Prof. Dr. Fr. Krasser (Prag), Prof. Dr. A. Nalepa (Wien), H. Schenk (Wien), Landesgerichtsrat J. Aust (Wien), H. Loeske (Berlin) u. a.

Aus dem Auslande haben die Herren: Dr. A. Varga (Nagybánya), Dr. E. Wulff (Moskau), Ch. V. Piper (Washington), S. L. Baer (Frankfurt a. M.), Prof. Dr. H. Glück (Heidelberg), Dr. Burck (Wiesbaden), Konservator Dr. W. J. Jongmans (Leiden), Prof. Dr. A. Richter (Kolozsvár), B. Lynge (Christiania) und Prof. Dr. K. S. Mereschkowskij längere oder kürzere Zeit in der Abteilung gearbeitet.

c) Mineralogisch-petrographische Abteilung.

Direktor Dr. Friedrich Berwerth, Kustos Dr. Rudolf Koechlin, Kustos-Adjunkt Dr. Ferdinand Wachter, Volontär Dr. Karl Hlawatsch.

Direktor Berwerth versah den Verwaltungsdienst der Abteilung, der sich über alle Agenden für die Vermehrung der Sammlungen, in der Bibliothek sowie Beschaffung an Mobiliar und Behelfen für die Schausammlungen und die Werkstatt, die Ausfertigung der Geschäftskorrespondenz, den Verkehr mit den Parteien und Bestimmungen eingesandter Objekte erstreckte.

Ebenso lag die museale Behandlung der Meteoritensammlung in seinen Händen. Es gelangten 212 Stück Meteoriten, 209 Meteoritendünnschliffe und 7 Präparate zur Verbuchung. Die neue Nomenklatur der Meteoreisen machte eine Neuetikettierung der Sammlung nötig, die bis auf die Einstellung der Etiketten durchgeführt wurde.

Die zur Aufstellung der reichen Bombenkollektion der Abteilung getroffenen Vorbereitungen wurden in diesem Jahre beendigt und gelangten an einem Fensterpfeiler des Saales V 27 Stück Bomben, darunter Exemplare mit mehr als 100 kg Gewicht, in geschlossener Anordnung frei zur Ausstellung. Gelegentlich der Versammlung polnischer Naturforscher und Ärzte in Krakau wurde die Ausstellung mit Mineralien der Salzlagerstätten durch eine reiche Kollektion des Museums beschickt. Die beiden im Besitze des Museums befindlichen Goethe-Müllerschen und Goethe-Knollschen Gesteinssammlungen aus der Umgebung von Karlsbad wurden dem Wiener Goethe-Museum in bleibenden Besitz übergeben.

Kustos Dr. Koechlin protokollierte von den neuen Akquisitionen neun Posten mit 172 Stücken. Weiters begann er die Nachschübe an Mineralien in die Hauptsammlung einzureihen. Diese Nachschübe, die sich aus den Akquisitionen der letzten Jahre und aus Resten von Material zusammensetzten, das in früherer Zeit für Aufstellungen aus der Hauptsammlung ausgehoben worden war, waren in den letzten Jahren soweit geordnet worden, daß sie nun in mehreren Partien vorlagen, die jede in sich systematisch geordnet war. Sie umfaßten zusammen ungefähr 116 Laden. Da das Arbeiten mit den getrennten Partien beim Einschieben mancherlei Schwierigkeiten verursachte, unterzog sich Herr Dr. Hlawatsch der großen Mühe, diese Partien in eine systematische Reihe zu bringen.

Da die Masse der Nachschübe, die auf jede Lade entfällt, im allgemeinen größer ist als jeweils der freie Raum, so ergab sich die Notwendigkeit, die ganze Hauptsammlung umzulegen.

Die Laden waren in den letzten Jahren mit Glasdeckeln versehen worden; dadurch sind die Stücke für die Zukunft wenigstens vor intensiver Verstaubung geschützt. Es empfahl sich, deshalb mit dem Umlegen eine wenigstens oberflächliche Reinigung zu verbinden. In dieser Art wurden im Berichtsjahre die Gruppen der Elemente, Sulfosalze, Oxyde, Hydroxyde, Haloide und Karbonate behandelt. Die Dislokationsvermerke in dem alphabetischen Katalog der Mineraliensammlung sind ebensoweit richtiggestellt worden.

Dr. Wachter beendete die Aufstellung des ihm zugeteilten Teiles der terminologischen Mineraliensammlung, versah die Bibliotheksgeschäfte, befaßte sich mit der neuen Aufstellung der Gesteinssammlung und besorgte die Zusammenstellung von Dubletten zu Schulsammlungen.

Volontär Dr. Hlawatsch protokollierte acht Posten mit 214 Stücken, vorwiegend Gesteine, unterstützte Dr. Koechlin bei Ordnung der Nachschübe für die Mineraliensammlung und beteiligte sich an den Bestimmungsarbeiten.

In der Werkstätte wurden von Präparator Nimmerrichter 14 Meteoreisen geschnitten und 19 Platten neupoliert, 7 Meteoreisenpräparate hergestellt, 23 große Formate für die Ladensammlung zugeschnitten und für auswärts ein verkieselter Baumstamm in drei Platten zerlegt. Außerdem broschierte Nimmerrichter 139 Sonderabdrücke und verfertigte 14 Dünnschliffe.

Aus den Dublettensammlungen wurden folgende Lehrinstitute und Volksschulen beteilt: die k. k. Staatsrealschule in Warnsdorf (24 Minerale); Wiener Volksbildungsverein (70 Minerale); die Kaiser Franz Josef-Jubiläums-Knaben-

b*

und Mädchen-Bürgerschule in Pohrlitz (28 Minerale); die sechsklassige Volksschule in Thalgau (20 Minerale); vierklassige Volksschule in Oberhaag bei Leibnitz (18 Minerale); Volksschule in Winkl bei Pöllau (16 Minerale); Knaben-Bürger-
schule in Vöslau (23 Minerale); Volksschule in Rojano bei Triest (30 Minerale);
Volks- und Bürgerschule in Bistritz (28 Minerale); Volksschule in Byschowetz
(24 Minerale); Volksschule in Michelsdorf (24 Minerale).

Für das Museum haben sich in dankenswerter Weise bemüht: die k. k. Bezirks-
hauptmannschaft in Tabor, der Gendarmeriebezirksposten Bruck a. d. Mur
und folgende Herren: Dr. Ball (Kairo), K. Fuchs (Preßburg), Prof. V. Goldschmidt
(Heidelberg), Hofrat I. Hann, Direktor W. F. Hume (Kairo), Prof. F. Hilber (Graz),
Prof. J. Jahn (Brünn), Dr. Fr. Reinhold (Czernowitz), Hofrat Dr. Tietze.

Zu Studienzwecken erhielten Material zur Untersuchung ausgeliehen oder aus-
gefolgt: E. Kittl jun. (Olivin und Broncit), Prof. Bamberger (Meteoreisen Mt. Joy, zur
Prüfung auf Helium), Prof. R. Scharizer in Graz (Olivin von Jan-Mayen).

Auskünfte, Bestimmungen u. dgl. erhielten: die Generaldirektion der Süd-
bahn und folgende Herren: Prof. L. Angerer in Kremsmünster (Minerale), Dr. Bayer
(Gesteine), B. Bloh (Schwefelkies), Prof. Capriata in Likata (Pseudometeorit), R.
Czegka in Cilli (Minerale), G. Fleischer (Pseudometeorit), G. Fodor in Pest (Meteor-
staub), M. Friedl in Going (Bleiglanz), Hauptmann W. Glieber (Minerale), Grebel,
Wendler & Co. in Genf (Meteoriten), L. Hofbauer in Aussee (Dolomit), Hofrat
Kenner (Steinbeile), H. Kerschbaumer (Minerale), G. Kischitz in Bruck a. d. Mur
(Pseudometeorit), F. Klemme in Lippe-Detmold (Pseudometeorit), C. Kulm in Stutt-
gart (Pseudometeorit), Graf zur Lippe in Niesky (Quarzite), R. Mittag in Peterswald
(Pseudometeorit), Generalmajor A. v. Obermayer (Pseudometeorit), A. Rak (Pseudo-
meteorit), A. Ratz in Marburg (Pseudometeorit), Prof. Rebei (Gips), Dr. F. R. Soko-
larž (Minerale), K. Steenstrup in Kopenhagen (Giesecke), Prof. O. Thomas in
Kronstadt (Pseudometeorit), I. Wetzka in Großindichführ (Pseudometeorit), Aug.
Wibbelt in Mehr bei Cleve (Pseudometeorit).

Im Tausch wurden abgegeben: 7 Nummern Minerale an Generalmajor J.
Kutschera in Wien; 1 Mineral an F. Bär in Asch; 1 Mineral an F. Themak in
Temesvár; 45 Nummern geschliffene Marmore aus Griechenland an die tschechisch-
technische Hochschule in Brünn; 5 Minerale an F. Thuma in Brüx; 16 Nummern Meteoriten an das Geological Museum in Kairo; 2 Nummern Meteoriten an
die Staatsrealschule in Warnsdorf.

Besuche erhielt die Abteilung von folgenden auswärtigen Fachgenossen: Kustos
Ch. Anderson vom Australian Museum (Sydney), Prof. A. v. Fersman (Moskau),
Prof. M. Kispatić (Agram), Prof. Joh. Königsberger (Freiburg i. Br.), Adjunkt J.
Schetelig (Kristiania), Prof. M. Stark (Czernowitz), Assistent Th. Vogt (Kristiania).
Die Wiener Mineralogische Gesellschaft besichtigte die Neuaufstellung der
mineralogischen Kennzeichensammlung.

d) Geologisch-paläontologische Abteilung.

Leiter Kustos I. Klasse Prof. E. Kittl, Kustos-Adjunkt Dr. F. Schaffer, Assistent
Dr. F. Blaschke (gestorben am 26. März 1911), (Volontär mit Adjutum) Dr. F. Trauth,
Volontär Oskar v. Müller.

Im Saale VI wurden in einem neu angeschafften Kasten durch Prof. E. Kittl
Liaspflanzen aus Hinterholz und Kreidepflanzen aus Grünbach neu aufgestellt.

Das vom Musée d'histoire naturelle in Brüssel erworbene Modell des *Iguanodon bernissartensis* wurde im Saale VIII zur Aufstellung gebracht. Die unter der persönlichen Leitung des Prof. E. Kittl und unter Beihilfe der Herren Dr. Blaschke und Dr. Trauth ausgeführten Montierungsarbeiten wurden am 20. Mai vollendet. Mit diesem wichtigen typischen Repräsentanten der Dinosaurier gewann die geologische Abteilung ein Schaustück ersten Ranges.

Außerdem besorgten Herr Dr. F. Trauth und Fräulein Lotte Adametz die Inserierung verschiedener anderer Neuerwerbungen.

Die Aufsammlungen in den Aonschiefern am Polzberg bei Lunz wurden durch Prof. Kittl und Dr. Trauth gesichtet und geordnet.

Prof. E. Kittl unternahm eine monographische Bearbeitung der Halobiiden und Monotiden der Trias, wobei er vielfach auch auswärtige Materialien, insbesondere der Geologischen Reichsanstalten in Wien und Budapest zu Rate zog. Die betreffenden Materialien unseres Museums erfuhren bei dieser Gelegenheit eine Neubestimmung und Neuordnung sowie eine Ergänzung durch Gipsabgüsse von in anderen Museen befindlichen Typen.

Dr. F. Blaschke ordnete die in einer nachgelassenen Abhandlung beschriebene umfangreiche Kollektion von Tithonfossilien aus Stramberg in Mähren, worauf er sich der Bearbeitung des von ihm und A. Legthaler am Mühlberg und im Arracherschen Steinbruch bei Gstadt (nächst Waidhofen a. Y.) aufgesammelten oberjurassischen Versteinerungsmateriales zuwandte. Auch bestimmte er eine kleinere Suite Tithonpetrefakten von La Stuva bei Cortina d'Ampezzo.

Dr. F. Trauth befaßte sich mit der Bestimmung einer großen, vom Sammler L. Gapp (Gosau) zustandegebrachten Kollektion von Versteinerungen (Korallen, Seeigel, Bivalven, Gastropoden, Ammoniten u. a.) aus der Oberen Kreide von Gosau in Oberösterreich, welche namentlich von den Fundstellen Edelbach-, Finster-, Hofer-, Nef-, Randau-, Schattau-, Stöckelwald-, Tiefer- und Wegscheidgraben und Traunwand stammen. Dieselben wurden dann mit den gleichzeitig revidierten älteren Beständen von Gosau vereinigt und nach Lokalsuiten systematisch geordnet, wogegen die früher daselbst eingeteilten und besonders von Zittel und Stoliczka beschriebenen Originalversteinerungen ausgeschieden wurden, um der systematischen Hauptsammlung einverleibt zu werden. Außerdem hat derselbe die Bestimmung einiger kleinerer Kollektionen aus den niederösterreichischen Grestenerschichten (Hinterholz und Gosau bei Waidhofen a. Y.), aus dem Neokom der Puetzalpe (Gardenazza) und der Scaglia von Trient in Südtirol sowie von Tithonpetrefakten von Dörfles bei Ernstbrunn (Niederösterreich) besorgt, welch letztere sowie die Ernstbrunner Materialien einer Neuordnung unterzogen wurden.

Ferner präparierte er einen Teil der von Dr. F. Blaschke und A. Legthaler in der Gegend von Waidhofen a. Y. aufgesammelten Juraversteinerungen und beteiligte sich mit Herrn Prof. E. Kittl an der ersten Sichtung und Ordnung der 1909 von Dr. Blaschke und J. Haberfelner aus den Aonschiefern des Polzberggrabens bei Lunz gewonnenen Fossilien sowie an der Zusammenstellung einer den Dubletten entnommenen, für das American Museum of Natural history in New-York bestimmten, umfangreichen Tauschkollektion von österreichischen und ungarischen Tertiärversteinerungen und einer kleinen Tauschsuite von Cerithien für Dr. Vignal in Paris.

Schließlich besorgte Dr. Trauth die Korrekturen der von Dr. F. Blaschke hinterlassenen und in diesen «Annalen» veröffentlichten Abhandlung «Zur Tithonfauna von Stramberg in Mähren».

An Inventarisierungen wurden 5 Posten mit 60 Nummern durch Frl. L. Adametz vorgenommen. Ebendieselbe hat auch begonnen, die Sammlung Dr. L. Teisseyres aus dem Jungtertiär von Rumänien zu ordnen und zu etikettieren.

Im Museum wurden unsere Sammlungen vielfach zu Rate gezogen. In dieser Weise bearbeiteten bei uns die Herren: Landesgerichtsrat C. Aust aus Wien: Lias- und Neokomfossilien aus Salzburg; der Geologe A. A. Borissiak aus St. Petersburg: Pliocäne Säuger aus der Krim und aus Bessarabien; Sigismund Grzymała Ritter von Bosniaski aus San Giuliano bei Pisa: Tertiäre Fischreste; Prof. Dr. Wilhelm v. Friedberg aus Lemberg: Galizische Miocänconchylien; Geologe J. B. Jonescu-Argetoia aus Bukarest: Rumänische Pliocänconchylien; Konservator Dr. W. Jongmans aus Leiden: Calamiten; Prof. Dr. Hektor F. E. Jungersen aus Kopenhagen: Fossile Fische; Assistent Dr. Rud. J. Kowarzik aus Prag: Diluviale Säugetiere aus Kroatien; Prof. G. Michailowski aus Dorpat: Viviparen aus den slawonischen Paludinenschichten; Fr. Mohapl, cand. agron. aus Wien: Fossile Rinder; Prof. Dr. Ludwig Neumayer aus München: Ganoiden mit Spiraldarm; Dr. Julius v. Pia: Die Cephalopoden aus dem Sinemurien von Adnet und Wiestal. Es wurden von ihm zunächst die Nautiloideen durchgearbeitet und Vorstudien über die Arietiten, Aegoceren und Oxynoticeren angestellt. Im Sommer hat der Genannte die erwähnten Fundstellen besucht und dabei zwei Fossilsuiten angekauft, die dann vom Museum übernommen und in dessen Sammlung eingereiht wurden.

Auskünfte erhielten: Frl. Lucy Basler in Klosterneuburg und die Herren: Adolf Baumgartner, Dr. O. E. Ebert, Bibliothekar, M. Grolig im k. k. Ministerium für öffentliche Arbeiten, Dr. B. v. Herber-Rohow, Inspektor Baurat Jul. Kajaba, Lehrer Max Koweindl, Lehrer Hermann Machold, Ingenieur Emil Schneider, Karl Schützner, Rud. Ullrich und Prof. Emil Weeber, sämtlich in Wien.

e) Anthropologisch-ethnographische Abteilung.

Direktor Regierungsrat Franz Heger.

α) Anthropologische und prähistorische Sammlung (Kustos Regierungsrat Josef Szombathy, Assistent Dr. Josef Bayer).

Die gesamten Objekte der prähistorischen Sammlung und die Bibliothek wurden einer bis in die Einzelheiten gehenden Revision an der Hand der Inventare unterzogen und dabei die richtige Konservierung und Ordnung aller Bestände festgestellt. In der Schausammlung wurden sowie im vergangenen Jahre nur einige der wichtigsten neueren Sammlungsgegenstände eingeschaltet. Die Mehrzahl der Neuerwerbungen mußte in der Ladensammlung und im Depot untergebracht werden.

Zum Zwecke von Fachstudien wurden die Sammlungen in Anspruch genommen von Ihrer Exzellenz Gräfin Baillet de Latour, Dr. Artur Byhan, Abteilungsvorstand am Museum für Völkerkunde in Hamburg, Josef Déchelette aus Roanne, Dr. Haake aus Braunschweig, Dr. Artur Haberlandt, Dr. Alfred Hackmann aus Helsingfors, Pfarrer K. Karafiat aus Teplitz, Dr. Köhl aus Worms, Geheimrat Dr. Lemcke aus Stettin, Prof. Dr. v. Lorenz aus Graz, Adolf Mahr, Direktor Dr. Sophus Müller aus Kopenhagen, Notar Jaroslaw Palliardi aus Mährisch-Budwitz, Dr. Rudolf Pöch, Stadtrat W. Rehlen aus Nürnberg, Dr. Martin Roska aus Marmarossziget, René Sakouschegg aus Klosterneuburg, Fräulein Helene Schürer von Waldheim, Dr. Wolfgang Schultz, Prof. Artur Semrau aus Thorn, Dr. Simek, Museumsdirektor Architekt Skorpil aus Pilsen, Hofrat Prof. Dr. Karl Toldt, Museumsdirektor Tzigara-Samurcas aus Bukarest, Josef Weninger.

Fachmännische Gutachten und Auskünfte wurden abgegeben an die k. k. Zentralkommission für Denkmalpflege, an das niederösterreichische Landesmuseum und die Herren: Franz Viktor Günzel aus Saaz, Prof. Dr. Hilber aus Graz, Hofrat Dr. Friedrich v. Kenner, Major Baron Koblitz aus Salzburg, Direktor M. Mayer aus Berlin, Geheimrat Dr. Pfeiffer aus Weimar, Hofrat Dr. A. Schliz in Heilbronn, Julius Schmidt aus Budapest, Regierungsrat Schneller in Hadersdorf am Kamp, Dr. Hermann v. Schrötter, Dr. Heinrich Sitte, Benno Leo Soyka und Exzellenz Graf Hans Wilczek.

Dem niederöstereichischen Landesmuseum wurden 142 Stück mittelalterlicher Funde aus Niederösterreich, die sich im Laufe der Jahre durch gelegentliche Zuwendungen angesammelt hatten, geschenkweise übergeben. Die Volksschule in Leibnitz erhielt 8 Stück Nachbildungen von charakteristischen prähistorischen Funden als Geschenk. An den prähistorischen Lehrapparat der k. k. Universität Wien wurden 32 diverse prähistorische Bronzen gegen Ersatz der Aufsammlungskosten abgegeben. Von den Nachbildungen des diluvialen Steinfigürchens «Venus von Willendorf» wurden 5 Stück teils als Tauschobjekte, teils gegen Ersatz der Herstellungskosten an Museen abgegeben.

Für unmittelbare Unterstützungen und Förderungen in verschiedenen Zweigen der Musealarbeiten sind wir folgenden Herren zu speziellem Dank verpflichtet: Kustos-Adjunkt Dr. Julius Bankó, Prof. Dr. Hermann Junker, Prof. Dr. Wilhelm Kubitschek, Dr. Rudolf Pöch, Direktor Prof. Dr. Hans Schrader, Hofrat Dr. Karl Toldt und Kustos-Adjunkt Dr. Karl Toldt.

β) Ethnographische Sammlung (Regierungsrat Direktor Franz Heger, Kustos I. Klasse Prof. Dr. Michael Haberlandt (bis 1. September), Dr. Viktor Christian.

Über die wichtigsten Umstellungen und Neuaufstellungen in der ethnographischen Sammlung ist bereits in der Einleitung das Nötige hervorgehoben worden. Die umfassendsten Restaurierungsarbeiten galten der im Herbste erworbenen großen Sammlung argentinischer Altertümer, welche längere Wochen hindurch in Anspruch nahm.

In den Inventaren wurden zahlreiche Richtigstellungen und Bestimmungen vorgenommen. Das beschreibende Inventar der ethnographischen Sammlung wurde bis zum Schlusse des Jahres 1910 fertiggestellt und hiebei die Nummer 87.252 erreicht.

Für die zum Teile in den Räumen des II. Stockwerkes untergebrachten Reservesammlungen wurden 10 weitere Einheiten neuer Reserveschränke aus weichem Holz bestellt und mit Ende des Jahres zur Aufstellung gebracht, so daß bereits 28 solcher großer Schrankeinheiten zur Unterbringung der Reservesammlungen vorhanden sind, wo diese nach Möglichkeit gegen Staub und andere schädliche Einflüsse geschützt erscheinen.

Eine ganz außerordentliche Mühe und Arbeit macht die beständige Überwachung aller Sammlungen zur Bewahrung vor Mottenfraß und vor Beschädigung durch andere Insekten, welcher schwierigen Arbeit sich Frau Marie Hein seit Jahren mit dem größten Eifer hingibt.

Die ethnographische Sammlung wurde wiederholt zu eingehenderen wissenschaftlichen Arbeiten benützt. Herr Regierungsrat Prof. Dr. Alfred Burgerstein beschäftigte sich durch Wochen mit der Bestimmung von Hölzern der ethnographischen Gegenstände aus Sibirien, namentlich von den verschiedenen Völkerschaften Ostsibiriens, aus welchen Gebieten das Hofmuseum eine sehr schöne Sammlung von Herrn Adolf Dattan in Wladiwostok besitzt. Die Resultate seiner Untersuchungen veröffentlichte Burgerstein in diesen «Annalen» (Bd. XXIV, p. 415 ff.).

Zu wiederholtenmalen erfreute sich die ethnographische Sammlung des Besuches des Herrn Dr. E. v. Hornbostel aus Berlin. Derselbe setzte seine schon in früheren Jahren begonnenen Studien an den primitiven Musikinstrumenten verschiedener Naturvölker fort, ein Gebiet, welches dieser Gelehrte heute wie kaum ein zweiter beherrscht.

Herr Dr. Rudolf Pöch arbeitete das ganze Jahr als Fortsetzung der vorhergehenden Jahre im Museum an der Publikation seiner auf seiner letzten Reise in Südafrika zusammengebrachten großen ethnographischen Sammlung, welche zum größeren Teil von der kaiserlichen Akademie der Wissenschaften als Geschenk dem Hofmuseum überwiesen worden war, während ein kleinerer Teil von dem Reisenden gegen Vergütung seiner gehabten Selbstkosten abgelöst wurde.

III. Die Vermehrung der Sammlungen.

a) Zoologische Abteilung.

Übersicht des Zuwachses im Jahre 1911.

	Arten	Stücke
Coelenteraten, Echinodermen, Würmer.	120	ca. 850
Crustaceen	91	450
Arachnoiden	50	600
Myriapoden .	70	400
Corrodentien	16	350
Odonaten . .	43	580
Orthopteren . .	240	1.850
Coleopteren .	11.127	166.070
Hymenopteren .	597	2.493
Neuropteren .	36	110
Lepidopteren	1.750	9.500
Dipteren . . .	100	1.300
Hemipteren	1.206	8.405
Mollusken, Molluskoideen und Tunicaten .	422	6.206
Fische	375	2.245
Amphibien und Reptilien . .	206	770
Vögel	967	7.780
Säugetiere .	170	1.027
	17.586	210.986

a) Coelenteraten, Echinodermen, Würmer.

120 Spezies in ca. 850 Exemplaren.

Unter den Akquisitionen nehmen die vom Referenten während seines Aufenthaltes in Roscoff gesammelten Polychäten (ca. 100 Spezies in ca. 750 Exemplaren) weitaus die erste Stelle ein. Die übrigen Akquisitionen verteilen sich auf 20 kleinere Posten aus verschiedenen Gegenden.

β) **Crustaceen, Pantopoden, Arachnoideen, Myriapoden und Onychophoren.**

Der Zuwachs der Sammlungen betrug an Crustaceen 91 Arten in ca. 450 Exemplaren, an Arachnoideen 50 Arten in ca. 600 Exemplaren und an Myriapoden 70 Arten in ca. 400 Exemplaren. Darunter sind besonders zu erwähnen die Aufsammlungen des Dr. Graf Attems aus Roscoff (ca. 200 Decapoden), R. Grauer aus Zentralafrika (ca. 60 Brachyuren und Asiliden und ca. 150 Arachnoideen), Dr. Pesta aus Hochgebirgsseen Tirols (12 Planktonproben), Dr. V. Pietschmann aus Mesopotamien (ca. 400 Arachnoideen) nebst kleineren Zuwendungen von V. Birula-St. Petersburg, Dr. Holdhaus, Hofrat Steindachner, Dr. Toldt u. a.

Durch Tausch wurden von Kustos V. Apfelbeck-Sarajevo 5 Decapoden und Phyllopoden aus dem Gebiete der Adria erworben.

γ) **Orthopteren.**

Gesamtzuwachs 240 Arten in ungefähr 1850 Exemplaren.

Besonders hervorzuheben ist die Orthopterenausbeute Dr. Pietschmanns aus Mesopotamien, etwa 45 Arten in 480 Exemplaren enthaltend, ferner das aus ungefähr 140 Arten in 1250 Exemplaren bestehende, durch vortreffliche Konservierung ausgezeichnete Material der Koll. Grauer aus Zentralafrika. An Geschenken sind zu erwähnen: 12 Arten in 37 Exemplaren aus Süddalmatien von Herrn G. Paganetti-Hummler (Vöslau); 9 Arten in 17 Exemplaren von Herrn Polizeirat Lebzelter Wien); 2 Arten in 8 Exemplaren von Herrn Richard Ebner (Wien); 9 Arten in 14 Exemplaren vom ungarischen Nationalmuseum in Budapest (Kustos D. Kuthy); 3 Arten in 20 Exemplaren von Herrn Dr. E. Knirsch (Wien); 20 Arten in 37 Exemplaren von Herrn Dr. N. Ikonnikov (Moskau).

δ) **Corrodentien.**

Die Ausbeute Handlirsch' enthält 16 Arten in 350 Exemplaren.

ε) **Odonaten.**

Grauers Ausbeute ergab 30 Arten in 500 Exemplaren, Pietschmanns Ausbeute 5 Arten in 30 Exemplaren. Gekauft wurden 8 Arten in 50 Exemplaren.

ζ) **Hemipteren.**

Die Ausbeute Grauers enthält etwa 400 Arten in 3900 Exemplaren.

Vom Orientverein erhielten wir die Ausbeute Dr. Pietschmanns aus Mesopotamien: 60 Arten in etwa 900 Exemplaren.

Handlirsch' eigene Ausbeute aus Dalmatien, Istrien und dem Salzkammergute lieferte etwa 500 Arten in 3200 Exemplaren.

Gekauft wurden 186 Arten in 405 Exemplaren aus Algier, Sizilien etc.

η) **Neuropteren.**

Die Sammlung Grauers enthält 6 Arten in 30 Exemplaren. Außerdem erhielten wir kleine Geschenke mit zusammen etwa 30 Arten in 80 Exemplaren.

ϑ) **Lepidopteren.**

Gesamtzuwachs an Lepidopteren: 1750 Arten in 9500 Stücken.

Weitaus die umfangreichste Erwerbung bildete die Sammelausbeute Rudolf Grauers aus dem östlichen Zentralafrika in ca. 620 Arten und in mehr als 5000 Stücken.

Als Geschenke sind im abgelaufenen Jahre 802 Arten in 3700 Stücken zu verzeichnen.

Herr Baron N. Charles Rothschild spendete unter anderem 21 sehr seltene
Arten aus Portugal in 170 Stücken und 63 Arten in 480 Stücken aus England.

Herr Intendant Hofrat Steindachner kaufte aus Privatmitteln zwei ganz frische
Pärchen des seltenen *Parnassius nordmanni* Ev. aus dem Kaukasus.

Herr Kustos Fr. Fr. Kohl widmete 350 selbstgesammelte Arten aus Bad Ratzes
(Südtirol) in ca. 2000 Stücken, worunter sich einige sehr wertvolle Belegstücke für die
Landessammlung befanden.

Herr Heinr. Neustetter machte eine Kollektion paläarktischer Lycaeniden in
155 Arten und 1253 Stücken, darunter einige dem Hofmuseum fehlende Formen, zum
Geschenk.

Kleinere Geschenke liefen noch ein von den Herren Polizeirat Ferdinand Lebzelter, H. Neustetter, Dr. K. Schawerda, Ministerialrat Dr. K. Schima, L. Schwin-
genschuß (Wien), H. Stertz (Breslau), Fritz Wagner (unter anderen 18 Arten
selbstgesammelte Lepidopteren aus Andalusien in 74 Exemplaren), Dr. H. Zerny u. a.

Angekauft wurden 328 Arten in 730 Stüken, darunter Originalausbeuten aus
Deutsch-Neu-Guinea und Kolumbien und einzelne Desideraten aus Peru, Celebes und
anderwärts her sowie einige Schwärmer-Hybriden.

ι) Dipteren.

Dr. Pietschmanns Ausbeute enthält 30 Arten in 400 Exemplaren, die Sammlung Grauers 70 Arten in 900 Exemplaren.

ϰ) Coleopteren.

Gesamtzuwachs 11.127 Arten in 166.070 Stücken.

Von der käuflich erworbenen paläarktischen Coleopterensammlung des Oberst-
leutnants Friedrich Hauser (Jahresbericht für 1910, p. 23) wurde die zweite Partie
mit 10.095 Arten in 52.070 Stücken übernommen. Sie umfaßt die Elateriden, die
Familien der Malacodermen, Heteromeren und Rhynchophoren und die Chrysomeliden.
Besonders reich und wertvoll ist der Arten- und Formenbestand der Familien *Cleridae,
Tenebrionidae, Meloidae* und *Curculionidae.*

Die Zählung der Coleopteren der Grauerschen Expedition ergab 11.198 Stücke,
die etwa 500 Arten repräsentieren dürften. Das vortrefflich konservierte Materiale enthält eine bedeutende Anzahl in der Musealsammlung bisher nicht vertretener Arten.
Mit besonderem Erfolg hat sich Grauer auf die Aufsammlung von Lucaniden, Ceto-
niden und Cerambyciden verlegt und unter anderen den schönen Goliathinen *Stephano-
crates Beningseni* Kuhnt, von dem bisher nur das schlecht erhaltene Originalexemplar
bekannt war, in einer reichen Suite mitgebracht.

Die außerordentlich individuenreiche Coleopterenausbeute des Dr. Pietschmann
aus Mesopotamien wurde zwar vollständig aufpräpariert, ist aber noch nicht geordnet,
weshalb erst der nächstjährige Bericht die Angabe der Artenzahl bringen wird.

Dr. Holdhaus sammelte auf seinen Exkursionen in die Nordkarpathen, auf den
Rollepaß und ins Glocknergebiet ca. 300 Arten in mehr als 2000 Stücken.

Paul Born in Herzogenbuchsee spendete eine kleine Aufsammlung aus den
Schweizer und piemontesischen Alpen und 2 Formen des *Carabus concolor* F. in je
12 Exemplaren, Josef Breit in Wien Cotypen von 5 neuen Arten seiner Aufsammlungen auf dem Monte Maggiore und im Biharer Komitate, Forstrat Alois Gobanz

in Eisenkappel 2 *Anophthalmus Gobanzi* Ganglb. n. sp. aus dem Vellachtale und 10 Arten in 21 Exemplaren größtenteils vom Velebit, Dr. Eduard Knirsch 4 *Anophthalmus* aus den Ost- und Seealpen in 23 Stücken, Polizeirat Lebzelter 20 Arten in 110 Exemplaren aus Süd- und Ostafrika, Otto Leonhard in Dresden-Blasewitz 13 für die Sammlung teilweise neue Arten aus Südeuropa in 34 Stücken, Prof. Dr. K. Penecke in Czernowitz 14 Spezies in 79 Exemplaren aus der Bukowina, Oskar Reiss in Innsbruck *Laemostenus Reissi* Ganglb. n. sp. vom Mte. Pari in Judicarien, Kustos-Adjunkt Dr. Karl Toldt 15 Arten in 70 Exemplaren aus Griechenland, Prof. Eugen Weber in Graz *Anophthalmus Weberi* Ganglb. n. sp. vom Grintouz.

Hiezu sind einzelne Arten von den Herren Prof. Bachmetjew in Sophia, Josef Haberfelner in Lunz, Sektionsrat v. Krekich, Emil Moczarski, Dr. Josef Müller in Triest, Peter Novak in Spalato, Rudolf Pinker, Fr. Rambousek in Prag, Prof. Adrian Schuster, Viktor Stiller in Agram und M. Wingelmüller.

Im Tausche wurden erworben von den Herren: Agostino Dodero in Sturla-Genua 26 seltene Arten aus Italien in 94 Exemplaren, Adolf Gassner in Wien 16 Arten in 32 Exemplaren aus Abessinien, Sibirien und von Tencrife; Prof. Dr. Gustav Hauser in Erlangen 22 Arten in 40 Exemplaren aus Turkestan und China; Kooperator Knabl in Axams 4 Arten in 32 Exemplaren aus Tirol; P. de Peyerimhoff in Mustapha-Alger 31 Spezies in 70 Exemplaren von Marokko; Viktor Plason in Wien 10 exotische Arten in 19 Exemplaren.

Angekauft wurden ein Hybrid von *Carabus coriaceus* L. und *violaceus* L. und 7 Spezies in 22 Exemplaren aus Rumänien.

λ) Hymenopteren.

Gesamtzuwachs: 597 Arten in 2493 Stücken.

Geschenke: 22 Stücke (8 Arten) Cotypen aus Australien von R. E. Turner in London; 240 Stücke (60 Arten) aus dem Tiroler Hochgebirge von Kustos Fr. Kohl; kleinere Geschenke, zusammen 20 Stücke (14 Arten) verdanken wir den Herren C. G. Nurse in Timworth Hall, Dr. K. Rechinger in Wien, dem brit. Museum in London und dem königl. Museum in Berlin.

Ergebnis der Rudolf Grauerschen Expedition in Ostafrika: 1580 Stücke (245 Arten).

Angekauft wurden 395 Stücke (170 Arten) aus Algerien, 236 Stücke (100 Arten) aus verschiedenen Tropengegenden.

Von den Dubletten wurden geschenksweise an das «Joanneum» in Graz abgegeben: 800 Stücke (ca. 160 Arten).

μ) Mollusken, Molluskoideen und Tunicaten.

Gesamtzuwachs: 422 Arten in 6206 Exemplaren.

Als Ergebnis seiner malakologischen Aufsammlungen in Zentralafrika übergab Herr Rudolf Grauer dem Hofmuseum ungefähr 20 Arten in 180 ausgezeichnet konservierten Exemplaren.

Gespendet wurden von den Herren: M. Curti Landconchylien von der Halbinsel Krim (9 Arten in 40 Ex.); Dr. Richard Ebner Material aus den Okkupationsländern und aus Griechenland (12 Spez. in 40 Ex.); stud. phil. L. Kuščer 15 Arten (50 Ex.) von diversen Fundorten; Kustos-Adjunkt Dr. A. Penther Material aus Niederösterreich, Istrien und Tirol (16 Arten in 160 Ex.); Dr. G. Schlesinger Landmollusken aus Griechenland (18 Spezies in 70 Ex.); Intendant Hofrat Dr. F. Steindachner Cephalopoden aus Messina und prächtige Präparate einer *Tethys* und einer Salpenkette (zusammen 10 Arten in 30 Ex.); Kustos-Adjunkt Dr. C. Toldt Landmollusken von Griechenland (10 Spezies in 39 Ex.); Dr. R. Trebitsch Gastropoden, Bivalven und Brachiopoden von W.-Grönland (11 Spezies in 76 Ex.) und schließlich von Herrn Oberstabsarzt Dr. A. Wagner (Dimlach) eine schöne Suite seltener, verläßlich determinierter paläarktischer und exotischer Spezies (63 Arten in 271 Ex.).

Kleinere Geschenke, zusammen 40 Arten in 140 Exemplaren enthaltend, sind eingelaufen von den Herren Dr. C. Graf Attems, Landesgerichtsrat Karl Aust, Kustos A. Handlirsch, Revierförster Haucke in Planina, Dr. V. Pietschmann, Hofrat Dr. A. Plason de la Woestyne, Dr. A. Rogenhofer, Prof. Dr. F. Werner, stud. phil. Otto v. Wettstein und von der kais. Menagerie in Schönbrunn.

Angekauft wurden wissenschaftlich durchgearbeitete Conchylien aus Deutschland (180 Arten mit zahlreichen Varietäten und von diversen Fundorten, 5000 Ex.) und Landmollusken vom Mte. Rosa und aus Sardinien (18 Spez. in 110 Ex.).

r) Fische.

Von der kais. Menagerie in Schönbrunn wurde eine beträchtliche Anzahl junger exotischer Fische aus den dortigen Süßwasseraquarien übergeben, von denen 10 Arten in 50 Exemplaren in die Hauptsammlung eingereiht wurden.

Als Geschenke sind zu verzeichnen von Hofrat Steindachner 1. eine große Sammlung meist pelagischer Fische aus Messina und Nizza: 97 Arten in 1154 Exemplaren; 2. eine Sammlung von Süßwasserfischen von Angola und Portugiesisch-Guinea: 84 Arten in 383 Exemplaren, zahlreiche Cotypen enthaltend; 3. eine Sammlung von Süßwasserfischen von Britisch-Guyana: 134 Arten in 408 Exemplaren; eine Sammlung von Süßwasser- und Meeresfischen aus Südbrasilien: 50 Arten in 250 Exemplaren, zusammen 375 Arten in 2245 Exemplaren.

ξ) Amphibien und Reptilien.

Von der kais. Menagerie in Schönbrunn wurden 2 Schildkröten in ebenso vielen Arten und 12 Exemplare von Eidechsen und Schlangen in 9 Arten übergeben.

Angekauft wurden *a)* 17 Schildkröten in 5 Arten, darunter ein schönes Exemplar von *Sternothaerus gabonensis* A. Dum., welche seltene Art bisher nur von Westafrika bekannt war und nun auch in Ostafrika aufgefunden wurde; *b)* 12 Exemplare von *Testudo leithii* in verschiedenen Größen von der Marioutwüste in Ägypten.

Als Geschenke liefen ein: *a)* von Prof. Dr. Abel 5 Schildkröten in 2 Arten aus Griechenland, und zwar *Testudo marginata* und *T. graeca*; *b)* von Ph. v. Oberländer 4 Schildkröten in 2 Arten (*Sternothaerus adansoni* und *Cyclanorbis oligotylus* aus dem Sudan); *c)* von Prof. Dr. Fr. Werner 3 Exemplare in 2 Arten (*Chrysemys cinerea* und *Emys orbicularis*); *d)* von Dr. Ebner 3 Exemplare in 2 Arten (*Clemmys caspica*, *Emys orbicularis, Testudo marginata*); *e)* von Kustos Dr. A. Penther 1 *Malaclemmys lesueurii* juv.; *f)* von Dr. Jos. Schneider 1 Exemplar von *Pelomedusa galeata* aus Deutsch-Südwestafrika; *g)* von Hofrat Dr. Steindachner eine große Sammlung von Amphibien und Reptilien von Florida, Georgien und dem Staate Sa. Catharina in Südbrasilien 170 Arten in 636 Exemplaren, darunter 47 Schildkröten in 38 Arten; *h)* von Herrn k. u. k. Artilleriehauptmann G. Veith in Bilek eine teilweise vollständig montierte Sammlung von 11 Schlangenarten und einer Schildkröte in 74 Exemplaren von besonderer Schönheit, gesammelt in den Jahren 1910 und 1911 in der Herzegowina, Dalmatien und Görz, darunter zahlreiche Exemplare von *Vipera macrops* und seltene Varietäten von *Tropidonotus natrix*, zusammen 206 Arten in 770 Exemplaren.

o) **Vögel.**

Aus der kais. Menagerie in Schönbrunn langten 27 Vögel (24 Spez., darunter 1 Kiwi) ein, von welchen 13 Stück (12 Spez.) verwertet wurden (4 Stopfpräparate, 6 Bälge, 3 osteologische Präparate). Ferner wurden 5 eingesendete Eier von 4 verschiedenen Arten präpariert und aufbewahrt.

Eine außerordentlich wichtige und wertvolle Erwerbung bildet das von R. Grauer an der Westgrenze des belgischen Kongostaates erbeutete Material, welches aus über 6300 Bälgen von ca. 640 Arten besteht. Darunter sind besonders die Bülbüls, Spechte, Kuckucke, Pisangfresser, Webervögel, Tauben, Raubvögel u. a. durch seltene Arten oder große Serien vertreten. Die Bearbeitung der Schwimm- und Stelzvögel, der Hühner, Tauben, Papageien, Raken, Eisvögel, Nashornvögel, Baumvögel und Raubvögel durch Dr. M. Sassi ist bereits im Abschluß begriffen; bei derselben konnte unter anderen eine neue Taubenart, *Columba albinucha* Sassi, festgestellt werden.

Als größere Spenden sind weiters zu erwähnen: 961 Bälge von ca. 124 Arten aus der Provinz S^a Catharina (Brasilien) von Hofrat Dr. Steindachner; 136 Bälge (56 Spez.) und 61 Eier (5 Spez.), welche von Dr. Pietschmann auf der Mesopotamien-Expedition gesammelt wurden, vom naturwissenschaftlichen Orientverein; 67 sudanesische Bälge (51 Spez.) von der letzten Ausbeute weiland des Herrn Ph. v. Oberländer, übergeben von dessen Bruder Kommerzialrat Friedrich Oberländer. Kleinere Spenden, durchwegs einheimische Arten, liefen ein von den Herren Tierarzt Glück (Marchegg) und Hofrat Steindachner je 2 Exemplare (2, bezw. 1 Spez.), ferner je ein Exemplar von Kooperator H. Fr. Klimsch (Brand-Laaben), V. Messenio (Ronchi), Maler P. Ress, Dr. W. Riegler, Baron Leo Salvotti und Dr. M. Sassi. Im Tauschwege wurden erworben: 1 *Pipreola formosa* Hartl. und 1 *Spizaetus bellicosus* Daud.

Angekauft wurden 35 Stopfpräparate paläarktischer Vögel (Varietäten von 8 Spez.), 185 sibirische Bälge (ca. 54 Spez.), 1 Pärchen eines Kolibri (*Diphlogaena aurora* Gould) aus Nord-Peru sowie 3 Kolibri (*Lesbia sparganura* Shaw) und 1 Nest eines Töpfervogels aus Argentinien.

Gesamtzuwachs: 7780 Präparate von 967 Arten.

π) **Säugetiere.**

Von der kais. Menagerie in Schönbrunn wurden 69 Kadaver (47 Spez.) eingesendet, von welchen 52 Stück (37 Spez.) Verwendung fanden (1 Stopfpräparat, 21 Felle, 38 osteologische und 9 Alkoholpräparate). Darunter sind hervorzuheben 1 kurzschnabeliger i langschnabeliger Ameisenigel *(Tachyglossus = Echidna* und *Zaglossus = Proechidna)*, von welchen besonders letzterer eine große Seltenheit ist. Ferner verendete in der Menagerie ein siamesisches Elefantenweibchen, von welchem Skelett- und Hautteile konserviert wurden. Dasselbe enthielt interessanterweise einen ca. 11 Monate alten wohlausgebildeten Fötus, welcher zur monographischen Bearbeitung den anatomischen Universitätsinstituten überlassen wurde; dieselben bekamen auch diverse Weichteile (Gehirn, Herz etc.) des Muttertieres.

Einen äußerst reichhaltigen und wertvollen Zuwachs erhielt die Sammlung durch die Ausbeute der nun beendeten Grauerschen Expedition in den östlichen Teil des belgischen Kongostaates (vgl. auch den vorjährigen Jahresbericht p. 27). Sie enthält an Säugetieren 398 Stück, von welchen fast durchwegs das Fell und der Schädel, bezw. das ganze Skelett konserviert wurden, so daß die Zahl der Präparate sich auf nahezu 800 beläuft. Das gesamte Material besteht aus 5 Insektenfressern (darunter 1 *Potamo-*

gaie), 41 Fledermäusen, 6 Schuppentieren von 3 verschiedenen Arten, 133 Nagern (darunter eine Anzahl Flughörnchen), 18 Raubtieren (darunter 1 Panther, 1 gefleckte Hyäne, weißschwänzige Ichneumons), 60 Paarzehern (2 weibliche und 1 junges männliches Okapi samt Skeletten und 1 Schädel eines vierten [♂] Exemplares, 1 Rotbüffel, 52 Waldantilopen verschiedener Arten und 3 Flußschweine), 8 Baumschliefern, 4 Halbaffen und 116 Affen (darunter 3 Felle und 4 Skelette des Berggorilla, Präparate von 4 Schimpansen, zahlreiche Seidenaffen und Meerkatzen von verschiedenen Arten etc.). Dazu kommen noch 7 in Alkohol konservierte Embryonen von Affen und Antilopen.

Von Herrn Kommerzialrat F. Oberländer wurden dem Museum 25 Präparate von 12 verschiedenen Jagdtieren übergeben. Die Mehrzahl derselben hatte der Bruder des Spenders, Herr Ph. v. Oberländer, auf der verhängnisvollen Jagdexpedition in N.-Uganda, welche durch seinen Weidmannstod einen raschen Abschluß fand, erbeutet. Darunter befindet sich auch der Schädel des Büffels, welchem Ph. v. Oberländer zum Opfer fiel; dieses Tier, welches v. Oberländer bereits tödlich angeschossen hatte, wurde einige Tage nach der Katastrophe in der Nähe des Kampfplatzes verendet aufgefunden. Ferner enthält diese Kollektion das Fell samt Schädel einer Riesen-Eland-Antilope (*Taurotragus oryx gigas* Heugl.).

Ihre königl. Hoheiten die Prinzen Georg und Konrad von Bayern geruhten von der Jagdausbeute Ihrer Reise nach Britisch-Ostafrika 14 präparierte Schädel, bezw. Gehörne und Skelette von 3 Antilopen- und 1 Affenart zu spenden.

Weitere Geschenke liefen ein: von Graf Ernst Hoyos-Sprinzenstein die Decke samt Schädel des typischen sibirischen Argali (*Ovis ammon* L.) aus dem Altai und eines Thian-Schan-Steinbockes (*Capra sibirica* subsp.) sowie die Geweihe eines Wapiti und zweier Rehböcke aus dem Thian-Schan; von Dr. Rud. Trebitsch 27 Präparate von 4 grönländischen Arten, darunter das Fell samt Schädel einer alten ♂ Grönlandsrobbe; vom hohen k. k. Ackerbauministerium 1 gestopfte Gemse; von Hofrat Dr. Steindachner 1 junge Mönchsrobbe; von Herrn Bankier Weidholz 4 Präparate (3 Spez.) tunesischer Säugetiere; von Herrn Oberstleutnant Hauser 2 Igel aus Turkestan, endlich von den Herren Hugo Müller 4 Exemplare (1 Spez.) und von G. Radax und Kustos O. Reiser je 1 Stück einheimischer Arten.

Von der ethnographischen Abteilung wurde der Penisknochen eines Walrosses übernommen.

Angekauft wurden 43 Bälge (11 Spez.) zumeist samt Schädel aus Brasilien (Prov. Sᵃ Catharina), durch Vermittlung des Herrn Hofrates Plason 14 Felle (8 Spez.) aus Laos (Annam), 10 Säugetierpräparate (6 Spez.) aus dem Sajanischen Gebirge, darunter 1 Zobel und 1 montiertes Skelett eines solchen, dann das Fell eines Marders (*Mustela sibirica*), ferner 1 Wiesel aus Sardinien und endlich von Tierhändler Häusler 3 Kadaver (3 Spez.).

Gesamtzuwachs: 1027 Präparate von ca. 170 Arten.

b) Botanische Abteilung.

a) Die Pflanzensammlungen. Durch Geschenke und Widmungen erhielt die Abteilung 2409 Nummern, durch Tausch 1282 Nummern und durch Kauf 4457 Nummern, zusammen 8148 Nummern.

A. Als Geschenke erhielt die Abteilung: Erbario Crittogamologico Italiano, Ser. 2a, Fasc. 18—30 (649 Nummern) vom Intendanten Hofrat F. Steindachner, vom Kustos A. Zahlbruckner «Lichenes rariores exsiccati», Decad. XIII—XIV und verschiedene andere, insbesondere exotische Flechten (274), vom k. u. k. Hauptmann P. Zahlbruckner Pflanzen aus der Krivoscie (230), von Prof. A. Bitter *Acaena*-Arten (11), von Prof. Fr. Krasser seltenere brasilianische *Melastomaceen*, gesammelt von J. Schwacke (284), von F. Thonner eine kleine, aber wertvolle Sammlung Kongopflanzen (62), von Dr. J. W. Goethart Photographien von Velloziatypen solcher Arten, die dem Herbare fehlten (10), von Dr. K. Rechinger Pflanzen von Samoa, Nachtrag (26), von demselben ferner Moose aus Deutsch-Neu-Guinea und von den Salomons-Inseln (84) und Pilze aus Steiermark und Niederösterreich (43), von Dr. K. v. Keißler Pilze aus Steiermark und Niederösterreich (101) und von B. Lynge Lichenen aus Norwegen (334).

Einzelne Nummern widmeten: die Direktion der k. u. k. Hofgärten, Prof. F. v. Höhnel, A. Grunow, Schulrat J. Steiner, J. A. Bäumler (Pozsony), Dr. F. Filarszky (Budapest), Prof. K. Loitlesberger (Görz), Dr. E. H. Krause (Straßburg), Kustos A. Zahlbruckner und die Kustos-Adjunkten K. v. Keißler und K. Rechinger.

B. Im Tauschwege wurden akquiriert: Pflanzen aus Westaustralien und Queensland vom Museum in Sydney (101 Nummern), Pflanzen aus Kamerun vom königl. botanischen Museum in Berlin (246), seltenere Moose von J. Löske (30), Moose aus Belgien und Frankreich vom königl. botanischen Museum in Brüssel (294), Pflanzen aus Südafrika leg. Rudatis vom botanischen Museum der Universität in Zürich (296), ostindische Phanerogamen vom Royal Botanic Garden in Sippur bei Kalkutta (36), exotische Pflanzen verschiedener Provenienz von dem Royal Botanic Gardens in Kew (50), Pilze aus Schweden leg. Juel vom botanischen Museum in Upsala (45), tropische, zumeist sundanesische Phanerogamen vom botanischen Reichsmuseum in Leiden (83).

C. Durch Ankauf wurden erworben: Zenker, Pflanzen aus Kamerun (118 Nummern); Haßler, Plantae Paraguayenses (810); Rehm, Ascomycetes exsiccati, Fasc. LXVII und XLVIII (67); Kabát und Bubák, Fungi exsiccati, Fasc. XIII (50); J. v. Türckheim, Pflanzen von St. Domingo (621); F. Fiebrig, Plantae Paraguayenses (597); Merrill, Lichenes exsiccati, Fasc. V und VII (75); Collins, Holden and Setchell, Phycotheca Boreali Americana, Fasc. XXXIV und XXXV (132); Töpffer, Salicetum exsiccatum, Fasc. V (60); Sennen, Plantae Hispanicae (202); O. Jaap, Fungi selecti exsiccati, Ser. XIX—XXII (112); Strauß, Plantae Persiae Borealis (127); Sydow, Phycomyceten und Protomyceten, Fasc. VI (29) und von demselben Uredineae exsiccatae, Fasc. XLVII (25); Nylander, Herbarium Lichenum Parisiensium (151); Mudd, Herbarium Lichenum Brittanicorum (301); Tranzschel und Serebianikow, Mycotheca Rossica, Fasc. III und IV (104); Vestergren, Micromycetes rariores selecti, Fasc. LIX—LX (50); Peträk, Cirsiotheca Universalis, Fasc. I (33); Rosenstock, Filices Costaricenses, Cent. VII (100); Dörfler, Herbarium Normale, Cent. LIII und LIV (201); Malme, Lichenes Suecici, Fasc. IX (23); Thériot, Musci et Hepaticae Novae Caledoniae, Fasc. VI (25); Grout, North Americ. Pleurocarpi (26); Sydow, Mycotheca Germanica, Fasc. XX und XXI (100); Jaap, Myxomycetes exsiccati, Fasc. V et VI (20); Schiffner, Hepaticae Europeae, Fasc. IV (50) und Koch, Pflanzen aus Westaustralien (145).

β) Morphologische und karpologische Sammlung. Die trocken aufbewahrten Objekte, Samen, Früchte, Fruchtstände, Hölzer und Drogen erfuhren durch einige Spenden eine Vermehrung, und zwar Früchte der seltenen *Okenia hypogaea* aus Mexiko von Prof. A. Heimerl, Früchte von *Phytelephas macrocarpa* von A. Blumenfeldt, Samen von neueingeführten Gehölzen von A. Zahlbruckner (25), Samen der *Oryza glutinosa* und ein Exemplar der Alge *Hildenbrandtia rosea* aus Niederösterreich von

K. v. Keißler, Samen verschiedener europäischer Pflanzen (21) und Früchte einer *Bertholletia* aus Peru von K. Rechinger.

Die Ergebnisse der Sammeltätigkeit der Beamten der Abteilung verteilen sich folgendermaßen:

Zahlbruckner:

für das Herbar (verschiedene Zellkryptogamen) . .	326 Arten	
für die «Kryptogamae exsiccatae» (in je 60 Stücken).	19	»

Keißler:

für das Herbar Pilze	101	»
für die «Kryptogamae exsiccatae»		
1. Pilze	15	»
2. Algen	5	»

Rechinger:

für das Herbar	73	»
für die «Kryptogamae exsiccatae»		
1. Pilze	2	»
2. Algen	2	»

c) *Mineralogisch-petrographische Abteilung.*

α) Meteoriten.

Von Herrn Kommerzialrat J. Weinberger erhielt die Meteoritensammlung eine neuerliche kostbare Widmung, bestehend aus einer Kollektion von 59 Meteoritenlokalitäten in der Zahl von 194 Nummern, im Gewichte von 2968 g (1890 g Steine, 1078 g Eisen) und einer Sammlung von 63 Lokalitäten angehörigen 200 Meteoritendünnschliffen von hohem wissenschaftlichen Werte. Durch Zuwendung dieses ausgewählten und seltenen Studienmaterials hat die Sammlung eine für die Erforschung der Meteoriten unschätzbare Förderung erhalten, wie sie ganz im Sinne des hochgeehrten Spenders gelegen ist, nämlich für unsere Sammlung ausnahmslos fruchtbringende Gaben zu stiften.

Als Geschenk erhielt die Sammlung ferner: vom Berginstitut in St. Petersburg durch A. Kupffer 8 Stück Verwitterungskrusten des Eisens von Augustinowka mit Nickelsmaragd im Gewichte von 352 g (davon 3 Stück Dubletten) und je 4 g Taenit und Schreibersit aus Augustinowka (8 g); vom militärtechnischen Institut in St. Petersburg durch Hauptmann J. Belaiew eine Platte eines $0.55\,^0/_0$ C-haltigen Stahles mit Widmannstättenschen Figuren; von Prof. C. Benedick, damals in Upsala, jetzt in Stockholm, je eine Probe künstlichen hexaedrischen und oktaedrischen Meteoreisens; von G. Tammann und F. Berwerth zwei Proben Mt. Joy mit künstlicher Brandzone.

Durch Kauf wurden erworben: Das einzige bekannt gewordene Hauptstück des schwarzen Chondriten, gefallen bei der Missionsstation Bali in Kamerun, Westafrika, zwischen 10—11^h vormittags am 22. oder 23. November 1907 (Gewicht 1015 g); eine dicke Platte des schwarzen Chondriten von Lampa in der Sierra de Chicauma, Atacama, Chile, bekannt 1905 (278 g); ein mit Kruste bedeckter Abschnitt des schwarzen Chondriten Vigarano-Meynardi (Morandi) bei Ferrara, Italien, gefallen 22. Januar 1910 (152 g); ein gut erhaltenes Stück des Pallasiten Mt. Dyrring, Distr. Singleton, N.-S.-Wales, Australien, gefunden 1903 (303 g); ein Endstück des feinlamelligen Meteoreisens von Mounionalusta, nördl. Schweden, gefunden 1906 (197 g); ein Stück des körnigen Meteoreisens von Barraba, Australien, bekannt 1904 (169 g); eine Platte des feinlamelligen oktaedrischen Eisens von Tepl nächst Marienbad, Böhmen, gefunden 1909 (231 g).

Durch Tausch wurden erworben: Zwei ganze Steine der neuen Meteoritenart «Nakhlit», gefallen $8^{1}/_{2}$—9^{h} morgens am 28. Juni 1911 bei El Nakhla el Baharia, Distrikt Abu Hommos, Provinz Baharia, 40 km östlich von Alexandrien, Ägypten (117 + 377 = 494 g), vom Geological Museum in Kairo (siehe Berwerth, Tscherm. Min.-petr. Mitt., Bd. 31); eine Platte des Meteoreisens Cowra, N. S. W., Australien, bekannt 1888 (176 g) durch J. Böhm.

Aus eigenen Mitteln erfuhr die Dünnschliffsammlung eine Vermehrung um 9 Dünnschliffe.

Die Meteoritensammlung erfuhr demnach im Jahre 1911 eine Vermehrung um 212 Stück Meteoriten im Gewichte von 6336 g, um 7 Präparate und 209 Dünnschliffe. Hievon entfallen auf die Eisenmeteoriten 46 Stücke im Gewichte von 2203 g, auf Pallasit 1 Stück im Gewichte von 303 g und 165 Stücke auf die Steine im Gewichte von 3829 g. Für die Sammlung sind 8 Fallorte neu.

β) Minerale und Gesteine.

Als Geschenk erhielt die Abteilung 48 Mineralien und 109 Gesteine. Darunter befindet sich eine 3 m hohe, 0·4 m dicke Basaltsäule von Alsó-Rákos in Siebenbürgen, ein Geschenk der Kis-Sebeser Granitsteinbruch-Aktiengesellschaft in Budapest; 6 zum Teil über 100 kg schwere Basaltbomben aus der Gegend von Freudental in Österr.-Schlesien, geschenkt von Herrn Prof. J. J. Jahn in Brünn; 2 große Basaltbomben aus Neuseeland, geschenkt von Herrn k. u. k. Konsul Karl Klette in Auckland; eine runde Tischplatte von 75 cm Durchmesser aus Plattenkohle von Blattnitz bei Pilsen, die Herr Hofrat Dr. J. Gattnar, Berghauptmann in Wien, gespendet hat, und endlich eine Kollektion von 75 Mineralien und Gesteinen, die Herr Dr. Hermann v. Schrötter auf den Kanarischen Inseln gesammelt und dem Museum gespendet hat.

Weiters spendeten die Herren Dr. H. Backlund in Buenos-Aires 3 Gesteine, Bergingenieur Max Beck 2 Dolomitdrusen, Regierungsrat Prof. F. Berwerth 7 Mineralien und 6 Gesteine, Prof. R. Brauns in Bonn 1 Nephrit, Prof. E. Brandis in Travnik 1 Gestein, Dr. R. Doht in Preßburg 1 künstlichen Thenardit, Exzellenz J. Döller v. Wolframsberg 1 Heteromorphit, Dr. R. v. Görgey 1 Polyhalit, Regierungsrat F. Heger 10 Gesteine aus Mexiko, Dr. C. Hlawatsch 2 Mineralien und 4 Gesteine, Prof. Dr. B. Jobstmann in Melk 5 Mineralien und 4 Gesteine, darunter Proben des für Niederösterreich neuen Dumortierits, Ingenieur Dr. H. v. Karabacek in Witkowitz 1 Psilomelan, Regierungsrat Dr. Kürschner 1 Pyrit, Generalmajor Jos. Kutschera 4 Mineralien, darunter ein neues Vorkommen von Amblygonit von Königswart, Hofrat A. Ritter v. Löhr 7 Mineralien, Dr. Th. Ohnesorge 6 Calcitkristalle, Geheimrat F. Rinne in Leipzig 2 Rinneite, Dr. F. Trauth 1 Gestein, Dr. Th. Vogt in Kristiania 1 Yttrofluorit und Kommerzialrat J. Weinberger 1 Duxit.

Im Tausch konnten 12 Mineralien und 48 Gesteine erworben werden, und zwar 1 Dravit von Herrn Lehrer Fr. Bär in Asch, 1 Hambergitkristall von Herrn J. Böhm in Wien, 41 Gesteine aus Böhmen, Mähren und Schlesien von Herrn Prof. J. J. Jahn in Brünn, 8 Mineralien von Herrn Generalmajor J. Kutschera in Wien, 1 Löllingit von Gloggnitz von Herrn Prof. A. Sigmund in Graz, 1 Calcit von Herrn E. Themak in Temesvár und 7 Gesteine von Herrn Fr. Thuma in Brüx.

Durch Tausch wurden 116 Mineralien und 53 Gesteine erworben. Darunter wären hervorzuheben eine Schaustufe von Autunit von Autun, ein 8 cm großes loses Fluorit-

503

oktaeder von Striegau, eine kleine, aber ungewöhnlich schöne Hessonitdruse von Ala, eine reiche Joaquinitdruse von San Benito, ein großer Kunzitkristall von Madagaskar, eine Druse mit einem 4 cm großen, korrodierten Polluxkristall von Elba, ein 7 cm langer, 6 cm dicker Schörlkristall von einem neuen Vorkommen aus Brasilien, eine Semseyitdruse von Kisbánya, ein roter, geknickter und ausgeheilter Turmalinkristall mit Seidenglanz von Mesa Grande und eine große Druse eines neuen Whewellitvorkommens von Bruch bei Brüx.

Von Desideraten wurden erworben: Brugnatellit, Cerasit, Morganit, Paratakamit, Pilbarit, Rinneit, Risörit, Yttrofluorit.

d) Geologisch-paläontologische Abteilung.

Das Einlaufjournal weist 92 Nummern neuer Erwerbungen aus.

I. Geschenke.

Von besonderer Wichtigkeit sind die umfangreichen und interessanten diluvialen Knochenfunde in dem Steinbruche der Herren Gebrüder Hollitzer in Deutsch-Altenburg, welche uns die Steinbruchbesitzer überlassen haben.

Ferner verdienen besondere Erwähnung: eine reiche Kollektion von Gosaufossilien vom Nussensee bei Ischl, die uns Herr Kustos A. Handlirsch geschenkt hat; Säugetierreste aus dem Pliocän von Herzogbierbaum von Tierarzt B. Floßmann in Groß-Mugel; Gipsabgüsse von Mastodonmolaren aus Siebenbürgen von Hofrat Prof. Dr. F. Toula; Gipsabgüsse von *Rhynchonella multicostata* aus Siebenbürgen von Hofrat Prof. Dr. F. Toula; Kieferfragmente von *Hipparion* vom Laaerberg von Oberlehrer J. Leth in Wien; ein fossiles Elengeweih von Rannersdorf vom Realitätenbesitzer Johann Einramhof in Rannersdorf.

Kleinere Geschenke verdanken wir den Herren Karl Kamptner in Wien, A. Jankowsky in Fels am Wagram, J. Proksch in Rußbach (N.-Ö.), K. Kriegler in Wien, F. Hanuš in Prag, Landesgerichtsrat C. Aust in Wien und der mineralogisch-petrographischen Abteilung des k. k. naturhistorischen Hofmuseums.

II. Ankäufe.

Dank der Munifizenz des hohen Oberstkämmereramtes war es möglich, einen der hervorragendsten paläontologischen Funde, der in der letzten Zeit in den Schiefern des oberen Lias in Württemberg gemacht wurde, zu erwerben. Es ist das prächtig präparierte, fast vollständige Skelett von *Dorygnathus banthensis* Theodori, welches um den Preis von 6000 Mark für unser Museum angekauft wurde. *Dorygnathus* ist ein langgeschwänzter Flugsaurier, ein Vorgänger des oberjurassischen *Rhamphorhynchus*, von welchem wir nun das vollständigste und besterhaltene Exemplar besitzen.

Von den bekannten pliocänen Säugetierresten der Insel Samos haben wir im abgelaufenen Jahre wieder eine Serie der prächtigen und wissenschaftlich bedeutsamen Fundstücke, darunter Schädel von *Samotherium*, *Hyaena* und *Sus* erworben.

Durch Ankauf gelangte ferner ein präparierter Schädel von *Mosasaurus (Platecarpus) coryphaeus* Cope aus der Kreide von Kansas in unseren Besitz.

Außerdem wurden angekauft: *Pterygotus bilobus* aus dem Silur von Logan Water in Schottland; Devon- und Carbonfossilien von Paczaltowice; Culmfossilien von Zechsdorf; Carbon-Nautiliden aus Irland; Fossilien aus dem Wettersteinkalk von Innsbruck; Triasfossilien vom Feuerkogel nächst dem Rötelstein bei Aussee, von der Fischerwiese bei Aussee, von der Falmbergalm bei Gosau und von St. Cassian; Asteroideen von Scharley bei Beuthen, Preußisch-Schlesien; Triaskorallen von der Zwieselalm (Edtalpe und Kesselwand bei Gosau; Liasammoniten von Adnet; Juraammoniten von Trins, Tirol; Tithonfossilien von Dörfles bei Ernstbrunn und von Stramberg in Mähren; Neocomfossilien vom Flösselberg bei Kaltenleutgeben und von Gardenazza, Südtirol; Seeigel aus der Kreide von Trient; Gaultfossilien von Vöhrum (Norddeutschland); Inoceramen von Gosau; Eocänfossilien von Gherdosella in Istrien und vom Waschberg bei Stockerau; Fischreste aus den Menelitschiefern von Speitsch bei Mährisch-Weißkirchen; Miocänconchylien der Faluns du Bordelais, von Stetten bei Korneuburg, Würnitz, Weinsteig und vom Grünen Kreuz bei Nußdorf; Pliocäne Säuger von Wien, XII., Oswaldgasse; Dinotheriumknochen von Guntramsdorf; Rhinoceros und andere Säugetiere von Vösendorf und Siebenhirten; Pachydermenknochen von Krems; ein juveniler Mammutunterkiefer von Groß-Schweinbarth; ein Bosschädel aus dem Sajangebirge; Fossilien der Congerienschichten von Meidling; ein *Pinus*-Zapfen aus den Congerienschichten von Guntramsdorf; Fossilien der Umgebung von Waidhofen und Grünbach.

III. Tausch.

Durch Austausch wurden erworben: ein Schädel von *Eryops megacephalus* Cope aus dem Perm von Wichita Basin in Texas vom American Museum of Natural history in New-York; Mastodonreste von Angern und Carbonfossilien von Hruschau von Bergrat Max Ritter v. Gutmann.

IV. Aufsammlungen.

Solche wurden gemacht: in den Congerienschichten von Guntramsdorf, dann in Südtirol durch Kustos Prof. E. Kittl; am Laaerberg (Mastodonreste) durch Oberlehrer Jos. Leth in Wien, X; in der Umgebung von Gaming und Hinterholz mesozoische Versteinerungen an verschiedenen Punkten, dann in den sarmatischen Schichten von Wien, XIX., Krottenbachstraße durch Dr. F. Trauth.

e) Anthropologisch - ethnographische Abteilung.

α) Anthropologische Sammlung.

I. Geschenke.

1. Von der kais. Akademie der Wissenschaften: 176 Schädel und 12 Skelette aus alten Gräbern von Oberägypten. Ausgegraben von Prof. Dr. Junker.

2. Von der Stadtgemeinde Eger in Böhmen durch die k. k. Zentralkommission für Denkmalschutz: Schädel und Skeletteile aus vielleicht 200 frühmittelalterlichen Gräbern, die im Hofe der Kaiserburg von Eger bei Gelegenheit von archäologischen Nachforschungen durch Herrn Architekten J. E. Jonas gesammelt wurden.

3. Von J. M. Schuel in Jujuy: 2 Indianerschädel von Santa Cornelia, Staat Jujuy, Argentinien.

II. Ankäufe.

4. Menschenknochen aus einem Sambaqui (Muschelabfallhaufen) am Liguadoflusse, Brasilien. Von der ethnographischen Sammlung Wilh. Ehrhardt übernommen.

5. Schädel aus römischen Gräbern von Tulln, N.-Ö.

6. 58 Schädel und 4 Skelette aus alten Gräbern der Calchaqui in Nordwestargentinien.

c*

β) Prähistorische Sammlung.

I. Geschenke.

7. Von dem k. k. Finanzministerium durch die Salinenverwaltung Hallstatt: diverse Holzfunde aus dem Grünerwerke auf dem Salzberge von Hallstatt.

8. Von der kais. Akademie der Wissenschaften: prähistorische Bronzen, Menschen- und Tierknochen aus der Knochenhöhle bei St. Kanzian, Istrien.

9. Von Gutsbesitzer Artur Perger: zahlreiche prähistorische Bronzen aus der Fliegenhöhle bei St. Kanzian, Bez. Sessana, Istrien. Ferner prähistorische Bronzen, Menschen- und Tierknochen aus der Knochenhöhle bei St. Kanzian.

10. Von Gustav Figdor: paläolithische Feuersteinwerkzeuge und Knochen aus dem Löß von Aggsbach, N.-Ö. und paläolithische Feuersteinwerkzeuge und Knochen aus dem Löß von Getzersdorf, Bez. Herzogenburg, N.-Ö., ausgegraben von Dr. Bayer.

11. Von Paul Willheim, Gutsdirektor in Říček, Mähren: 1 Steinbeil, 1 großer Steinhammer, 1 Dioritreibstein und 2 Schlagsteine aus der Gegend von Říček.

12. Von Franz Freih. v. Nopcsa: 4 kleine albanesische Bronzen.

13. Von Dr. A. Dechant in Horn: prähistorische Tongefäßfunde und Skelettreste von Horn, N.-Ö.

14. Von Fritz Nikodem, Fabriksdirektor in Wolframitz, Mähren: eine kleine Sammlung prähistorischer Funde aus der Gegend von Wolframitz.

15. Von Ludwig Engl in Saaz, Böhmen: prähistorische Bronzen, Steinwerkzeuge und Tongefäße aus der Gegend von Saaz.

16. Von Albert Stummer: 2 Bronzearmringe und 1 Tonbecher aus einem römischen Grabe bei Michelhausen nächst Atzenbrugg, N.-Ö.

II. Aufsammlung auf Kosten des Museums.

17. Skelettreste, Tongefäße und kleine Bronzen aus 12 Gräbern der früheren Bronzezeit von Unter-Wölbling, Bez. Herzogenburg, N.-Ö. Ausgegraben von Dr. J. Bayer.

III. Ankäufe.

18. 7 paläolithische Steinwerkzeuge von Willendorf.

19. 5 Steinbeilchen, 1 Steinhammer aus der Gegend von Ungarisch-Hradisch, Mähren.

20. 1 Kupferaxt aus der Gegend von Ungarisch-Hradisch, Mähren.

21. 1 Kupfermeißel von Ludkowitz, Bez. Ungarisch-Brod, Mähren.

22. 27 Bronzebügel von Senning, Bez. Stockerau, N.-Ö.

23. 2 Bronzearmspiralrollen von Palterndorf in Niederösterreich.

24. 1 bronzenes Schwert, 1 Lappenbeil und 1 Nadel aus dem Laibacher Moore bei Oberlaibach.

25. 4 prähistorische Bronzegeräte vom Dáljáberg, Komitat Virovititz, Slawonien.

26. 8 prähistorische Bronzescheiben aus einem Bronzeerzfund von Csóka, Komitat Torontál, Ungarn.

27. 3 Bronzefibeln von der Insel Veglia, Istrien.

γ) Ethnographische Sammlung.

I. Geschenke.

1. Ein Saiteninstrument, angeblich aus Siam. Geschenk des k. u. k. Ministerialrates i. R. Adolf Ritter v. Plason-Wostyne in Wien. 1 Nummer.

2. Zinnstäbchen aus Bautschi in der englischen Provinz Northern Nigeria. Geschenk von Paul Staudinger in Berlin. 4 Nummern.

3. Eine Topokespeermünze aus Eisen aus dem Kongogebiete. Geschenk von E. Torday in London. 1 Nummer.

4. Altertümer und einige ethnographische Gegenstände der heutigen Indianer in Mexiko. Unter den Altertümern befinden sich drei große Obsidianspitzen von bemerkenswerter Schönheit. Gesammelt und dem Hofmuseum geschenkt von Ingenieur Franz Hiti aus Graz. 105 Nummern.

5. Ein Renntierpelz von den Eingebornen von Turuchansk am Jenissei in Sibirien sowie zwei weitere Kleinigkeiten. Geschenk von Oberförster Franz Schillinger. 3 Nummern.

6. Ein Paar Pelzstiefel, ein Paar Pelzstrümpfe und ein Paar Bänder aus Schafwolle aus Turuchansk, Sibirien. Gesammelt von Franz Schillinger. Geschenk des Herrn Hofrates Dr. Franz Steindachner in Wien. 3 Nummern.

7. Eine Sammlung von 32 chinesischen Zeremonialwaffen aus der Prov. Kwangtung. Geschenk des Generals J. W. N. Munthe in Tientsin. 32 Nummern.

8. Einige kleine Miniaturkörbchen aus feinem Wurzelgeflecht und aus Roßhaar, von den indianischen Eingebornen des südlichen Chile. Geschenk von Johann Anderle in Wien. 7 Nummern.

9. Eine viereckige Silbermünze aus Britisch-Indien. Geschenk des Registrar. Government, E. B. & Assam, and General Department Bombay. 1 Nummer.

10. Zwei venezianische Aggriperlstangenstücke aus Glas. Geschenk von Frau Marie Andree-Eysn in München. 2 Nummern.

II. Aufsammlungen.

11. Ethnographische Gegenstände von den Karo-Battak, Pakpak sowie aus den Gajoe- und Alaslanden auf Sumatra. Gesammelt und gegen Ersatz des Selbstkostenpreises von K 67.34 dem Hofmuseum überlassen von M. E. Hulster in Medan, Deli, Sumatra. 9 Nummern.

III. Ankäufe.

12. Ein Halsband der Beduinen in Ägypten und ein Halsband der Kabylen in Algier. Angekauft von Franz Richter in Wien um K 40. 2 Nummern.

13. Zwei alte Holzfiguren und eine alte Tonfigur, alle drei angeblich von dem Stamme der Lolo in China. Angekauft von G. Singer in Wien um K 150. 3 Nummern.

14. Alte gold- und silbergestickte Seidenstoffe von Palembang (Sumatra). Angekauft von J. W. Teiller um K 912.49. 14 Nummern.

15. Zwei Wurfmesser aus Eisen, angeblich von dem Stamme der Baia, französisches Kongogebiet. Angekauft von dem Naturalienhändler Hermann Rolle in Berlin um K 40. 2 Nummern.

16. Ethnographische Gegenstände aus Französisch-Dahomey und aus Kamerun. Angekauft von Otto Kraus in Porto Novo (Dahomey) um K 100. 47 Nummern.

17. Eine mongolische Votivstupa aus Gelbmetall. Angekauft von Alfred Horner in Wien um K 70. 1 Nummer.

18. Eine Friedenspfeife und ein Skalp der nordamerikanischen Indianer, nebst einem Schneckenhalsband, angeblich von Viti. Angekauft von Dr. E. Schumacher-Kopp, Kantonschemiker in Luzern, um K 76.40. 3 Nummern.

19. Eine kleine Metallfigur (Buddha) aus Siam. Angekauft von Frau Anna Ellinger in Wien um K 4. 1 Nummer.

20. Alte präkolumbische Schmucksachen aus Gold aus der Gegend von Tuluc und Manizalez, Kolumbien. Angekauft von dem kais. deutschen Konsul Alois Fischer in Cali. Kolumbien, um K 400. 10 Nummern.

21. Acht ethnographische Gegenstände von den Eingebornen von Birsky am Flusse Biru in der Abakansteppe im Kreise Minussinsk, Gouvernement Jenisseisk, Sibirien und 19 Altertümer aus Stein. Bronze und Eisen aus dem Kreise Minussinsk. Angekauft vom Oberförster Franz Schillinger um K 400. 27 Nummern.

12. Ethnographische Gegenstände von den Herrero und Buschmännern in Deutsch-Südwestafrika. Angekauft von Gustav Walinski um K 47.12. 20 Nummern.

23. Eine große Sammlung aus Gräbern der alten Diagitas (Calchaqui) aus dem nordwestlichen Argentinien, ausgegraben von Rudolf Schreiter in Tucuman, Argentinien.[1] 1177 Nummern.

IV. Die Bibliotheken.

a) Zoologische Abteilung.

Die allgemeine Bibliothek der zoologischen Abteilung wurde wie im vorausgegangenen Jahre von Herrn Emil Sarg, welcher auch die Kanzleigeschäfte der Direktion besorgte, unter der Oberleitung des Herrn Dr. H. Rebel verwaltet.

Der Zuwachs der Bibliothek beträgt an Einzelwerken und Separatabdrücken 568 Nummern in 593 Teilen, wovon durch Ankauf 31 Nummern in 37 Teilen, als Geschenk 512 Nummern in 523 Teilen und im Tausche 25 Nummern in 33 Teilen erworben wurden.

An Zeit- und Gesellschaftsschriften liefen 309 Nummern in 385 Teilen, davon 94 Nummern in 133 Teilen (6 Nummern neu) durch Ankauf und 215 Nummern in 252 Teilen (3 Nummern neu) im Tausche gegen die «Annalen» ein.

[1] Die Sammlung enthält außer den Altertümern eine Anzahl von menschlichen Schädeln und drei Skelette, welche auch aus alten Gräbern stammen. Eine Zusammenstellung der Hauptgruppen dieser Sammlung ergibt die folgende Übersicht:

1. Anthropologisches Material.			Übertrag . . .		643
Menschliche Skelette . .	4		4. Muschelschalen.		
Menschliche Schädel	58	62	Schnüre aus Muschelscheibchen	4	
2. Steingeräte.			Muschelschalen und Bruchstücke	8	12
Steinbeile	18		5. Glas.		
Lange Steinstößel	11		Kurze Glasperlenschnüre . . .		13
Netzsenker und Schleudersteine	7		6. Knochengeräte.		
Reibplatten mit Reibstein . .	2		Tierknochen aus Gräbern . . .	15	
Reibsteine	7		Speerspitzen	40	55
Reibschale mit Reibstößel . . .	1		7. Stoffreste		12
Kleinere Reibschalen	2		8. Geräte aus Holz		7
Größere Steinplatte m. Gravierung	1		9. Schilfbündel		1
Kleine Schmuckstücke usw. . .	36		10. Keramik.		
Kleine Schnüre aus Steinperlen	20		Größere Urnen	63	
Speerspitzen	45		Andere größere Gefäße	22	
Pfeilspitzen	376		Mittlere und kleinere Gefäße	24	
Diverse Objekte .	4	530	Kleine Gefäße und Figuren . .	161	
3. Metallgeräte.			Diverse verzierte und skulpierte		
Aus Silber	2		Gefäßbruchstücke	155	
Aus Kupfer und Bronze . . .	19	51	Bruchstücke von Tabakpfeifen .	9	434
Zusammen . . .		643	Zusammen . . .		1177

Davon 12 Skelette und Schädel und 1115 archäologische Objekte.

Der Gesamtstand der Bibliothek einschließlich der bei den betreffenden Sammlungen aufgestellten Spezialbibliotheken beträgt:

Einzelwerke und Separatabdrücke . .   26323 Nummern in 31593 Teilen
Zeit- und Gesellschaftsschriften . .   833 »   » 12830 »

Zusammen . . . 27156 Nummern in 44423 Teilen

Entlehnt wurden von 60 auswärtigen Interessenten 142 Werke in 161 Bänden. Geschenke widmeten unter anderen: Direktor Dr. Franz Spaeth, Hofrat Dr. Steindachner (8), Direktor Ganglbauer (9), Kustos Kohl (35), Kustos Siebenrock (138), Kustos Handlirsch (178), Kustos Dr. Rebel (35), Kustos Dr. Sturany (36), Kustos-Adjunkt Dr. Toldt (4), Assistent Graf Attems (5), Dr. Holdhaus (4), Dr. Pesta (9), Anthropologische Gesellschaft (21), Hofrat Brunner v. Wattenwyl (22). Außerdem durch das k. u. k. Oberstkämmereramt (5 Bände Marchi G., «Fauna Tridentina»).

b) Botanische Abteilung.

Die Bibliotheksarbeiten wurden von dem Kustos-Adjunkten Dr. K. v. Keißler besorgt.

Der Zuwachs der Bibliothek im Jahre 1911 war folgender:

a) Einzelwerke und Separatabdrücke:

als Geschenk	90 Nummern in	205 Teilen
durch Kauf . .	30 » »	88 »
» Tausch . .	26 » »	31 »
Zusammen	146 Nummern in	324 Teilen

und zwar:
Einzelwerke:

als Geschenk .	7 Nummern in	10 Teilen
durch Kauf . .	30 » »	88 »
» Tausch .	9 » »	12 »
	46 Nummern in	110 Teilen

Separatabdrücke:

als Geschenk .	83 Nummern in	195 Teilen
durch Kauf . .	— » »	— »
» Tausch . .	17 » »	19 »
	100 Nummern in	214 Teilen

b) Zeit- und Gesellschaftsschriften:

als Geschenk	— Nummern in	— Teilen
durch Kauf	61 » »	80 »
» Tausch	33 » »	55 »
Zusammen . . .	94 Nummern in	135 Teilen

Von den Periodica sind 3 Nummern neu. Gesamtzuwachs 240 Nummern in 459 Teilen.

Gesamtstand der Bibliothek Ende 1911:

Periodica . . .	360 Nummern in	4896 Teilen
Einzelwerke . .	13107 » »	16552 »
Zusammen	13467 Nummern in	21448 Teilen

Geschenke widmeten der Bibliothek der botanischen Abteilung: die Augustana Library (Rock Island, Ill., U. S. A.), der Botanische Garten in Kopenhagen, das Botanische Museum der Universität Zürich, das Departement of Agriculture (Washington, U. S. A.), die Hamburger wissenschaftlichen Anstalten, die mineralogische und zoologische Abteilung, das U. S. National Museum (Washington), ferner die Herren: C. Arvet-Touvet (Grenoble), Prof. F. Bubák (Tábor), A. Crozals (Vias, Frankreich), Geheimrat Prof. A. Engler (Berlin), Prof. W. Figdor (Wien), Direktor H. Fleischmann (Wien), Prof. K. Fritsch (Graz), A. Fröhlich (Graz), Dr. A. v. Hayek (Wien), Prof. A. Heimerl (Wien), Dr. W. Himmelbaur (Wien), Dr. K. Hlawatsch (Wien), Hofrat Prof. F. v. Höhnel (Wien), Privatdozent Dr. J. Janchen (Wien), Dr. S. Jávorka (Budapest), Dr. K. v. Keißler (Wien), Prof. F. Kränzlin (Berlin), kais. Rat Dr. M. Kronfeld (Wien), Dr. J. B. Kümmerle (Budapest), Dr. N. Košanin (Belgrad), H. Lindberg (Helsingfors), Regierungsrat Dr. J. Lütkemüller (Baden, N.-Ö.), J. A. Maiden (Sydney), Dr. G. Moesz (Budapest), A. H. Moore (Cambridge, U. S. A.), Prof. F. Pax (Breslau), Z. P. Pantu (Bukarest), F. Petrak (Mähr.-Weißkirchen), Dr. K. Rechinger (Wien), Graf L. v. Sarnthein (Innsbruck), C. K. Schneider (Wien), Prof. G. E. Sennen (Benicarlo, Spanien), Schulrat J. Steiner (Wien), Dr. Z. v. Szabó (Budapest), Dr. F. Vierhapper (Wien) und Abteilungsleiter Kustos Dr. A. Zahlbruckner (Wien).

Der Photographiensammlung widmete Dr. K. Toldt 1 Photographie.

Das Entlehnungsprotokoll weist Entlehnungen von 286 Bänden durch 57 Personen auf.

Zum Schluß sei erwähnt, daß für den Wiener Bibliotheksführer (herausgegeben vom österr. Verein für Bibliothekswesen) ein Bericht über den Stand der Bibliothek der botanischen Abteilung verfaßt wurde.

c) Mineralogisch-petrographische Abteilung.

Die Bibliotheksgeschäfte wurden von Dr. F. Wachter und vom Kanzlisten Fr. Holaschke besorgt.

Der Zuwachs der Bibliothek war folgender:

a) Einzelwerke und Sonderabdrücke:

durch Ankauf	.	36 Nummern in	36 Teilen
Tausch .	.	27 »	» 27 »
Geschenk .	. . . 155	»	» 156 »
Zusammen	. . 218 Nummern in 219 Teilen		

b) Zeit- und Gesellschaftsschriften:

durch Kauf .		39 Nummern in	64 Teilen
Tausch .	23	»	» 38 »
Geschenk .	 14	»	» 30 »
Zusammen	. . 76 Nummern in 132 Teilen		

Unter den Zeit- und Gesellschaftsschriften waren 4 neu, 1 durch Kauf, 2 im Tausche erworben, 1 als Geschenk erhalten.

Als Geschenk liefen Einzelwerke und Sonderabdrücke ein von dem Secretary for Mines of Tasmania (1), dem mineralogisch-geologischen Museum der Universität in Kopenhagen (1), dem Field Museum of Natural History (2), der Anthropologischen Gesellschaft in Wien (7) und den Herren Prof. Dr. Fr.

Becke (3), Regierungsrat Prof. Dr. Fr. Berwerth (8), Dr. K. Hlawatsch (5), E. E. Howell (1), Dr. R. Köchlin (1), J. Rempfer (1), Geheimrat Prof. Dr. H. Rosenbusch (10), Schulrat Prof. A. Sigmund (2), Prof. Dr. H. Tertsch (15), W. H. Twelvetrees (2), Prof. Dr. W. J. Vernadsky (1), Kommerzialrat J. Weinberger (83) und Prof. Dr. E. A. Wülfing (16), Zeit- und Gesellschaftschriften von dem k. k. Ministerium für öffentliche Arbeiten (1), der k. k. geologischen Reichsanstalt (2), der kais. Akademie der Wissenschaften (2), der Intendanz des k. k. naturhist. Hofmuseums (1), der Wiener mineralogischen Gesellschaft (1), der naturforschenden Gesellschaft in Zürich (1), der Schlesischen Gesellschaft für vaterländische Kultur (1), der Sektion für Naturkunde des Österr. Touristen-Klubs (1), der Redaktion der ungarischen Montan-, Industrie- und Handelszeitung (1) und den Buchhandlungen von R. Friedländer & Sohn (1), Gerold & Cie. (1) und M. Weg (1).

Die Bibliothek wurde in den Räumen der Abteilung vielfach von Fachgenossen benutzt. Das Ausleihprotokoll wies 79 Entlehnungen in 120 Bänden aus.

Stand der Bibliothek Ende 1911:

Einzelwerke und Sonderabdrücke .	. . 15357 Nummern in 16366 Teilen
Zeit- und Gesellschaftsschriften .	. . 242 » » 7298 »
Zusammen . . .	15599 Nummern in 23664 Teilen

Der Autorenkatalog der Bibliothek, bearbeitet von Dr. K. Hlawatsch, ist in diesem Jahre zur Herausgabe gelangt.

d) Geologisch-paläontologische Abteilung.

Die Inventarisierung der Neueinläufe sowie die Übergabe an den Buchbinder hat Dr. Schaffer besorgt, in seiner Abwesenheit (8 Monate) zuerst Dr. Blaschke, dann Frl. Lotte Adametz. Dieselbe hat auch eine Neuordnung unserer umfangreichen Kartensammlung vorgenommen. Die Ausleihagenden waren der Baronin Ella Fröhlich übertragen. Die letztere hat auch begonnen, ein Inventar der sämtlichen Bücher- und Kartenbestände anzulegen.

Der Zuwachs der Bibliothek war folgender: a) Einzelwerke und Sonderabdrücke: durch Kauf 26 Nummern in 29 Teilen, durch Tausch 24 Nummern in 29 Teilen, als Geschenk 108 Nummern in 109 Teilen, zusammen 158 Nummern in 167 Teilen.

b) Zeitschriften: durch Kauf 25 Nummern in 35 Bänden, durch die Intendanz im Tausch gegen die «Annalen» 56 Nummern in 119 Bänden, als Geschenk 14 Nummern in 181 Bänden, wovon 5 Nummern in 6 Bänden neu.

c) Karten: durch Kauf 1 Nummer in 4 Blättern, durch Tausch 7 Nummern in 120 Blättern, zusammen 8 Nummern in 124 Blättern, wovon 4 Nummern in 9 Blättern neu.

Stand der Bibliothek am 31. Dezember 1911:

Einzelwerke und Sonderabdrücke .	14597 Nummern in 16072 Teilen
Zeitschriften . . .	597 » » 10061 »
Karten	818 » » 9046 »

Die Bibliothek der Abteilung ist von 46 Personen benützt worden. Die Zahl der Entlehnungen nach außen beträgt 194, die der entlehnten Bücher und Karten 250.

Geschenke sind der Abteilung von folgenden Ämtern und Herren zugekommen: Anthropologische Abteilung des k. k. naturhistorischen Hofmuseums (2), An-

thropologische Gesellschaft (4), C. E. Dutton, Washington (1), Dr. W. Friedberg, Lemberg (1), Chefgeologe G. Geyer, Wien (1), Dr. A. Ginzberger, Wien (1),
Dr. K. Hlawatsch, Wien (1), k. k. Intendanz des naturhistorischen Hofmuseums
(1), Dr. F. X. Schaffer (3), Prof. Ch. Schuchert, Newhaven (90), Dr. E. Schumacher-Kopp, Luzern (1), Prof. E. Suess (1), Hofrat Prof. Dr. F. Toula (3), Dr. F.
Trauth (1).

Der Zuwachs an Photographien betrug 34 Nummern, durchaus Ankäufe, und
zwar: 28 Bilder aus Spitzbergen im Kaufe von Herrn O. Halldin, Photograph in Stockholm, 1 photographische Aufnahme des *Drepanaspis gemündensis*, Unt.-Devon, Ge-
münden, 1 photographische Aufnahme von *Dorygnathus* sp. Lias ε von Holzmaden,
Württemberg, Aufnahme von Moll, 4 Stück photographischer Aufnahmen der Pins-
dorfer Funde, im Kaufe von R. Borrmann in Gmunden, Preis K 6.

Der Stand der Photographien- und Bildersammlung war somit am 31. Dezember
1911: 6858 Nummern.

c) Anthropologisch-ethnographische Abteilung.

1. Anthropologisch-prähistorische Sammlung.

Die Bibliothek der anthropologisch-prähistorischen Sammlung erhielt im Jahre
1911 durch Ankauf 24 Nummern in 24 Teilen, als Geschenk 5 Nummern in 5 Teilen
und im Tauschwege 102 Nummern in 106 Teilen, im ganzen 131 periodische Schriften.
An dem Tauschverkehre partizipierten die Anthropologische Gesellschaft in Wien durch
61 Vereine und Redaktionen mit 81 Publikationen und die Intendanz des Museums
(Annalen) durch 21 Vereine und Redaktionen mit 21 Publikationen.

An Einzelwerken erhielt die Bibliothek 87 Nummern in 89 Teilen, davon als
Geschenk 15 Nummern in 17 Teilen, von der Anthropologischen Gesellschaft 56 Nummern in 56 Teilen, durch die Intendanz 3 Nummern in 3 Teilen und durch Ankauf
13 Nummern in 13 Teilen.

Der Gesamtstand der Bibliothek Ende 1911 betrug: Einzelwerke 3935 Nummern
in 6503 Teilen, periodische Schriften 224 Nummern in 4394 Teilen, zusammen 4159
Nummern in 10.897 Teilen.

Die Bibliothek benützten außer den Angehörigen der Abteilung 21 Herren. Nach
auswärts wurden 94 Bände ausgeliehen.

2. Ethnographische Sammlung.

An laufenden Zeitschriften bezog die Bibliothek der ethnographischen Sammlung
84 Nummern in 87 Teilen im Tausche gegen die «Annalen» durch die Intendanz,
72 Nummern in 84 Teilen von 62 Gesellschaften und Redaktionen durch die Anthropologische Gesellschaft gegen Ersatz der Kosten der von derselben für diese Schriften abgegebenen Exemplare ihrer «Mitteilungen», 31 Nummern in 40 Teilen durch Ankauf
und 13 Nummern in 15 Teilen als Geschenk, zusammen 200 Nummern in 226 Teilen,
davon 11 Nummern in 11 Teilen neu.

An Einzelwerken erhielt die Bibliothek 2 Nummern in 2 Teilen als direkte Geschenke, 12 Nummern in 13 Teilen durch die Intendanz, 45 Nummern in 49 Teilen durch
die Anthropologische Gesellschaft und 63 Nummern in 69 Teilen durch Ankauf, so
daß der gesamte Zuwachs an Einzelwerken 122 Nummern in 133 Teilen beträgt.

Der Gesamtstand der Bibliothek betrug mit Ende 1911:

Einzelwerke und Sonderabdrücke   5458 Nummern in 6586 Teilen
Zeitschriften   .   .   . 477   »   » 6282   »
                                        _____
            Zusammen   . 5935 Nummern in 12868 Teilen

Der Zuwachs an Photographien im Jahre 1911 beträgt 698, so daß die Sammlung gegenwärtig 10.539 Nummern besitzt.

V. Wissenschaftliche Reisen und Arbeiten der Musealbeamten.

a) Zoologische Abteilung.

Kustos A. Handlirsch benützte mit Unterstützung aus dem Reisefond seinen Sommerurlaub im Juli zu einer Sammelreise in die Küstenländer. Er besuchte Arbe, wo namentlich im Dundowalde und an den Halden der Digna rossa eine Reihe interessanter Hemipterenarten erbeutet wurde. Außerdem hielt sich Handlirsch auch auf Lussin und Pago auf, besuchte einige kleine Inseln in der Umgebung und sammelte dann noch einige Zeit an den Hängen des Monte maggiore. Im August besuchte er verschiedene Teile des Salzkammergutes und sammelte in der alpinen Region sowie in Moorgebieten an mehreren Seen. Diese Exkursionen ergänzen in manchen Punkten die in früheren Jahren von Handlirsch unternommene hemipterologische Durchforschung unserer Alpen und lieferten sogar einige neue Arten.

Dr. Karl Holdhaus unternahm im Juni eine dreiwöchentliche Sammelreise in die Nordkarpathen. Er sammelte zunächst im Gömörer Komitat und besuchte daselbst die Aggteleker Grotte sowie die Eishöhle bei Szilicze und die Ludmillahöhle bei Pelsöcz. Namentlich die Aggteleker Grotte beherbergt eine sehr interessante Höhlenfauna. Hierauf begab sich Dr. Holdhaus in die Hohe Tátra und sammelte hier in der Umgebung des Grünsees und des Csorbasees sowie in den Bélaer Kalkalpen. Im Juli unternahm Dr. Holdhaus Sammelexkursionen nach dem Rollepaß (Dolomiten) und ins Glocknergebiet.

Dr. Toldt beteiligte sich auf eigene Kosten an der von der Wiener Universität in der Zeit vom 8. bis 26. April veranstalteten Reise nach Griechenland und sammelte hiebei an den verschiedenen Lokalitäten, welche besucht wurden, für das Museum eine Anzahl Insekten, Mollusken, Reptilien u. dgl.; unter diesem Material sind insbesondere die Exemplare, welche auf den zoologisch bisher wenig erforschten Inseln Santorin und Delos (Kykladen) erbeutet wurden, von Interesse.

Dr. Karl Graf Attems hat mit Unterstützung aus dem Reisefonde des Museums im Sommer 1911 in den Monaten Juli, August, September einen längeren Aufenthalt an der zoologischen Station in Roscoff genommen zum Studium der marinen Fauna, besonders der Polychäten. Die Station Roscoff, an der bretonischen Küste gelegen und dem zoologischen Institut der Sorbonne in Paris unter Prof. Yves Delage unterstehend, wurde auf Anraten des Herrn Hofrates v. Graff aufgesucht. Die dortigen Verhältnisse sind für den, der die litorale Fauna studieren und die Tiere an Ort und Stelle ihres Vorkommens selbst sehen will, geradezu ideal. Die flache Küste wird zur Zeit der Ebbe auf eine riesige Distanz, stellenweise in einem mehrere Kilometer breiten Streifen freigelegt und da sie eine große Mannigfaltigkeit bezüglich des Grundes, Sand,

Felsen, Schlamm, Algenwiesen etc. zeigt, ist auch die marine Fauna sehr reich. Die Leitung der Station unter Prof. Beauchamp veranstaltet häufige Ausflüge mit dem kleinen Petroleummotor der Station zum Besuch der Inseln und entfernter gelegener Orte der Küste. Diese Ausflüge werden so häufig veranstaltet, daß man nicht an allen teilnehmen kann, wenn man das gesammelte Material auch verarbeiten will. Außerdem kann man, direkt vom Stationsgebäude barfuß weggehend, nach verschiedenen Richtungen Strandexkursionen machen, so daß ein Materialmangel nie eintritt. Während seines Aufenthaltes sind dem Referenten von den litoralen Formen die meisten der bereits bekannten und eine gute Anzahl bisher noch nicht bekannter Formen vor Augen gekommen. Etwas weniger günstig steht es mit dem Beschaffen der Tiefenformen. Der kleine Petroleummotor war damals noch das einzige der Station zur Verfügung stehende Schiff (inzwischen dürfte ein zweites größeres damals in Ausrüstung begriffenes Schiff fertiggestellt sein) und da er damals meist zu Strandexkursionen benötigt wurde, konnte relativ selten gedredscht werden. Auch die Bibliothek ist noch sehr in den Anfängen. Im allgemeinen kann aber der Aufenthalt an der Station als ein sehr gelungener bezeichnet werden.

Den Sommerurlaub benützte Dr. Pietschmann zur Teilnahme an der August-Terminfahrt an Bord S. M. S. «Najade», die durch die Kommission zur wissenschaftlichen Erforschung der Adria durchgeführt wurde.

Volontär Dr. Otto Pesta unternahm mit Subvention des k. k. Ministeriums für Kultus und Unterricht in den Sommermonaten eine Sammelreise in Tirol, um Studien über die Zusammensetzung der Fauna von Hochgebirgsseen zu machen. Die Resultate werden gleichzeitig mit den chemischen Analysen der zugehörigen Seewässer von Prof. H. Klein (Wien) in den Verhandlungen der zoolog.-botan. Gesellschaft publiziert. Im Crustaceenplankton der ersten vier untersuchten Seen fanden sich folgende Formen: *Alona affinis, Chydorus sphaericus, Cyclops serrulatus, C. strenuus, Daphnia longispina, Diaptomus bacillifer, D. gracilis, Macrothrix hirsuticornis, Polyphemus pediculus, Simocephalus vetulus* und mehrere Jugendstadien; das Vorkommen von *Polyphemus pediculus* in den Alpen Tirols war bisher nicht bekannt.

Publikationen:

Attems, Karl Graf: Die Chilopoden der Reise von Dr. J. Carl im nördlichen zentralafrikanischen Seengebiet. (Revue Suisse de Zoologie, Vol. 19, 1911.)
— Myriopoden von Gomera, gesammelt von Prof. W. May. (Archiv für Naturgeschichte, 1911).
— Die Gattung *Brachydesmus*. (Verhandl. der k. k. zoolog.-botan. Gesellsch. Wien, 1911.)
Ganglbauer, L.: Neue Carabiden der Ostalpen. (Wien. Entom. Zeit., XXX. Jahrg., 1911, p. 237—245.)
Handlirsch, Ant.: Die Bedeutung der fossilen Insekten für die Geologie. (Mitt. Geol. Gesellsch. Wien III, p. 503—522, Taf. 21.)
— Das erste fossile Insekt aus dem Miocän von Gotschee in Krain. (Berl. Entom. Zeitschr. LV, p. 170—180, 1 Fig.)
— New Palaeozoic Insects from the vicinity of Mazon Creek, Ill. (Amer. Journ. of Science XXXI, p. 297—326, 353—377. Mit 63 Fig.)
— Über fossile Insekten. (1er Congrès intern. d'Entom., p. 177—184, Taf. 6—10.)
— Rekonstruktionen paläozoischer und mesozoischer Insekten. (Verh. VIII. Intern. Zool.-Kongr. Graz, p. 668—671, 2 Fig.)

Holdhaus, Dr. Karl: Über die Coleopteren- und Molluskenfauna des Mte. Gargano (unter besonderer Berücksichtigung der Adriatisfrage). (Denksch. d. kais. Akad. d. Wiss. Wien, math.-nat. Kl., Bd. 87.)
— Über die Abhängigkeit der Fauna vom Gestein. (C. R. du Ier Congrès internat. d'Entomologie, p. 321—344.)
— Ein neuer *Trechus* aus Dalmatien. (Entom. Blätter VII, p. 165.)
— Zur Kenntnis der Coleopterenfauna der Färöer. (Deutsche Entom. National-bibliothek II, p. 123—125.)

Pesta, Dr. O.: Copepoden des östlichen Mittelmeeres, II. und III. Artenliste, 1891 und 1892. (Denkschr. d. kais. Akad. d. Wiss., Bd. 87, 1911.)
— Botanische und zoologische Ergebnisse einer wissenschaftlichen Forschungsreise nach den Samoa-Inseln, dem Neu-Guinea-Archipel und den Salomons-Inseln, Crustacea. (Ebenda, Bd. 88, 1911.)
— Beiträge zur Kenntnis der Pontoniiden. (Zool. Anzeiger, Bd. 38, Nr. 25/26, Leipzig 1911.)
— Zur Fauna einiger Gebirgsseen in Kärnten und in Tirol. (Verhandl. d. k. k. zool.-botan. Gesellsch. Wien, Jahrg. 1911, p. 117.)

Pietschmann, Dr. V.: Über *Neopercis macrophthalma* n. sp. und *Heterognathodon doederleinii* Ishikawa, zwei Fische aus Formosa. (Annalen des k. k. naturhist. Hofm. XXV, p. 432—435.)

Rebel, Dr. H.: *Melitaea dejone rosinae*, eine neue Tagfalterform aus Portugal. (Ebenda XXIV, p. 375—377, Taf. 11.)
— Sechster Beitrag zur Lepidopterenfauna der Kanaren. (Ebenda, p. 327—374, Taf. 12.)
— Neue Tagfalter aus Zentralafrika (Expedition Grauer). (Ebenda, p. 409—414, Taf. 13, 14.)
— Beitrag zur Lepidopterenfauna Syriens. (Zool.-botan. Verhandl., 1911, p. [142]—[156].)
— Lepidopteren aus dem Gebiete des Monte Maggiore in Istrien. (XXI. Jahresber. Wien. Entom. Ver., 1910, p. 97—110.)
— Lepidopteren aus dem Gebiete des Triglav und der Crna Prst in Krain. III. Nachtrag. (Ebenda, p. 111—147.)
— Eine neue Lycaenidenform aus Südungarn. (Entom. Zeitschr., Frankfurt a. M. XXV, p. 191.)

Steindachner, Dr. Franz: Vorläufiger Bericht über drei neue Arten aus der Familie der *Chamaelontidae*. (Anzeiger der kais. Akad. d. Wiss., math.-nat. Kl., 1911, Nr. X, p. 177.)
— Bericht über vier neue Siluroiden und Characinen aus dem Amazonasgebiet und von Ceará. (Ebenda, Nr. XV, p. 324.)
— Bericht über eine neue brasilianische *Myleus*-Art. (Ebenda, Nr. XVI, p. 342.)
— Bericht über einige neue und seltene südamerikanische Süßwasserfische. (Ebenda, Nr. XVII, p. 369.)
— Bericht über einige neue und seltene afrikanische Süßwasserfische. (Ebenda, Nr. XXVII, p. 535.)
— Beiträge zur Kenntnis der Fischfauna des Tanganjikasees und des Kongogebietes. (Sitzungsber. d. kais. Akad. d. Wiss. Wien, Bd. CXX, Abt. 1, Dezember 1911, mit 3 Taf.)

b) Botanische Abteilung.

Kustos Dr. Zahlbruckner verbrachte den größeren Teil seines Sommerurlaubes in Tirol. Als Ausgangspunkt der Sammeltouren wurde Hochfilzen gewählt, von wo aus mehrere Gebirgsstöcke, insbesondere der Wildseeloder auf Zellkryptogamen durchforscht wurden. Die Funde im Hochgebirge sowohl als auch in der Umgebung des Pillersees bei St. Ulrich waren befriedigend; sie beweisen, wie viel in unseren Alpen noch zu machen ist, wie weit wir davon sind, sie gründlich zu kennen, und welche reiche Ausbeute sie auch in Zukunft noch dem geübten Spezialisten bieten werden.

Kustos-Adjunkt Dr. K. v. Keißler hielt sich während des Urlaubes im Bereich der nördlichen Kalkalpen in Steiermark auf und führte eine größere Zahl von Sammeltouren aus, welche hauptsächlich dem Sammeln von Pilzen und der mykologischen Erforschung dieses Teiles von Steiermark galten. Trotz der infolge der Trockenheit ungünstigen Verhältnisse gelang es, eine größere Anzahl seltenerer Pilze zu akquirieren, darunter von der im Vorjahr gefundenen neuen Gattung eines Flechtenparasiten (Lichenophoma) weiteres Material nachzusammeln sowie eine Anzahl Pilze in 60 Exemplaren für die «Krypt. exsicc.» zu erwerben (darunter das seltene Helotium conformatum f. acarium Rehm). Im Ennsflusse im Bereiche des Gesäuses wurde von dem Genannten ein Standort von Sacheria fluviatilis konstatiert, eine Alge, welche aus Steiermark erst von einem Standort bekannt war und in Niederösterreich seit Welwitsch nicht mehr gefunden wurde. Dieselbe wurde in 60 Exemplaren eingelegt. Ferner sind die im Vorjahre begonnenen Aufsammlungen und Studien über die Algen- und Planktonflora des Leopoldsteiner Sees fortgesetzt worden, wobei sich eine infolge des warmen, trockenen Sommers zum Teil abweichende Zusammensetzung der Algen-, besonders der Planktonflora ergab. Aus diesem Gebiete wurden mehrere Algen für die «Krypt. exsicc.» erworben.

Die Erforschung der Pilzflora von Niederösterreich wurde an den Sonntagen vor und nach dem Urlaub auf Exkursionen in der Umgebung Wiens fortgesetzt und insbesonders Studien über harzbewohnende Pilze gemacht, von denen drei Spezies für die «Krypt. exsicc.» eingesammelt wurden. Von den sonstig hiebei für das Herbar der botanischen Abteilung gesammelten Pilzen sei Urceollela chionea Rehm, bisher nur von einem Standort in England bekannt, erwähnt, welcher Pilz — da nur 25 Exemplare zustande gebracht werden konnten — in Rehms «Ascomyc. exsicc.» ausgegeben wurde.

Kustos-Adjunkt Dr. K. Rechinger brachte vier Wochen seines Urlaubes in Berlin zu, um die Bearbeitung seiner Ausbeute an Phanerogamen und Pteridophyten aus Deutsch-Neu-Guinea und von den Salomons-Inseln dort zu vollenden und dort befindliche Originalexemplare zu vergleichen. Den Rest seines Urlaubes brachte derselbe in Aussee in Steiermark zu und sammelte für das Exsiccatenwerk «Kryptogamae exsiccatae» Algen und Pilze.

Publikationen:

Zahlbruckner, A.: Schedae ad «Kryptogamas exsiccatas». Cent. XIX. (Annalen des k. k. naturhist. Hofm. Wien, Bd. XXV, 1911, p. 223—252.)

— Lichenes apud Rechinger, Botanische und zoologische Ergebnisse einer wissenschaftlichen Forschungsreise nach den Samoa-Inseln, dem Neu-Guinea-Archipel und den Salomons-Inseln. (Denkschr. d. kais. Akad. d. Wiss. Wien, math.-nat. Kl., Bd. 88, 1911, p. 12—31.)

— Transbaikalische Flechten. (Travaux de la Sous-Section de Troitzkossawsk-Kiakhta, Section du pays d'Amour de la Soc. Imp. Russe de Géographie, vol. XII, 1911, p. 73—95.)

Zahlbruckner, A.: Flechten in Justs Botanischem Jahresbericht, Bd. XXXVIII, Abt. 1, [1910] 1911, p. 1—37.

Keißler, Dr. K. v.: Bearbeitung der Fungi in Zahlbruckner, A., Schedae ad «Kryptogamas exsiccatas», Cent. XIX. (Annalen d. k. k. naturhist. Hofm. Wien, Bd. XXV, [1911], p. 223).

— Zwei neue Flechtenparasiten aus Steiermark. (Hedwigia, Bd. L, [1911], p. 294.)

— Redigierung von Bd. XXIII der Mitteilungen der Sektion für Naturkunde des Österr. Touristen-Klub.

— Untersuchungen über die Periodizität des Phytoplanktons des Leopoldsteiner Sees in Steiermark, in Verbindung mit einer eingehenderen limnologischen Erforschung dieses Seebeckens. (Vorläufige Mitteilung.) (Arch. f. Hydrobiol. u. Planktonk., Bd. VI, [1911], p. 480.)

Rechinger, Dr. K.: Botanische und zoologische Ergebnisse einer wissenschaftlichen Forschungsreise nach den Samoa-Inseln, dem Neu-Guinea-Archipel und den Salomons-Inseln. IV. Teil. (LXXXVIII. Bd. d. Denkschr. d. kais. Akad. d. Wiss., math.-nat. Kl., 65 p., mit 3 Tafeln und 5 Textfiguren.)

— Bearbeitung der Algae in Zahlbruckner A., Schedae ad «Kryptogamas exsiccatas», Cent. XIX. (Annalen d. k. k. naturhist. Hofm. Wien, Bd. XXV, 1911, p. 233.)

c) Mineralogisch-petrographische Abteilung.

Auf Exkursionen im Semmeringgebiete sammelte Direktor Berwerth der Grünschieferformation angehörige Minerale für die Sammlungen. Ferner hielt derselbe in den Sitzungen der Wiener Mineralogischen Gesellschaft einen Vortrag «Alte und neue Ansichten über die Meteoriten» und machte Vorlagen des neuartig zusammengesetzten Meteorsteins von El Nakhla el Baharia in Ägypten und vom Miskeyit (Pseudophit.) von St. Gallenkirch. Direktor Berwerth bearbeitete ferner die chemische Zusammensetzung der Meteoreisen für das Handbuch der chemischen Mineralogie von C. Dölter, das Kapitel «Meteoriten» für das Handwörterbuch der Naturwissenschaften im Verlage von Fischer in Jena und das Referat über die Fortschritte in der Meteoritenkunde seit 1900 für Bd. I, 1912.

Publikationen:

Berwerth, F.: Die Fortschritte der Meteoritenkunde seit 1900. (Fortschritte der Min. etc., Bd. I, 1911, p. 257—284.)

— Über den Nakhlit, eine neue Art eines kristallinisch-körnigen Meteorsteins. (Tscherm., Min.-petr. Mitt., Bd. 31, Heft 1, 1912.)

— Miskeyit von St. Gallenkirch. (Tscherm., Min.-petr. Mitt., Bd. 31, Heft 1, 1912.)

Köchlin, R.: Neue Mineralvorkommnisse von Königswart in Böhmen. (Mitt. d. Wien. Min. Ges., 1911, Nr. 58.)

Hlawatsch, C.: Bibliothekskatalog der mineralogisch-petrographischen Abteilung des k. k. naturhistorischen Hofmuseums. (Annalen des k. k. naturhist. Hofm. Wien, 1910—1911.)

— Über einige Mineralien der Pegmatitgänge im Gneiße von Ebersdorf bei Pöchlarn, N.-Ö. (Verhandl. der k. k. geol. Reichsanst., 1911, p. 259—261.)

d) Geologisch-paläontologische Abteilung.

Prof. E. Kittl unternahm mit Unterstützung aus dem Reisefonde Mitte August eine Reise nach Südtirol, wo er namentlich im Abteital verschiedene Ankäufe für das

Museum machte, und besuchte dann noch das Salzkammergut, um dort die für das Museum gemachten Aufsammlungen zu inspizieren.

Dr. F. Schaffer unternahm auf eigene Kosten eine achtmonatliche Studienreise in die Vereinigten Staaten von Nordamerika, über welche er der Intendanz nachfolgenden Bericht erstattete:

Meine in den Monaten Februar bis September unternommene Studienreise nach den Vereinigten Staaten von Nordamerika hat mehrere Zwecke verfolgt. Zuerst wollte ich die naturwissenschaftlichen Museen und besonders deren geologisch-paläontologische Sammlungen sowie die der verwandten Universitätsinstitute kennen lernen und persönliche Beziehungen mit den dortigen Fachgenossen anknüpfen. Sodann war meine Absicht, eine Anzahl der wichtigsten Fundstätten fossiler Faunen und die für den Geologen lehrreichsten Gegenden zu besuchen. Die gewählte Reisezeit begünstigte das Beginnen, da ich die kalte Jahreszeit in den Städten des Ostens verbrachte und mich anfangs Mai nach dem Westen begab, von wo ich erst anfangs September wieder nach New-York zurückkehrte.

Nur dank der liebenswürdigen Aufnahme, die ich allenthalben bei allen Fachgenossen gefunden habe, und dank der Empfehlungen, die mir das Anknüpfen neuer Beziehungen ungemein erleichterten, konnte ich meine Absichten in befriedigender Weise ausführen. Vor allem aber bin ich Herrn Direktor W. J. Holland auf das tiefste verpflichtet für die liebenswürdige Einladung, als Gast des Carnegie-Museums in Pittsburg die dortigen reichen Sammlungen zu studieren und die Ausgrabungen in Utah zu besichtigen. Hauptsächlich seine Einführungsschreiben sind es gewesen, die mir die Wege im Lande geebnet haben.

Auf der Fahrt nach Genua, wo ich mich einschiffte, wurde ein Aufenthalt in Mailand genommen, um das Museo di storia naturale wieder zu besuchen. In Genua, Neapel und Palermo wurden die geologischen Institute der Universitäten besichtigt. In dem letztgenannten sind die Suiten des Pliocäns, Miocäns, der Kreide, des Jura und des Permocarbons von besonderem Interesse.

Der erste Aufenthalt wurde in New-York genommen, wo die Sammlungen des American Museum of Natural History eingehend besichtigt wurden. Hier sind es besonders die fossilen Wirbeltiere, die Saurier des Jura und der Kreide und die Säugetiere des Tertiärs, die ein in der Welt einzig dastehendes Material bilden. Sie zeichnen sich durch die große Zahl montierter Skelette aus. Die an vielen Punkten im Westen ausgeführten Ausgrabungen haben die vollständigen Entwicklungsreihen einer ganzen Anzahl von Säugetieren vom tiefsten Eocän bis zum Pliocän geliefert, die in der Schausammlung sehr instruktiv aufgestellt und erläutert sind. Die Pampasfauna, die Kreide- und Tertiärschildkröten, die Devonfische und andere große Komplexe der fossilen Wirbeltierwelt sind unübertroffen vertreten. Die wichtigeren fossilen Formen werden durch bildliche und plastische Rekonstruktionen dem Publikum vor Augen geführt.

Der geologischen Sammlung ist bisher wenig Aufmerksamkeit geschenkt worden. Sie ist jetzt in Neugestaltung begriffen und in der Schausammlung werden besonders große Objekte wie eine Tropfsteinhöhle, Gletschertöpfe, ein Kristallkeller u. a. zur Aufstellung gelangen. Große Diaphanbilder führen den Besuchern die geologisch merkwürdigsten Gegenden des Landes vor. Die baulichen, Raumverteilung und Licht betreffenden und sonstigen technischen Einrichtungen, wie die elektrischen, Heizungs-, Kühlungs- sowie Ventilationsanlagen, die Werkstätten- und Maschinenräume, in denen fast alle für das Haus und die Sammlungen nötigen Arbeiten ausgeführt werden können, vervollständigen das Bild dieses modernsten und größtangelegten Institutes, das mit einem Jahresbudget von 2,000.000 Kronen und einer jährlichen Besucherzahl von 700.000 Personen alle verwandten Museen übertrifft.

In Newhaven (Yale College) bietet das alte Peabody Museum leider keine geeigneten Räume zur Entfaltung der reichen Wirbeltierfaunen, deren Hauptstock die Sammlung Marsh bildet. Sie umfaßt prächtige Dinosaurier, Flugsaurier, Fische des Devons, der Trias und des Eocäns, darunter viele Originale. Von den Invertebraten verdienen die paläozoischen Brachiopoden und die Crinoiden und Insekten besondere Erwähnung und ein reiches Material fossiler Cycadeen erfährt jetzt gerade seine wissenschaftliche Bearbeitung.

Das Museum of Comparative Zoology in Harvard College (Cambridge) bietet keine größeren geologischen und paläontologischen Sammlungen und die Institute besitzen nur Studienmaterial.

Das State Museum von New-York in Albany ist wohl das reichste des Landes an paläozoischen Fossilien und manche Gruppen, wie z. B. die Eurypteridier, dürften nirgends so reich vertreten sein. Infolge des Neubaues des Museums ist keine Schausammlung aufgestellt.

Trotz seines jungen Bestandes nimmt das Carnegie Museum of Natural History in Pittsburg einen hohen Rang unter den wissenschaftlichen Instituten des Landes ein. Während die Ausstellungssäle nicht gerade glückliche Lösungen der Platz- und Lichtfrage zeigen, sind seine maschinellen Einrichtungen, Werkstätten, Präparationsräume u. dgl. von modernster Vollendung. Die Sammlung fossiler Wirbeltiere ist die zweitgrößte in Amerika und wird in nächster Zeit durch die reichen neuesten Funde eine starke Bereicherung erfahren. Die Dinosaurier sind durch glänzende Exemplare vertreten und die tertiären Wirbeltiere Amerikas können jeden Vergleich aushalten. Prächtige Schaustücke sind die Saurier von Holzmaden und die Bolcafische, die aus der Sammlung des Baron Baillet stammen. Durch diese ist das Museum auch in den Besitz einer Sammlung europäischer Invertebraten gelangt, wie sie in keinem anderen Museum des Landes zu finden ist.

Das geologische Institut der John Hopkins University in Baltimore ist für das Studium des Tertiärs von großer Bedeutung, da es sehr reichhaltige Suiten von Maryland, Virginia, Georgia, Carolina und den Golfstaaten enthält, die nur zum Teil bearbeitet und veröffentlicht sind.

Das National Museum in Washington beherbergt in seinem neuen Prachtbau die Sammlungen des Geological Survey, in denen natürlich die wirbellosen Tiere ein großes Übergewicht besitzen. Besonders das Paläozoikum und das Tertiär sind vortrefflich vertreten. In den Schausälen gelangten aber eben einige Prachtexemplare von Wirbeltieren zur Aufstellung. Auch dieses neueste Musealgebäude ist in technischer Hinsicht mit allen Erfahrungen zweckmäßig ausgestattet.

Das geologische Institut der Universität Bloomington, Indiana, besitzt ausgezeichnete Sammlungen des Carbons von Indiana und des Permocarbons von Texas und Kansas.

Zu den reichsten Museen gehört das Field Museum in Chicago, das mit einem Jahresbudget von 1,500.000 Kronen dotiert ist. Da es gegenwärtig nur provisorisch in dem alten Kunstpavillon der Weltausstellung untergebracht ist, kann es seine Sammlungen nicht entfalten, doch soll der Neubau in nächster Zeit begonnen werden. Seine Dinosaurier und die diluvialen Wirbeltiere stehen gegenüber anderen Instituten zurück, aber die reichen Suiten von Invertebraten, besonders des Paläozoikums des Nordens und des Tertiärs der Südstaaten, sind von hervorragender Bedeutung.

Annalen des k. k. naturhistorischen Hofmuseums, Bd. XXVI, Heft 3 u. 4, 1912. d

Im geologischen Institute der Universität erregen die Reptilien des Perm aus New Mexico und Texas das größte Interesse.

Das Museum in Denver, Colorado, ist klein, aber sehr gut eingerichtet und enthält meist nur Gesteine, Minerale und Erze der Minendistrikte.

Wichtig für das Studium der Lokalfaunen ist das geologische Institut der Universität Salt Lake City, das reiche Suiten des Cambriums, des Carbons, der Trias und Kreide besitzt.

Das geologische Institut der Universität Seattle, Washington, hat keine nennenswerten Sammlungen mit Ausnahme der schlechterhaltenen Fossilien des untern und mittleren Tertiärs der Puget Sound Gegend.

In der Universität von Kalifornien in Berkeley sind die Triasreptilien und die pliocänen Wirbeltiere von Nevada sowie die diluviale Wirbeltierfauna von Rancho la Brea Hauptstücke der Sammlung.

Die Leland Stanford University in Palo Alto, Kalifornien, war der Sommerferien wegen nicht zugänglich. Ihre paläontologischen Sammlungen sind hauptsächlich durch Invertebraten der pazifischen Région ausgezeichnet.

Die University of Pennsylvania in Philadelphia besitzt keine nennenswerte paläontologische Sammlung und auch die der Universität in Princeton ist, soweit sie der Ferien wegen zu besichtigen war, ohne größeres Interesse. Die dortselbst aufbewahrten berühmten Wirbeltierreste aus Patagonien waren mir leider nicht zugänglich.

Auf der Heimreise hielt ich mich noch ein paar Tage in Berlin auf, wo ich das Museum für Naturkunde wieder besuchte, das durch die Reste riesiger Dinosaurier vom Tendaguru in Togo eine bemerkenswerte Bereicherung erfahren hat.

Um geologisch wichtige Punkte und Gegenden kennen zu lernen, wurden eine Anzahl zum Teil größerer Touren unternommen.

Ich besuchte von New-York aus die Ufer des Hudson und die Palisaden, sah den Niagara und machte Ausflüge in das Kohlengebiet der Alleghanies in der Gegend von Pittsburg. Von Bloomington aus wurde ein Besuch des Carbongebietes von Indiana und des Karstlandes und der Höhlen von Mitchell unternommen. Mit Prof. Finley unternahm ich Touren in die Frontrange bei Colorado Springs zum Studium des Profils der östlichen Rocky Mountains.

Dann besuchte ich die unter Leitung Earl Douglass stehende Expedition des Carnegie-Museums in der Nähe von Vernal, Utah, die die Ausgrabung großer Dinosaurier bezweckt, und studierte dort das Profil der Sedimente der zentralen Becken. Mit Prof. Sinclair und Dr. Granger unternahm ich eine Tour in die Badlands von Wyoming, wo ich das Vorkommen der ältesten tertiären Säugetierfaunen kennen lernte. Mit Prof. Woodworth machte ich Ausflüge in der Gegend von Bozeman, Montana, und besuchte die kanadischen Rocky Mountains zwischen Vancouver und Banff, um den Typus der junggefalteten Hochgebirge Amerikas kennen zu lernen. Im Mount Rainier sah ich das schönste Beispiel der hohen Vulkanberge des Nordwestens und im Yellowstonepark die lehrreichsten Thermalphänomene der Welt. Ein Besuch des Yosemitetales war wegen der ungeheuren glazialen Erosionserscheinungen und wegen eines Einblickes in den Bau der Sierra Nevada von großem Werte. Von Los Angelos aus wurden die hochliegenden Diluvialbildungen der Küste aufgesucht und in Begleitung Prof. Millers studierte ich den Fundort der Fauna von Rancho la Brea. Der Grand Canyon des Colorado und der große Salzsee von Utah waren für mich auch äußerst lehrreiche Punkte in dem für den Geologen so überaus reichen Westen der Vereinigten Staaten.

Der europäische Naturforscher, der nach Amerika kommt, muß zuerst die Erfahrung machen, daß er dort in fast jeder Hinsicht neuen Verhältnissen entgegentritt. Er muß sich vor allem daran erinnern, daß er in ein junges Land kommt, das bei einer ungeheuren Ausdehnung eine Überfülle des herrlichsten Materials bietet, das selbstverständlich noch keineswegs erschöpfend bekannt, geschweige denn bearbeitet ist. Er wird in den Museen, in den Instituten der Hochschulen vieles sehen, was ihn anfangs befremdet, aber wenn er das Land zu verstehen beginnt, wird er auch die Wege begreifen, die die Wissenschaft dort großenteils eingeschlagen hat und die von denen der alten Welt teilweise verschieden sind.

Die amerikanischen Museen unterscheiden sich schon in der Verfolgung ihres Zweckes wesentlich von den großen europäischen Instituten. Während diese aus alten, rein wissenschaftlichen Sammlungen hervorgegangen und erst später den Bedürfnissen des großen Publikums angepaßt worden sind, hat man die verhältnismäßig jungen amerikanischen Museen in erster Linie als volkstümliche Bildungsstätten errichtet und eine scharfe Trennung zwischen ihrer Aufgabe in dieser Richtung und als Forschungsinstitute durchgeführt. Begründet ist diese nur zu glückliche Zweiteilung rein äußerlich dadurch, daß der Grundstock der reichen Geldmittel für manche Museen von den Steuerträgern der betreffenden Stadt kommt, für die dafür eine möglichst große Gegenleistung erwartet wird, für andere aber aus einer Dotation stammt, die fast stets an die Bedingung der volkstümlichen Verbreitung der Wissenschaft geknüpft ist. Es ist deshalb das erste Bestreben ein populärer Volksunterricht durch Anschauung und um die Richtigkeit der Methode zu zeigen, braucht man nur auf die große Besucherzahl hinzuweisen. Man hat schon erkannt, daß nur dadurch das Interesse der weitesten Kreise geweckt werden kann, wodurch wieder zahlreiche Gönner für das Institut gewonnen werden. In Amerika ist das Interesse des Volkes für die Naturwissenschaften auch lebendiger als bei uns, wie die Besucherzahlen z. B. des American Museum of Natural History mit 700.000 Personen zeigen. Fast alle Museen sind täglich und völlig unentgeltlich geöffnet, die meisten bis abends 10 Uhr, da man gerade mit der tagsüber beschäftigten arbeitenden Bevölkerung rechnet. Die Auswahl der ausgestellten Stücke wird sehr sorgfältig betrieben. Vor allem wird nur das ausgestellt, was den Laien anregen und weiter bilden kann. Er wird nicht durch die Überfülle des Gebotenen verwirrt und ermüdet. Nur was notwendig zum selbständigen Eindringen in das Verständnis gehört, wird ihm geboten. Er wird nicht durch zahllose lateinische Namen beschwert und die Etiketten sind großenteils ganze Erläuterungen und vielfach kann man von durch Beispiele belegten Etiketten sprechen. Es wird hauptsächlich immer das Vorkommen in der Natur zu veranschaulichen getrachtet, alles eins, ob es sich um Vögel, Fische oder Reptilien handelt. Weiters wird die Entstehung oder Entwicklung dargestellt, die Stellung zu den nächsten Verwandten, Beziehungen zum praktischen Leben u. dgl., so daß man in einem Schaukasten eine ganze Abhandlung über ein interessantes Objekt erhält, mag es nun ein Mineral, eine Stechmücke oder ein fossiles Wirbeltier sein. In der paläontologischen Schausammlung wird womöglich die Entwicklung der Familie und der Gattung im Laufe der Erdgeschichte, die Verwandtschaft der einzelnen Formen untereinander dargestellt, wobei freilich das unübertroffene fossile Wirbeltiermaterial die geeignetsten Objekte bietet. Auch in der zoologischen Sammlung wird durch Gruppen und Dioramen das Leben der Tiere in Freiheit nachgeahmt. Vor allem aber wird vermieden, Massen von Material auszustellen, das nur für den Fachmann Interesse hat. Durch Bilder, zum Teil Diaphane, werden lehrreiche Gegenden, Szenen aus dem Tierleben u. dgl. vorgeführt und erläutert. Bei fossilen Wirbeltieren ist stets auch die

d*

Rekonstruktion im Bilde oder plastisch zu sehen, wie auch Erläuterungen über die Stellung des Tieres im System, seine Organisation, vermutliche Lebensgewohnheiten, Art der Fossilisation usw. gegeben werden. Es ist eben ganz das Bestreben herrschend, ohne Katalog alles so leicht verständlich wie möglich zu machen. Dazu gehören auch die verschiedenen temporären Ausstellungen, Vorträge in den Schausälen und in eigenen Räumen, Kurse für Erwachsene, Kinderunterricht, um den Natursinn zu wecken u. dgl. So wird es freilich mit großem Aufwande von Mühe erzielt, daß die Museen in Amerika ein viel lebendigerer Faktor in der Volksbildung sind als bei uns.

Die wissenschaftliche Arbeit geht davon ganz unberührt ihren Weg, da die nötigen Kräfte, besonders Hilfskräfte, den Betrieb viel mehr ausgestalten lassen. Diese, man kann wohl sagen, ideale Stellung und Tätigkeit mancher amerikanischen Museen ist natürlich auch dadurch sehr gefördert worden, daß sie nach einem einheitlichen Plane mit allen Erfahrungen in jüngster Zeit errichtet wurden und alle die technischen Errungenschaften verwertet zeigen, die in den älteren Anstalten schwer und mit großen Kosten, wenn überhaupt, eingerichtet werden können.

Der Geologe, der von Europa nach Amerika kommt, um womöglich, wie er es dort gewohnt war, Aufsammlungen zu machen, sieht sich anfänglich stark enttäuscht. Vor allem findet er, daß sich das Interesse der Paläontologen fast ganz den Wirbeltieren zugewendet hat, da diese hier das herrlichste Material der Welt liefern, und daß vielfach die Paläontologie nur dem stratigraphischen Zwecke im Felde dient. Die Lokalitäten, die er aus der Literatur kennt, sind schwer zugänglich und erfordern lange und kostspielige Reisen, teilweise die Ausrüstung einer Expedition. Er lernt als Gast eine oder die andere der reichen Fundorte für Wirbeltiere kennen, die alle in festen Händen sind, und auch ohne dieses Hindernis wären die großen Kosten schon ein Grund, solche Ausgrabungen gar nicht zu versuchen. Die Fundorte von Invertebraten werden noch wenig sachgemäß ausgebeutet, da die dafür nötigen Auslagen sehr hoch sind. Selbst solche Punkte aufzusuchen wäre ganz verfehlt. Der Weg, von amerikanischem Material etwas zu erhalten, liegt vielmehr in einem regen Tauschverkehre. Da die dortigen Institute so gut wie gar nichts von europäischen Fossilien besitzen und großen Wert darauf legen, sie zu erhalten, kann das Museum, das zuerst engere Verbindungen anknüpft, viele wertvolle Objekte erwerben.

Dr. F. Trauth unternahm mit der Sektion für Naturkunde des Österr. Touristen-Klubs im Frühjahre ein paar kleinere Exkursionen nach Zillingsdorf und Müllendorf am Leithagebirge, nach Kaltenleutgeben und Mödling sowie ins Semmeringgebiet. Im Juni und September verbrachte er seinen Urlaub (je 14 Tage) in den niederösterreichischen Voralpen, um mittels einer Reisesubvention die hier in den vergangenen Jahren von Dr. F. Blaschke ausgeführten geologischen Studien fortzusetzen, dessen geologische Karte zu reambulieren und zugleich paläontologische Aufsammlungen vorzunehmen, und zwar insbesondere bei Waidhofen a. Y., Ybbsitz, Gresten und Kienberg-Gaming. Auf einigen Touren in der Umgebung von Hinterholz und Waidhofen begleitete ihn Herr Bergverwalter J. Haberfelner aus Lunz und der Fossiliensammler A. Legthaler.

Während des Sommers besuchte er über amtlichen Auftrag eine Fundstelle von Dinotheriumzähnen in Gersthof (Wien, XVIII., Bastiengasse 11 a) sowie eine solche von Mammutresten in Stillfried a. d. March (Steingaßners Ziegelwerk) und begab sich auch mehrmals zur Sandgrube beim »alten Landgut« auf dem Laaerberg (Wien, X.), um, von Herrn Oberlehrer J. Leth freundlichst unterstützt, einige daselbst ausgegrabene Mastodonreste für das Museum zu erwerben.

Endlich besichtigte er im Oktober einen im Steinbruch der Gebrüder Hollitzer zu Deutsch-Altenburg (Niederösterreich) gemachten Fund von diluvialen Säugetierknochen (*Ursus, Equus* etc.), welche dann nach Wien gesandt wurden.

Publikationen:

Blaschke, Dr. F.: Zur Tithonfauna von Stramberg in Mähren. (Annalen d. k. k. naturhist. Hofm., Bd. XXV, Wien 1911, p. 143—222, mit 6 Tafeln).

Trauth, Dr. F.: Die Oberkretazische Korallenfauna von Klogsdorf in Mähren. Eingeleitet von Dr. M. Remeš. (Zeitschr. d. mähr. Landesmuseums, Bd. XI, Brünn 1911, p. 1—104, mit 4 Tafeln und 8 Textfiguren.)

— Friedrich Blaschke. (Mitt. d. geol. Gesellsch. in Wien, Bd. IV, 1911, p.322—323.)

e) Anthropologisch-ethnographische Abteilung.

Regierungsrat Franz Heger unternahm im amtlichen Auftrage in der zweiten Hälfte des Monates August von seinem im Salzburgischen gelegenen Sommerdomizil aus eine Reise nach Chemnitz, um dort die neuerworbene große Sammlung von argentinischen Altertümern zu übernehmen und nach Wien zu expedieren. Sein Weg führte ihn zuerst von Salzburg nach München, wo er einen eintägigen Aufenthalt nahm, um die großartige altperuanische Sammlung zu besichtigen, welche vor einigen Jahren durch die Initiative Ihrer königl. Hoheit der Frau Prinzessin Therese von Bayern vom bayrischen Staate für das königl. ethnographische Museum erworben worden war. Sehr zu statten kam der wissenschaftlichen Durcharbeitung dieser ganz außerordentlichen Sammlung der Umstand, daß der bekannte Amerikanist Dr. Walter Lehmann inzwischen von Berlin an das königl. ethnographische Museum in München verpflichtet worden war. Dieser nahm sich auch mit großem Eifer der Durcharbeitung dieser Sammlung an und stellte sie provisorisch in dem alten Studiengebäude auf. Diese Sammlung ist besonders reich an köstlichen Stoffen, von denen viele zusammen mit ganz neuartig dekorierten Tongefäßen eine wichtige Etappe in der Erkenntnis der älteren peruanischen Kulturen abzugeben bestimmt sein werden.

Einen genußreichen Abend verbrachte er in München in dem gastlichen Hause des jüngst verstorbenen berühmten Geographen und Ethnologen Dr. Richard Andree und seiner nicht minder wissensreichen Gemahlin Frau Marie Andree-Eysn, bei dem auch der berühmte Sinologe Dr. Friedrich Hirth aus New-York und Dr. Walter Lehmann zugegen waren.

Von München ging es dann direkt nach Chemnitz, wo er sich bei der Übernahme der Sammlung des in Argentinien weilenden Herrn Rudolf Schreiter der liebenswürdigen Unterstützung seiner beiden Brüder Dr. Alfred und Emil Schreiter zu erfreuen hatte.

Nach Beendigung seiner Arbeiten in Chemnitz reiste er noch nach Dresden, um dort die so gelungene und reichhaltige Hygieneausstellung zu besichtigen, welche in anthropologischer und ethnographischer Beziehung viel des Interecsanten und Lehrreichen bot. Hier diente ihm Herr Emil Kühnscherf als freundlicher und kenntnisreicher Cicerone. Von Dresden aus erfolgte die direkte Rückkehr nach Wien, wo der Berichterstatter am Abende des 10. September eintraf.

In der Monatsversammlung der k. k. Geographischen Gesellschaft am 21. November hielt Regierungsrat Heger einen von zahlreichen Lichtbildern begleiteten Vortrag über seine beiden im Jahre 1910 ausgeführten Reisen nach Amerika zum Besuche der beiden Sessionen des XVII. internationalen Amerikanistenkongresses in Buenos-Aires und in Mexiko. (Siehe darüber den Bericht in diesen Annalen, Bd. XXIV [1910—1911], p. 53—70 der Notizen.)

Regierungsrat Josef Szombathy leitete in der Zeit von Mitte Januar bis Mitte September die im Vorjahre begonnenen Ausgrabungen in der «Fliegenhöhle» und in der «Knochenhöhle» bei St. Kanzian am Triestiner Karst und begab sich im Laufe des Jahres zu mehrtägigen Inspektionen siebenmal dahin. Die namhafte, aus Bronzen der letzten Bronzezeit und aus menschlichen und tierischen Skeletteilen bestehende Ausbeute floß der prähistorischen Sammlung als Geschenk der kais. Akademie der Wissenschaften und des Herrn Artur Perger zu. Von kleineren Aufsammlungen und Studienreisen sind zu erwähnen: Am 31. März Teilnahme an der Ausgrabung Dr. Bayers in den frühbronzezeitlichen Skelettgräbern von Unterwölbling, Niederösterreich; am 29. April Untersuchung eines vermeintlichen Plattengrabes in Hainbach; am 2. und 3. Mai Untersuchung der neuentdeckten Reste eines prähistorischen Bergbaues im «Grüner Sinkwerke» am Salzberge von Hallstatt; am 24. und 25. Mai Besuch der Sammlungen und mehrerer prähistorischer Fundstellen von Unterretzbach, Retz und Drosendorf; am 1. Juni Fahrt nach Steinitz in Mähren zum Studium und zur Abschätzung der prähistorischen Sammlung des Dr. Martin Kříž; am 20. Juni Ausgrabung eines Skelettes aus dem frühen Mittelalter bei Laa a. d. Thaya; am 27. Juni Teilnahme an den Ausgrabungen Dr. Bayers im Löß von Aggsbach; am 2. Juli Untersuchung von Skelettgräbern der römischen Kaiserzeit an der Langenlebarner Straße in Tulln; am 23. Juli Inspektion der Fundstellen von Willendorf, endlich am 30. November Untersuchung der frühslawischen Skelettgräber und der prähistorischen Fundstellen auf der alten Kaiserburg in Eger, Böhmen. In der Zeit vom 5. bis 15. August nahm Regierungsrat Szombathy an der gemeinsamen Versammlung der Deutschen und der Wiener Anthropologischen Gesellschaft in Heilbronn und an der prähistorischen Konferenz in Tübingen teil. Von seiner Vortragstätigkeit seien erwähnt die Vorträge über Gräberfunde von Roje bei Moräutsch in Krain (in der Wiener Anthropologischen Gesellschaft), über die Ausgrabungen in der «Fliegenhöhle» bei St. Kanzian und über die Orientierung von Schädelzeichnungen (beide in der Anthropologenversammlung zu Heilbronn), über die ältesten Spuren der bildenden Kunst in Europa (im Wissenschaftlichen Klub) und über die Lößfundstätten von Willendorf (in der Sektion für Naturkunde des Österr. Touristen-Klubs). Zusammen mit Prof. Dr. M. Hoernes hielt er während der Dauer des Wintersemesters in den Bibliotheksräumen der prähistorischen Sammlung alle 14 Tage ein zweistündiges prähistorisches Konversatorium ab.

Kustos Prof. Dr. M. Haberlandt erhielt eine Subvention zum Besuche der Deutschen Anthropologenversammlung in Heidelberg.

Assistent Dr. Josef Bayer setzte die Untersuchung des bronzezeitlichen Gräberfeldes bei Wölbling, G.-B. Herzogenburg, N.-Ö., im März 1911 fort und fand daselbst 10 Skelettgräber, deren eines sich durch einen *Dentalium*-Halsschmuck auszeichnete. Im Juni begann derselbe die systematische Ausgrabung paläolithischer Kulturschichten im Löß von Aggsbach, welche eine reiche Ausbeute an Steinartefakten und Faunenresten des jüngeren Aurignacien ergab. Anfangs August beteiligte er sich an der paläolithischen Konferenz zu Tübingen, woselbst er einen Vortrag «Das geologisch-archäologische Verhältnis im Eiszeitalter» hielt. Im September und Oktober untersuchte er eine von ihm im Jahre 1909 entdeckte Paläolithstation im Löß bei Getzersdorf, G.-B. Herzogenburg, N.-Ö., welche nach den Formen der Steingeräte ebenso wie die anderen Lößfundstellen Niederösterreichs dem Aurignacien zugerechnet werden muß. Im Laufe des Jahres unternahm derselbe einige Inspektionsfahrten, vornehmlich nach Willendorf, an letzteren Ort zwecks Ankauf der Funde in der Ziegelei Merkl.

Publikationen:

Szombathy, Josef: La tène-Gräber in Roje bei Moräutsch in Unterkrain. (Mitt. A.-G. XLI, Wien 1911, Sitzber., p. 20.)

— Bronzefunde aus der Fliegenhöhle bei St. Kanzian. (Korresp.-Bl. D. A. G. XLII, 1911, p. 152. Ebenso: Sitzber. A.-G., Wien 1912, p. 98.)

— Zur Orientierung der Schädelzeichnungen. (Ebenda, p. 102, bezw. p. 48.)

Bayer, Dr. Josef: Das Klima des Riß-Würm-Interglacials. (Jahrb. f. Altertumskunde d. k. k. Zentralkomm., Bd. V, p. 98.)

Band XXVI.

Nr. 3—4.

ANNALEN

DES

K. K. NATURHISTORISCHEN HOFMUSEUMS.

REDIGIERT

VON

DR· FRANZ STEINDACHNER.

(MIT 4 TAFELN UND 91 ABBILDUNGEN IM TEXTE.)

WIEN 1912.

ALFRED HÖLDER

K. U. K. HOF- UND UNIVERSITÄTS-BUCHHÄNDLER
BUCHHÄNDLER DER KAISERLICHEN AKADEMIE DER WISSENSCHAFTEN.

Die Annalen des K. K. Naturhistorischen Hofmuseums erscheinen jährlich in einem Band. Der Pränumerationspreis für den Jahrgang beträgt K 20.—.

Zu beziehen durch die Hof- und Universitäts-Buchhandlung von A. Hölder in Wien.

INHALT DES III. UND IV. HEFTES.

Druck:
Customized Business Services GmbH
im Auftrag der KNV-Gruppe
Ferdinand-Jühlke-Str. 7
99095 Erfurt